letras mexicanas

OCTAVIO PAZ

OBRAS COMPLETAS

EDICIÓN DEL AUTOR

OBRAS COMPLETAS DE OCTAVIO PAZ
(8 volúmenes)

1
La casa de la presencia
POESÍA E HISTORIA

2
Excursiones / Incursiones
DOMINIO EXTRANJERO
Fundación y disidencia
DOMINIO HISPÁNICO

3
Generaciones y semblanzas
DOMINIO MEXICANO
Sor Juana Inés de la Cruz
o Las trampas de la fe

4
Los privilegios de la vista
ARTE MODERNO UNIVERSAL
ARTE DE MÉXICO

5
El peregrino en su patria
HISTORIA Y POLÍTICA DE MÉXICO

6
Ideas y costumbres
LA LETRA Y EL CETRO
USOS Y SÍMBOLOS

7
Obra poética

8
Miscelánea
PRIMEROS ESCRITOS Y ENTREVISTAS

Nota del editor

Esta nueva edición de las *Obras completas* de Octavio Paz retoma las publicadas primero por Círculo de Lectores en Barcelona, entre 1991 y 2003, y después por el Fondo de Cultura Económica en México, entre 1994 y 2004. Puesto que al preparar esa versión en quince tomos el autor seguía escribiendo, algunos de sus textos no pudieron ser recogidos en el volumen temático que les habría correspondido. En los meses finales de su vida, Paz revisó y reestructuró sus obras completas para que todos los escritos que decidió incluir aparecieran en el contexto adecuado. Entre 1999 y 2005, Galaxia Gutenberg/Círculo de Lectores publicó por vez primera una edición en ocho tomos; la que el lector tiene en sus manos sigue el mismo orden pero con un diseño y un cuidado editorial propios.

Octavio Paz estaba seguro de que «los grandes libros —quiero decir: los libros necesarios— son aquellos que logran responder a las preguntas que, oscuramente y sin formularlas del todo, se hace el resto de los hombres». El Fondo de Cultura Económica reafirma estas palabras al publicar una obra que da testimonio de una larga y diversa experiencia vital y de sus variados intereses en las letras hispánicas y la historia de los pueblos de México y América Latina, así como en las artes y las culturas de Norteamérica, Europa y Asia. Esta edición, obra del propio Paz, reagrupa en ocho volúmenes la poesía, la prosa, el arte verbal y el pensamiento del Nobel mexicano; con ella conmemoramos el centenario del nacimiento de una figura capital de la literatura del siglo XX.

FONDO DE CULTURA ECONÓMICA
Ciudad de México, 2014

OCTAVIO PAZ

OBRAS COMPLETAS

II

Excursiones / Incursiones

DOMINIO EXTRANJERO

✦

Fundación y disidencia

DOMINIO HISPÁNICO

FONDO DE CULTURA ECONÓMICA

Excursiones/Incursiones: primera edición (FCE/Círculo de Lectores), 1994
Fundación y disidencia: primera edición (FCE/Círculo de Lectores), 1994
Segunda edición (FCE), 2014

Paz, Octavio
Obras completas, II. Excursiones / Incursiones ; Dominio extranjero ; Fundación y disidencia ; Dominio hispánico / Octavio Paz. — 2ª ed. — México : FCE, 2014.
1019 p. ; 21 × 14 cm — (Colec. Letras Mexicanas)
ISBN 978-607-16-1885-6 (obra completa)
ISBN 978-607-16-1877-1 (volumen II)

1. Ensayos Mexicanos — Siglo XX 2. Literatura Mexicana — Siglo XX

LC PQ7297 Dewey M863 P348o V.2

Distribución mundial en español (excepto España)

Carretera Picacho-Ajusco, 227; 14738 México, D. F.
Empresa certificada ISO 9001:2008

Comentarios: editorial@fondodeculturaeconomica.com
www.fondodeculturaeconomica.com
Tel. (55) 5227-4672

Diseño de portada: Paola Álvarez Baldit
Dibujos de portada y cartera: José Moreno Villa

ISBN 978-607-16-1885-6 (Obra completa)
ISBN 978-607-16-1877-1 (Volumen II)

Impreso en México • *Printed in Mexico*

Excursiones / Incursiones

DOMINIO EXTRANJERO

Advertencia del editor

Excursiones / Incursiones constituía el volumen 2 en la primera edición de las *Obras completas* (1994). En esta nueva edición, el primer apartado, «Entre Uno y Muchos», pasó a formar parte del volumen I, y se añaden aquí los textos que por afinidades temáticas corresponden a este volumen y que en la edición anterior se publicaron en el volumen 14, *Miscelánea II. Últimos escritos.* Estos textos son: «André Breton: la niebla y el relámpago», «Benjamin Péret: la noche del siglo», «Las piedras legibles de Roger Caillois», «Imagen de Michaux (1869-1984)», «Roman Jakobson», «Héctor Bianciotti: la libertad y la forma», «Irving Howe (1920-1993)», «François Bondy, "el incorruptible"», «Cioran: cincelador de cenotafios», «Una Francia íntima», «La ciudad y la literatura» y «Un poema es muchos poemas: Claude Roy». En cuanto a «*Kavya:* 25 epigramas», que también se incluye en esta primera parte del volumen II, se publicó en *Obra poética II,* en la edición anterior.

Muchos de los textos que integran este volumen son prólogos, introducciones y notas preliminares a las traducciones de Paz. Este volumen tiene, por tanto, una estrecha relación con *Versiones y diversiones,* libro que recoge todas las traducciones de Paz y que incluimos al final de *Obra poética,* volumen VII de esta edición de las *Obras completas.* Por ello, en ocasiones algunas versiones se consignan en ambos volúmenes, pero ciertas notas o prólogos, por su tono y naturaleza, sólo se anotan en *Versiones y diversiones.* Es el caso, por ejemplo, de los textos sobre Théophile de Viau, Li Po, Su Tung-p'o, Chuang-tsé y Li Ch'ing-chao.

Al final de cada uno de los ensayos que integran este volumen, el lector encontrará la información concerniente a la procedencia de los textos. Tras la fecha en que se escribió se da la referencia del libro donde se publicó por primera vez; si no hubiera sido recogido en libro, se da el medio en el que apareció por vez primera. En el caso de textos inéditos cuando se publicó la primera edición de las *Obras completas,* así se hace constar. Los libros de procedencia son los siguientes: *Corriente alterna, Cuadrivio, Hombres en su siglo y otros ensayos, In/mediaciones, Las peras del olmo, Puertas al campo, El signo y el garabato* y *Sombras de obras.*

PRÓLOGO

Excursiones e incursiones

El deseo del viaje es innato en los hombres; no es enteramente humano aquel que no lo haya sentido alguna vez. No menos común es pensar que los mejores viajes son aquellos que hacemos con el cuerpo quieto, los ojos cerrados y la mente despierta. La lectura es otra manera de viajar sin moverse, sólo que, a diferencia de los frágiles mundos recorridos durante el viaje mental, al leer nos enfrentamos a una realidad que no es hija de nuestra fantasía y que debemos penetrar y explorar. Como una ciudad a la orilla de un río o un paraje en una montaña, el libro tiene una realidad material y ocupa un lugar en el espacio; basta con sacarlo del estante y abrirlo para viajar en sus páginas. Cada lectura, como ocurre en los viajes reales, nos revela un país que es el mismo para todos los viajeros y que, sin embargo, es distinto para cada uno. Un país que cambia con el tiempo y con nuestros cambios: no es lo mismo leer *La cartuja de Parma* a los veinticinco años que volver a leerla a los sesenta. No es lo mismo ni es la misma novela. Los libros nos abren, además, una posibilidad que no ofrecen los viajes reales: viajar en el tiempo. Podemos recorrer la Galia del siglo I a.C. con Julio César como guía, presenciar la fuga de Aquiles perseguido por el río Escamandro o participar con Bernal Díaz del Castillo en el sitio de Tenochtitlan. Viajes a otros tiempos y a otros mundos con Dante o con Wells, viajes fuera del tiempo con algunos poetas y místicos.

Comencé a viajar cuando aprendí a leer, es decir, en mi infancia. Los juegos y la lectura no fueron nunca, para la gente de mi edad, actividades enemigas ni mundos separados: nuestros juegos prolongaban de esta o de aquella manera las aventuras y las peripecias de nuestras lecturas solitarias. Entre leer y jugar había muchos puentes trazados por la imaginación que nos conducían a los países movibles que inventa el deseo. ¿Cuáles son los puentes de los muchachos de ahora, quién los traza y qué mundos unen? No lo sé. Temo que su facultad imaginativa haya sido dañada irreparablemente: están atados a la pantalla de la televisión y a su mundo de imágenes prefabricadas e inmediatas. La imaginación es hija del deseo y el deseo nace con la distancia. La televisión suprime la distancia: el espectador no desea ni imagina: ve y se contenta con ver. Todo está a la vista. Al leer interpretamos un texto, lo desciframos y, en una palabra, lo recreamos; la televisión ahorra el trabajo de la interpretación y suprime el placer de la reinvención. El uso perverso de la televisión (creo que hay otras maneras de emplearla) es un síntoma más de ese acelerado movimiento de nuestras sociedades hacia una barbarie sin paralelo en la historia. La antigua barbarie era un estado anterior a la civilización, fuera de ella; la nueva es un resultado de nuestra civilización y dispone de un arma desconocida por los godos y los hunos: la técnica.

La lectura es una excursión, una carrera hacia afuera o, como dice el diccionario, «una salida del lugar donde se vive». Las excursiones son cortas y tienen por objeto no sólo el placer y el ejercicio físico sino el estudio de la flora, la fauna, la geología y los monumentos de la región que se visita. Excursión también significa correría en territorio enemigo, incursión en tierras extrañas. Los expedicionarios regresan de esas incursiones cargados de botín. (Esto es lo que ocurre con las alusiones y las citas en los poemas de Pound: más que un museo o una colección son una sala de trofeos.) Después de las excursiones, se conversa sobre lo que se ha visto; después de las incursiones, se muestran los objetos y tesoros recogidos. Nada más natural, por esto, que uno de los grandes placeres de la lectura haya sido comentar con uno o dos amigos las páginas leídas en nuestras excursiones e incursiones. La edad moderna transformó las conversaciones íntimas en un nuevo género: toda esa vasta literatura compuesta de libros sobre los libros leídos. El género es una extensión, a veces cancerosa, de la crítica. También es algo más y algo distinto: crónica de viaje y guía topográfica, descripción y análisis, historia y confesión, reconocimiento y conquista, descubrimiento y colonización.

Cuando comencé a escribir y a frecuentar los ambientes literarios, advertí que era más fácil lograr que las revistas publicasen algún artículo mío sobre un libro reciente que uno de mis poemas. No me desanimé y decidí colaborar en las revistas y en los diarios. Soy curioso y me agradan las novedades de hoy o de hace mil años; también me gusta compartir mis descubrimientos y mis preferencias. Por temperamento y por íntima convicción me ajusto con dificultad a las opiniones recibidas. Como muy pocas veces he resistido a la tentación de decir mi inconformidad, me he visto envuelto en ásperas discusiones y querellas envenenadas. Era fatal que esto ocurriese en un medio como el mexicano. Entre nosotros la disidencia se convierte fácilmente en herejía y la crítica en excomunión. Fui imprudente y fui condenado a una suerte de ostracismo. No me arrepiento: prefiero la soledad a las malas compañías. Pero no todo fue negativo: tuve algunas satisfacciones que sería exagerado llamar amargas y gané amigos y lectores. La práctica del periodismo literario tiene muchos peligros; el más grave, como se ha señalado muchas veces, consiste en confundir nuestras impresiones personales con la crítica propiamente dicha. Sus ventajas, sin embargo, son notorias: aguza nuestra sensibilidad, pule nuestro entendimiento y es una brújula que nos orienta un poco en el mar incierto de la actualidad literaria. En el mejor de los casos, llega a ser una carta de marear que, aunque no nos preserva de las tempestades, las calmas chichas y los naufragios, nos ayuda a descubrir el rumbo de los vientos, es decir, el espíritu de los tiempos.

Durante años y años escribí ensayos, artículos y notas sobre mis lecturas y mis aficiones y antipatías literarias, artísticas y políticas. Al cabo del tiempo los artículos se transformaron en libros y éstos en varios tomos de mis *Obras*. En el campo de la literatura son tres: *Excursiones / Incursiones,* consagrado a las letras de otras lenguas; *Fundación y disidencia,* a las hispánicas, y *Generaciones y semblanzas,* a las de mi país. Ante ellos me pregunto: ¿reflejan realmente mis gustos y mis pasiones? En mi adolescencia leí con fervor a un puñado de novelistas, filósofos, poetas e historiadores. Muy pocos de ellos aparecen en las páginas que ahora reúno. Es fácil comprender la razón: habría sido superfluo e incluso un poco cómico escribir un nuevo estudio sobre Balzac o Schopenhauer, *Los hermanos Karamazov* o *Robinson Crusoe*. Pero confío en que algo de esas lecturas haya quedado en mis escritos, en mis gustos y en mis opiniones. Son parte de mi ser y sin ellos no sería lo que soy. La obra de un escritor no consiste solamente en lo que dice sino que abarca esa zona no dicha desde la que escribe. Lo no dicho es una zona invisible como la mitad sumergida del iceberg y está hecha de lo vivido y lo pensado, lo leído y lo olvidado.

A pesar de la diversidad de los asuntos y de haber sido escritos a lo largo de más de medio siglo, me parece que los textos reunidos en este libro me representan con cierta fidelidad. Me atrevo a decir algo más: aunque fueron escritos para responder a esta o aquella circunstancia, sin intención preconcebida ni propósito ulterior, poseen unidad. No la unidad de la teoría ni la del tratado sino la más secreta de la vida. Son capítulos de una biografía en la que cuenta no tanto lo vivido como lo pensado y, más que lo pensado, lo sentido y lo deseado. Hablé antes de carta de marear; añado: este libro y los otros dos que lo siguen pueden verse como un mapa de las navegaciones de un poeta mexicano que comienza a escribir hacia 1935. En este sentido, estos ensayos y artículos, destinados originalmente al periodismo literario, son también y sin que su autor se lo haya propuesto expresamente, una pequeña contribución a la historia de la poesía moderna de lengua española. Desde esta perspectiva las omisiones y las lagunas también son un testimonio: no dicen pero señalan. Quizá no sea inútil añadir que en mis excursiones e incursiones preferí aventurarme por regiones poco exploradas y que durante esas correrías hice algunos pequeños descubrimientos. Lo digo con un poco de inocente vanidad y sin olvidar que la dirección general del conjunto es lo que de verdad cuenta. Dirección ¿hacia dónde? La respuesta no es inequívoca. Los textos aquí reunidos representan una búsqueda y apuntan hacia una dirección que el lector debe descubrir.

En un libro cuyos temas son poetas y escritores de otras lenguas, no podían faltar algunas reflexiones sobre el arte de traducir.[1] Teoría pero también práctica de la traducción: a los ensayos suceden versiones de algunos poemas y comentarios sobre esos poemas y sus autores. La traducción es el resultado de la diversidad de lenguas que hablamos los hombres, un enigma no menos inextrincable que el tabú del incesto o el del origen mismo del lenguaje. Si la especie humana es una, ¿por qué hay muchas lenguas? La pluralidad de idiomas es un desafío tanto a la universalidad de la razón humana como a la noción de *divinidad.* ¿Por qué, si el entendimiento es uno, se dispersa en lenguas que nunca, aunque hablen de lo mismo, dicen lo mismo? ¿Por qué Dios, que habla a todos los hombres, les habla precisamente en hebreo o en árabe, en sánscrito o en griego? Los hombres no cesan, desde el principio del principio, de hacerse estas preguntas. Al mismo tiempo, sin aguardar siquiera una respuesta, no cesan de traducir. La cultura comienza con el lenguaje y el lenguaje es esencialmente traducción. Comienza en el interior mismo de cada lengua: la ma-

[1] Los textos sobre la traducción («Lectura y contemplación» y «Literatura y literalidad») pasaron a formar parte del primer volumen, *La casa de la presencia*, de estas *Obras completas (OC)*.

dre traduce al niño, el sabio a las palabras de los antiguos, el brujo a los animales y las plantas, el astrólogo a las constelaciones. La historia de las civilizaciones es la historia de las traducciones que han hecho los pueblos de la cultura de sus antepasados y de la de sus vecinos, sus enemigos y sus vasallos. Traducir no sólo es trasladar sino transmutar. Esa transmutación cambia al traductor y lo que se traduce: el cristianismo cambió al mundo grecorromano pero la Antigüedad grecorromana cambió al cristianismo.

Las preguntas que se han hecho y se hacen los teólogos, los filósofos y los lingüistas acerca de la traducción pueden trasladarse al ámbito de la literatura: ¿cuál es la función de la traducción literaria y cuáles son sus límites? La poesía es un arte íntimamente unido a la palabra y a sus propiedades físicas y significativas: ¿puede traducirse? ¿Qué es lo que queda de Verlaine en español o de Shakespeare en francés? Para un poeta hispanoamericano estas preguntas y otras semejantes, en la segunda mitad del siglo, tenían y tienen un carácter perentorio. Desde el periodo modernista los poetas de nuestra lengua emprendieron una doble empresa: asimilar la tradición poética moderna e insertar a nuestra poesía en esa tradición. Darío quiso modernizar a la poesía de nuestra lengua y, al mismo tiempo, ser un poeta moderno. Por esto, en el mismo año en que reúne sus escritos sobre poetas extranjeros, *Los raros* (1896), publica el libro que inaugura el modernismo: *Prosas profanas*. Todos los que vinimos después, con mayor o menor fortuna, lo hemos seguido. Puede decirse, sin demasiada exageración, que la poesía moderna de nuestra lengua ha sido una traducción. Pero una traducción creadora, es decir, una verdadera transmutación.

La riqueza y la excelencia del corpus poético de este siglo —sólo se le puede comparar el del Siglo de Oro— ha sido resultado, en buena parte, de esta hibridación universal iniciada por Darío. Cierto, la modernidad de Darío no es la nuestra. La modernidad cambia continuamente; agrego que cambia porque nosotros la cambiamos: la modernidad somos nosotros. Como ella, estamos condenados a ser mero tránsito. En la sección final de *El arco y la lira* y en *Los hijos del limo* procuré enfrentarme a la paradoja de la modernidad, que se niega en sus cambios y así se perpetúa. Los ensayos y notas que componen este volumen son prolongaciones y extensiones de los capítulos que he dedicado a la tradición poética moderna en esos dos libros. Las lagunas son muchas —¡cómo me hubiera gustado escribir unas pocas páginas sobre Nerval!— pero confieso que no lo lamento demasiado: no me propuse escribir una historia de la poesía moderna sino trazar unos cuantos apuntes rápidos al margen de mis lecturas y de mi vida. Verdaderos croquis de viaje.

En el movimiento poético moderno, el surrealismo tiene un lugar de elección.[1] El *Primer manifiesto* apareció en 1924: yo tenía diez años, vivía en un pequeño pueblo de las afueras de México, estudiaba en un colegio católico francés y cada mañana naufragaba con Simbad o me hervían los sesos con Monsieur Dupin o con Mister Holmes. Años después, durante la segunda Guerra Mundial, conocí a varios poetas y pintores surrealistas refugiados en México. Me sentí inmediatamente atraído. Muchas de sus opiniones me deslumbraban, otras me intrigaban y algunas me dejaban perplejo. Ellos y ellas me parecían adeptos de una comunidad de iniciados, dispersos por el mundo y empeñados en una búsqueda antiquísima: encontrar el perdido camino que une al microcosmos con el macrocosmos. Eran los herederos del romanticismo pero también de los gnósticos del siglo IV. Con Leonora Carrington hablaba de los druidas, con Remedios Varo de alquimia, y con Wolfgang Paalen de los canales secretos que unen el hermetismo con la física contemporánea. A Benjamin Péret me unieron el culto a la poesía, el humor, preocupaciones políticas semejantes y la misma fascinación ante las cosmogonías de los indios mexicanos. Péret había vivido en Brasil, había combatido en Cataluña en las filas del POUM[2] y hablaba con soltura el español. Para Buñuel, el más profundo y puramente surrealista de los poetas surrealistas era Péret. No se equivocaba. Sencillo y recto, estaba hecho, como se dice corrientemente, de «buena madera». ¿Qué madera: pino, caoba, cedro, encino? La madera recia de los héroes simples de espíritu, la madera de Pedro el Apóstol.

Gracias a Péret conocí al fin, ya en París, en 1948 o 1949, a Breton. A poco de conocerlo me invitó a colaborar en el *Almanaque Surrealista de Medio Siglo* y comencé a asistir a las reuniones del grupo, en el Café de la Place Blanche y en otros sitios. Los pilares de estas reuniones eran André y Benjamin, el primero acompañado casi siempre por Elisa, su mujer. Me unía a ella el idioma (es chilena) y algo que era una herejía para Breton: el amor a la música. Concurrían muchos jóvenes y, de vez en cuando, algunos veteranos de las campañas pasadas: Max Ernst, Miró, Herold y, más raramente, Julien Gracq. Con él y con otros dos escritores recién llegados como yo a las reuniones, André Pieyre de Mandiargues y Georges

[1] Escribo *surrealismo* y no *superrealismo* porque el uso ha naturalizado en nuestra lengua ese vocablo. Lo mismo ocurre en inglés y en otros idiomas.

[2] Partido Obrero de Unificación Marxista.

Schehadé, me sentía más a gusto. Gracq no es solamente un gran escritor sino un hombre discreto y cortés, que sabe conversar y callar cuando es necesario. Mis mejores amigos fueron Mandiargues, brillante y fantasmagórico como un cuento de Arnim, y Schehadé, siempre con un racimo de proverbios acabado de cortar en un árbol del Paraíso. Las reuniones eran ceremonias rituales. Más de una vez me dije que había llegado a ellas veinte años tarde. Pero el rescoldo de la gran hoguera que fue el surrealismo todavía calentaba mis huesos y encendía mi imaginación.

El surrealismo se presentó como una revolución y una ruptura. Lo fue. Incluso puede decirse que, en esa historia de sucesivas rupturas que ha sido la poesía moderna desde el romanticismo, el surrealismo fue la gran y última ruptura. Todo lo que ha venido después ha sido combinaciones y recreaciones. El surrealismo fue, además, una tradición. En los primeros tiempos este hecho pasó casi inadvertido, pero Breton no tardó en darse cuenta y lo asumió con valerosa lucidez, primero de modo paulatino y con mayor decisión a medida que pasaban los años. Dije antes que desde mi primer contacto con el grupo, en México, me había fascinado el carácter tradicional del surrealismo; ya en París y en las postrimerías del movimiento, vi con mayor claridad todo lo que lo unía a las sectas gnósticas de los primeros siglos, al hermetismo neoplatónico del Renacimiento y a la intrincada y poderosa red subterránea del iluminismo que atraviesa los siglos XVIII y XIX. Doble faz del surrealismo: fue una revolución, algo que comienza, y una tradición, algo que regresa.

En otros escritos he señalado que la poesía norteamericana moderna ejerció sobre mí una atracción no menos profunda que la del surrealismo, aunque en sentido distinto y de manera indirecta. Con los poetas norteamericanos la historia, expulsada por los simbolistas, regresa al poema. Es claro que no fueron los únicos y apenas si necesito recordar, entre otros, los poemas de Maiakovski. Pero los norteamericanos no escribieron proclamas en verso; nos dieron una visión singular del mundo moderno en la que nuestras ciudades son también las de la Antigüedad. Quiero decir: su visión del hombre se expresó en imágenes sincréticas de su destino terrestre: la historia como gesta de la tribu (Pound) o como prueba del alma (Eliot). Rasgos semejantes, combinados de distintas maneras, aparecen en otros poetas de esa generación como Williams, Hart Crane e incluso Wallace Stevens. Pues bien, encontré en la poesía norteamericana de ese periodo la misma dualidad del surrealismo. La misma pero en la forma de una simetría inversa. Pound y Eliot, los dos teóricos del llamado, impropiamente, *modernism* angloamericano, sostuvieron siempre que sus innovaciones eran en realidad una restauración de la tradición. Sus ideas políticas conservadoras estaban en consonancia con su estética del mismo modo que el radicalismo revolucionario de los surrealistas coincidía con su poética ultrarromántica. Sin embargo, así como el surrealismo fue el regreso de la tradición subterránea de Occidente, el *modernism* angloamericano fue una verdadera revolución poética. En un caso la subversión abrió las puertas a la tradición; en el otro, la restauración condujo a la revolución.

Entre 1960 y 1962 publiqué algunas reflexiones, recogidas en este libro, sobre el uso de las sustancias alucinógenas y su relación con la poesía. El origen del uso de estas sustancias con fines mágicos y religiosos se esconde en las nieblas de la prehistoria; las drogas psicodélicas también son un capítulo de la historia de la imaginación humana y tienen una conexión, a veces íntima, con las artes y la literatura. Ocuparse de este asunto en 1960 podía provocar alguna discusión pero no era peligroso; hoy es imposible tratarlo sin exponerse a serios equívocos. Es comprensible: el tema de las drogas colinda, por un lado, con la delincuencia internacional y, por el otro, con la salud pública. La producción y la distribución ilícita de drogas se ha vuelto un inmenso negocio, controlado por bandas sin escrúpulos; a su vez, los resultados morales y sociales del uso generalizado de esas sustancias es aterrador: millones de seres humanos, principalmente jóvenes, han sido esclavizados por un hábito que los destruye física y moralmente. Estamos ante una dolencia social más grave que la del alcoholismo. Al mismo tiempo, es claro que las medidas represivas no han sido ni serán capaces de erradicar el uso de las drogas. La complejidad del problema, a un tiempo social y psicológico, económico y político, me prohíbe tanto pronunciarme sobre sus causas como proponer un remedio. Pero estos escrúpulos no deben ni pueden impedir que me atreva a exponer un puñado de comentarios. Siento, además, que estoy obligado a ello por lo que antes escribí acerca de los alucinógenos.

La gente no se inyecta ni ingiere esas sustancias por maldad o perversidad. Tampoco por ignorancia, aunque no niego que algunos, sobre todo los muy jóvenes, desconocen a veces el peligro a que los expone su uso. No descuento la importancia de otro factor: la imitación. Tomamos drogas porque un amigo, un vecino o nuestra amante las toma. Es un efecto negativo de la facultad imitativa de los hombres, en la que veía Aristóteles una de las superioridades de nuestra especie sobre los otros seres vivos. Las drogas corrigen levemente al filósofo: si la imitación es el camino del aprendizaje, también es el de la perdición. Pero ninguno de estos factores —podría añadir otros, unos psicológicos y morales, otros sociales y económicos— explica enteramente el fenómeno. Para comprenderlo un poco debemos comenzar por reconocer que el uso de las drogas corresponde a una necesidad psicológica. Las causas que provocan esa necesidad son muy variadas pero pueden resumirse en una: el desamparo espiritual, muchas veces también material, a que nos condena la sociedad contemporánea. El examen de las causas de este desamparo implica el examen de la naturaleza de la sociedad moderna. Es una tarea vastísima, que ha sido intentada muchas veces y con resultados contradictorios. No me propongo, por supuesto, tratar este tema y me limito a observar que, si de veras se quiere combatir el uso de las drogas, debe empezarse por el principio, es decir, por la reforma de la sociedad misma y de sus fundamentos sociales y espirituales.

Una vez sentada esta modesta premisa, haré un comentario más. Dije que el desamparo provoca una necesidad: ¿cuál es la índole de esa necesidad, cómo se llama? Nace de una carencia y tiene muchos nombres. Se manifiesta a veces como una sed de reposo y de olvido, otras como una sed por ir más allá de nuestras vidas mezquinas y tocar lo que nos prometen los cuentos y las mitologías. Es un ansia por salir de nosotros mismos para encontrar ¿qué? Nadie lo sabe exactamente. Sabemos, sí, que esa angustia es sed de felicidad, sed de bienestar. Las fallas de nuestras sociedades son múltiples y diversas, unas materiales y otras espirituales, unas económicas y otras políticas, pero a todas ellas las engloba la palabra *malestar*. La sed de bienestar es la respuesta al malestar de la sociedad y de los individuos. Las sociedades del pasado satisfacían esta sed de muchas maneras. Eran comunidades más pequeñas y menos homogéneas e impersonales; cada uno vivía dentro de una red de relaciones afectivas: la familia, el clan, la cofradía artesanal, las hermandades, las asociaciones profesionales, los barrios, las iglesias y las parroquias. El individuo no se sentía solo en el mundo. Y tenía al trasmundo: los sacramentos, los ritos, las ceremonias religiosas. El tiempo no era una sucesión vacía ni su transcurso era medido por el reloj sino por el alba y el mediodía, el atardecer y la noche. Cada año, en ciertos días señalados, el pasado y el presente confluían y con ellos los muertos y los vivos: la fiesta era, más que una pausa, una congregación de los tiempos. Hemos perdido todo eso. Vivimos en el desierto urbano.

La sed de felicidad está inscrita en la naturaleza humana. No es fácil definir a las palabras *felicidad* y *bienestar*. Los filósofos, los teólogos, los médicos y los psicólogos discuten interminablemente sobre su significado y todavía no se ponen de acuerdo. Mientras tanto, podemos decir con cierta confianza que el ansia de felicidad es también ansia de inmortalidad. Queremos ser felices para siempre. Esto es lo que nos ofrecen muchas religiones y algunas filosofías. Pero vivimos sobre esta tierra y en ella la felicidad, como todo lo demás, no es eterna. A lo más que podemos aspirar, aquí y ahora, es a vislumbres y atisbos momentáneos de ese estado de perfecta beatitud. Algunas experiencias pueden entreabrirnos las puertas de la visión: el amor, la contemplación, las artes, la poesía, la meditación filosófica, la comunión religiosa. Todas ellas son estados transitorios y difíciles de alcanzar. Exigen fortaleza de alma, concentración, desprendimiento y otras virtudes que sólo poseen las almas grandes o, más exactamente, las almas virtuosas. Además, algo que no depende de nosotros: *gracia*. ¿Quién otorga esa gracia? Es difícil responder pero no lo es decir que la gracia nunca es un don inmerecido. La gracia no es una dádiva anterior a la virtud: es su coronación.

El camino hacia la beatitud es largo y árido. De ahí que no sea extraño, como se ve en la historia de las religiones, que aparezcan una y otra vez doctrinas y movimientos que postulan una vía corta para alcanzar el éxtasis y aun la iluminación. El ejemplo más notable y consistente de estas tendencias pertenece al budismo chino *(Ch'an)*[1] y japonés *(Zen)*. Esta escuela predica la «iluminación súbita» aunque, hay que subrayarlo, lograda a través de una severa disciplina y de arduos ejercicios de meditación. La gran atracción de las drogas psicodélicas, y su gran peligro, consiste en que parecen ofrecer un camino corto y fácil hacia el éxtasis. La verdad es que la experiencia inmemorial muestra que es un camino que termina en un precipicio. Para evitar el despeño, la tradición insistió siempre en los ejercicios ascéticos, los ayunos, las privaciones y las técnicas de meditación. De ahí también el misterio que en la Antigüedad rodeaba a la ingestión de sustancias psicodélicas. El uso de las drogas alucinógenas fue invariablemente parte, en todas las tradiciones religiosas que acudieron a estas prácticas, de un ritual severo, trátese del Soma de la India

[1] *Ch'an* viene de *ch'an-na*, pronunciación china del término sánscrito *dhyana*, es decir, éxtasis, meditación. (Lilian Silburn, *Le Bouddhisme*, París, 1977.)

antigua, del hachís de la secta de Hasan Sabbah *(Hashishis)* o del peyote de los pueblos mesoamericanos. La sociedad moderna ha sido incapaz de integrar el uso de las drogas en un ritual y así transformarlo en una vía hacia una visión espiritual. Al contrario, lo ha convertido en un método de autodestrucción.

Espero haber mostrado que el problema social del uso de drogas apenas si tiene relación con mis reflexiones de hace treinta años. El estudio de las sustancias psicodélicas comprende muchas disciplinas, de la botánica y la química a la historia de la literatura y de las religiones. Esto último, las experiencias poéticas y las religiosas, fue lo que me atrajo. Aparte de mi interés de siempre por la creación poética, durante los años en que viví en la India, al leer el Rig Veda, me sorprendieron los himnos rituales consagrados al Soma, un licor sagrado que recuerda a la ambrosía de los dioses griegos. Pensé que quizá se trataba de una bebida a base de una sustancia psicodélica. Unos pocos años después Gordon Wasson daba a conocer su hipótesis: el Soma era el jugo de un hongo *(Amanita muscaria)*, filtrado y disuelto en agua. Las investigaciones de Wasson y sus asociados no se han limitado a los hongos alucinógenos de México y al Soma sino que abarcan otros temas como los Misterios de Eleusis, el significado del nombre del dios maya Huracán y la última cena del Buda, al cabo de la cual, antes de morir, alcanzó el gran éxtasis *(Mahāparanirvāna)*. En Eleusis los iniciados bebían probablemente una infusión que contenía ergotina; el nombre de Kulkuljá Huracán designa al rayo y asimismo a la *Amanita muscaria* y sus efectos (*huracán* no es palabra caribe, como dicen nuestros diccionarios, sino maya y aparece en el Popol Vuh); el Buda comió un hongo que, según la orientalista Stella Kramrisch, era un sustituto del Soma.

En 1971, en Cambridge (Mass.), Roman Jakobson me hizo conocer a Gordon Wasson. Al punto simpatizamos. Me distinguió con su amistad y así pude familiarizarme aún más con sus ideas. Fue un investigador admirable tanto por su tenacidad como por su poco común capacidad para encontrar relaciones insospechadas entre situaciones y objetos muy alejados. Como todos los que están poseídos por una sola idea, exageró la influencia de las sustancias psicodélicas en el origen de la religión. En su último libro, *Persephone's Quest (Entheogens and the Origins of Religion)*, publicado poco después de su muerte, defiende con elocuencia su tesis y sostiene que el origen de la religión es el culto al Soma o, más exactamente, al hongo *Amanita muscaria* y a sus efectos.[1] Inconforme con los dos nombres con que se conoce a las plantas y sustancias que dan o provocan visiones, uno por ser falso (alucinógeno) y otro por ser bárbaro (psicodélico), él y sus colaboradores forjaron un nuevo vocablo: *enteógeno*, es decir: dios engendrado en el interior (en la psiquis). Curiosa simplificación: hacer depender un fenómeno de la complejidad de la religión de un hongo y sus efectos. Las drogas pueden ser un estímulo fisiológico, como las prácticas ascéticas y los ayunos, pero la facultad visionaria está en el hombre mismo y reside en su imaginación.

Entre los textos que he recogido en este libro hay uno, «El banquete y el ermitaño», que leo con cierta incomodidad. Hoy matizaría muchas de las opiniones que ahí expongo. Por ejemplo, ver en el uso generalizado de los alucinógenos un signo del ocaso de nuestra visión del tiempo como sucesión lineal y del culto al futuro, fue una exageración. Debería haber dicho que era un signo negativo o, más bien, un síntoma de la bancarrota de ciertos valores de nuestra sociedad.[2] Mi pequeño ensayo desarrolla un paralelo entre el vino y las sustancias psicodélicas, el silencio y la comunicación, la comunión y la meditación solitaria. El vino y lo que el vino representa —el banquete platónico y la eucaristía cristiana— salen mal parados en mi comparación. Me dejé extraviar por mi entusiasmo ante las tradiciones orientales. ¿Cómo pude olvidar la poesía báquica de griegos y romanos o, en la época moderna, a Baudelaire y, entre nosotros, a Darío y a Neruda? En *Residencia en la tierra*, un libro que me sacudió hondamente cuando lo leí por primera vez (tenía veintidós años), hay un poema que es una visión sobrecogedora del vino:

> manchas moradas como lluvias caen,
> y el vino abre las puertas con asombro
> y en el refugio de los meses vuela
> su cuerpo de empapadas alas rojas.

[1] El libro de Wasson fue publicado por Yale University Press en 1986. El libro contiene también ensayos de Stella Kramrisch, Jonathan Ott, Carl A. Rucky y Wendy Doniger O'Flaherty. Es una hermosa edición abundantemente ilustrada, limitada únicamente a trescientos ejemplares.

[2] Me ocupo largamente tanto del fin de la visión lineal del tiempo histórico como del crepúsculo del futuro como idea rectora de nuestra civilización, en la sección final de *Los hijos del limo* y, sobre todo, en los ensayos sociales y políticos que forman parte del volumen VI, *Ideas y costunbres*, de estas *OC*.

También fui injusto con la tradición oriental. Uno de sus temas constantes es el elogio del vino, como puede verse en los admirables poemas arábigo-andaluces rescatados por Emilio García Gómez. Lo mismo ocurre con la poesía de persas e indios, chinos y japoneses. Wang Wei se despide del mundo mientras ve correr las nubes en el cielo y bebe una copa con un amigo; Li Po danza, borracho, con su sombra y con la luna; Su Tung-p'o afirma que el vino es la única recompensa del hombre de mérito. Para unos el vino es el camino del regreso al Gran Todo, al cosmos; para otros, es el rostro de una muchacha; y para otros, la claridad vacía de la beatitud.

Creo que uno de los pocos rasgos que rediment a nuestro siglo terrible —como lo procuran mostrar, así sea débilmente, algunos apuntes y notas de este libro— es la recuperación de las artes y las literaturas orientales. Son nuestro otro clasicismo, la mitad de nuestra herencia de hombres. Su influencia ha sido profunda y fecunda en muchos grandes poetas, dramaturgos y pintores de nuestra época. Por todo esto nada me parece mejor, para terminar este sinuoso prefacio, que unas líneas de la alabanza al vino del taoísta Liu Ling. En un breve texto en prosa describe a un bebedor (tal vez él mismo) para el que «la eternidad es una mañana y diez mil años un parpadeo. El sol y la lluvia son las ventanas de su casa; los ocho confines, sus avenidas. Marcha ligero, sin destino y sin dejar huellas: el cielo por techo, la tierra por jergón». El borracho de Liu Ling es un poeta-filósofo. Nos enseña que la locura es una sabiduría y que la inactividad es la mejor manera de unirse al movimiento universal de los elementos y los astros.

Octavio Paz

México, a 23 de febrero de 1991

EXCURSIONES/INCURSIONES

VERSIONES Y COMENTARIOS

Un poema de John Donne

La vida de John Donne (1572-1631) puede dividirse en dos periodos: la juventud libre del *dandy* y la madurez del clérigo que termina sus días como deán de San Pablo. La línea de división es su matrimonio secreto con Anne More, hija de sir Thomas More y sobrina de su protector, sir Thomas Egerton. Ante la cólera del padre de la muchacha, el tío no tuvo más remedio que despedir a su joven secretario: «Me separo de un amigo que, como secretario, era más digno de serlo de un rey que de un súbdito como yo». Y es fama que dijo, llevado por el amor de su siglo a los juegos de palabras: *John Donne: Anne Donne, undone...* Así fue: desde entonces (1601) hasta su ordenación (1615), Donne vivió en extrema pobreza y se vio reducido a alquilar su pluma. Lo malo no era que escribiese textos firmados por otros o que aparecían anónimos —nunca se consideró como un escritor profesional— sino que esos escritos fuesen polémicas y diatribas contra la fe de su infancia. Su madre descendía de una familia que contaba entre sus antepasados a una víctima del cisma anglicano: Thomas More; dos de sus tíos —uno de ellos traductor de Séneca— pertenecían a la Orden de Jesús, y varios de sus parientes y amigos habían sufrido persecución por sus creencias.

No todo lo que escribió en esos años de penuria circuló bajo nombres ajenos. Aparte de obras teológicas y de muchos poemas de tema devoto, destacan dos textos curiosos: *Biothanatos,* un ensayo sobre lo que podría llamarse, a la moderna, instinto de la muerte o gusto por la autodestrucción, y una sátira contra los jesuitas: *Ignatius his Conclave.* Los argumentos del primero le sirvieron después para su *Pseudo-Martyr,* alegato contra la doble oposición, católica y puritana, de los primeros años del reinado de Jaime I; Donne acusa a los enemigos del monarca de estar dominados por una insana, extravagante atracción por el martirio, como los suicidas de su *Biothanatos.* El segundo tiene por tema un viaje a la luna: el poeta propone que se transporte a ese planeta la Compañía de Jesús para que allá propague la herejía papista. Cuenta que en el infierno San Ignacio de Loyola ha sido elegido general de la Compañía de los Réprobos, no sin la envidia de seis rivales que aspiraban a ese puesto: Copérnico, Paracelso, Maquiavelo, Aretino, Cristóbal Colón y San Felipe Neri. La obra abunda en alusiones a la ciencia de su tiempo: Galileo, Copérnico, Kepler. Este último leyó el libelo y lo comentó así: «Sospecho que el autor de esta impudente sátira conoce un librito mío con el mismo tema (el viaje a la luna) porque me pincha desde las primeras páginas». Según el profesor Le Comte, a quien debo estas noticias, la acusación de Kepler no era del todo infundada.[1]

No es extraño que muchos hayan visto con desconfianza la conversión de Donne. Aunque en su juventud fue escéptico y libertino, cultivó siempre las amistades que podrían acercarlo al poder. Fue compañero del hijo y del entenado de Egerton en la expedición a las Azores y gracias a ellos este alto personaje lo nombró su secretario. Así, pues, las consideraciones de orden práctico no deben de haber sido del todo ajenas a su resolución de tomar las órdenes. Pero no creo que haya sido un sinvergüenza, a pesar de que con frecuencia sus intereses coincidiesen con sus creencias. La pasión lo llevó al libertinaje y después al gran amor; esa misma pasión explica el cambio de la madurez. Fue siempre el mismo hombre. Mejor dicho: la misma dualidad. Ser de pasión y de reflexión: vive y se mira vivir. El tema constante de sus meditaciones fueron su vida y su muerte. Se ve como si fuera otro, y se ve con tal lucidez y pasión como si ese otro fuese él mismo. En un retrato de juventud, mencionado expresamente por Donne en su testamento y que sólo fue descubierto en 1959, aparece como un *dandy* impecable: insolencia y melancolía. En la parte superior del cuadro hay una inscripción blasfema: *Illumina Tenebras Nostras, Domina.* Cinco semanas antes de morir, sabiendo su fin inminente, se retrata de nuevo; ahora en posición horizontal, los ojos cerrados, la barba blanca, el cuerpo cubierto por la mortaja y la cabeza «vuelta hacia el oriente, por donde volverá el Señor». *Domina* y *Domine.*

Esos retratos no representan a dos hombres distintos: el *dandy* es ya el predicador barroco. La desenvoltura elegante del joven está velada por la idea de la muerte; su exaltación del cuerpo femenino es un reto contra su destrucción, de pareja violencia al horror que le inspira ese mismo

[1] Edward Le Comte, *Grace to a Witty Sinner: a Life of Donne,* Nueva York, 1965.

cuerpo al final de su vida. La dualidad no se resuelve nunca en afirmación única: Donne no es ni un poeta sensual ni un autor místico. Su religiosidad brota de ese conflicto —su religiosidad y su erotismo. La unidad es inalcanzable, excepto en el instante, siempre irrecuperable, del frenesí o del éxtasis. Condenado a la contradicción y a la búsqueda de la unidad, Donne encuentra un equilibrio: el concepto, la metáfora, el estilo. El retrato del *dandy* es un emblema de las paradojas del poeta; el del muerto, una suerte de sermón último: la pompa de la muerte no es menos turbadora que la inscripción sacrílega. En uno y otro caso la forma se expresa como tensa coexistencia de los contrarios. No es tanto una manera de trascender sus contradicciones como un recurso para no ser desgarrado por ellas. Si no es una liberación, su estilo es una conciencia.

A su juventud corresponden los poemas amorosos, las elegías, las sátiras y esos ejemplos de prosa conceptista que han sido reunidos bajo el título de *Paradojas y problemas;* a la segunda parte de su vida, los escritos teológicos y polémicos, los sermones y meditaciones, los poemas sacros. Los temas cambian, no el hombre ni el estilo. En las *Paradojas* sostiene puntos de vista escandalosos: la infidelidad de las mujeres es una virtud, la naturaleza es nuestro peor guía, los dones del cuerpo son mejores que los del espíritu. En los *Problemas* se pregunta por qué los puritanos escriben sermones interminables y los cortesanos se vuelven más fácilmente ateos que los otros hombres. ¿Por qué Venus se llama Vésper y Héspero? Porque es la imagen misma de la pluralidad. Es la emperatriz de todos los soles (no el amor: la lujuria, mueve a las estrellas) y sus actos tienen más nombres que los vicios: rapto, fornicación, adulterio, incesto laico e incesto eclesiástico,[1] sodomía, masturbación, mastrupación... En los sermones y obras espirituales reaparece la misma furia verbal y la misma precisión intelectual. El tono es menos ligero pero los contrastes, oposiciones y síntesis no son menos arriesgados y violentos: «¡Qué casa ruinosa habita el hombre al vivir en sí mismo!» Pudo haber contradicción en su vida y en sus ideas; no la hubo en sus escritos porque todos ellos, prosa y poesía, no tienen otro tema que la contradicción, la dualidad que combate en cada uno de nosotros. En sus obras religiosas la dialéctica del pecado y la redención, la caída y la gracia, la finitud de la criatura y la infinitud del creador son la expresión de una conciencia corroída por la certidumbre de su mortalidad y sedienta de absoluto. Poeta de la muerte

[1] Donne no aclara la diferencia entre ambos.

de la carne y de la gloria del espíritu, Donne es también uno de los grandes poetas eróticos de Europa. Erotismo y religiosidad, ya se sabe, son experiencias afines y que tal vez brotan de la misma fuente. Ambas son un deslumbramiento y una revelación, así sea instantánea, de una realidad total. Aquel que ama de verdad a un cuerpo vivo, ama también a la muerte que ese cuerpo lleva escondida; la atracción que lo lleva a fundirse con él es atracción hacia la vida y hacia la muerte. El amor y la religión son metáforas que abrazan los contrarios de que estamos hechos.

La poesía de Donne se inscribe dentro de la llamada escuela «metafísica», tendencia no sin analogías con el conceptismo y el gongorismo españoles. Sabemos que el poeta inglés leía con facilidad nuestra lengua. Visitó España en su juventud y participó en la expedición y saqueo de Cádiz. En 1623 escribe a Buckingham, entonces en Madrid:

> I can thus make myself believe that I am where your lordship is, in Spain, that in my poor library, where indeed I am, I can turn mine eye towards no shelf, in any profession, from the mistress of my youth, Poetry, to the wife of mine age, Divinity, but that I meet more authors of that nation than of any other.

Las afinidades entre los «metafísicos» ingleses y los poetas españoles es uno de tantos temas apenas tocados por la crítica, en especial la de nuestra lengua. Aquí subrayo únicamente que los estilos nunca son nacionales. La literatura europea es un todo y ese todo no es la suma de las literaturas que lo componen. No hay una escuela poética inglesa, española o alemana: hay la poesía barroca, la neoclásica, la romántica, la simbolista. La mejor definición de las tendencias de la época de Donne se encuentra en *Agudeza y arte de ingenio*, un libro cuya lectura debería ser obligatoria para todos nuestros poetas jóvenes. (La obra de Gracián apareció en 1642, once años después de la muerte de Donne; sin embargo, la doctrina estética que la anima es la de su tiempo y no faltan los antecedentes: el más cercano es *Delle acutezze*, publicado por Matteo Pellegrini en 1639.) El escritor aragonés define al concepto como «un acto del entendimiento que exprime las correspondencias que se hallan entre los objetos». La agudeza es un concepto que maravilla al mismo entendimiento, que se contempla en ella y se asombra. La maravilla de la agudeza consiste en que nos descubre relaciones escondidas y así nos hace ver que no sabíamos en verdad aquello que creíamos saber. Es un artificio que alternativamente descubre y cubre a las cosas. De ambas maneras las muestra como si fuesen inéditas. Gracián concluye su libro con una defensa de la literatura de su tiempo: los antiguos conocieron y practicaron la agudeza pero no con la perfección de los modernos, que la han convertido en un arte.

Si la agudeza es la excelencia de los modernos, nadie más agudo que los «metafísicos» ingleses: en sus conceptos y metáforas la ciencia de la época —sus descubrimientos geográficos y sus hipótesis sobre el universo— se enlazan a las sutilezas mitológicas y filosóficas de los otros poetas europeos. Sus poemas están hechos de contrastes violentos y de conjunciones bruscas, no en el interior del lenguaje literario sino enfrentando el mundo de la ciencia al de la mitología, la teología a la pasión amorosa, las observaciones psicológicas a la erudición, el lenguaje real al ideal. Todos los grandes españoles tienden a crear un lenguaje culto, decoroso en unos y, en los más, refinado. Cierto, como ha dicho Dámaso Alonso, Góngora inventa con los elementos del lenguaje literario un idioma a la tercera potencia y, así, va más allá de sus contemporáneos. Góngora extrema la corriente general, no la contradice. En cambio, entre los «metafísicos» ingleses es frecuente el choque entre el lenguaje literario y el real, lo abstracto y lo concreto, lo nuevo y lo antiguo. El poema de Góngora es un monumento de luces y sombras, una transfiguración de la realidad; el de Donne es el zigzag del pensamiento que desgarra la sombra para iluminar brevemente una realidad anímica. Para el primero el mundo es un espectáculo que la imaginación vuelve asombroso; para el segundo el hombre es un enigma que la poesía, en su misma contradicción, revela: la paradoja y la agudeza corresponden a la complejidad real del hombre. Por último: si es cierto que Donne participa del espíritu de su siglo, también lo es que su propio espíritu lo lleva espontáneamente a expresarse en formas a un tiempo elípticas y directas. Temperamentos como el suyo se sienten naturalmente predispuestos a la paradoja y al concepto afilado y vuelto contra sí mismo. Para expresar un mundo contradictorio, hecho de afirmaciones y negaciones, no tienen más remedio que acudir a imágenes que funden los términos contrarios. Místicos y enamorados coinciden en este amor por los extremos, doblemente fascinados por la pluralidad de la pasión y por la pasión de la unidad.

En 1958, Jaime García Terrés publicó algunas excelentes traducciones de Donne en la *Revista de la Universidad de México*. Animado por su ejemplo, publiqué ese mismo año una versión de un poema de juventud. Aparece al final de esta nota, apenas corregida. El poema fue tal vez escrito poco después de su matrimonio con Anne More y no figura en la primera edición de sus obras, hecha tres años después de su muerte. Fue *excepted*, con otras cuatro elegías, por razones fáciles de comprender. Las *Elegías* de Donne, veinte en total, son realmente poemas de amor: *Jealousy, The Perfum, The Bracelet, Loves Progress, Loves Warr*... Mi traducción no es literal. Más bien es una adaptación al español y en muchos casos me aparto del original, aunque procurando siempre encontrar expresiones de valor equivalente a las inglesas. Por ejemplo, Donne no habla de un corpiño sino de un corsé, palabra para nosotros asociada al *vaudeville* del siglo pasado, de modo que la traducción literal habría sido una traición. Más adelante el poeta distingue a los malos espíritus de los buenos en que *They set our hairs, but these the flesh upright.* Conservar la expresión inglesa hubiera sonado a enormidad de gusto dudoso. Todo esto prueba que, pese al uso y abuso de palabrotas con que pretenden asombrarnos los escritores actuales, las lenguas del siglo XX son menos lozanas y terrestres, más pobres y tímidas que las de los siglos XVI y XVII. Compárese el lenguaje de Francisco Delicado o el de los *Blasonneurs du corps féminin* con el de los modernos, para percibir la diferencia que hay entre el grito, teñido de sentimiento de culpa, y el nombrar con naturalidad a las cosas. Los modernos quieren liberarse, recobrar la salud; los otros, inclusive si los perseguía la pesadilla del pecado y de la muerte, no se sentían mal en sus cuerpos. Su enfermedad se llama *melancolía,* un transtorno del espíritu, un «humor» que dañaba a los sentidos y extraviaba a la razón. Los modernos explican al espíritu por el cuerpo, en lo que tal vez están en lo cierto, pero no logran reconciliarse con sus cuerpos. El lenguaje refleja esta situación. Las cosas tienen un nombre y cuando ese nombre se vuelve indecible es que la infección de la vida ha alcanzado también a las palabras.

ELEGÍA: ANTES DE ACOSTARSE

Ven, ven, todo reposo mi fuerza desafía.
Reposar es mi fuerza, pues tendido me esfuerzo:
No es enemigo el enemigo
Hasta que no lo ciñe nuestro mortal abrazo.
Tu ceñidor desciñe, meridiano
Que un mundo más hermoso que el del cielo
Aprisiona en su luz; desprende
El prendedor de estrellas que llevas en el pecho
Por detener ojos entrometidos;

Desenlaza tu ser, campanas armoniosas
Nos dicen, sin decirlo, que es hora de acostarse.
Ese feliz corpiño que yo envidio,
Pegado a ti como si fuese vivo:
¡Fuera! Fuera el vestido, surjan valles salvajes
Entre las sombras de tus montes, fuera el tocado,
Caiga tu pelo, tu diadema,
Descálzate y camina sin miedo hasta la cama.
También de blancas ropas revestidos los ángeles
El cielo al hombre muestran, mas tú, blanca, contigo
A un cielo mahometano me conduces.
Verdad que los espectros van de blanco,
Pero por ti distingo al buen del mal espíritu:
Uno hiela la sangre, tú la enciendes.
Deja correr mis manos vagabundas
Atrás, arriba, enfrente, abajo y entre,
Mi América encontrada: Terranova,
Reino sólo por mí poblado,
Mi venero precioso, mi dominio.
Goces, descubrimientos,
Mi libertad alcanzo entre tus lazos:
Lo que toco, mis manos lo han sellado.
La plena desnudez es goce entero:
Para gozar la gloria las almas desencarnan,
Los cuerpos se desvisten.
Las joyas que te cubren
Son como las pelotas de Atalanta:
Brillan, roban la vista de los tontos.
La mujer es secreta:
                              Apariencia pintada,
Como libro de estampas para indoctos
Que esconde un texto místico, tan sólo
Revelado a los ojos que traspasan
Adornos y atavíos.
Quiero saber quién eres tú: desvístete,
Sé natural como al nacer.
Más allá de la pena y la inocencia
Deja caer esa camisa blanca,

Mírame, ven: ¿qué mejor manta
Para tu desnudez, que yo, desnudo?

México, 1958-Delhi, 1965

[«Un poema de John Donne» se publicó en *Puertas al campo,* UNAM, México, 1966.]

El *Soneto en ix* de Mallarmé

SONNET EN IX

Ses purs ongles très haut dédiant leur onyx,
L'Angoisse, ce minuit, soutient, lampadophore,
Maint rêve vespéral brûlé par le Phénix
Que ne recueille pas de cinéraire amphore

Sur les crédences, au salon vide: nul ptyx,
Aboli bibelot d'inanité sonore,
(Car le Maître est allé puiser des pleurs au Styx
Avec ce seul objet dont le Néant s'honore).

Mais proche la croisée au nord vacante, un or
Agonise selon peut-être le décor
Des licornes ruant du feu contre une nixe,

Elle, défunte nue en le miroir, encor
Que, dans l'oubli fermé par le cadre, se fixe
De scintillations sitôt le septuor.

[1887]

[EL SONETO EN IX

A Tomás Segovia

El de sus puras uñas ónix, alto en ofrenda,
La Angustia, es medianoche, levanta, lampadóforo,

Mucho vesperal sueño quemado por el Fénix
Que ninguna recoge ánfora cineraria:

Sala sin nadie ni en las credencias conca alguna,
Espiral espirada de inanidad sonora,
(El Maestro se ha ido, llanto en la Estigia capta
Con ese solo objeto nobleza de la Nada).

Mas cerca la ventana vacante al norte, un oro
Agoniza según tal vez rijosa fábula
De ninfa alanceada por llamas de unicornios

Y ella apenas difunta desnuda en el espejo
Que ya en las nulidades que clausura el marco
Del centellar se fija súbito el septimino.]

[1968]

COMENTARIO

1. *Al poema*

Se conocen dos versiones de este soneto. La primera es de 1868 y ostenta un título que Sor Juana habría envidiado: *Soneto alegórico de sí mismo;* la segunda, la definitiva, apareció en *Poésies,* en 1887, sin título. Las diferencias entre una y otra versión son notables y su examen requeriría un estudio por separado. Aquí me contento con señalar que estos cambios no revelan una modificación esencial de la poética de Mallarmé sino una mayor exigencia y una concentración más rigurosa.

Desde su publicación este soneto asombró, irritó, intrigó y maravilló. Aparte de las dificultades sintácticas y de interpretación, el vocabulario presenta varios enigmas. El más arduo: el significado de *ptyx.* En una carta del 3 de mayo de 1869, dirigida a Eugène Lefébure, el poeta confía a su amigo: «He escrito un soneto y no tengo sino tres rimas en *ix;* procure usted averiguar el sentido real del vocablo *ptyx;* se me asegura que no lo tiene en ningún idioma, lo que no deja de alegrarme pues me encantaría haberlo creado por la magia de la rima». La señora Émilie Noulet, me parece a mí, ha elucidado el misterio: «Si nos remontamos al origen griego de la palabra, se advertirá que la idea de pliego es fundamental... *ptyx* denota una conca, una de esas caracolas que, al acercarlas a la oreja, nos dan la sensación de escuchar el rumor del mar» (*Oeuvre poétique de Mallarmé*, París, 1940). La mayoría de los críticos coincide con la interpretación de la escritora belga. Otro escollo: *nixe*. Es un germanismo: el poeta alude a los espíritus acuáticos de la mitología germana. Las nixes son las ninfas y náyades de los mitos latinos.

Parte de la celebridad del soneto se debe a las rimas. Mallarmé no sigue el esquema tradicional (ABBA:ABBA y CDE:CDE) sino que usa rimas cruzadas (ABAB:ABAB/CCD:CDC). En los cuartetos las rimas son en *ix* y en *ore;* en los tercetos en *ixe* y en *or*. Extrema economía y dificultad no menos extrema. Esta simplicidad estricta provoca una música sorda y ritual —cabalística, decía el poeta.

Otra particularidad: la composición está formada únicamente por dos frases, una que comprende los cuartetos y otra los tercetos. La estructura sintáctica dual se subdivide, a su vez, en la estructura retórica tradicional: dos cuartetos y dos tercetos. Mallarmé restituye el soneto a su esquema estrófico esencial: una octava y un sexteto. O sea: regresa al dualismo neoplatónico que, en su origen, es consustancial a esta forma poética. Ahora bien, desde su introducción en Francia, y lo mismo sucedió en España y Portugal, el soneto adoptó, en general, la división sintáctica cuadripartita que los poetas italianos, sobre todo Petrarca, le habían dado: cuatro frases, una en cada uno de los cuartetos y tercetos.[1] Aunque, por supuesto, no se trata de una regla inflexible y expresa sino de una tendencia implícita, los poetas franceses del siglo XIX la siguieron casi siempre, de Nerval a los parnasianos y simbolistas, sin excluir a Rimbaud

[1] El soneto inglés isabelino es una feliz anomalía: tres cuartetos y un pareado. Una circunstancia que no sé si nuestros críticos han examinado con la amplitud que merece: al trasplantar el soneto de Italia, los poetas franceses e ingleses lo convirtieron en el vehículo de los metros tradicionales de sus idiomas respectivos: el alejandrino y el pentámetro yámbico; en cambio, en España el endecasílabo a la italiana desplazó a los metros tradicionales. Si la adopción española del soneto hubiera sido semejante a la francesa, Garcilaso y Boscán habrían escrito sus sonetos en versos de arte mayor o en endecasílabos anapésticos. No fue así y el endecasílabo acabó con el verso de arte mayor. En cierto modo, al popularizar el soneto en alejandrinos, los modernistas rectificaron, en favor de la tradición, la revolución de Garcilaso. Pero no pudieron o no quisieron resucitar el verso de arte mayor y es lástima. Este verso, con la oscilación métrica de sus hemistiquios, que pueden ser de cinco y de siete sílabas, y que posee gran variedad de acentuación, está más cerca del ritmo natural del habla castellana. El verso de arte mayor espera a un Darío que se atreva a manejarlo: puede ser solemne y llano, reflexivo y humorístico, cerca de la prosa y del canto.

y Verlaine.[1] La mayoría de los sonetos están compuestos, tanto en francés como en italiano, español y portugués, por cuatro frases: el primer cuarteto es una exposición, el segundo su negación o alteración, el primer terceto es la crisis y el último el desenlace. El soneto es una proposición o, mejor dicho, cuatro proposiciones encadenadas por una lógica no menos rigurosa que la que ata a los miembros de un silogismo. Sin alterar esta estructura lógico-poética, Mallarmé atenúa la oposición entre cuarteto y terceto. Las relaciones entre las cuatro partes de un soneto tradicional podrían representarse así (a y a' designan a los cuartetos, y b y b' a los tercetos):

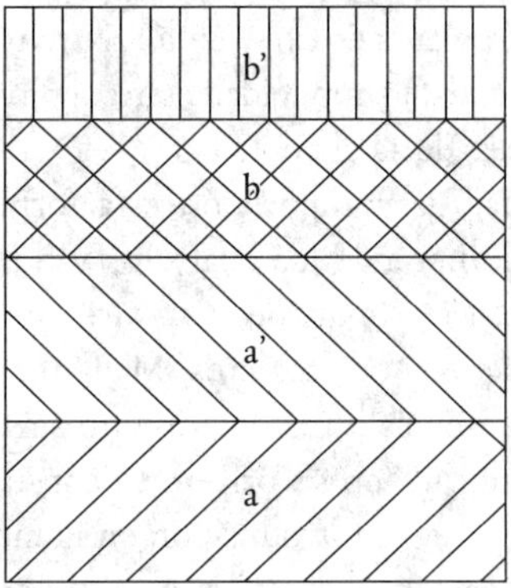

La representación gráfica del *Soneto en ix* sería:

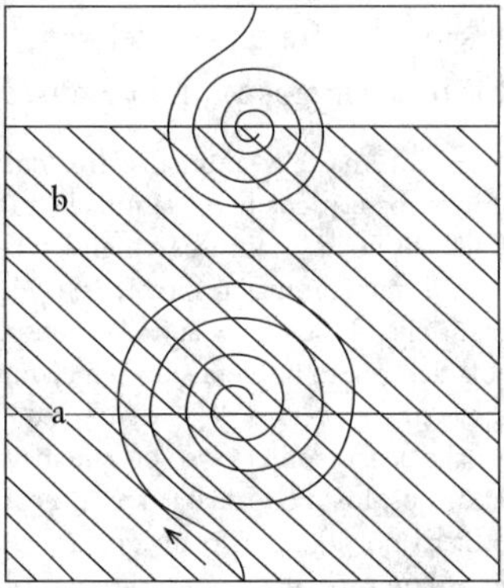

[1] Un recorrido rápido de *Les Fleurs du mal* me reveló estas excepciones: *Sed no satiata, Les Ténèbres, La Lune offensée, Le Courvoucle*... Pocas, en una obra en que abundan los sonetos. En Rimbaud encuentro: *Voyelles,* que es una sola frase.

La primera frase se enrolla como una espiral que se repliega hasta anularse; la segunda se despliega hasta confundirse con el universo —y disiparse.[1]

A fines de 1868, Henri Cazalis (Jean Lahor) le pide a Mallarmé una colaboración para el libro *Sonetos y aguafuertes* que preparaba el editor Lemerre. El poeta le envía la primera versión del soneto y una carta que contiene indicaciones preciosas: «Es un soneto inverso, quiero decir: el sentido, si alguno tiene (yo me resignaría sin pena a que no lo tuviese, gracias a la dosis de poesía que, me parece, contiene), se evoca por el espejismo de las palabras mismas... Es poco *plástico* pero, al menos, es muy *blanco y negro*, como tú me lo pides; creo que podría prestarse a un aguafuerte pleno de Sueño y Vacío. Por ejemplo, una ventana nocturna, las dos persianas cerradas; un cuarto con nadie adentro, a pesar del aire estable que ofrecen las persianas cerradas y, en una noche hecha de ausencia o interrogación, sin muebles, salvo el esbozo plausible de vagas consolas, el marco, belicoso y agonizante, de un espejo colgado al fondo, con el reflejo, estelar e incomprensible, de la Osa Mayor, que enlaza al cielo solo esta habitación abandonada del mundo». La descripción de 1868 coincide punto por punto con la versión definitiva de 1887. Procuraré ahora, sirviéndome de estas indicaciones y de las observaciones del señor Gardner Davies (*Mallarmé et le drame solaire*, París, 1959), describir el soneto como el lugar, desierto, donde se representa un drama, un rito.

El personaje del primer cuarteto es la Angustia. En la primera versión era la Noche. La angustia es una metáfora de la noche y, especialmente, de la medianoche: fin de un día y comienzo de otro. Hora angustiosa porque en ella la unidad del tiempo y su continuidad parecen quebrantarse: ¿saldrá el sol de nuevo, resucitará de las cenizas y de su «sueño vesperal» o la hora señala el comienzo de una oscuridad sin orillas y sin tiempo? A pesar de las sucesivas certidumbres que le han dado la magia, la religión y la ciencia, el hombre se repite esta pregunta desde su aparición sobre la tierra. La angustia alza los brazos y sostiene entre las manos, como esos portaantorchas de la Antigüedad, todos los sueños del crepúsculo, que son sueños de consumación y de resurrección. El Fénix (el sol) los ha quemado y ninguna urna guarda esas cenizas.

[1] Sería curioso representar las dos frases del soneto por medio del *branching diagram* que emplea Noam Chomsky en sus estudios de gramática generativa.

Negro total, impersonal y cósmico. Único reflejo: el ónix de las uñas de la angustia, como una ofrenda. En una nota a su traducción del tratado de mitología de George Cox *(Les Dieux antiques)*, Mallarmé dice: «El cambio de las estaciones, el nacimiento de la naturaleza en la primavera, su plenitud estival, su muerte en el otoño y su desaparición durante el invierno (fases que corresponden al alba, el mediodía, el crepúsculo y la noche), es el gran y perpetuo tema de la Mitología, la doble evolución solar, cotidiana y anual... *la tragedia de la naturaleza*». Así, pues, el primer cuarteto nos presenta un aspecto, el final, de esa tragedia en su fase cotidiana. La hora es medianoche, homólogo, en el ciclo diario, del solsticio de invierno en el anual. La medianoche, a su vez, es la angustia: la conciencia indecisa, asaltada por el horror de lo inesperado y rodeada de sombras. Esa conciencia es impersonal: no es el poeta el que interroga sino el universo mismo el que, al tocar el punto extremo de su desamparo, se ha vuelto pregunta y espera. La angustia no es psicológica: es una fase del rito solar. Por medio de sucesivas reducciones analógicas, Mallarmé encierra en cuatro versos los aspectos nocturnos y negativos del drama de la naturaleza: solsticio de invierno-medianoche-angustia.

En el segundo cuarteto se pasa del mundo natural al humano. En el salón a oscuras, doble ausencia: la del Maestro (el dueño de la casa pero asimismo el poeta, el iniciado y el penitente) y la de ese objeto enigmático, aunque cotidiano, con el que la misma Nada se honra: el *ptyx*, la concha marina. El Maestro se ha ido a recoger llanto en la Estigia y ese acto posee un triple sentido: alude a un hecho diario, como cuando decimos: fulano no está en casa; es un descenso al reino subterráneo, una iniciación que requiere la muerte simbólica del neófito y su resurrección, y, finalmente, es una purgación del yo, una *epoché:* la conciencia se retira de sí misma, se vacía y se vuelve transparencia impersonal. Realismo, mito y experiencia intelectual. La tragedia es cósmica y cotidiana, sucede en el cielo y en el cuarto de un burgués. El Maestro no es el autor del drama: su conciencia es el teatro y él, aunque su vida esté en juego, más que un espectador es un reflejo. La misma analogía que enlaza la medianoche a la angustia, une al Maestro y al cuarto vacío. El Maestro es una metáfora de la Nada: su conciencia de sí o, más exactamente, su saber que sólo es ausencia de sí. Transformaciones analógicas: el cuarto = el Maestro (su conciencia vacía) = la Nada.

Otro tanto ocurre con el instrumento del poeta: es un *bibelot* hueco y sonoro —y es el único objeto con que la Nada se enaltece. La caracola es una estructura que se repliega en sí misma. Según el señor Jean-Pierre Richard (*L'Univers imaginaire de Mallarmé*, París, 1961), el pliegue es una forma vital de la reflexión: pensar, reflexionar, «es replegarse». Pero el pliegue también es carnal: el sexo de la mujer se repliega y esconde bajo un vellón oscuro. Símbolo reflexivo y erótico, la caracola es asimismo una habitación, una casa —tema tan frecuente entre los poetas japoneses como el del simbolismo carnal entre los de Occidente. Y hay un sentido más, que los engloba a todos: la caracola encierra al mar y así es un emblema de la vida universal, de su morir y renacer perpetuos. Al mismo tiempo, la caracola no contiene sino aire, es nada. Esta dualidad, semejante a la del Maestro: el poeta y el señor ausente de su casa, la convierte simultáneamente en un cacharro y en un objeto ritual. La caracola, en su pequeñez inmensa, resume a todas las otras imágenes, metáfora de metáforas: solsticio de invierno = medianoche = angustia (universal) = cuarto vacío = Nada = Maestro (burgués) = caracola (cacharro). Pero la serie es reversible si al movimiento de repliegue sucede el de despliegue: caracola (objeto ritual) = Música = Héroe (poeta) = Teatro (diálogo, comunidad) = conciencia universal = mediodía = solsticio de verano. La caracola es el punto de intersección de todas las líneas de fuerza y el lugar de su metamorfosis. Ella misma es metamorfosis.

La conclusión de los cuartetos es negativa: oscuridad, ausencia. No obstante, en el marco dorado del espejo, una luz (un oro) agoniza. Y los espasmos de esa agonía reproducen los movimientos alterados y violentos de una escena mitológica pintada o grabada en el marco de un espejo: un grupo de unicornios en celo atacan a una *nixe* con llamaradas. Nueva analogía, ahora entre los estertores de la muerte y la violencia erótica e incendiaria. El «quizá» del segundo verso denota que la oscuridad del cuarto no permite afirmar con certeza si el marco representa esa escena o si se trata de una alucinación. El primer terceto repite en el nivel de la fantasía individual —el adverbio de duda indica oblicuamente que acaso se trate de una sensación visual— y en el de la imaginación mítica —los unicornios y la nixe— el tema de los dos primeros cuartetos: el crimen de la noche, la muerte del sol. La relación del primer terceto con el primer cuarteto es muy estrecha: el filo de luz del marco y el ónix de las uñas de la angustia, la muerte por el fuego de los sueños vesperales y la de la ninfa. El sol, el héroe solar y viril, en un caso se incendia a sí mismo: es el fénix; en el otro, convertido en unicornio, incendia el objeto deseado: la ninfa. Tres representaciones de lo que Mallarmé llamaba: «la tragedia de la naturaleza»: la primera es cósmica, la muerte del sol; la segunda es espiritual, la desaparición de la conciencia de sí; la tercera es erótica, la violación y la muerte de la ninfa.

El primer verso del segundo terceto consuma la acción del primero: la ninfa se hunde en el espejo. En los dos versos finales se opera el cambio: las alas negras del espejo se cierran sobre el cuerpo de la muerta y entonces, como el sonar repentino de un gong que rompe el silencio, aparecen las siete luminarias de la constelación como un septeto. Astronomía y música: transfiguración. El espejo desempeña en los tercetos la misma función doble que la caracola en los cuartetos. Es un ornamento del cuarto y es el lugar mágico de la metamorfosis. Nos refleja y, al internarnos en su engañosa superficie, nos disuelve. Instrumento de reflexión, el espejo nos ofrece una prueba de nuestra realidad sólo para, un instante después y apenas con un reflejo, desmentirla; nos dice que somos imágenes: nada. Al mismo tiempo, es el teatro de la metamorfosis: negro en la sombra, de pronto resplandece y refleja el destellar de las siete estrellas. El espejo proyecta en el espacio esas luminarias como la caracola lanza al aire las notas de la música del mar. Adorno colgado de una pared e instrumento de magos y hechiceros, símbolo de la perdición del hombre y origen de la especulación, el espejo recibe y sepulta el solsticio de invierno, la medianoche, el cuarto abandonado, la ninfa muerta —todos esos signos que denotan la conciencia vacía— para, por una suerte de reversión instantánea, transformarlos en los centelleos de la Osa Mayor. El espejo cierra el soneto y, en seguida, lo abre, ya cambiado, al infinito: en él se ahoga la conciencia personal y en él renace como conciencia pura, acorde con la realidad esencial del mundo.

Quizá sea útil mostrar, en dos cuadros, el doble movimiento de repliegue y despliegue de las dos frases que componen el soneto y a las que podríamos llamar frase-caracola y frase-espejo. La primera sólo describe el movimiento interior, de concentración (la serie descendente de las analogías), y de ahí que encierre entre paréntesis los distintos momentos de la serie ascendente; en la segunda, aparecen las dos fases de la rotación, el repliegue y el despliegue:

Primera frase

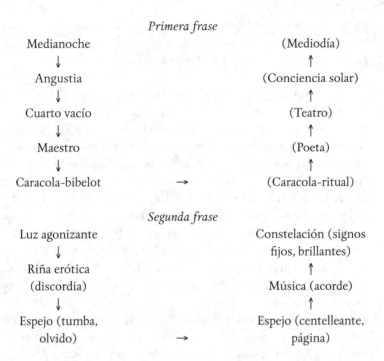

Medianoche		(Mediodía)
↓		↑
Angustia		(Conciencia solar)
↓		↑
Cuarto vacío		(Teatro)
↓		↑
Maestro		(Poeta)
↓		↑
Caracola-bibelot	→	(Caracola-ritual)

Segunda frase

Luz agonizante		Constelación (signos fijos, brillantes)
↓		↑
Riña erótica (discordia)		Música (acorde)
↓		↑
Espejo (tumba, olvido)	→	Espejo (centelleante, página)

Las dos series de analogías se funden en una que las engloba: caracol → espejo. Este último recibe y sepulta los símbolos negativos que se repliegan en el caracol para, casi instantáneamente, desplegarlos como luz y música. Esos símbolos pueden reducirse a una antigua pareja mítica y poética: agua y fuego, primero en oposición y después fundidos. En el primer cuarteto el fuego es destructor: el Fénix quema los sueños vesperales y se resuelve en sombra y ceniza; en el segundo cuarteto, el agua, perdidos todos sus poderes vivificantes, es el río ceniciento de los muertos. En el primer terceto, el fuego reaparece, de nuevo como destrucción: los unicornios atacan con llamas a una ninfa (criatura acuática). Aquí, a diferencia de lo que ocurre en los cuartetos, fuego y agua se funden pero su abrazo es polémico. En el segundo terceto, apenas la ninfa desaparece en el agua del espejo, se inscriben, sobre esa tumba líquida, signos musicales y luminosos, los centelleos de la Osa Mayor. Como el caracol y el espejo, agua y fuego son símbolos duales: creación y destrucción. La relación entre la primera frase y la segunda puede reducirse a un esquema tripartito: fuego solar que quema los sueños vesperales = unicornios que atacan con llamas a la ninfa; agua del río de los muertos = agua estancada del espejo; (término ausente: caracola que encierra la música del mar) = septeto estelar. O de otro modo: fuego solar (ceniza) → agua (Estigia) → fuego contra agua (unicornios y ninfa) → agua (tumba de la ninfa) → fuego estelar en el agua del espejo.

La descripción anterior omite algo esencial: no hemos asistido al rito cíclico de la resurrección del sol sino a una transmutación de orden diferente aunque de sentido análogo. La constelación no es el sol sino su doble ideal: su transfiguración en un racimo de signos, su Idea. El sol es un astro en movimiento y las siete estrellas *se fijan* en el espejo en sombra. El drama de la naturaleza no se resuelve en la repetición cíclica y natural sino en un acto único e irrepetible. Si el acto no destruye el acaso —el sol podría no salir— lo absorbe y lo proyecta en una forma inmóvil, esas siete estrellas que son el ideograma de la poesía y de la música. El acto de la transfiguración, en la conciencia vacía del poeta, es semejante al acto que realiza el sol al aparecer y desaparecer en el horizonte pero, aunque ambos sean formas gemelas del azar, su significación es diversa y hasta contraria: uno es cíclico y fatal, el otro es único y, en cierto modo, libre. En el drama natural, la realidad se realiza en un proceso que la deshace y la rehace; en el acto poético, la realidad se realiza como Idea: deja de ser proceso y se convierte en signo. Así, a los dos momentos naturales del repliegue y el despliegue, sucede otro, final y provisionalmente definitivo: la aparición de esas estrellas vueltas escritura. El espejo convertido en página. El momento final es provisional porque la Idea, hecha signo, debe sufrir ahora la prueba de la lectura y realizarse, como el sol, en la memoria y el olvido de un lector. Regreso a la sucesión... En su carta a Cazalis, Mallarmé decía: «Soneto nulo y que se refleja a sí mismo en cada una de sus partes». Soneto-caracol, soneto-espejo: el último verso, luminoso, se abre a la noche y la música se resuelve en silencio. Soneto en rotación y alegórico de sí mismo.

No me queda sino mostrar la posición del *soneto en ix* dentro de la obra de Mallarmé. El señor Davies subraya que es una de las expresiones más perfectas y acabadas del tema de la noche y la resurrección solar. Al mismo tiempo, dice el crítico, es una prefiguración —yo diría: un modelo en miniatura— de sus tres obras más ambiciosas y complejas: *Hérodiade, Igitur* y *Un Coup de dés*. Aunque Mallarmé no terminó sino la última, podemos vislumbrar la relación que las une al soneto gracias a los fragmentos que dejó de las dos primeras y a lo que sabemos, por sus textos en prosa y su correspondencia, de la forma final que soñaba dar a esos proyectos. En *Hérodiade* San Juan «realiza en la muerte el anonimato que exige el poeta; su cabeza tronchada corresponde a la imagen, en *Igitur,* de un personaje cuyo pensamiento no tiene conciencia de sí mismo». Es evidente la analogía con el Fénix, el cuarto vacío, la ninfa y el espejo del soneto. La supresión del yo y de la conciencia personal —tema de *Igitur* y de *Un Coup de dés*— aparece en el soneto en forma alegórica: Maestro y espejo. La negación de sí mismo es la condición previa a la creación de la obra y a la resurrección a la verdadera vida, que no es la inmortalidad del yo en el más allá sino el acto por el que el infinito absorbe el azar y lo fija en una constelación: una figura en rotación, una configuración. En una carta de 1867 Mallarmé confía a Cazalis: «Acabo de pasar un año aterrador: mi pensamiento se ha pensado y ha llegado a una concepción pura... Ahora soy impersonal y no más el Stéphane que tú conociste». En otra carta al mismo corresponsal, dice que ha llegado a *sentir* la Nada de la filosofía india, «sin conocer el budismo». Pero Mallarmé no es nihilista —como no lo son tampoco, por lo demás, los budistas— y agrega: «Después de haber encontrado la vacuidad, encontré la belleza...» Nagarjuna diría: la vacuidad no es lo contrario de la realidad fenomenal sino que es su realidad última. No la renuncia al mundo y a la palabra sino la renuncia como un método de liberación personal y de recreación del mundo. La muerte del sol, la decapitación de San Juan, la noche de *Igitur* en su castillo abandonado, el naufragio de *Un Coup de dés* y la súbita aparición de la Osa Mayor que surge en el Septentrión como la consecuencia, la refutación y la rima de los dados arrojados al océano —todo eso se repliega en el *soneto en ix,* como en un caracol y, como en un espejo, se despliega y centellea. Todo se fija, como en una página.

2. *A la traducción*

Mi traducción es en verso blanco. Hubiera sido imposible conservar en español las rimas en ix. (Me gustaría, más adelante, atreverme a hacer otra versión y, en ese caso, tal vez más libre pero con rimas de dificultad y sonoridad análogas.) En cambio, procuré seguir el ritmo del alejandrino de Mallarmé y moderé hasta donde pude la tendencia a lo rotundo y lo escultórico de nuestro verso de catorce sílabas. Aunque el modelo más inmediato y afín de una traducción de esta índole sea la versificación modernista —encabalgamiento, apoyo rítmico en sílabas con acento débil, erosión de los límites entre hemistiquio y hemistiquio— casi de una manera instintiva, por lo que toca a la sintaxis, me acogí al ejemplo de nuestros poetas barrocos.

Segundo verso del primer cuarteto: a pesar de que tenemos canéfora, semáforo y otras del mismo origen, ni en el diccionario de la Academia ni en el de Casares ni en el de Coromines figura la palabra *lampadóforo*. No es extraño: en el de la Academia tampoco aparece *lampadario*, término usado por los modernistas hispanoamericanos (Juan José Tablada: *Ónix*).

Cuarto verso del primer cuarteto: la lección de Góngora ampara la construcción de esta línea. «En una de fregar cayó caldera» graznarán, otra vez, los criticastros de la aguachirle mexicana, el pico verdinegro y más sucio de bilis que de lodo.

Primer verso del segundo cuarteto: el ejemplo de Mallarmé justifica la sintaxis poco ortodoxa; *credencia* también es palabra anticuada y en desuso en francés; *ptyx* es conca, caracola, para la mayoría de los críticos que han estudiado el soneto. Una aclaración: después de *cinéraire amphore* no figura ningún signo de puntuación; por tanto, *sur les credénces* es complemento de lugar de ánfora, y el sentido es: «que no recoge (ninguna) ánfora cineraria (entre las que reposan) sobre las credencias, en la sala vacía: ningún *ptyx*». Como *nulle ptyx* está en aposición de ánfora y como, además, es su homólogo, me atreví a marcar con dos puntos la separación entre los dos cuartetos, alterando levemente el sentido y sin romper del todo la unidad de la frase. En mi versión, que es provisional y que podría mejorarse, las (inexistentes) ánforas no están sobre las credencias: la que (no) está es la no menos inexistente caracola. *Au salon vide* es más amplio que mi «sala sin nadie», que alude únicamente a personas y no a cosas.

Segundo verso del segundo cuarteto: *Aboli bibelot* es insuperable. ¿Cómo traducir *bibelot*? El diccionario aquí se revela inservible: *chuchería, cacharro, zarandaja* y otras palabrejas. El galicismo *bibelot* es corriente sólo que, aparte de ser recurso fácil, lo decimos pronunciando fuerte la *t*. *Espiral espirada* es defendible hasta cierto punto, porque la conca tiene forma de espiral y por ser instrumento de viento: aspiración y espiración, aparición y desaparición. Emblema del mar, la música y el ir y venir de la vida humana.

Segundo verso del primer terceto: la idea de riña (lujuriosa) no aparece sino sobreentendida en la versión definitiva. En la primera versión figura expresamente: *un or / Néfaste incite pour son beau cadre une nixe...* Hubiera sido más fácil y exacto traducir *décor* por decorado; me decidí por *fábula* porque Mallarmé evoca un episodio de la mitología nórdica —reminiscencia quizá, dicen Camille Saula y otros críticos, de una lectura juvenil de Heine. El terceto es particularmente vago porque, en la versión definitiva, Mallarmé apenas si aclara (con la palabra *décor*) que el oro agonizante es el del marco dorado del espejo que, quizá, representa —o sus molduras fingen— el combate entre unos unicornios y una nixe. La versión de 1868 decía (traduzco literalmente): «Un oro nefasto incita por su bello marco una riña hecha de un dios que cree raptar una nixe en el oscurecimiento del espejo...»

Tercer verso del primer terceto: *nixe* es ninfa; *ruant du feu* puede ser: golpeando, dando grandes golpes de fuego o coceando, dando coces de fuego (el unicornio es un solípedo fantástico) o, más probablemente, lanzando con ímpetu llamaradas. El señor Davies observa: «Aquí el verbo *ruer* tiene indudablemente el sentido de flechar *(darder)*». A mí me parece que los unicornios no asaetean sino que cornean, alancean. No sé si sea justa mi interpretación. En todo caso creo que conservé la idea de arrojar fuego y la correlativa de asalto erótico.

Segundo verso del segundo terceto: preferí «nulidades» a «olvido», aunque la segunda palabra sea la traducción literal, para reparar en parte la omisión de *nulle* en la primera línea del segundo cuarteto. Mallarmé amaba esa familia de palabras.

Esta tentativa de traducción me confirmó algo que ya había apuntado, de paso, en un texto de hace años (recogido en *Corriente alterna*): el parecido entre Góngora y Mallarmé es engañoso. Los dos son difíciles, enigmáticos y luminosos pero sus claridades, aunque una y otra sean cegadoras, son diferentes. El fuerte de Góngora es el mediodía: la *Fábula de Polifemo y Galatea;* el de Mallarmé, a pesar de *L'Après-midi d'un faune,* es la medianoche: *Igitur, Un Coup de dés, Hommages et Tombeaux.* Los dos son pintores: el primero evoca a Caravaggio y a Rubens; el segundo, a Monet y a Redon. En Góngora la palabra es arquitectura y escultura; en Mallarmé, música y caligrafía. El punto de convergencia es la danza, colectiva en Góngora: los corros y bailes de las *Soledades,* solitaria en Mallarmé: *Hérodiade.* La analogía es la religión de Mallarmé: su visión del mundo, su método de conocimiento y su doctrina de redención. Para Góngora la analogía —quiero decir: la metáfora— es una estética: un método de transfiguración de la realidad, no un camino hacia la verdad. Góngora salva al mundo por la imagen: lo convierte en apariencia resplandeciente que no oculta nada. Su mundo no tiene ni fondo ni peso. La realidad pierde gravedad, se aligera de la culpa del pecado original y la antigua herida se cierra: todo es superficie. Góngora, el poeta, no es cristiano. Mallarmé tampoco lo es pero su poesía no salva ni las apariencias ni la realidad que las sustenta: su obra es una negación, una crítica de la realidad. Dijo: *La destrucción fue mi Beatriz.* En un caso, transfiguración del mundo; en el otro, transposición: la operación crítica no aniquila el mundo pero lo reduce a unos cuantos signos transparentes.

La estética de Góngora es la del desengañado; la de Mallarmé es una respuesta a la adversidad de la historia presente y una convocación de un tiempo por venir que hará del himno un teatro. Su individualismo es una defensa, no una negación de los otros: la esencia del hombre es coral. El andaluz y el francés vivieron tiempos malos. El primero opuso a una sociedad decadente el espectáculo inaudito de una máquina verbal que no emite otro significado que el de su perfección: ser es parecer. El sentido no se disuelve en el ser: se desvanece en la apariencia. Abolición de la historia: todo es presente, todo está presente. Mallarmé, en cambio, cree en la historia, aunque la vive como falta y ausencia: *No hay presente, no —un presente no existe.* No obstante, espera que el poeta, en su «recogimiento, prepare el edificio alto de vidrio que ha de enjugar el vuelo de la Justicia» *(L'Action restrainte).* Pero quizá la verdadera diferencia entre ellos no está en sus diversas actitudes ante la historia y el presente (los dos fueron anacrónicos en su tiempo y por eso son nuestros maestros) sino en lo siguiente: Góngora nos enseña a ver, Mallarmé nos enseña que la visión es una experiencia espiritual. Para Góngora el poema es una metáfora del mundo; para Mallarmé el mundo es una metáfora de la palabra, de la Idea. Esa Idea que en *Un Coup de dés* se revela al fin como un Quizá. Góngora disuelve el mundo en la imagen: Tal cual; Mallarmé introduce la crítica en el interior de la imagen: Tal vez.

Delhi, 6 de mayo de 1968

[«El *Soneto en ix* de Mallarmé» se publicó en *El signo y el garabato,* Joaquín Mortiz, México, 1973.]

Guillaume Apollinaire

1. EL MÚSICO DE SAINT-MERRY

Por fin tengo derecho a saludar a seres que no conozco
Pasan frente a mí y se acumulan a lo lejos
Mientras que todo lo que yo veo en ellos me es desconocido
Y su esperanza no es menos fuerte que la mía

Yo no canto a este mundo ni a los otros astros
Yo canto todas las posibilidades de mí mismo fuera de este mundo
y de los astros
Canto la alegría de vagar y el placer de morir errante

El 21 del mes de mayo de 1913
Barquero de los muertos y las merianas mordonantes
Millones de moscas abanicaban un esplendor
Cuando un hombre sin ojos sin nariz y sin orejas
Dejó la avenida Sébastopol y entró en la calle Aubry-le-Boucher
Joven el hombre era moreno y ese color de fresa en las mejillas
Hombre Ah Ariadna
Tocaba la flauta y la música guiaba sus pasos
Se detuvo en la esquina de la calle Saint-Martin
Tocando el aire que yo canto y que yo inventé

Las mujeres que pasaban se detenían a su lado
Venían de todas partes
De pronto las campanas de Saint-Merry comenzaron a tañer
El músico dejó de tocar y bebió en la fuente
Que está en la esquina de la calle Simon-le-Franc
Después Saint-Merry se calló
El desconocido volvió a tocar su aire de flauta

Y volviendo sobre sus pasos se fue hasta la calle de La Verrerie
Penetró en ella seguido por el tropel de mujeres
Salían de las casas
Llegaban de las calles laterales los ojos locos
Las manos tendidas hacia el melodioso raptor
Él se iba indiferente tocando su aire
Se iba terriblemente

Después en otra parte
A qué hora saldrá un tren hacia París

En ese momento
Los pichones de las Molucas ensuciaban las nueces moscadas
Al mismo tiempo
Misión católica de Bôma qué no tienes escultor

En otro lado
Ella atraviesa el puente que une Bonn a Beul y desaparece en Pützchen

En ese instante
Una joven enamorada del alcalde

En otro barrio
Rivaliza poeta con los marbetes de los perfumistas

En suma oh reidores no habéis sacado gran cosa de los hombres
Apenas habéis extraído un poco de grasa de su miseria
Pero nosotros que morimos de vivir lejos el uno del otro
Tendemos nuestros brazos y sobre esos rieles se desliza un largo tren
de carga

Tú llorabas cerca de mí sentada en el fondo de un fiacre
Y ahora
Te pareces a mí desgraciadamente te pareces
Nosotros nos parecemos como en la arquitectura del siglo pasado
Esas altas chimeneas semejantes a torres
Subimos más alto ahora ya no rozamos el suelo

Y mientras el mundo vivía y cambiaba

El cortejo de mujeres largo como un día sin pan
Seguía en la calle de La Verrerie al músico feliz

Cortejos oh cortejos
Como antaño cuando el rey iba a Vincennes
Cuando los embajadores llegaban a París
Cuando el flaco Suger corría hacia el Sena
Cuando el motín moría a los pies de Saint-Merry

Cortejos oh cortejos
Las mujeres se desbordaban eran tantas y tantas
En todas las calles vecinas
Y se apresuraban inflexibles como la bala
Para seguir al músico
Ah Ariadna y tú Pâquette y tú Amine
Y tú Mia y tú Simona y tú Mavise
Y tú Colette y tú la hermosa Genoveva
Todas han pasado temblorosas y vanas
Y sus pasos ligeros y rápidos seguían la cadencia
De la música pastoral que guiaba
Sus ávidas orejas

El desconocido se detuvo un instante frente a una casa en venta
Casa abandonada
Vidrios rotos
Una construcción del siglo dieciséis
El patio sirve de cochera a carritos de entrega
Ahí entró el músico
Su música al alejarse se volvió lánguida
Las mujeres lo siguieron a la casa abandonada
Todas entraron confundidas en bandada
Todas entraron sin volver la mirada todas
Sin pena por lo que dejaban
Sin pena por lo que habían abandonado
Sin pena por el día la vida la memoria
Luego no quedó nadie en la calle de La Verrerie

Excepto yo mismo y un sacerdote de Saint-Merry
Los dos entramos en la vieja casa
No encontramos a nadie

Llega el atardecer
En Saint-Merry el tañer del Ángelus
Cortejos oh cortejos
Como antaño cuando el rey volvía de Vincennes
Vino una tropa de vendedores de gorras
Vinieron vendedores de plátanos
Vinieron soldados de la guardia republicana
Oh noche
Tropel de lánguidas miradas de mujeres
Oh noche
Tú mi dolor y tú mi vana espera
Yo escucho morir el son de una flauta lejana

El músico de Saint-Merry es uno de los poemas más turbadores y misteriosos de Apollinaire; al mismo tiempo —con *Zone, Les fenêtres, Lundi rue Christine* y algunos otros— prefigura muchas de las formas que unos pocos años después adoptaría el arte del siglo XX, la poesía tanto como la novela. Así, el interés de *El músico de Saint-Merry* es doble: por una parte, es uno de los mejores poemas de Apollinaire; por la otra, es un ejemplo de las posibilidades y limitaciones de una poética fundada en la expresión simultánea de realidades alejadas en el espacio o en el tiempo, que el poeta enfrenta para mostrarnos que lo *ya visto* es lo *nunca visto.* Sobre lo primero no hay nada que decir, excepto leer el poema como deben leerse todos los poemas. Lo segundo merece algunas reflexiones.

El músico de Saint-Merry es un poema complejo aunque no en el sentido en que lo son los de Mallarmé. Cito a este poeta por dos razones: primero, por ser el antecedente inmediato de Apollinaire; después, porque su obra es una piedra de toque de toda la poesía moderna en lengua francesa y aun en las otras. El método poético de Mallarmé, según él lo dijo varias veces, es la *transposición* y consiste en sustituir la realidad percibida por un tejido de alusiones verbales que, sin nombrarla expresamente, suscite otra realidad equivalente y paralela. El poeta no nombra al cisne o a la blanca nadadora: presenta o, mejor dicho, *provoca*, la idea de una blancura que combine, anulándolas, la carne femenina, el agua y las plumas del pájaro. Apollinaire parte también de esta o aquella realidad pero, en lugar de borrarla, la separa en fragmentos que enfrenta y combina en un orden nuevo; el choque o confrontación es el poema: la realidad verdadera. Mallarmé se propone anular el objeto en beneficio del lenguaje —y a éste en beneficio de la idea, que, a su vez, se resuelve en un absoluto idéntico al vacío. Su poema no nos presenta cosas sino palabras o, más exactamente, signos rítmicos. Apollinaire pretende desintegrar y reconstruir al objeto con el lenguaje; la palabra sigue siendo un medio, no un fin ni el doble emblemático del universo, que en lugar de abolirlas nos deja ver las cosas en su vivacidad instantánea. No hay transposición sino transfiguración. El método de Mallarmé colinda con la música; el de Apollinaire con la pintura, especialmente con la cubista.

El músico de Saint-Merry confronta a dos tipos de realidades, unas espaciales y otras temporales. Las primeras —allá, acullá, más acá o más allá— no se dan cita en un aquí sino en un ahora: ese fragmento de tiempo que es una tarde del 21 de mayo de 1913. Los tiempos —la Antigüedad clásica, el fin de la Edad Media, los siglos XVI y XVII, nuestra época— se conjugan en un aquí: la antigua iglesia de Saint-Merry y el barrio que la rodea. Ahora bien, la poesía es un arte temporal. En pintura, los signos (líneas, colores) se presentan unos frente a otros; en poesía, unos después de otros. En pintura la composición es intemporal; en poesía, sucesiva. El *simultaneísmo* de Apollinaire no es algo que vemos, como en la pintura, sino algo que convocamos. La pipa, el periódico y la guitarra de Picasso están ahí, quietos en el cuadro; las casas, las chimeneas y las mujeres de Apollinaire pasan en el poema, unas detrás de otras. Un cuadro cubista es un sistema plástico, la configuración de las relaciones visuales entre un objeto y otro o entre las diversas partes de un objeto. Una composición que es, simultáneamente, la descomposición y la recomposición del objeto. En el poema, el centro de atracción no son las relaciones entre los objetos *sobre* una tela inmóvil sino *en* un texto en movimiento. El texto es temporal: las cosas no están sobre el espacio sensible del cuadro sino que se deslizan en la página. En verdad no vemos pasar a las cosas: vemos que las cosas pasan por el poeta —que también pasa. El yo del poeta, ya sea que use la primera o la tercera persona, es el espacio en que suceden las cosas. Un espacio que es asimismo tiempo y unas cosas que son palabras. El poema de Apollinaire no es la presentación de una realidad:

es la presentación de un poeta en la realidad. Es la poesía lírica objetiva, si se me permite decirlo así. Por eso su arte se resuelve en teatro —grotesco, sentimental, maravilloso, realista— y en mito. *El músico de Saint-Merry* contiene ambos elementos: la tragicomedia del «pobre Guillaume» y el mito del poeta visionario: *al fin tengo derecho a saludar seres que no conozco.*

«El 13 de julio de 1909 —dice André Salmon en su libro *Souvenir sans fin*—, Guillaume entró por primera vez en la iglesia de Saint-Merry como testigo de mi boda. No fue insensible ni al edificio ni a las singularidades del barrio. Sin que nadie lo acompañase, volvió a Saint-Merry, recorrió la iglesia con detenimiento y vagabundeó por las callejuelas. El resultado fue *El músico de Saint-Merry.* Estaba en su naturaleza regresar así, guiado literalmente por una inspiración secreta y todavía confusa, a lugares apenas vistos y cuyo misterio adivinaba de inmediato. El poema de Saint-Merry nunca se ha aclarado del todo... ¿Acaso Apollinaire, explorador de archivos, anticuario deslumbrado, doctor en una erudición extraña y drolática, había leído en alguna parte que antaño un sacerdote perverso quiso consagrar al diablo la iglesia de Saint-Merry?» Otro contemporáneo, Jean Mollet, cuenta que hacia la misma época paseó con el poeta por esos parajes: «No había un alma en las calles... entramos en una casa vacía y de pronto, en el patio, descubrimos a un músico que tocaba y cantaba rodeado de mucha gente... Un poco después Apollinaire me leyó *El músico de Saint-Merry*».

Excepto por un pequeño detalle —¿regresó solo o acompañado?— el testimonio de los dos amigos del poeta no es contradictorio. En sí mismo no es particularmente revelador: como todos los creadores, Apollinaire parte de una realidad concreta para construir otra más intensa y significativa. La realidad libresca (la leyenda de Saint-Merry y su cura endemoniado) y la realidad cotidiana (el músico callejero a que alude Mollet) se combinan en el poema para producir una tercera realidad: la figura del poeta vidente. Vale la pena detenerse en una observación de Salmon: el poeta «no fue insensible a las singularidades del barrio». En efecto, la aparente incongruencia de ciertas imágenes proviene de la atmósfera peregrina de esa parte de París, en la que abundan soberbias y decrépitas mansiones de los siglos XVI y XVII hoy habitadas por artesanos, pequeños comerciantes y gente modesta. No es sorprendente que las memorias de la monarquía —los viajes del rey, los embajadores, el canciller Suger, los motines de la Fronda— se confundan con la decadencia contemporánea:

casas ruinosas, mercaderes de plátanos y gorras, soldados de la guardia republicana. En los patios de esos palacios abandonados ya no hay carrozas ni caballos sino los cochecitos que distribuyen las mercancías a domicilio.[1] A esta oposición real corresponde otra verbal entre lenguaje poético y lenguaje coloquial, oposición que aparece constantemente a lo largo del poema como un verdadero contrapunto. Sobre esta plataforma realista —el contraste entre el ayer y el hoy del barrio— Apollinaire construye otras oposiciones más relampagueantes y vertiginosas. Todas ellas son intrusiones de realidades ajenas al cuento que nos cuenta y representan ese continuo fluir de pensamientos, sensaciones y memorias que se agolpan a las puertas de nuestra conciencia a cada segundo. Unas son imágenes de lo que en ese mismo instante sucede en otros lugares: mientras el músico recorre las calles del Temple, alguien pregunta a qué hora sale el tren hacia París, una desconocida atraviesa un puente de Bonn, una muchacha se enamora de un alcalde; otras son recuerdos de incidentes reales o que podrían serlo («tú llorabas sentada junto a mí en el fondo de un *fiacre*»);[2] otras más son salidas de tono, dislates: humor. Con todas ellas el poeta nos dice que la vida transcurre siempre, allá o acá, al mismo tiempo que aquí y ahora. Transcurrir universal de la vida en el que todo se funde y todo se bifurca.

La ausencia de puntuación contribuye a enfatizar esta sensación de totalidad que sin cesar se disgrega y se rehace. Como es sabido, el primer poeta que decidió abolir los signos de puntuación fue Mallarmé. El propósito del autor de *Un Coup de dés* fue iniciar una forma nueva del arte poético en la que la unidad no sería el verso tradicional engastado en la estrofa sino la «Página como una visión simultánea ... una partitura. La diferencia de tipos de imprenta entre el motivo preponderante, un secundario y los adyacentes dicta su importancia a la emisión oral, y la altura —en medio, arriba, abajo— indica que desciende o sube la entonación». Mallarmé pensaba en una recitación mental, una música ideal: el universo y sus astros concebidos como un concierto y éste como una constelación de signos sobre una página. Apollinaire suprime la puntuación por razones parecidas pero no idénticas. Liberada de puntos y comas, cada frase se une o separa de la que la precede o la sigue y así adquiere dos o más sentidos: simultaneísmo; además, cada línea es una imagen y cada

[1] El barrio se ha transformado nuevamente y ahora lo habitan personas acomodadas. [Nota de 1990.]

[2] Prefiero el galicismo, que todos entienden, a la palabra castiza: simón.

imagen una unidad rítmica: poesía oral. En una carta a Henri Martineau afirma: «Suprimí la puntuación porque me parece inútil; el ritmo mismo y el corte de los versos: ésa es la verdadera puntuación y no tenemos necesidad de otra». En el caso de *El músico de Saint-Merry* la ausencia de puntuación tiene una función particular: refleja el fluir de la conciencia del poeta asaltada por un espectáculo múltiple, interior y exterior, hecho de lo que ven sus ojos, recuerdan su piel y su alma, oyen sus oídos y presiente su imaginación.

Por una parte, *El músico de Saint-Merry* es la presentación de una realidad simultánea, dispersa y ubicua, que está en todas partes y que se mueve sin cesar; por la otra, es una tragicomedia y un mito. El tema le parecía de tal modo teatral a Apollinaire que en 1916 escribió un argumento de ballet con el título *Un hombre sin ojos, sin nariz y sin orejas*. La anécdota, observa Salmon, parece inspirada en una leyenda: un flautista ambulante enloquece a las mujeres con el hechizo de su música, las obliga a seguirle y, al llegar a una vieja casa abandonada, se volatiliza y las volatiliza. Aquí también el *simultaneísmo* se presenta como un sistema de oposiciones complementarias: el tropel femenino está compuesto por mujeres de carne y hueso y por sombras. Los nombres de Pâquette, Mia, Amine, Genoveva y los otros evocan inmediatamente el mundo de Villon, las damas y las nieves de antaño. Son las mujeres muertas hace siglos, pero son también las que han desaparecido de la vida del poeta, sus antiguos amores y amoríos, sin dejar de ser las muchachas que vemos todos los días en cualquier calle populosa («tan cerca de mis ojos, tan lejos de mi vida», decía Tablada). Como si fuese una corriente sobrenatural que atravesase los tiempos y no sólo las calles de un barrio de París, la banda mujeril cristaliza en un nombre: Ariadna. La dualidad muerte y vida parece desembocar en la unidad del mito. No obstante, la figura de Ariadna es doble: es la muchacha que guía a Teseo en el laberinto y asimismo es la abandonada por el héroe en la playa de Naxos. La oposición muerte y vida, encuentro y abandono, sin desaparecer, se funde en el mito y se vuelve arquetípica.

A la dualidad femenina corresponde otra masculina. El misterioso músico calla cuando tañen las campanas de Saint-Merry, lo que parece indicar que es un diablo o alguien ligado con los poderes ocultos. Esto último lo sitúa en un pasado no muy remoto, tal vez en el siglo XVI y en su mundo de magia, ocultismo y alquimia. A esta imagen dual se superpone una tercera: ese personaje que toca la flauta y recorre las calles infernales de la ciudad moderna seguido por un tropel de sombras, ¿no se llama Orfeo? El primer libro de Apollinaire tiene por título *Bestiario o Cortejo de Orfeo*. En una nota de ese libro nos dice que el poeta de Tracia «profetizó cristianamente el advenimiento del Salvador». Aunque esta frase puede ser una *boutade*, revela una creencia muy firme en Apollinaire: el poeta es un profeta. Así, pues, el músico ambulante es un pobre diablo contemporáneo, un diablo medieval o renacentista y el fundador de la poesía y de la música, el mago que desciende al infierno y pierde dos veces a Eurídice. Pero el músico es algo más. Al principio del poema Apollinaire lo describe como «un hombre sin ojos, sin nariz y sin orejas». El siglo XX y sus máquinas irrumpen bruscamente: ¿un robot? Es casi innecesario recordar que ese mismo personaje figura en los cuadros que Chirico pintaba por esos años. Lo que se llama el «espíritu de la época» aparece en los lienzos del pintor-poeta y en los poemas del poeta enamorado de la pintura. En ambos aparece como dualidad y contraste: un autómata en un paisaje urbano de la era pre industrial. En suma, ¿quién es el músico ambulante? No es otro que Apollinaire: el aire que toca el vagabundo en su flauta y con el que seduce a las mujeres fue inventado por el poeta mismo. Esa música es su poesía: los versos de un pobre diablo que es también un profeta. Poesía callejera, poesía antigua, poesía futurista: el flautista, Orfeo, el autómata: Apollinaire. El poema se inicia con una declaración: «Por fin tengo derecho a saludar seres que no conozco». Ese derecho se llama *videncia:* ver lo que los otros no ven, ver lo invisible. Por ser vidente, el poeta ve lo que pasa aquí y lo que pasa allá, el tropel de mujeres muertas y el de las vivas, el mundo de los desaparecidos y el de los aparecidos. Además y sobre todo: se ve a sí mismo. Y se ve como «un hombre sin ojos, sin nariz y sin orejas», doble de Orfeo, los diablos medievales o renacentistas y las máquinas contemporáneas. Es lo más antiguo y lo más nuevo sin dejar de ser nunca Guillaume, el gentilhombre polaco, el hombre «lleno de cordura que conoce la vida y todo aquello que un vivo puede conocer de la muerte»: la guerra, la amistad, el amor —el tiempo que pasa y no pasa.

Músico perseguido por las mujeres o abandonado por ellas, profeta de lo que vendrá y revelador de lo que es, el poeta Apollinaire tiene otro extraño oficio: es «el barquero de los muertos». Su palabra comunica a los dos mundos, revive la sombra de los desaparecidos e infunde a nuestros cuerpos la ligereza de los fantasmas. El poeta no disuelve la oposición entre muerte y vida (no es demiurgo) pero la vuelve fluida: los ávidos espectros de la hermosa Genoveva y la linda Amine encarnan en las mujeres reales y éstas pasan por las calles anochecidas «temblorosas y vanas» como verdaderos espíritus. Aquí conviene decir algo sobre mi traducción de este pasaje. Apollinaire escribe: *Passeur de morts et les mordonnantes mériennes.* Esas *mériennes* son probablemente las vecinas, muertas o vivas, de Saint-Merry, pero ¿qué significa *mordonnantes?* Nada me han aclarado ni los diccionarios ni los amigos franceses a quienes he consultado sobre el punto. Para mí es una palabra compuesta por dos mitades de palabras, a la manera de Lewis Carroll: *mort* y *donnantes,* donadoras de muerte. Así, habría que traducir *mordonantes* o *donamuerte.* Deseché otra posible interpretación: el adjetivo y sustantivo *mordoré.* Designa el color bronce cálido con reflejos dorados. ¿La tez de las vecinas de Saint-Merry tendría ese color? No es plausible y menos después de la mención del barquero que cruza el río que separa al mundo de los vivos del mundo de los muertos. Hay otra hipótesis: Marie José Paz supone que *mordonnantes* es un compuesto de *mortes* y *bourdonnantes* (zumbantes). Las merianas muertas zumbarían como moscas. No es descabellado: el ruido que hacen los espíritus de los muertos ¿no es un zumbido ininteligible? ¿Y no nos ha dicho el poeta griego que los espectros se agolpan como moscas sobre la sangre del sacrificio para chupar un poco de vida? *Mordonnantes:* zumuertas o morzumbantes. La interpretación parecerá aún más legítima si se recuerda que el cortejo femenino está formado por muertas que están vivas y por vivas que se desvanecen en el aire al penetrar en la casa abandonada. Moscas, soplo, muerte, mujeres, esplendor... El hilo de Ariadna nos hace pasar de la muerte a la vida y viceversa. El poeta es el barquero de los muertos y los vivos.

Delhi, 21 de agosto de 1965

[«El músico de Saint-Merry» se publicó en *Puertas al campo,* UNAM, México, 1966.]

2. MELANCÓLICO VIGÍA

En 1978, en El Colegio Nacional, di unas conferencias sobre Apollinaire. Me propuse ilustrarlas con la lectura de algunos de sus poemas traducidos al español. Leí y releí muchas traducciones. Como es natural, hay en ellas de todo; abunda lo malo pero unas pocas son excelentes. Me sorprendió la superioridad de las versiones de los poemas extensos en verso libre sobre las de las composiciones breves, en metros regulares y rimadas. Confieso que esos poemas me gustan tanto como *Zone, Le Musicien de Saint-Merry* y *La Jolie Rousse,* aunque sean menos «importantes». Por lo demás, ¿qué significan, en materia de poesía, términos como *importante, grande* o *mayor*? Si lo único que cuenta es la perfección: ¿el elefante es más perfecto que la pulga?

Desdeñar esos poemas con el pretexto de que pertenecen a la vertiente tradicional de la poesía de Apollinaire es desdeñar su voz más pura y secreta. Se olvida con frecuencia que Apollinaire, el poeta vanguardista, es también un poeta elegiaco. La mitad de su obra poética es ruptura y yuxtaposición: simultaneísmo; la otra mitad es esencialmente melódica y va desde las fluidas cadencias de *La canción del mal amado,* cincuenta y nueve quintetos octosílabos rimados, hasta los epigramas del *Bestiario,* de no más de cuatro o cinco líneas cada uno. Llamo melodías a estos poemas porque están hechos de la sustancia de todo lo que pasa y que, al pasar, simultáneamente nos encanta y nos apena: el agua, el aire, el tiempo. Las palabras de esos poemas fluyen como el agua, suenan como el viento, se desvanecen como las horas.

Acepto que es casi imposible traducir una poesía hecha de sensaciones y sonidos, en la que las imágenes y el sentido se disuelven en el ritmo y la rima. No obstante, sentí que valía la pena hacer el intento. Mi guía, como siempre, fue la máxima de Valéry: con medios diferentes buscar efectos semejantes. Doble e imposible fidelidad: al sentido y al sonido. No quise —hubiera sido una locura— reproducir las rimas y las aliteraciones; tampoco rechacé, si brotaban espontáneamente y no traicionaban demasiado al original, las consonancias, las asonancias y los otros ecos verbales. No me hago ilusiones: en estas versiones —fotografías en blanco y negro— han desaparecido los colores de los originales y, con ellos, los matices, las armonías, los contrastes velados. ¿Qué ha podido quedar de esa indefinible mezcla de vehemencia y delicadeza, melancolía y pasión? Me consolaría si, al menos, los lectores adivinasen, entre las confusiones y vaguedades de mi traducción, el trazo fino de las líneas: eco del eco de una melodía más pensada que oída.

EL PUENTE DE MIRABEAU

Bajo el puente pasa el Sena
también pasan mis amores

¿hace falta que me acuerde?
tras el goce va la pena

La noche llega y da la hora
Se va la hora y me abandona

Pongo en tus manos mis manos
y con los brazos formamos
un puente bajo el que pasan
onda mansa las miradas

La noche llega y da la hora
Se va la hora y me abandona

Amor es agua corriente
y como el agua se va
agua de la vida lenta
y la esperanza violenta

La noche llega y da la hora
Se va la hora y me abandona

Pasan días y semanas
pasan y jamás regresan
días semanas amores
bajo el puente pasa el Sena

La noche llega y da la hora
Se va la hora y me abandona

Tras muchas dudas decidí omitir, al principio y al fin del poema, la mención al puente de Mirabeau. En poemas melódicos y lineales como éste hay que usar con parsimonia las palabras extranjeras. Se dirá que el nombre del puente sitúa inmediatamente al poema. Me parece que basta con citar al Sena para ubicarlo. No hubiera sido imposible, por otra parte, conservar el nombre del puente, omitiendo (falta leve) la partícula *de:*

Bajo el puente Mirabeau
pasa el Sena y mis amores
¿hace falta que me acuerde?
tras el goce va la pena

CLOTILDE

En el jardín donde crecen
La anémona y la ancolía
entre el amor y el desdén
duerme la melancolía

También vagan nuestras sombras
que ha de dispersar la noche

El sol que las vuelve opacas
se disipará con ellas

La diosa del agua viva
suelta en ondas sus cabellos
Pasa y persigue entre sombras
la sombra de tu deseo

Ancolía: aguileña. La palabra no figura en el *Diccionario de la Academia* ni en otros que consulté pero en el *Larousse* (francés-español) se indica: *Ancolie:* «ancolía, aguileña». El galicismo no es grave: *ancolie* y *aguileña* vienen del latín *aquilegia.* Algo más me animó a usar esa palabra: en el único manuscrito que poseemos de *El desdichado,* en una de las notas al pie de la página, de puño y letra de Gérard de Nerval, se identifica a la *flor* del verso séptimo *(la fleur qui plaisait tant à mon coeur désolé)* como *l'ancolie.* En el *Diccionario del lenguaje de las flores,* señala J. Richer, *ancolie* significa «locura». ¿Lo sabía Nerval? En todo caso la correspondencia entre ancolía y melancolía no es sólo física sino espiritual.

LA GITANA

Desde el principio la gitana
vio nuestras vidas por la noche

rayadas. Adiós, le dijimos.
Del adiós brotó la esperanza.

De pie como *oso* amaestrado
danzó el amor cuanto quisimos,
perdió el plumaje azul el pájaro,
sus oraciones los mendigos.

Sabiendo que nos condenamos
en el camino nos amamos;
lo que nos dijo la gitana
lo recordamos abrazados.

En 1913 al corregir las pruebas de *Alcools,* Apollinaire decidió suprimir la puntuación en sus poemas. Me atreví a introducirla en este caso porque, de otra manera, quizá habría resultado ininteligible este misterioso poema que tanto intrigaba a André Breton. (Una noche, un poco antes de su muerte, ya tarde, caminando rumbo a su casa, me lo recitó con voz grave, apasionada.) Una omisión: no pude traducir —y no me consuelo— el juego verbal de los dos últimos versos del primer cuarteto: *nous lui dîmes adieu et puis / de ce puits sortit l'Espérance.*

EN LA PRISIÓN

I

Antes de entrar en mi celda
tuve que mostrarme en cueros
Oí una voz ululante
¿en qué has parado Guillermo?

Lázaro que entra en su tumba
no Lázaro redivivo
Adiós cantaban en ronda
mis años y mis amores

II

No me siento aquí
yo mismo

Un número soy
el quince

Atraviesa el sol
los vidrios
Sol títere sobre
mis versos

Baila el sol yo escucho
arriba
con el pie golpean
la bóveda

III

Como un oso voy y vengo
vueltas vueltas siempre vueltas
marco el paso bajo un cielo
color azul de cadenas
Vueltas vueltas siempre vueltas
como un oso voy y vengo

Oigo manar una fuente
en el pasillo de enfrente
Vaya o venga el carcelero
hace tintinar sus llaves
En el pasillo de enfrente
oigo manar una fuente

V

Qué lentas pasan las horas
pasan como los entierros
Tú llorarás esta hora
que lloras y ha de pasar
rápida como las otras

VI

Oigo el rumor de las calles
en mi horizonte cerrado

un cielo enemigo veo
y la desnudez de un muro

Se apaga el sol y se enciende
una lámpara en la cárcel
solitaria compañera
luz hermosa razón clara

El poema alude a los diez días que pasó Apollinaire en la prisión de la Santé. Había sido acusado, injustamente, de complicidad en el robo de *La Gioconda* (agosto de 1911). Picasso estuvo también mezclado en este lío y su actitud no fue muy valerosa. Apollinaire recobró pronto la libertad y fue declarado inocente. Pero conservó de esos días, dice su amigo André Billy, «un recuerdo doloroso». Esta serie de seis poemas breves es una de sus creaciones más perfectas: ritmos que son espontáneos sin dejar de ser estrictos, rimas que aparecen con la misma naturalidad (y fatalidad) de los cambios de la luz. Eliminé el poema IV, que no me gusta.

EL ADIÓS

Corté una brizna de brezo
Otoño murió recuerda
nunca más sobre esta tierra
nos veremos con los ojos
Brizna brezo olor de tiempo
recuerda que yo te espero

CUERNOS DE CAZA

Nuestra historia es noble y es trágica
como del tirano la máscara
Ningún drama arriesgado o mágico
ningún detalle indiferente
ha vuelto nuestro amor patético

Tomas de Quincey que tomaba
opio veneno dulce y casto

pasa en su pobre Ana soñando
Pasemos ya que todo pasa
me voy me voy volviendo el rostro

Recuerdos sois cuernos de caza
ecos que mueren en el viento

LOS FUEGOS DEL VIVAC

El fuego móvil del campamento
ilumina las formas del sueño
y entre las ramas que se entrelazan
otro sueño se dibuja lento

Desdenes del arrepentimiento
ya desollado como una entraña
De los recuerdos y los secretos
no queda nada sino esta brasa

El verso sexto dice: *Tout écorché comme une fraise*. Un traductor interpreta, no sé por qué: madroño. Por el color, *fraise* podría ser fresa (la fruta). Pero en el *Petit Littré* se lee: *Fraise: Terme de boucherie, le mésentère du veau, de l'agneau.* El *Larousse* indica que *fraise,* entre otros significados, tiene el de «asadura» (las entrañas del animal) y relaciona esta palabra con *fressure,* término que designa también a la asadura, a las entrañas y a las vísceras del animal. La imagen es brutal pero no es insólita en Apollinaire: hay otros ejemplos en su poesía. Además, es eficaz para designar el arrepentimiento desollado, por decirlo así, por el desdén. Distintas visiones del rojo: el fuego del vivac, la carne desollada, la brasa.

EL ADIÓS DEL JINETE

Ah Dios qué linda la guerra
con sus cantos y sus ocios
esta sortija la pulo
con el aire y tus suspiros

Y sonó la botasilla
y se perdió en una vuelta
y él murió y ella reía
ante el extraño destino

TORBELLINO DE MOSCAS

Un jinete por el llano
la muchacha lo recuerda
y la flota en Mitilene
la alambrada que reluce

Al cortar la rosa en llamas
sus ojos han florecido
y qué sol la boca errante
al que su boca sonríe

Apollinaire mezcla su guerra (la del 14) con la del Peloponeso (la batalla naval de Mitilene). Eliot usa el mismo recurso en *The Waste Land: Stetson! You who were with me in the ships at Mylae!* (La victoria de los romanos sobre la flota cartaginesa en la primera guerra púnica.) Todas las guerras son una sola guerra, lo mismo para el poeta lírico —suspendido en un instante único que es todos los instantes— que para «los arduos alumnos» de Pitágoras y de Vico.

TARJETA POSTAL

Te escribo bajo esta tienda
afuera se muere un día
en cuyo cielo de estío
apenas azul florece
un rumor de cañoneo
que antes de ser se disipa

EL RIZO

Rizo de pelo castaño
encontrado en mi memoria

Son increíbles ¿recuerdas?
nuestros cruzados destinos

Bulevar de la Capilla
ella murmura me acuerdo
y el lindo Montmartre y el día
en que traspuse tu puerta

Como el otoño ha caído
el rizo de mi recuerdo
Los destinos que te asombran
con el día se deshacen

PULPO

Lanza su tinta contra el cielo,
la sangre chupa de la que ama,
la encuentra siempre deliciosa,
yo soy ese monstruo inhumano.

CARPAS

En viveros y en estanques,
carpas, vivís largos años,
olvidados por la muerte,
peces de melancolía

Esta versión es bastante fiel pero no me satisface. Me atreví a cambiar el primer verso, haciéndolo más concreto y particular (no las carpas en sus estanques y viveros sino un estanque con unas carpas), suprimí el segundo verso por obvio (seguí el precepto del poeta japonés: no decir, sino sugerir) y cambié el orden de las dos últimas líneas. Creo que le habría divertido a Apollinaire ver su epigrama latino transformado en un haikú:

Carpas en el quieto estanque
peces de melancolía
olvidados por la muerte

INSCRIPCIÓN BORDADA EN UN COJÍN

Soy la balanza discreta
del peso de tu belleza

UN POEMA

Ha entrado
Se ha sentado
No mira al pirógeno de mechas rojas
Llamea el fósforo
Se fue

En los mostradores de los cafés y bares de la época había unos aparatos *(pirogenes)* para encender puros y cigarrillos.

CENTINELA

Tú, corazón, ¿por qué lates?
—Melancólico vigía
La noche acecho y la muerte

[«Melancólico vigía» se publicó en *Sombras de obras,* Seix Barral, Barcelona, 1983.]

POETAS EUROPEOS

El caso de Borís Pasternak

Durante los años de la pasada guerra leí por primera vez, creo que gracias a Victor Serge, unos cuantos poemas de Pasternak. Más tarde cayeron en mis manos un volumen de cuentos y relatos, más poemas y, sobre todo, una autobiografía: *Salvoconducto*. Aquellas lecturas me dejaron la impresión de que, más que una obra, el poeta ruso desplegaba ante el lector una estética, es decir, una reflexión sobre una obra. Cierto, los poemas eran una obra (y una de las más altas de la poesía rusa moderna), pero las traducciones que leí entonces apenas si me dejaron vislumbrar su realidad. *Salvoconducto* me enfrentaba, en cambio, con un espíritu apasionado y reticente, con un verdadero y gran poeta —sólo que sus poemas eran inaccesibles. Muchos años después apareció *El doctor Zhivago*. El presentimiento había encarnado. Leí esa novela como hacía mucho que no leía un libro de ficción. Al cerrarlo, terminada la lectura, me dije: «De ahora en adelante, Zhivago, Larissa y Antipov vivirán conmigo; son más reales que la mayoría de la gente que saludo en la calle». La promesa de *Salvoconducto* había sido cumplida.

Hace una semana la prensa anunció que se había concedido el Premio Nobel a Borís Pasternak. No me alegré. Me pareció que se rompía un secreto, que se traicionaba una amistad invisible. Además, temía otras cosas. Lo que ha ocurrido después justificó mis temores. Zhivago y Larissa, sus amores y sus terrores, sus palabras más íntimas y sus sueños más escondidos, se han convertido en «argumentos» en favor o en contra de esta o aquella tendencia. La participación poética se transformó en divulgación política; el secreto confiado al arte, en acusación ideológica. La obra de creación degeneró en libelo sectario. Larissa desaparece en un campo de concentración: la propaganda viola su tumba y arroja ese montón de cenizas al rostro del adversario, que responde con un escupitajo y una injuria. La obra anunciada por la prosa elusiva de *Salvoconducto* y

Caminos aéreos, invocada y prefigurada por tantos poemas admirables, la obra escrita como un testamento y un acto de fe, la obra en que nos va la vida porque ella es la única justificación del gemido, el llanto y el beso, se convierte en un episodio más de la «guerra fría». Tal es el estado de espíritu contemporáneo. Pasemos.

La novela de Pasternak no es una obra de «partidario». No es una acusación ni una defensa. Es la evocación y la convocación de unas sombras amadas, la resurrección de unos años terribles. (En un poema escrito en 1921, Pasternak dice: «Nosotros, que fuimos hombres, hoy somos épocas».) Asimismo, es una meditación, una pregunta sobre el significado de esas vidas y esos años. Convocación, resurrección, meditación: ninguna de estas palabras tiene un sabor polémico; ninguna de ellas alude a la querella actual y sí a la poesía, a la filosofía, a la religión. Esta actitud constituye, en sí misma, un desafío: los dioses modernos —el Estado, el partido— son celosos; todo aquello que no gira en su órbita y pretende sustentarse en sí mismo es sospechoso y debe ser suprimido. No tener partido, dice la dialéctica moderna, es ya tomar partido. Esta falta de respeto por la realidad, este sofisma, puede engañar a la gente pero no modifica la realidad. Una obra de arte no es un proyectil; no les sirve ni a unos ni a otros. No ignoro que la novela de Pasternak es, casi sin proponérselo, una exposición de la grandeza y el horror —los términos no son enemigos sino complementarios— del sistema soviético; pero es algo más; es una crítica, también involuntaria, del «espíritu de sistema» y, en este sentido, de la totalidad del mundo moderno.

La sociedad contemporánea es un conjunto de sistemas, todos ellos parciales y todos ellos con apetito de hegemonía universal. El uno quiere devorar al otro, como diría Machado. Los sistemas enfrentan media humanidad a la otra media; una mitad del pueblo a la otra, y en cada conciencia hay también dos mitades, dos medios hombres, que pelean porque cada uno se cree el hombre total y único. El resultado es el vacío: empezamos por negar al «otro» y terminamos por negarnos a nosotros mismos. El «espíritu de sistema» quiere decir idolatría de la fracción. Sus frutos son el planeta dividido, el hombre escindido: el fragmento de hombre. El sistema pretende que la verdad parcial sea una verdad general y para lograrlo no tiene más remedio que abstraer (sería más justo decir: escamotear) la otra mitad de la realidad. La auténtica universalidad consiste en reconocer la existencia concreta de los demás y aceptarlos, aunque sean distintos a nosotros; la universalidad abstracta aspira a la abolición de los otros. El espíritu de sistema es absolutista.

> Vuestros maestros —dice el doctor Zhivago al guerrillero Liveri— olvidan que el amor no es cosa de obligación. Con terquedad quieren imponer la libertad y la felicidad a todos, principalmente a aquellos que nada les piden.

¡Imponer la libertad, volver obligatoria la felicidad! Nunca habían sido tan virtuosos los hombres políticos; nunca habían sido tan crueles.

El punto de vista de Pasternak no es el del sistema sino el del poeta. Su libro de poemas más importante se llama *Mi hermana, la vida*. Y la vida no es sistemática ni parcial. La vida no delega en ninguna de sus manifestaciones —gusano, estrella u hombre— la dictadura del bien o el monopolio de la justicia. Nadie es dueño del porvenir, nadie tiene derechos exclusivos sobre la caja de sorpresas de la historia. En uno de sus relatos —*La niñez de Leuvers*— escribe el poeta ruso:

> Si se confiase a un árbol la misión de dirigir su propio crecimiento, pronto se convertiría en una sola rama, o desaparecería enteramente en sus raíces, o se transformaría en una hoja monstruosa, olvidando que el universo es su modelo... y después de producir de mil cosas sólo una, repetiría esa única cosa mil veces.

Esto es lo que sucede en el mundo moderno y, asimismo, lo que *no* ocurre en la novela de Pasternak. No es hoja, ni rama, ni raíz, sino todo junto: un árbol. Un organismo vivo es una totalidad de elementos distintos, todos ellos regidos por un sentido que los enlaza y hace participar del todo. Una obra de arte es, a su manera, una totalidad. Y el artista es, o debería ser, un hombre total. Su punto de vista es, simultáneamente, el de la diversidad casi infinita de la vida y el de su final unidad.

El doctor Zhivago no es una novela política pero tampoco es un alegato filosófico. Se ha dicho que es una obra épica que continúa la tradición de Tolstói. Basta recordar *Guerra y paz* para darse cuenta de que la comparación es superficial y apresurada. Tolstói pinta una época, revive una sociedad, crea un mundo colectivo. Tolstói, como Balzac y Pérez Galdós, tiene el trazo amplio y seguro, la economía de la fuerza, el equilibrio de las masas vastas y bien dibujadas. Nada sobra en Tolstói; sobran muchas cosas en Pasternak. Su dibujo es incierto, se pierde en los detalles, no tiene visión de conjunto. Pasternak no es un verdadero novelista ni *El doctor Zhivago* es una gran novela. Sus limitaciones, que le impiden recrear en su verdadera medida los días de octubre y los años de la guerra civil, en cambio le permiten darnos una visión muy pura de la naturaleza y expresar ciertos instantes privilegiados de la percepción poética. No, Pasternak carece del genio épico y su libro, más que la imagen de una sociedad y de una época, es la expresión de una sensibilidad individual. Pertenece a la raza de los poetas líricos más que a la de los novelistas épicos. *El doctor Zhivago* es, simplemente, una novela de amor. Zhivago y Larissa pertenecen a mundos distintos; él la entrevé en su adolescencia y no la olvida; pasan los años y cuando ambos se han instalado ya en la vida, rodeados por la ilusoria seguridad de un hogar, la guerra los pone frente a frente. La revolución los junta, y la misma revolución, con idéntica violencia, los separa.

Zhivago, el poeta, es todo interrogación: ¿quién soy, quién eres, qué somos? Larissa es toda respuesta, la respuesta enigmática de la vida, que sólo dice: yo soy, tú eres. Zhivago —nebuloso, abstraído, apasionado— no pregunta más: sabe que está vivo y que la vida lo rodea. A medida que la política, la pasión abstracta, deshumaniza a los hombres, el amor humaniza a Zhivago. En el campamento de guerrilleros el único ser con quien puede hablar (hablar: no discutir sobre el destino de la historia y los rasgos del porvenir) es un árbol. «El árbol estaba cubierto de escarcha; sus dos ramas nevadas le recordaron los largos brazos blancos de Larissa, su curva generosa. Se acercó y lo abrazó. Como si le respondiese, el árbol dejó caer una lluvia de nieve que lo cubrió de la cabeza a los pies. Sin saber lo que decía, tartamudeó: "Volveré a verte, mi bella, mi árbol, mi perla roja, mi amor"». Lo que une a los enamorados no es la «pasión» de la novela moderna; tampoco la sexualidad, el instinto, la voz de la sangre, la angustia, la soledad... El amor es elección de almas: «Las conversaciones que sostenían a media voz, aun las más frívolas, estaban llenas de sentido, como los diálogos de Platón». En un poema antiguo Pasternak habla de una gota de agua que cae —«ágata inmensa que centellea y oscila»— sobre las cabezas juntas de dos enamorados que se besan:

> Ella ríe y trata de separarse.
> Se levanta, viva como flecha.
> Pero la gota tiembla y no cae...
> Podréis desgarrarlos, no separarlos.

El sistema, fiel a su mecánica, divide a los enamorados, hace fragmentos del todo. Al dividirlos, los desgarra pero no los *separa.*

Relato de un amor desdichado, *El doctor Zhivago* es también la novela de la continuidad del amor, de la permanencia de la vida. No la vida biológica sino histórica. La historia, que a lo largo del libro aparece como una fatalidad inhumana, nos revela su secreto en el último capítulo. Cristina Orlestov —hija del sacerdote Bonifacio, prisionero en un campo de concentración— se convierte, por un sentimiento de culpabilidad que no necesita explicación, en una comunista fanática. Estudiante universitaria, aterroriza a sus profesores, temerosos siempre de incurrir en una «desviación ideológica». Un día se enamora de uno de ellos, el más expuesto a sus críticas, antiguo compañero de cárcel de su padre. Este amor la humaniza. Un poco más tarde, Cristina muere heroicamente, luchando contra los nazis. El Estado erige un monumento a su memoria y la Iglesia la canoniza. Tonia, la lavandera, niña perdida por sus padres durante la revolución, al final recobra su identidad y un hogar. Tonia y Cristina son «los hijos de los años terribles de Rusia», dice Pasternak citando a Blok. ¿Cuál es el sentido de todo esto?

La historia, por sí misma, no tiene sentido: es un escenario transitado sólo por fantasmas sucesivos. La historia es inhumana, que eso es no tener sentido, porque su único personaje es una entidad abstracta: la humanidad. A nombre de la humanidad se separa a los amantes, se condena al disidente, se suprime a los hombres. La historia, entendida así, es una sucesión de actos: feudalismo, capitalismo, comunismo. Cada acto puede tener sentido por sí y para sí, pero el conjunto, la totalidad de la pieza, no tiene sentido: es una representación sin fin, una pesadilla infinita. Hay, sin embargo, otra concepción de la historia, en la que los personajes no son los sistemas ni las ideologías, sino los hombres mismos. No el cristianismo, el cristiano; no el feudalismo, el caballero; no el obrerismo, el obrero. La historia es el *lugar de prueba.* Por la historia, y en la historia, cada hombre puede encontrarse a sí mismo, dejar de ser un ente abstracto que pertenece a una categoría social, ideológica o racial, y convertirse en una persona única e irrepetible. Y ese hombre puede comunicarse con los otros hombres y ser así el hermano de sus semejantes desemejantes. Para Pasternak esta concepción de la historia se llama cristianismo. Su fundamento es «la idea de la persona libre y la idea de la vida como sacrificio...» La idea del amor al prójimo: la historia es el lugar de encuentro de los hombres, el diálogo de las almas. No es necesario ser creyente para aceptar estas ideas. Creo que, en efecto, la historia es un lugar de purificación, un verdadero purgatorio, y un lugar de reconciliación, con los otros y con nosotros mismos. Aquellos que resisten la prueba salen cambiados: son dueños de su alma y pueden comulgar con los demás.

Con toda intención, a lo largo de este artículo, he escrito «alma» y no conciencia, instinto, razón, libido, *ego*, personalidad o individualidad. *Alma*, palabra pasada de moda, un tanto equívoca, húmeda aún de tierra, lluvia y luz primitivas; por obra de esta palabra oscura los hombres empezaron a darse cuenta de su identidad. Al saber que tenían alma, vislumbraron que su ser era único, irrepetible y, en cierto modo, sagrado. Alma, lo más personal que tenemos, lo más nuestro, y, al mismo tiempo, lo más extraño, lo que nos une a los demás, a las otras almas. Quizá sólo los que han sufrido y amado de verdad, los que han pasado por el purgatorio de la historia, tienen la revelación de que somos dueños de un alma. La mayoría de los hombres modernos no tienen alma: tienen «psicología». El libro de Pasternak nos vuelve a recordar, revelándola, la existencia del alma. Ésa ha sido, una y otra vez —desde Pushkin hasta Blok, Esenin y Maiakovski— la misión de la poesía rusa en el mundo occidental: recordarnos que el hombre escapa a todos los sistemas, inclusive si voluntariamente se encierra en ellos. Entre el alma y el sistema, la poesía es un testimonio de la primera.

México, 1958

[«El caso de Borís Pasternak» se publicó en *Puertas al campo*, UNAM, México, 1966.]

Un himno moderno: Saint-John Perse

En 1904, adolescente aún, Saint-John Perse escribe su primer poema conocido: *Images à Crusoe;* en 1959 publica *Chronique,* su poema más reciente.[1] Medio siglo separa a estas dos obras. ¿Separa o une? Ambas cosas a la vez. Poco queda del mundo que rodeó a la juventud de Perse. Han desaparecido sociedades enteras, han surgido otras y aquellas que resistieron al vendaval han cambiado de tal modo que nadie podría decir que son las mismas. Lo que ha pasado en estos cincuenta años es algo más que el tiempo. Cierto, no es la primera vez que ocurren cataclismos. Antes, sin embargo, la creación y la destrucción de los imperios apenas si transtornaba la vida diaria de los hombres, unidos por el trabajo y el rito al ritmo cíclico de la naturaleza. La verdadera vida no era histórica. Hasta el siglo pasado subsiste la separación entre vida privada y acontecimiento público; salvo en raros y aislados momentos —la revolución de 1848, la Comuna— la historia pasa al margen de Baudelaire, Rimbaud o Mallarmé. Hoy la historia no sólo ocupa todo el espacio terrestre —ya no hay pueblos ni tierras vírgenes— sino que invade nuestros pensamientos, deshabita nuestros sueños secretos, nos arranca de nuestras casas y nos arroja al vacío público. El hombre moderno ha descubierto que la vida histórica es la vida errante. Saint-John Perse lo sabe mejor que nadie. Pero aquello que la historia separa, lo une la poesía.

Si releemos los libros de Perse, advertiremos que de *Éloges* a *Chronique* fluye sin interrupción una misma corriente verbal. El lenguaje reabsorbe los hechos, los transmuta y, por decirlo así, los redime. Todo lo que ha pasado en estos cincuenta años, sin excluir la aventura personal del poeta, se resuelve en una obra. La discordia, la ruptura, el destierro, el amor y los amores, el asombro, la destrucción y el nacimiento de las ciu-

[1] Después de escrita esta nota, Saint-John Perse publicó *Oiseaux* (1963), *Chanté par celle qui fût là* (1972) y *Chant pour un équinoxe* (1972).

dades, los desfallecimientos del lenguaje y la fiebre intolerable del cielo en el oeste, son las imágenes y las rimas de un vasto poema. La dispersión de nuestro mundo se revela al fin como viviente unidad. No la unidad del sistema, que excluye la contradicción y es siempre visión parcial, sino la de la imagen poética. Se ha dicho que el historiador es un profeta al revés, un adivino del pasado; podría agregarse que el poeta es un historiador que imagina lo que sucede. Y lo más sorprendente es que sus imágenes son más verdaderas que los llamados documentos históricos. Aquel que quiera saber lo que realmente ocurrió en la primera mitad del siglo XX deberá acudir, más que al dudoso testimonio de los periódicos, a unas cuantas obras poéticas. Una de ellas es la de Saint-John Perse.

Images à Crusoe termina con una frase que es, simultáneamente, una evocación y una profecía: «Tu attendais l'instant du départ, le lever du grand vent qui te descellerait d'un coup, comme un typhon, divisant les nuées devant l'attente de tes yeux...» La primera estrofa de *Chronique* responde así a la última de su libro juvenil: «Grand âge, nous voici: fraîcheur du soir sur les hauteurs, souffle du large sur tous les seuils, et nos fronts mis à nu pour de plus vastes cirques...» Perse acude a la cita que se dio a sí mismo cuando tenía veinte años. La edad no es resignación: el mundo sigue abierto y la imagen preferida del poeta todavía es la del camino. La edad no es el sillón junto al fuego sino la noche a la intemperie. *Chronique* es una estrofa más del poema, reiteración del tema inicial y augurio de otra aventura. ¿Otra? La misma siempre, distinta siempre. Cada libro de Perse es una estrofa de un poema único, y cada una de estas grandes estrofas es un poema aislado. Unidad y multiplicidad.

¿Cuál es el tema de este poema, qué historia nos cuentan estas estrofas que se llaman *Éloges, Anabase, Exil, Vents, Amers, Chronique*? La obra se inicia como un canto: elogio al mundo natural, a la primera edad del hombre. Mar, cielo y tierra vistos por los ojos graves y sorprendidos de un niño. Alabanza y adiós a la infancia, a su *fábula generosa* y a la riqueza de su mesa. El primer libro, la primera estrofa, es un anuncio de viaje: «todos los caminos del mundo comen en mi mano». De *Éloges* a *Anabase* sólo había un paso. Perse lo dio sin nostalgia, decidido desde entonces a ser el Extranjero: no hay camino de retorno ni vuelta al país natal. *Anabase* es el relato de las peregrinaciones y de los movimientos —en el espacio, en el tiempo y en el recinto cerrado del sueño— de las razas y las civilizaciones, la celebración de la fundación de las leyes y las ciudades, la evocación de los grandes pájaros viajeros: *Terre arable du songe! Qui parle de batir?* A partir de *Anabase* el destino del Extranjero se confunde con el de las lluvias, las nieves y los vientos, imágenes de cambio y migración, poderosas condensaciones de la palabra *exilio*. Historias de nuestros tiempos, sí, pero asimismo relato de un destierro que no tiene fin porque toda historia humana es historia de destierro. El planeta mismo es un cuerpo errante.

La aventura de Perse es lo contrario de un periplo. Cada estación es un punto de partida, un breve descanso antes de proseguir la jornada. La figura geométrica que rige a este universo no es el círculo sino la espiral. La poesía de Perse debe leerse como un ejercicio de intrepidez espiritual. Sus poemas no nos ofrecen un refugio contra la noche y el mal tiempo: son un campamento al aire libre. Nada de raíces: alas. Su tema es plural y simple: los tiempos, el tiempo. Historia sin personajes porque el único personaje real de la historia es un ser sin nombre y sin rostro, mitad carne y mitad sueño: el hombre que somos y no somos todos los hombres. Viaje sin carta de marear ni brújula porque las ciudades, los puertos, las islas, toda esa deslumbrante geografía, se desvanece apenas la tocamos. Crónica de los temporales y las bonanzas, anales del viento, libro del mar y los ríos, piedra del cielo en la que se leen, como si fuese una estela, los signos de los años buenos y malos. La poesía de Perse se despliega más allá de optimismo y pesimismo, indiferente a la querella de los nombres y a los litigios sórdidos de la moral y los significados. Otra es su moral, otro su entusiasmo y su terrible energía. El tema de Perse es el tiempo, nuestra sustancia. Poesía del tiempo que nos entierra y nos destierra. Si algo somos los hombres, somos una metáfora del tiempo. Una imagen errante.

Anales, crónica, viaje: épica. Sólo que estamos frente a un poema épico singular. Su forma, la única que quizá podía soportar una época como la nuestra, se parece poco a la tradicional. (Diré, de paso, que nuestro siglo se ha propuesto recuperar el género épico. Inclusive la novela, dominada casi enteramente por el espíritu de análisis, hoy abandona la psicología y sus expresiones más arriesgadas la acercan de nuevo a la poesía, visión unitaria y recreación del lenguaje.) Lo primero que sorprende al lector de *Anabase* o de *Vents,* una vez vencidas las dificultades que opone todo poema a unos ojos distraídos, es la ausencia de relato. El poeta habla de emigraciones, conquistas, viajes, ritos, invención de técnicas, descubrimientos de nuevas tierras, elecciones de dignatarios, concilios, usurpaciones, fiestas, sin que todo ese desconcertante vaivén de siglos y sucesos pueda insertarse en un relato lineal. Estamos en el centro del torbellino. La historia es movimiento, pero ignoramos la dirección de ese movimiento. ¿Acaso la saben los historiadores? En lugar de las explicaciones, siempre provisionales, de los filósofos de la historia, el poeta nos da el sentimiento y el sentido de la vida histórica. El *sentido* no es la dirección de los acontecimientos (algo que, por lo demás, nadie sabe): el sentido de la historia no está más allá, en el pasado o en el futuro, sino en el ahora y el aquí. En esta tierra y en este instante el hombre construye ciudades, levanta monarquías, celebra asambleas, redacta códigos, escribe poemas o prepara su pérdida. En una palabra, lucha contra la muerte, hace de cada una de sus horas una obra o un acto: un monumento y una ruina. Aunque la poesía de Perse no adopta la forma lineal de la narración, su materia es épica. Con una abundancia de ejemplos que es testimonio de una experiencia vital muy rica, despliega ante nuestros ojos la variedad, a un tiempo admirable y risible, de las obras, ocupaciones y actos de los hombres. Sin recurrir a las filosofías, nos enfrenta al sentido inmediato de la historia: crear o perecer.

Si el relato desaparece, disuelto en el torbellino del movimiento, ¿qué ocurre con los héroes? Todos ostentan una máscara. Ninguno tiene nombre propio: el extranjero, el regente, el usurpador, las trágicas, el escribano, los virreyes, el financiero, el astrólogo... Funciones, dignidades, oficios —algunos antiguos como la civilización, otros imaginarios. Hombres de todas las clases y toda clase de hombres. Como en la obra de Joyce, todos los personajes se funden en uno solo. Y ese único nunca habla con su voz propia. Apenas rompe el silencio, se manifiesta como una pluralidad de voces y presencias cambiantes. ¿Diálogo o monólogo? Unas veces, poema coral; otras, recitación, meditación o plegaria de una sola voz. La mujer es las mujeres y las mujeres son el mar. El extranjero es el poeta y el poeta es el lenguaje. El viento, las nubes, las rocas, el mar —todopoderoso y omnipresente en el espíritu de Perse—, los grandes árboles, los metales, los tres reinos y los otros también son personajes. El poeta es el cronista de las lluvias, el historiador de las nieves. Los fastos de la historia se confunden con los fenómenos físicos. La tormenta, el relámpago, el verano son parte de la gesta. ¿O es a la inversa: Perse concibe a la historia como un hecho natural? Quizá ni lo uno ni lo otro. La visión es total: historia y naturaleza son dimensiones del ser, extremos de la misma aventura. ¿Y el hombre? El hombre también es aventura, una apuesta que la vida se ha hecho a sí misma. En *Chronique* aparece esta frase extraña que arroja cierta luz sobre lo que no sé si deba llamarse el «transhumanismo» de Perse: «Nous passons, et, de nul engendrés, connaît-on bien l'espèce où nous nous avançons?» El centro del poema es el hombre pero visto como un ser transitorio que se dirige hacia otro estado: *Nous sommes pâtres du futur...*

Las clasificaciones son peligrosas. La poesía de Perse no se parece tanto a los poemas épicos tradicionales como a los libros sagrados del Oriente o a las cosmogonías mayas. Al lado de estos textos religiosos habría que mencionar los libros de historia, no a los de los historiadores sino de los actores: Bernal Díaz, Babur. Por otra parte, su obra recoge y amplía la tradición moderna, especialmente la que parte de Claudel y Segalen. Esta tradición nace de Mallarmé y de su concepción de la página como un espacio animado. En el caso de estos tres poetas ese espacio se funde a la visión de las grandes planicies del Asia Central. En nuestro poeta hay, además, otro elemento terrestre no menos poderoso. Con frecuencia se olvida que si hay un Saint-John Perse tártaro, también hay uno del trópico y del mar americanos: el mundo de *Éloges* es el de las Antillas. En esta obra se juntan el gran llano de los nómadas asiáticos y las islas centelleantes del Caribe. La importancia de la geografía, real o imaginaria, en la inspiración del poeta francés nos revela una vez más que su imagen de la historia no es la de nuestros manuales escolares ni la de nuestros filósofos; para Perse la idea de futuro es la de un espacio por recorrer o conquistar: no un punto al que hay que llegar sino un sitio que hay que poblar. El espacio es erótico: *Jeunes femmes! et la nature d'un pays s'en trouve toute parfumée... Amers* contiene uno de los grandes poemas de amor de la poesía francesa moderna. Y la *Récitation à l'éloge d'une reine* y... ¿Para qué recordar otros poemas? Las enumeraciones son fastidiosas. Historia, geografía, imágenes del viaje y del erotismo, la poesía de Perse culmina en un canto al acto de cantar. Palabra que no exalta a esta o aquella acción sino al acto original, al acto puro, palabra de la energía creadora, ¿cómo extrañarse que se convierta en alabanza del acto más alto del hombre: el poema? Celebración del lenguaje, la poesía de Perse es un regreso al origen del poema: el himno. Exclamación ante la vida, aprobación del existir, elogio. Poesía que ignora a los dioses pero que se baña en su fuente: *Vraiment j'habite la gorge d'un dieu.* Nuestra terrible época no sólo es duda y negación. Un poeta la acepta en su totalidad. Ningún poeta verdadero es maniqueo. El bien y el mal, el lado opaco y el luminoso no son entidades separadas sino el reverso y el anverso del Ser que es siempre *lo mismo* —aunque nunca sea el mismo. El poeta ignora el litigio: su canto es alabanza.

París, mayo de 1961

[«Un himno moderno: Saint-John Perse» se publicó en *Puertas al campo,* UNAM, México, 1966.]

Fernando Pessoa

1. EL DESCONOCIDO DE SÍ MISMO

Estas páginas sobre un poeta portugués que fue nuestro contemporáneo deben comenzar con una confesión: la primera vez que oí hablar de Fernando Pessoa fue en París, una noche del otoño de 1958. Había cenado con unos amigos, en una casa del Marais; uno de los presentes, Nora Mitrani, me preguntó mi opinión sobre el «caso» de Pessoa; no sin confusión, tuve que decirle que apenas si sabía algo de la literatura moderna portuguesa. Unos días después Nora me envió un número de *Le surréalisme, même,* en el que aparecían algunos poemas de Pessoa-Caeiro, traducidos por ella. Esos textos despertaron mi curiosidad. Me procuré las traducciones y estudios de Armand Guilbert. Su lectura me reveló a un gran poeta, casi desconocido entre nosotros. Poco a poco descubrí que existía un reducido círculo de lectores de Pessoa, disperso en todo el mundo; la pintora Vieira da Silva me prestó la *Obra poética,* en la edición de Rio de Janeiro; conseguí el tomo de ensayos de Adolfo Casais Monteiro; más tarde, no sin dificultades, adquirí los volúmenes de la edición portuguesa. Casi sin darme cuenta empecé a traducir algunos poemas de Álvaro de Campos. Insensiblemente pasé a los otros heterónimos. Mientras traducía, cambiaban mis preferencias; iba de Campos a Reis, de Reis a Caeiro, y siempre regresaba a Pessoa. Advertí que Caeiro, Reis y Campos no podrían vivir sin Pessoa, es decir, descubrí la unidad poética de la obra. Los heterónimos no son criaturas independientes, o lo son a la manera... Me explicaré más tarde. Antes de proseguir, quisiera decir algo: hace unos meses murió Nora Mitrani; creo que le habría alegrado saber que aquella conversación de 1958 despertó una pasión. Esa pasión es el origen de este pequeño libro. Mis traducciones no son un trabajo de erudición sino el fruto espontáneo, tal vez un poco agrio, del fervor.

Los poetas no tienen biografía. Su obra es su biografía. Pessoa, que dudó siempre de la realidad de este mundo, aprobaría sin vacilar que fuese directamente a sus poemas, olvidando los incidentes y los accidentes de su existencia terrestre. Nada en su vida es sorprendente —nada, excepto sus poemas. No creo que su «caso», hay que resignarse a emplear esa antipática palabra, los explique; creo que, a la luz de sus poemas, su «caso» deja de serlo. Su secreto, por lo demás, está escrito en su nombre: *Pessoa* quiere decir «persona» en portugués y viene de *persona,* máscara de los actores romanos. Máscara, personaje de ficción, ninguno: Pessoa. Su historia podría reducirse al tránsito entre la irrealidad de su vida cotidiana y la realidad de sus ficciones. Estas ficciones son los poetas Alberto Caeiro, Álvaro de Campos, Ricardo Reis y, sobre todo, el mismo Fernando Pessoa. Así, no es inútil recordar los hechos más salientes de su vida, a condición de saber que se trata de las huellas de una sombra. El verdadero Pessoa es otro.

Nace en Lisboa, en 1888. Niño, queda huérfano de padre. Su madre vuelve a casarse; en 1896 se traslada, con sus hijos, a Durban, África del Sur, adonde su segundo esposo había sido enviado como cónsul de Portugal. Educación inglesa. Poeta bilingüe, la influencia sajona será constante en su pensamiento y en su obra. En 1905, cuando está a punto de ingresar en la Universidad del Cabo, debe regresar a Portugal. En 1907 abandona la Facultad de Letras de Lisboa e instala una tipografía. Fracaso, palabra que se repetirá con frecuencia en su vida. Trabaja después como *correspondente estrangeiro,* es decir, como redactor ambulante de cartas comerciales en inglés y francés, empleo modesto que le dará de comer durante casi toda su vida. Cierto, en alguna ocasión se le entreabren, con discreción, las puertas de la carrera universitaria; con el orgullo de los tímidos, rehúsa la oferta. Escribí *discreción* y *orgullo;* quizá debía haber dicho *desgano* y *realismo:* en 1932 aspira al puesto de archivista en una biblioteca y lo rechazan. Pero no hay rebelión en su vida: apenas una modestia parecida al desdén.

Desde su regreso de África no vuelve a salir de Lisboa. Primero vive en una vieja casa, con una tía solterona y una abuela loca; después con otra tía; una temporada con su madre, viuda de nuevo; el resto, en domicilios inciertos. Ve a los amigos en la calle y en el café. Bebedor solitario en tabernas y fondas del barrio viejo. ¿Otros detalles? En 1916 proyecta establecerse como astrólogo. El ocultismo tiene sus riesgos y en una ocasión Pessoa se ve envuelto en un lío, urdido por la policía contra el mago y «satanista» inglés E. A. Crowley-Aleister, de paso por Lisboa en busca de adeptos para su orden místico-erótica. En 1920 se enamora, o cree que se enamora, de una empleada de comercio; la relación no dura mucho: «mi destino», dice en la carta de ruptura, «pertenece a otra Ley, cuya existencia no sospecha usted siquiera». No se sabe de otros amores. Hay una corriente de homosexualismo doloroso en la *Oda marítima* y en la *Salutación a Whitman,* grandes composiciones que hacen pensar en las que, quince años más tarde, escribiría el García Lorca de *Poeta en Nueva York.* Pero Álvaro de Campos, profesional de la provocación, no es todo Pessoa. Hay otros poetas en Pessoa. Casto, todas sus pasiones son imaginarias; mejor dicho, su gran vicio es la imaginación. Por eso no se mueve de su silla. Y hay otro Pessoa, que no pertenece ni a la vida de todos los días ni a la literatura: el discípulo, el iniciado. Sobre este Pessoa nada puede ni debe decirse. ¿Revelación, engaño, autoengaño? Todo junto, tal vez. Como el maestro de uno de sus sonetos herméticos, Pessoa *conhece e cala.*

Anglómano, miope, cortés, huidizo, vestido de oscuro, reticente y familiar, cosmopolita que predica el nacionalismo, *investigador solemne de cosas fútiles,* humorista que nunca sonríe y nos hiela la sangre, inventor de otros poetas y destructor de sí mismo, autor de paradojas claras como el agua y, como ella, vertiginosas: *fingir es conocerse,* misterioso que no cultiva el misterio, misterioso como la luna del mediodía, taciturno fantasma del mediodía portugués, ¿quién es Pessoa? Pierre Hourcade, que lo conoció al final de su vida, escribe: «Nunca, al despedirme, me atreví a volver la cara; tenía miedo de verlo desvanecerse, disuelto en el aire». ¿Olvido algo? Murió en 1935, en Lisboa, de un cólico hepático. Dejó dos *plaquettes* de poemas en inglés, un delgado libro de versos portugueses y un baúl lleno de manuscritos. Todavía no se publican todas sus obras.

Su vida pública, de alguna manera hay que llamarla, transcurre en la penumbra. Literatura de las afueras, zona mal alumbrada en la que se mueven —¿conspiradores o lunáticos?— las sombras indecisas de Álvaro de Campos, Ricardo Reis y Fernando Pessoa. Durante un instante, los bruscos reflectores del escándalo y la polémica los iluminan. Después, la oscuridad de nuevo. El casi-anonimato y la casi-celebridad. Nadie ignora el nombre de Fernando Pessoa pero pocos saben quién es y qué hace. Reputaciones portuguesas, españolas e hispanoamericanas: «Su nombre me suena, ¿es usted periodista o director de cine?» Me imagino que a Pessoa no le desagradaba el equívoco. Más bien lo cultivaba. Temporadas de agitación literaria seguidas por periodos de abulia. Si sus apariciones son aisladas y espasmódicas, golpes de mano para aterrorizar a los cuatro gatos de la literatura oficial, su trabajo solitario es constante. Como todos los grandes perezosos, se pasa la vida haciendo catálogos de obras que nunca escribirá, y según les ocurre también a los abúlicos, cuando son apasionados e imaginativos, para no estallar, para no volverse loco, casi a hurtadillas, al margen de sus grandes proyectos, todos los días escribe un poema, un artículo, una reflexión. Dispersión y tensión. Todo marcado por una misma señal: esos textos fueron escritos por necesidad. Y esto, la fatalidad, es lo que distingue a un escritor auténtico de uno que simplemente tiene talento.

Escribe en inglés sus primeros poemas, entre 1905 y 1908. En aquella época leía a Milton, Shelley, Keats, Poe. Más tarde descubre a Baudelaire y frecuenta a varios «subpoetas portugueses». Insensiblemente vuelve a su lengua materna, aunque nunca dejará de escribir en inglés. Hasta 1912 la influencia de la poesía simbolista y del «saudosismo» es preponderante. En ese año publica sus primeras cosas, en la revista *A Águia,* órgano del «renacimiento portugués». Su colaboración consistió en una serie de artículos sobre la poesía portuguesa. Es muy de Pessoa esto de iniciar su vida de escritor como crítico literario. No menos significativo es el título de uno de sus textos: *Na Floresta do Alheamento.* El tema de la enajenación y de la búsqueda de sí, en el bosque encantado o en la ciudad abstracta, es algo más que un tema: es la sustancia de su obra. En esos años se busca; no tardará en inventarse.

En 1913 conoce a dos jóvenes que serán sus compañeros más seguros en la breve aventura futurista: el pintor Almada Negreira y el poeta Mário de Sá-Carneiro. Otras amistades: Armando Côrtes-Rodrigues, Luis de Montalvor, José Pacheco. Presos aún en el encanto de la poesía «decadente», aquellos muchachos intentan vanamente renovar la corriente simbolista. Pessoa inventa el «paulismo». Y de pronto, a través de Sá-Carneiro, que vive en París y con el que sostiene una correspondencia febril, la revelación de la gran insurrección moderna: Marinetti. La fecundidad del futurismo es innegable, aunque su resplandor se haya oscurecido después por las abdicaciones de su fundador. La repercusión del movimiento fue instantánea acaso porque, más que una revolución, era un motín. Fue la primera chispa, la chispa que hace volar la pólvora. El fuego corrió de un extremo a otro, de Moscú a Lisboa. Tres grandes poetas: Apollinaire, Maiakovski y Pessoa. El año siguiente, 1914, sería para el portugués el año del descubrimiento o, más exactamente, del nacimiento: aparecen Alberto Caeiro y sus discípulos, el futurista Álvaro de Campos y el neoclásico Ricardo Reis.

La irrupción de los heterónimos, acontecimiento interior, prepara el acto público: la explosión de *Orpheu.* En abril de 1915 sale el primer número de la revista; en julio, el segundo y último. ¿Poco? Más bien demasiado. El grupo no era homogéneo. El mismo nombre, *Orpheu,* ostenta la huella simbolista. Aún en Sá-Carneiro, a pesar de su violencia, los críticos portugueses advierten la persistencia del «decadentismo». En Pessoa la división es neta: Álvaro de Campos es un futurista integral pero Fernando Pessoa sigue siendo un poeta «paulista». El público recibió la revista con indignación. Los textos de Sá-Carneiro y de Campos provocaron la furia habitual de los periodistas. A los insultos sucedieron las burlas; a las burlas, el silencio. Se cumplió el ciclo. ¿Quedó algo? En el primer número apareció la *Oda triunfal;* en el segundo, la *Oda marítima.* El primero es un poema que, a despecho de sus tics y afectaciones, posee ya el tono directo de *Tabaquería,* la visión del poco peso del hombre frente al peso bruto de la vida social. El segundo es algo más que los fuegos de artificio de la poesía futurista: un gran espíritu delira en voz alta y su grito nunca es animal ni sobrehumano. El poeta no es un «pequeño Dios» sino un ser caído. Los dos poemas recuerdan más a Whitman que a Marinetti, a un Whitman entusiasmado y negador. No es esto todo. La contradicción es el sistema, la forma de su coherencia vital: al mismo tiempo que las dos odas, escribe *O Guardador de Rebanhos,* libro póstumo de Alberto Caeiro, los poemas latinizantes de Reis y *Epithalamium* y *Antinous, dois poemas inglêses meus, muito indecentes, e portanto impublicáveis em Inglaterra.*

La aventura de *Orpheu se* interrumpe bruscamente. Algunos, ante los ataques de los periodistas y asustados quizá por las intemperancias de Álvaro de Campos, escurren el bulto. Sá-Carneiro, siempre inestable, regresa a París. Un año después se suicida. Nueva tentativa en 1917: el único número de *Portugal Futurista,* dirigida por Almada Negreira, en el que aparece el *Ultimatum* de Álvaro de Campos. Hoy es difícil leer con interés ese chorro de diatribas, aunque algunas guardan aún su saludable virulencia: «D'Annunzio, Don Juan en Patmos; Shaw, tumor frío del ibsenismo; Kipling, imperialista de la chatarra...» El episodio de *Orpheu* termina en la dispersión del grupo y en la muerte de uno de sus guías. Habrá que esperar quince años y una nueva generación. Nada de esto es insólito. Lo asombroso es la aparición del grupo, adelante de su tiempo y de su sociedad. ¿Qué se escribía en España y en Hispanoamérica por esos años?

El siguiente periodo es de relativa oscuridad. Pessoa publica dos cuadernos de poesía inglesa, *35 Sonnets* y *Antinous,* que comentan el *Times* de Londres y el *Glasgow Herald* con mucha cortesía y poco entusiasmo. En 1922 aparece la primera colaboración de Pessoa en *Contemporánea,* una nueva revista literaria: *O Banqueiro Anarquista.* También son de esos años sus veleidades políticas: elogios del nacionalismo y del régimen autoritario. La realidad lo desengaña y lo obliga a desmentirse: en dos ocasiones se enfrenta al poder público, a la Iglesia y a la moral social. La primera para defender a Antonio Botto, autor de *Canções,* poemas de amor uranista. La segunda contra la «Liga de acción de los estudiantes», que perseguía al pensamiento libre con el pretexto de acabar con la llamada «literatura de Sodoma». César es siempre moralista. Álvaro de Campos distribuye una hoja: *Aviso por causa da moral;* Pessoa publica un manifiesto, y el agredido, Raúl Leal, escribe el folleto: *Uma lição de moral aos estudantes de Lisboa e o descaramento da Igreja Católica.* El centro de gravedad se ha desplazado del arte libre a la libertad del arte. La índole de nuestra sociedad es tal que el creador está condenado a la heterodoxia y a la oposición. El artista lúcido no esquiva ese riesgo moral.

En 1924, una nueva revista: *Atena.* Dura sólo cinco números. Nunca segundas partes fueron buenas. En realidad, *Atena* es un puente entre *Orpheu* y los jóvenes de *Presença* (1927). Cada generación escoge, al aparecer; su tradición. El nuevo grupo descubre a Pessoa: al fin ha encontrado interlocutores. Demasiado tarde, como siempre. Poco tiempo después, un año antes de su muerte, ocurre el grotesco incidente del certamen poético de la Secretaría de Propaganda Nacional. El tema, claro está, era un canto a las glorias de la nación y del imperio. Pessoa envía *Mensagem,* poemas que son una interpretación «ocultista» y simbólica de la historia portuguesa. El libro debe de haber dejado perplejos a los funcionarios encargados del concurso. Le dieron un premio de «segunda categoría». Fue su última experiencia literaria.

Todo empieza el 8 de marzo de 1914. Pero es mejor transcribir un fragmento de una carta de Pessoa a uno de los muchachos de *Presença,* Adolfo Casais Monteiro:

> Por ahí de 1912 me vino la idea de escribir unos poemas de índole pagana. Pergeñé unas cosas en verso irregular (no en el estilo de Álvaro de Campos) y luego abandoné el invento. Con todo, en la penumbra confusa, entreví un vago retrato de la persona que estaba haciendo aquello (había nacido,

> sin que yo lo supiera, Ricardo Reis). Año y medio, o dos años después, se me ocurrió tomarle el pelo a Sá-Carneiro —inventar un poeta bucólico, un tanto complicado, y presentarlo, no me acuerdo ya en qué forma, como si fuese un ente real. Pasé unos días en esto sin conseguir nada. Un día, cuando finalmente había desistido —fue el 8 de marzo de 1914— me acerqué a una cómoda y, tomando un manojo de papeles, comencé a escribir de pie, como escribo siempre que puedo. Y escribí treinta y tantos poemas seguidos, en una suerte de éxtasis cuya naturaleza no podría definir. Fue el día triunfal de mi vida y nunca tendré otro así. Empecé con un título, *El guardián de rebaños.* Y lo que siguió fue la aparición de alguien en mí, al que inmediatamente llamé Alberto Caeiro. Perdóneme lo absurdo de la frase: en mí apareció mi maestro. Ésa fue la sensación inmediata que tuve. Y tanto fue así que, apenas escritos los treinta poemas, en otro papel escribí, también sin parar, *Lluvia oblicua,* de Fernando Pessoa inmediata y enteramente... Fue el regreso de Fernando Pessoa-Alberto Caeiro a Fernando Pessoa a secas. O mejor: fue la reacción de Fernando Pessoa contra su inexistencia como Alberto Caeiro... Aparecido Caeiro, traté luego de descubrirle, inconsciente e instintivamente, unos discípulos. Arranqué de su falso paganismo al Ricardo Reis latente, le descubrí un nombre y lo ajusté a sí mismo, porque a esas alturas ya lo *veía.* Y de pronto, derivación opuesta de Reis, surgió impetuosamente otro individuo. De un trazo, sin interrupción ni enmienda, brotó la *Oda triunfal,* de Álvaro de Campos. La oda con ese nombre y el hombre con el nombre que tiene».

No sé qué podría agregarse a esta confesión.

La psicología nos ofrece varias explicaciones. El mismo Pessoa, que se interesó en su caso, propone dos o tres. Una crudamente patológica: «probablemente soy un histérico-neurasténico [...] y esto explica, bien o mal, el origen orgánico de los heterónimos». Yo no diría «bien o mal» sino poco. El defecto de estas hipótesis no consiste en que sean falsas: son incompletas. Un neurótico es un poseído; el que domina sus transtornos: ¿es un enfermo? El neurótico padece sus obsesiones; el creador es su dueño y las transforma. Pessoa cuenta que desde niño vivía entre personajes imaginarios. («No sé, por supuesto, si ellos son los que no existen o si soy yo el inexistente: en estos casos no debemos ser dogmáticos.») Los heterónimos están rodeados de una masa fluida de semiseres: el barón de Teive; Jean Seul, periodista satírico francés; Bernardo Soares, fantasma del fantasmal Vicente Guedes; Pacheco, mala copia de Campos... No todos son escritores: hay un Mr. Cross, infatigable participante en los concursos de charadas y crucigramas de las revistas inglesas (medio infalible, creía Pessoa, para salir de pobre), Alexander Search y otros. Todo esto —como su soledad, su alcoholismo discreto y tantas otras cosas— nos da luces sobre su carácter pero no nos explica sus poemas, que es lo único que en verdad nos importa.

Lo mismo sucede con la hipótesis «ocultista», a la que Pessoa, demasiado analítico, no acude abiertamente pero que no deja de evocar. Sabido es que los espíritus que guían la pluma de los mediums, inclusive si son los de Eurípides o Shakespeare, revelan una desconcertante torpeza literaria. O una sospechosa maestría para hablar en el idioma del médium. Es sabido que los espíritus que participaban en las sesiones del círculo de Victor Hugo, en Jersey, se expresaban invariablemente en francés y en verso, así fuesen los de Esquilo, Moisés, Caín, el Judío Errante o el León de Androcles; Victor Hugo interrogó al espíritu de Shakespeare y el poeta inglés le respondió que su preferencia se debía a la superioridad de la lengua francesa sobre la suya. Algunos aventuran que los heterónimos son una mistificación. El error es doblemente grosero: ni Pessoa es un mentiroso ni su obra es una superchería. Hay algo terriblemente soez en la mente moderna; la gente, que tolera toda suerte de mentiras indignas en la vida real, y toda suerte de realidades indignas, no soporta la existencia de la fábula. Y eso es la obra de Pessoa: una fábula, una ficción. Olvidar que Caeiro, Reis y Campos son creaciones poéticas, es olvidar demasiado. Como toda creación, esos poetas nacieron de un juego. El arte es un juego —y otras cosas. Pero sin juego no hay arte.

La autenticidad de los heterónimos depende de su coherencia poética, de su verosimilitud. Fueron creaciones necesarias, pues de otro modo Pessoa no habría consagrado su vida a vivirlos y crearlos; lo que cuenta ahora no es que hayan sido necesarios para su autor sino si lo son también para nosotros. Pessoa, su primer lector, no dudó de su realidad. Reis y Campos dijeron lo que quizá él nunca habría dicho. Al contradecirlo, lo expresaron; al expresarlo, lo obligaron a inventarse. Escribimos para ser lo que somos o para ser aquello que no somos. En uno o en otro caso, nos buscamos a nosotros mismos. Y si tenemos la suerte de encontrarnos —señal de creación— descubriremos que somos un desconocido. Siempre el otro, siempre él, inseparable, ajeno, con tu cara y la mía, tú siempre conmigo y siempre solo.

Los heterónimos no son antifaces literarios: «Lo que escribe Fernando

Pessoa pertenece a dos categorías de obras, que podríamos llamar ortónimas y heterónimas. No se puede decir que son anónimas o seudónimas porque de veras no lo son. La obra seudónima es del autor en su persona, salvo que firma con otro nombre; la heterónima es del autor *fuera* de su persona». Gérard de Nerval es el seudónimo de Gérard Labrunie: la misma persona y la misma obra; Caeiro es el heterónimo de Pessoa: imposible confundirlos. Más próximo, el caso de Antonio Machado es también diferente. Abel Martín y Juan de Mairena no son enteramente el poeta Antonio Machado. Son máscaras pero máscaras transparentes: un texto de Machado no es distinto a uno de Mairena. Además, Machado no está poseído por sus ficciones, no son criaturas que lo habitan, lo contradicen o lo niegan. En cambio, Caeiro, Reis y Campos son los héroes de una novela que nunca escribió Pessoa. «Soy un poeta dramático», confía en una carta a J. G. Simões. Sin embargo, la relación entre Pessoa y sus heterónimos no es idéntica a la del dramaturgo o el novelista con sus personajes. No es un inventor de personajes-poetas sino un creador de obras-de-poetas. La diferencia es capital. Como dice Casais Monteiro: «inventó las biografías para las obras y no las obras para las biografías». Esas obras —y los poemas de Pessoa, escritos frente, por y contra ellas— son su obra poética. Él mismo se convierte en una de las obras de su obra. Y ni siquiera tiene el privilegio de ser el crítico de esa *coterie:* Reis y Campos lo tratan con cierta condescendencia; el barón de Teive no siempre lo saluda; Vicente Guedes, el archivista, se le asemeja tanto que cuando lo encuentra, en una fonda de barrio, siente un poco de piedad por sí mismo. Es el encantador hechizado, tan totalmente poseído por sus fantasmagorías que se siente mirado por ellas, acaso despreciado, acaso compadecido. Nuestras creaciones nos juzgan.

Alberto Caeiro es mi maestro. Esta afirmación es la piedra de toque de toda su vida. Y podría agregarse que la obra de Caeiro es la única afirmación que hizo Pessoa. Caeiro es el sol y en torno suyo giran Reis, Campos y el mismo Pessoa. En todos ellos hay partículas de negación o de irrealidad: Reis cree en la forma, Campos en la sensación, Pessoa en los símbolos. Caeiro no cree en nada: existe. El sol es la vida henchida de sí; el sol no mira porque todos sus rayos son miradas convertidas en calor y luz; el sol no tiene conciencia de sí porque en él pensar y ser son uno y lo mismo. Caeiro es todo lo que no es Pessoa y, además, todo lo que no puede ser ningún poeta moderno: el hombre reconciliado con la naturaleza.

Antes del cristianismo, sí, pero también antes del trabajo y de la historia. Antes de la conciencia. Caeiro niega, por el mero hecho de existir, no solamente la estética simbolista de Pessoa sino todas las estéticas, todos los valores, todas las ideas. ¿No queda nada? Queda todo, limpio ya de los fantasmas y telarañas de la cultura. El mundo existe porque me lo dicen mis sentidos, y al decírmelo, me dicen que yo también existo. Sí, moriré y morirá el mundo, pero morir es vivir. La afirmación de Caeiro anula la muerte; al suprimir a la conciencia, suprime a la nada. No afirma que todo es pues eso sería afirmar una idea; dice que todo existe. Y aún más: dice que sólo es lo que existe. El resto son ilusiones. Campos se encarga de poner el punto sobre la i: «Mi maestro Caeiro no era pagano; era el paganismo». Yo diría: una idea del paganismo.

Caeiro apenas si frecuentó las escuelas.[1] Al enterarse de que lo llamaban «poeta materialista» quiso saber en qué consistía esa doctrina. Al oír la explicación de Campos, no ocultó su asombro: «¡Es una idea de curas sin religión! ¿Dice usted que dicen que el espacio es infinito? ¿En qué espacio han visto eso?» Ante la estupefacción de su discípulo, Caeiro sostuvo que el espacio es finito: «Lo que no tiene límites no existe...» El otro replicó: «¿Y los números? Después del 34 viene el 35 y luego el 36 y así sucesivamente...» Caeiro se le quedó viendo con piedad: «¡Pero ésos son *sólo* números!», y continuó, *com uma formidável infância:* «¿Acaso hay un número 34 en la realidad?» Otra anécdota: le preguntaron: «¿Está contento consigo mismo?» Y respondió: «No, estoy contento». Caeiro no es un filósofo: es un sabio. Los pensadores tienen ideas; para el sabio vivir y pensar no son actos separados. Por eso es imposible exponer las ideas de Sócrates o Lao-tsé. No dejaron doctrinas, sino un puñado de anécdotas, enigmas y poemas. Chuang-tsé, más fiel que Platón, no pretende comunicarnos una filosofía sino contarnos unas historietas: la filosofía es inseparable del cuento, es el cuento. La doctrina del filósofo incita a la refutación; la vida del sabio es irrefutable. Ningún sabio ha proclamado que la verdad se aprende; lo que han dicho todos, o casi todos, es que lo único que vale la pena de vivirse es la experiencia de la verdad. La debilidad de Caeiro no reside en sus ideas (más bien ésa es su fuerza); consiste en la irrealidad de la experiencia que dice encarnar.

Adán en una quinta de la provincia portuguesa, sin mujer, sin hijos y

[1] Nació en Lisboa, en 1889; murió en la misma ciudad, en 1915. Vivió casi toda su vida en la quinta de Ribatejo. Obras: *O Guardador de Rebanhos* (1911-1912); *O Pastor Amoroso; Poemas Inconjuntos* (1913-1915).

sin creador: sin conciencia, sin trabajo y sin religión. Una sensación entre las sensaciones, un existir entre las existencias. La piedra es piedra y Caeiro es Caeiro, en este instante. Después, cada uno será otra cosa. O la misma cosa. Es igual o es distinto: todo es igual por ser todo diferente. Nombrar es ser. La palabra con que nombra a la piedra no es la piedra pero tiene la misma realidad de la piedra. Caeiro no se propone nombrar a los seres y por eso nunca nos dice si la piedra es un ágata o un guijarro, si el árbol es un pino o una encina. Tampoco pretende establecer relaciones entre las cosas; la palabra *como* no figura en su vocabulario; cada cosa está sumergida en su propia realidad. Si Caeiro habla es porque el hombre es un animal de palabras, como el pájaro es un animal alado. El hombre habla como el río corre o la lluvia cae. El poeta inocente no necesita nombrar las cosas; sus palabras son árboles, nubes, arañas, lagartijas. No esas arañas que veo, sino estas que digo. Caeiro se asombra ante la idea de que la realidad es inasible: ahí está, frente a nosotros, basta tocarla. Basta hablar.

No sería difícil demostrarle a Caeiro que la realidad nunca está a la mano y que debemos conquistarla (aun a riesgo de que en el acto de la conquista se nos evapore o se nos convierta en otra cosa: idea, utensilio). El poeta inocente es un mito pero es un mito que funda a la poesía. El poeta real sabe que las palabras y las cosas no son lo mismo y por eso, para restablecer una precaria unidad entre el hombre y el mundo, nombra las cosas con imágenes, ritmos, símbolos y comparaciones. Las palabras no son las cosas: son los puentes que tendemos entre ellas y nosotros. El poeta es la conciencia de las palabras, es decir, la nostalgia de la realidad real de las cosas. Cierto, las palabras también fueron cosas antes de ser nombres de cosas. Lo fueron en el mito del poeta inocente, esto es, antes del lenguaje. Las opacas palabras del poeta real evocan el habla de antes del lenguaje, el entrevisto acuerdo paradisiaco. Habla inocente: silencio en el que nada se dice porque todo está dicho, todo está diciéndose. El lenguaje del poeta se alimenta de ese silencio que es habla inocente. Pessoa, poeta real y hombre escéptico, necesitaba inventar a un poeta inocente para justificar su propia poesía. Reis, Campos y Pessoa dicen palabras mortales y fechadas, palabras de perdición y dispersión: son el presentimiento o la nostalgia de la unidad. Las oímos contra el fondo de silencio de esa unidad. No es un azar que Caeiro muera joven, antes de que sus discípulos inicien su obra. Es su fundamento, el silencio que los sustenta.

El más natural y simple de los heterónimos es el menos real. Lo es por exceso de realidad. El hombre, sobre todo el hombre moderno, no es del todo real. No es un ente compacto como la naturaleza o las cosas; la conciencia de sí es su realidad insustancial. Caeiro es una afirmación absoluta del existir y de ahí que sus palabras nos parezcan verdades de otro tiempo, ese tiempo en el que todo era uno y lo mismo. ¡Presente sensible e intocable: apenas lo nombramos se evapora! La máscara de inocencia que nos muestra Caeiro no es la sabiduría: ser sabio es resignarse a saber que no somos inocentes. Pessoa, que lo sabía, estaba más cerca de la sabiduría.

El otro extremo es Álvaro de Campos.[1] Caeiro vive en el presente intemporal de los niños y los animales; el futurista Campos es el instante. Para el primero, su aldea es el centro del mundo; el otro, cosmopolita, no tiene centro, desterrado en ese ningún lado que es todas partes. Sin embargo, se parecen: los dos cultivan el verso libre; los dos atropellan el portugués; los dos no eluden los prosaísmos. No creen sino en lo que tocan, son pesimistas, aman la realidad concreta, no aman a sus semejantes, desprecian las ideas y viven fuera de la historia, uno en la plenitud del ser, otro en su más extrema privación. Caeiro, el poeta inocente, es lo que no podía ser Pessoa; Campos, el *dandy* vagabundo, es lo que hubiera podido ser y no fue. Son las imposibles posibilidades vitales de Pessoa.

El primer poema de Campos posee una originalidad engañosa. La *Oda triunfal* es en apariencia un eco brillante de Whitman y de los futuristas. Apenas se compara este poema con los que, por los mismos años, se escribían en Francia, Rusia y otros países, se advierte la diferencia.[2] Whitman creía realmente en el hombre y en las máquinas; mejor dicho, creía que el *hombre natural* no era incompatible con las máquinas. Su panteísmo abarcaba también a la industria. La mayor parte de sus descendientes no incurren en estas ilusiones. Algunos ven en las máquinas juguetes maravillosos. Pienso en Valery Larbaud y en su Barnabooth, que tiene más de un parecido con Álvaro de Campos.[3] La actitud de Larbaud

[1] Nace en Tariva, el 15 de octubre de 1890. La fecha coincide con su horóscopo, dice Pessoa. Estudios de liceo; después, en Glasgow, de ingeniería naval. Ascendencia judaica. Viajes a Oriente. Paraísos artificiales y otros. Partidario de una estética no aristotélica, que ve realizada en tres poetas: Whitman, Caeiro y él mismo. Usaba monóculo. Irascible impasible.

[2] En español no hubo nada semejante hasta la generación de Lorca y Neruda. Había, sí, la prosa del gran Ramón Gómez de la Serna. En México tuvimos un tímido comienzo, sólo un comienzo: Tablada. En 1918 surge realmente la poesía moderna en lengua española. Pero su iniciador, Vicente Huidobro, es un poeta de tono muy distinto.

[3] Me parece casi imposible que Pessoa no haya conocido el libro de Larbaud. La edición

ante la máquina es epicúrea; la de los futuristas, visionaria. La ven como el agente destructor del falso humanismo y, por supuesto, del *hombre natural.* No se proponen humanizar a la máquina sino construir una nueva especie humana semejante a ella. Una excepción sería Maiakovski y aun él... La *Oda triunfal* no es ni epicúrea ni romántica ni triunfal: es un canto de rabia y derrota. Y en esto radica su originalidad.

Una fábrica es «un paisaje tropical» poblado de bestias gigantescas y lascivas. Fornicación infinita de ruedas, émbolos y poleas. A medida que el ritmo mecánico se redobla, el paraíso de hierro y electricidad se transforma en sala de tortura. Las máquinas son órganos sexuales de destrucción: Campos quisiera ser triturado por esas hélices furiosas. Esta extraña visión es menos fantástica de lo que parece y no sólo es una obsesión de Campos. Las máquinas son reproducción, simplificación y multiplicación de los procesos vitales. Nos seducen y horripilan porque nos dan la sensación simultánea de la inteligencia y la inconsciencia: todo lo que hacen lo hacen bien pero no saben lo que hacen. ¿No es ésta una imagen del hombre moderno? Pero las máquinas son una cara de la civilización contemporánea. La otra es la promiscuidad social. La *Oda triunfal* termina en un alarido; transformado en bulto, caja, paquete, rueda, Álvaro de Campos pierde el uso de la palabra: silba, chirría, repiquetea, martillea, traquetea, estalla. La palabra de Caeiro evoca la unidad del hombre, la piedra y el insecto; la de Campos, el ruido incoherente de la historia. Panteísmo y panmaquinismo, dos modos de abolir la conciencia.

Tabaquería es el poema de la conciencia recobrada. Caeiro se pregunta ¿qué soy?; Campos, ¿quién soy? Desde su cuarto contempla la calle: automóviles, transeúntes, perros, todo real y todo hueco, todo cerca y todo lejos. Enfrente, seguro de sí mismo como un dios, enigmático y sonriente como un dios, frotándose las manos como Dios Padre después de su horrible creación, aparece y desaparece el Dueño de la Tabaquería. Llega a su caverna-templo-tendejón, Esteva el despreocupado, *sem metafísica,* que habla y come, tiene emociones y opiniones políticas y guarda las fiestas de guardar. Desde su ventana, desde su conciencia, Campos mira a los dos monigotes y, al verlos, se ve a sí mismo. ¿Dónde está la realidad: en mí o en

---

definitiva de *Barnabooth* es de 1913, año de intensa correspondencia con Sá-Carneiro. Detalle curioso: Larbaud visitó Lisboa en 1926; Gómez de la Serna, que vivía por entonces en esa ciudad, lo presentó con los escritores jóvenes, que le ofrecieron un banquete. En la crónica que consagra este episodio *(Lettre de Lisbonne,* en *Jaune bleu blanc)* Larbaud habla con elogio de Almada Negreira pero no cita a Pessoa. ¿Se conocieron?

Esteva? El Dueño de la Tabaquería sonríe y no responde. Poeta futurista, Campos comienza por afirmar que la única realidad es la sensación; unos años más tarde se pregunta si él mismo tiene alguna realidad.

Al abolir la conciencia de sí, Caeiro suprime la historia; ahora es la historia la que suprime a Campos. Vida marginal: sus hermanos, si algunos tiene, son las prostitutas, los vagos, el *dandy,* el mendigo, la gentuza de arriba y de abajo. Su rebelión no tiene nada que ver con las ideas de redención o de justicia: «Nâo: tudo menos ter razâo! Tudo menos importarme com a humanidade! Tudo menos ceder ao humanitarismo!» Campos se rebela también contra la idea de la rebelión. No es una virtud moral, un estado de conciencia —es la conciencia de una sensación: «Ricardo Reis es pagano por convicción; António Mora por inteligencia; yo lo soy por rebelión, esto es, por temperamento». Su simpatía por los malvivientes está teñida de desprecio, pero ese desprecio lo siente ante todo por sí mismo:

> Siento simpatía por toda esa gente,
> Sobre todo cuando no merece simpatía.
> Sí, yo también soy vago y pedigüeño...
> Ser vago y mendigo no es ser vago y mendigo:
> Es estar fuera de la jerarquía social...
> Es no ser Juez de la Corte Suprema, empleado fijo, prostituta,
> Pobre de solemnidad, obrero explotado,
> Enfermo de una enfermedad incurable,
> Sediento de justicia o capitán de caballería,
> Es no ser, en fin, esos personajes sociales de los novelistas
> Que se hartan de letras porque tienen razón para llorar sus lágrimas
> Y se rebelan contra la vida social porque les sobra razón para hacerlo...

Su vagancia y mendicidad no dependen de ninguna circunstancia; son irremediables y sin redención. Ser vago así es *ser isolado na alma.* Y más adelante, con esa brutalidad que escandalizaba a Pessoa: «Nem tenho a defensa de poder ter opiôes sociais... Sou lúcido. Nada de estéticas com coraçâo: sou lúcido. Merda! Sou lúcido.»

La conciencia del destierro es una nota constante de la poesía moderna, desde hace siglo y medio. Gérard de Nerval se finge príncipe de Aquitania; Álvaro de Campos escoge la máscara del vago. El tránsito es revelador. Trovador o mendigo, ¿qué oculta esa máscara? Nada, quizá. El poeta es la conciencia de su irrealidad histórica. Sólo que si esa conciencia se retira de la historia, la sociedad se abisma en su propia opacidad, se vuelve Esteva o el Dueño de la Tabaquería. No faltará quien diga que la actitud de Campos no es «positiva». Ante críticas semejantes, Casais Monteiro respondía: «La obra de Pessoa *realmente* es una obra negativa. No sirve de modelo, no enseña ni a gobernar ni a ser gobernado. Sirve exactamente para lo contrario: para indisciplinar los espíritus».

Campos no se lanza, como Caeiro, a ser todo sino a ser todos y estar en todas partes. La caída en la pluralidad se paga con la pérdida de la identidad. Ricardo Reis escoge la otra posibilidad latente en la poesía de su maestro.[1] Reis es un ermitaño como Campos es un vagabundo. Su ermita es una filosofía y una forma. La filosofía es una mezcla de estoicismo y epicureísmo. La forma, el epigrama, la oda y la elegía de los poetas neoclásicos. Sólo que el neoclasicismo es una nostalgia, es decir, es un romanticismo que se ignora o que se disfraza. Mientras Campos escribe sus largos monólogos, cada vez más cerca de la introspección que del himno, su amigo Reis pule pequeñas odas sobre el placer, la fuga del tiempo, las rosas de Lidia, la libertad ilusoria del hombre, la vanidad de los dioses. Educado en un colegio de jesuitas, médico de profesión, monárquico, desterrado en el Brasil desde 1919, pagano y escéptico por convicción, latinista por educación, Reis vive fuera del tiempo. Parece, pero no es, un hombre del pasado: ha escogido vivir en una *sagesse* intemporal. Cioran señalaba recientemente que nuestro siglo, que ha inventado tantas cosas, no ha creado la que más falta nos hace. No es extraño así que algunos la busquen en la tradición oriental: taoísmo, budismo, zen; en realidad, esas doctrinas cumplen la misma función que las filosofías morales del fin del mundo antiguo. El estoicismo de Reis es una manera de no estar en el mundo —sin dejar de estar en él. Sus ideas políticas tienen un sentido semejante: no son un programa sino una negación del estado de cosas contemporáneo. No odia a Cristo ni lo quiere; aborrece al cristianismo aunque, esteta al fin, cuando piensa en Jesús admite que «su sombría forma dolorosa nos trajo algo que faltaba». El verdadero dios de Reis es el Hado y todos, hombres y mitos, estamos sometidos a su imperio.

[1] Nació en Oporto, en 1887. Es el más mediterráneo de los heterónimos: Caeiro era rubio y de ojos azules; Campos «entre blanco y moreno», alto, flaco, y con un aire internacional; Reis «moreno mate», más cerca del español y portugués meridionales. Las *Odas* no son su única obra. Se sabe que escribió un *Debate estético entre Ricardo Reis y Álvaro de Campos*. Sus notas críticas sobre Caeiro y Campos son un modelo de precisión verbal y de incomprensión estética.

La forma de Reis es admirable y monótona, como todo lo que es perfección artificiosa. En esos pequeños poemas se percibe, más que la familiaridad con los originales latinos y griegos, una sabia y destilada mixtura del neoclasicismo lusitano y de la *Antología griega* traducida al inglés. La corrección de su lengua inquietaba a Pessoa: «Caeiro escribe mal el portugués; Campos lo hace razonablemente, aunque incurre en cosas como decir "yo propio" por "yo mismo"; Reis mejor que yo pero con un purismo que considero exagerado». La exageración sonámbula de Campos se convierte, por un movimiento de contradicción muy natural, en la precisión exagerada de Reis.

Ni la forma ni la filosofía defienden a Reis: defienden a un fantasma. La verdad es que Reis tampoco existe y él lo sabe. Lúcido, con una lucidez más penetrante que la exasperada de Campos, se contempla:

> No sé de quién recuerdo mi pasado,
> Otro lo fui, ni me conozco
> Al sentir con mi alma
> Aquella ajena que al sentir recuerdo.
> De un día a otro nos desamparamos.
> Nada cierto nos une con nosotros,
> Somos quien somos y es
> Cosa vista por dentro lo que fuimos.

El laberinto en que se pierde Reis es el de sí mismo. La mirada interior del poeta, algo muy distinto a la introspección, lo acerca a Pessoa. Aunque ambos usan metros y formas fijas, no los une el tradicionalismo porque pertenecen a tradiciones diferentes. Los une el sentimiento del tiempo —no como algo que pasa frente a nosotros sino como algo que se vuelve nosotros. Presos en el instante, Caeiro y Campos afirman de un tajo el ser o la ausencia de ser. Reis y Pessoa se pierden en los vericuetos de su pensamiento, se alcanzan en un recodo y, al fundirse con ellos mismos, abrazan una sombra. El poema no es la expresión del ser sino la conmemoración de ese momento de fusión. Monumento vacío: Pessoa edifica un templo a lo desconocido; Reis, más sobrio, escribe un epigrama que es también un epitafio:

> La suerte, menos verla,
> Niégueme todo: estoico sin dureza,
> La sentencia grabada del Destino,
> Gozarla letra a letra.

Álvaro de Campos citaba una frase de Ricardo Reis: «Odio la mentira porque es una inexactitud». Estas palabras también podrían aplicarse a Pessoa, a condición de no confundir mentira con imaginación o exactitud con rigidez. La poesía de Reis es precisa y simple como un dibujo lineal; la de Pessoa, exacta y compleja como la música. Complejo y vario, se mueve en distintas direcciones: la prosa, la poesía en portugués y la poesía en inglés (hay que olvidar, por insignificantes, los poemas franceses). Los escritos en prosa, aún no publicados enteramente, pueden dividirse en dos grandes categorías: los firmados con su nombre y los de sus seudónimos, principalmente el barón de Teive, aristócrata venido a menos, y Bernardo Soares, *empregado de comercio.* En varios pasajes subraya Pessoa que no son heterónimos: «ambos escriben con un estilo que, bueno o malo, es el mío». No es indispensable detenerse en los poemas ingleses; su interés es literario y psicológico pero no agregan mucho, me parece, a la poesía inglesa. La obra poética en portugués, desde 1902 hasta 1935, comprende *Mensagem,* la poesía lírica y los poemas dramáticos. Estos últimos, a mi juicio, tienen un valor marginal. Aun si se apartan, queda una obra poética extensa.

Primera diferencia: los heterónimos escriben en una sola dirección y en una sola corriente temporal; Pessoa se bifurca como un delta y cada uno de sus brazos nos ofrece la imagen, las imágenes, de un momento. La poesía lírica se ramifica en *Mensagem,* el *Cancionero* (con los inéditos y dispersos) y los poemas herméticos. Como siempre, la clasificación no corresponde a la realidad. *Cancionero* es un libro simbolista y está impregnado de hermetismo, aunque el poeta no recurra expresamente a las imágenes de la tradición oculta. *Mensagem* es, sobre todo, un libro de heráldica —y la heráldica es una parte de la alquimia. En fin, los poemas herméticos son, por su forma y espíritu, simbolistas; no es necesario ser un «iniciado» para penetrar en ellos ni su comprensión poética exige conocimientos especiales. Esos poemas, como el resto de su obra, piden más bien una comprensión espiritual, la más alta y difícil. Saber que Rimbaud se interesó en la cábala y que identificó poesía y alquimia es útil y nos acerca a su obra; para penetrarla realmente, sin embargo, nos hace falta algo más y algo menos. Pessoa definía ese algo de este modo: simpatía; intuición; inteligencia; comprensión; y lo más difícil, gracia. Tal vez parezca excesiva esta enumeración. No veo cómo, sin estas cinco condiciones, pueda leerse de veras a Baudelaire, Coleridge o Yeats. En todo caso, las dificultades de la poesía de Pessoa son menores que las de Hölderlin, Nerval, Mallarmé...

En todos los poetas de la tradición moderna la poesía es un sistema de símbolos y analogías paralelo al de las ciencias herméticas. Paralelo pero no idéntico: el poema es una constelación de signos dueños de luz propia.

Pessoa concibió *Mensagem* como un *ritual;* o sea: como un libro esotérico. Si se atiende a la perfección externa, ésta es su obra más completa. Pero es un libro fabricado, con lo cual no quiero decir que sea insincero sino que nació de las especulaciones y no de las intuiciones del poeta. A primera vista es un himno a las glorias de Portugal y una profecía de un nuevo imperio (el Quinto), que no será material sino espiritual; sus dominios se extenderán más allá del espacio y del tiempo históricos (un lector mexicano recuerda inmediatamente la «raza cósmica» de Vasconcelos). El libro es una galería de personajes históricos y legendarios, desplazados de su realidad tradicional y transformados en alegorías de otra tradición y de otra realidad. Quizá sin plena conciencia de lo qué hacía, Pessoa volatiliza la historia de Portugal y, en su lugar, presenta otra, puramente espiritual, que es su negación. El carácter esotérico de *Mensagem* nos prohíbe leerlo como un simple poema patriótico, según desearían algunos críticos oficiales. Hay que agregar que su simbolismo no lo redime. Para que los símbolos lo sean efectivamente es necesario que dejen de simbolizar, que se vuelvan sensibles, criaturas vivas y no emblemas de museo. Como en toda obra en que interviene más la voluntad que la inspiración, pocos son los poemas de *Mensagem* que alcanzan ese estado de gracia que distingue a la poesía de la bella literatura. Pero esos pocos viven en el mismo espacio mágico de los mejores poemas del *Cancionero,* al lado de algunos de los sonetos herméticos. Es imposible definir en qué consiste ese espacio; para mí es el de la poesía propiamente dicha, territorio real, tangible y que *otra* luz ilumina. No importa que sean pocos. Benn decía: «Nadie, ni los más grandes poetas de nuestro tiempo, ha dejado más de ocho a diez poesías perfectas... ¡Para seis poemas, treinta o cincuenta años de ascetismo, de sufrimiento, de combate!»

El *Cancionero:* mundo de pocos seres y muchas sombras. Falta la mujer, el sol central. Sin mujer, el universo sensible se desvanece, no hay ni tierra firme, ni agua ni encarnación de lo impalpable. Faltan los placeres terribles. Falta la pasión, ese amor que es deseo de un ser único, cualquiera que sea. Hay un vago sentimiento de fraternidad con la naturaleza: árboles, nubes, piedras, todo fugitivo, todo suspendido en un vacío temporal. Irrealidad de las cosas, reflejo de nuestra irrealidad. Hay negación, cansancio y desconsuelo. En el *Livro de Desassossêgo,* Pessoa describe su paisaje moral:

pertenezco a una generación que nació sin fe en el cristianismo y que dejó de tenerla en todas las otras creencias; no fuimos entusiastas de la igualdad social, de la belleza o del progreso; no buscamos en orientes y occidentes otras formas religiosas («cada civilización tiene una filiación con la religión que la representa: al perder la nuestra, perdimos todas»); algunos, entre nosotros, se dedicaron a la conquista de lo cotidiano; otros, de mejor estirpe, nos abstuvimos de la cosa pública, nada queriendo y nada deseando; otros se entregaron al culto de la confusión y el ruido: creían vivir cuando se oían, creían amar cuando chocaban contra las exterioridades del amor, y otros «Raza del Fin, límite espiritual de la Hora Muerta», vivimos en negación, descontento y desconsuelo. Este retrato no es el de Pessoa pero sí es el fondo sobre el que se destaca su figura y con el que a veces se confunde. Límite espiritual de la Hora Muerta: el poeta es un hombre vacío que, en su desamparo, crea un mundo para descubrir su verdadera identidad. Toda la obra de Pessoa es búsqueda de la identidad perdida.

En uno de sus poemas más citados dice que el poeta «es un fingidor que finge tan completamente que llega a fingir que es dolor el dolor que de veras siente». Al decir la verdad, miente; al mentir, la dice. No estamos ante una estética sino ante un acto de fe. La poesía es la revelación de su irrealidad:

> Entre o luar e a folhagem,
> Entre o sossêgo e o arvoredo,
> Entre o ser noite e haver aragem
> Passa un segrêdo.
> Segue-o minha alma na passagem.

Ese que pasa, ¿es Pessoa o es otro? La pregunta se repite a lo largo de los años y de los poemas. Ni siquiera sabe si lo que escribe es suyo. Mejor dicho, sabe que, aunque lo sea, no lo es: «¿por qué, engañado, juzgo que es mío lo que es mío?» La búsqueda del yo —perdido y encontrado y vuelto a perder— termina en el asco: «Náusea, voluntad de nada: existir por no morir».

Sólo desde esta perspectiva puede percibirse la significación cabal de los heterónimos. Son una invención literaria y una necesidad psicológica pero son algo más. En cierto modo son lo que hubiera podido o querido ser Pessoa; en otro, más profundo, lo que *no* quiso ser: una personalidad. En el primer movimiento, hacen tabla rasa del idealismo y de las convicciones intelectuales de su autor; en el segundo, muestran que la *sagesse* inocente, la plaza pública y la ermita filosófica son ilusiones. El instante es inhabitable como el futuro, y el estoicismo es un remedio que mata. Y sin embargo, la destrucción del yo, pues eso es lo que son los heterónimos, provoca una fertilidad secreta. El verdadero desierto es el yo y no sólo porque nos encierra en nosotros mismos, y así nos condena a vivir con un fantasma, sino porque marchita todo lo que toca. La experiencia de Pessoa, quizá sin que él mismo se lo propusiera, se inserta en la tradición de los grandes poetas de la era moderna, desde Nerval y los románticos alemanes. El yo es un obstáculo, es *el* obstáculo. Por eso es insuficiente cualquier juicio meramente estético sobre su obra. Si es verdad que no todo lo que escribió tiene la misma calidad, todo, o casi todo, está marcado por las huellas de su búsqueda. Su obra es un paso hacia lo desconocido. Una pasión.

El mundo de Pessoa no es ni este mundo ni el otro. La palabra ausencia podría definirlo, si por ausencia se entiende un estado fluido, en el que la presencia se desvanece y la ausencia es anuncio de ¿qué? —momento en que lo presente ya no está y apenas despunta aquello que, tal vez, va a ser. El desierto urbano se cubre de signos: las piedras dicen algo, el viento dice, la ventana iluminada y el árbol solo de la esquina dicen, todo está diciendo algo, no esto que digo sino otra cosa, siempre otra cosa, la misma cosa que nunca se dice. La ausencia no es sólo privación sino presentimiento de una presencia que jamás se muestra enteramente. Poemas herméticos y canciones coinciden: en la ausencia, en la irrealidad que somos, algo está presente. Atónito entre gentes y cosas, el poeta camina por una calle del barrio viejo. Entra en un parque y las hojas se mueven. Están a punto de decir... No, no han dicho nada. Irrealidad del mundo, en la última luz de la tarde. Todo está inmóvil, en espera. El poeta sabe ya que no tiene identidad. Como esas casas, casi doradas, casi reales, como esos árboles suspendidos en la hora, él también zarpa de sí mismo. Y no aparece el otro, el doble, el verdadero Pessoa. Nunca aparecerá: no hay otro. Aparece, se insinúa, lo otro, lo que no tiene nombre, lo que no se dice y que nuestras pobres palabras invocan. ¿Es la poesía? No: la poesía es lo que queda y nos consuela, la conciencia de la ausencia. Y de nuevo, casi imperceptible, un rumor de algo: Pessoa o la inminencia de lo desconocido.

París, 1961

[«El desconocido de sí mismo» es el prólogo a la *Antología* de Fernando Pessoa, sel. y trad. de Octavio Paz, UNAM, México, 1962. Se publicó en *Cuadrivio*, Joaquín Mortiz, México, 1965.]

2. INTERSECCIONES Y BIFURCACIONES: A. O. BARNABOOTH, ÁLVARO DE CAMPOS, ALBERTO CAEIRO

Barnabooth: el primer heterónimo

Le poète jouit de cet incomparable privilège,
qu'il peut à sa guise être lui-même et autrui.
CHARLES BAUDELAIRE

La publicación de las *Obras escogidas de A. O. Barnabooth* (Vuelta, El Gabinete Literario), en una notable traducción de Ulalume González de León, autora también de un prólogo agudo y enterado, fue recibida con un silencio que no es exagerado llamar unánime. Tenemos varias revistas literarias y abundan los suplementos culturales pero nuestros críticos prefieren darle vueltas y vueltas al molino adonde se muelen los ruidosos lugares comunes de la actualidad literaria: Valery Larbaud no es noticia. Por fortuna: por esto ha sobrevivido y sobrevivirá a la basura de la canasta adonde van a parar los artículos sobre los libros (y los libros mismos) de fulanitos y menganitas, celebridades metropolitanas.

Barnabooth ha tenido mejor suerte en España. En un inteligente artículo, «El viajero más lento», publicado en *Culturas* (*Diario 16,* el 30 de junio de 1988), Enrique Vila-Matas señala la curiosa miopía de la crítica de Francia: exalta al escritor que continúa la tradición de la prosa francesa pero desdeña al poeta abierto a los vientos políglotas de la modernidad. Basta hojear el volumen de La Pléiade dedicado a Larbaud para comprobar cuánta razón tiene el escritor español. En el prólogo Marcel Arland dice que los poemas de Barnabooth muestran «cierta precipitación y flojedad» y agrega: por fortuna Larbaud comprendió que su verdadera vocación era la prosa y «puso a su servicio su sensibilidad poética». Cierto, leer la prosa de Larbaud es penetrar en una comarca encantada; las frases fluyen con felicidad, ni demasiado lentas ni rápidas, como un río sinuoso y persistente que, más que vencer a los obstáculos, los sortea. Mesura exquisita, nada geométrica y que acepta con naturalidad las vaguedades y las sorpresas, el relámpago y el silencio súbito. En un país de grandes prosistas, la prosa de Larbaud es una de las más puras de este siglo. A pesar de su modernidad, por su gracia y flexibilidad no se me ocurre compararla con la de sus contemporáneos sino con la del Nerval de *Les Filles du feu.* En lengua española sólo Alfonso Reyes lo iguala. Sin embargo, Larbaud no sólo continúa una tradición venerable sino que inicia otra. Con los poemas de Barnabooth y con la invención de ese personaje, comienza un capítulo de la literatura del siglo XX en Francia y, sobre todo, fuera de Francia.

Mayor incomprensión, si cabe, es la de Robert Mallet, autor en el mismo volumen de las notas y el comentario sobre Barnabooth. Mallet dice: «creyendo descubrir a un personaje, Larbaud se descubrió a sí mismo». Enrique Vila-Matas subraya que A. O. Barnabooth no es un seudónimo de Valery Larbaud sino un verdadero heterónimo. Es cierto, aunque es lástima que no desarrolle su observación. Más adelante indica que Barnabooth es anterior «en un año» al primer heterónimo de Pessoa. No, la anterioridad no es de un año sino de seis. La primera edición de las poesías de A. O. Barnabooth, el millonario sudamericano, es de 1908; la segunda es de 1913, ese «*Annus mirabilis* de la literatura francesa», como lo llama Roger Shattuck en su vivaz crónica de ese periodo (*The Banquet Years,* 1967). En efecto, en 1913 aparecen *Du côté de chez Swann* de Proust, *Le Grand Meaulnes* de Alain Fournier, *Alcools* de Apollinaire y *Barnabooth* de Larbaud. En mi ensayo sobre Pessoa («El desconocido de sí mismo», 1961), sugerí la más que probable influencia de Barnabooth sobre los heterónimos de Pessoa. La originalidad enorme de Larbaud es haber inventado el primer heterónimo de la literatura moderna.

¿Qué es un heterónimo? En lugar de acudir a nuestros diccionarios, casi siempre vagos, es mejor oír a Pessoa: «La obra seudónima es del autor en su persona, salvo que firma con otro nombre; la heterónima es del autor *fuera* de su persona». El caso de Barnabooth se ajusta perfectamente a esta condición. Además, hay otra diferencia que distingue al heterónimo no sólo del seudónimo sino del personaje de una novela o de una pieza de teatro: el personaje es la creación de un autor, el heterónimo es un personaje que es un autor. No basta con que el autor nos diga que Barnabooth, Ricardo Reis y Álvaro de Campos son poetas como Balzac nos dice que Canalis es un poeta; es necesario que nos muestre sus obras y que esas obras posean individualidad y carácter propios. Nos interesan las figuras de Campos y de Barnabooth porque nos interesan sus obras y no a la inversa. Leemos una biografía de Pound por ser el autor de los *Cantos;* por la misma razón leemos la biografía de Barnabooth o las parcas noticias biográficas que nos da Pessoa de sus heterónimos.

En la carta famosa en que Pessoa relata a Casais Monteiro la aparición de los heterónimos, dice que en 1914 se le «ocurrió tomarle el pelo a

Sá-Carneiro, inventar un poeta bucólico [...] y presentarlo como si fuese un ser real [...] Un día, fue el 8 de marzo de 1914, me acerqué a una cómoda alta y, tomando un manojo de papeles, comencé a escribir [...] y escribí treinta y tantos poemas seguidos, en una suerte de éxtasis cuya naturaleza no podría definir. Fue el día triunfal de mi vida». Así nació el primer heterónimo, Alberto Caeiro. Los poemas fueron anteriores a la biografía; en cierto modo, los poemas hicieron a Caeiro. Aunque en el caso de Barnabooth nos falta un testimonio tan explícito como éste, por la correspondencia de Larbaud (y por la misma lógica de su creación literaria), es claro que los poemas del rico sudamericano fueron, en su mayoría, anteriores al personaje. Una vez escritos los poemas, Larbaud sintió que Barnabooth necesitaba una vida y, nueva ficción, inventó a X. M. Tournier de Zamble, autor de la biografía que figura en la edición de 1908. En la segunda edición (1913), Larbaud sustituyó la biografía por el diario íntimo de Barnabooth. A mí la biografía de Zamble me gusta mucho: está escrita con un humor seco y, dentro de su comicidad seria, a lo Buster Keaton, es penetrante, impertinente y divertida. Dentro de la economía general de la obra, la biografía tenía una función que no cumple enteramente el diario; era un tercer punto de vista, distinto al del autor y al de su heterónimo, que daba otra realidad a Barnabooth. La realidad del espejo deformante. En cuanto al diario: admirablemente escrito, es un texto en cierto modo autónomo y se puede leer sin los poemas. Más que un diario es una novela que relata, en primera persona, una peregrinación sensual, sentimental y espiritual. Después, Larbaud abandonó a Barnabooth y exploró, con felicidad pero con menos audacia y novedad, otros dominios. Tal vez no supo qué hacer con él: había dejado de ser su criatura y tenía vida propia. Fue *su otro.* Era difícil soportar la presencia de ese intruso íntimo y Larbaud prefirió sepultarlo. Cometió el mismo pecado que Reyes: esconder a su demonio.

Es reveladora la aparición del nombre del poeta Mario de Sá-Carneiro en la carta de Pessoa. También lo son las fechas: entre 1912 y 1914 los dos poetas descubren poco a poco los nuevos movimientos poéticos. Sá-Carneiro vivía en París y 1913 es el año de una agitada y continua correspondencia entre los dos amigos. Es imposible que, uno en París y otro en Lisboa, no hayan reparado en la aparición de las *Obras completas de A. O. Barnabooth.* En Francia el libro fue comentado y, muy pronto, imitado. Por todo esto, no es aventurado pensar que Pessoa conoció el libro de Larbaud, quizá a través de su corresponsal en París, y que ese libro influyó decisivamente en la invención de los heterónimos. Por último, advierto una diferencia esencial entre la obra del escritor francés y la del poeta portugués: lo que en Larbaud fue una afortunada pero aislada ficción poética, en Pessoa fue una visión del hombre. Los heterónimos de Pessoa fueron una explosión del yo: dispersión y pluralidad de la conciencia. En esto reside su radical modernidad.

Tangencias

Demain, tous les magasines seront ouverts,
ô mon âme.

A. O. Barnabooth

Aparte de la precedencia de Larbaud, encuentro una notable semejanza entre la figura de Álvaro de Campos y la de Archibaldo Olson Barnabooth. Se trata de algo que podría llamarse un aire de familia espiritual; quiero decir, es un parecido que no viene de la sangre sino de los sentimientos y las ideas de la época. El siglo xx se anuncia en ellos y los dos comparten pasiones y actitudes que se han convertido en signos distintivos de la sensibilidad moderna: el cosmopolitismo, la idolatría por las máquinas y la industria, el culto al viaje (ferrocarriles, paquebotes), el deslumbramiento ante las ciudades modernas y sus escaparates repletos de objetos centelleantes (cosas que se compran y venden, fetichismo moderno), las grandes avenidas luminosas y la penumbra de las callejas sórdidas del vicio, la admiración por Whitman y el verso libre como una invitación a realizar el sueño traicionado: ¡levar anclas!, el impulso a perderse en el gentío —¿ansia de comunión o huida de sí mismos?— fatal y rápidamente convertido en un descubrimiento desolador: el de la soledad en la muchedumbre, el lirismo disfrazado de sentido común que nos lleva, «para respirar un poco de aire», a la orilla del mar y allí, bajo las estrellas y su escritura indescifrable, sollozar ante el infinito desamparo de los hombres.

Barnabooth y Campos sufren la seducción —mejor dicho el vértigo— de la modernidad, y en los dos ese enamoramiento se transforma pronto en disgusto y horror. Son hijos de Whitman pero también de Baudelaire; sus «baños de multitud» son ceremonias de expiación y abyección. Voluntariamente *déclassés* —uno millonario y el otro ingeniero naval— buscan entre lo que llaman «la gentuza» el perdido secreto de la vida. Búsqueda vana: Barnabooth y Campos están condenados a examinarse y juzgarse. A pesar de su amor a los viajes, nunca pueden salir de sí mismos: son los prisioneros de su mirada. Recorren los cinco continentes y al final de cada una de sus expediciones se encuentran ante el mismo fatal espejo. Su desdicha es de nacimiento; temprano, muy temprano, por esta o aquella circunstancia, se dieron cuenta de la verdadera significación de esa pequeña frase que todos, diariamente, repetimos sin pensar: *soy yo.* Los cristianos llaman a ese malestar «presencia del pecado original»; los modernos lo llaman angustia, conciencia de existir, neurosis, trauma. Los nombres van y vienen, la enfermedad permanece. Pero ¿es una enfermedad? ¿No es ella —esa ausencia, esa *falla,* en el sentido geológico— lo que nos constituye? Y no hay que quejarse demasiado de sus estragos: le debemos casi todas las grandes obras y los actos nobles que iluminan un poco la historia sombría de los hombres.

Uno de los tópicos del primer tercio del siglo fue «la cuestión social». La expresión designaba al problema de la desigualdad, viejo como la especie pero al que el simultáneo desarrollo de la democracia política y del capitalismo, con su escandalosa acumulación de riquezas, había dado una actualidad terrible. Barnabooth se examina, se encuentra riquísimo y encuentra injusta su riqueza. Él vale más que su dinero: es un hombre cabal y es un poeta. ¿Pero cómo probar su valía en un mundo en el que cuenta únicamente la fortuna o, como él dice cuando piensa en su querida y vil Anastasia, el *pognon*? Barnabooth confiesa que «odia al dinero». Y agrega: «Des autres sont fiers de leur argent... pas moi. J'en ai honte». Su vergüenza no lo lleva a los pobres: lo encierra más en sí mismo. Ni la caridad ni la revolución: no es un santo ni un héroe, los dos tipos humanos que rompen consigo mismos y se escapan de la prisión del «yo soy». Aunque Campos no es rico, pertenece a los estratos superiores de la sociedad y, como Barnabooth, odia al dinero... sin amar a los pobres. Los dos se convierten, como tantos otros escritores y artistas modernos, en profesionales de la provocación. Otro rasgo que, más que a la de Whitman, los acerca a la tradición de Baudelaire.

Barnabooth y Campos se sienten irresistiblemente atraídos por este mundo y, un minuto después, asqueados. Buscan, detrás del espectáculo, lo que ellos llaman «lo absoluto». No lo encuentran. No encuentran nada ni a nadie, salvo a ellos mismos. No son Narciso: están fascinados por sus defectos, no por sus perfecciones. Se sienten atraídos por la falla, la hendedura del ser, esa pequeña herida que nunca cicatriza y por la que, fatalmente, un día nos despeñamos. Son ególatras, su ídolo es su ego. Extraña idolatría impregnada de odio, bilis y sarcasmos: su dios, el ego, es un dios aborrecible. Oscilan entre el embeleso ante sus personas y el desprecio, la bajeza y la sublimidad, el entusiasmo y la apatía, las rebeliones fútiles y las niñerías crueles. El mal los hechiza, más como idea que como acción real; sus crímenes son mentales y, cuando cometen alguna pequeña indignidad, se arrepienten largamente. Están enamorados no tanto del pecado como de la expiación. Su cilicio también es mental: el examen de conciencia. Pero no se demoran en el arrepentimiento: el demonio del cambio —el pecado cardinal de nosotros, los modernos— los lleva a moverse sin cesar de un lugar a otro, de un estado de ánimo a su contrario. En una hora, sin moverse de su sitio, conocen muchos horrores y muchas beatitudes. Todo lo que hacen y piensan es relativo; para ellos no hay condenación eterna y tampoco redención. El mundo es su limbo. Son libres y no saben qué hacer con su libertad; buscan «lo absoluto» y, perpetuamente distraídos, cada vez que lo vislumbran lo abandonan por alguna quimera vistosa.

Es difícil escoger entre Barnabooth y Campos. Figuras a un tiempo atractivas y patéticas, inspiran nuestra admiración y nuestra piedad. Su amor por la mistificación y sus desplantes se deben tal vez a su origen; los dos vienen de las afueras: uno de Portugal, un extremo de Europa, y el otro de un lugar perdido de América del Sur. Son ultracivilizados y, sin embargo, en sus miradas y sus ademanes destellan a veces ráfagas de indomable salvajismo. Esto no les impide ser dos comediantes que buscan no el aplauso sino la reprobación de los espectadores. Seres dobles o triples: se examinan, se juzgan, se condenan y, de pronto, con un guiño, se convierten en la parodia de sí mismos... Campos es más hondo y lúcido; Barnabooth es más simpático y más espontáneamente poeta: lleva dentro un adolescente que no acaba de aceptar la estupidez y la perversidad de los hombres. En su amargura no hay rictus y sus accesos de furia y desesperación están templados por la ironía. Es cortés, sabe sonreír y nunca grita golpeando la mesa como Campos. Aunque desprecia el lujo en que vive, presiente que no podría vivir sin él... y se resigna. Su riqueza es su lecho de Procusto.

En Campos es menos viva la conciencia moral. También él se ha rebelado contra el mundo pero no se siente responsable de las injusticias sociales. Su pesimismo es completo, radical. Habita sus negociaciones con una suerte de alegre exasperación. Su fortaleza intelectual es invulnerable sólo en apariencia: está hecha de razones que resisten a la filosofía del progreso, no a su nostalgia por el niño que fue y por el hombre que quiso y no pudo ser. Campos es otro sentimental. Aquí aparece una nueva diferencia: Barnabooth tiene pocos deseos, muchos caprichos y algunas ideas pero, al contrario de Campos, carece de ilusiones. Por esto, sus reveses sentimentales no lo derrotan enteramente: es más ligero, así, más fuerte que el portugués. Ama al mundo porque ama la hermosura física. Ante ella no siente el recelo metafísico de Campos. Toda su desconfianza ante las trapaceras sonrisas de los hombres y de las mujeres —sobre todo ellas— y todos sus rencores por las ofensas sufridas, unas reales y otras imaginarias, se desvanecen apenas ve unas rocas y un tropel de pinos que descienden dulcemente hacia una playa desierta. En la ensenada hay una barca; la nube es blanca, la vela roja. ¿Cómo se llama este lugar encantado? Barnabooth, maestro de exotismo, murmura transportado un nombre búlgaro o andaluz, dálmata o finés. ¿Qué importan los idiomas? Todos esos lugares tienen nombre de mujer.

Barnabooth adora a las mujeres. Su adoración no es ciega. Conoce por experiencia sus traiciones, la perfidia de sus caricias, su avidez, su sed de sangre fresca. Mientras cena con su querida, se le ocurre esta reflexión filosófica: «No hay muchas cosas que sean tan agradables como ésta de ver a una linda mujer muy escotada devorando un hermoso plato de viandas rojas». Sabe que ciertas mujeres —las que a él le gustan— no sólo exigen plegarias sino víctimas. Por un rato, se presta al juego sangriento; después, se escapa y se venga. A la hermosa Anastasia, la griega de Constantinopla que lo hizo sufrir, que murió joven y que duerme embalsamada en su catafalco allá en la tumba familiar, en traje de baile y zapatillas de raso blanco con hebillas de oro, le dedica un agridulce poema que termina en esta punta: *T'avais du chic, tout de même!* Lo sanan de sus heridas los ungüentos de dos doncellas hermanas con nombres españoles, Socorro y Concepción. Las mujeres son un mundo y Barnabooth le dio la vuelta al mundo varias veces. ¿Huía de sí mismo, se buscaba a sí mismo? Al final, se retira. Ha comprendido que no es ni un *dandy* ni un libertino ni un santo. Es un sabio, un poeta loco que ha decidido callarse. Ya curado de espanto, del brazo de Concepción o de Socorro, contempla desde su balcón, bajo la noche estrellada, la llanura sin historia de su *no-where* natal: Campamento. Un nombre que es un guiño y un símbolo.

Álvaro de Campos nació en 1890. Siete años más joven que Barnabooth (1883) y nueve que Larbaud (1881), era un poco mayor que los surrealistas (Breton, 1896; Aragon, 1897; Éluard, 1895). Equidistante de los dos grandes momentos de la vanguardia, sus verdaderos contemporáneos son Eliot, Gómez de la Serna, Pessoa, Alfonso Reyes, Pasternak (este último era de su misma edad: nació en 1890). Como la de ellos, su poesía se detiene siempre al borde del delirio; como ellos, es inteligente. (Él me corregiría con un gesto impaciente: ¡muy *inteligente,* merde*!*) Sin embargo, echamos de menos en sus grandes tiradas la ironía de Barnabooth. En su conducta y en sus expresiones se mostró no pocas veces, y saludablemente, extravagante y fantástico (él, de nuevo impaciente, apuntaría: diga *outrageus,* es más exacto, ¡caramba!) pero no tuvo nunca la elegante, insolente desenvoltura de Barnabooth. El placer aristocrático de desagradar, hecho de la mezcla en proporciones indefinibles de cortesía y de impertinencia, era uno de los secretos del *parvenu* sudamericano. La desesperación no es incompatible con las buenas maneras y hay que tener estilo incluso para morir. Mejor dicho: sobre todo para morir.

Las pasiones de Campos no fueron menos intensas y profundas que su extraordinaria inteligencia. Pasiones violentas y, más que pasiones, arranques, estallidos, desahogos de un alma grande, exasperada y hasta los bordes repleta de sí misma. Pasiones intelectuales y espirituales, no carnales. Campos ignora el cuerpo, la caricia, el abrazo, los besos, los oleajes y las descargas de las sensaciones. Ignora las miradas, los suspiros, las confidencias, la ternura. Ignora la vertiente erótica de la existencia. Lo contrario de Barnabooth. La historia sensual y la historia sentimental del poeta millonario son más interesantes que su historia intelectual. Primero fue un enamorado ingenuo, después un cínico libertino (otra ingenuidad) y, al final, descubre la ternura en las sílabas de un nombre castellano. Pero no tiene la dimensión metafísica de Campos, existencialista *avant la lettre.*

Las preocupaciones de Barnabooth, a despecho de sus bravatas, son más bien íntimas y aun domésticas. Su genio es el del moralista; Campos es un poeta más vasto y sus obsesiones y sus intuiciones son realmente filosóficas. Rectifico: la poesía de Campos, en sus momentos más altos, parece brotar de la conjunción del entusiasmo poético y la visión religiosa y filosófica. Barnabooth jamás hubiera podido escribir *Tabaquería,* un poema cuyo asunto es la modernidad *desde dentro,* es decir, el canto del desposeimiento y la pérdida del alma. El hombre enterrado vivo en un cuarto minúsculo de un infinito edificio de apartamentos. El arrebatado Campos, el poeta entusiasta y colérico, nos dejó uno de los poemas más lúcidos y amargos de nuestro siglo.

Refutación de Alberto Caeiro

Cette musique Je sais bien Mais les paroles
Qui disaient au juste les paroles
Louis Aragon

La historia de un hombre puede reducirse a la de sus encuentros. El primero, al nacer, es con un mundo extraño, que no conocemos ni nos conoce. Desde ese primer día nuestra vida es una sucesión de encuentros, seguidos de despedidas hasta la despedida final. La realidad de este mundo —un budista diría: su irrealidad— se manifiesta a través del encuentro con los otros: los amigos y los enemigos, y con las otras y la otra: el amor, acaso Dios y, seguramente, la muerte. Y hay otro encuentro, no con los otros sino con ese desconocido que tiene nuestro rostro: nosotros mismos.

No menos decisivos son los encuentros imaginarios. Un día nos encontramos frente a un cuadro de Vermeer y vemos —convertido en luz, aire y una mujer que escribe y mira por una ventana— al tiempo en persona. Otro día, guiados por Plotino, recorremos el camino que va de la heterogeneidad a la unidad; o, al revés, una tarde participamos con Heráclito en la desgarradura de la unidad y la vemos pelear consigo misma: la unidad es dos, querella sin fin. Nos enamoramos pero, si no fuese por Stendhal, nuestro amor probablemente sería una pasión ciega y, si no fuese por Lope de Vega, un sentimiento mudo. Encontrarse con Baudelaire significa encontrarse con uno mismo; quiero decir, encontrarse caído en el pozo de la conciencia. Es la experiencia de la caída pero, asimismo, es la experiencia del ensimismamiento. Una experiencia satánica: es un gravitar hacia el fondo de uno mismo, ese fondo que es un sinfín... ¿Quién no ha sentido, solo o en compañía, ante el mar o en un valle, en un desierto o en un jardín, que es uno con el todo, hermano del felino y del pulpo, del insecto y la rana? ¿Quién no ha sentido, ante el espejo o en un teatro, en una plaza o en un aeropuerto, que es el expulsado del cosmos, el judío errante, el extraño o, como decían los gnósticos, el *alógeno*? Encuentros con una canción, un paisaje, un cuadro pero, sobre todo, encuentros con un libro y con un autor.

Entre mis encuentros imaginarios, el de Fernando Pessoa fue uno de los más profundos. Lo conocí tarde, en 1958, en París, cuando yo ya era un escritor formado o, si se quiere, deformado por cuarenta años de vida y muchos años de lecturas y tentativas poéticas. Leí sus poemas de manera distraída, después con sorpresa y al fin fascinado. Como suele ocurrir en esos casos, quise que los lectores de mi lengua compartiesen mi pasión y así, durante unos pocos meses de trabajo encarnizado, traduje medio centenar de poemas. En el prólogo del pequeño libro que publiqué en 1962 con esas traducciones, he relatado cómo, un día de otoño de 1958, la escritora surrealista Nora Mitrani me reveló la existencia del poeta portugués. A ella, como a todos, la había intrigado el «caso psicológico». Tenía razón. Sin embargo, a mi juicio el «caso literario» no es menos apasionante y misterioso. Pessoa no sólo inventó, como los novelistas y los dramaturgos, un grupo de personajes sino una generación literaria. Esa generación es la de la vanguardia europea de la primera guerra.

Caeiro, Campos y Reis no son personajes que son poetas sino poetas ficticios que son autores de obras verdaderas. Lo mismo hay que decir de Pessoa, que es su creador y su criatura, heterónimo de sí mismo. Inversión del proceso literario normal: en la realidad, primero está el autor y después la obra; en el caso de Pessoa, primero fueron las obras y después sus ficticios autores con sus nombres. Cada uno de los cuatro poetas tiene una voz distinta y cada uno representa una tendencia poética diferente. Como en la historia literaria real, sus biografías cuentan poco: cuentan sus ideas, sus visiones, sus emociones y cómo las vivieron y las expresaron. Pessoa es una ilustración viva del simbolismo agonizante y sus espejos; Campos de la vanguardia, con su fe en el futuro y sus sucesivas decepciones históricas; Reis del neoclasicismo, doble refugio —estoico y epicúreo— frente a las brumas del Narciso simbolista y las gesticulaciones del Prometeo vanguardista. ¿Y Caeiro?

Sabemos que Alberto Caeiro fue el primer heterónimo. Fue el maestro de Campos, de Reis y del mismo Pessoa. Vivió toda su vida en una finca de los alrededores de Lisboa, sin mujer, sin hijos y sin creador. Antes de la historia. Caeiro existe como existen las piedras, los árboles, los ríos, los insectos, no como existen los hombres: inmerso en un presente absoluto. Cada momento es una totalidad. Pero es una totalidad sobre la que no puede decir nada, excepto que es. El verbo *ser* es la única palabra que conoce Caeiro. Claro, en la realidad, es decir, en sus poemas, conoce y usa otras palabras. Pero ninguna de ellas tiene, por decirlo así, consistencia ontológica. En un poema afirma la identidad entre el ser y el parecer; las cosas no tienen misterio ni significación, son lo que son:

Las cosas no tienen sentido, tienen existencia.
Las cosas son el único sentido oculto de las cosas.

Pero las palabras que dice el poeta Caeiro para decir que las cosas no tienen sentido no son cosas, ni piedras, ni perros ni árboles: son palabras y, así, significan. Las palabras son misteriosas porque son dobles; son sonido y son sentido, son cosas que vemos y oímos y cosas que comprendemos. En otro poema Caeiro acepta que hay una diferencia entre ser planta y ser hombre, entre echar hojas y decir palabras, pero afirma que esa diferencia no es la que nosotros creemos:

Sí, yo escribo versos —y la piedra no los escribe.
Sí, tengo ideas sobre el mundo —y la planta no las tiene.
Las piedras no son poetas, son piedras.
Las plantas son plantas, no pensadores.
¿Voy a decir por eso que soy superior a ellas?
También podría decir lo contrario.
Pero no digo esto ni aquello. Digo
De la piedra: es una piedra. Digo
De la planta: es una planta. Y digo
De mí: soy. No digo más.
¿Hay algo más que decir?

¿Qué se puede responder a Caeiro? Sí, no hay nada más que decir, excepto que cuando se dice *yo soy* se está diciendo algo que, desde que el hombre es hombre, no acabamos de decir. El hombre no acaba de decir qué o quién es porque nunca acaba de ser enteramente. *Yo soy* es una afirmación temeraria y que muchos, de Pirrón a Nagarjuna y de Nagarjuna a Hume, encontrarían arrogante e infundada. El yo ¿es uno o es plural? Campos, Reis y Pessoa mismo desmienten a su maestro: no se puede decir *yo* sin tomarse ciertas libertades con el lenguaje. Para Nagarjuna el *yo* no es sino un sonido sin significado; no designa a una realidad sino a la vacuidad. Para Hume, el yo es una percepción instantánea y evanescente, una ilusión. Para otros es una «construcción». Las mismas dificultades ofrece la palabra *soy.* Este monosílabo ha producido millones de discursos, miles de libros, cientos de filosofías, varias religiones, no sé cuántos mártires y una pregunta que se repite desde el comienzo de los tiempos: ¿Quién soy?... Caeiro es un mito, el mito del *Yo soy.* Este mito, al afirmar la unidad entre el ser y el mundo, postula la identidad entre ser y hablar. Por desgracia, no es así: hablamos porque somos seres divididos, escindidos. Entre el yo y el mundo hay un hueco, un abismo que debemos cruzar a través del puente de las palabras. El yo no es uno; el yo, si acaso tiene realidad, es plural. Cuando digo yo, digo tú, nosotros, ellos. Ése es el privilegio y la condenación del hombre. El drama de los discípulos de Caeiro (y el nuestro) consiste en que no tenemos más remedio que hablar y tener conciencia de que hablamos.

México, 1988

[«Intersecciones y bifurcaciones: A. O. Barnabooth, Álvaro de Campos, Alberto Caeiro» se publicó en la revista *Vuelta,* núm. 147, México, febrero de 1989, y se recogió en *Convergencias,* Seix Barral, Barcelona, 1991.]

La línea central: cuatro poetas suecos

En medio del corazón la misma línea central para desear y pensar...
H. Martinson

Mi amigo Pedro Zekeli me pidió que escribiese unas cuantas páginas de presentación, al frente de nuestro libro.[1] Digo «nuestro» sin mucha convicción. Aunque he colaborado con él cerca de dos años, revisando una y otra vez cada poema, Zekeli es el autor de la selección y las notas. Esta circunstancia, para no hablar de la más grave: mi ignorancia de la lengua en que fueron escritos los poemas, habría justificado mi negativa. Acepté, sin embargo. No es imposible adivinar la razón: la complicidad. Empleo sin rubor esta palabra. A mi parecer es la única que designa con precisión la sociedad secreta de la poesía en nuestra época. Todas las otras, desde camaradería hasta fraternidad, son propiedad de las iglesias, los partidos, los gobiernos y las sectas. Dentro de ciertos límites nuestro mundo tolera el ejercicio de la poesía pero no lo considera como una actividad legítima, es decir, productiva. Nada más natural que llamar cómplices al poeta y al lector de poemas: los une una pasión que la mayoría y sus jefes no comparten y que con frecuencia reprueban.

Si las pasiones fuertes son las pasiones lúcidas, este libro ha fortificado mi pasión en la medida en que me ha hecho reflexionar con mayor claridad sobre la universalidad de la poesía. El poema es lenguaje; pero lo es con tal intensidad que salta por encima de las barreras de los idiomas y se transforma en una suerte de ideograma. *Vemos* un poema; *leemos* un texto de prosa. Tal vez esta distinción aclare nuestras intenciones. Este libro no pretende informar ni enseñar nada sobre la literatura de Suecia. Aspira a ser un libro de poesía. Lo hicimos por el placer de hacerlo, sin que nos guiase ningún propósito cultural o educativo. Nos decidimos a publicarlo porque no hay nada más humano que el deseo de compartir un placer. ¿Pero es necesario justificar la aparición de un volumen de poemas?

[1] *Cuatro poetas contemporáneos de Suecia*, México, 1963.

Me imagino que para la mayoría de los hispanoamericanos la palabra *Suecia* evoca, ante todo, la idea de norte. Al menos eso es lo que a mí me sucede. Norte: uno de los puntos cardinales. Un signo de orientación segura. *Tener un norte* es saber hacia dónde se va, contar con una indicación clara. Para nosotros el norte tiene cierta preeminencia moral; sugiere fuerza de voluntad, tenacidad, rectitud de propósito, marcha hacia una meta, idealismo. Sólo el oriente le gana en significación espiritual. Temo que estas ideas, en lugar de acercarnos a la poesía de Suecia, nos alejen. Son algo peor que un error: un lugar común. Desvanecerlo será comprobar que la poesía, precisamente por ser una actividad central del espíritu humano, no pertenece a ningún lugar determinado.

Los puntos cardinales son una de las invenciones más ingeniosas del hombre. Su utilidad es manifiesta: nos sitúan, señalan dónde estamos y hacia dónde vamos. Son cuatro puntos fijos, plantados en el espacio. Pero se trata de una fijeza ilusoria. Unos cuantos pasos hacia adelante o hacia atrás son suficientes para cambiarlo todo: lo que estaba al norte queda ahora al sur de mis ojos. Los cuatro puntos se mueven con nosotros y, lejos de estar fijos en un sitio, están en todas partes. O en ninguna. Ni siquiera son cuatro. Entre sur y oeste hay un infinito número de puntos: una infinidad de caminos equivocados. Quizá por eso los aztecas y otros pueblos, más cuerdos que nosotros, creían que los puntos eran cinco: norte, sur, este, oeste y centro. Las cuatro direcciones se movían y, al moverse, cambiaban la coloración y el significado del caminar humano; el centro, igual a sí mismo siempre, era el eje del universo.

La dificultad consiste en encontrar ese centro. Nos movemos cada día con mayor velocidad y así nos extraviamos con mayor rapidez. ¿Sabemos en dónde estamos? Nadie podría decirlo. Y por eso nadie sabe hacia dónde vamos. Cierto, leemos las mismas noticias, utilizamos los mismos artefactos, vemos las mismas películas y todos vivimos en la misma ciudad, aunque uno habite en Nueva York y el otro en Milán. ¿Dónde está esa ciudad? Nuestros pequeños departamentos son más grandes que el desierto para el árabe. Lo desconocido nos rodea, aunque sepamos el nombre de todos nuestros vecinos, porque no estamos seguros ni de nuestra propia identidad. ¿Quién no se ha sorprendido al descubrir que el rostro de ese extraño, reflejado en la vitrina, entre el gentío, era el suyo? Perder la identidad significa extraviarse en uno mismo. No «perder el norte» sino el centro, el punto fijo. Hoy podemos ir a todas partes, pero cada sitio es ninguna parte. Recobrar la orientación del movimiento, restablecer la armonía de las cuatro direcciones y de los tres tiempos, saber en dónde estamos y adónde vamos: quietud, regreso al punto de intersección. Hemos tenido demasiados guías. Desconfío de los hombres y de las obras que pretenden mostrarnos el camino recto. Cada uno de esos caminos termina en un muro o en un desfiladero. Lo que necesitamos los hombres modernos es aprender a quedarnos quietos. Le pido a la poesía que nos haga, así sea por un instante, coincidir con nosotros mismos.

A pesar de lengua y tradición comunes, los cuatro poetas que aparecen en este libro están tan alejados entre sí como los cuatro puntos cardinales. Cada uno de ellos prosigue una aventura distinta y sus obras apuntan hacia direcciones divergentes. Nada los une, excepto su relación con un centro magnético. Se trata, por tanto, de una oposición complementaria. Signos en torno a un punto fijo, sus antagonismos son armónicos y forman un todo coherente: una poesía con carácter propio, un lenguaje. Cada poeta sigue su camino, y todos esos caminos son tentativas por llegar al centro sin nombre, al lugar de reconciliación de los cuatro elementos. Ninguno coincide con el centro porque jamás ningún poeta, ningún hombre, ha coincidido plena y permanentemente consigo mismo y con la realidad. ¿Y los místicos y los sabios? Sobre ellos nada sabemos: la sabiduría es, por esencia, silencio. Pero sí sabemos que nosotros debemos contentarnos con fugaces encuentros, iluminaciones instantáneas. Es poco y es suficiente: no resistiríamos más. Cada obra, si de verdad es obra, nos deja entrever esa totalidad. Una totalidad que siempre está más allá de nosotros y de las palabras que la nombran. Por eso siempre me ha parecido inexacta la distinción entre forma y contenido. Los poemas no contienen poesía: son buenos o malos conductores de poesía. Esta propiedad del poema nos permite, así sea a través de una traducción, sentir la corriente poética que emite el original. En efecto, sería imperdonable ligereza de mi parte juzgar las obras poéticas de Harry Martinson, Artur Lundkvist, Gunnar Ekelöf y Erik Lindegren. No lo es señalar aquellos pasajes de sus poemas que me dieron la sensación de *contacto* con ese centro, origen y fin del movimiento, que identifico con la poesía.

Martinson es un poeta viajero. Algunos de sus poemas relatan experiencias de viajes reales; otros, para mi gusto los mejores, son viajes hacia dentro —no de sí mismo, sino hacia el interior de la realidad. Viajamos para alejarnos de nuestra tierra natal o para regresar a ella. Martinson nunca la abandona; mejor dicho, ella lo sigue por todas partes. El misterio o el asombro no están lejos, en mundos desconocidos: la verdadera desconocida es esa presencia familiar, íntima y, sin embargo, remota, que vemos todos los días. Me parece que este poeta busca en sus viajes, en sus poemas, recobrar esos instantes en que nuestra mirada coincide con esa presencia. Momentos de reconocimiento más que de conocimiento, en los que la realidad se presenta desnuda. Martinson es un poeta realista si se entiende por realismo no tanto copiar a la realidad como fundirse a ella. No es extraño que exalte al amor y a la infancia, estados propicios a la revelación de los poderes de la naturaleza. Lo que busca en ellos es la fuente de la espontaneidad, cegada por los hombres modernos. Para él, realismo significa reconciliación con la naturaleza: amor e infancia, reconquista de la espontaneidad y de la imaginación; poesía, acuerdo con la vida profunda de la tierra, armonía entre el árbol, el cielo y la mujer. ¿No estamos ante una *sagesse*? Creo que Martinson concibe su obra como un remedio mágico contra los males contemporáneos. Pero no nos ofrece un brebaje raro; su filtro es límpido y simple como el agua. Poesía: vida filtrada. El secreto de este poeta es el de la volatinera de uno de sus poemas: «Sonreír encima de abismos». Sólo los niños, los enamorados y los sabios caminan sobre el precipicio como aquel que da un paseo por las afueras de su pueblo. A veces, a la mitad de un poema nítido como la visión de un valle pequeño, un día claro, desde la colina verde y ocre, nos sale al encuentro, vestida de cualquier modo, la diosa carnal. Nos enlazamos a esa aparición «para hacer dios». Sabemos que «la dicha tarda y no llega». No importa: «La alegría siempre está».

Lundkvist también es viajero. La curiosidad lo ha llevado a recorrer los cinco continentes y su obra de traductor, tan extensa como su obra de poeta, cubre territorios tan alejados como los de sus viajes. Cuando lo conocí, me pareció un niño que había crecido demasiado. Esto explica, quizá, su continuo vagar. Dispuestos siempre a la aventura, los niños son los únicos seres realmente libres, los únicos viajeros de verdad. Cada una de sus horas se abre a lo inesperado; cada incidente diario equivale a un descubrimiento. Los viajes de los adultos son un triste remedo de las expediciones infantiles; tomamos barcos y aviones porque no podemos «pintar venado». Todo es inútil: las siete maravillas del mundo no valen aquella tarde en que nos fugamos de la escuela, aquel día de asueto y sus hallazgos. Lundkvist lo sabe. Ha visto los grandes ríos de la tierra; buscó en ellos al arroyo de su infancia, «chico travieso corriendo por la yerba», pero en sus remolinos descifró apenas una historia ininteligible de fango y sangre.

En la actitud de Lundkvist no hay nostalgia ni contemplación ante el espejo. Sigue siendo un muchacho travieso: la vida está afuera, en la calle y el espacio abierto. Como esos adolescentes de Stevenson y de Twain, no viaja para conocer el mundo sino para estrecharlo entre sus brazos poderosos. Su poesía es un continuo deslumbramiento, una sucesión de imágenes visuales, como si se tratase de las descargas de una artillería insólita que, en lugar de destruir, crease. Cada disparo es un árbol, una estrella, una ciudad, una mujer. Estética peligrosa: el cansancio es el tiro por la culata de la sorpresa. Hay un momento en que el asombro se vuelve monotonía; entonces le pedimos al poeta una verdad de pan. Por fortuna, la fantasía sólo es la mitad de Lundkvist. La otra es el corazón: amor, cólera, entusiasmo. Las imágenes se las saca del pecho. No son un símbolo sino un gesto real. Presencias instantáneas, cambiantes como todas las cosas del mundo, la energía que las anima es siempre la misma. No olvidaré esa visión de la bailarina gitana: agua que se vuelve vasija al girar, vasija que se vuelve polvo, polvo que es humo. Moral y desengaño de la metáfora. ¿Todo es humo? Todo es fuego, replica el poeta. El verdadero tema de Lundkvist es la energía vital, la fuerza anónima que rige nacimiento y muerte. No el hombre sino los hombres; no su infancia sino la de la tierra; no el mundo sino lo que mueve al mundo. Las ideas sociales de Lundkvist son, como su poesía, un vitalismo. La energía es igualitaria. Amorfa, mínima y todopoderosa, la poesía «nunca es diente o cuchillo». Es «la resurrección de la hierba en la mano».

Después del movimiento, la quietud. Contemplación y no viaje, meditación y no descubrimiento. Ekelöf no se propone recorrer el mundo sino conocerse a sí mismo, encontrar un punto de apoyo, la piedra de fundación del hombre. No es necesario salir. La habitación de siempre, la ventana, la mesa, la luz de la lámpara. Afuera hay dos nubes, cuatro pinos, una colina que amarillea. Los senderos están llenos de hojas secas. Llovió ayer y el barro se pega a la suela de los zapatos. Nos hemos vuelto más pobres pero nos quedamos con lo esencial. A pesar de sus viajes, Martinson y Lundkvist no dejan nunca de pisar tierra firme. El suelo se hunde bajo los pies de Ekelöf, los árboles y la colina se disgregan lentamente, el sol mismo vacila y cede. Las cosas pierden su apoyo: flotan, se dispersan, se desvanecen. El mundo es un caos ceniciento. Todo cae en sí mismo y no acaba de caer. La realidad se desfonda. Incoherencia: falta de fundamento. O tal vez sucede lo contrario: la conciencia está herida de muerte y no acierta a dar unidad a sus visiones. ¿Cómo saberlo?

Martinson y Lundkvist creen que «el mundo está bien hecho»: lo que está mal es la civilización. Para Ekelöf el mal es más profundo. No está en la historia de los hombres sino en los hombres que hacen la historia. Es un mal incurable, una verdadera lesión del ser. Poesía que es, simultáneamente, destrucción del mundo sensible y de la conciencia que lo percibe. Pero el poeta no se limita a registrar esta paulatina evaporación de la realidad. Hay otra visión, aunque pocos la vean; otra palabra, casi indecible. Una realidad que se nos da como negación del mundo y de su sentido, esto es, del lenguaje; una poesía que es ausencia y silencio; una palabra que se vuelve sobre sí misma y se destruye. Sólo queda en pie la sílaba *No*. Sobre esta negación «el mirlo canta su canción tardía». Más allá de negación y afirmación, más allá de todo sentido, el mirlo canta y su canción es, literalmente, insensata. En uno de sus poemas más intensos y complejos *(Absentia animae)*, Ekelöf nos deja entrever a qué realidad última aluden sus palabras: algo «cercalejano», que no es ni el mundo ni el alma, la nube o la imagen de la nube, esto o aquello. Algo que está aquí y que, apenas lo nombramos, desaparece. La canción del poeta es siempre «canción de otra cosa».

Agua (espontaneidad y cordura), tierra (muerte y resurrección), aire (palabra y silencio): falta el elemento erótico y guerrero, el fuego. El signo de Lindegren es el de Shelley y los románticos alemanes. Es el pájaro que vive en el oeste. Ni sabiduría ni acción ni contemplación: pasión. Elemento contradictorio, perpetuamente desgarrado y renaciendo sin cesar de su dispersión. Doble, no puede vivir sin su pareja —a condición de aniquilarla y aniquilarse. Apenas conseguida la unidad, se extingue. Es el solitario y el enamorado. La poesía de Lindegren parte, como la de Ekelöf, de la negación del significado. El mundo es prisión o desierto; no hay caminos, el horizonte se ha cerrado y la única salida es hacia arriba o hacia abajo. Como la llama, el poeta cae y se levanta. Ícaro es uno de sus patronos; el otro es el ahogado, el buzo que explora las aguas duras de la muerte. Alas rotas y naufragios. La palabra vuela y se quiebra en astillas; el poema es un balbuceo de sílabas, la ola que cubre los despojos pálidos.

Sobre esos restos se eleva, «al fin libre, la fe de la mariposa en el viento». Esta línea, aérea y simple, sostiene un mundo de significados y asociaciones. Para Lindegren la mariposa, símbolo de la metamorfosis y de la supervivencia, es lo único perdurable.

El poeta no construye sobre la piedra. Tiene fe en lo más frágil y sus poemas son castillos en el aire. La morada del hombre no está en la tierra ni en el cielo sino en el aire, en pleno vuelo: «Nuestro único nido son las alas». Allá, es decir: aquí mismo y ahora, partir es llegar, el tiempo es el instante, la noche es el fin de la noche, el camino es el espacio sin caminos, el movimiento es la quietud... ¿A qué aluden todas esas paradojas? A la verdad más simple e inexplicable, al hecho que todos los días se repite por primera vez: al abrazo. Poeta del desastre, Lindegren es el poeta del amor. O más exactamente: del encuentro. El lugar del abrazo es un espacio en blanco: no hay nada ni nadie sino dos cuerpos enlazados. Negación del mundo de los hombres y de su historia grotesca. La naturaleza imantada gira en torno a los amantes: mar de columnas blancas, bosques transparentes, el campo del cielo, la espiga del sol. Pocas veces la imaginación inventó tantos prodigios para un amor tan desnudo. Abandono al momento, momento de abandono. Sólo que es un abandono que recupera todo lo que hemos perdido en miles de años de estúpido ahorrar, un momento que es el tiempo mismo en su fijeza y en su fugacidad.

Hace más de medio siglo que se ha iniciado la nueva era glacial. Aquí y allá, rompiendo apenas la uniformidad de los hielos, sobreviven pequeñas manchas de verdor. Quizá la misión de la poesía, en el mundo moderno, no consiste en profetizar lo que vendrá sino en ayudarle al hombre a resistir, a persistir. La cigarra de Martinson, la hierba de Lundkvist, el mirlo de Ekelöf, la mariposa de Lindegren son cuatro emblemas, cuatro exorcismos. En un país en donde el progreso social ha dejado de ser una aspiración inalcanzable o un pretexto de propaganda política, ¿no es reveladora la actitud de estos cuatro poetas? Por lo visto, el problema no consiste únicamente en «elevar el nivel de vida». También habría que elevar el *nivel de la vida*, respetar su diversidad. Pero algo más que la negación define a estos poetas. Dije al principio que un centro invisible los unía. Ese centro se llama memoria. No quiero decir que tengan nostalgia del pasado: ninguno de ellos quiere regresar y, además, todos sabemos que no hay regreso. El poeta no es la memoria de lo que fue sino de lo que es. Su misión no consiste en profetizar el futuro sino en recordarnos lo que somos.

París, 9 de diciembre de 1961

[«La línea central: cuatro poetas suecos» es el prólogo a *Cuatro poetas contemporáneos de Suecia,* México, 1963. Se publicó en *Puertas al campo,* UNAM, México, 1966.]

En blanco y negro: Charles Tomlinson

Desde que leí por primera vez un poema de Charles Tomlinson, hace ya más de diez años, me impresionó la poderosa presencia de un elemento que, después, encontré en casi todas sus composiciones, aun en las más reflexivas e introvertidas: el mundo exterior. Presencia constante y, asimismo, invisible. Está en todas partes pero no la vemos. Si Tomlinson es un poeta para el que «el mundo exterior existe», hay que agregar que no existe como una realidad independiente, separada de nosotros. En sus poemas la distinción entre sujeto y objeto se atenúa hasta volverse, más que una frontera, una zona de interpenetración. No en favor del primero sino del segundo: el mundo no es la representación del sujeto —más bien el sujeto es la proyección del mundo. En sus poemas la realidad exterior no es tanto el espacio donde se despliegan nuestras acciones, pensamientos y emociones como un clima que nos envuelve, una sustancia impalpable, a un tiempo física y mental, que penetramos y nos penetra. El mundo se vuelve aire, temperatura, sensación, pensamiento, y nosotros nos volvemos piedra, ventana, cáscara de naranja, césped, mancha de aceite, hélice.

A la idea del mundo como espectáculo, Tomlinson opone la concepción, muy inglesa, del mundo como evento. Sus poemas no son ni una pintura ni una descripción del objeto o de sus propiedades más o menos estables; lo que le interesa es el proceso que lo lleva a ser el objeto que es. Está fascinado —con los ojos abiertos: fascinación lúcida— por el quehacer universal, por el continuo hacerse y deshacerse de las cosas.

ACONTECIMIENTO

Nada
No pasa nada

Una gota de agua
Se dispersa sigilosa
Una telaraña se disipa

Contra este espacio vacante
Un pájaro atolondrado
Podría probar su voz
Pero no hay pájaro alguno

En el suelo trillado
Aun mis pasos
Son más pulsación que sonido

Al regreso
Un poco borracho
De aire

Saber que
Nada
Está pasando

Poesía de las mínimas catástrofes y resurrecciones diarias de que está hecha la gran catástrofe y resurrección de los mundos. Los objetos son congregaciones inestables regidas alternativamente por fuerzas de atracción y repulsión. Proceso y no tránsito: no el lugar de salida y el de llegada sino qué somos al salir y en qué nos hemos convertido al llegar. Las gotas de agua de la banca mojada por la lluvia, agolpadas en el borde de un travesaño y que, tras un instante de maduración —equivalente en los asuntos humanos al momento de duda que precede a las grandes decisiones—, se precipitan en el piso de cemento: «caídas semillas de ahora vueltas entonces». Moral y física de las gotas de agua:

MIENTRAS LLUEVE

Entre
las tablillas de la banca
del jardín, ensartándose

en la parte de abajo,
corren sin separarse
blancas de luz transmitida
como la banca de pintura,
                    gotas de lluvia:
irregularmente alineadas
sobre siete duelas
brillan contra
el espacio de atrás:
no las perturba
una siquiera brisa,
parece que no se mueven,
pero una
a una, como si
repentinamente madurasen,
tiran, se estiran,
chás —para
ser reemplazadas
por una idéntica
gemela instantánea:
mientras más
la miras, más
esta quietud se revela
fluir continuo
de nuevas perlas falsas:
caídas semillas de ahora
vueltas entonces

Gracias a una doble operación, visual y mental, hecha de la paciencia de muchas horas de inmovilidad atenta y de un instante de decisión, Tomlinson aísla al objeto, lo observa, salta de pronto en su interior y, antes de que se disgregue, toma la instantánea. El poema es la percepción del cambio. Una percepción que incluye al poeta: él cambia con los cambios del objeto y se percibe a sí mismo en la percepción de esos cambios. El salto al interior del objeto es un salto hacia dentro de sí mismo. La mente es una cámara oscura de fotografía:

LA CAVERNA

Olvida
la mitología mientras desenrollas
este «interior de montaña»
en la cámara oscura de la mente,
pues allí
la nieve del yeso
la escalera calcárea
y el paisaje de osario
alcanzan la identidad de la carne.

Latido del gotear de agua,
húmeros y escamas, aletas
y copos de la leprosa
roca en gestación,
¿cómo todo esto,
inhumano, se vuelve,
con tan escalofriante afinidad, humano?

Ásperos al tacto,
estos musgos no de musgo:
fosas nasales, hoyos
de ojos, caras
en fuga, huellas de pies
donde no pisó planta alguna,
eluden a la mente
que en su caverna quisiera contener
esta caverna en la montaña.

No,
desciende más,
lejos de lo familiar,
hacia lo más oscuro, donde
el sexo velado
el arco del contrafuerte húmedo
son ya la innominable
casa en gestación de la criatura.

No se trata, naturalmente, de la pretensión panteísta de estar en todas partes y ser todas las cosas. Tomlinson no quiere ser el corazón o el alma del universo. No busca la «cosa en sí» ni la «cosa en mí» sino las cosas en ese momento de indecisión en que están a punto de hacerse o deshacerse. El momento de su aparición o desaparición frente a nosotros, antes de constituirse como objetos en nuestra mente o de disolverse en nuestro olvido. Tomlinson cita una frase de Kafka que define admirablemente su propósito: «Sorprender una vislumbre de las cosas tal como deben haber sido antes de presentarse ante mí».

Su tentativa se acerca, por uno de sus extremos, a la ciencia: objetividad máxima y purgación, ya que no supresión, del sujeto. Por otra parte, nada más alejado del cientismo moderno. No por el esteticismo que a veces se le reprocha sino porque sus poemas son experiencias y no experimentos. Esteticismo es afectación, retorcimiento, preciosismo y en Tomlinson lo que hay es rigor, precisión, economía, sutileza. Los experimentos de la ciencia moderna se realizan con segmentos de la realidad, en tanto que las experiencias postulan implícitamente que el grano de arena es un mundo y que cada fragmento contiene a la totalidad. El arquetipo de los experimentos es el modelo cuantitativo de las matemáticas, mientras que en las experiencias aparece un elemento cualitativo hasta ahora irreductible a la medida. Un matemático contemporáneo, René Thom, describe la situación con gracia y exactitud: «Al finalizar el siglo XVII, se extendió y enconó la controversia entre los partidarios de la física de Descartes y los de la de Newton. Descartes, con sus torbellinos, sus átomos ganchudos, etc., explicaba todo y no calculaba nada; Newton, con la ley de la gravitación en $1/r^2$, calculaba todo y nada explicaba». Y agrega: «El punto de vista newtoniano se justifica plenamente por su eficacia [...] pero los espíritus que desean *comprender* no tienen jamás, ante las teorías cualitativas y descriptivas, la actitud despectiva del cientismo cuantitativo». El desprecio se justifica aún menos ante los poetas, que no nos ofrecen teorías sino experiencias.

En muchos de sus poemas Tomlinson nos presenta las alteraciones de la mota de polvo, las peripecias de la mancha al extenderse en el trapo, el funcionamiento del aparato de vuelo del polen, la estructura del torbellino de aire. La experiencia satisface una necesidad del espíritu humano: imaginar lo que no vemos, dar forma sensible a los conceptos, *ver* las ideas. En este sentido las experiencias de los poetas no son menos verdaderas —aunque en niveles distintos a los de las ciencias— que los experimentos de nuestros laboratorios. La geometría traduce las relaciones abstractas entre los cuerpos en formas que son arquetipos visibles; así, es la frontera entre lo cualitativo y lo cuantitativo. Pero hay otra frontera: la del arte y la poesía, que traducen en formas sensibles que son también arquetipos las relaciones cualitativas entre las cosas y los hombres. La poesía —imaginación y sensibilidad hechas lenguaje— es un agente de cristalización de los fenómenos. Los poemas de Tomlinson son cristales que produce la acción combinada de su sensibilidad y sus poderes imaginativos y verbales. Cristales a veces transparentes, otras irisados, no todos perfectos pero todos poemas para ver a través de ellos. El acto de ver se convierte en un destino y una profesión de fe: ver es creer.

No es extraño que un poeta con estas preocupaciones se sienta atraído por la pintura. En general, el poeta que pinta trata de expresar con las formas y colores aquello que no puede decir con las palabras. Lo mismo sucede con el pintor que escribe. La poesía de Arp es un contrapunto de fantasía y humor frente a la abstracta elegancia de su obra plástica. En Michaux la pintura y el dibujo son esencialmente encarnaciones rítmicas, signos más allá del lenguaje articulado, magia visual. El expresionismo de ciertas tintas de Tagore nos compensa con su violencia de la pegajosa dulzura de muchas de sus melodías. Encontrar una acuarela de Valéry entre los razonamientos y paradojas de los *Cahiers* es como abrir la ventana y comprobar que, afuera, el mar, el sol y los árboles todavía existen. Al pensar en Tomlinson, recordaba los casos de estos artistas y me preguntaba cómo podía manifestarse esta inclinación a la pintura en un temperamento meditativo como el suyo, un poeta cuyo sentido central son los ojos pero unos ojos que piensan. Antes de que tuviese tiempo de hacerle esta pregunta, recibí, hacia 1968, una carta suya en la que me anunciaba el envío de un número de la revista *Agenda,* que reproducía algunos de sus dibujos. Más tarde, en 1970, durante mi estancia en Inglaterra, pude ver otros dibujos de ese periodo. Todos en blanco y negro, salvo unos cuantos en sepia. Estudios de cráneos de vacas y de esqueletos de pájaros, ratones y otros animales encontrados por él y sus hijas en el campo y en las playas de Cornwall.

En las poesía de Tomlinson es exquisita y precisa la percepción del movimiento. Trátese de piedras, vegetales, arena, insectos, hojas, pájaros o seres humanos, el verdadero protagonista, el héroe de cada poema, es el cambio. Tomlinson oye crecer la yerba. Una percepción tan aguda de las variaciones, a veces casi impalpables, de los seres y las cosas, implica necesariamente una visión de la realidad como un sistema de llamadas y respuestas. Los seres y las cosas, al cambiar, entran en contacto: cambio significa relación. En aquellos dibujos de Tomlinson, los cráneos de los pájaros, las ratas y las vacas eran estructuras aisladas, situadas en un espacio abstracto, lejos de las otras cosas y de ellas mismas, inmóviles e inamovibles. Más que un contrapunto a su obra poética me parecían una contradicción. Echaba de menos algunos de los dones que me hacen amar su poesía: la delicadeza, el humor, el refinamiento en los tonos, la energía, la profundidad. ¿Cómo recuperar todo esto sin convertir al pintor Tomlinson en un discípulo servil del poeta Tomlinson? La respuesta está en las obras —dibujos, calcomanías, *collages*— de los últimos años.

La vocación pictórica de Charles Tomlinson comenzó, significativamente, como fascinación por el cine. Al salir de Cambridge, en 1948, no solamente había visto «todas las películas» sino que escribía *scripts* que enviaba a los productores y que éstos, invariablemente, le devolvían. Esta pasión se extinguió con los años pero dejó dos sobrevivientes: la imagen en movimiento y el texto literario como soporte de la imagen. Ambos elementos reaparecen en los poemas y en los *collages*. Como los sindicatos le cerraron las puertas de la industria fílmica, Tomlinson se dedicó con encarnizamiento a la pintura. De esa época son sus primeros experimentos combinando el *frottage*, el óleo y la tinta. Entre 1948 y 1950 expuso en Londres y en Manchester. En 1951 se le presentó la oportunidad de vivir por una temporada en Italia. Poeta y pintor, durante ese viaje la pintura comenzó a ceder ante la poesía. Vuelto a Inglaterra, se dedicó más y más a escribir, menos y menos a pintar. En esta primera fase los resultados fueron indecisos: *frottages* a la sombra de Max Ernst, estudios de aguas y rocas más o menos inspirados por Cézanne, árboles y follajes más vistos en Samuel Palmer que en la realidad. Como los demás artistas de su generación, recorrió las estaciones del arte moderno y se detuvo, el instante de una genuflexión, ante la capilla geométrica de los Braque, los Léger y los Gris. En los mismos años, hacia 1954, Tomlinson escribía los espléndidos poemas de *Seeing is Believing.* Dejó de pintar.

La interrupción duró poco. Instalado en las cercanías de Bristol, volvió a los pinceles y los crayones. La tentación de usar el negro (¿por qué? se pregunta todavía) tuvo un efecto desafortunado: al exagerar los contornos hacía rígida la composición: «Quería revelar la presión de los objetos», me decía en una carta, «pero sólo lograba engrosar las líneas».

En 1968 Tomlinson se enfrentó a su vocación y a sus obstáculos. Me refiero a los obstáculos interiores y, sobre todo, a la misteriosa predilección por el negro. Como siempre ocurre, apareció un intercesor: Seghers. Haber escogido a Hércules Seghers habla muy bien de Tomlinson —cada uno tiene los intercesores que se merece. Apenas si debo recordar que la obra de este gran artista —pienso en sus impresionantes paisajes pétreos en blanco, negro y sepia— conmovieron también a Nicolas de Staël. La lección de Seghers: no abandonar el negro ni combatirlo sino abrazarlo, rodearlo como se rodea una montaña. El negro no era un enemigo sino un cómplice. Si no era un puente, era un túnel: seguirlo hasta el fin lo llevaría al otro lado, a la luz. Tomlinson había encontrado la llave que parecía perdida. Con ella abrió la puerta por tanto tiempo cerrada y penetró en un mundo que, a pesar de su inicial extrañeza, no tardó en reconocer como suyo. En ese mundo el negro reinaba. No era un obstáculo sino un aliado. El ascetismo del blanco y del negro se reveló riqueza y la limitación en el uso de los materiales provocó la explosión de las formas y de la fantasía.

En los primeros dibujos de este periodo, Tomlinson inició el método que un poco después emplearía en sus *collages:* insertar la imagen en un contexto literario y así construir un sistema de ecos visuales y correspondencias verbales. Nada más natural que haya escogido un soneto de Mallarmé en el que el caracol marino *(ptyx)* es una espiral de resonancias y reflejos. El encuentro con el surrealismo era inevitable. No para repetir las experiencias de Ernst o Tanguy sino para encontrar el camino de regreso a sí mismo. Tal vez sea preferible citar un párrafo de la carta a que antes aludí: «¿Por qué no podría yo hacer mío su mundo? Pero en mis propios términos. En poesía siempre me había inclinado hacia la impersonalidad, ¿cómo podría, en pintura, ir más allá de mí mismo?» O dicho de otra manera: ¿cómo utilizar el automatismo psíquico de los surrealistas sin caer en su subjetivismo? En poesía aceptamos el azar y nos servimos del accidente aun en las obras más concertadas y premeditadas. La rima, por ejemplo, es un accidente; aparece sin que nadie la llame pero, apenas la aceptamos, se convierte en una elección y en una regla. Tomlinson se preguntó: ¿cuál es el equivalente, en la pintura, de la rima? ¿Qué es lo *dado* en las artes visuales? La respuesta se la dio Óscar Domínguez con sus calcomanías. En realidad Domínguez fue un puente para llegar a un artista que está más cerca de la sensibilidad de Tomlinson. En aquellos días estaba obsesionado por Gaudí y por el recuerdo de las ventanas del comedor de la Casa Batlló. Las dibujó muchas veces: ¿qué ocurriría si pudiésemos ver el paisaje lunar a través de una de esas ventanas?

Las dos corrientes, las calcomanías de Domínguez y los arabescos arquitectónicos de Gaudí, confluyeron: «Entonces se me ocurrió la idea de cortar una calcomanía, contrastar una frente a otra las secciones y encajarlas dentro de la forma irregular de una ventana... ¡Tijeras! Ése era el instrumento para escoger. Descubría que podía *dibujar* con las tijeras, reaccionando *con* y *contra* la calcomanía... Por último, tomé una hoja de papel, la recorté siguiendo la forma de una ventana de Gaudí y coloqué esta suerte de máscara sobre mi calcomanía hasta que encontré mis paisajes lunares... El 18 de junio de 1970 fue para mí el día de los descubrimientos: hice con mi mejor arabesco una máscara, la coloqué sobre un borrón de tinta y entonces, con líneas geométricas, extendí los reflejos implícitos en el borrón....» Tomlinson había encontrado, con recursos contrarios a los que emplea en su poesía pero con resultados análogos, un contrapunto visual a su mundo verbal. Un contrapunto y un complemento.

El fragmento de la carta de Tomlinson que he transcrito muestra con involuntaria pero abrumadora claridad la función doble de las imágenes, sean verbales o visuales. Las ventanas de Gaudí, transformadas por Tomlinson en máscaras, es decir, en objetos que *ocultan,* le sirven para *descubrir.* ¿Y qué es lo que descubre a través de esas ventanas-máscaras? No la realidad: un paisaje imaginario. Lo que empezó el 18 de junio de 1970 fue una morfología fantástica. Una morfología y no una mitología: los lugares y seres que nos muestran los *collages* de Tomlinson no evocan ningún paraíso o infierno. Esos cielos y esas cavernas no están habitados por dioses o demonios: son lugares de la mente. Más exactamente: son lugares, seres y cosas revelados en la cámara oscura de la mente. Son el resultado de la confabulación —en el sentido etimológico de la palabra— del accidente y la imaginación.

Ante algunas de estas obras el discurso crítico, más o menos lineal, se interrumpe, gira sobre sí mismo y, a manera de celebración, levanta sobre la página una pequeña espiral verbal:

Desde la ventana de un dudoso edificio de aire oscilante sobre las arenas movedizas

Charles Tomlinson observa en la estación del deshielo la caída afortunada del tiempo

Sin culpa dice la gota de piedra en la clepsidra
Sin culpa repite el eco de la gruta de Willendorf
Sin culpa canta el glu-glu del pájaro submarino
El tirabuzón *Ptyx Utile* destapa la Cabeza-nube que inmediatamente arroja palabras a borbotones
Los peces se han quedado dormidos enredados en la cabellera de la Vía Láctea
Una mancha de tinta se ha levantado de la página y se echa a volar
El océano se encoge y petrifica hasta reducirse a unos cuantos milímetros de arena ondulada
En la palma de la mano se abre el grano de maíz y aparece el león de llamas que tiene adentro
En el tintero cae en gruesas gotas estelares la leche del silencio[1]
Charles Tomlinson baila bajo la lluvia del maná de formas y come sus frutos cristalinos

¿Todo ha sido obra del accidente? Pero ¿qué se quiere decir con esa palabra? El accidente no se produce nunca accidentalmente. La casualidad posee una lógica —es una lógica. El hecho de que no hayamos descubierto todavía sus leyes no es una razón para dudar de su existencia. Si pudiésemos trazar un plano, por tosco que fuese, de sus tortuosos corredores de espejos que se anudan y desanudan sin cesar, sabríamos un poco más de aquello que realmente importa. Sabríamos algo, por ejemplo, sobre la intervención de la «casualidad» tanto en los descubrimientos científicos y en la creación artística como en la historia y en nuestra vida diaria. Por lo pronto, como todos los artistas, Tomlinson sabe algo: debemos aceptar el accidente como aceptamos la aparición de una rima no llamada.

En general, se subraya el aspecto moral y filosófico de la operación: al aceptar el accidente, el artista transforma una fatalidad en libre elección. Puede verse desde otra perspectiva: la rima guía al texto pero el texto produce a la rima. Una de las supersticiones modernas es la idea del arte como transgresión. Lo contrario me parece más cierto: el arte transforma la perturbación en una nueva regularidad. La topología puede enseñarnos algo: la aparición del accidente provoca, so pena de destrucción del sistema, una recombinación de la estructura destinada a absorberlo. La es-

[1] Una tinta que le envidia la tribu amarilla de los poetas.

tructura legaliza a la perturbación, el arte canoniza a la excepción. La rima no es una ruptura sino un enlace, un eslabón sin el cual la continuidad del texto se rompería. Las rimas convierten al texto en una sucesión de equivalencias auditivas, del mismo modo que las metáforas hacen del poema un tejido de equivalencias semánticas. La morfología fantástica de Tomlinson es un mundo regido por analogías verbales y visuales.

Lo que llamamos accidente no es sino la revelación repentina de las relaciones entre las cosas. El accidente es un aspecto de la analogía. Su irrupción provoca inmediatamente la respuesta de la analogía, que tiende a integrar la excepción en un sistema de correspondencias. Gracias al accidente descubrimos que el silencio es leche, que la piedra está hecha de agua y de viento, que la tinta tiene alas y pico. Entre el grano de maíz y el león nos parece que no hay relación alguna, hasta el día en que reparamos que los dos sirven al mismo señor: el sol. El abanico de las relaciones y afinidades entre las cosas es muy extenso, desde la interpenetración de una con otra —«no es agua ni arena la orilla del mar», dice el poema— hasta las comparaciones literarias unidas por la palabra *como.* A la inversa de los surrealistas, Tomlinson no yuxtapone realidades contradictorias para producir una explosión mental. Su método es más sinuoso. Y su finalidad distinta: no quiere cambiar la realidad sino llegar a un *modus vivendi* con ella. No está muy seguro de que la función de la imaginación sea transformar la realidad; está seguro, en cambio, de que puede hacernos más reales. La imaginación da un poco más de realidad a nuestras vidas.

Espoleada por la fantasía y bajo la rienda de la reflexión, la obra poética y plástica de Tomlinson está sometida a la doble exigencia de la imaginación y la percepción: una pide libertad y otra precisión. Su tentativa parece proponerse dos objetivos contradictorios: la salvación de las apariencias y su destrucción. El propósito no es contradictorio porque de lo que se trata realmente es de redescubrir —más exactamente: revivir— el acto original del *hacer.* La experiencia del arte es una de las experiencias del Comienzo: ese momento arquetípico durante el cual, al combinar unas cosas con otras para producir una nueva, re-producimos el momento mismo de la producción de los mundos. Intercomunicación entre la letra y la imagen, la calcomanía y las tijeras, la ventana y la máscara, las cosas que son *hardlooking* y las que son *softlooking,* la foto y el dibujo, la mano y el compás, la realidad que vemos con los ojos y la realidad que nos cierra los ojos para que la veamos: búsqueda de la identidad perdida. O como él mismo lo dice de manera inmejorable: *to reconcile the I that is with the I that I am.* En ese Yo que es, impersonal, sin nombre, se funden el Yo que mide y el Yo que sueña, el Yo que piensa y el Yo que respira, el Yo que hace y el Yo que se deshace.

Cambridge, Mass., 6 de enero de 1975

[«En blanco y negro: Charles Tomlinson» se publicó en *In/mediaciones,* Seix Barral, Barcelona, 1979.]

ANDRÉ BRETON Y EL SURREALISMO

Estrella de tres puntas: el surrealismo

Es revelador que los organizadores de este ciclo de conferencias hayan pensado que el surrealismo es uno de los grandes temas de nuestra época.[1] Día a día se hace más patente que la casa construida por la civilización occidental se nos ha vuelto prisión, laberinto sangriento, matadero colectivo. No es extraño, por tanto, que pongamos en entredicho a la realidad y que busquemos una salida. El surrealismo no pretende otra cosa: es un poner en radical entredicho a lo que hasta ahora ha sido considerado inmutable por nuestra sociedad, tanto como una desesperada tentativa por encontrar la vía de salida. No, ciertamente, en busca de la salvación, sino de la *verdadera vida*. Al mundo de «robots» de la sociedad contemporánea el surrealismo opone los fantasmas del deseo, dispuestos siempre a encarnar en un rostro de mujer. Pero hace cinco o seis años esta conferencia habría sido imposible. Graves críticos —enterradores de profesión y, como siempre, demasiado apresurados— nos habían dicho que el surrealismo era un movimiento pasado. Su acta de defunción había sido extendida, no sin placer, por los notarios del espíritu. Para descanso de todos, el surrealismo dormía ya el sueño eterno de las otras escuelas de principios de siglo: futurismo, cubismo, imaginismo, dadaísmo, ultraísmo, etcétera. Bastaba, pues con que el historiador de la literatura pronunciase su pequeño elogio fúnebre para que, ya tranquilos, volviésemos a los quehaceres diarios. Lo maravilloso cotidiano había muerto. En realidad, nunca había existido. Existía sólo lo cotidiano: la moral del trabajo, el «ganarás el pan con el sudor de tu frente», el mundo sólido del humanismo clásico y de la prodigiosa ciencia atómica.

Pero el cadáver estaba vivo. Tan vivo, que ha saltado de su fosa y se ha presentado de nuevo ante nosotros, con su misma cara terrible e inocente,

[1] «Los grandes temas de nuestro tiempo», serie de conferencias organizada por la Universidad Nacional Autónoma de México en 1954.

cara de tormenta súbita, cara de incendio, cara y figura de hada en medio del bosque encantado. Seguir a esa muchacha que sonríe y delira, internarse con ella en las profundidades de la espesura verde y oro, en donde cada árbol es una columna viviente que canta, es volver a la infancia. Seguir ese llamado es partir a la reconquista de los poderes infantiles. Esos poderes —más grandes quizá que los de nuestra ciencia orgullosa— viven intactos en cada uno de nosotros. No son un tesoro escondido sino la misteriosa fuerza que hace de la gota de rocío un diamante y del diamante el zapato de Cenicienta. Constituyen nuestra manera propia de ser y se llaman: imaginación y deseo. El hombre es un ser que imagina y su razón misma no es sino una de las formas de ese continuo imaginar. En su esencia, imaginar es ir más allá de sí mismo, proyectarse, continuo trascenderse. Ser que imagina porque desea, el hombre es el ser capaz de transformar el universo entero en imagen de su deseo. Y por esto es un ser amoroso, sediento de una presencia que es la viva imagen, la encarnación de su sueño. Movido por el deseo, aspira a fundirse con esa imagen y, a su vez, convertirse en imagen. Juego de espejos, juego de ecos, cuerpos que se deshacen y recrean infatigablemente bajo el sol inmóvil del amor. La máxima de Novalis: «el hombre es imagen», la ha hecho suya el surrealismo. Pero la recíproca también es verdadera: *la imagen encarna en el hombre.*

Nada más sintomático de cierto estado de espíritu contemporáneo que aceptar sin pestañear la presencia de tendencias que pueden calificarse de surrealistas a lo largo del pasado —el romanticismo alemán, la novela gótica inglesa, como ejemplos próximos— y en cambio negarse a reconocerlas en el presente. Cierto, hay un estilo surrealista que, perdido su inicial poder de sorpresa, se ha transformado en manera y receta. El surrealismo es uno de los frutos de nuestra época y no es invulnerable al tiempo; pero, asimismo, la época está bañada por la luz surrealista y su vegetación de llamas y piedras preciosas ha cubierto todo su cuerpo. Y no es fácil que esas lujosas cicatrices desaparezcan sin que desaparezca la época misma. Esas cicatrices forman una constelación de obras a las que no es posible renunciar sin renunciar a nosotros mismos. Sin embargo, el surrealismo traspasa el significado de estas obras porque no es una escuela (aunque constituya un grupo o una secta), ni una poética (a pesar de que uno de sus postulados esenciales sea de orden poético: el poder liberador de la inspiración), ni una religión o un partido político. El surrealismo es una actitud del espíritu humano. Acaso la más antigua y constante, la más poderosa y secreta.

En *Arcano 17*, André Breton habla de una estrella que hace palidecer a las otras: el lucero de la mañana, Lucifer, ángel de la rebelión. Su luz la forman tres elementos: la libertad, el amor y la poesía. Cada uno de ellos se refleja en los otros dos, como tres astros que cruzan sus rayos para formar una estrella única. Así, hablar de la libertad será hablar de la poesía y del amor. Movimiento de rebelión total, nacido de Dadá y su gran sacudimiento, el surrealismo se proclama como una actividad destructora que quiere hacer tabla rasa con los valores de la civilización racionalista y cristiana. A diferencia del dadaísmo, es también una empresa revolucionaria que aspira a transformar la realidad y, así, obligarla a ser ella misma. El surrealismo no parte de una teoría de la realidad; tampoco es una doctrina de la libertad. Se trata más bien del ejercicio concreto de la libertad, esto es, de poner en acción la libre disposición del hombre en un cuerpo a cuerpo con lo real. Desde el principio la concepción surrealista no distingue entre el conocimiento poético de la realidad y su transformación: conocer es un acto que transforma aquello que se conoce. La actividad poética vuelve a ser una operación mágica.

Para nosotros el mundo real es un conjunto de objetos o entes. Antes de la edad moderna, ese mundo estaba dotado de una cierta intencionalidad, atravesado, por decirlo así, por la voluntad de Dios. Los hombres, la naturaleza y las cosas mismas estaban impregnadas de algo que las trascendía; poseían un valor: eran buenas o malas. La idea de utilidad —que no es sino la degradación moderna de la noción de bien— impregnó después nuestra idea de la realidad. Los entes y objetos que constituyen el mundo se nos han vuelto cosas útiles, inservibles o nocivas. Nada escapa a esta idea del mundo como un vasto utensilio: ni la naturaleza, ni los hombres, ni la mujer misma: todo es un para..., todos somos instrumentos. Y aquellos que en lo alto de la pirámide social manejan esta enorme y ruinosa maquinaria también son utensilios, también son herramientas que se mueven maquinalmente. El mundo se ha convertido en una gigantesca máquina que gira en el vacío, alimentándose sin cesar de sus detritus. Pues bien, el surrealismo se rehúsa a ver al mundo como un conjunto de cosas buenas y malas, unas henchidas del ser divino y otras roídas por la nada; de ahí su anticristianismo. Asimismo, se niega a ver la realidad como un conglomerado de cosas útiles o nocivas; de ahí su anticapitalismo. Las ideas de moral y utilidad le son extranjeras. Finalmente, tampoco considera el mundo a la manera del hombre de ciencia puro, es decir, como un objeto o grupo de objetos desnudos de todo valor, desprendidos del espectador. Nunca es posible ver el objeto en sí; siempre está iluminado por el ojo que lo mira, siempre está moldeado por la mano que lo acaricia, lo oprime o lo empuña. El objeto, instalado en su realidad irrisoria como un rey en un volcán, de pronto cambia de forma y se transforma en otra cosa. El ojo que lo mira lo ablanda como cera; la mano que lo toca lo modela como arcilla. El objeto se subjetiviza. O como dice un héroe de Arnim: «Discierno con pena lo que veo con los ojos de la realidad de lo que veo con los ojos de la imaginación». Evidentemente se trata de los mismos ojos, sólo que sirviendo a poderes distintos. Y así se inicia una vasta transformación de la realidad. Hijo del deseo, nace el objeto surrealista: la asamblea de montes es otra vez cena de gigantes; las manchas de la pared cobran vida, se echan a volar y son un ejército de aves que con sus picos terribles desgarran el vientre de la hermosa encadenada.

Las imágenes del sueño proporcionan ciertos arquetipos para esta subversión de la realidad. Y no sólo las del sueño; otros estados análogos, desde la locura hasta el ensueño diurno, provocan rupturas y reacomodaciones de nuestra visión de lo real. Consecuentes con este programa, Breton y Éluard reproducen en el libro *La Inmaculada Concepción* el pensamiento de los enfermos mentales; durante una época Dalí se sirve de la «paranoia crítica»; Aragon escribe *Una ola de sueños*. En efecto, se trataba de una inundación de imágenes destinadas a quebrantar la realidad. Otro de los procedimientos para lograr la aparición de lo insólito consiste en desplazar un objeto ordinario de su mundo habitual («el encuentro de una máquina de coser y un paraguas en una mesa de disección»). Ningún arma más poderosa que la del humor: al absurdo del mundo la conciencia responde con otro y el humor establece así una suerte de «empate» entre objeto y sujeto. Todos estos métodos —y otros muchos— no eran, ni son, ejercicios gratuitos de carácter estético. Su propósito es subversivo: abolir esta realidad que una civilización vacilante nos ha impuesto como la sola y única verdadera.

El carácter destructivo de estas operaciones no es sino un primer paso; su fin último es desnudar la realidad, despojarla de sus apariencias, para que muestre al fin su verdadero rostro. «El ser ama ocultarse»: la poesía se propone hacerlo reaparecer. De alguna manera, en algún momento privilegiado, la realidad escondida se levanta de su tumba de lugares comunes y coincide con el hombre. En ese momento paradisiaco, por primera y única vez, un instante y para siempre, somos de verdad. Ella y nosotros. Arrasado por el humor y recreado por la imaginación, el mundo no se presenta ya como un «horizonte de utensilios» sino como un campo magnético. Todo está vivo: todo habla o hace signos; los objetos y las palabras se unen o separan conforme a ciertas llamadas misteriosas; la yedra que asalta el muro es la cabellera verde y dorada de Melusina. Espacio y tiempo vuelven a ser lo que fueron para los primitivos: una realidad viviente, dotada de poderes nefastos o benéficos, algo, en suma, concreto y cualitativo, no una simple extensión mensurable.

Mientras el mundo se torna maleable al deseo, escapa de las nociones utilitarias y se entrega a la subjetividad, ¿qué ocurre con el sujeto? Aquí la subversión adquiere una tonalidad más peligrosa y radical. Si el objeto se subjetiviza, el yo se disgrega. «Desde Arnim —dice Breton—, toda la historia de la poesía moderna es la de las libertades que los poetas se han tomado con la idea del yo soy.» Y así es: al margen de un retrato de Nerval aparece, de su puño y letra, una frase que años más tarde, apenas modificada, servirá también de identificación para Rimbaud. Nerval escribió: «Yo soy el otro», y Rimbaud: «Yo es otro». Y no se hable de coincidencias: se trata de una afirmación que viene de muy lejos y que, desde Blake y los románticos alemanes, todos los poetas han repetido incansablemente. La idea del doble —que ha perseguido a Kafka y a Rilke— se abre paso en la conciencia de un poeta tan aparentemente insensible al otro mundo como Guillaume Apollinaire:

> Je me disais Guillaume il est temps que tu viennes
> Un jour je m'attendais moi-même
> Pour que je sache enfin celui-là que je suis...

El casi enternecido asombro con que Apollinaire se espera a sí mismo, se transforma en el rabioso horror de Antonin Artaud: «transpirando la argucia de sí mismo a sí mismo». En un libro de Benjamin Péret, *Je sublime,* la corriente temporal del yo se dispersa en mil gotas coloreadas, como el agua de una cascada a la luz solar. A más de dos mil años de distancia, la poesía occidental descubre algo que constituye la enseñanza central del budismo: el yo es una ilusión, una congregación de sensaciones, pensamientos y deseos.

La sistemática destrucción del yo —o mejor dicho: la objetivización del sujeto— se realiza a través de diversas técnicas. La más notable es la escritura automática; o sea: el dictado del pensamiento no dirigido, emancipado de las interdicciones de la moral, la razón o el gusto artístico. Nada más difícil que llegar a este estado de suprema distracción. Todo se opone a este frenesí pasivo, desde la presión del exterior hasta nuestra propia censura interior y el llamado «espíritu crítico». Tal vez no sea impertinente decir aquí lo que pienso de la «escritura automática», después de haberla practicado algunas veces. Aunque se pretende que constituye un método experimental, no creo que sea ni lo uno ni lo otro. Como experiencia me parece irrealizable, al menos en forma absoluta. Y más que método la considero una meta: no es un procedimiento para llegar a un estado de perfecta espontaneidad e inocencia sino que, si fuese realizable, sería ese estado de inocencia. Ahora bien, si alcanzamos esa inocencia —si hablar, soñar, pensar y obrar se han vuelto ya lo mismo—, ¿a qué escribir? El estado a que aspira la «escritura automática» excluye toda escritura. Pero se trata de un estado inalcanzable. En suma, practicarla efectivamente y no como ejercicio psicológico, exigiría haber logrado una libertad absoluta, o lo que es lo mismo, una dependencia no menos absoluta: un estado que suprimiría las diferencias entre el yo, el superego y el inconsciente. Algo contrario a nuestra naturaleza psíquica. No niego, claro está, que en forma aislada, discontinua y fragmentaria, no nos dé ciertas revelaciones preciosas sobre el funcionamiento del lenguaje y del pensamiento. En este sentido quizá Breton tenga razón al insistir en que, a pesar de todo, es uno de los modos más seguros «para devolver a la palabra humana su inocencia y su poder creador originales». Por lo demás, ningún escritor negará que casi siempre sus mejores frases, sus imágenes más puras, son aquellas que surgen de pronto en medio de su trabajo como misteriosas ocurrencias. Y lo mismo sucede en nuestra vida diaria: siempre hay una extraña intrusión, una dichosa o nefasta «casualidad», que vuelve irrisorias todas las previsiones del sentido común. Más allá de su dudoso valor como método de creación, la escritura automática puede compararse a los ejercicios espirituales de los místicos y, sobre todo, a las prácticas del budismo zen: se trata de llegar a un estado paradójico de pasividad activa, en el que el «yo pienso» es sustituido por un misterioso «se piensa». Lo importante, así, es lograr la ruptura de esa ficticia personalidad que el mundo nos impone o que nosotros mismos hemos creado para defendernos del exterior. El yo nos aplasta y esconde nuestro verdadero ser. Negar al yo no es negar al ser:

> Suis-je Amour ou Phébus? Lusignan ou Biron?

La renuncia a la identidad personal no implica una pérdida del ser sino, precisamente, su reconquista. El poeta es ya todos los hombres. La naturaleza arroja sus máscaras y se revela tal cual es. La tentativa por «ser todos los hombres», presente en la mayoría de los grandes poetas, se alía necesariamente a la destrucción del yo. La empresa poética no consiste tanto en suprimir la personalidad como en abrirla y convertirla en el punto de intersección de lo subjetivo y lo objetivo. El surrealismo intenta resolver la vieja oposición entre el yo y el mundo, lo interior y lo exterior, creando objetos que son interiores y exteriores a la vez. Si mi voz ya no es mía, sino la de todos, ¿por qué no lanzarse a una nueva experiencia: la poesía colectiva? En verdad, la poesía siempre ha sido hecha por todos. Los mitos poéticos, las grandes imágenes de la poesía en todas las lenguas, son un objeto de comunión colectiva. Los surrealistas no sólo quieren participar en las creaciones poéticas: aspiran a convertir esa participación en una nueva forma de creación. Varios libros de poemas fueron escritos colectivamente por Breton, Éluard, Char y otros. Al mismo tiempo, aparecen los juegos poéticos y plásticos, todos ellos destinados a hacer surgir, por medio del choque de dos o más voluntades poéticas, la imagen deslumbrante.

Los primeros años de la actividad surrealista fueron muy ricos. No solamente modificaron la sensibilidad de la época sino que hicieron surgir una nueva poesía y una nueva pintura. Pero no se trataba de crear un nuevo arte sino un hombre nuevo. Ahora bien, la Edad de Oro no aparecía entre los escombros de esa realidad tan furiosamente combatida. Al contrario, la condición del hombre era cada vez más atroz. Al periodo que inicia el *Primer manifiesto* sucede otro, presidido por preocupaciones de orden social. En el ánimo de Breton, Aragon y sus amigos se instala una duda: la emancipación del espíritu humano, meta del surrealismo, ¿no exige una previa liberación de la condición social del hombre? Tras varias tormentas interiores, el surrealismo decide adherirse a las posiciones de la Tercera Internacional. Y así, *La Revolución Surrealista* se transforma en *El Surrealismo al servicio de la Revolución.* Sin embargo, los revolucionarios políticos no mostraron mucha simpatía por servidores tan independientes. La máquina burocrática del Partido Comunista acabó por rechazar a todos aquellos que no pudieron o no quisieron someterse. Durante algunos años las rupturas suceden a las tentativas de conciliación. Al final se vio claro que toda síntesis era imposible. Sin duda el carácter cada vez más autoritario y antidemocrático del comunismo estalinista, la estrechez y rigidez de sus doctrinas estético-políticas y, sobre todo, la represión de que fueron síntoma, entre otros, los Procesos de Moscú, contribuyeron a hacer irreparable la ruptura. Aun así, por unos años más, el surrealismo coincidió con las tesis fundamentales del marxismo, tal como las representaba Lev Trotski. En 1938 Breton lo visita en México y redacta con el viejo revolucionario un famoso manifiesto: *Por un arte revolucionario independiente.* (Este texto apareció en todo el mundo con las firmas de André Breton y Diego Rivera.)

A pesar de la amplitud y generosidad de miras de Lev Trotski, la verdad es que demasiadas cosas separaban al materialismo histórico de la posición surrealista. La imposibilidad de participar directamente en la lucha social fue, y es, una herida para el surrealismo. En un libro reciente Breton vuelve sobre el tema, no sin amargura: «La historia dirá si esos que reivindican hoy el monopolio de la transformación social del mundo trabajan por la liberación del hombre o lo entregan a una esclavitud peor. El surrealismo, como movimiento definido y organizado en vista de una voluntad de emancipación más amplia, no pudo encontrar un punto de inserción en su sistema». Reducido a sus propios medios, el surrealismo no ha cesado de afirmar que la liberación del hombre debe ser total. En el seno de una sociedad en la que realmente hayan desaparecido los señores, nacerá una poesía que será creación colectiva, como los mitos del pasado. Asistirá el hombre entonces a la reconciliación del pensamiento y la acción, el deseo y el fruto, la palabra y la cosa. La escritura automática dejaría de ser una aspiración: hablar sería crear.

El surrealismo pone en tela de juicio a la realidad; pero la realidad también pone en tela de juicio a la libertad del hombre. Hay series de acontecimientos independientes entre sí que, en ciertos sitios y momentos privilegiados, se cruzan. ¿Cuál es el significado de lo que se llama destino, casualidad o, para emplear el lenguaje de Hegel, *azar objetivo*? En varios libros —*Nadja, El amor loco, Los vasos comunicantes*— Breton señala el carácter extraño de ciertos encuentros. ¿Se trata de meras coincidencias? Semejante manera de resolver el problema revelaría una suerte de realismo ingenuo o de positivismo primario. Lugar en que se cruzan la libertad y la necesidad, ¿qué es el azar objetivo? Engels había dicho: «La casualidad no puede ser comprendida sino ligada con la categoría del azar objetivo, forma de manifestación de la necesidad». Para Breton el azar objetivo es el punto de intersección entre el deseo —o sea: la libertad humana— y la necesidad exterior. No creo que nadie haya ofrecido una respuesta definitiva a este «problema de problemas». Pero si la respuesta de Breton no logra satisfacernos, su pregunta no cesa de hostigarnos. Todos hemos sido héroes o testigos de encuentros inexplicables. Esos encuentros son, para citar hallazgos de personas muy alejadas de las preocupaciones surrealistas, el virus para Pasteur, la penicilina para Fleming, una rima para Valéry. Y en nuestra vida diaria, ¿no es el amor, de manera soberana, la ardiente encarnación del azar objetivo? Las preguntas que hacían Breton y Éluard en la revista *Minotauro:* «¿Cuál ha sido el encuentro capital de su vida?; ¿hasta qué punto ese encuentro le ha dado la impresión de lo necesario o lo fortuito?», las podemos repetir todos. Y estoy seguro de que la mayoría respondería que ese encuentro capital, decisivo, destinado a marcarnos para siempre con su garra dorada, se llama: amor, persona amada. Y ninguno de nosotros podría afirmar con entera certeza si ese encuentro fue fortuito o necesario. Los más diríamos que, si fue fortuito, tenía toda la fuerza inexorable de la necesidad, y, si fue necesario, poseía la deliciosa indeterminación de lo fortuito. El azar objetivo es una forma paradójica de la necesidad, la forma por excelencia del amor: conjunción de la doble soberanía de libertad y destino. El amor nos revela la forma más alta de la libertad: libre elección de la necesidad.

El amor es exclusivo y único porque en la persona amada se enlazan libertad y necesidad. En uno de sus libros más hermosos, *El amor loco,* Breton ha puesto de relieve la naturaleza absorbente, total, del amor único: «delirio de la presencia absoluta en el seno de la naturaleza reconciliada». El verdadero amor, el amor libre y liberador, es siempre exclusivo e impide toda caída en la infidelidad: «No hay sofisma tan temible como el que afirma que el acto sexual va necesariamente acompañado de una caída del potencial amoroso entre dos seres, caída cuya repetición los arrastraría progresivamente a cansarse el uno del otro... Es fácil discernir los dos errores fundamentales que originan este modo de ver: uno es social; otro, moral. El error social, que no podría remediarse sin la destrucción de las bases económicas de la sociedad actual, procede de que la elección inicial hoy no está realmente permitida y, en la medida en que excepcionalmente tiende a imponerse, se produce en una atmósfera de no elección, hostil a su triunfo [...] El error moral nace de la incapacidad en que se halla la mayoría de los hombres para librarse de toda preocupación ajena al amor, de todo temor como de toda duda... La experiencia del artista, como la del sabio, es aquí de gran ayuda: ambas revelan que todo lo que se edifica y perdura ha exigido, de antemano, *para ser,* un total abandono. El amor debe perder ese gusto amargo que no tiene, por ejemplo, el ejercicio de la poesía. Tal empresa no podrá llevarse a cabo plenamente mientras no se haya abolido, a escala universal, la infame idea cristiana del pecado». Es decir, se trata de reconquistar la inocencia. No es extraño que otro gran contemporáneo de Breton, el inglés D. H. Lawrence, se exprese en términos semejantes. El verdadero tema de nuestro tiempo —y el de todos los tiempos— es el de la reconquista de la inocencia por el amor.

¡Despojar al amor «de ese sabor amargo que no tiene la poesía»! ¿Qué es, entonces, la poesía para Breton? Él mismo nos lo dice en un poema:

> La poesía se hace en el lecho como el amor
> Sus sábanas deshechas son la aurora de las cosas
> La poesía se hace en los bosques
> . . . .
> El abrazo poético como el abrazo carnal
> Mientras duran
> Prohíben caer en la miseria del mundo.

Poesía y amor son actos semejantes. La experiencia poética y la amorosa nos abren las puertas de un instante eléctrico. Allí el tiempo no es sucesión; ayer, hoy y mañana dejan de tener significado: sólo hay un siempre que es también un aquí y un ahora. Caen los muros de la prisión mental; espacio y tiempo se abrazan, se entretejen y despliegan a nuestros pies una alfombra viviente, una vegetación que nos cubre con sus mil manos de hierba, que nos desnuda con sus mil ojos de agua. El poema, como el amor, es un acto en el que nacer y morir, esos dos extremos contradictorios que nos desgarran y hacen de tal modo precaria la condición humana, pactan y se funden. Amar es morir, han dicho nuestros místicos; pero también, y por eso mismo, es nacer. El carácter inagotable de la experiencia amorosa no es distinto al de la poesía. René Char escribe: «El poema es el amor realizado del deseo que permanece deseo».

Todo el ser participa en el encuentro erótico, bañado de su luz cegadora. Y cuando la tensión desaparece y la ola nos deposita en la orilla de lo cotidiano, esa luz aún brilla y nos entreabre la cortina de nuestra condición. Entonces nos reconocemos y recordamos lo que realmente somos. La «vida anterior» regresa: es una mujer, la morada terrestre del hombre, la diosa de pechos desnudos que sonríe a la orilla del Mediterráneo, mientras el agua del «mar se mezcla al sol»; es Xochiquetzal, la de la falda de hojas de maíz y fuego, la de la falda de bruma, cuerpo de centella en la tormenta; es Perséfone que asciende del abismo de donde ha cortado el narciso, la flor del deseo. Paul Éluard revela la identidad entre amor y poesía:

> Tú das al mundo un cuerpo siempre el mismo
> El tuyo
> Tú eres la semejanza

La mujer es la semejanza. Y yo diría: la correspondencia. Todo rima, todo se llama y se responde. Como lo creían los antiguos, y lo han sostenido siempre los poetas y la tradición oculta, el universo está compuesto por contrarios que se unen y separan conforme a cierto ritmo secreto. El conocimiento poético —la imaginación, la facultad productora de imágenes en cuyo seno los contrarios se reconcilian— nos deja vislumbrar la analogía cósmica. Baudelaire decía: «La imaginación es la más científica de nuestras facultades porque sólo ella es capaz de comprender la analogía universal, aquello que una religión mística llamaría la correspondencia [...] La naturaleza es un Verbo, una alegoría, un modelo». La obsesionante repetición de imágenes y mitos a través de los siglos, por individuos y pueblos que no se han conocido entre ellos, no puede razonablemente explicarse sino aceptando el carácter arquetípico del universo y de la palabra poética. Cierto, el hombre ha perdido la llave maestra del cosmos y de sí mismo; desgarrado en su interior, separado de la naturaleza, sometido al tormento del tiempo y el trabajo, esclavo de sí mismo y de los otros, rey destronado, perdido en un laberinto que parece no tener salida, el hombre da vueltas alrededor de sí mismo incansablemente. A veces, por un instante duramente arrebatado al tiempo, cesa la pesadilla. La poesía y el amor le revelan la existencia de ese alto lugar en donde, como dice el *Segundo manifiesto:* «La vida y la muerte, lo real y lo imaginario, lo pasado y lo futuro, lo comunicable y lo incomunicable, lo alto y lo bajo dejarán de ser percibidos contradictoriamente».

Todavía no es tiempo de hacer uno de esos balances que tanto aman los críticos y los historiadores. Hoy nadie se atreve a negar que el surrealismo ha contribuido de manera poderosa a formar la sensibilidad de nuestra época. Además, esa sensibilidad, en buena parte, es creación suya. Pero la empresa surrealista no se ha limitado únicamente a expresar las tendencias más ocultas de nuestro tiempo y anticipar las venideras; este movimiento se proponía encarnar en la historia y transformar el mundo con las armas de la imaginación y la poesía. No ha sido otra la tentativa de los más grandes poetas de Occidente. Frente a la ruina del mundo sagrado medieval y, simultáneamente, cara al desierto industrial y utilitario que ha erigido la civilización racionalista, la poesía moderna se concibe como un nuevo sagrado, fuera de toda Iglesia y fideísmo. Novalis había dicho: «La poesía es la religión natural del hombre». Blake afirmó siempre que sus libros constituían las «sagradas escrituras» de la nueva Jerusalén. Fiel a esta tradición, el surrealismo busca un nuevo sagrado extrarreligioso, fundado en el triple eje de la libertad, el amor y la poesía. La tentativa surrealista se ha estrellado contra un muro. Colocar a la poesía en el centro de la sociedad, convertirla en el verdadero alimento de los hombres y en la vía para conocerse tanto como para transformarse, exige también una liberación total de la misma sociedad. Sólo en una sociedad libre la poesía será un bien común, una creación colectiva y una participación universal. El fracaso del surrealismo nos ilumina sobre otro, acaso de mayor envergadura: el de la tentativa revolucionaria. Allí donde las antiguas religiones y tiranías han muerto, renacen los cultos primitivos y las feroces idolatrías. Nadie sabe qué nos depararán los treinta o cuarenta años venideros. No sabemos si todo arderá, si brotará la espiga de la tierra quemada o si continuará el infierno frío que paraliza al mundo desde el fin de la guerra. Tampoco es fácil predecir el porvenir del surrealismo. Pero yo sé algo: como las sectas gnósticas de los primeros siglos cristianos, como la herejía cátara, como los grupos de iluminados del Renacimiento y la época romántica, como la tradición oculta que desde la Antigüedad no ha cesado de inquietar a los más altos espíritus, el surrealismo —en lo que tiene de mejor y más valioso— seguirá siendo una invitación y un signo: una invitación a la aventura interior, al redescubrimiento de nosotros mismos, y un signo de inteligencia, el mismo que a través de los siglos nos hacen los grandes mitos y los grandes poetas. Ese signo es un relámpago: bajo su luz convulsa entrevemos algo del misterio de nuestra condición.

México, 1954

[«Estrella de tres puntas: el surrealismo» se publicó en *Las peras del olmo*, UNAM, México, 1957.]

André Breton o la búsqueda del comienzo

Escribir sobre André Breton con un lenguaje que no sea el de la pasión es imposible. Además, sería indigno. Para él los poderes de la palabra no eran distintos a los de la pasión y ésta, en su forma más alta y tensa, no era sino lenguaje en estado de pureza salvaje: poesía. Breton: el lenguaje de la pasión —la pasión del lenguaje. Toda su búsqueda, tanto o más que exploración de territorios psíquicos desconocidos, fue la reconquista de un reino perdido: la palabra del principio, el hombre anterior a los hombres y las civilizaciones. El surrealismo fue su orden de caballería y su acción entera fue una *Quête du Graal*. La sorprendente evolución del vocablo *querer* expresa muy bien la índole de su búsqueda; querer viene de *quaerere* (buscar, inquirir) pero en español cambió pronto de sentido para significar voluntad apasionada, deseo. Querer: búsqueda pasional, amorosa. Búsqueda no hacia el futuro ni el pasado sino hacia ese centro de convergencia que es, simultáneamente, el origen y el fin de los tiempos: el día antes del comienzo y después del fin. Su escándalo ante «la infame idea cristiana del pecado» es algo más que una repulsa de los valores tradicionales de Occidente: es una afirmación de la inocencia original del hombre. Esto lo distingue de casi todos sus contemporáneos y de los que vinieron después. Para Bataille el erotismo, la muerte y el pecado son signos intercambiables que en sus combinaciones repiten, con aterradora monotonía, el mismo significado: la nadería del hombre, su irremediable ab-yección. También para Sartre el hombre es el hijo de una maldición, sea ontológica o histórica, llámese angustia o trabajo asalariado. Ambos son hijos rebeldes del cristianismo. La estirpe de Breton es otra. Por su vida y su obra no fue tanto un heredero de Sade y Freud como de Rousseau y Eckhart. No fue un filósofo sino un poeta y, aún más, en el antiguo sentido de la expresión, un hombre de honor. Su intransigencia ante la idea del pecado fue un punto de honra: le parecía que, efectivamente, era una *mancha*, algo que lesionaba no al ser sino a la dignidad humana. La creencia en el pecado era incompatible con su noción del hombre. Esta convicción, que lo opuso con gran violencia a muchas filosofías modernas y a todas las religiones, en el fondo también era religiosa: fue un acto de fe. Lo más extraño —debería decir: lo admirable— es que esa fe jamás lo abandonó. Denunció flaquezas, desfallecimientos y traiciones, pero nunca pensó que nuestra culpabilidad fuese congénita. Fue un hombre de partido sin la menor traza de maniqueísmo. Para Breton *pecar* y *nacer* no fueron sinónimos.

El hombre, aun el envilecido por el neocapitalismo y el seudosocialismo de nuestros días, es un ser maravilloso porque, a veces, *habla*. El lenguaje es la marca, la señal —no de su caída sino de su esencial irresponsabilidad. Por la palabra podemos acceder al reino perdido y recobrar los antiguos poderes. Esos poderes no son nuestros. El inspirado, el hombre que de verdad habla, no dice nada que sea suyo: por su boca habla el lenguaje. El sueño es propicio a la explosión de la palabra por ser un estado afectivo: su pasividad es actividad del deseo. El sueño es pasional. Aquí también su oposición al cristianismo fue de índole religiosa: el lenguaje, para decirse a sí mismo, aniquila la conciencia. La poesía no salva al yo del poeta: lo disuelve en la realidad más vasta y poderosa del habla. El ejercicio de la poesía exige el abandono, la renuncia al yo. Es lástima que el budismo no le haya interesado: esa tradición también destruye la ilusión del yo, aunque no en beneficio del lenguaje sino del silencio. (Debo añadir que ese silencio es palabra callada, silencio que no cesa de emitir significados desde hace más de dos mil años.) Recuerdo al budismo porque creo que la «escritura automática» es algo así como un equivalente moderno de la meditación budista; no pienso que sea un método para escribir poemas y tampoco es una receta retórica: es un ejercicio psíquico, una convocación y una invocación destinadas a abrir las esclusas de la corriente verbal. El automatismo poético, según lo subrayó varias veces el mismo Breton, colinda con el ascetismo: implica un estado de difícil pasividad que, a su vez, exige la abolición de toda crítica y autocrítica. Es una crítica radical de la crítica, un poner en entredicho a la conciencia. A su manera, es una vía purgativa, un método de negación tendiente a provocar la aparición de la verdadera realidad: el lenguaje primordial.

El fundamento de la «escritura automática» es la creencia en la identidad entre hablar y pensar. El hombre no habla porque piensa sino que piensa porque habla; mejor dicho, hablar no es distinto de pensar: hablar es pensar. Breton justifica su idea con esta observación: «nous ne disposons spontanément pour nous exprimer que d'une *seule* structure verbale excluant de la manière la plus catégorique toute autre structure apparemment chargée du même sens». La primera objeción que podría oponerse a esta fórmula tajante es el hecho de que tanto en el habla diaria como en la prosa escrita nos encontramos con frases que pueden decirse con otras palabras o con las mismas, pero dispuestas en un orden distinto. Breton respondería, con razón, que entre una y otra versión no sólo cambia la estructura sintáctica sino que la idea misma se modifica, así sea de manera imperceptible. Todo cambio en la estructura verbal produce un cambio de significado. En un sentido riguroso, lo que llamamos sinónimos no son sino traducciones o equivalencias en el interior de una lengua, y lo que llamamos traducción es traslación o interpretación. Palabras como *Nirvana, dharma, tao* o *jen* son realmente intraducibles; lo mismo ocurre con *física, naturaleza, democracia, revolución* y otros términos de Occidente que no tienen exacto equivalente en lenguas ajenas a nuestra tradición. A medida que la relación entre estructura verbal y el significado es más íntima —matemáticas y poesía, para no hablar de lenguajes no articulados como la música y la pintura— la traducción es más y más difícil. En uno y otro extremo del lenguaje —la exclamación y la ecuación— es imposible separar al signo en sus dos mitades: significante y significado son lo mismo. Breton se opone así, tal vez sin saberlo, a Saussure: el lenguaje no es únicamente una convención arbitraria entre sonido y sentido, algo que empiezan a reconocer hoy los mismos lingüistas.

Las ideas de Breton sobre el lenguaje eran de orden mágico. No sólo nunca distinguió entre magia y poesía sino que pensó siempre que esta última era efectivamente una fuerza, una sustancia o energía capaz de cambiar la realidad. Al mismo tiempo, esas ideas poseían una precisión y una penetración que me atrevo a llamar científicas. Por una parte veía al lenguaje como una corriente autónoma y dotada de poder propio, una suerte de magnetismo universal; por la otra, concebía esa sustancia erótica como un sistema de signos regidos por la doble ley de la afinidad y la oposición, la semejanza y la alteridad. Esta visión no está muy alejada de la de los lingüistas modernos: las palabras y sus elementos constitutivos son campos de energía, como los átomos y sus partículas. La atracción entre sílabas y palabras no es distinta a la de los astros y los cuerpos. La antigua noción de analogía reaparece: la naturaleza es lenguaje y éste, por su parte, es un doble de aquélla. Recobrar el lenguaje natural es volver a la naturaleza, antes de la caída y de la historia: la poesía es el testimonio de inocencia original. El *contrato social* se convierte, para Breton, en el acuerdo verbal, poético, entre el hombre y la naturaleza, la palabra y el pensamiento. Desde esta perspectiva se puede entender mejor esa afirmación tantas veces repetida: el surrealismo es un movimiento de liberación total, no una escuela poética. Vía de reconquista del lenguaje inocente y renovación del pacto primordial, la poesía es la escritura de fundación del hombre. El surrealismo es revolucionario porque es una vuelta al principio del principio.

Los primeros poemas de Breton ostentan las huellas de una lectura apasionada de Mallarmé. Ni en los momentos de mayor violencia y libertad verbales abandonó ese gusto por la palabra, a un tiempo precisa y preciosa. Palabra tornasol, lenguaje de reverberaciones. Fue un poeta «manierista», en el buen sentido del término; dentro de la tradición europea está en la línea que desciende de Góngora, Marino, Donne —poetas que no sé si leyó y que, me temo, su moral poética reprobaba. Esplendor verbal y violencia intelectual y pasional. Alianza extraña, pero no infrecuente, entre profecía y esteticismo que convierte a sus mejores poemas en objetos de belleza y, al mismo tiempo, en testamentos espirituales. Tal es, quizá, la razón de su culto hacia Lautréamont, el poeta que encontró la *forma* de la explosión psíquica. De ahí también, aunque la juzgase inevitable y saludable como «necesidad revolucionaria», su no oculta repugnancia por la brutalidad simplista de Dadá. Sus reservas frente a otros poetas eran de índole distinta. Su admiración hacia Apollinaire contiene un grano de reticencia porque para Breton la poesía era creación de realidades por la palabra y no mera invención verbal. Amaba la novedad y la sorpresa en arte, pero el término *invención* no era de su gusto; en cambio, en muchos de sus textos brilla con luz inequívoca el sustantivo *revelación*. Decir es la actividad más alta: revelar lo escondido, despertar la palabra enterrada, suscitar la aparición de nuestro doble, crear a ese otro que somos y al que nunca dejamos ser del todo.

Revelación es resurrección, exposición, iniciación. Es palabra que evoca el rito y la ceremonia. Excepto como medio de provocación, para injuriar al público o excitar a la rebelión, Breton detestó los espectáculos al aire libre: la fiesta debería celebrarse en las catacumbas. Cada una de las exposiciones surrealistas giró en torno a un eje contradictorio: escándalo y secreto, consagración y profanación. Consagración y conspiración son términos consanguíneos: la revelación es también rebelión. El *otro*, nuestro doble, niega la ilusoria coherencia y seguridad de nuestra conciencia, ese pilar de humo que sostiene nuestras arrogantes construcciones filosóficas y religiosas. Los *otros*, proletarios y esclavos coloniales, mitos primitivos y utopías revolucionarias, amenazan con no menor violencia las creencias e instituciones de Occidente. A unos y otros, a Fourier y al papúa de Nueva Guinea, Breton les da la mano. Rebelión y revelación, lenguaje y pasión, son manifestaciones de una realidad única. El verdadero nombre de esa realidad también es doble: inocencia y maravilla. El hombre es creador de maravillas, es poeta, porque es un ser inocente. Los niños, las mujeres, los enamorados, los inspirados y aun los locos son la encarnación de lo maravilloso. Todo lo que hacen es insólito y no lo saben. No saben lo que hacen: son irresponsables, inocentes. Imanes, pararrayos, cables de alta tensión: sus palabras y sus actos son insensatos y, no obstante, poseen un sentido. Son los signos dispersos de un lenguaje en perpetuo movimiento y que despliega ante nuestros ojos un abanico de significados contradictorios —resuelto al fin en un sentido único y último. Por ellos y en ellos el universo nos habla y habla consigo mismo.

He repetido algunas de sus palabras: revelación y rebelión, inocencia y maravilla, pasión y lenguaje. Hay otra: magnetismo. Breton fue uno de los centros de gravedad de nuestra época. No sólo creía que los hombres estamos regidos por las leyes de la atracción y la repulsión sino que su persona misma era una encarnación de esas fuerzas. Todos los que lo tratamos sentimos el movimiento dual del vértigo: la fascinación y el impulso centrífugo. Confieso que durante mucho tiempo me desveló la idea de hacer o decir algo que pudiese provocar su reprobación. Creo que muchos de sus amigos experimentaron algo semejante. Todavía hace unos pocos años Buñuel me invitó a ver, en privado, una de sus películas. Al terminar la exhibición, me preguntó: ¿Breton la encontrará dentro de la tradición surrealista? Cito a Buñuel no sólo por ser un gran artista, sino porque es un hombre de una entereza de carácter y una libertad de espíritu de veras excepcionales. Estos sentimientos, compartidos por todos los que lo frecuentaron, no tienen nada que ver con el temor ni con el respeto al superior (aunque yo creo que, si hay hombres superiores, Breton fue uno de ellos). Nunca lo vi como a un jefe y menos aún como a un papa, para emplear la innoble expresión popularizada por algunos cerdos. A pesar de mi amistad hacia su persona, mis actividades dentro del grupo surrealista fueron más bien tangenciales. Sin embargo, su afecto y su generosidad me confundieron siempre, desde el principio de nuestra relación hasta el fin de sus días. Nunca he sabido la razón de su indulgencia: ¿tal vez por ser yo de México, una tierra que amó siempre? Más allá de estas consideraciones de orden privado, diré que en muchas ocasiones escribo como si sostuviese un diálogo silencioso con Breton: réplica, respuesta, coincidencia, divergencia, homenaje, todo junto. Ahora mismo experimento esa sensación.

En mi adolescencia, en un periodo de aislamiento y exaltación, leí por casualidad unas páginas que, después lo supe, forman el capítulo v de *L'Amour fou.* En ellas relata su ascensión al pico del Teide, en Tenerife. Ese texto, leído casi al mismo tiempo que *The Marriage of Heaven and Hell,* me abrió las puertas de la poesía moderna. Fue un «arte de amar», no a la manera trivial del de Ovidio, sino como una iniciación a algo que después la vida y el Oriente me han corroborado: la analogía o, mejor dicho, la identidad entre la persona amada y la naturaleza. ¿El agua es femenina o la mujer es oleaje, río nocturno, playa del alba tatuada por el viento? Si los hombres somos una metáfora del universo, la pareja es la metáfora por excelencia, el punto de encuentro de todas las fuerzas y la semilla de todas las formas. La pareja es, otra vez, tiempo reconquistado, tiempo antes del tiempo. Contra viento y marea, he procurado ser fiel a esa revelación; la palabra *amor* guarda intactos todos sus poderes sobre mí. O como él dice: *On n'en sera plus jamais quitte avec ces frondaisons de l'âge d'or.* En todos sus escritos, desde los primeros hasta los últimos, aparece esta obstinada creencia en una edad paradisíaca, unida a la visión de la pareja primordial. La mujer es puente, lugar de reconciliación entre el mundo natural y el humano. Es lenguaje concreto, revelación encarnada: *la femme n'est plus qu'un calice débordant de voyelles.*

Años más tarde conocí a Benjamin Péret, Leonora Carrington, Wolfgang Paalen, Remedios Varo y otros surrealistas que habían buscado refugio en México durante la segunda Guerra Mundial. Vino la paz y volví a ver a Benjamin en París. Él me llevó al café de la Place Blanche. Durante una larga temporada vi a Breton con frecuencia. Aunque el trato asiduo no siempre es benéfico para el intercambio de ideas y sentimientos, más de una vez sentí esa corriente que une realmente a los interlocutores, inclusive si sus puntos de vista no son idénticos. No olvidaré nunca, entre todas esas conversaciones, una que sostuvimos en el verano de 1964, un poco antes de que yo regresase a la India. No la recuerdo por ser la última sino por la atmósfera que la rodeó. No es el momento de relatar ese episodio. (Algún día, me lo he prometido, lo contaré.) Para mí fue un *en-*

cuentro, en el sentido que daba Breton a esta palabra: predestinación y, asimismo, elección. Aquella noche, caminando solos los dos por el barrio de Les Halles, la conversación se desvió hacia un tema que le preocupaba: el porvenir del movimiento surrealista. Recuerdo que le dije, más o menos, que para mí el surrealismo era la enfermedad sagrada de nuestro mundo, como la lepra en la Edad Media o los «alumbrados» españoles en el siglo XVI; negación necesaria de Occidente, viviría tanto como viviese la civilización moderna, independientemente de los sistemas políticos y de las ideologías que predominen en el futuro. Mi exaltación lo impresionó, pero repuso: la negación vive en función de la afirmación y ésta de aquélla; dudo mucho que el mundo que empieza ahora pueda definirse como afirmación o negación: entramos en una zona neutra y la rebelión surrealista deberá expresarse en formas que no sean ni la negación ni la afirmación. Estamos más allá de reprobación o aprobación... No es aventurado suponer que esta idea inspiró la última exposición del grupo: la separación absoluta. No es la primera vez que Breton pidió «la ocultación» del surrealismo, pero pocas veces lo declaró con tal decisión. Quizá pensaba que el movimiento recobraría su fecundidad sólo si se mostraba capaz de convertirse en una fuerza subterránea. ¿Vuelta a las catacumbas? No sé. Me pregunto si en una sociedad como la nuestra, en la que se han desvanecido las antiguas contradicciones —no en beneficio del principio de identidad sino por una suerte de anulación y desvalorización universales—, aún tiene sentido lo que llamaba Mallarmé la «acción restringida»: ¿publicar es todavía una forma de la acción, o es una manera de disolverla en el anonimato de la publicidad?

Se dice con frecuencia que la ambigüedad del surrealismo consiste en ser un movimiento de poetas y pintores que, no obstante, se rehúsa a ser juzgado con criterios estéticos. ¿No ocurre lo mismo con todas las tendencias artísticas del pasado y con todas las obras de los grandes poetas y pintores? El «arte» es una invención de la estética que, a su vez, es una invención de los filósofos. Nietzsche enterró a las dos y bailó sobre su tumba: lo que llamamos arte es juego. La voluntad surrealista de borrar las fronteras entre el arte y la vida no es nueva; son nuevos los términos en que se expresó y es nuevo el significado de su acción. Ni «vida artística» ni «arte vital»: regresar al origen de la palabra, al momento en que hablar es sinónimo de crear. Ignoro cuál será el porvenir del grupo surrealista; estoy seguro de que la corriente que va del romanticismo alemán y de Blake al surrealismo no desaparecerá. Vivirá al margen, será la *otra* voz.

El surrealismo, dicen los críticos, ya no es la vanguardia. Aparte de que tengo antipatía por ese término militar, no creo que la novedad, el estar en la punta del acontecimiento, sea la característica esencial del surrealismo. Ni siquiera Dadá tuvo ese culto frenético por lo nuevo que postularon, por ejemplo, los futuristas. Ni Dadá ni el surrealismo adoraron a las máquinas. El surrealismo las profanó: máquinas improductivas, *élevages de poussière*, relojes reblandecidos. La máquina como método de crítica —del maquinismo y de los hombres, del progreso y sus bufonerías. ¿Duchamp es el principio o el fin de la pintura? Con su obra y aún más con su actitud negadora de la obra, Duchamp cierra un periodo del arte de Occidente (el de la pintura propiamente dicha) y abre otro que ya no es «artístico»: la disolución del arte en la vida, del lenguaje en el círculo sin salida del juego de palabras, de la razón en su antídoto filosófico —la risa. Duchamp disuelve la modernidad con el mismo gesto con que niega la tradición. En el caso de Breton, además, hay la visión del tiempo, no como sucesión sino como la presencia constante, aunque invisible, de un presente inocente. El futuro le parecía fascinante por ser el territorio de lo inesperado: no lo que será según la razón, sino lo que podría ser según la imaginación. La destrucción del mundo actual permitiría la aparición del verdadero tiempo, no histórico sino natural, no regido por el progreso sino por el deseo. Tal fue, si no me equivoco, su idea de una sociedad comunista-libertaria. Nunca pensó que hubiese una contradicción esencial entre los mitos y las utopías, la poesía y los programas revolucionarios. Leía a Fourier como podemos leer los Vedas o el *Popol Vuh*, y los poemas esquimales le parecían profecías revolucionarias. El pasado más antiguo y el futuro más remoto se unían con naturalidad en su espíritu. Del mismo modo: su materialismo no fue un «cientismo» vulgar ni su irracionalismo era odio a la razón.

La decisión de abrazar los términos opuestos —Sade y Rousseau, Novalis y Roussel, Juliette y Eloísa, Marx y Chateaubriand— aparece constantemente en sus escritos y en sus actos. Nada más alejado de esta actitud que la tolerancia acomodaticia del escepticismo. En el mundo del pensamiento odiaba el eclecticismo y en el del erotismo la promiscuidad. Lo mejor de su obra, la prosa tanto como la poesía, son las páginas inspiradas por la idea de elección y la correlativa de fidelidad a esa elección, sea en el arte o en la política, en la amistad o en el amor. Esta idea fue el eje de su vida y el centro de su concepción del amor único: resplandor de la pasión tallado por la libertad, diamante inalterable. Nuestro tiempo ha liberado al amor de las cárceles del siglo pasado sólo para convertirlo en un pasatiempo anónimo, un objeto más de consumo en una sociedad de atareados consumidores. La visión de Breton es la negación de casi todo lo que pasa hoy por amor y aun por erotismo (otra palabra manoseada como una moneda ínfima). Es difícil entender del todo su adhesión sin reservas hacia la obra de Sade. Cierto, lo conmovía y exaltaba el carácter absoluto de su negación, pero ¿cómo conciliarla con la creencia en el amor, centro de la edad de oro? Sade denuncia el amor: es una hipocresía o, peor aún, una ilusión. Su sistema es delirante, no incoherente: su negación no es menos total que la afirmación de San Agustín. Ambos repudian con idéntica violencia todo maniqueísmo; para el santo cristiano el mal no tiene realidad ontológica; para Sade lo que carece de realidad es lo que llamamos bien: su versión del *Contrato social* son los *Estatutos de la Sociedad de Amigos del Crimen.*

Bataille intentó transformar el monólogo de Sade en un diálogo y opuso al erotismo absoluto un interlocutor no menos absoluto: la divinidad cristiana. El resultado fue el silencio y la risa: la «ateología». Lo impensable y lo innombrable. Breton se propuso reintroducir el amor en el erotismo o, más exactamente, consagrar al erotismo por el amor. De nuevo: su oposición a todas las religiones implica una voluntad de consagración. Y aún más: una voluntad de reconciliación. Al comentar un pasaje de la *Nouvelle Justine* —el episodio en que uno de los personajes mezcla su esperma a la lava del Etna— Breton observa que el acto es un homenaje de amor a la naturaleza, *une façon, des plus folles, des plus indiscutables de l'aimer.* Cierto, su admiración hacia Sade apenas si tenía límites y siempre pensó que «tant qu'on ne sera pas quitte avec l'idée de la transcendance d'un bien quelconque... la représentation exaltée du mal inné gardera la plus grande valeur révolutionnaire». Con esta salvedad, en el diálogo entre Sade y Rousseau, se inclina irresistiblemente del lado de este último, el amigo del hombre primitivo, el amante de la naturaleza. El amor no es una ilusión: es la mediación entre el hombre y la naturaleza, el sitio en que se cruzan el magnetismo terrestre y el del espíritu.

Cada una de las facetas de su obra refleja las otras. Ese reflejo no es el pasivo del espejo: no es una repetición sino una réplica. Haz de luces contrarias, diálogo de resplandores. Magnetismo, revelación, sed de inocencia y, asimismo, desdén. ¿Altanero? Sí, en el sentido noble del término: ave de altanería, pájaro de altura. Todas las palabras de esta familia le convienen. Fue un alzado, un exaltado, su poesía nos exalta y, sobre todo, dijo que el cuerpo de la mujer y el del hombre eran nuestros únicos altares. ¿Y la muerte? Todo hombre nace y muere varias veces. No es la primera vez que Breton muere. Él lo supo mejor que nadie: cada uno de sus libros centrales es la historia de una resurrección. Sé que ahora es distinto y que no volveremos a verlo. Esta muerte no es una ilusión. Sin embargo, Breton vivió ciertos instantes, vio ciertas evidencias que son la negación del tiempo y de lo que llamamos perspectiva normal de la vida. Llamo poéticos a esos instantes aunque son experiencias comunes a todos los hombres: la única diferencia es que el poeta los recuerda y trata de reencarnarlos en palabras, sonidos, colores. Aquel que ha vivido esos instantes y es capaz de inclinarse sobre su significación, sabe que el yo no se salva porque no existe. Sabe también que, como el mismo Breton lo subrayó varias veces, las fronteras entre sueño y vigilia, vida y muerte, tiempo y presente sin tiempo, son fluidas e indecisas. No sabemos qué sea realmente morir, excepto que es el fin del yo —el fin de la cárcel. Breton rompió varias veces esa cárcel, ensanchó o negó al tiempo y, por un instante sin medida, coincidió con el *otro* tiempo. Esta experiencia, núcleo de su vida y de su pensamiento, es invulnerable e intocable: está más allá del tiempo, más allá de la muerte —más allá de nosotros. Saberlo me reconcilia con su muerte de ahora y con todo morir.

Delhi, a 5 de octubre de 1966

[«André Breton o la búsqueda del comienzo» se publicó en el número de homenaje a Breton de la *Nouvelle Revue Française,* núm. 172, abril de 1967, y posteriormente se recogió en *Corriente alterna,* Siglo XXI, México, 1967.]

El pacto verbal y las correspondencias

Las afinidades entre Rousseau y André Breton son numerosas y evidentes. Además, no son únicamente de orden intelectual sino (y sobre todo) temperamental. Breton tenía conciencia de ellas, pero la crítica, que yo sepa, apenas si las ha examinado. Un excelente ensayo del poeta Ernesto Mejía Sánchez,[1] leído un poco después de haber escrito las páginas que aparecen más arriba en memoria de Breton, me ha revelado con mayor claridad aún el parentesco entre Rousseau y el fundador del surrealismo. Mejía Sánchez analiza con gran erudición e inteligencia un texto muy poco conocido del primero y en el cual no es ilegítimo ver una suerte de prefiguración de la concepción surrealista del lenguaje. Se trata del *Essai sur l'origine des langues.* Confieso que yo no lo conocía e ignoro si Breton lo leyó alguna vez. Me inclino por la negativa, pues de otra manera lo habría citado en alguno de sus escritos. Coincidencia o influencia, la semejanza salta a los ojos. Por ejemplo, Breton creía que el lenguaje funda a la sociedad y no a la inversa; Mejía Sánchez señala que para Rousseau «hay un pacto lingüístico, anterior al pacto social». Citaré otras convergencias: la idea del lenguaje como un mecanismo no utilitario y destinado a satisfacer nuestras necesidades pasionales («on prétend que les hommes inventèrent la parole pour exprimer leurs besoins; cette opinion me paraît insoutenable»; el lenguaje procede *des besoins moraux, des passions);* la metáfora como palabra primordial *(le premier language dut être figuré),* y la conexión entre imagen verbal y pasión («l'image illusoire offerte par la passion se montrant la première, le langage qui lui répondait fut aussi le premier inventé; il devient ensuite métaphorique»*).* Pasión, lenguaje primordial, metáfora: las ideas y preocupaciones de Breton se encuentran ya en germen en el *Essai sur l'origine des langues.* No insistiré más porque

[1] «El pensamiento literario de Rousseau», en el volumen *Presencia de Rousseau,* publicado por la Universidad Nacional Autónoma de México en 1962.

los textos hablan por sí solos. En cambio, recordaré que Breton admiraba ante todo y sobre todos los escritores del siglo XVIII no a Rousseau sino a Sade. Pero ¿lo amaba, se sentía de la misma familia espiritual? Lo dudo. Ya dije que lo fascinaba su negación. Asimismo, un espíritu tan libre como el suyo no podía sino conmoverse ante las persecuciones que sufrió Sade y la entereza moral con que las afrontó, sin jamás abjurar de sus ideas. Sade es un ejemplo de derechura moral y Rousseau no lo es. Aunque Breton también fue íntegro e incorruptible, sus pasiones no fueron las de Sade sino las de Rousseau. Otro tanto ocurre con sus ideas. Unas y otras giran en torno a una realidad que Sade ignoró con ceñuda obstinación: el corazón.

Según Rousseau, el habla nace «del común acuerdo entre los hombres». Mejía Sánchez comenta: «sólo que esa convención unánime y duradera está dada en la lengua misma. No hay lengua para sí, sino lengua con alguien. Pero Rousseau no podía entrar en esta disyuntiva». En efecto, es una disyuntiva: el lenguaje no puede ser anterior a la sociedad porque él mismo lo es —su ausencia es ser *con* y *para otro;* al mismo tiempo, es indudable que no es la sociedad de los hombres la que hace el lenguaje sino éste es el que hace a la sociedad humana. El lenguaje es exterior a la sociedad porque la funda; es interior porque sólo existe en ella y sólo en ella se despliega. Está en la frontera entre naturaleza y cultura: no aparece en la primera y es la condición de la segunda. ¿Cómo y cuándo empezaron a hablar los hombres? Y sobre todo, ¿por qué hablan? Cualquiera que haya sido la causa o las causas que nos llevaron a pronunciar las primeras onomatopeyas, lo que resulta verdaderamente misterioso es que únicamente el hombre, entre todos los seres vivos, posea la facultad de hablar. Como no creo que el enigma del origen del lenguaje pueda resolverse por el método histórico, no queda más remedio que confiarse a la teología y a la filosofía o a sus modernos sucedáneos, la biología y la antropología. Entre todas esas hipótesis, dos me atraen. Una es la de Rousseau: la intervención de un poder no humano, *divino,* explica el origen del habla. Otra sería de Lévi-Strauss, aunque él nunca la haya formulado y menos de una manera explícita:[1] el lenguaje es el resultado de la intervención de un poder no humano, *natural.* Digo «no humano» para expresar que el lenguaje no es un producto de la sociedad sino su condición o fundamento; digo «natural» porque la estructura de las células del cerebro, en que consisti-

[1] Es una consecuencia que yo deduzco de sus ideas.

ría finalmente el origen de la facultad de significar, se explica por la química y ésta por la física. No es el lenguaje animal el que explica al humano: ambos se insertan en el sistema de relaciones que es la naturaleza y ambos son respuestas distintas a distintos problemas de comunicación.

Las dos hipótesis no son tan contradictorias como parece a primera vista. En una y otra interviene un elemento ajeno al hombre y que no es reductible a la sociedad humana: Dios o la naturaleza. Ese elemento es un agente que trasciende la dicotomía entre cultura y naturaleza y que disipa la distinción entre materia y pensamiento. Esto último es sorprendente. El pensamiento, expulsado por la ciencia de lo alto de la espiral de la evolución, reaparece en lo más bajo: la estructura física de los átomos y sus partículas es una estructura matemática, una relación. No es menos extraordinario que esa estructura pueda reducirse a un sistema de señales —teoría de la comunicación— y que sea, por tanto, un lenguaje. La facultad de hablar es una manifestación particular de la comunicación natural; el lenguaje humano es un dialecto más en el sistema lingüístico del universo. Podría agregarse: el cosmos es un lenguaje de lenguajes. El nuevo materialismo es al del siglo XIX lo que el de Marx y Darwin fueron al del XVIII. Nuestro materialismo no es dialéctico (histórico) ni biológico (evolucionismo), sino matemático, lingüístico, mental. En rigor, no es ni idealismo ni materialismo. No es lo primero porque reduce la idea a una combinación de llamadas y respuestas fisicoquímicas; no es lo segundo porque concibe a la materia como un sistema de comunicación: el fenómeno es un mensaje o una relación entre factores que sólo por pereza verbal pueden llamarse todavía materiales. La estructura íntima de esos factores no es distinta a la de los símbolos matemáticos y verbales: es un sistema de relaciones. Antes nos regía una Providencia o un Logos, una materia o una historia en perpetuo movimiento hacia formas más perfectas; ahora un pensamiento inconsciente, un mecanismo mental, nos guía y nos piensa. Una estructura matemática nos determina —nos *significa.*

La idea de que el lenguaje no viene de la necesidad puede parecer extraña, pero no es absurda. Si se reflexiona sobre esto, Rousseau tenía razón. Venga de Dios o de la naturaleza, el lenguaje no está hecho para satisfacer las necesidades biológicas, ya que los animales viven y sobreviven sin lenguaje articulado. Entre el lenguaje animal y el humano hay un hiato porque este último está destinado a satisfacer necesidades no animales, las pasiones, y esas entidades no menos fuertes y no menos ilusorias que las pasiones: tribu, familia, trabajo, Estado, religión, mito, conciencia de la muerte, rito, etc. Esas necesidades son artificiales, pues no aparecen entre los animales, pero el artificio que las satisface es *natural:* un sistema de signos producido por las células cerebrales y que no es diferente a los otros sistemas de signos de la naturaleza, de las estrellas a las partículas atómicas. El gran mérito de Rousseau fue haber visto que las fronteras entre cultura y naturaleza son muy tenues. Es una idea que repugna por igual a un cristiano y a un marxista: ambos creen que el hombre es histórico, único, singular. Volver a Rousseau es saludable: es una de esas fuentes que se encuentran en un cruce de caminos, a la entrada de un pueblo. Bebemos con delicia el agua y, antes de perdernos en las callejuelas polvorientas, nos volvemos una vez más para oír el viento entre los árboles. Tal vez el viento dice algo que no es distinto a lo que dice el agua al caer en la piedra. Por un instante entrevemos el sentido de la palabra *reconciliación.*

Mejía Sánchez advierte que Rousseau, «como previendo la epidemia de *correspondances,* señala la *fausse analogie entre les couleurs et les sons*». Aquí disiento. Si los colores y los sonidos son un lenguaje (y lo son), es claro que hay correspondencia entre ellos. No es una correspondencia explícita porque cada lenguaje posee una clave y hay que traducir lo que dicen los colores al lenguaje de los sonidos o al de las palabras. Todos los días traducimos la clave olfativa a la verbal y ésta a la auditiva o la táctil. Esto es lo que ha hecho, por cierto de una manera admirable, Lévi-Strauss en *Le Cru et le cuit:* descifrar la clave mitológica de los indios del Brasil y traducirla a términos de lógica y ciencia contemporáneas. Vivimos inmersos en un lenguaje que no sólo es verbal sino musical y visual, táctil y olfativo, sensible y mental. Se dirá que la correspondencia es ilusoria o subjetiva: la relación entre el signo y su significado es arbitraria, el fruto de una convención. Es verdad —hasta cierto punto: se trata de un problema no del todo elucidado. Pero la objeción carece de peso por otra razón: si aceptamos la idea de Saussure sobre el carácter arbitrario del nexo entre significante y significado, debemos aceptar igualmente que, una vez constituidos los signos, vivimos en un universo de símbolos regido por las correspondencias entre ellos. Desde que nacemos, ingresamos al mundo de los símbolos; apenas nos bautizan, somos un símbolo frente a otros símbolos, una palabra en relación con las otras. Lo que parecía equívoca filosofía de poetas es hoy un hecho reconocido por las ciencias. Un área lingüística es un sistema de símbolos, con variantes, por supuesto, en cada subárea y aun en cada idioma (el simbolismo lingüístico hispanoamericano, por ejemplo, no es idéntico en todo el continente). Cada área lingüística, por su parte, está en relación con las otras y, por tanto, hay correspondencia entre los diversos sistemas simbólicos que constituyen el conjunto de sociedades humanas. Esos sistemas son las civilizaciones y la totalidad de esos sistemas forma, a su vez, otro universo de símbolos. El pacto verbal es algo más y algo menos que un hecho histórico: es un símbolo de símbolos. Alude a todos los hechos y todos los hechos lo cumplen, lo realizan.

Delhi, 1966

[«El pacto verbal y las correspondencias» se publicó en *Corriente alterna,* Siglo XXI, México, 1967.]

Constelaciones: Breton y Miró

En diciembre pasado (1983) murió Joan Miró. Lo conocí hace muchos años, hacia 1947 o 1948, en París, en un café de la Place Blanche al que concurrían casi diariamente André Breton, Benjamin Péret y un grupo de jóvenes surrealistas. O tal vez fue un poco más tarde, en un café de la rue Vivienne. O cerca de Les Halles, en otro café de nombre no menos evocador que el de la encantadora bruja que perdió a Merlín: La Promenade de Venus. Pero en esa época apenas si lo traté. Miró vivía ya en Cataluña y sus visitas a París eran rápidas y espaciadas. Además, era parco de palabras y el barullo de aquellos jóvenes poetas, neófitos del surrealismo, acentuaba su natural laconismo. Nunca le oí una opinión: escuchaba con los ojos muy abiertos y con una sonrisa de luna campesina extraviada en la ciudad. Años más tarde pude hablar con él con un poco más de libertad y calma, en París y en Barcelona, con varios amigos suyos que también eran míos: Josep Lluís Sert, el poeta Jacques Dupin, Aimé Maeght. Este último, generoso y amante del fasto, le ofreció una fiesta en una *péniche* para celebrar sus ochenta años. En esa ocasión Miró le refirió a mi mujer, Marie José, con increíble vivacidad y fidelidad a pesar de sus años, los incidentes de un almuerzo memorable, en el otoño de 1958, en casa de André Breton. Lo llamo memorable por lo que en seguida voy a contar.

En 1958 ni Miró ni yo vivíamos en París. Los dos estábamos de paso, él para asistir al *vernissage* de una exposición de sus cuadros y yo para concurrir a una reunión de escritores. Una mañana Elisa Breton me llamó por teléfono: ¿podía almorzar con ellos, en su apartamento de la rue Fontaine, el sábado próximo? Acepté. El día indicado, al entrar en la pequeña estancia, descubrí que además de André y de Elisa había otras dos personas: Joan Miró y Pilar, su mujer. Unos minutos después llegó Aube, la hija de André, acompañada de un amigo, un joven pintor. A pesar de sus reducidas dimensiones, aquella salita siempre me pareció inmensa. Sin duda se debía a la extraordinaria acumulación en los estantes, muros y rincones de libros, cuadros, esculturas, máscaras y objetos insólitos venidos de los cuatro puntos cardinales y de todas las antigüedades, sin excluir a la de mañana. Pero creo que era, sobre todo, la figura misma de Breton la que abría la estancia hacia una dimensión *otra* y propiamente sin medida. Plantado en medio de todas aquellas obras, unas de verdadero mérito y otras simplemente curiosas, Breton parecía un Des Esseintes del siglo xx, no decadente sino visionario, fascinado no por Bizancio y el fin del mundo antiguo sino por el alba de la especie humana, por «los hombres de la lejanía», como él llamaba a los primitivos.

En el almuerzo se habló de pintura y poesía, política y magia. Salieron a relucir Trotski y Rousseau, Paracelso y María Sabina, la hechicera de Huautla, donadora de los hongos alucinógenos. Breton no escondía su pasión por las ciencias ocultas, el esoterismo y la magia. Al oírlo, era imposible no pensar en Cornelio Agrippa y en Giordano Bruno, desgarrados como él entre un racionalismo orgulloso y la creencia en oscuras revelaciones. Sin embargo, Breton reprobó siempre lo que llamaba «la visión inducida», es decir, el uso de las drogas. Esas visiones no le parecían «confiables». Alguna vez, a propósito de Artaud, me dijo: «Me conmueven el hombre y el poeta. Por ejemplo, su libro *En el país de los tarahumaras* es admirable pero me conturba su testimonio: ¿dónde termina la visión del poeta y comienzan las visiones deleznables de la droga?» Me parece que tenía razón. Ya los antiguos distinguían entre los sueños quiméricos, las pesadillas y las verdaderas revelaciones. Durante el almuerzo se discutió el tema y se deploró que la medicina moderna abusase de los remedios químicos. De pronto, André se quejó de un leve dolor de cabeza y pidió una aspirina. Con la crueldad de los jóvenes, Aube comentó: «¡Qué raro que hayas pedido una aspirina en lugar de llamar a un chamán! Con dos pases te habría aliviado...» Breton contestó con una sonrisa y se embarcó en una embrollada disertación. Joan y Pilar se miraban, nerviosos y sonrientes. Apenas si habían hablado durante el almuerzo. Elisa se levantó y nos invitó a tomar el café en el estudio.

Nos sentamos en semicírculo. Breton sacó unos papeles de su mesa y con aquel aire a un tiempo simple y ceremonioso que era uno de sus encantos, nos dijo que iba a leer unos poemas en prosa. Los había escrito para *ilustrar* —ésa fue la palabra que empleó— la serie de *gouaches* de Miró llamada *Constelaciones.* La voz de Breton era profunda y cadenciosa; leía con lentitud y leves modulaciones litúrgicas. Al oír aquellos textos breves y densos, recordé sus primeras tentativas poéticas, en los comienzos de la llamada «escritura automática»: el mismo amor por la imagen inesperada y por la frase tal vez demasiado redonda y pulida, la misma mezcla de cálculo y arbitrariedad. Libertad y preciosismo. Menos veloces y violentos que los de su juventud, aquellos poemas aparecían como lentas espirales resueltas en cristalizaciones desvanecidas apenas dichas. Algo más cerca de Chirico que de Miró. Las constelaciones de Miró son racimos de frutos celestes y marinos; las de Breton, construcciones de ecos y reflejos. Miró escuchaba la lectura con su aire de niño asombrado. Al final, mascculló unas palabras de agradecimiento. Pilar no abrió la boca. ¿Qué pensarían realmente? Los poemas de *Constelaciones* fueron, si no me equivoco, los últimos que escribió Breton.

En el curso de la conversación que siguió a la lectura, André nos dijo que un doble impulso, estético y ético, lo había llevado a escribir esos poemas. Estético porque *Constelaciones* le parecía, por la unidad dentro de la variedad y por la energía plástica y vital de esas composiciones, uno de los momentos más *felices* de la obra de Miró. El adjetivo era particularmente exacto: esos *gouaches* de Miró son un sorprendente fuego de artificio, aunque no hay nada artificial en ellos. La mano del pintor arrojó en la tela un puño de semillas, gérmenes, colores y formas vivas que se acoplan, separan y bifurcan con una alegría a un tiempo genésica y fantástica. Metáforas del nacer, el crecer, el amar, el morir, el renacer. Felicidad instantánea de existir, felicidad repetida cada día por todos los seres vivos. Pero esa gozosa explosión es también una lección de moral. Para Breton las *Constelaciones* de Miró literalmente *iluminaban* las oscuras relaciones entre la historia y la creación artística. Miró había pintado esos cuadros de dimensiones más bien reducidas en un momento terrible de su vida y de la historia moderna: España bajo la dictadura de Franco, Europa ocupada por los nazis, sus amigos poetas y pintores perseguidos en Francia o desterrados en América. La aparición en esos días pardos y negros de una obra que es un surtidor de colores y formas vivas fue una respuesta a la presión de la historia... Mientras oía a Breton, recordaba el poema de cummings:[1] la tierra contesta siempre a las ofensas de los hombres con las salvas de la primavera. El arte no es quizá sino la expresión de la alegría trágica de existir.

[1] Se adopta la grafía e. e. cummings, respetando el deseo del poeta estadunidense que llegó a legalizar así el registro de su patronímico. [E.]

Breton no negaba los determinismos sociales pero creía que operan siempre de un modo inesperado y casi siempre en dirección contraria al acontecimiento. Su ejemplo favorito era la novela gótica. Aparecida a fines del siglo XVIII, en un periodo de crítica moral y efervescencia intelectual y política, en pleno auge de la Enciclopedia y en vísperas de la Revolución francesa, la novela gótica fue un género indiferente a la historia, la filosofía y la política. Como Apolodoro y los otros novelistas de la Antigüedad, Walpole, la Radcliffe y sus seguidores no se propusieron sino intrigar y cautivar a sus lectores, aunque no por el relato de aventuras y amores imposibles en países remotos sino acudiendo a resortes más secretos y brutales: el terror, el miedo, el erotismo negro, el *suspense*. Castillos, catacumbas, mazmorras, fantasmas, vampiros, monjes erotómanos. Sin embargo, estas obras de pura ficción esconden indudables poderes subversivos que se materializan, por decirlo así, en la función cardinal del subterráneo y el subsuelo en el desarrollo de la acción: allí se agazapan las fuerzas vengativas —eros, deseo, imaginación— que van a hacer saltar al *Ancien Régime.* Como dice Annie Le Brun en el libro fascinante que ha dedicado al tema, *Les Châteaux de la subversion:* la novela gótica «es una aberrante muralla de sombra que obstruye el paisaje del Siglo de las Luces». Las *Constelaciones* de Miró no anuncian, como las novelas góticas, el estallido revolucionario: son la explosión de la vida humillada por la dictadura y la guerra. No era (ni es) difícil estar de acuerdo con Breton. La misión del arte —al menos del moderno— no es reflejar mecánicamente a la historia ni convertirse en vocero de esta o aquella ideología sino oponer a los sistemas, sus funcionarios y sus verdugos, el invencible Sí de la vida.

No es accidental que a lo largo de toda su vida Miró haya escrito poemas. La poesía es un elemento que aparece en todas sus obras. En verdad, el conjunto de sus cuadros puede verse como un largo poema, a ratos fábula, otras cuento infantil, otras relato mítico y cosmológico y siempre como un libro de aventuras fantásticas en el que lo cómico y lo cósmico se entrelazan. Poema no para ser leído sino visto; no hay que comprenderlo sino contemplarlo, asombrarse y reír con la risa universal de la creación. Está dividido en cuadros y episodios como los de los sueños y, como ellos, está regido por una lógica irreductible a conceptos. ¿Y qué nos cuenta ese poema? Nos cuenta la historia de un viaje. No en el espacio sino en el tiempo: el viaje del adulto que somos hacia el niño que fuimos, el viaje del civilizado que vive entre la amenaza del *goulag* y la exterminación atómica y que sale de sí mismo a la reconquista del salvaje.

El viaje en busca de la mirada del primer día. Un viaje no hacia fuera sino hacia dentro de nosotros mismos.

Desde el Renacimiento la historia del arte fue la de un aprendizaje: había que dominar las reglas de la perspectiva y la composición. Pero al despuntar el siglo XX esos cuadros perfectos comenzaron a aburrir a los hombres. El arte moderno ha sido un *desaprendizaje:* un desaprender las recetas, los trucos y las mañas para recobrar la frescura de la mirada primigenia. Uno de los momentos más altos de ese proceso de desaprendizaje ha sido la obra de Miró. Es verdad que no todo lo que hizo tiene el mismo valor. Pintó mucho y será mucho lo que desecharán mañana nuestros descendientes. Su caso no es el único. También la obra de Picasso, aunque más variada e inventiva, será sometida a un escrutinio severo y por las mismas razones: la abundancia indiscriminada, la facilidad complaciente, el gesto gratuito, la ruptura inicial ya vuelta costumbre, la confusión entre juego de manos y creación. El artista, quizá, es un mago, no un prestidigitador. Pero el núcleo central de la obra de Miró seguirá asombrando por su fantasía, su descaro, su frescura y su humor. Wordsworth decía que el niño es el padre del hombre. El arte de Miró confirma esta idea. Debo añadir que Miró pintó como un niño de cinco mil años de edad. Un arte como el suyo es el fruto de muchos siglos de civilización y aparece cuando los hombres, cansados de dar vueltas y vueltas alrededor de los mismos ídolos, deciden volver al comienzo.

México, 1984

[«Constelaciones: Breton y Miró» se publicó en *Hombres en su siglo y otros ensayos,* Seix Barral, Barcelona, 1984.]

André Breton: la niebla y el relámpago

No conocí a André Breton cuando visitó México, en 1938. Tenía veinticuatro años y había leído, con fascinación, algunos de sus libros. No me acerqué a él porque me separaba de su persona una diferencia de orden político: yo volvía de España y me parecía que sus críticas a la política de la III Internacional fortalecían a nuestros enemigos y debilitaban al Frente Popular español y a la causa republicana. Un poco más tarde me di cuenta de mi error pero ya para entonces Breton había dejado México. Diez años después lo conocí, en París, gracias a un amigo suyo que también fue mío, el poeta Benjamin Péret. Desterrado en México durante los años de la guerra, Péret había contribuido, con otros dos desterrados: Victor Serge y Jean Malaquais, a disipar mis nieblas ideológicas. Él me llevó al café de la Place Blanche y me presentó con Breton y sus amigos. Fui invitado a las reuniones del grupo y mi primera colaboración, para el *Almanach Surréaliste du Demi-Siècle*, fue un poema en prosa, *Mariposa de obsidiana*. Desde entonces no cesó nuestra amistad, aunque mi ausencia de París nos separó físicamente y sólo de vez en cuando colaboré en las actividades del grupo. Al escribir estas líneas me pregunto: ¿debo hablar como un hombre tocado por el surrealismo, la enfermedad poética de nuestro siglo, o simplemente como un amigo suyo? Antes de responder a mi pregunta, oigo una voz. Es la de Elisa Breton, que me dice: las dos cosas son una y la misma.

Mi amistad con los surrealistas y especialmente con Breton y Péret comenzó cuando el movimiento había dejado de ser una llama. Pero todavía era una brasa que podía encender la imaginación y calentar al espíritu en los áridos años de la Guerra Fría. Alguna vez, conversando con Luis Buñuel, nos preguntamos por los motivos que nos habían impulsado, en distintos periodos del movimiento: él en el mediodía y yo en el crepúsculo, a unirnos al surrealismo. Coincidimos: más allá de la revolución estética y del magnetismo de Breton, lo decisivo había sido la moral. Para Buñuel la moral del surrealismo era sinónimo de pureza y rebelión, una y otra confundidas en su continua lucha —verdadera *agonía,* en el sentido original de la palabra griega— contra la fe de su niñez, el cristianismo. Para mí, la atracción se condensaba en un triángulo pasional, una estrella de tres puntas, como decía el mismo Breton: la poesía, el amor, la libertad. Las teorías estéticas pasan, quedan las obras. En el caso de Breton, además, queda la figura, la persona. No sólo fue autor de varios libros que han marcado o, más bien, *tatuado,* a nuestro siglo, libros que no es exagerado llamar eléctricos —sacuden e iluminan— sino que su vida estuvo siempre en armonía con sus escritos. Jamás fue infiel a sí mismo, ni siquiera en sus contradicciones y en sus pasajeros extravíos. Se le acusó de ser intolerante y riguroso; se olvida que ese rigor lo ejerció, ante todo, sobre sí mismo.

Descendiente directo del romanticismo, profesó culto a Rimbaud y, sobre todo, a Lautréamont. De ahí igualmente sus no ocultas afinidades con Victor Hugo. Estuvo más cerca del romanticismo alemán, Novalis y Arnim, que del inglés. ¿Leyó a Wordsworth, Coleridge, Shelley? Su estirpe romántica explica su antipatía por el clasicismo grecorromano y su hostilidad al Dios de los cristianos. Su ateísmo fue una apuesta semejante a la de Pascal, sólo que en sentido inverso: el acto del rebelde que niega a la autoridad. Se definió como un hombre de las brumas del norte y era verdad: llevaba en el ojal de la solapa, como Chateaubriand, la flor austera y ardiente de las landas. Figura surgida no sólo de las lejanías del tiempo (la tradición hermética, el arte primitivo) y del espacio (las junglas de Nueva Guinea) sino de una región aún más enigmática: la indecisión del alba o del crepúsculo, en la que se confunden, antes de separarse, la luz y la sombra. No en balde su estrella de elección fue Lucifer, que es también Venus: el lucero del alba y el de la tarde, el ángel libertario y la mujer. Amanecer y crepúsculo: niebla ligera, vapor que hace lejano lo próximo y confunde los contornos. Pero a veces el rayo desgarra al velo y, bajo su luz convulsa, por un instante, podemos realmente *ver.* Breton fue la niebla y el relámpago, la ocultación y la revelación.

Temo, sin embargo, que mi evocación sea parcial. Había en su persona otro elemento, solar y leonino: el calor, el entusiasmo, la generosidad, la nobleza. Al recordar su rostro, entre asombrado e inquisitivo, pienso inevitablemente en el león solar, rey de la sabana. Hombre de lejanías: brumas nórdicas o espejismos del sol en el desierto. Asimismo y sobre todo: hombre de la ciudad, hombre de París. Su idea de la aventura estaba íntimamente asociada al callejeo por calles y plazas. Hay un París de Apollinaire —*noches ebrias de la ardiente ginebra de la electricidad*— y hay un París de Breton, menos febril y más solemne; en sus noches, los *survenants* se cruzan con los *revenants* y, al doblar una esquina, tropezamos con la *Embajadora del salitre*, dama sin sombra. En un texto del final de sus días, *Pont-Neuf*, hecho de frases-arabescos que, como la bruma, a un tiempo ocultan y descubren, confiesa que su suerte está ligada a un río: el Sena. El río dibuja a París como si fuese un cuerpo de mujer, la giganta de Baudelaire. Su sexo es la Place Dauphine, espacio triangular. El vello de su pubis arde todavía. En las cercanías de la plaza el paseante descubre otro monumento que también lo atrajo: la Tour Saint-Jacques, chorro de piedra color de hueso y luna. Parece dispuesta a volar pero no se despega del suelo: está atada al pasado de París por la historia imantada de la alquimia, el hermetismo y la heráldica.

Breton estuvo habitado siempre por los contrarios: la selva y la ciudad, el pasado y el futuro, el más allá y el más acá. Su *Ode à Charles Fourier* es un gran saludo a un profeta del futuro escrito en una «reserva» hopi, desde el fondo del *pacto milenario* que une al hombre con su palabra. Su nostalgia por un pasado enterrado no fue menos intensa que su avidez de futuro. Las raíces del árbol de la vida se enlazan en el pecho de los muertos. Si la grandeza de un espíritu se mide por sus adivinaciones, las de Breton fueron numerosas, lo mismo en el dominio de la afectividad que en el de la poesía. Una tarde, en Washington, Saint-John Perse me dijo: más que un poeta, Breton es un gran adivinador de poetas y de poemas. También fue adivinador del pasado remoto —celtas, mayas, papúes— y de lo más cercano, íntimo y presente: el sueño, la inspiración, el deseo. Revolucionario, se forjó una tradición que no es la de todos: la familia de los grandes heresiarcas. En *Pleine Marge* enumera a algunos de sus ancestros espirituales: Pelagio, Joaquín de Flora, Eckhart, Novalis y Jansenio, *príncipe del rigor.* Frente a ellos Hegel, Marx, Freud. Convivió con ellos y entre ellos sin intentar conciliarlos.

Contradicciones: amó a la pintura pero ¿por qué no a la música? En todo caso la pintura le correspondió: algunas de sus páginas más hermosas están consagradas a ella. Cierto, vendió y compró cuadros y objetos de arte; fue una manera de preservar su precaria independencia frente a la condenación moderna del trabajo asalariado. El amor fue uno de los ejes de su vida; de nuevo, ¿por qué, a la inversa de Sade y de Fourier, excluyó a la pasión homosexual? Creía en el amor único y amó, sucesivamente y con la misma pasión total, a varias mujeres. Cada uno de esos amores fue único, absoluto y perecedero. Aunque no venció al tiempo, levantó contra sus inexorables erosiones un alto edificio pasional, simultáneamente real e imaginario: su idea del amor único como una libre y recíproca elección. Así, unió la transgresión surrealista a una de las tradiciones centrales de nuestra civilización: la del amor cortés. Con la misma intensidad vivió la otra gran pasión humana, la amistad. En el fondo era un solitario y así su vida fue una constante y violenta oscilación entre la soledad y sus renovadas tentativas por romperla. Vivió solo y rodeado de amigos. Con casi todos ellos tuvo relaciones difíciles, hechas de lealtad e intransigencia. Pasión y rigor que resultaron en una serie de encuentros y rupturas. Su vida se confundió con la del grupo surrealista no porque fuese —o se sintiese— un papa, según el obtuso lugar común, sino porque se sabía depositario de una tradición que había que preservar y transmitir a esos desconocidos-conocidos que son los hombres y las mujeres del porvenir.

Las contradicciones de Breton no fueron realmente contradicciones; no pertenecen al reino de la lógica sino al misterioso subsuelo psíquico de su temperamento, en el que razón y afectividad se enlazaban. Su vida transcurrió entre iluminación y desesperación, exaltación y abatimiento. Esta dualidad se resolvió, al final, en un largo silencio; después de *Arcano 17* y la *Oda a Fourier,* apenas si escribió. Fue presa de la acidia, la dolencia de los hijos de Saturno, esa enfermedad del espíritu temida y reverenciada por los antiguos. Reserva y generosidad, entrega y dejadez. A su vida y a su obra le conviene admirablemente el título memorable de uno de sus textos: *La confesión desdeñosa.*

Adivinaciones y contradicciones. Las primeras le entreabrieron las puertas del tiempo; las segundas fortalecieron y afinaron su temple: no fue un alma dividida. No quiso o no pudo conciliar a los opuestos (¿quién ha podido?) pero con la misma decisión y valentía espiritual saltó del sí al no y del no al sí. En su Sí caben muchas negaciones; en su No muchas afirmaciones.

México, a 10 de enero de 1996

[«André Breton: la niebla y el relámpago» se publicó por primera vez en *Vuelta,* núm. 232, México, marzo de 1996.]

Benjamin Péret: la noche del siglo

«Es medianoche en el siglo desde hace veinte años.» Esta frase, que oí en la representación de la última pieza de un escritor famoso, resume con bastante exactitud nuestra situación histórica. Y hace precisamente casi veinte años que conocí a Benjamin Péret, en una época en que la noche universal nos parecía, tan negra era, promesa de aurora. Durante todos estos años —dominados cada día más por un horror sin rostro, a la vez gigantesco y monótono— Péret permaneció incorruptible. Resistió todas las derrotas y, lo que es más heroico todavía, todas las tentaciones. Y no hablo sólo de las más fáciles, de las más vulgares —el poder, la gloria o el dinero—, sino de la más insidiosa y la más secreta: el nihilismo. Ese hombre, Péret, que creía tan poco en sí mismo, que le daba tan poca importancia a su obra poética —una de las más originales y salvajes de nuestra época— nunca cesó de confiar en la vida. Su desesperación y su pesimismo le impedían hacerse ilusiones pero no habían destruido en él ni las ideas ni la esperanza. Y podría incluso decirse que su esperanza se alimentaba de su desesperación, y su firmeza de la incertidumbre de su vida y de la de nuestra época. Hay que repetirlo: sólo son dignos de la esperanza aquellos que han perdido sus ilusiones. Gracias a hombres como Péret la noche del siglo no es absoluta.

Luego de varios años de ausencia volví a verlo, poco antes de su muerte. Su rostro, marcado por los años, la pobreza y la lucha cotidiana, no había perdido nada de su inocencia. El cansancio y la enfermedad lo habían apagado, pero cuando reía empezaba a resplandecer con toda su antigua luz solar. Rostro de poeta, si por poesía se entiende no un talento o una vocación sino una disposición del alma a maravillar y maravillarse. («La actividad —dice Novalis— es el poder de recibir.») Abierto a la seducción de lo insólito, Péret no acababa nunca de asombrarse y por eso su poesía sigue asombrándonos. El agua es la imagen de esa actitud de

Péret, el agua siempre en busca de su forma y siempre en trance de perderla. El agua, estatua momentánea y anulación de las estatuas. El agua, viento ayer, mañana roca. «Yo sublime»: dispersión del yo en una cascada de imágenes, pérdida del yo y reconquista del amor: tú sublime. Los textos. en prosa de Péret, desde el alucinante *Au 125 du boulevard Saint-Germain,* fluyen con una suerte de constancia en lo imprevisto, como un río que no sigue su curso sino que lo inventa. El humor de Péret no es destello enceguecedor que produce la revelación del absurdo sino esa suerte de reblandecimiento general que sufre la realidad corroída por una imaginación líquida. Es decir, una imaginación en movimiento perpetuo. La prosa de Péret fluye, se escurre entre los dedos, brota sin interrupción. Y la forma que toma su reposo es la del vértigo. Todo esto podemos decirlo también de sus poemas, aun si surge en ellos el elemento fuego, sobre todo en su forma mineral. Las imágenes de Péret avanzan como avanza el agua sobre un territorio volcánico no enfriado del todo todavía, donde el hielo y la llama se combaten. Estas imágenes avanzan, se dispersan en mil gotas, se reúnen, se aguzan como un puñal, crecen hasta desbordar la pared de cristal que las contiene, caen, se adelgazan increíblemente como un talle de mujer, se ensanchan y al fin lo cubren todo con su inmensa serpiente de agua. Al escribir esto pienso sobre todo en ese largo poema, *Air mexicain,* uno de los más bellos textos poéticos que hayan inspirado el paisaje y los mitos americanos.

Pero me he alejado de lo que quería decir. No tenía la intención de hablar de la poesía de Péret, y además no soy la persona indicada para hacerlo. Para mí Péret fue no sólo un poeta de lengua francesa sino ante todo revelación de una dirección del espíritu que sabía reconciliar dos vías en apariencia contrarias: la acción y la expresión, la poesía y la vida.

El surrealismo es la tentativa desesperada de la poesía por encarnar en la historia. Por eso su suerte está ligada a la del hombre mismo. Y para Péret nada más natural que el ejercicio de la vida fuera inseparable de la acción revolucionaria. Esa incapacidad de compromiso y de concesión que fue la suya, su amor por la vida intemperie fantástica y a la que se lleva en la ciudad moderna, su nostalgia por los mitos, la libertad de su espíritu y el inflexible rigor de sus principios, todo ello hizo de él un «hombre de otra época». En este mundo de especialistas y de robots resignados, un hombre de verdad es un arcaísmo. Si nuestra época es del nihilismo, como algunos pretenden, Benjamin Péret, hombre de esperanza, es una figura del pasado. ¿Pero no es ésa al mismo tiempo la prueba de que es hombre y poeta del porvenir?

El otoño pasado, durante una breve estancia en París, lo vi con frecuencia. Recuerdo sobre todo unas horas que pasamos en un café, Breton, Péret y yo. He olvidado de qué hablamos y no podría ahora decir por qué esa velada me había conmovido tanto, pero sé que desde entonces la noche universal y mi noche personal se han vuelto más claras. Tiempo después escribí un poema, *Noche en claro,* que evoca esa velada. El poema podrá quizá decir mejor que estas líneas lo que significaba para mí la amistad de Benjamin Péret.

[c. 1960]

[«Benjamin Péret: la noche del siglo» se publicó por primera vez en francés, en 1960, en una revista de la época. El texto original se extravió, lo que obligó a hacer una traducción de la versión francesa para publicarlo como prólogo al libro de Péret: *Pulquería quiere un auto y otros cuentos,* Vuelta, México, 1994. La traducción es de Aurelio Asiain, revisada por Octavio Paz.]

Conocimiento, drogas, inspiración

Hay más de una semejanza entre la poesía moderna y la ciencia. Ambas son experimentos, en el sentido de «prueba de laboratorio»: se trata de provocar un fenómeno, por la separación o combinación de ciertos elementos, sometidos a la presión de una energía exterior o dejados a la acción de su propia naturaleza. La operación, además, se realiza en un espacio cerrado, dentro del mayor aislamiento. El poeta procede con las palabras como el hombre de ciencia con las células, los átomos y otras partículas materiales: las arranca de su medio natural, el lenguaje diario, las aísla en una suerte de cámara de vacío, las reúne o separa y, en fin, observa y aprovecha las propiedades del lenguaje como el investigador las de la materia. La analogía podría llevarse más lejos. Carece de interés porque la semejanza no reside tanto en un parecido externo —manipulaciones verbales y de laboratorio— como en la actitud ante el objeto.

Mientras escribe, mientras somete a prueba sus ideas y sus palabras, el poeta no sabe exactamente qué es lo que va a ocurrir. Su actitud frente al poema es empírica. No pretende confirmar una verdad revelada, como el creyente; ni fundirse a una realidad trascendente, como el místico; ni demostrar una teoría, como el ideólogo. El poeta no postula ni afirma nada de antemano; sabe que no son las ideas sino los resultados, las obras y no las intenciones, lo que cuenta. ¿No es ésta la actitud de los hombres de ciencia? Cierto, el ejercicio de la poesía y el de la ciencia no implican una renuncia absoluta a concepciones e intuiciones previas. Pero no son las teorías («hipótesis de trabajo») las que justifican a la experiencia, sino a la inversa. A veces la «prueba» contradice nuestras previsiones y se producen efectos distintos a los que esperábamos. Al poeta y al investigador no les cuesta mucho trabajo resignarse; ambos aceptan que la realidad tiene una manera de conducirse que es independiente de nuestra filosofía. No son doctrinarios; no nos ofrecen sistemas previos sino hechos ya comprobados, resultados y no hipótesis, obras y no ideas. Las verdades que buscan son distintas pero para alcanzarlas usan métodos parecidos. El rigor material se une a la objetividad más estricta, es decir, al respeto por la autonomía del fenómeno. Un poema y una verdad científica son algo más que una teoría o una creencia: han resistido el ácido de la prueba y el fuego de la crítica. Poemas y verdades científicas son algo muy distinto de las ideas de los poetas y los hombres de ciencia. Pasan los estilos artísticos y la filosofía de las ciencias; no pasan las obras de arte ni las verdaderas verdades de la ciencia.

Las semejanzas entre ciencia y poesía no deben hacernos olvidar una diferencia decisiva: el sujeto de la experiencia. El hombre de ciencia es un observador y, al menos voluntariamente, no participa en la experiencia. Digo «al menos voluntariamente» porque en ciertas ocasiones el observador fatalmente forma parte del fenómeno y, en consecuencia, lo altera. En el caso de la poesía moderna, el sujeto de la experiencia es el poeta mismo: él es el observador y el fenómeno observado. Su cuerpo y su psiquis, su ser entero, son el campo en donde se operan toda suerte de transformaciones. La poesía moderna es un *conocimiento* experimental del sujeto mismo que conoce. Ver con los oídos, sentir con el pensamiento, combinar y usar hasta el límite nuestros poderes, para conocer un poco más de nosotros mismos y descubrir realidades incógnitas, ¿no es ése el fin que asignan a la poesía espíritus tan diversos como Coleridge, Baudelaire y Apollinaire? Cito apenas unos cuantos nombres porque creo que nadie pone en duda que ésta es una de las direcciones cardinales del espíritu poético, desde el principio del siglo pasado hasta nuestros días. Y aún podría agregar que la verdadera modernidad de la poesía consiste en haber conquistado su autonomía. La poesía ha dejado de ser la servidora de la religión o de la filosofía; como la ciencia, explora el universo por cuenta propia. Y en esto también se parecen algunos poetas y hombres de ciencia: unos y otros no han vacilado en someterse a ciertas experiencias peligrosas, con riesgo de su vida o de su integridad espiritual, para penetrar en zonas vedadas. La poesía es un saber, y un saber experimental.

Una de las pretensiones más irritantes de la poesía moderna es la de presentarse como una visión, esto es, como un conocimiento de realidades ocultas, invisibles. Se dirá que lo mismo han dicho los poetas de todos los tiempos y lugares. Pero Homero, Virgilio o Dante aseguran que se trata de una revelación que viene del exterior: un dios o un demonio habla por su boca. Hasta Góngora finge creer en este poder sobrenatural: «Cuantos me dictó versos dulce Musa». El poeta moderno declara que habla en nombre propio: sus visiones las saca de sí mismo. No deja de ser turbador que la desaparición de las potencias divinas coincida con la aparición de las drogas como donadoras de la visión poética. El demonio familiar, la musa o el espíritu divino ceden el sitio al láudano, al opio, al hachís y, más recientemente, a dos drogas mexicanas: el peyote (mezcalina) y los hongos alucinógenos. La Antigüedad conoció muchas drogas y las utilizó con fines de contemplación, revelación y éxtasis. El nombre original de los hongos sagrados de México es teononácatl, que quiere decir «carne de dios, hongo divino». Los indios americanos y muchos pueblos de Oriente y África aún emplean las drogas con fines religiosos. Yo mismo, en India, en una fiesta religiosa, tuve oportunidad de probar una variedad del hachís llamada *bhang*; todos los concurrentes, sin excluir a los niños, comieron o bebieron esa sustancia. La diferencia es la siguiente: para los creyentes estas prácticas constituyen un rito; para algunos poetas modernos y para muchos investigadores, una experiencia.

Baudelaire es uno de los primeros que se inclina con «ánimo filosófico», como él mismo dice, sobre los fenómenos espirituales que engendra el uso de las drogas. Es verdad que muchas de sus observaciones vienen de Thomas de Quincey y que, ya antes, Coleridge decía que la composición de unos de sus poemas más célebres se debía a una visión producida por el láudano durante la cual «all the images rose up as things, with a parallel production of the correspondent expressions, without any sensation or consciousness of effort». Pero ni De Quincey ni Coleridge, me parece, intentaron extraer una estética y una filosofía de su experiencia. Baudelaire, en cambio, afirma que ciertas drogas intensifican de tal modo nuestras sensaciones y las combinan de tal suerte que nos permiten contemplar la vida en su totalidad. La droga provoca la visión de la correspondencia universal, suscita la analogía, pone en movimiento a los objetos, hace del mundo un vasto poema hecho de ritmos y rimas. La droga arranca al paciente de la realidad cotidiana, enmaraña nuestra percepción, altera las sensaciones y, en fin, pone en entredicho al universo. Esta ruptura con el exterior sólo es una fase preliminar; con la misma implacable suavidad la droga nos introduce en el interior de otra realidad: el mundo no ha cambiado pero ahora lo vemos regido por una armonía secreta. La visión de Baudelaire es la de un poeta. El hachís no le reveló la filosofía de la correspondencia universal ni la del lenguaje como un organismo animado, dueño de vida propia y, en cierto modo, arquetipo de la realidad: la droga le sirvió para penetrar más profundamente en sí mismo. A semejanza de otras experiencias de veras decisivas, la droga transtorna la ilusoria realidad cotidiana y nos obliga a contemplarnos por dentro. No nos abre las puertas de otro mundo ni pone en libertad a nuestra fantasía; más bien abre las puertas de *nuestro* mundo y nos enfrenta a *nuestros* fantasmas.

La tentación de las drogas, dice Baudelaire, es una manifestación de nuestro amor por el infinito. La droga nos devuelve al centro del universo, punto de intersección de todos los caminos y lugar de reconciliación de todas las contradicciones. El tiempo se detiene, sin cesar de fluir, como una fuente que cae interminablemente sobre sí misma, de modo que ascenso y caída se funden en un solo movimiento. El espacio se convierte en un sistema de señales relampagueantes y los cuatro puntos cardinales nos obedecen. Todo esto se logra por medio de una comunión química. Un compuesto farmacéutico —señala el poeta— nos abre las puertas del paraíso. Esta idea no deja de ser escandalosa e irrita a muchos espíritus. A los hombres prácticos les parece nociva y antisocial: el uso de las drogas desvía al hombre de sus actividades productivas, relaja su voluntad y lo transforma en un parásito. ¿No puede decirse lo mismo de la mística y, en general, de toda actitud contemplativa? La condenación de las drogas por causa de utilidad social podría extenderse (y de hecho se extiende) a la mística, al amor y al arte. Todas estas actividades son antisociales y de ahí que, en la imposibilidad de extirparlas del todo, se trate siempre de limitarlas. Para los espíritus religiosos —y aun para el sentido moral corriente— no es menos repugnante la idea de la droga como donadora de la visión divina o, por lo menos, de cierta paz espiritual. Los que así piensan quizá no han reparado en que no se trata de una sustitución de los antiguos poderes sobrenaturales. La evaporación de la idea de Dios en el mundo moderno no procede de la aparición de las drogas (conocidas, por otra parte, desde hace milenios). Tal vez podría decirse lo contrario: el uso de las drogas delata que el hombre no es un ser *natural;* al lado de la sed, el hambre, el sueño y el placer sexual, padece nostalgia de infinito. Lo sobrenatural —para emplear una expresión fácil aunque inexacta— forma parte de su naturaleza. Todo lo que hace, sin excluir los actos más simples y materiales, está teñido de aspiración hacia lo absoluto. La imaginación —la facultad de producir o descubrir imágenes y la tentación de encarnar en esas imágenes— es su fondo último, su fondo sin fin.

[«Conocimiento, drogas, inspiración» fue publicado en *Corriente alterna,* Siglo XXI, México, 1967.]

Henri Michaux

Henri Michaux ha publicado en los últimos años tres libros en los que relata sus encuentros con la mezcalina.[1] Hay que agregar, además, una turbadora serie de dibujos —la mayoría en blanco y negro, otros en color— ejecutados poco después de cada experiencia. Prosa, poemas y dibujos se interpenetran, prolongan e iluminan mutuamente. Los dibujos no son meras ilustraciones de los textos. La pintura de Michaux nunca ha sido subsidiaria de su poesía: se trata de mundos autónomos y complementarios a un tiempo. Pero en el caso de la experiencia «mezcaliniana» las líneas y las palabras forman un todo difícilmente disociable. Formas, ideas y sensaciones se entrelazan como si fuesen una sola y vertiginosa criatura. En cierto modo los dibujos, lejos de ser *ilustraciones* de la palabra escrita, son una suerte de *comentario.* El ritmo y el movimiento de las líneas hacen pensar en una inusitada notación musical, sólo que no estamos frente a una escritura de sonidos o ideas sino de vértigos, desgarraduras y reuniones del ser. Incisiones en la corteza del tiempo, a medio camino entre el signo ideográfico y la inscripción mágica, caracteres y formas «más sensibles que legibles», estos dibujos son una crítica a la escritura poética y pictórica, esto es, una prolongación del signo y la imagen, un más allá de la palabra y la línea.

Pintura y poesía son lenguajes con los que Michaux se ha esforzado por decir algo que es propiamente indecible. Poeta, empezó a pintar cuando advirtió que este nuevo medio le permitiría decir lo que su poesía ya no podía decir. ¿Pero se trata de decir? Quizá Michaux nunca se ha propuesto decir. Todas sus tentativas se dirigen a tocar esa zona, por defini-

[1] *Misérable miracle* (1956); *L'Infini turbulent* (1957) y *Paix dans les brisements* (1959). En *Lettres Nouvelles* (núm. 35) apareció un breve texto de Michaux sobre los hongos alucinógenos: *La Psilocybine (Expérience et autocritique).* Sobre este último tema véase el libro de Roger Heim y R. Gordon Wasson: *Les Champignons hallucinogènes du Mexique,* París, 1958.

ción inexpresable e incomunicable, en donde los significados desaparecen, devorados por las evidencias. Centro nulo y henchido, vacío y repleto de sí al mismo tiempo. El signo y lo señalado —la distancia entre el objeto y la conciencia que lo contempla— se evaporan ante la presencia abrumadora, que sólo es. La obra de Michaux —poemas, viajes reales e imaginarios, pintura— es una larga y sinuosa expedición hacia algunos de nuestros infinitos —los más secretos, los más temibles y, asimismo, los más irrisorios— en busca siempre del *otro* infinito.

Michaux viaja en sus lenguajes: líneas, palabras, colores, silencios, ritmos. Y no teme romperle el espinazo a un vocablo como el jinete que no vacila en reventar una cabalgadura. Llegar: ¿adónde? A ese ninguna parte que es todas partes y aquí. Lenguaje-vehículo pero también lenguaje-cuchillo y lámpara de minero. Lenguaje-cauterio y lenguaje-venda, lenguaje-bruma y sirena entre la bruma. Pico contra la roca y centella en plena noche. Las palabras vuelven a ser instrumentos, prolongaciones de la mano, el ojo, el pensamiento. Lenguaje no-artístico. Palabras cortantes y tajantes, reducidas a su función más inmediata y agresiva: abrirse paso. Se trata, sin embargo, de una utilidad paradójica, pues ya no están al servicio de la comunicación sino de lo incomunicable. Empresa inhumana y, acaso, sobrehumana. La tensión extraordinaria del lenguaje de Michaux procede de que toda su acelerada eficacia está regida por una voluntad lanzada al encuentro de algo que es lo ineficaz por excelencia: ese estado de no saber que es el saber absoluto, el pensamiento que ya no piensa porque se ha unido a sí mismo, la transparencia infinita, el torbellino inmóvil.

Misérable miracle se abre con esta frase: «Esto es una exploración. Por la palabra, el signo, el dibujo. La Mezcalina es la explorada». Al terminar el libro me pregunté si el resultado de la experiencia no había sido el contrario: el poeta Michaux explorado por la mezcalina. ¿Exploración o encuentro? Más bien lo segundo. Cuerpo a cuerpo con la droga, con el temblor de la tierra, con el temblor del ser sacudido por su enemigo interior —un enemigo que se funde con nuestro propio ser, un enemigo que es indistinguible e inseparable de nosotros. Encuentro con la mezcalina: encuentro con nosotros mismos, con el conocido-desconocido. El doble que lleva por máscara nuestro rostro. El rostro que se borra y se transforma en una inmensa mueca de burla. El demonio. El payaso. Ése no soy yo. Ése soy yo. Martirrisible aparición. Y al volver el rostro: no hay nadie. También yo me he ido de mí mismo. Espacio, espacio, vibración pura. Gran regalo, don de dioses, la mezcalina es una ventana donde la mirada se desliza infinitamente sin encontrar nada sino su mirada. No hay yo: hay el espacio, la vibración, la vivacidad perpetua. Luchas, terrores, exaltaciones, pánicos, delicias: ¿es Michaux o la mezcalina? Todo ya estaba en Michaux, todo ya existía en sus libros anteriores. La mezcalina fue una *confirmación*. Mezcalina: testimonio. El poeta vio su espacio interior en el espacio de afuera. Tránsito del interior al exterior —un exterior que es la interioridad misma, el núcleo de la realidad. Espectáculo atroz e inefable. Michaux puede decir: salí de mi vida para vislumbrar la vida.

Todo empieza con una vibración. Movimiento imperceptible que se acelera minuto tras minuto. Viento, largo silbido, afilado huracán, torrente de rostros, formas, líneas. Todo cayendo, avanzando, ascendiendo, desapareciendo, reapareciendo. Vertiginosa evaporación y condensación. Burbujas, burbujas, guijarros, piedrecillas. Rocas de gas. Líneas que se cruzan, ríos que se anudan, infinitas bifurcaciones, meandros, deltas, desiertos que marchan, desiertos que vuelan. Disgregaciones, aglutinaciones, fragmentaciones, reconstituciones. Palabras quebradas, cópula de sílabas, fornicación de significados. Destrucción del lenguaje. La mezcalina reina por el silencio —¡y grita, grita sin boca y caemos en su silencio! Retorno a las vibraciones, entrada en las ondulaciones. Repeticiones: la mezcalina es un «mecanismo de infinito». Heterogeneidad, manar continuo de fragmentos, partículas, pedazos. Series exasperadas. Nada está fijo. Avalanchas, reino del número innumerable, execrable proliferación. Espacio gangrenado, tiempo canceroso. ¿No hay centro? Sacudido por la ráfaga de la mezcalina, chupado por el torbellino abstracto, el occidental moderno no encuentra a qué asirse. Ha olvidado los nombres, Dios ya no se llama Dios. Al azteca o al tarahumara le bastaba con pronunciar el nombre para que descendiese la presencia divina, en sus infinitas manifestaciones. Unidad y pluralidad de los antiguos. Nosotros, a falta de dioses: Pululación y Tiempo. Hemos perdido los nombres. Nos quedamos con «las causas y los efectos, los antecedentes y los consecuentes». Espacio repleto de insignificancias. La heterogeneidad es repetición, masa amorfa. Miserable milagro.

El primer encuentro con la mezcalina se termina con el descubrimiento de un «mecanismo de infinito». La infinita producción de colores, ritmos y formas se revela al fin como una aterradora y risible cascada de baratijas. Somos millonarios de feria. La segunda serie de experiencias *(L'Infini turbulent)* provocó reacciones y visiones inesperadas. Expuesto a descargas fisiológicas continuas y a una tensión psíquica implacable, el ser se abrió. La exploración de la mezcalina, como el incendio o el temblor de tierra, fue devastadora; sólo quedó en pie lo esencial, aquello que, por ser infinitamente débil, es infinitamente fuerte. ¿Cómo se llama esta facultad? ¿Se trata de una facultad, de un poder o, más bien, de la ausencia de poder, del total desamparo del hombre? Me inclino por lo segundo. Ese desamparo es nuestra fuerza. En el momento último, cuando ya nada queda en nosotros —pérdida del yo, pérdida de la identidad—, se opera la fusión con algo ajeno y que, sin embargo, es nuestro, lo único en verdad nuestro. El hueco, el agujero que somos se llena hasta rebosar, hasta volverse fuente. En la extrema sequía brota el agua. Quizá hay un punto de unión entre el ser del hombre y el ser del universo. Por lo demás, nada positivo: agujero, abismo, infinito turbulento. Estado de abandono, enajenación —pero no demencia. Los locos están encerrados en su locura, que es, por decirlo así, un error ontológico: tomar la parte por el todo. A igual distancia de cordura y locura, la visión que relata Michaux es total: contemplación de lo demoniaco y lo divino —no hay más remedio que usar estas palabras— como una realidad inseparable, como la realidad última. ¿Del hombre o del universo? No sé. Tal vez del universo-hombre. El hombre penetrado, conquistado por el universo.

El trance demoniaco fue sobre todo la revelación de un erotismo transhumano —y por eso infinitamente perverso. Una violación psíquica, un insidioso abrir y extender y desplegar las partes más secretas del ser. Nada sexual. Un universo infinitamente sensual y del que habían desaparecido el cuerpo y la figura humanos. No el «triunfo de la materia» o de la carne sino la visión del reverso del espíritu. Lascivia abstracta: «Disolución —palabra justa y que comprendí en un relámpago [...] Gozo en la delicuescencia». La tentación, en el sentido literal de la palabra y a la que todos los grandes místicos (cristianos, budistas, árabes) se han referido. Confieso, no obstante, que no comprendo del todo este pasaje. Quizá la repulsión de Michaux se debió no tanto al contacto de Eros como a la visión de la confusión cósmica, es decir, a la revelación del caos. Entrañas del ser al descubierto, reverso de la presencia, el caos es el amasijo primordial, el antiguo desorden y, asimismo, la matriz universal. Experimenté una sensación parecida, aunque mucho menos intensa y que afectó sólo a las capas más superficiales de mi conciencia, en el gran verano de la India, durante mi primera visita, en 1952. Caído en la gran boca jadeante, el universo me pareció una inmensa, múltiple fornicación. Vislumbré entonces el significado de la arquitectura de Konarak y del ascetismo erótico. La visión del caos es una suerte de baño ritual, una regeneración por la inmersión en la fuente original, verdadero regreso a la «vida anterior». Primitivos, chinos taoístas, griegos arcaicos y otros pueblos no temen al contacto tremendo. La actitud occidental es enfermiza. Es moral. Gran aisladora, gran separadora, la moral parte en dos al hombre. Volver a la unidad de la visión es reconciliar cuerpo, alma y mundo. Al final de la prueba Michaux recuerda un fragmento de un poema tántrico:

> Inaccesible a las impregnaciones,
> Gozando todos los goces,
> Tocando todo como el viento,
> Todo penetrándolo como el éter,
> El yoguín siempre puro
> Se baña en el río perpetuo.
> Goza todos los goces y nada lo mancha.

La visión divina —inseparable de la demoniaca, ya que ambas son revelaciones de la *unidad*— se inició con la «aparición de los dioses». Miles, cientos de miles, uno tras otro, en largas hileras, infinito de rostros augustos, horizonte de presencias benéficas. Estupor y reconocimiento. Pero antes: oleadas de blancos. En todas partes la blancura, sonora, resplandecientc. Y luz, mares de luz, Después, las imágenes divinas desaparecieron sin que ccsase de manar la cascada tranquila y gozosa del ser. Admiración: «yo me adhiero a la divina perfección de la continuación del Ser a lo largo del tiempo, continuación que es de tal modo hermosa —hermosa hasta perder el conocimiento— que los dioses, como dice el Mahabarata, los dioses mismos, se encelan y vienen a admirarla». Confianza, fe (¿en qué? fe sin más), sensación de transcurrir con la perfección que transcurre (y no transcurre), incansable, igual a sí misma. Un instante nace, asciende, se abre, desaparece en el momento en que otro instante nace y asciende. Dicha tras dicha. Sentimiento indecible de abandono y seguridad. A la visión de los dioses sucede la no visión: estamos en el centro del tiempo. Este viaje es un regreso: desprendimiento, desaprendizaje, vuelta al nacimiento. Al leer estas páginas de Michaux recordé un objeto que hace algunos años me mostró el pintor Paalen: un trozo de cuarzo en el que estaba grabada la imagen del viejo Tláloc. Se acercó a una ventana y lo puso contra el sol:

Tocado por la luz
El cuarzo es ya cascada.
Sobre las aguas flota, niño, el dios.

La no visión: fuera de la actualidad, la historia, los propósitos, los cálculos, el odio, el amor, «más allá de las resoluciones y las irresoluciones, *más allá* de las preferencias», el poeta regresa a un perpetuo nacimiento y escucha «el poema interminable, sin rimas, sin música, sin palabras, que sin cesar pronuncia el Universo». La experiencia divina es participación en un infinito que es medida y ritmo. Fatalmente vienen a los labios las palabras *agua, música, luz, gran espacio abierto, resonante.* El yo desaparece pero en el hueco que ha dejado no se instala otro Yo. Ningún dios sino lo divino. Ninguna fe sino el sentimiento anterior que sustenta a toda fe, a toda esperanza. Ningún rostro sino el ser sin rostro, el ser que es todos los rostros. Paz en el cráter, reconciliación del hombre —lo que queda del hombre— con la presencia total.

Al principiar su experiencia Michaux escribe: «me propongo explorar la mediocre condición humana». Esta frase —aplicable, por otra parte, a toda la obra de Michaux y a la de cualquier gran artista— se reveló, en su segunda parte, singularmente falsa. La exploración mostró que el hombre no es una criatura mediocre. Una parte de sí —tapiada, oscurecida desde el principio del principio— está abierta al infinito. La llamada condición humana es un punto de intersección de otras fuerzas. Quizá nuestra condición no es humana.

[«Henri Michaux» fue publicado en *Corriente alterna,* Siglo XXI, México, 1967.]

Imagen de Michaux (1899-1984)

Empresa inhumana y, acaso, sobrehumana. La tensión extraordinaria del lenguaje de Michaux procede de que toda su acerada eficacia está regida por una voluntad lanzada al encuentro de algo que es lo ineficaz por excelencia: ese estado de no saber que es el saber absoluto, el pensamiento que ya no piensa porque se ha unido a sí mismo, la transparencia infinita, el torbellino inmóvil.

[«Imagen de Michaux (1899-1984)» se publicó en *Vuelta*, núm. 98, México, enero de 1985.]

Gracia, ascetismo, méritos[1]

Ante experiencias como las relatadas por Michaux nos volvemos a hacer la pregunta: ¿la farmacia sustituye a la gracia, la visión poética es una reacción bioquímica? Coleridge atribuye al láudano la composición de *Kubla-Khan;* Michaux piensa que un estado de debilidad fisiológica —fiebre ligera, inflamación de las anginas— y un exceso en la dosis bastaron para desencadenar el torrente. La relación entre los estados fisiológicos y los psíquicos no ofrece dudas. El ayuno, los ejercicios respiratorios, la flagelación, la inmovilidad prolongada, el confinamiento solitario en celdas y cavernas, la exposición en lo alto de columnas o montañas, el canto, la danza, los perfumes, la repetición durante horas de una palabra, son prácticas que transtornan nuestras funciones físicas y provocan la visión. Lo que llamamos espíritu parece depender de los cambios químicos y biológicos; pero también lo que llamamos materia se nos ha vuelto energía, tiempo, agujero, caída y, en fin, algo que ya no es medible. No me preocupa la antigua querella entre materialismo y espiritualismo sino la fragilidad de nuestras concepciones morales frente a la embestida de la droga. Entre las numerosas observaciones de Michaux hay una que me obsesionó durante algún tiempo: la visión demoniaca fue *posterior* a la divina. Quizá se trata, como lo he insinuado antes, de una idea moral, dualista: la mezcalina es singularmente desdeñosa de las ideas de bien y mal. Desdeñosa y generosa, pues otorga la visión sin pensar en los «méritos» del que la recibe. Una y otra vez Michaux habla de «infinito no merecido». Vale la pena detenerse en esta frase, dueña de una inequívoca resonancia. Muchos místicos y visionarios han dicho lo mismo.

Las alteraciones fisiológicas no producen automáticamente las visiones; tampoco todas tienen el mismo carácter. Basta comparar, para escoger un ejemplo a la mano, las imágenes que los hongos mexicanos provo-

[1] Tal vez no sea necesario aclarar que todo lo que he dicho y diré se refiere exclusivamente a las sustancias alucinógenas.

caron en Wasson con las de los profesores y estudiantes sometidos por el doctor Heim a una prueba análoga.[1] Así pues, la intervención de la psique individual es decisiva. Ya Baudelaire decía, recordando a De Quincey, que el opio produce sueños distintos en un carnicero y en un poeta. Pues bien, la acción de la droga resulta desconcertante precisamente en la esfera de la moral: el asesino puede tener visiones de ángel; el hombre recto, sueños infernales. Las visiones dependen de cierta sensibilidad (¿facultad?) psíquica que varía de individuo a individuo pero que no depende del mérito o la conducta personal. La droga es nihilista: mina todos los valores y transtorna radicalmente nuestras ideas acerca del bien y del mal, lo justo y lo injusto, lo permitido y lo prohibido. Su acción es una burla a nuestra moral de premio y castigo. Esta idea me regocija y me azora: la droga introduce otra justicia, fundada en el azar o en circunstancias que no podemos determinar. Distribuye distraídamente algo que siempre se ha considerado como la recompensa de los santos, los sabios y los justos —el máximo bien que el hombre puede alcanzar sobre la tierra: la visión, el vislumbre de la perfecta armonía. Y con el mismo gesto con que otorga la paz espiritual a los indignos, regala infiernos a los inocentes. Si la farmacia sustituye a Dios, hay que convenir en que se trata de una química perversa.

Nuestra perplejidad quizá desaparecería si, en lugar de pensar en un dios que obra como una droga, pensamos en una droga que obra como un dios. Quiero decir: si reemplazamos las nociones de *azar, fatalidad y necesidad* por las de gracia y libertad. La droga nos abre las puertas de «otro mundo». Si esta expresión tiene un sentido, significa que efectivamente ingresamos en un reino en donde no rigen las mismas leyes que en el nuestro. Ni las materiales ni las morales. ¿No sucede lo mismo con la experiencia mística? Todos los textos insisten en el carácter paradójico de la visión. La alteración de los principios lógicos y, en general, de lo que se considera el «fundamento del pensar» (aquí es allá; hoy es ayer o mañana; el movimiento es inmovilidad; etc.) corresponde a un transtorno no menos profundo de las leyes morales: los pecadores se salvan; los ignorantes son los verdaderos sabios; la inocencia no está siempre entre las vírgenes sino en los burdeles; «el buen ladrón» es el compañero de Cristo; el idiota del pueblo confunde al teólogo arrogante; el salteador Che es más puro que el virtuoso Confucio; Krishna empuja a Arjuna a la matanza... El teatro español, nutrido por las doctrinas católicas del libre

[1] *Cf. Les Champignons hallucinogènes du Mexique.*

albedrío y la gracia, ofrece constantes ejemplos de esta sorprendente dialéctica en la que el mal se cambia en bien, la perdición en salvación y la caída en ascenso. ¿Cómo se explican estas paradojas?

La experiencia mística culmina en la visión del ser o en la de la vacuidad, pero siempre, plenitud o vacío, se inicia como una crítica de este mundo y una negación de sus valores. La *otra* realidad exige la abolición de *esta* realidad. La visión se sustenta no sólo en una crítica intelectual sino en una *práctica* en la que participa el ser entero: toda mística implica una ascética. Cualquiera que sea su religión, el asceta cree que hay una relación entre la realidad corporal y la psíquica. El cristiano humilla a su cuerpo, el yoguín lo domina y así los dos afirman implícitamente la comunicación entre éste y el espíritu. No es extraño: las prácticas ascéticas tienen una antigüedad milenaria y son anteriores a la aparición de la idea del alma como una entidad separada del cuerpo. Como tantas otras técnicas que hemos heredado de la prehistoria, el ascetismo se anticipa a la ciencia contemporánea. La analogía con las drogas es impresionante: la acción de estas últimas sería imposible si no existiese efectivamente una relación íntima entre las funciones fisiológicas y las psíquicas. Es indudable que las prácticas ascéticas y el uso de sustancias alucinógenas formaron parte de un mismo proceso, según puede verse en los himnos del Rig Veda consagrados al soma y en los ritos de los antiguos mexicanos, hoy todavía vivos entre los huicholes y los tarahumaras. La información antropológica sobre esta materia es muy rica. Es verdad que el vicioso, a diferencia del asceta, no se somete a ninguna disciplina. La distinción, aunque decisiva, no es aplicable a aquellos que exploran el universo de la droga con ánimo de saber o contemplar ni tampoco a los que la emplean en un ritual: hombres de ciencia, poetas, creyentes y miembros de grupos religiosos. El parecido entre drogas y ascetismo se extiende, por lo demás, a la esfera de la moral y a la del pensamiento. El asceta desprecia las convenciones mundanas, es insensible a las ideas de progreso y provecho, juzga que las ganancias materiales son pérdidas, ve en la normalidad del hombre común y corriente una verdadera anomalía espiritual y, en fin, condena por igual a los deberes y a los placeres de este mundo. Asimismo, aquel que ingiere una droga postula una duda sobre la consistencia de la realidad —no está seguro de que sea tal como la ven nuestros ojos y definen nuestros instrumentos o sospecha la existencia de otra realidad. Droga y ascetismo coinciden en ser crítica y negación del mundo.

Desde esta perspectiva quizá nos será más fácil pronunciarnos sobre la «injusticia» de la droga. Las visiones infernales que relata Michaux ¿no son el equivalente de las pruebas y tentaciones que han sufrido todos los ascetas de todas las religiones? Si la droga provoca la aparición de imágenes horribles ¿no será porque es un espejo que refleja no lo que aparentamos ser ante los otros y ante nosotros mismos sino lo que somos realmente? El efecto más inmediato de la droga es aligerarnos del peso de la realidad. Por tanto, es imposible juzgar su acción con las pesas y las medidas del mundo cotidiano. Pero la droga no nos enfrenta a otro mundo: las visiones de Michaux no contradicen a sus poemas —los confirman. Sólo que el «yo mismo» que nos presenta la droga —como el de la poesía y el del erotismo— es un desconocido y su aparición es semejante al de la resurrección de alguien que habíamos enterrado hace mucho. El enterrado está vivo y su regreso nos aterra. La droga nos introduce en un afuera que es un adentro: habitamos un yo que no tiene identidad ni nombre, vivimos en un allá que es un acá, dentro de algo que somos y no somos. Nuestros actos tienen otra consistencia, otra lógica y otra gravedad. Los «méritos» y las «faltas» son otros y otra la balanza que los pesa. Cambio de signo: el más se vuelve menos, el frío es calor, la exaltación es beatitud, calma y movimiento son lo mismo. Los valores morales no escapan a esta metamorfosis. Las nociones de *virtud, bondad, rectitud* y otras semejantes adquieren un significado diverso y aun contrario al que tienen en el mundo de las duras relaciones entre los hombres. Las palabras *mérito, premio, ventaja, honor, provecho, interés* y otras análogas, heridas de muerte, se desangran y, literalmente, se volatilizan. Pérdida de la gravedad: las virtudes verdaderas son de poco peso y se llaman abandono, desapego, confianza, entrega, desnudez. Lo que cuenta no es el valer sino el valor para internarse en lo desconocido. Desvalimiento: desasimiento. Ligereza: desinterés, desprendimiento. Fuera del «deber ser», el hombre contempla a su ser. En esta constelación la palabra central es, quizá, *inocencia:* la «pureza del corazón» de los cristianos primitivos, el «pedazo de madera sin pulir» de los taoístas. Desaparición del yo y del nombre, no pérdida del ser. Lección de moral: la experiencia nos enfrenta al misterio que es cada hombre y revela la vanidad de nuestros juicios. El mundo de los jueces es el de la iniquidad. Sí, el asesino puede tener sueños de ángel. Cada uno tiene el infinito que se merece. Pero ese mérito no se mide con nuestras medidas.

[«Gracia, ascetismo, méritos» se publicó en *Corriente alterna,* Siglo XXI, México, 1967.]

Paraísos

En los ensayos que ha dedicado a la mezcalina, Aldous Huxley subraya que las visiones individuales corresponden casi siempre a ciertos arquetipos colectivos. El mundo que describe Wasson en *Les Champignons hallucinogènes du Mexique* recuerda inmediatamente las imágenes de mitos, poemas y pinturas: grandes paisajes fluviales, árboles, espesura verde y rojiza, tierra color de ámbar, todo bajo una luz ultraterrena. La sensación de movimiento —los largos ríos, el viento, el latido del sol— se funde a la de inmovilidad y reposo. A veces, al borde del agua centelleante, surge una mujer pensativa, aparición que le recuerda la escultura griega arcaica y ciertas estelas funerarias. Edad auroral, mundo de significaciones paradisiacas: ¿cómo no pensar en las imágenes del Génesis, en los cuentos árabes, en los mitos del Pacífico o del Asia Central, en el paraíso teotihuacano de Tláloc? Pero hay otra visión: desiertos, rocas, sed y jadeo, ojo-puñal del sol: el paisaje de la condenación, la «tierra gastada» de la leyenda del Graal. Infiernos transparentes, geometría de cristales impíos, infiernos circulares, infiernos abigarrados, pululación de formas y de monstruos, tentaciones de San Antonio, delirios de los *tankas* tibetanos, aquelarres de Goya, copulaciones y coagulaciones hindúes, el grito congelado de Munch, las máscaras polinesias... Aunque las imágenes son innumerables, todas ellas —luz cegadora o tiniebla mineral, soledad o promiscuidad— revelan un universo sin salida. Peso, opresión, asfixia: infiernos. No podemos salir de nosotros mismos, no podemos dejar de ser lo que somos, no podemos cambiar. Infierno: *petrificación.* La imagen celeste es visión de libertad: levitación, *disolución del yo.* La luz frente a la piedra.

Las imágenes del paraíso, dice Huxley, pueden reducirse a ciertos elementos, comunes a la experiencia «mezcaliniana» y al mito universal: tierra y agua, feracidad, verdor. Idea de abundancia (por oposición al mundo del trabajo); idea de jardín encantado: «todo es sensible» y pájaros, plantas y bestias hablan el mismo lenguaje. En el centro: la pareja original. Huxley señala que la luz tiene una tonalidad particular; es una luz que no viene de ninguna parte o, para usar una vieja y exacta expresión, una luz *increada*. Asimismo: una luz creadora (el paisaje nace y crece bajo la lluvia luminosa) y conservadora (el jardín, lo visible, reposa en su pecho invisible). Yo agregaría otra presencia no menos significativa: el agua, arquetipo del paraíso prenatal, imagen del regreso a la edad primera, símbolo de la mujer y de sus poderes. El agua: calma, fertilidad, autoconocimiento y, también, pérdida, caída en la pérfida transparencia. En más de un pasaje Baudelaire se detiene ante esta visión: «aguas fugitivas, juegos de agua, cascadas armoniosas, el mar inmenso y azul, meciéndose, cantando, adormeciendo... La contemplación de ese abismo límpido es peligrosa para un espíritu amoroso del espacio y el cristal». Fragmento sorprendente si se piensa que el agua está asociada a la Gran Diosa de los mediterráneos: la hechicera pálida, la luna, Artemisa. El agua: el baño de Diana, la fuente fatal para Acteón y Sigfrido.

No sé si Huxley haya reflexionado sobre la singular dialéctica de las imágenes luz, agua y piedra. La luz es fija, inmaterial, central. Fuego y hielo a un tiempo, encarna la objetividad y la eternidad. Es la mirada. Clara y serena, dibuja los contornos, delimita, distribuye el espacio en porciones simétricas. Es la justicia pero asimismo es la Idea, el arquetipo inscrito en un cielo sin nubes. Nuestro olvidado Herrera llama luz a su amada, a su Idea. Luz: amor a la esencia, reino de lo intemporal. El agua es difusa, huidiza, informe. Evoca al tiempo, al amor físico; es la marea —muerte y resurrección—, la entrada en el mundo elemental. Todo se refleja en el agua, todo naufraga, todo renace. Es el cambio, el fluir del universo. La luz separa, el agua une. El paraíso, por lo visto, está regido por dos hermanas enemigas. En el centro, la piedra preciosa. Huxley recuerda que las puertas de los paraísos son de diamantes, rubíes, esmeraldas. Atravesado por la luz, el paisaje húmedo del primer día se transforma en una inmensa joya: sol de oro, luna de plata, árboles de jade. La luz hace del agua una piedra preciosa. Mineraliza, eterniza el tiempo. Lo fija en un resplandor imparcial y así lo desvive: congela su latido. Al mismo tiempo —una imagen es un venero de significaciones— la luz transmuta a la piedra. Gracias a la luz, la piedra opaca —cifra de la gravedad: caída y pesadumbre— accede a la transparencia y vivacidad del agua. La piedra centellea, parpadea, tiembla como una gota de agua o de sangre: está viva. Un minuto después, hipnotizada por el rayo celeste, se inmoviliza: ya es luz, tiempo detenido, mirada fija.

La piedra preciosa es un instante de equilibrio entre el agua y la luz. Dejada a su propia naturaleza es opacidad, inercia, existir bruto. Sueño sin sueños de la piedra. Apenas se vuelve luminosa y translúcida, cambia su índole moral. Su limpidez es engañosa como la del agua. El ópalo es una piedra nefasta; hay esmeraldas que dan la salud; hay joyas malditas. No es extraña esta ambigüedad. La vida original no es ni buena ni mala: es vitalidad, apetito de ser. Al nivel de la vida elemental encontramos la *misma unidad* que en la contemplación espiritual. Artemisa y su arco, Coatlicue y sus calaveras, diosas cubiertas de sangre, son la vida misma, el renacer y el remorir de las estaciones, el tiempo que se despliega y vuelve sobre sí. El paraíso del Aduanero Rousseau es una selva encantada, poblada de bestias feroces, en donde reina una hechicera. El único intruso es el hombre *armado,* que divide y separa: la moral que rompe el pacto mágico entre la naturaleza y sus criaturas. La piedra preciosa participa de esta indiferencia vital. Nudo de significaciones contrarias, oscila entre el agua y la luz.

[«Paraísos» se publicó en *Corriente alterna,* Siglo XXI, México, 1967.]

Las metamorfosis de la piedra

André Pieyre de Mandiargues es uno de los escritores en verdad originales —quiero decir: dueño a un tiempo de un lenguaje y de un mundo que han aparecido en Francia después de la guerra. Su obra ilustra con sorprendente e involuntaria precisión lo que llamaríamos las metamorfosis de la piedra. Se trata de un verdadero «camino de perfección», erizado de pruebas y sacrificios, que la materia bruta recorre hasta volverse piedra preciosa, piedra solar. El universo de Mandiargues es un espacio mágico, hecho de oposiciones y correspondencias. Por eso no estoy seguro de que la palabra *cuentos* sea aplicable a sus escritos. Cierto, son relatos, pero su ritmo es el del poema, hecho de rimas, ecos, pausas. En ese mundo cerrado la palabra y su sombra, el hombre y su muerte, juegan una lenta partida que recuerda a las que mayas y aztecas celebraban en esos anfiteatros del antiguo México llamados «juegos de pelota». Aquel rito era la representación del combate entre el águila y el jaguar, la tierra y el cielo: no eran los hombres —aunque pagasen con su sangre— los que jugaban sino los dioses. En los relatos de Mandiargues tampoco juegan los hombres: el universo juega. Juega consigo mismo. Pero no busca la victoria —¿contra quién o para qué?— sino la iluminación. Las reglas de este juego son las mismas que rigen el movimiento de las imágenes entre sueño y vigilia; leyes incoherentes (en apariencia) y no por eso menos rigurosas.

La obra de Mandiargues es un teatro más hecho para ver que para oír, destinado a provocar en el espectador no tanto la adhesión como el asombro. Los paisajes, las arquitecturas, los objetos, todo está dibujado con trazos netos y cortantes. Dibujo y escultura: los cuerpos, los vegetales, las criaturas y hasta las nubes poseen la consistencia del mármol y el jade. Mundo de luz y piedra no sólo por la abundancia de minerales sino porque todo lo que roza la mirada del poeta se inmoviliza en una suerte de hipnosis luminosa. Magia visual, reino de la mirada. Sólo que, a la inversa de Medusa, no convierte la vida en piedra opaca: la ilumina, la vuelve transparente. Operación peligrosa, pues casi siempre la muerte nos espera al fin de este camino de transparencia. La muerte o la iluminación: el más allá de la mirada, el instante en que la piedra preciosa vuelve a ser sol.

En un libro de Mandiargues (*Feu de braise,* 1958) hay tres cuentos que describen el carácter alternativamente nefasto y benéfico de la piedra. En el primero *(Les Pierreuses)* un maestro de escuela recoge, al pasear por las afueras de la ciudad, un guijarro de los llamados por los geólogos «geodas». (Rocas o piedras huecas, «tapizadas de una sustancia generalmente cristalizada».) Impulsado por la curiosidad —Pandora y su caja funesta reaparece en muchos de los textos de este autor— el profesor abre en dos la piedra como si fuese la concha de una ostra y, no sin sorpresa, ve surgir tres minúsculas muchachas. La mayor le explica, en latín de la decadencia, que ella y sus dos hermanas nacieron desnudas de la matriz de la Gran Madre y que desnudas volverán a ella; precipitadas en la geoda por un «sol negro», su libertad anuncia su muerte y la de su libertador porque, agrega, «son mortales las emanaciones de la piedra». Es inútil detenerse en la significación de cada uno de los elementos de esta fantasía: la geoda y su matriz de amatista, el sol negro, la alusión a la Gran Diosa mediterránea. Todo se ajusta a la descripción de la piedra como cristalización del agua y sus poderes terribles.

En *Le Diamant* la hija de un joyero israelita, al contemplar largamente un diamante perfecto —un «castillo de hielo»— se desvanece; cuando recobra el conocimiento descubre que se encuentra en el interior de la piedra. El frío la amenaza con una segura congelación; pero el sol matinal penetra por una ventana y se posa sobre el diamante, que se transforma en un horno rojo. Sara resiste el calor sin pena «como un pez en el agua». Un instante después se entrega a un hombre rojizo, de cabeza leonina. Bodas extrañas de la virgen judía y del espíritu solar, fecundación del agua por la luz. El sol se retira, vuelven los hielos, la joven se desmaya de nuevo y, al despertar, se da cuenta de que, «con el mismo misterio, con la misma naturalidad con que entró», ha salido de la piedra nupcial. Sara examina el diamante y advierte, única huella de su maravilloso encuentro, que una diminuta mancha rojiza altera su perfección. «Defecto» material que es, por otra parte, un estigma místico.

En *Le Diamant* la metamorfosis se cumple en sentido inverso al de *Les Pierreuses.* El «castillo de hielo» se abre como la geoda; en el interior de la piedra el profesor encuentra tres muchachas desnudas; en el del diamante Sara también está desnuda. El agua —la mujer desnuda— habita la piedra como una sustancia cambiante, que da muerte o vida. La geoda es una matriz mineral: tocada por la luz, se vuelve tumba; el diamante, sometido a una acción parecida, se transforma en un horno alquímico. El fuego y el agua simbolizan la transmutación. (Hay una expresión náhuatl que tiene el mismo sentido: «agua quemante».) Las prodigiosas metamorfosis de Sara corresponden a las transformaciones del diamante, que de objeto mercantil pasa a ser prenda de unión mística. Todo esto, con ser mucho, no es todo. En *Les Pierreuses* la curiosidad distraída no recibe más revelación que la de la muerte; en *Le Diamant* la confianza en lo desconocido —el desprendimiento— conduce a la unión con el principio solar. El profesor es un hombre razonable e incrédulo que ni siquiera se maravilla ante la aparición de las diminutas y hermosas criaturas. (La única reflexión que se le ocurre es comprobar su ignorancia del latín de la baja época.) Sara «se confía al poder de lo absurdo», acepta el misterio con naturalidad y se deja guiar por lo inesperado. Nada menos arbitrario que la muerte del profesor o la maternidad maravillosa de Sara. Pero no se trata de una coherencia lógica sino espiritual.

L'Enfantillage es la experiencia de lo que, para emplear el lenguaje de Mandiargues, podríamos llamar «la visión capital». Un hombre yace con una desconocida; mientras una parte de sí se adelanta hacia el momento de la descarga física, la otra retrocede hasta un recuerdo de infancia, el más remoto: el derrumbe de un carro de campesinos italianos en un despeñadero y la mano sarmentosa de su vieja aya tapándole los ojos. Esta imagen atroz se funde a la absorta contemplación de una perilla dorada de la cama, que el sol meridiano hace brillar en la penumbra caliente. La divagación se transforma en un delirio lúcido; el hombre avanza hacia el abismo llevado por la mano de la vieja (otra vez la Gran Diosa) hasta que la esfera dorada y el rostro de la anciana se confunden. Durante un instante en verdad glorioso la visión doble se transforma en una sola evidencia literalmente deslumbrante: «¿Es al fin el amor? Padre sol...» La materia ha recorrido el camino de la iniciación y ahora brilla como un astro desollado. La perilla de latón es un sol central. «Pureza reconquistada», dice Mandiargues al referirse a esta revelación. ¿Es la muerte o la vida? La piedra, alternativamente opacidad y transparencia, agua y luz, alcanza al fin la incandescencia, el estado de fusión y desaparición de los contrarios.

En el prólogo a un libro publicado poco después de la guerra,[1] Mandiargues dice que «la hora de la videncia es también la hora de la idiotez, los dos rostros absolutos de eso que a veces se llama misticismo…» Esta frase confirma que los poetas que con mayor abandono se confían al delirio son también los más lúcidos. El profesor de *Les Pierreuses* se pierde porque su saber se reduce a una serie de «conocimientos»; Sara se salva porque no tiene «conocimientos» sino confianza en la vida. En ambos casos se trata de una visión dualista. La «visión capital» evoca ese instante en que el chorro de sangre de la víctima salta con maravillosa energía y frescura, como si afirmase simultáneamente la vida y la muerte. Pero *L'Enfantillage* no es la visión del triunfo del elemento vital sobre el intelectual ni la de la coexistencia de los contrarios sino la de su aniquilación en una evidencia llameante. La hora, el instante, de la videncia: reconquista del no saber.

París, 1960

[«Las metamorfosis de la piedra» se publicó en *Corriente alterna*, Siglo XXI, México, 1967.]

[1] *Le Musée noir*, 1946.

El banquete y el ermitaño

Mis comentarios acerca de las experiencias de Michaux y Huxley fueron escritos y publicados antes de que el uso de las drogas alucinógenas se convirtiese en un tema popular y en un debate público. Aquello que desde la Antigüedad hasta apenas ayer era un rito o un misterio, ahora es una práctica más o menos extendida y un asunto de discusión en los periódicos, la radio y la televisión. El hablar de ciertas cosas sólo en ciertos momentos era, entre los antiguos, signo de sabiduría tanto o más que de cortesía: las palabras tenían peso, realidad. Al desvalorizar el silencio, la publicidad ha desvalorizado también el lenguaje. Uno y otro son inseparables: saber hablar fue siempre saber callar, saber que no siempre se debe hablar. En el caso de las drogas todo el mundo habla pero pocos escuchan a los que realmente tienen algo que decir: los hombres de ciencia y los poetas. Es cierto que el número de jóvenes que han ingerido LSD y otras sustancias alcanza tales proporciones, especialmente en los Estados Unidos, que es fácil comprender la excitación del público y la alarma de las autoridades. No es menos cierto que las medidas legislativas y policiacas ni son una solución ni ayudan a entender el problema. Al contrario, lo exacerban y lo envenenan. No se necesita ser sociólogo o antropólogo para darse cuenta de que la afición a las drogas no es sino uno de los resultados de los cambios que ha experimentado la sociedad industrial desde la segunda guerra. Tampoco es extraño que el fenómeno sea más intenso y extenso allí donde los cambios han sido mayores: los Estados Unidos. Sería absurdo atribuir a las drogas poderes críticos y subversivos: los muchachos no creen en *the american way of life* porque ingieren drogas —las ingieren porque han dejado de creer en esas ideas y, a tientas, buscan otras. La actitud juvenil sólo es inteligible dentro del contexto general de la rebelión contra la sociedad de la abundancia y sus supuestos morales y políticos. Como me ocupo de esto en otro volumen de mis

Obras, prefiero no repetir aquí lo que el lector encontrará más adelante. En lo que sigue me limitaré a mostrar que el uso generalizado de drogas es otro anuncio más de un cambio en la sensibilidad contemporánea. Este cambio será tal vez más profundo que las transformaciones materiales y las luchas ideológicas de la primera mitad del siglo.

Comienzo por una observación más bien marginal: no está probado que las sustancias alucinógenas sean más nocivas que el alcohol. Aunque en ambos casos la reacción depende de la constitución individual, es sabido que el segundo estimula nuestras tendencias agresivas en tanto que las primeras fomentan la introversión. Sahagún cuenta que al final del festín de hongos sagrados los comensales se aislaban y permanecían largo tiempo en silencio; otros hablaban a solas o lloraban y reían para sí. Los viajeros y antropólogos que han convivido con los huicholes coinciden con Sahagún: el peyote no es un excitante; puede inclinar excepcionalmente al suicidio, nunca al asesinato. El alcohol nos empuja hacia afuera, los alucinógenos nos retraen. Muchos psiquiatras piensan como Huxley: esas sustancias no son más sino menos peligrosas que el alcohol. No es necesario aceptar totalmente esta opinión, aunque a mí me parece que no está muy alejada de la verdad, para reconocer que las autoridades las prohíben no tanto en nombre de la salud pública como de la moral social. Son un desafío a las ideas de actividad, utilidad, progreso, trabajo y demás nociones que justifican nuestro diario ir y venir. El alcoholismo es una infracción a las reglas sociales; todos la toleran porque es una violación que las confirma. Su caso es análogo al de la prostitución: ni el borracho ni la prostituta y su cliente ponen en duda las reglas que quebrantan. Sus actos son un disturbio, una alteración del orden, no una crítica. En cambio, el recurso a los alucinógenos implica una negación de los valores sociales y es una tentativa, quimérica sin duda, por escapar de este mundo y colocarse al margen de la sociedad. Puede entenderse ahora la verdadera razón de la condenación y de su severidad: la autoridad no obra como si reprimiese una práctica reprobable o un delito sino una disidencia. Puesto que es una disidencia que se propaga, la prohibición asume la forma de un combate contra un contagio del espíritu, contra una *opinión.* La autoridad manifiesta un celo ideológico: persigue una herejía, no un crimen. Se repite así la actitud de otros siglos ante la lepra y la demencia, que no eran vistas como enfermedades sino como encarnaciones del mal. No falta inclusive el temor supersticioso y ambivalente: como el leproso en la Edad Media, el alucinado es víctima de un mal sagrado; como las del loco, sus palabras son revelaciones de otro mundo. Los persecutores de la droga no son menos crédulos que sus adoradores. Sería inútil recordarles a unos y a otros que todas las experiencias y estudios sobre este tema coinciden, por lo menos, en un punto: ninguna sustancia conocida puede dar el genio a quien no lo tiene.

Entre los alucinógenos y el alcohol la relación es de oposición. El borracho es locuaz y expansivo; el alucinado, silencioso y retraído. La borrachera comienza en la animación, se desliza hacia la confidencia y el abrazo, avanza hacia las risotadas y las canciones, culmina en gritos y sollozos o estalla en violencia agresiva. En todos y cada uno de los momentos de la embriaguez persiste una nota: el deseo de decir y hacer con los otros, frente a ellos o contra ellos. El borracho solitario siempre ha sido visto como una contradicción, algo peor que un inválido o un onanista. Le falta algo: el otro, los otros. En México la conversación se vuelve más sabrosa si el alcohol la acompaña y hay una frase que define nuestra actitud ante la bebida: «platicar la copa». Los excesos alcohólicos en los países protestantes son una manera de saltar el muro del aislamiento. La sociedad protestante es una comunidad de ensimismados en la que cada uno musita para sí un monólogo secreto: la moral de la responsabilidad personal es una mordaza invisible. El alcohol libera las lenguas, los sentidos y las conciencias. En otros lugares la borrachera es orgiástica. Entre rusos y polacos adopta la forma de la explosión, la confesión pública y el abrazo universal: todos somos uno, cada uno es el todo.

En dos periodos de la historia moderna el alcoholismo constituyó un problema social: en Europa durante la primera Revolución industrial y, en los Estados Unidos, en los años que siguieron a la primera Guerra Mundial. Dickens y Zola nos han dejado descripciones terribles de lo que fue la vida de la clase obrera en las grandes ciudades; el tránsito de la vida rural a la urbana produjo, entre otras consecuencias atroces, una ruptura de los lazos tradicionales y, por tanto, de la comunicación. Las novelas de Zola muestran que el alcoholismo fue la respuesta. En los Estados Unidos el fenómeno tuvo quizá causas distintas pero su significación no es diferente: fue una reacción frente al desarraigo y las tensiones y conflictos que engendraba la coexistencia de poblaciones extrañas, pertenecientes a distintas razas y con tradiciones y lenguas diferentes. En uno y en otro caso, poblaciones rurales errantes en los suburbios industriales o inmigrantes arrojados a un continente en ebullición, el alcoholismo fue una tentativa por reemplazar los antiguos vínculos sociales, rotos o desaparecidos, por una forma exasperada de la comunicación. Sería exagerado decir que el alcoholismo es búsqueda de un lenguaje común; no lo es afirmar que es una compensación por la palabra perdida. El uso de drogas, por el contrario, no implica una supervaloración del lenguaje sino del silencio. La borrachera exagera la comunicación; las drogas la anulan. Así, la afición de los jóvenes por las drogas revela un cambio en la actitud contemporánea ante el lenguaje y la comunicación.

El primero que advirtió la oposición entre las drogas y el vino fue Baudelaire: «el vino exalta la voluntad; el hachís la aniquila. El vino es un estimulante físico; el hachís un arma del suicida. El vino nos vuelve benévolos y sociables; el hachís nos aísla». Descripción pérfida pero no exenta de verdad: el vino es social, la droga es solitaria; el primero enciende los sentidos, la segunda excita la fantasía. Es lástima que Baudelaire no se haya aventurado a deducir las consecuencias de su distinción. Habría agregado, en primer término, que no son los méritos o deméritos del alcohol y las drogas lo que es realmente significativo sino su relación frente a la comunicación. La bebida la estimula y, en un segundo momento, la disuelve en balbuceo y turbia confusión. El borracho bebe por *desahogarse* y termina por *ahogarse*. La embriaguez es contradictoria: supervaloriza la comunicación y la destruye. Es comunicación malograda: empieza por ser una exageración y acaba en una degradación. Caricatura de la comunicación, es una parodia de dos formas de intercambio que nuestra civilización, desde su origen, ha venerado por encima de todas las otras: la comunión religiosa y el diálogo filosófico. No es un accidente que el alcohol haya sustituido al vino de uva en el mundo moderno; ese cambio corresponde al paulatino descrédito de la conversación, el banquete y el rito religioso. Si el alcoholismo es comunicación frustrada, la verdadera oposición se sitúa en otro nivel: vino y droga, conversación y ensimismamiento, comunión y contemplación.

El vino ocupó siempre un lugar central en los ritos, fiestas y ceremonias de la Antigüedad pagana y del Occidente cristiano. Sin vino no hay comida que valga la pena. Al decir que la bebida «corrió a raudales» o que «la cena fue regada con ricos mostos», aludimos a una cualidad mágica del licor: homólogo del agua, del semen y del fluido espiritual, es fertilidad, resurrección y animación de la materia. Circulación de la esencia vital, su acción entre los hombres es semejante a la del riego en la agricultura. Además, es el transmisor de la simpatía: exalta, comunica, reúne. Es la fraternidad. La comunicación es asimismo comunión: apenas es necesario recordar que en el rito cristiano el vino es la divinidad encarnada. La eucaristía es un misterio presente en todos nuestros rituales, sean religiosos o eróticos. Las dos imágenes más hermosas y henchidas de sentido que nos ha dejado la tradición son el Banquete platónico y la Cena de Cristo. En ambas el vino es un símbolo cardinal por el que nuestra civilización define su vocación dual; es el arquetipo de la comunicación —con los otros y con lo Otro.

La Antigüedad y el cristianismo conocieron el aislamiento y la reclusión pero el lugar del ermitaño no es central en nuestra mitología. El filósofo, el sabio y el redentor viven entre los hombres, parten y reparten el pan de la verdad. El saber y la iluminación se comparten como el lenguaje. Para nosotros el anacoreta es una figura venerable, no un modelo ni un ejemplo. La actitud oriental es diametralmente opuesta. Desde el principio la India ha exaltado como figura suprema al ermitaño. Para los occidentales el bien supremo es sinónimo de comunión; para los orientales, la palabra llave es liberación. La vida superior implica una doble liberación: primero de los vínculos sociales, sean los de la casta, la familia o la ciudad; en seguida hay que romper la cadena de la transmigración. Es lo contrario de lo que significa la palabra *religión;* no unir ni ligar sino soltarse, desprenderse, escapar. Del mismo modo, trátese del brahmanismo o del budismo, la imagen del sabio y del santo que nos ofrecen la iconografía, el arte y la poesía es la figura del solitario en su cueva o bajo un árbol. Nada más alejado de la mesa del banquete o de la comunión general de los cristianos. La India acentúa los extremos: la casta exagera el vínculo social; el ascetismo exalta el aislamiento. El hindú oscila siempre entre estos dos polos. No hay un punto de unión o convergencia, no hay banquete ni comunión. El Buda se llama a sí mismo: el recluso Gautama. Es verdad que buena parte del canon en pali y en sánscrito son diálogos del Iluminado con sus discípulos; hay que añadir que esas conversaciones no tienen por objeto la comunión sino que son una prédica que exalta la meditación solitaria. El filósofo platónico aspira a la contemplación de las ideas; el budista a la disolución de la idea en la vacuidad *(śunyata).* El gran misterio cristiano es el de la encarnación divina; el fin de todas las religiones y doctrinas de la India es la liberación, la desencarnación (*moshka,* Nirvana). Por último, en los himnos del Rig Veda y el Atarva Veda se menciona con frecuencia una sustancia misteriosa, el soma, que muchos orientalistas modernos no vacilan en identificar como una forma del hachís. Es probable que el soma no sea distinto al *bhang,* esa droga de uso común en la India moderna, sobre todo entre los *sadhúes* y *sanyasines.* Según los himnos védicos el soma otorga la visión y el conocimiento: es el alimento de los videntes y los poetas, los *rishi* creadores de la palabra. Vino, diálogo, comunión, encarnación; droga, introspección, liberación, desencarnación. Palabra y silencio. La oposición entre vino y droga adquiere ahora una significación más rica.

No es arriesgado inferir de todo esto que la afición por las sustancias alucinógenas es un síntoma de un cambio de orientación de la sensibilidad moderna. ¿Cambio de dirección o ausencia de dirección? Ambas cosas. Los significados tradicionales han perdido significación. Son signos huecos. En un mundo dominado por los medios de comunicación nadie tiene nada que decir ni nada que oír. Si las palabras han perdido sentido, ¿cómo no buscarlo en el silencio? El interés popular por el budismo y otras religiones y doctrinas orientales delata la misma creencia y el mismo apetito. Sería un error creer que buscamos en el budismo una palabra ajena a nuestra tradición: buscamos una confirmación. Por sí solo y por sus propios medios intelectuales y técnicos, el Occidente está a punto de descubrir evidencias semejantes a las que el Oriente descubrió hace dos mil quinientos años. La nueva actitud no es un resultado del conocimiento de las doctrinas orientales sino de nuestra historia. Ninguna verdad se aprende: cada uno debe pensarla y experimentarla por sí mismo. No sería difícil mostrar en la obra de tres pensadores contemporáneos —Wittgenstein, Heidegger y Lévi-Strauss— una sorprendente e involuntaria afinidad con el budismo. Su pensamiento no le debe nada al de Oriente y cada uno de ellos representa tendencias distintas y, en apariencia, irreconciliables entre sí. No obstante, en los tres la preocupación por el lenguaje es central y los lleva a una conclusión análoga: toda palabra se resuelve en silencio. Podría mencionar otros ejemplos en la esfera de la literatura y el arte pero son de tal modo abundantes y conocidos que prefiero no hacerlo. Me limitaré a repetir que si algún poeta del pasado reciente es nuestro precursor, nuestro maestro y nuestro contemporáneo, ese poeta es Mallarmé. Pues bien, toda su poesía está animada por una ambición tal vez irrealizable y que recuerda las paradojas de los Sutras *Prajñaparamita:* encarnar la ausencia, dar nombre a la vacuidad, decir el silencio. El arte moderno es destrucción del significado —o sea: de la comunicación— pero es asimismo búsqueda de la significación. Quizá esta exploración terminará por descubrir que el no-significado es idéntico al significado... Dentro del contexto de este cambio general puede apreciarse mejor el sentido que tiene el uso cada vez más extendido de sustancias alucinógenas. Como el alcoholismo, es una revuelta; como el alcoholismo, es una revuelta que se destruye a sí misma: las drogas pueden darnos visiones felices o infernales pero no pueden darnos ni el silencio ni la sabiduría. Por otra parte, a diferencia del alcoholismo, la droga no es una exageración de un valor tradicional (la comunicación) sino de algo ajeno a nuestra tradición. El alcoholismo es una caricatura del banquete y de la comunión; las drogas son su negación.

El uso de las drogas ha sido siempre parte de un ritual. No podía ser de otro modo: desde la Antigüedad han sido el complemento, ya sea de las prácticas ascéticas o de las ceremonias de iniciación y otros ritos. Los huicholes emprenden cada año una penosa expedición en busca del peyote y durante todo ese tiempo no se bañan, se abstienen de todo contacto sexual y se someten a privaciones sin cuento. Cuando encuentran el cactus no lo consumen inmediatamente sino que aguardan hasta la celebración de una ceremonia que comprende, entre otros ritos, una confesión pública. Una vez purificados, comen el peyote. Según los huicholes, las visiones horribles son una suerte de castigo y las sufren aquellos que han mentido en la confesión o que han incurrido en otros engaños y falsedades. Todo el rito y sus rigores giran en torno a las ideas de confianza, desprendimiento, limpieza de corazón, generosidad. Las creencias de los huicholes confirman así lo que he apuntado más arriba sobre la «moral» de las drogas alucinógenas y su sorprendente justicia. No vale la pena enumerar otros ejemplos: en todas las épocas y en todos los pueblos el uso de las drogas está asociado a un ritual y a una forma del ascetismo.[1] Lo mismo sucede con las prácticas sexuales y alimenticias en la tradición del tantrismo. No resulta extraño, por tanto, que en los Estados Unidos muchos grupos semirreligiosos y semiartísticos se esfuercen por insertar el uso de las drogas dentro de un rito. Es la única manera de utilizar sus indudables poderes de alucinación y de autoconocimiento. Pero estas tentativas están destinadas al fracaso. Los ritos no se inventan: crecen poco a poco con los mitos, las creencias y las religiones. La sociedad moderna ha vaciado de todo su contenido a los ritos tradicionales y no ha logrado crear otros. La primera mitad del siglo conoció un sucedáneo de los ritos tradicionales: las reuniones políticas. Hoy se han convertido en ceremo-

[1] El bramín que practica el sacrificio del soma «debe abstenerse de todo contacto con los hombres de castas impuras y con las mujeres; no ha de responder a quien lo interroga y nadie debe tocarlo» (Louis Renou: *L'Inde classique*).

nias oficiales y sólo preservan su vitalidad en China y otros países subdesarrollados. La razón es clara: el rito está fundado en la idea del tiempo como repetición; es una fecha que regresa y encarna en un presente que es también un pasado y un futuro. Los ritos son expresiones del tiempo cíclico.

El tiempo moderno, histórico, es lineal y fatalmente desaloja al rito de la sucesión temporal: el pasado es irreversible y no volverá. Aparece ahora con mayor claridad el sentido último del uso de las drogas en nuestros días: es una crítica del tiempo lineal y una nostalgia (o un presentimiento) de otro tiempo. La reflexión sobre las drogas desemboca en un tema del que me ocupo en otro volumen de mis *Obras:* el fin del tiempo lineal.

Delhi, 1965

[«El banquete y el ermitaño» se publicó en *Corriente alterna,* Siglo XXI, México, 1967.]

El príncipe y el *clown*

Ver es un acto que postula la identidad última entre aquel que mira y aquello que mira. Postulado que no necesita prueba ni demostración: los ojos, al ver esto o aquello, confirman tanto la realidad de lo que ven como su propia realidad. Mutuo reconocimiento: me reconozco en lo que reconozco. Ver es la tautología original y paradisiaca. Felicidad del espejo: me descubro en mis imágenes. Aquello que miro es aquel que mira: yo mismo. Coincidencia que se desdobla: soy una imagen entre mis imágenes y cada una de ellas, al mostrar su realidad, confirma la mía... De pronto, y muy pronto, la coincidencia se rompe: no me reconozco en lo que veo ni lo reconozco. El mundo se ha ido de sí mismo, no sé adónde. No hay mundo. ¿O soy yo el que se ha ido? No hay dónde. Hay una falla—en el sentido geológico: no una falta sino una hendedura— y por ella se precipitan las imágenes. El ojo retrocede. Hay que tender entre una orilla y otra de la realidad, entre el que mira y aquello que mira, un puente, muchos puentes: el lenguaje, los lenguajes. Por esos puentes atravesamos las zonas nulas que separan esto de aquello, aquí de allá, ahora de antes o después. Pero hay algunos obstinados —unos pocos cada cien años— que prefieren no moverse. Dicen que los puentes no existen o que el movimiento es ilusorio; aunque nos agitamos sin cesar y vamos de una parte a otra, en realidad nunca cambiamos de sitio. Henri Michaux es uno de esos pocos. Fascinado, se acerca al borde del precipicio y, desde hace muchos años, mira fijamente. ¿Qué mira? El hueco, la herida, la ausencia.

El que mira la falla no va en busca del reconocimiento. No mira para confirmar su realidad en la del mundo. Mirar se vuelve una negación, un ascetismo, una crítica. Mirar como mira Michaux es deshacer el nudo de reflejos en que la vista ha convertido al mundo. Mirar así es cegar la fuente, el surtidor de las certidumbres a un tiempo radiosas e insignificantes, romper el espejo donde las imágenes, al contemplarse, se beben a sí mismas. Mirar con esa mirada es caminar hacia atrás, desandar lo andado, retroceder hasta llegar al fin de los caminos. Llegar a lo negro. ¿Qué es lo negro? Michaux ha escrito: *le noir ramène au fondement, à l'origine.* Pero el origen es aquello que, a medida que nos acercamos, se aleja. Es un punto de la línea que dibuja el círculo y en ese punto, según Heráclito, el comienzo y la extremidad se confunden. Lo negro es un fundamento pero también es un despeñadero. Lo negro es un pozo y el pozo es un ojo. Mirar no es rescatar las imágenes caídas en el pozo del origen sino caer en ese pozo sin fondo, sin comienzo. Caer en uno mismo, en su ojo, en su pozo. Contemplar en el estanque ya sin agua la lenta evaporación de nuestra sombra. Mirar así es ser el testigo de las conjugaciones de lo negro y de las disipaciones de la transparencia.

Para Michaux la pintura ha sido un viaje al interior de sí mismo, un descenso espiritual. Una prueba, una pasión. También un testimonio lúcido del vértigo: durante la caída interminable mantuvo los ojos abiertos y pudo descifrar, en las manchas verdes y negras de las paredes del pozo, las escrituras del miedo, el terror, la rabia. En un pedazo de papel, sobre su mesa, a la luz de una lámpara, vio un rostro, muchos rostros: la soledad de la criatura en los espacios amenazantes. Viajes por los túneles del espíritu y los de la fisiología, expediciones a través de las inmensidades infinitesimales de las sensaciones, las impresiones, las percepciones, las representaciones. Historias, geografías, cosmologías de los países de allá dentro, indecisos, fluidos, en perpetua desagregación y gestación, con sus vegetaciones feroces, sus poblaciones espectrales. Michaux es el pintor de las apariciones y las desapariciones. Es frecuente, ante esas obras, elogiar su fantasía. Confieso que a mí me conmueve su *exactitud.* Son verdaderas instantáneas del horror, la ansiedad, el desamparo. Mejor dicho: vivimos entre poderes indefinibles pero, aunque ignoramos sus verdaderos nombres, sabemos que encarnan en imágenes súbitas, momentáneas, que son el horror, la angustia, la desesperación *en persona.* Las criaturas de Michaux son revelaciones insólitas que, sin embargo, reconocemos: ya habíamos visto, en un hueco del tiempo, al cerrar los ojos o al volver la cabeza, en un momento de indefensión, esos rasgos atroces y malévolos o sufrientes, vulnerables y vulnerados. Michaux no inventa: ve. Nos asombra porque nos muestra lo que está escondido en los repliegues de las almas. Todas esas criaturas nos habitan, viven y duermen con nosotros. Somos, simultáneamente, su campo de cultivo y su campo de batalla.

La pintura de Michaux nos estremece por su veracidad: es un testimonio que revela la irrealidad de todos los realismos. Lo que he llamado, a falta de palabra mejor, su *exactitud*, es una cualidad que aparece en todos los grandes visionarios. Más que un atributo estético es una condición moral: se requiere valor, integridad, pureza, para ver de frente a nuestros monstruos. Hablé antes de su lucidez; debo mencionar ahora su complemento: el abandono. Solo, desarmado, indefenso, Michaux convoca a las potencias temibles. Por eso su arte —si esa palabra puede designar con propiedad a sus obras poéticas y pictóricas— es también una prueba. El artista, se ha dicho muchas veces, es un hacedor; en el caso de Michaux, ese *hacer* no es estético únicamente. Sus cuadros no son tanto ventanas que nos dejan ver otra realidad como agujeros y aberturas perforados por los poderes del otro lado. El espacio, en Michaux, es anímico. Más que una representación de las visiones del artista, el cuadro es un exorcismo. La familiaridad de Michaux con lo que no hay más remedio que llamar lo divino y lo demoniaco, no debe engañarnos sobre el sentido de su empresa. Si busca un absoluto, un más allá, ese absoluto no tiene nombre de dios; si busca una presencia, esa presencia no tiene rostro ni sustancia. Su pintura, como su poesía, es una lucha contra los fantasmas, los dioses y los demonios.

El elemento corporal no ha sido menos decisivo en su creación pictórica que el espiritual. Su exploración del «espacio de adentro» ha coincidido con su exploración de las materias e instrumentos del oficio de pintar. Cuando decidió probarse en la expresión plástica, hacia 1937, no había pasado por los años de aprendizaje que son el camino obligado de todos los pintores. Nunca había estado en una academia de arte ni había tomado una lección de dibujo. De ahí el carácter encarnizado de muchas de sus obras. Su relación con el papel, la tela, los colores, las tintas, las planchas, los ácidos, la pluma y el lápiz, no ha sido la del maestro con sus instrumentos sino la de aquel que lucha cuerpo a cuerpo con un desconocido. Estos combates fueron una liberación. Michaux se sintió más seguro, menos oprimido por los antecedentes y los precedentes, por las reglas y el gusto. Lo sorprendente es que en su pintura no hay huellas, ni siquiera en sus inicios, de las torpezas del principiante. ¿Desde el principio fue dueño de sus medios? Lo contrario: desde el principio se dejó guiar por ellos. Sus maestros fueron los materiales mismos. Su pintura tampoco es bárbara. Más bien es refinada, con un refinamiento que no excluye la ferocidad y el humor. Pintura rápida, nerviosa, sacudida por corrientes eléctricas, pintura con alas y picos y garras. Michaux pinta con el cuerpo, con todos los sentidos juntos, confundidos, tensos, como si quisiese hacer de la tela el campo de batalla o de juego de las sensaciones y las percepciones. Batalla, juego: también música. Hay un elemento rítmico en esta pintura. La mano ve, el ojo oye. ¿Qué oye? Los oleajes de los colores y las tintas, el rumor de las líneas que se anudan, el estrépito seco de los signos, insectos que combaten sobre las hojas. El ojo oye la circulación de las grandes formas impalpables en los espacios vacíos. Torbellinos, remolinos, explosiones, migraciones, inundaciones, desmoronamientos, marañas, confabulaciones. Pintura del movimiento, pintura en movimiento.

La experiencia de las drogas también fue, a su manera, una experiencia física como la del combate con las materias pictóricas. El resultado fue, asimismo, una liberación psíquica. El pozo se volvió surtidor. La mezcalina provocó el manar de dibujos, grabados, reflexiones y notas en prosa, poemas. En otro lugar he tocado el tema de las sustancias alucinógenas en la obra de Henri Michaux.[1] No menos poderosa que la acción de las drogas —y más constante, pues lo ha acompañado en todas sus aventuras— ha sido la influencia del humor. En el lenguaje corriente la palabra *humor* tiene un significado casi exclusivamente psicológico: disposición del temperamento y del espíritu. Pero el humor también es un líquido, una sustancia, y de ahí que pueda ser comparado a las drogas. Para la medicina medieval y renacentista el temperamento melancólico no dependía sólo de una disposición del espíritu sino de la combinada influencia de Saturno y la bilis negra. La afinidad entre el temperamento melancólico, el humor negro y la predisposición a las artes y las letras, intrigó a los antiguos. Aristóteles afirma en el «Problema XX» que en ciertos individuos «el calor de la bilis está cerca de la sede de la inteligencia y por esto el furor y el entusiasmo se apoderan de ellos, como sucede con las Sibilas y las Bacantes y con todos aquellos inspirados por los dioses [...] Los melancólicos sobrepasan a los otros hombres en las letras, las artes y en la vida pública». Entre los grandes melancólicos Aristóteles cita, previsiblemente, a Heráclito y a Demócrito. Ficino recoge esta idea y la enlaza con el motivo astrológico de Saturno: «la melancolía o bilis negra llena la cabeza con sus vapores, enardece el cerebro y oprime el ánima noche y día con visiones tétricas y espantosas». De Ficino a Agrippa y

[1] Véase en este volumen las pp. 179-189.

de Agrippa a Durero y a su *Melancolía I,* Shakespeare y *Hamlet,* Donne, Juana Inés de la Cruz, los románticos, los simbolistas... En Occidente la melancolía ha sido la enfermedad de los contemplativos y los espirituales.[1]

En la composición de la tinta negra de Michaux, química espiritual, hay un elemento saturniano. Una de sus primeras obras se llama *Príncipe de la noche* (1937). Es un personaje suntuoso y fúnebre que, inevitablemente, hace pensar en el Príncipe de Aquitania de *El desdichado.* Casi de la misma época es otro *gouache,* que es su doble y su réplica: *Clown.* La relación entre el Príncipe y el *clown* es íntima y antigua. Es la relación entre la mano y la mejilla: «Je le gifle, je le gifle, je le mouche ensuite par dérision». Esa relación también es la del soberano y la del súbdito: «Dans ma nuit, j'assiège mon Roi, je me lève progressivement et je lui tords le cou... Je le secoue et le secoue comme un viex prunier, et sa couronne tremble sur sa tête. Et pourtant, c'est mon Roi. Je le sais et il le sait, et c'est bien sûr que je suis à son service». Pero ¿quién es el rey y quién es el bufón? El secreto de la identidad de cada personaje y el de sus metamorfosis está en el tintero de la tinta negra. Las apariciones brotan de lo negro y regresan a lo negro. En la tradición pictórica de Occidente no abunda el humor y las obras modernas en que aparece pueden contarse con los dedos, de Duchamp y Picabia a Klee y de Max Ernst a Matta. La invención de Michaux en este dominio ha sido decisiva y fulgurante. Los seres fosforescentes que brotan de su botella de tinta negra no son menos sobrecogedores que los que surgen de las ánforas donde encierran a los *djinn.*

Las primeras tentativas plásticas de Michaux fueron dibujos de líneas y «alfabetos». El signo lo atrajo desde el comienzo. Un signo liberado de su carga conceptual y más cerca, en el dominio oral, de la onomatopeya que de la palabra. La pintura y la escritura se cruzan en Michaux sin jamás confundirse. Su poesía quisiera ser ritmo puro mientras que su pintura está como recorrida por el deseo de decir. En un caso, nostalgia de la línea y, en el otro, de la palabra. Pero sus poemas, en las fronteras de la glosolalia y del silencio, dicen, y sus pinturas, al borde del decir, callan. Lo que dice su pintura es intraducible al lenguaje de la poesía y viceversa. No obstante, ambas confluyen: el mismo *maelström* las fascina. Mundo de las apariciones, aglomeraciones y disoluciones de las formas, mundo de líneas y flechas acribillando horizontes en fuga: el movimiento es metamorfosis continua, el espacio se desdobla, se dispersa, se esparce en

[1] *Cf.* Giorgio Agamben, *Stanze. La parola e il fantasma nella cultura occidentale,* Einaudi, Turín, 1977.

fragmentos animados, se reúne consigo mismo, gira, es una bola incandescente que corre por un llano pelado, se detiene al borde del papel, es una gota de tinta preñada de reptiles, es una gota de tiempo que revienta y cae en una terca lluvia de semillas que dura un milenio. Las criaturas de Michaux sufren todos los cambios, de la petrificación a la evaporación. El humo se condensa en montaña, la piedra es maleable y, si soplas sobre ella, se disipa, vuelta un poco de aire. Génesis pero génesis al revés: las formas, chupadas por el *maelströn,* regresan hacia su origen. Caída de las formas hacia sus formas antiguas, embrionarias, anteriores al yo y al lenguaje mismo. Manchas, marañas. Después, todo se desvanece. Ya estamos ante lo ilimitado, ante lo que Michaux llama lo «transreal». Antes de las formas y de los nombres. El más allá de lo visible que es también el más allá de lo decible. Fin de la pintura y de la poesía. En una última metamorfosis la pintura de Michaux se abre y muestra que, verdaderamente, no hay nada que ver. En ese instante todo recomienza: lo ilimitado no está afuera sino adentro de nosotros.

México, 6 de octubre de 1977

[«El príncipe y el *clown*» es el prólogo a la exposición retrospectiva de Henri Michaux celebrada en París (Plateau Beaubourg) y después en Nueva York (Museo Guggenheim) en 1978. Se publicó en *In/mediaciones,* Seix Barral, Barcelona, 1979.]

POETAS NORTEAMERICANOS

Visita a Robert Frost

Después de veinte minutos de caminar por la carretera, bajo el sol de las tres, llegué por fin al recodo. Torcí hacia la derecha y empecé a trepar la cuesta. A trechos los árboles que bordeaban la senda daban un poco de frescura. El agua corría por una acequia, entre hierbas. Crujía la arena bajo mis zapatos. El sol estaba en todas partes. En el aire había un olor a hierba verde y caliente, con sed. No se movía un árbol ni una hoja. Unas cuantas nubes descansaban pesadamente, ancladas en un golfo azul, sin olas. Cantó un pájaro. Me detuve: «¡Cuánto mejor sería tenderme bajo este olmo! El sonido del agua vale más que todas las palabras de los poetas». Y seguí caminando, por otros diez minutos. Cuando llegué a la granja unos niños rubios jugaban, en torno a un abedul. Les pregunté por el dueño; sin dejar de jugar me contestaron: «Está arriba, en la cabaña». Y me señalaron la punta de la colina. Eché a andar de nuevo. Caminaba ahora entre hierbas altas, que me daban a la rodilla. Cuando llegué a la cima pude ver todo el pequeño valle: las montañas azules, el arroyo, el llano de un verde luminoso y, al fondo, el bosque. El viento empezó a soplar; todo se mecía, casi alegremente. Cantaban todas las hojas. Me dirigí hacia la cabaña. Era una casita de madera vieja y despintada, grisácea por los años. Las ventanas no tenían cortinas; me abrí paso entre las hierbas y me asomé. Adentro, sentado en un sillón, estaba el viejo. A su lado descansaba un perro lanudo. Al verme, se levantó y me hizo señas para que diera la vuelta. Di un rodeo y lo encontré, en la puerta de la cabaña, esperándome. El perro me recibió saltando. Cruzamos un pasillo y entramos en una pequeña habitación: piso sin pulir, dos sillas, un sillón azul, otro rojizo, un escritorio con unos cuantos libros, una mesita con papeles y cartas. En las paredes tres o cuatro grabados, nada notables. Nos sentamos.

—Hace calor, eh. ¿Le gustaría tomar una cerveza?

—Sí, creo que sí. He caminado media hora y me siento fatigado.

Bebimos la cerveza despacio. Mientras bebía mi vaso lo contemplaba. Con su camisa blanca abierta —¿hay algo más limpio que una camisa blanca limpia?—, sus ojos azules, inocentes e irónicos, su cabeza de filósofo y sus manos de campesino, parecía un viejo sabio, de esos que prefieren ver al mundo desde su retiro. Pero no había nada ascético en su apariencia sino una sobriedad viril. Estaba allí, en su cabaña, retirado del mundo, no para renunciar a él sino para contemplarlo mejor. No era un ermitaño ni su colina era una roca en el desierto. El pan que comía no se lo habían llevado los tres cuervos; él mismo lo había comprado en la tienda del pueblo.

—El sitio es realmente hermoso. Casi no me parece real. Este paisaje es muy distinto al nuestro, más para los ojos del hombre. Y las distancias también están más hechas para nuestras piernas.

—Mi hija me ha dicho que el paisaje de su país es muy dramático.

—La naturaleza es hostil allá abajo. Además, somos pocos y débiles. Al hombre lo devora el paisaje y siempre hay el peligro de convertirse en cacto.

—Me han dicho que los hombres se están quietos por horas enteras, sin hacer nada.

—Por las tardes se les ve, inmóviles, al borde de los caminos o a la entrada de los pueblos.

—¿Así piensan?

—Es un país que un día se va a convertir en piedra. Los árboles y las plantas tienden a la piedra, lo mismo que los hombres. Y también los animales: perros, coyotes, serpientes. Hay pajaritos de barro cocido y es muy extraño verlos volar y oírlos cantar, porque uno no se acaba de acostumbrar a la idea de que son pájaros de verdad.

—Le voy a contar algo. Cuando tenía quince años escribí un poema, mi primer poema. ¿Y sabe usted cuál era el tema? La Noche Triste. En ese tiempo leía a Prescott y quizá su lectura me hizo pensar en su país. ¿Ha leído a Prescott?

—Era una de las lecturas favoritas de mi abuelo, de modo que lo leí cuando era niño. Me gustaría volver a leerlo.

—A mí también me gusta releer los libros. Desconfío de la gente que no relee. Y de los que leen muchos libros. Me parece una locura esta manía moderna, que sólo aumentará el número de los pedantes. Hay que leer bien y muchas veces unos cuantos libros.

—Una amiga me cuenta que han inventado un método para desarrollar la velocidad en la lectura. Creo que lo piensan imponer en las escuelas.

—Están locos. A lo que hay que enseñar a las gentes es a que lean despacio. Y a que no se muevan tanto. ¿Y sabe usted por qué inventan todas esas cosas? Por miedo. La gente tiene miedo a detenerse en las cosas, porque eso los compromete. Por eso huyen de la tierra y se van a las ciudades. Tienen miedo de quedarse solos.

—Sí, el mundo está lleno de miedo.

—Y los poderosos se aprovechan de ese miedo. Nunca había sido tan despreciada la vida individual y tan reverenciada la autoridad.

—Claro, es más fácil que vivan por uno, que decidan por uno. Hasta morir es más fácil, si se muere por cuenta de otro. Estamos invadidos por el miedo. Hay el miedo del hombre del común, que se entrega al fuerte. Pero hay también el miedo de los poderosos, que no se atreven a estar solos. Por miedo se aferran al poder.

—Aquí la gente abandona la tierra para ir a trabajar en las fábricas. Y cuando regresan ya no les gusta el campo. El campo es difícil. Hay que estar siempre alerta y uno es el responsable de todo y no nada más de una parte, como en la fábrica.

—El campo es, además, la experiencia de la soledad. No se puede ir al cine, ni refugiarse en un bar.

—Exactamente. Es la experiencia de la libertad. Es como la poesía. La vida es como la poesía, cuando el poeta escribe un poema. Empieza por ser una invitación a lo desconocido: se escribe la primera línea y no se sabe lo que hay después. No se sabe si en el próximo verso nos espera la poesía o si vamos a fracasar. Y esa sensación de peligro mortal acompaña al poeta en toda su aventura.

—En cada verso nos aguarda una decisión y no nos queda el recurso de cerrar los ojos y dejar que el instinto obre por sí solo. El instinto poético consiste en una tensión alerta.

—En cada línea, en cada frase está escondida la posibilidad de fracasar. Y de que fracase todo el poema, no únicamente ese verso aislado. Y así es la vida: en cada momento podemos perderla. En cada momento hay un riesgo mortal. Y cada instante es una elección.

—Tiene usted razón. La poesía es la experiencia de la libertad. El poeta se arriesga, se juega el todo por el todo del poema en cada verso que escribe.

—Y no se puede uno arrepentir. Cada acto, cada verso, es irrevocable, para siempre. En cada verso uno se compromete para siempre. Pero ahora la gente se ha vuelto irresponsable. Nadie quiere decidir por sí mismo. Como esos poetas que imitan a sus antecesores.

—¿No cree usted en la tradición?

—Sí, pero cada poeta ha nacido para expresar algo suyo. Y su primer deber es negar a sus antepasados, a la retórica de los anteriores. Cuando empecé a escribir me di cuenta de que no me servían las palabras de los antiguos; era necesario que yo mismo me creara mi propio lenguaje. Y ese lenguaje —que sorprendió y molestó a algunas personas— era el lenguaje de mi pueblo, el lenguaje que rodeó mi infancia y mi adolescencia. Tuve que esperar mucho tiempo para encontrar mis palabras. Hay que usar el lenguaje de todos los días...

—Pero sometido a una presión distinta. Como si cada palabra hubiera sido creada solamente para expresar ese momento particular. Porque hay una cierta fatalidad en las palabras; un escritor francés dice que las «imágenes no se buscan, se encuentran». No creo que quiera decir que el azar preside a la creación sino que una *fatal elección* nos lleva a ciertas palabras.

—El poeta crea su propio lenguaje. Y luego debe luchar contra esa retórica. Nunca debe abandonarse a su estilo.

—No hay estilos poéticos. Cuando se llega al estilo, la literatura sustituye a la poesía.

—Ésa era la situación de la poesía norteamericana cuando empecé a escribir. Allí empezaron todas mis dificultades y mis aciertos, y ahora quizá sea necesario luchar contra la retórica que hemos creado. El mundo da vueltas y lo que ayer estaba arriba hoy está abajo. Hay que mofarse un poco de todo esto. No hay que tomar nada muy en serio, ni siquiera las ideas. O mejor dicho, precisamente porque somos muy serios y apasionados, debemos reírnos un poco. Desconfíe de los que no saben reír.

Y se reía con una risa de hombre que ha visto llover y, también, de hombre que se ha mojado. Nos levantamos y salimos a dar una vuelta. Bajamos por la colina. El perro saltaba delante de nosotros. Al salir me dijo:

—Y sobre todo, desconfíe de los que no saben reírse de sí mismos. Poetas solemnes, profesores sin humor, profetas que sólo saben aullar y discursear. Todos esos hombres son peligrosos.

—¿Lee usted a los modernos?

—Leo siempre poesía. Me gusta leer la poesía de los jóvenes. Y también a algunos filósofos. Pero no soporto las novelas. Creo que nunca he leído una.

Seguimos caminando. Al llegar a la granja, nos rodearon los niños. Ahora el poeta me hablaba de su infancia, de los años de San Francisco y del regreso a Nueva Inglaterra.

—Ésta es mi tierra y creo que aquí está la raíz de la nación. De aquí brotó todo. ¿Sabe usted que el estado de Vermont se negó a participar en la guerra contra México? Sí, de aquí brotó todo. De aquí surgió el deseo de internarse en lo desconocido y el deseo de quedarse a solas con uno mismo. A eso hemos de volver si queremos preservar lo que somos.

—Me parece muy difícil. Son ustedes ahora muy ricos.

—Hace años pensé irme a un pequeño país, adonde no llegara el ruido que hacen todos. Escogí Costa Rica; cuando preparaba mi viaje supe que allá también una compañía norteamericana hacía de las suyas. Y desistí. Por eso estoy aquí, en Nueva Inglaterra.

Llegamos al recodo. Vi el reloj: habían pasado más de dos horas.

—Creo que me debo ir. Me esperan allá abajo, en Bread Loaf.

Me tendió la mano:

—¿Sabe el camino?

—Sí —le contesté. Y le estreché la mano. Cuando me había alejado unos pasos, oí su voz:

—¡Vuelva pronto! Y cuando regrese a Nueva York, escríbame. No lo olvide.

Le contesté con la cabeza. Lo vi subir la senda jugando con su perro. «Y tiene setenta años», pensé. Mientras caminaba de regreso, me acordé de otro solitario, de otra visita. «Creo que a Robert Frost le hubiera gustado conocer a Antonio Machado. Pero ¿cómo se hubieran entendido? El español no hablaba inglés y éste no conoce el castellano. No importa, hubiera sonreído. Estoy seguro de que se habrían hecho amigos inmediatamente.» Me acordé de la casa de Rocafort, en Valencia, del jardín salvaje y descuidado, de la sala y los muebles empolvados. Y Machado, con el cigarro apagado en la boca. El español también era un viejo sabio retirado del mundo y también se sabía reír y también era distraído. Como al norteamericano, le gustaba filosofar, no en los colegios sino al margen. Sabios de pueblo; el americano en su cabaña, el español en su café de provincia. Machado también profesaba horror a lo solemne y tenía la misma gravedad sonriente. «Sí, el sajón tiene la camisa más limpia y hay más árboles en su mirada. Pero la sonrisa del otro era más triste y fina. Hay mucha nieve en los poemas de éste, pero hay polvo, antigüedad, historia, en los del otro. Ese polvo de Castilla, ese polvo de México, que apenas se toca se deshace entre las manos...»

Vermont, junio de 1945

[«Visita a Robert Frost» se publicó en *Las peras del olmo,* UNAM, México, 1957.]

Ezra Pound

1. EZRA: GALIMATÍAS Y ESPLENDOR

La muerte de Ezra Pound, en Venecia, a los 87 años, desató de un confín a otro de Occidente un vasto rumor de hojas —no de laurel ni mirto sino de papel impreso. Durante una semana periódicos y revistas barajaron ese imponente rimero de fichas que es la bibliografía de la obra y la vida del poeta yanqui: estudios críticos, biografías, correspondencia, anécdotas, leyendas, chismes. Una literatura enorme y en la que abundan las enormidades de toda laya, de lo pintoresco a lo pedante y de lo oscuro a lo luminoso. El rumor letrado ascendió hasta el altiplano de México, donde sólo unos pocos sabían quién era Pound y lo habían leído. No importa: los diarios reprodujeron los despachos de la prensa norteamericana y los reporteros de las «secciones culturales» se apresuraron a pescar por teléfono las opiniones de los escritores. Es difícil añadir algo a ese coro universal y nacional, salvo señalar tímidamente que, contra lo que dicen algunos, para admirar a Pound no es necesario lavarlo de su fascismo y su antisemitismo. No nos engañemos ni tratemos de engañar a los demás: el anticapitalismo de Pound es reaccionario. Se aduce a veces, para negar la evidencia, el canto XLV, hermosa invectiva contra la usura, sin reparar que en ese pasaje el poeta se hace eco de la condenación de la banca por el catolicismo medieval. Las opiniones de Pound tienen las mismas raíces históricas e intelectuales que el absolutismo de Joseph de Maistre o el odio a la burguesía democrática de Baudelaire. Son el reverso de la medalla de un Blake, un Rimbaud o un Breton. Por más desagradable que sea, hay que aceptar que Eliot fue un admirador de Maurras y que Pound fue más allá y se convirtió en un partidario de Mussolini. El hecho de que, al mismo tiempo, ambos hayan sido grandes poetas es una paradoja no menos grotesca y trágica que el estalinismo de un Neruda o un Aragon. Es la marca del siglo. El pensamiento de Pound, su crítica literaria y política, está hecho, como su poesía, de claridad y confusión, alta belleza y chabacanería incoherente. Galimatías y esplendor. Crítico lúcido de la obra ajena y ciego ante la propia, Pound no tuvo la suerte de contar, como Eliot, con un Ezra que le aconsejase cortar muchas páginas de los *Cantos*. El gran maestro de la concentración poética es asimismo un poeta digresivo y de ahí que uno de los grandes poemas de nuestro siglo sea también un texto descosido, reiterativo y difuso.

Ni a los diarios ni a los escritores que se ocuparon de la muerte de Pound se les ocurrió decir una sola palabra acerca de la fortuna de su obra en México. ¿Por qué? Se trata de una historia breve pero curiosa. En México apareció probablemente la primera traducción de Pound al castellano: en la antología de Salvador Novo *La poesía norteamericana moderna* (1924), figura una pulcra traducción del poema *N. Y.*, declaración de amor (nunca correspondido) a Nueva York. Después, largo silencio: durante más de veinte años, el nombre de Pound aparece muy raras veces. En la década de los cincuenta —gracias a las traducciones y ensayos de Jaime García Terrés, Octavio Paz, José Vázquez Amaral y algunos otros— al fin se empieza a conocer a Pound. Mencionaremos lo más saliente: Jaime García Terrés traduce algunos poemas breves de *Personae* (versiones que merecieron el elogio del mismo Pound); Octavio Paz dedica el primer ensayo crítico en nuestra lengua a los *Cantos* (en *El arco y la lira*); José Vázquez Amaral traduce *Los cantares de Pisa* (1956); Rousset publica su traducción de *Personae* en una edición fuera de comercio. La contribución de José Vázquez Amaral ha sido sustancial: aparte de su traducción de los *Pisan Cantos* (una de las primeras que se hicieron de ese grupo de poemas), le debemos la de un libro de crítica, *El arte de la poesía* (Joaquín Mortiz, México, 1970) y algo de veras excepcional: la versión íntegra de los *Cantos* (o *Cantares*), en prensa en la misma editorial Mortiz. En la década de los sesenta continuó el interés por Pound, como lo muestran, entre otros ejemplos, las traducciones de Isabel Fraire y Salvador Elizondo.

El canto CXVI es el último canto *completo* que nos dejó Pound. (El CXVII no fue terminado y sólo quedan fragmentos. *Cf. Drafts and Fragments of Cantos CX-CXVII*, New Directions, Nueva York, 1968.) Este impresionante poema recoge casi todos los temas de la obra de Pound, de su juvenil descubrimiento de la poesía de Jules Laforgue a su admiración de hombre maduro por Mussolini, de su visión de amante a su horror ante el matadero que es la civilización contemporánea, de la confesión orgullosa de sus errores a la afirmación serena de su esencial rectitud de ánimo. Si no fuese porque se trata de una expresión muy manida, podría decirse que el canto CXVI es un testamento espiritual:

> Vino Neptunus,
>   su espíritu saltaba,
>   como delfines
> esos conceptos al alcance del entendimiento.
> Hacer un Cosmos—
> Realizar lo posible—
> Muss., hundido por un error,
> Pero la escritura,
>   el palimpsesto
> pequeña luz
>   en gran oscuridad—
> cuniculi—
> Un viejo «chiflado» muerto en Virginia.
> Jóvenes impreparados que los textos agobian,
> La visión de la Madona
>   sobre las colillas de cigarros,
>   sobre el portal.
> «Proclamé montones de leyes»
>   (mucchio di leggi)
> Litterae nihil sanantes,
>   Justiniano,
> maraña de obras inacabadas.
>
> Yo traje la gran bola de cristal:
>   ¿quién la levantará?
> ¿Puedes penetrar en la gran bellota de luz?
>   La belleza no es locura
> Aunque yo esté rodeado por mis errores y mis ruinas.
> No soy un semidiós,
> No logré que concordasen.
> Si el amor falta, la casa está vacía.
> Inoída la voz del hambre.
> ¿Cómo vino la belleza a través de esta negrura,
>   Dos veces belleza bajo los olmos—

Para que la salvasen ardillas y cuervos?
«plus j'aime le chien»
Ariadna.
Disney contra los metafísicos
y Laforgue más grande que los que ellos creían,

Spire me congratuló por esto,
y yo he aprendido más en Jules
(Jules Laforgue), desde entonces
cala en él,
y Linnaeus.
chi crescerà i nostri—
pero acerca de ese terzo
tercer cielo
esa Venera,
otra vez todo es «paraíso»,
tierno quieto paraíso
sobre el matadero,
haber subido a veces
antes del despegue final
para «ver otra vez»,
el verbo es «ver», no «caminar en»,
así todo se acorda perfectamente
aun si mis notas no concuerdan.
Muchos errores
y algo de rectitud
disculpan su infierno
y mi paraíso.
¿Y por qué se extraviaron
si creían en la rectitud?
¿Y quién copiará este palimpsesto?
al poco giorno
ed al gran cerchio d'ombra.
Pero discernir el hilo de oro en la trama
(Torcello)
al Vicolo d'oro
(Tigullio).
Confesar el error sin perder la rectitud:

Tuve a veces caridad,
        No logré que fluyese a través.
Una lucecita, como candela movida por un viento
que nos guíe y devuelva al esplendor.

México, 10 de noviembre de 1972

[«Ezra: Galimatías y esplendor» se publicó en *El signo y el garabato*, Joaquín Mortiz, México, 1973.]

2. "AFTERTHOUGHTS"

Al releer mi traducción del canto CXVI de Ezra Pound se me ocurrió este comentario:

El poema comienza con la brusca aparición de una figura mítica: Neptuno. Es un procedimiento frecuente en los *Cantos;* Pound creía, como todos los poetas, en los momentos privilegiados de la percepción. En su poesía esos momentos aparecen como epifanías. ¿Por qué Neptuno? Carroll T. Terrell explica que entre los filósofos vistos con reverencia por Pound está el neoplatónico bizantino Georgias Gemisto (Pléthon). Estuvo en Florencia, conoció a Cosme de Medici y a Marsilio Ficino; a su influencia se debe, en parte, la fundación de la Academia Platónica. Pensador con proyectos de reforma política, se propuso la restauración del helenismo y concibió una utopía filosófico-religiosa inspirada en el neoplatonismo. Naturalmente, fue combatido y perseguido por la Iglesia ortodoxa. Estos aspectos de la combativa personalidad de Gemisto deben de haber fascinado a Pound. Además, uno de sus héroes, el condotiero Segismundo Malatesta, fue un gran admirador de Gemisto y transportó sus cenizas a Rimini. Para Gemisto el universo es una emanación del pensamiento *(nous)* de Zeus;[1] Poseidón (Neptuno) rige al conjunto de los elementos y convierte su continua agitación y pelea en un orden: el del cosmos. Por esto el espíritu de Neptuno salta como un delfín; mejor dicho: como muchos. Los conceptos neptunianos son como delfines y, como ellos, pueden ser atrapados por el entendimiento humano. Con ellos se puede hacer un cosmos o, dicho en términos históricos y políticos, un orden justo y universal.

[1] *Cf.* Louis Bréhier, *La Civilization byzantine,* París, 1950.

Hacer un cosmos no es fácil. No sin pena Pound acepta, por ejemplo, que Mussolini fracasó porque cometió un error. Pound no dice cuál (¿la alianza con Hitler?) Sin embargo, quedan los hechos y la memoria de los hechos: la escritura antigua bajo la nueva, el palimpsesto. Queda el subterráneo sistema de canales *(cuniculi)* descubierto por los arqueólogos en las fundaciones de Roma. Queda «una pequeña luz en la gran oscuridad». Rescatarla es la misión de las nuevas generaciones, especialmente de los poetas. Cierto, hay «viejos chiflados» que inventan teorías descabelladas y jóvenes ignorantes que no saben qué hacer con el pasado. No importa: a pesar de las destrucciones y las distracciones, la visión subsiste. Sobre las colillas de los cigarrillos de los transeúntes y de los turistas, sigue brillando, en el portal de la basílica bizantina de Torcello, la imagen dorada y negra de la Virgen. También hay hombres que asumen el pasado y lo salvan, como Justiniano, otra figura venerada por Pound, que recopiló las antiguas leyes y así dio los fundamentos del derecho en Occidente. Gran constructor (Santa Sofía, San Vitale) y hombre de Estado que buscó la reunificación del Imperio, Justiniano aparece en el canto VI del Paraíso y relata a Dante la historia del águila romana, desde Eneas hasta Carlomagno. Estoy seguro de que este pasaje extraordinario marcó a Pound y lo influyó profundamente.[1] Claro, el beocio alza los hombros y dice: la literatura no cura nada *(litterae nihil sanantes)*. El beocio no ve la luz escondida en la oscuridad presente.

La obra de Pound es otro ejemplo de palimpsesto: «Yo traje la gran bola de cristal, ¿quién la levantará?» Y unas líneas después: «¿Puedes penetrar en la gran bellota de luz?» La luz espiritual, la luz que ilumina tanto a la mente del que contempla como al objeto contemplado, el *nous* de los neoplatónicos, cristaliza en una forma esférica, cerrada y transparente que contiene al infinito. Es como un huevo o una bellota. Es decir, es una forma finita que encierra al infinito. Materia purificada, la luz es energía física y sexual, semen transfigurado en entendimiento, en *nous*. El paraíso de Pound es un paraíso histórico y no ultraterreno como el de Dante; la luz que lo ilumina es energía condensada en una esfera transparente: un poema. ¿Quién podrá levantar esa esfera, quién es el heredero, quién lee el palimpsesto? Pound no contesta —¿cómo podría contestar?— y prosigue. Se confiesa y, al confesarse, se defiende. Se ha equivo-

[1] Aunque Pound menciona de paso a Procopio en el canto XCVIII, no parece haberlo impresionado la *Historia secreta*, terrible relato de los excesos y violencias de Justiniano y de Teodora.

cado muchas veces, está rodeado por sus errores y sus ruinas. No fue un semidiós y no logró que concordasen los saltantes delfines-conceptos con los que se hace un cosmos del desorden de la historia. Le faltó amor y, confesión terrible, no oyó la voz del hambre.

A la confesión sucede la justificación. Se equivocó a veces pero no estaba loco y tuvo la visión de la belleza en el parque del hospital de locos de Saint-Elizabeth. Dos veces vio a la belleza entre los olmos, las ardillas y los cuervos del parque. Enseguida, dedicada a los que lo encerraron en el manicomio, cita la frase de Madame Roland: «a medida que conozco más al hombre, amo más al perro». Otro salto mental y, sin previo aviso, en rápida sucesión, desfilan Ariadna (otro ejemplo de heroína traicionada); Disney (Pound amaba sus películas y las ardillas evocadas unos versos antes le recuerdan al cineasta); el poeta Jules Laforgue (visto con indiferencia en Francia *y* redescubierto por Pound y Eliot);[1] André Spire, poeta y teórico del verso libre, al que trató Ezra en París, y el botánico sueco Linneo. Episodios y momentos de su formación, como tantos otros de los *Cantos*. El pasaje se cierra con una cita de Dante: «He aquí al que acrecentará nuestros amores» *(E eco chi crescerà li nostri amori,* Paraíso, v, 105). Este verso lo dicen las almas de los bienaventurados del segundo cielo, el de Mercurio, al ver al poeta Dante guiado por Beatriz.

El pasaje que acabo de comentar muestra en unas pocas líneas lo mejor y lo peor de Pound. Leemos una sucesión de fragmentos en apariencia desconectados o apenas ligados por el método de la asociación de ideas. Podemos identificar algunas de estas menciones y alusiones pero otras se nos escapan: pertenecen a la vida íntima de Pound, a sus lecturas, sus experiencias personales, su formación. No obstante, las asociaciones no son arbitrarias y todo de alguna manera, así sea débilmente, concuerda. ¿Es bastante? No lo creo. Él mismo hace la crítica de su poema: *I cannot make it cohere.* Si él no pudo, ¿lo podrá el lector? No es fácil. Queda, eso sí, la visión: la imagen de la Virgen en Torcello, la belleza flotante entrevista entre los árboles en Saint-Elizabeth. Lástima que Pound se contente con mencionar esos momentos y no haya intentado recrearlos, como hizo otras veces en otros *Cantos*. Esos pasajes de evocación o recreación —él diría: *presentación*— de epifanías vistas, vislumbradas o imaginadas, son lo mejor de los *Cantos* y probablemente lo único que permanecerá de ese enorme e indigesto conjunto. Aunque la tendencia a sustituir la

[1] Entre nosotros, y antes, por Leopoldo Lugones.

evocación y la recreación por la mera anotación aparece desde el principio, se acentúa en los últimos *Cantos*. El poema se vuelve un registro de recuerdos, citas, ocurrencias, fechas y obsesiones. De cuando en cuando, verdaderos delfines que saltan entre las letras, algunas líneas luminosas.

La cita de Dante con que termina el pasaje prepara la alusión al «tercer cielo», el cielo de Venus. Este tercer cielo, el cielo del amor, fue recorrido por Dante en los cantos VIII y IX del Paraíso, que cuentan entre los más hermosos de la *Comedia*. Pero Pound dice que el tercer cielo no debe ser recorrido («caminado en») sino *visto*. ¿Primacía de la contemplación? Tal vez aquí Pound rechaza la idea dantesca del «viaje al otro mundo»: la visión es aquí y ahora. Aquí abajo y en este mundo fechado, Pound vio y tocó al tercer cielo. Ahora, ya viejo, «antes del despegue final» (la muerte), lo ha visto otra vez. Así, incluso si sus notas (los *Cantos*) no concuerdan del todo, la visión lo salva. A él y a su poema. Enseguida, otro salto y el deleite estético se convierte en justificación moral. La rectitud de propósitos no absuelve y disculpa los errores, los de su infierno y los de su paraíso. ¿El infierno y el paraíso de quién? Estas cuatro líneas, escritas un poco antes de morir, nos ilustran acerca de los verdaderos sentimientos de Pound frente a su obra y su pasado: el paraíso es de él y fue soñado por él *(my paradise)* pero el infierno es de los otros *(his hell)*.

Después de esta extraña (más bien: arrogante) afirmación, se pregunta: ¿por qué se extraviaron sí creían en la rectitud? No responde y repite —¿desesperado o desafiante?— la pregunta de la estrofa anterior: ¿quién copiará el palimpsesto, quién penetrará en la bellota de luz, quién heredará la visión transmitida a los *Cantos* por Homero, Dante, Confucio, Gemisto, Justiniano, Adams y tantos otros? Nueva cita de Dante, ahora de la rima CI: *Al poco giorno ed al gran cerchio d'ombra* (al poco día y al gran arco de sombra he llegado). Es decir, al invierno. Esta rima es una de las cuatro dedicadas al incógnito amor de Dante, la Dama Petra, la «dura piedra que habla y siente como hace la mujer» *(che parla e sente come fósse donna)*. Pero Pound no se refiere al amor hacia una joven inmisericorde sino a su situación como poeta en nuestro tiempo. Aunque nuestro siglo es una hora de luz incierta —¿alba o crepúsculo?— él vio en la penumbra de esta época el hilo de oro en la trama (Torcello), y vio también, en una esquina de una calle de Rapallo (el Vicolo d'Oro), el centelleo azul y dorado —cielo y mar— del golfo de Tigullio. La belleza, otra vez, redime nuestros errores. La belleza, diría yo, es la ventana abierta hacia el paraíso. Y lo mismo sucede en el dominio de la moral: «confesar el error no es perder rectitud». Y agrega: «tuve a veces caridad: no logré hacerla fluir».

¿Triunfó o fracasó? Pound responde con dos versos punzantes de rara hermosura: no quiso ser sino una pequeña luz trémula, como la de una candela movida por el viento, para guiarnos hacia el esplendor... Con esas dos líneas terminan los *Cantos* y comienza quizá la verdadera comprensión. Es imposible no admirar el designio de Pound. Es imposible no conmoverse ante su confesión.

México, abril de 1990

[«Afterthoughts» se publicó por primera vez en el volumen 2, *Excursiones/Incursiones,* de la primera edición de las *Obras completas.*]

T. S. Eliot: mínima evocación

Me ha conmovido que se me haya otorgado el premio T. S. Eliot, creado por la Fundación Ingersoll para distinguir a poetas y escritores de distintas lenguas. Es natural mi emoción. En primer lugar, por el premio mismo y por su significación en el dominio de la literatura contemporánea: es un premio ajeno a las dos pasiones que pervierten a nuestra cultura, la ideología y el nacionalismo. En seguida, por la eminencia literaria de mis tres predecesores: Jorge Luis Borges, Eugenio Ionesco y V. S. Naipaul. En fin, por el nombre de T. S. Eliot. A decir verdad, aunque la he mencionado en tercer término, la circunstancia de que el premio ostente el nombre del poeta angloamericano tiene para mí un alcance primordial, a un tiempo íntimo y simbólico. Es algo más que un premio: es una contraseña, un signo de pase. Era un adolescente cuando lo leí por primera vez y esa lectura me abrió las puertas de la poesía moderna; ahora, al recibir el premio que lleva su nombre, veo mi vida como un largo «rito de pasaje» que me conduce, más de medio siglo después de mi iniciación, ante el que fue uno de los maestros de mi juventud.

En 1930 yo tenía 17 años y era un fervoroso lector de poesía. En esos años un grupo de escritores mexicanos editaba una revista literaria, *Contemporáneos.* El título aludía al propósito que los animaba: abrir puertas y ventanas para que entrase en México el aire fresco de la cultura del mundo. En el número correspondiente al mes de agosto de 1930 apareció un extenso y extraño poema que yo leí con asombro, desconcierto y fascinación: *The Waste Land.* Lo precedía un inteligente prólogo del traductor, un joven poeta mexicano que murió pocos años más tarde: Enrique Munguía. Nunca lo conocí y hoy repito su nombre con gratitud y con pena. No es difícil imaginar el azoro que me produjo esta primera lectura; azoro pero también curiosidad, seducción. Leí el poema una y otra vez; me procuré otra traducción, publicada en Madrid; leí los otros poemas de Eliot vertidos al español (fue muy traducido en esos años, sobre todo en México); finalmente, cuando progresé en el aprendizaje del inglés, me atreví a leerlo en su idioma original.

A medida que pasaban los años, cambiaba mi imagen del poeta, tanto por los sucesivos cambios de su escritura y de su pensamiento como por los míos. Cambió mi imagen del poeta, no la atracción por su poesía. Cuando aparecieron los *Four Quartets* yo vivía en Nueva York; leí en algún diario una nota bibliográfica sobre el nuevo libro de Eliot y me precipité a la librería más cercana para comprar un ejemplar. Todavía lo guardo. Leí el libro con entusiasmo e incluso con fervor. La impresión que me causó —tenía yo entonces treinta años— fue muy distinta a la que me había producido *The Waste Land*. Creo que *Four Quartets* es uno de los grandes poemas de este siglo, y su repetida lectura me ha enriquecido poética y espiritualmente; sin embargo, no ha tenido —no podía tenerla— la influencia que tuvo *The Waste Land* en mi formación poética. Por esto, a través de tantos años y mutaciones, ese poema sigue siendo para mí un obelisco cubierto de signos, invulnerables ante los vaivenes del gusto y las vicisitudes del tiempo.

¿Por qué un adolescente mexicano aficionado a la poesía experimentó una pasión tan repentina y duradera por una obra de lengua inglesa, erizada de dificultades? Apenas si es necesario responder a esta pregunta. El imán que me atrajo fue la excelencia del poema, el rigor de su trazo, la hondura de la visión, la variedad de sus partes y la admirable unidad del conjunto. ¿Nada más la excelencia? No: también su novedad, su extrañeza. La forma del poema era inusitada: las rupturas, los saltos bruscos y los enlaces inesperados, el carácter fragmentario de cada parte y la manera aparentemente desordenada en que se enlazan (aunque dueña de una secreta coherencia), la amalgama de distintas figuras y personajes, la yuxtaposición de tiempos y espacios —el siglo XX y la Edad Media, Alejandría y Londres, los ritos de fertilidad y las guerras púnicas—, la mezcla de frases coloquiales y citas de textos poéticos y religiosos en griego y en sánscrito. El poema no se parecía a los que yo había leído antes. Se me ocurrió que su verdadero parecido no estaba en las obras literarias sino en la pintura moderna, en alguna tela cubista de Picasso o en un *collage* de Braque. No me equivoqué. Unos años después comprobé que el método de composición de *The Waste Land* —lo mismo puede decirse de los *Cantos* de Pound y de otros poemas de ese periodo— obedece a los mismos principios que habían inspirado a los pintores cubistas: la yuxtaposición de fragmentos destinada a presentar una realidad pictórica nunca vista pero que intercambia reflejos de complicidad con la realidad real.

Hay, sin embargo, una diferencia esencial entre el arte de los pintores cubistas y la poesía de Pound y Eliot: aunque la técnica es semejante, el cuadro nos presenta una realidad mientras que el poema nos cuenta una historia. O dicho de otro modo: el cuadro es estático; el poema, transcurre. Pero el origen de esta manera sincrónica o simultaneísta de presentación de la realidad está en la pintura cubista. Su primera expresión en el dominio de la poesía fueron las composiciones de Apollinaire y Cendrars. Los siguió por ese camino Reverdy, sólo que, más radical, suprimió casi todos los elementos narrativos. En cambio, Eliot y Pound conservaron la narración, es decir, el movimiento y la temporalidad. Pound declaró una y otra vez que este «método de presentación», como él lo llamaba, venía de los ideogramas de la poesía china. Cualquiera que haya sido el motivo de esa extraña declaración —¿olvido, vanidad, obsesión de orientalista?— es claro que los poetas franceses fueron los iniciadores y que su ejemplo, particularmente el de Apollinaire y su célebre poema *Zone*, fue decisivo para Pound. Ya sé que esta opinión no es muy compartida por los críticos de lengua inglesa; me consuela recordar que el poeta Kenneth Rexroth pensaba lo mismo que yo.

Dije antes que la novedad de *The Waste Land* explicaba la fascinación que ha ejercido sobre mí; aclaro ahora que, disipada su novedad inicial, literaria y estilística, apareció una novedad de otra índole. Una novedad, por decirlo así, sin fecha, ya que pertenece a la condición humana pero que, al mismo tiempo, es profundamente actual. La novedad de *The Waste Land* no está tanto en su forma cuanto en la aparición de la historia humana como sustancia del poema. La poesía regresa a la épica. Como toda épica, ese poema cuenta una historia transfigurada por un mito. Además, es una épica que incluye a la edad presente; por esto también es filme, reportaje, crónica. En la antigua epopeya el poeta desaparecía: Homero no es Aquiles ni Virgilio es Eneas; en cambio, el personaje central de *The Waste Land*, enmascarado y secreto, es el mismo Eliot. Lo mismo sucede, y más acusadamente, en los *Cantos*. Como en la *Comedia* de Dante, el héroe de *The Waste Land* es una alegoría del alma humana, perdida en el purgatorio de la historia terrestre. El héroe de *Zone* no es muy distinto del de Baudelaire: es el poeta extraviado en la ciudad; el de *The Waste Land* encarna la historia de Occidente y su caída. Una caída que es, asimismo, una depresión psicológica, una enfermedad de los nervios y un pecado mortal.

La fusión del yo subjetivo y el nosotros histórico, mejor dicho, la intersección entre el destino social y el individual, fue y es la gran novedad de *The Waste Land* y los *Cantos*. La adaptación de una forma poética iniciada en Francia y en la que, gracias a la yuxtaposición de bloques verbales, se combina la presentación con la narración, permitió a los dos poetas recapturar la tradición central de la gran poesía de Occidente y, al mismo tiempo, darnos una imagen de la realidad contemporánea. El simbolismo había expulsado a la historia del poema; con *The Waste Land* regresa al poema el tiempo histórico, concreto. El tiempo: el hombre, encarnación del tiempo y conciencia de la historia. El tema de *The Waste Land* se condensa en un ahora: nuestro siglo, y en un aquí: la ciudad moderna. Esa ciudad se llama Londres, París, Nueva York, Berlín; cada uno de esos nombres designa a un sujeto proteico y de mil rostros porque es *nosotros mismos*. Ésta es la gran novedad, no formal ni estética, sino espiritual de *The Waste Land* frente a sus antecedentes inmediatos en Francia. En cuanto a la deuda de Eliot con Pound: la indudable influencia del segundo en la composición del poema no anula su inmensa originalidad. El parecido formal entre los *Cantos* y el poema de Eliot encubre una gran y profunda diferencia de orden espiritual; la semejanza es más literaria que de sentido y dirección. A pesar de su amplitud, riqueza de episodios y variedad de modos, la obra de Pound no posee la coherencia, la sostenida intensidad y, en fin, la perfección de la que nos ha dejado Eliot.

Mi fascinación ante *The Waste Land* nunca me hizo cerrar los ojos ante la incompatibilidad entre mis convicciones y las ideas y esperanzas que inspiran a ese poema. Toda visión de la historia, sin excluir a las que ha elaborado el positivismo, contiene una metahistoria. La que anima a *The Waste Land* estaba y está en abierta oposición a mis ideas y creencias, las de entonces y las de ahora. No solamente yo no sentía nostalgia por el orden cristiano medieval ni veía en la vuelta a Roma una vía de salvación (aunque observo, de paso, que Eliot se quedó a medio camino, en la Iglesia anglicana) sino que, al contrario, había roto con mi doble pasado hispanoamericano, el católico y el liberal. Creía en una revolución universal que transformaría a la sociedad y cambiaría al hombre. Me seducían por igual las geometrías del futuro y los follajes del comienzo de la historia. Nada más opuesto a Eliot, nada más ajeno y antipático a su manera de pensar, que Rousseau y Fourier, la gruta del salvaje y los jardines voluptuosos del falansterio. Pero la fascinación persistía. ¿Qué me unía a *The Waste Land*? El horror al mundo moderno. Ante los desastres de la modernidad, el conservador y el rebelde comparten la misma angustia:

Between the idea
And the reality
Between the motion
And the act
Falls the Shadow

Han pasado muchos años y mis ideas y sentimientos han cambiado como ha cambiado nuestro mundo. La gran víctima de las guerras y revoluciones del siglo XX ha sido el futuro. Estamos en una encrucijada de la historia y nadie sabe qué es lo que nos espera: la destrucción, la noche de la barbarie o un renacimiento. Hay signos en el cielo de la historia pero son confusos, pocos entre nosotros saben leerlos y nadie los escucha. Eliot creía en la fidelidad a la tradición y en la autoridad; otros creíamos en la subversión y el cambio. Hoy sabemos que la salud espiritual y política está en otras palabras, menos teñidas de ideas absolutas. En las palabras que fundaron a la edad moderna, tales como libertad, tolerancia, reconocimiento del otro y de los otros. En una palabra: democracia. No ignoro que las democracias modernas han sido indiferentes —y no pocas veces crueles y estúpidas— ante el arte de la poesía. Desde el romanticismo la poesía ha sido condenada a vivir en las afueras e incluso en el subsuelo de la sociedad. Pero tampoco ignoro que sólo en una democracia podían haberse escrito y publicado condenaciones tan severas y estrictas de esa misma sociedad como las que aparecen en los poemas de Baudelaire, Rimbaud, Yeats, Pound y otros grandes poetas.

En la segunda mitad del siglo se ha acentuado la marginalidad de la poesía. Hoy es ceremonia en las catacumbas, rito en el desierto urbano, fiesta en un sótano, revelación en un supermercado. Es cierto que sólo en los países totalitarios y en las arcaicas tiranías militares se persigue todavía a los poetas; en las naciones democráticas se les deja vivir e incluso se les protege —pero encerrados entre cuatro paredes, no de piedra sino de silencio. En las ricas sociedades de Occidente, dedicadas al negocio y a la diversión —o como se dice con frase reveladora: a pasar el tiempo— no hay tiempo para la poesía. No obstante, la tradición poética ni se ha roto ni se romperá. Si se interrumpiese, las palabras se secarían en nuestros labios y nuestros discursos volverían a ser chillidos de monos. La continuidad de la poesía es la continuidad de la palabra humana, la continuidad de la civilización. Por esto, en tiempos como el nuestro, el otro nombre de la poesía es perseverancia. Y la perseverancia es promesa de resurrección.

Chicago, 1988

[«T. S. Eliot: mínima evocación» fue leído por OP al recibir el premio T. S. Eliot de la Fundación Ingersoll, Chicago, septiembre de 1988. Se publicó en la revista *Vuelta,* núm. 142, México, septiembre de 1988, y se recogió en *Al paso,* Seix Barral, Barcelona, 1992.]

La flor saxífraga: W. C. Williams

A James Laughlin

En el primer tercio de nuestro siglo se operó un cambio en las literaturas de lengua inglesa que afectó por igual al verso y a la prosa, a la sensibilidad y a la sintaxis, a la imaginación y a la prosodia. El cambio —semejante a los ocurridos hacia la misma época en otras partes de Europa y de América Latina— fue primordialmente la obra de un puñado de poetas, casi todos norteamericanos. En ese grupo de fundadores William Carlos Williams ocupa un lugar a un tiempo central y singular: a diferencia de Pound y de Eliot, prefirió enterrarse en una pequeña ciudad de las afueras de Nueva York a desterrarse en Londres o en París; a diferencia de Wallace Stevens y de e. e. cummings, que también decidieron quedarse en los Estados Unidos pero que fueron dos espíritus cosmopolitas, Williams buscó desde el principio un (norte)americanismo poético. En efecto, según explica en un hermoso libro de ensayos *(In the American Grain),* América no es una realidad dada sino algo que entre todos hacemos con nuestras manos, nuestros ojos, nuestro cerebro y nuestros labios. La realidad de América es material, mental, visual y, sobre todo, verbal: hable castellano, inglés, portugués o francés, el hombre americano habla una lengua distinta a la europea original. Más que una realidad que descubrimos o hacemos, América es una realidad que decimos.

William Carlos Williams nació en Rutherford, Nueva Jersey, en 1885. Su padre era inglés y su madre portorriqueña. Estudió medicina en la Universidad de Pensilvania. Allí conoció a Pound —una amistad que duraría toda la vida— y a la poetisa H. D. (Hilda Doolittle), que fascinó a los dos jóvenes poetas. Después de obtener el doctorado y de una corta temporada de estudios pediátricos en Leipzig, se instaló definitivamente en Rutherford, en 1910. Dos años más tarde se casó con Florence Herman. Un matrimonio para toda la vida. También para toda la vida fue su doble dedicación a la medicina y a la poesía. Aunque vivió en la provincia,

Williams no fue un provinciano: estuvo inmerso en las corrientes artísticas e intelectuales de nuestro siglo, viajó varias veces a Europa y fue amigo de poetas ingleses, franceses e hispanoamericanos. Sus amistades y enemistades literarias fueron variadas e intensas: Pound, Marianne Moore, Wallace Stevens, Eliot (al que admiraba y reprobaba), e. e. cummings y otros más jóvenes como James Laughlin y Louis Zukofsky. Su influencia y amistad fueron determinantes en Allen Ginsberg y también en la poesía de Creeley, Duncan y el inglés Tomlinson. (Justicia poética: un joven poeta inglés —y muy inglés— elogiado precisamente por aquel que practicó toda su vida una suerte de antianglicismo poético y no se cansó de decir que el idioma [norte]americano no era realmente inglés.) En 1951 sufrió el primer ataque de parálisis pero sobrevivió doce años, entregado a una actividad literaria de rara fecundidad: libros de poesía, una traducción de Quevedo, memorias, conferencias y lecturas de sus poemas a través de todo el país. Murió el 4 de marzo de 1963, en donde había nacido y vivido: en Rutherford.

Su obra es vasta y diversa: poesía, novela, ensayo, teatro, autobiografía. La poesía ha sido recogida en cuatro volúmenes: *Collected Earlier Poems* (1906-1939), *Collected Later Poems* (1940-1946), *Pictures from Brueghel* (1950-1962) y *Paterson* (1946-1958), un extenso poema en cinco libros. Además, un delgado volumen de poemas en prosa que a veces hace pensar en los textos automáticos que por las mismas fechas escribían Breton y Soupault: *Kora in Hell, Improvisations* (1920). Pero al apropiarse de una forma poética inventada por la poesía francesa, Williams la cambia y la convierte en un método de exploración de lenguaje y los estratos subterráneos del alma colectiva. *Kora in Hell* es un libro que sólo podía haber sido escrito por un poeta norteamericano, y debe leerse desde la perspectiva de un libro posterior y que es el eje del (norte)americanismo de Williams, su *Ars Poetica: In the American Grain* (1925). No me ocuparé aquí de sus novelas, cuentos y piezas teatrales. Baste con decir que son extensiones, irradiaciones de su poesía. La frontera entre prosa y verso, siempre difícil de trazar, se vuelve muy tenue en este poeta: su verso libre colinda con la prosa, no con la escrita sino con la hablada, con el lenguaje diario, y su prosa es siempre rítmica, como una costa bañada por el oleaje poético —no el verso sino el flujo y reflujo verbal creador del verso.

Desde que principió a escribir, Williams manifestó su desconfianza frente a las ideas. Fue una reacción contra la estética simbolista compartida por la mayoría de los poetas de ese tiempo (recordemos a López Velarde) y en la que, en su caso, se combinaban el pragmatismo norteamericano y su profesión de médico. En un célebre poema definió su búsqueda: «Componer: no ideas sino en las cosas». Sólo que las cosas siempre están allá, en el otro lado: la «cosa misma» es intocable. Así, Williams no parte de las cosas sino de la sensación. Pero a su vez la sensación es informe e instantánea; no se puede construir ni hacer nada con puras sensaciones: el resultado sería el caos. La sensación es anfibia: nos une y nos separa simultáneamente de las cosas. Es la puerta por donde entramos en las cosas pero también por donde salimos de ellas para darnos cuenta de que no somos cosas. Para que la sensación acceda a la objetividad de las cosas hay que transformarla a ella misma en cosa. El lenguaje es el agente del cambio: las sensaciones se convierten en objetos verbales. Un poema es un objeto verbal en el que se funden dos propiedades contradictorias: la vivacidad de la sensación y la objetividad de las cosas.

Las sensaciones se convierten en cosas verbales por la operación de una fuerza que para Williams no es esencialmente distinta a la electricidad, el vapor o el gas: la imaginación. En unas reflexiones de 1923 (incluidas entre los poemas de la primera edición de *Spring and All* como «prosa dislocada»), Williams dice que la imaginación es «una fuerza creadora que hace objetos». El poema no es un doble de la sensación ni de la cosa. La imaginación no representa sino produce. Sus productos son poemas, objetos que no estaban antes en la realidad. La imaginación poética produce poemas, cuadros y catedrales como la naturaleza produce pinos, nubes y cocodrilos. Williams tuerce el cuello a la estética tradicional: el arte no imita a la naturaleza: imita sus procedimientos creadores. No copia sus productos sino su modo de producción. «El arte no es un espejo que refleje a la naturaleza sino que la imaginación rivaliza con las composiciones de la naturaleza. El poema se convierte en naturaleza y obra como ella.» Es increíble que nuestros críticos no hayan reparado en la extraordinaria semejanza de estas líneas con las que, por los mismos años (en rigor un poco antes), Vicente Huidobro proclamaba en declaraciones y manifiestos.[1] Cierto, se trata de ideas que aparecen en muchos poetas y artistas de la época (por ejemplo en Reverdy, iniciador de Hui-

[1] Me refiero a los críticos hispanoamericanos. Es sabido que los de lengua inglesa, sea por desdén o por ignorancia, apenas si se han ocupado de las literaturas hispánicas. Un ejemplo: en *Anatomy of Criticism*, el excelente libro del excelente crítico que es Northrop Frye y cuyo tema es la literatura de Occidente, sólo se mencionan ¡y de pasada! tres nombres de escritores hispánicos: Cervantes, Calderón de la Barca y Camões.

dobro en la poesía moderna) pero el parecido entre el norteamericano y el latinoamericano es impresionante. Ambos *invierten* casi en los mismos términos la estética aristotélica y la *convierten* a la era moderna: la imaginación es, como la electricidad, una energía y el poeta es el agente transmisor.

Las teorías poéticas de Williams y el «creacionismo» de Huidobro son gemelos, pero gemelos enemigos. Huidobro ve en la poesía a un homólogo de la magia y quiere, como el chamán primitivo que *hace* lluvia, hacer poesía; Williams concibe a la imaginación poética como una actividad que completa a la ciencia y rivaliza con ella. Nada más alejado de la magia que Williams. En un momento de egotismo infantil, Huidobro dijo: «el poeta es un pequeño Dios», una frase que el poeta norteamericano habría reprobado. Otra diferencia: Huidobro intentó producir objetos verbales que no fuesen imitaciones de los objetos reales y que incluso los negasen. El arte como un método para escapar a la realidad. El título de uno de sus libros es asimismo una definición de su propósito: *Horizonte cuadrado*. Tentativa imposible: basta comparar los cuadros de los pintores abstraccionistas con las imágenes que nos entregan los microscopios y los telescopios para darnos cuenta de que no podemos salir de la naturaleza. Para Williams el artista —significativamente se apoya y se inspira en el ejemplo de Juan Gris— *separa* las cosas de la imaginación de las cosas de la realidad: la realidad cubista no es la mesa, la taza, la pipa y el periódico de la realidad sino que es *otra* realidad, no menos real. Esta realidad *otra* no niega la realidad de las cosas reales: es *otra* cosa que simultáneamente es la *misma* cosa. «La montaña y el mar de un cuadro de Juan Gris —dice Williams— no son la montaña y el mar sino una pintura de la montaña y el mar.» El poema-cosa no es la cosa: es otra cosa que cambia signos de inteligencia con la cosa.

El realismo no imitativo de Williams lo acerca a otros dos poetas: Jorge Guillén y Francis Ponge. (De nuevo: señalo coincidencias, no influencias.) Una línea de Guillén define su común repugnancia por los símbolos: «los pajarillos pían sin designio de gracia». ¿Desaparecen la gracia y el designio? No: entran subrepticiamente en el poema, sin que el poeta se dé cuenta. El «designio de gracia» no está ya en los pájaros reales sino en el texto. El poema-cosa es tan inalcanzable como el poema-idea de la poesía simbolista. Las palabras son cosas pero cosas que significan. No podemos acabar con el sentido sino acabando con los signos, es decir, con el lenguaje mismo. Y más: tendríamos que acabar con el universo.

Todas las cosas que el hombre toca se impregnan de sentido. Miradas por el hombre, las cosas cambian el ser por el sentido: no son, significan. Incluso «no tener sentido» es una manera de emitir sentido. Lo absurdo es uno de los extremos a que llega el sentido cuando hace examen de conciencia y se pregunta ¿qué sentido tiene el sentido? Ambivalencia del sentido: es la hendidura por donde entramos en las cosas y la hendidura por donde el ser escapa de ellas.

El sentido mina sin cesar al poema; quiere reducir su realidad de objeto sensible y de cosa única a una idea, una definición o un «mensaje». Para defender al poema de los estragos del sentido, los poetas acentúan el lado material del lenguaje. En poesía, las propiedades físicas del signo, sonoras o visuales, no son menos sino más importantes que las semánticas. Mejor dicho: el sentido regresa al sonido y se convierte en su servidor. El poeta opera sobre la nostalgia que el significado siente por el significante. En Ponge esta operación se realiza a través del juego constante entre la prosa y la poesía, el humor fantástico y el sentido común. El resultado es un ser nuevo: el *objeu.* Sin embargo, podemos burlarnos del sentido, dispersarlo y pulverizado, no aniquilarlo: íntegro o en fragmentos vivos y coleando, como los trozos de la serpiente, el sentido reaparece. La descripción creadora del mundo se transforma, por una parte, en crítica del mundo (el Ponge moralista); por la otra, en *proème* (el Ponge *precieux,* una suerte de Gracián de los objetos). En Guillén la celebración del mundo y de las cosas desemboca en la historia, la sátira, la elegía: otra vez el sentido. La solución de Williams a la naturaleza anfibia del lenguaje —las palabras son cosas y son sentido— es distinta. No es un europeo con una historia por detrás y ya hecha sino por delante y por hacer. No corrige a la poesía con la moral de la prosa ni convierte al humor en un maestro de resignación del canto. Al contrario: la prosa es la tierra donde crece la poesía y el humor es la espuela de la imaginación. Williams es un sembrador de semillas poéticas. El lenguaje (norte)americano es un grano enterrado que sólo regado y asoleado por la imaginación poética podrá fructificar.

Reconciliación parcial, siempre parcial y provisional, entre el sentido y la cosa. El sentido —crítica del mundo en Guillén y crítica del lenguaje en Ponge— se vuelve en Williams una potencia activa al servicio de las cosas. El sentido *hace,* es el partero de los objetos. Su arte busca «por la metáfora reconciliar a las gentes y a las piedras», al hombre (norte)americano con su paisaje, al ser hablante con el objeto mudo. El poema es una metáfora en la que los objetos hablan y las palabras dejan de ser ideas para convertirse en objetos sensibles. El ojo y la oreja: el objeto oído y la palabra dibujada. Por lo primero, Williams fue el maestro y amigo de los llamados «objetivistas»: Zukofsky, Oppen; por lo segundo, del grupo de Black Mountain: Olson, Duncan, Creeley. La imaginación no sólo ve: oye; no sólo oye: dice. En su búsqueda del idioma (norte)americano, Williams encuentra (oye) la medida básica, un metro de pie variable pero con una base acentual triádica. «Nada sabemos —dice— salvo la danza: la medida es todo lo que sabemos.» El poema-cosa es un objeto verbal, rítmico. Su ritmo es la transmutación del lenguaje de un pueblo. Por el lenguaje Williams salta de las cosas y las sensaciones al mundo de la historia.

Paterson es el resultado de estas preocupaciones. Williams pasa del poema-cosa al poema-sistema-de-cosas. Sistema uno y múltiple: uno como una ciudad que fuese un solo hombre, múltiple como una mujer que fuese muchas flores. *Paterson* es la biografía de una ciudad del área industrial del este de los Estados Unidos y la historia de un hombre. Ciudad y hombre se funden en la imagen de una catarata que cae, con un ruido ensordecedor, de la boca de piedra del monte. Paterson ha sido fundado al pie de ese monte. La catarata es el lenguaje mismo, los hombres que nunca saben lo que dicen y que andan siempre en busca del sentido de lo que dicen. La catarata y el monte, el hombre y la mujer, el poeta y los hombres, la edad pre industrial, el ruido incoherente de la cascada y la búsqueda de una medida, un sentido. *Paterson* pertenece a ese género poético inventado por la poesía norteamericana moderna y que oscila entre la *Eneida* y el tratado de Economía Política, la *Divina Comedia* y el periodismo. Vastas colecciones de fragmentos cuyo ejemplo más imponente son los *Cantos* de Pound.

Todos estos poemas, poseídos tanto por el deseo de *decir* la realidad (norte)americana como por el deseo de *hacerla,* son la descendencia contemporánea de Whitman y todos ellos; de una manera u otra, tienden a cumplir la profecía de *Leaves of Grass.* Y en cierto modo la cumplen, sólo que negativamente. El tema de Whitman es la encarnación del futuro en (Norte)América. Nupcias de lo concreto y lo universal, del presente y el futuro: la democracia (norte)americana es la universalización del hombre nacional europeo y su enraizamiento en una tierra y una sociedad particulares. La particularidad consiste en que esa sociedad y esa tierra no son una tradición sino un presente disparado hacia el porvenir. Pound, Williams y aun Crane son el reverso de esa promesa; lo que nos muestran sus poemas son las ruinas de ese proyecto. Ruinas no menos grandiosas e impresionantes que las otras. Las catedrales son las ruinas de la eternidad cristiana, las estupas lo son de la vacuidad budista, los templos griegos de la *polis* y la geometría; pero las grandes ciudades norteamericanas y sus arrabales son las ruinas vivas del futuro. En esos inmensos basureros industriales han parado la filosofía y la moral del progreso. Con el mundo moderno se acaba el titanismo del futuro, frente al cual los titanismos del pasado —incas, romanos, chinos, egipcios— parecen infantiles castillos de arena.

El poema de Williams es complejo y desigual. Al lado de fragmentos mágicos o realistas de gran intensidad, largos trozos deshilvanados. Escrito frente y a veces contra *The Waste Land* y los *Cantos,* se resiente de su polémica con esas dos obras. En esto reside su principal limitación; su lectura depende de otras lecturas, de modo que el juicio del lector se convierte fatalmente en una comparación. La visión que tuvieron Pound y Eliot del mundo moderno fue más bien sombría. Su pesimismo estaba impregnado de nostalgias feudales y de concepciones precapitalistas; por eso su justa condenación del dinero y la modernidad se transformó inmediatamente en actitudes conservadoras y, en el caso de Pound, fascistas. Aunque la visión de Williams tampoco es optimista —¿cómo podría serlo?— no hay en ella reminiscencias de otras edades. Esto, que podría ser una ventaja, en realidad es una desventaja: Williams no tiene un sistema filosófico o religioso, un conjunto coherente de ideas y creencias. El que le ofrecía la tradición inmediata (Whitman) era inutilizable. Hay una suerte de vacío en el centro de la concepción de Williams (no en sus poemas cortos) que es el vacío mismo de la cultura norteamericana contemporánea. El cristianismo de *The Waste Land* es una verdad quemada, calcinada y que, a mi modo de ver, no reverdecerá; pero fue una verdad central que, como la luz de un astro muerto, nos *toca* todavía. No encuentro nada semejante en *Paterson.* La comparación con los *Cantos* tampoco es favorable para Williams. Los Estados Unidos son una potencia imperial, y si Pound no pudo ser su Virgilio fue por lo menos su Milton: su tema es la caída de una gran potestad. Los Estados Unidos ganaron el mundo pero perdieron su alma, su futuro —ese futuro universal en que creía Whitman. Tal vez por su misma integridad moral, Williams no vio el lado imperial de su país, su dimensión demoniaca.

Paterson no posee la unidad *de The Waste Land* ni su autenticidad religiosa —aunque la religiosidad de Eliot sea negativa. Los *Cantos,* por su parte, son un poema incomparablemente más vasto y rico que el de

Williams, uno de los pocos textos contemporáneos a la altura de nuestra época terrible. ¿Y qué? La grandeza de un poeta no se mide por el tamaño sino por la intensidad y la perfección de sus obras. También por su vivacidad. Williams es el autor de los poemas más *vivos* de la poesía norteamericana moderna. Yvor Winters dice con razón: «Herrick es menos grande que Shakespeare pero probablemente no es menos fino y durará tanto como él [...]; Williams será casi tan indestructible como Herrick; al final de este siglo lo veremos reconocido, junto con Wallace Stevens, como uno de los dos mejores poetas de su generación». Profecía cumplida antes de lo que pensaba Winters. En cuanto a sus ideas sobre una poesía del Nuevo Mundo: ¿Williams es realmente el más (norte)americano de los poetas de su época? No lo sé ni me importa saberlo. En cambio sé que es el más fresco y el más límpido. Fresco como un chorro de agua potable, límpido como esa misma agua en una jarra de vidrio sobre una mesa de madera sin pulir en un cuarto encalado de Nantucket. Alguna vez Wallace Stevens lo llamó «una suerte de Diógenes de la poesía contemporánea». Su linterna, encendida en pleno día, es un pequeño sol de luz propia. Doble del sol y su refutación: esa linterna ilumina zonas vedadas a la luz natural.

El verano de 1970, en Churchill College (Cambridge), traduje diez poemas de Williams. Después, en otras dos escapadas, una en Veracruz y otra en Zihuatanejo, traduje los otros. Las mías no son traducciones literales: la literalidad no sólo es imposible sino reprensible. Tampoco son (¡qué más quisiera!) recreaciones: son aproximaciones y, a veces, transposiciones. Lo que más siento es no haber encontrado en español un ritmo equivalente al de Williams. Pero mejor que enredarme en el tema sin fin de la traducción poética prefiero contar cómo lo conocí. En 1955, si no recuerdo mal, Donald Allen me envió una versión al inglés de un poema mío *(Himno entre ruinas)*. La traducción me impresionó doblemente: era magnífica, y su autor era William Carlos Williams. Me prometí conocerlo y en una de mis visitas a Nueva York le pedí a Donald Allen que me llevase con él, como lo había hecho antes con cummings. Una tarde lo visitamos en su casa de Rutherford. Ya estaba paralizado a medias. La casa era de madera, como es frecuente en los Estados Unidos, y era más casa de médico que de escritor. Nunca he conocido a un hombre menos afectado. Lo contrario de un oráculo. Poseído por la poesía, no por su papel de poeta. Humor, desenfado y ese no tomarse en serio que nos hace tanta falta a los latinos. En cada escritor francés, italiano, español y latinoamericano

—sobre todo si es ateo y revolucionario— hay un clérigo escondido; en los norteamericanos la llaneza, la simpatía y la humanidad *democráticas* —en el verdadero sentido de esta palabra— rompen la cáscara profesional. Siempre me ha asombrado que en un mundo de relaciones tan duras como es el de los Estados Unidos, brote constantemente la cordialidad a la manera del agua de una fuente inextinguible. Tal vez se deba a los orígenes religiosos de la democracia norteamericana, que fue la transposición de la comunidad religiosa a la esfera política y del espacio cerrado del templo al abierto de la plaza pública. La democracia religiosa protestante precedió a la democracia política. Entre nosotros la democracia fue en su origen antirreligiosa y desde el principio no tendió a fortalecer a la sociedad frente al gobierno sino a éste frente a la iglesia.

Williams era menos locuaz que cummings y su conversación incitaba más a quererlo que a admirarlo. Hablamos de México y de los Estados Unidos. Como es natural, caímos en el tema de las raíces. A nosotros, le dije, nos asfixia la profusión de raíces y de pasados pero a ustedes los agobia el peso enorme del futuro que se desmorona. Asintió y me regaló un folleto que acababa de publicar un joven poeta con un prólogo suyo: era *Howl* de Allen Ginsberg. Volví a verlo años después, un poco antes de su muerte. Aunque la enfermedad lo había golpeado con dureza, conservaba intactos el temple y la cabeza. Hablamos otra vez de las tres o cuatro o siete Américas: la roja, la blanca, la negra, la verde, la morada... Nos acompañaba Flowsie, su mujer. Mientras hablábamos yo pensaba en *Asfódelo,* su gran poema de amor en la vejez. Ahora, al recordar esa conversación y escribir estas líneas, corto mentalmente la flor incolora y aspiro su olor. «Un olor curioso —dice el poeta—, un olor *moral.*» No es un olor realmente, «salvo para la imaginación». ¿No es ésa la mejor definición de la poesía: un lenguaje que no dice nada salvo para la imaginación? En otro poema compara también a su poesía con una flor «saxífraga y que abre piedras». Flores imaginarias pero que obran sobre la realidad, puentes instantáneos entre los hombres y las cosas. Así el poeta hace habitable al mundo.

Zihuatanejo, 20 de enero de 1973

[«La flor saxífraga: W. C. Williams» es el prólogo a *XX Poemas* de William Carlos Williams, traducido por Octavio Paz, México, 1973. Se publicó en *El signo y el garabato,* Joaquín Mortiz, México, 1973.]

Siete poemas y un recuerdo: e. e. cummings

1

s(u
na
ho
ja

ca

e)
o
l

edad

2

Arriba al silencio el verde
silencio con una tierra blanca dentro
tú te (bésame) irás

afuera a la mañana la joven
mañana con un tibio día dentro

(bésame) tú te irás

Allá al sol el hermoso
sol con un firme día dentro

tú te irás (bésame

abajo en tu memoria y

una memoria y memoria

yo) bésame (me iré).

3

A pesar de todo
lo que respira y se mueve, pues el Destino
(con blancas y larguísimas manos
lavando cada pliegue)
ha de borrar del todo nuestra memoria
—antes de abandonar mi cuarto
me vuelvo y (parado
en mitad de la mañana) beso
esa almohada, amor mío,
donde nuestras cabezas vivieron y fueron.

4

Amor es más espeso que olvidar
más tenue que recordar
más raro que una ola mojada
más frecuente que caer

es más loco y lunar
y menos no será
que todo el mar que sólo
es más profundo que el mar

Amor es menos siempre que ganar
menos nunca que vivo
menos grande que el comienzo más leve
menos pequeño que perdonar

es más solar y soleado
y más no puede morir
que todo el cielo que sólo
es más alto que el cielo.

5

Esos niños que cantan en piedra un
silencio de piedra esos
pequeños hicieron flores
de piedra que se abren para

siempre esos niños silenciosa
mente pequeños son pétalos
su canción es una flor de
siempre sus flores

de piedra cantan
silenciosamente una canción
más silenciosa
que el silencio esos siempre

niños para siempre
cantan con guirnaldas de cantantes
flores niños de
piedra de ojos

florecidos
saben si un
pequeño
árbol oye

para siempre a los siempre niños
cantando para siempre
una canción de silencio de piedra
de canto

6

Hombre no, si los hombres son dioses: mas si los dioses
han de ser hombres, el único hombre, a veces, es éste
(el más común, porque toda pena es su pena;
y el más extraño: su gozo es más que alegría)

un demonio, si los demonios dicen la Verdad; si los ángeles
en su propia generosamente luz total se incendian,
un ángel; o (daría todos los mundos
antes que ser infiel a su destino infinito)

un cobarde, payaso, traidor, idiota, soñador, bruto:

tal fue y será y es el poeta,
aquel que toma el pulso al horror por defender
con el pecho la arquitectura de un rayo de sol
y por guardar el latido del monte entre sus manos
selvas eternas con su desdicha esculpe.

7

Tanto ser diverso (tantos dioses y demonios
éste más ávido que aquél) es un hombre

(tan fácilmente uno se esconde en otro;
y, no obstante, cada uno, siendo todos, no escapa de ninguno)
tumulto tan vasto es el deseo más simple:
tan despiadada mortandad la esperanza
más inocente (tan profundo el espíritu del cuerpo,
tan lúcido eso que la vigilia llama sueño)

tan solitario y tan nunca el hombre solo
su más breve latido dura un año terrestre
sus más largos años el latido de un sol;
su más leve quietud lo lleva hasta la estrella más joven

¿Cómo podría ese tanto que se llama a sí mismo Yo
atreverse a comprender su innumerable Quién?

RECUERDO

Hace diez años traduje, para mí y unos cuantos amigos, los siete poemas de cummings que aparecen arriba. Aunque la imperfección de estas versiones no se me oculta, su relectura me impulsa a escribir unas líneas en memoria del poeta angloamericano. Lo leí por primera vez en Berkeley en 1944. Me deslumbró; más tarde, sin que cesase mi asombro inicial, reconocí en sus obras esa rara alianza entre invención verbal y fatalidad pasional que distingue al poema de la fabricación literaria. Ninguna de las llamadas «extravagancias» de cummings —tipografía, puntuación, juegos de palabras, sintaxis en la que los sustantivos, los adjetivos y aun los pronombres tienden a convertirse en verbos— es arbitraria. Es un juego que, como todos los juegos, obedece a una lógica estricta. Lo maravilloso del juego es que, como la poesía, pone en movimiento a la necesidad para producir el azar o algo que se le asemeja: lo inesperado. Nada menos gratuito que una composición de cummings; nada más sorprendente. Juego y pasión. Porque cummings, el gran innovador, es un poeta del amor y por eso lo es también de la indignación. Sus sátiras y diatribas contra la civilización y la moral de su país no son menos apasionadas —ni menos agudas— que sus poemas de amor. Desde su primer libro hasta el último, la suya es una poesía joven —que muy pocas veces escriben los jóvenes. Dicen que se repitió. Tal vez es cierto. Habría que agregar que, si no hay evolución en su obra, tampoco hay descenso. Desde sus primeros poemas alcanzó una perfección que no habría más remedio que llamar incandescente si no fuese al mismo tiempo la frescura en persona. Primavera de llamas.

Los poemas de cummings son hijos del cálculo al servicio de la pasión. ¿Se ha observado que, tanto en la vida como en el arte, la pasión reclama para satisfacerse un máximo de artificio y que no se contenta jamás con la realidad si no la transmuta antes en símbolo? El erotismo tiende a la ceremonia; el amor es emblemático; la curiosidad se exalta ante los enigmas, simultáneamente juego infantil y rito de tránsito entre los antiguos. Adivinanzas, erotismo, amor: sistemas de correspondencias, lenguajes en los que no sólo los objetos, los colores y los sonidos sino los cuerpos y las almas son símbolos. Vivimos en un mundo de signos. Todas las imágenes de cummings pueden reducirse a las combinaciones de estos dos signos: tú y yo. El resto de los pronombres son obstáculos o estímulos, muros o puertas. Entre yo y tú la relación es la conjunción copulativa o adversativa. El mundo es la analogía de la pareja primordial y sus cambios reflejan los del tú y el yo en sus uniones y separaciones. Ese tú y yo, genérico aunque no impersonal, es el personaje único de una gran parte de la poesía de cummings. Es la pareja de muchachos enamorados, solos en la sociedad de los mayores pero en constante comunicación con el mundo de los árboles, las nubes, la lluvia. El mundo es su talismán y ellos son los talismanes del mundo. Entre el mundo y los dos pronombres se interponen las instituciones, las barbas de los viejos, las cofias de las viejas, las bombas de los generales, los bancos, los programas de los redentores del género humano. Hay un punto de convergencia entre los enamorados y el mundo: el poema. Allí los árboles se abrazan, la lluvia se desnuda, la muchacha reverdece, el amor es un rayo, la cama una barca. El poema es un emblema del lenguaje de la naturaleza y de los cuerpos. El corazón del emblema es el verbo: la palabra en movimiento, el motor y el espíritu de la frase. Conjugación de los cuerpos, copulación de los astros: el lenguaje resuelve todas las oposiciones en la acción metafórica del verbo. La sintaxis es una analogía del mundo y de la pareja. El universo de cummings puede parecer limitado; si penetramos hasta su centro, es inmenso.

En 1956 Donald Allen me llevó a su casa. Vivía en una callecita de Greenwich Village. El hombre me conquistó por su cordialidad y sencillez como el poeta me había seducido por su encendida perfección. Su casa era pequeñísima y ascética. En los muros había algunos pequeños cuadros pintados por él —nada notables, aunque a cummings no le gustaba que se olvidase que también era pintor. No era muy alto. Delgado, los ojos claros y vivos, los dientes intactos, la voz grave y rica de entonaciones, la cabeza al raso. Algo de *clown*, saltimbanqui, mago —y aquel aire deportivo que tenían los angloamericanos de su generación. Vestía con sencillez. La única nota detonante: una corbata de seda encarnada, que me enseñó con alegría. Era su cumpleaños y su mujer se la había regalado esa mañana. Ella era esbelta, tez pálida, pelo negro, boca grande y esa solidez aérea que tienen algunas yanquis, hijas de Artemisa: una hermosa mujer y un hermoso esqueleto. Tomamos té y pasamos la tarde charlando. cummings me contó que en su juventud había recorrido España, en compañía de John Dos Passos. Lo entusiasmaron, más que las ciudades y los monumentos, los pueblos y las gentes. A pesar de que no hablaba nuestra lengua ni conocía nuestra literatura, me dijo que le habían impresionado mucho algunos de los escritores españoles de la época. Dos Passos sostenía con ellos largas conversaciones en español y

> yo entre tanto los examinaba: alternativamente me aterraban y me hacían reír. No me importaba no entender lo que decían: me bastaba con su presencia física, sus ademanes y el sonido de su voz...

El brillo de los ojos, la negrura de las barbas, el arrebato o la mesura de los gestos, los silencios, las interjecciones: ¿Unamuno, Valle-Inclán, Juan Ramón Jiménez, Pío Baroja, Gómez de la Serna? No sabría decirlo y él tampoco se acordaba con exactitud. Pero su simpatía era genuina. Aquellos hombres le parecieron un paisaje espiritual.

> Estaban hechos de la misma sustancia del suelo y el aire de España. Algo que eché de menos en París y en Londres. Y, por supuesto, en mi país. Aquí la degeneración del animal humano es mayor: vea lo que han hecho con Pound.

Odiaba al espíritu del sistema y de ahí su antipatía por los comunistas. No era menos hostil ante los monopolios económicos y los partidos políticos de su patria. Tampoco le agradaban las universidades ni los poetas-profesores. (Desdén que compartía con William Carlos Williams, otro rebelde solitario, menos furioso y tal vez más hondo que cummings.) En esos días Washington y su burocracia le exasperaban:

> ¿Cuándo soltarán a Pound? Si Ezra es un criminal de guerra, también lo fueron Roosevelt y Truman; si está loco, no lo está más que nuestros diputados y senadores. Al menos no es un retardado mental como el hombre que nos gobierna...[1]

En su rebeldía contra los valores de la Nueva Inglaterra, su tierra natal, no era difícil advertir un eco del individualismo de sus antepasados puritanos. Estamos condenados a rebelarnos contra nuestros padres y, así, a imitarlos. Nos despedimos ya tarde.

Lo vi en otras ocasiones, cada vez que pasaba por Nueva York. Me

[1] Eisenhower.

envió algunos de sus libros y durante una temporada nos escribimos. Se me ocurrió que alguna de sus piezas podría representarse en México. La idea lo entusiasmó pero en esos días nuestro pequeño grupo teatral (Poesía en Voz Alta) se disolvió. La última vez que lo vi, un año antes de su muerte, me enseñó unas fotos tomadas por su mujer: las habitaciones de un pueblo de cavernícolas en una montaña de no sé qué país: «¿No se parecen a los rascacielos de Nueva York?» Se rió de buena gana. «Y mis compatriotas tan contentos con su progreso... No hemos inventado nada...» Le dije que los rascacielos y las cuevas aquellas se parecían en la fotografía, no en la realidad. No me creyó: «Pero si es lo mismo, lo mismo...» Le conté que vivía en París. Movió la cabeza: «Me gustaría volver... aunque no tanto. Preferiría Grecia, donde vive mi hija. También tengo ganas de ir a México. Su país es un país de verdad». Quise interrumpirlo. «No, ya sé lo que va a decirme. Es mejor que no progrese...» Repuse: «Al contrario, México ha dado un gran salto». Se encogió de hombros: «Con tal de que no les dé a ustedes por imitarnos... ¿Los poetas jóvenes de Estados Unidos? No creo en las drogas como sistema de iluminación poética. La poesía se hace con la cabeza fría y el corazón (o cualquier otro órgano) encendido. Además, repiten lo que hicimos hace veinticinco años. No han ido más allá de Pound, William Carlos Williams o de lo que yo mismo he escrito». Volvimos a tomar té. Llegó su mujer. Se habló de Europa y de si era más barata la vida en una isla griega o en un pueblo de México. Encendieron las luces de la callecita. No recuerdo más.

He tratado a unos cuantos poetas y artistas angloamericanos. Ninguno me ha dado esa sensación de extrema sencillez y refinamiento, humor y pasión, gracia y osadía —excepto el músico John Cage. Pero Cage es más inteligente y más complicado: un yanqui que fuese también Eric Satie y un sabio oriental. El dadaísmo y Bashō. El humor de cummings se parecía al box (juego que fue de caballeros en una época); el de Cage es menos directo y más corrosivo. No sé qué pensar de su música (¿se piensa la música?); en cambio, sé que es uno de los pocos poetas, a pesar de que no escribe poemas, que tienen hoy los Estados Unidos. Cage, cummings... Extraño país: ha dado algunos de los poetas más grandes del siglo XIX y el XX y todos ellos, con la excepción de Whitman y de William Carlos Williams, han escogido el destierro interior o exterior: Poe y Emily Dickinson, Pound y Eliot, cummings y Wallace Stevens. Se dirá que lo mismo ha ocurrido en todos los países de Occidente: es un fenómeno característico de la época moderna. Es verdad —sólo que los angloamericanos son más modernos...

cummings, el enamorado y el cirquero —también el ingeniero y el jardinero de las palabras— fue profundamente angloamericano, inclusive (y sobre todo) en su rebeldía. En general, pensamos en los Estados Unidos como la tierra de las cosas grandes: edificios, prosperidad, cataclismos, máquinas. Hay una tendencia angloamericana hacia lo superlativo que, aunque sea la expresión de su inmensa energía, a veces es simple gesto grandilocuente. Ni los mejores se escapan a la tentación de ser campeones de peso completo: Whitman, Pound, Faulkner, Melville (y ahora los pintores: Pollock). Hay también las excepciones. Una fue Emily Dickinson. Otra cummings. Su violencia, su erotismo y aun su sentimentalismo tienen una mesura: el poema. Lo mejor que escribió fueron pequeñas composiciones que recuerdan, por una parte, a los líricos isabelinos y, por la otra, a ciertos poetas franceses: Apollinaire, Reverdy y, aún más, Max Jacob. No es una influencia; es un parecido. Lo sorprendente en cummings no era la pasión sino la forma nítida en que se vertía. Todas sus tretas —casi siempre felices— eran otros tantos diques y filtros destinados a encauzar y purificar la materia verbal. El resultado fue un canto de una diafanidad incomparable. cummings caminó, como dice en un poema dedicado a su padre:

> [...] a través de condenas de amor
> a través de repeticiones de soy a través de haberes de dar
> de cada noche haciendo el canto de cada mañana.

Delhi, 1965

[«Siete poemas y un recuerdo: e. e. cummings» se publicó en *Puertas al campo,* UNAM, México, 1966.]

Elizabeth Bishop
o el poder de la reticencia

En América la poesía empezó a hablar con voz de mujer: Sor Juana Inés de la Cruz. Desde entonces, con una suerte de regularidad astronómica, de la Argentina al Canadá, en todas las lenguas de nuestro continente, aparecen de tiempo en tiempo ciertos nombres que son verdaderos centros de gravitación poética: Emily Dickinson, Marianne Moore, Gabriela Mistral, Elizabeth Bishop. Cada una de ellas distinta, inconfundible, única.

Clasificar a los poetas por su sexo no es menos ilusorio que clasificar a los caballos de carrera por el color de sus ojos. Sí, el sexo es una circunstancia determinante como lo son la lengua del poeta, la época y la sociedad en que vive, la familia de donde viene, los sueños que soñó de niño... Pero la poesía es el arte de transformar las circunstancias determinantes en una obra autónoma y que escapa a esas circunstancias. El poema tiene una vida independiente del poeta y del sexo del poeta. La poesía es la *otra voz*. La voz que viene de *allá*, un allá que siempre es *aquí*.

¿Cuál es el color, la temperatura, el timbre, el metal de la voz de Elizabeth Bishop? ¿Es oscura, aguda, profunda, luminosa? ¿De dónde viene? Como toda voz de poeta auténtico, su voz viene de allá, del otro lado. Ese allá está en todas partes, ese otro lado es cualquier parte. La voz que oye el poeta no la oye en la cueva de Delfos sino en su propio cuarto. Pero en cuanto la poesía interviene

> [...] de pronto ya estás en un lugar diferente
> en donde todo parece suceder en olas,

la cresta de los edificios ondea como un campo de trigo y en el taxi «el contador brilla como un búho moral»... La operación poética libera a las cosas de sus asociaciones y relaciones habituales; al marchar por una playa vemos «un rastro de grandes pisadas de perro» y al final del poema descubrimos que «esas grandes, majestuosas pisadas» no eran sino las del «sol león, un sol que había caminado por la playa durante la última marea baja...» En la poesía de Elizabeth Bishop la cosas vacilan entre ser lo que son o ser una cosa distinta de la que son. Esta duda se manifiesta a veces como humor y otras como metáfora. En ambos casos se resuelve, invariablemente, en un salto que es una paradoja: las cosas se deciden a ser otra cosa sin dejar de ser la cosa que son. Este salto tiene dos nombres: uno es imaginación, otro es libertad. Son sinónimos. Imaginación describe la operación poética como un juego gratuito; libertad la define como una elección moral. La poesía de Elizabeth Bishop tiene la ligereza de un juego y la gravedad de una decisión.

Fresca, clara, potable: estos adjetivos, que se aplican generalmente al agua y que tienen un sentido a un tiempo físico y moral, convienen perfectamente a la poesía de Elizabeth Bishop. Como el agua, su voz brota de lugares oscuros y hondos; como ella, satisface la doble sed de nuestro espíritu: sed de realidades y sed de maravillas. El agua nos deja ver las cosas que reposan en su fondo pero sometidas a una continua metamorfosis: cambian con los más leves cambios de la luz, ondulan, se mecen, viven una vida de fantasmas, una bocanada de viento las disipa. Poesía que se oye como se oye el agua: rumor de sílabas entre piedras y yerbas, oleajes verbales, grandes zonas de silencio y transparencia.

Agua pero también aire: poesía para ver, poesía visual. Palabras límpidas como un día puro. El poema es un lente potente que juega con las distancias y las presencias. La yuxtaposición de los espacios y las perspectivas hacen del poema un teatro donde se representa el más antiguo y cotidiano de los misterios: la realidad y sus enigmas.

Poesía para viajar con los ojos abiertos o cerrados: las Siete Maravillas del Viejo Mundo, ya «un poco cansadas» o la infancia inmovilizada en una escena (una niña y, colgado como un pájaro en su jaula, el almanaque que dice: «es tiempo de plantar lágrimas»); la «fazenda» en la montaña y su vestidura de cascada en la estación de lluvias o las «blancas mutaciones» de la niebla en Cape Breton; viajes hacia dentro o hacia fuera, al pasado o al presente, a las ciudades secretas de la memoria o por las galerías circulares del deseo.

Poesía como si el agua hablase, como si el aire pensase... Estas pobres comparaciones no son sino maneras de aludir a la perfección. No la perfección del triángulo, la esfera o la pirámide: la perfección irregular, la perfección imperfecta de la planta y del insecto. Poemas perfectos como un gato o una rosa, no como un teorema. Objetos vivos: músculos, piel, ojos, oídos, color, temperatura. Poemas que caminan, respiran, sienten, lloran (con discreción), sonríen (con inteligencia). Objetos hechos de palabras que nos hablan como cada uno de nosotros debería hablarse a sí mismo: con humor, piedad, resignación, cortesía. Objetos que hablan pero, sobre todo, objetos que saben callarse. Nos ahogamos no en un mar sino en un pantano de palabras. Del discurso político al sermón ideológico, del «inagotable murmullo» surrealista a la confesión en público, la poesía del siglo XX se ha vuelto gárrula. Hemos olvidado que la poesía no está en lo que dicen las palabras sino en lo que se dice entre ellas: aquello que aparece fugazmente en pausas y silencios. En los talleres de poesía de las universidades debería haber un curso obligatorio para los poetas jóvenes: aprender a callar. Los poderes inmensos de la reticencia: ésa es la gran lección de la poesía de Elizabeth Bishop. Pero hago mal en hablar de lección: su poesía no nos enseña nada. Oírla no es oír una lección: es un placer —verbal y mental— tanto como una experiencia espiritual. Oigamos a Elizabeth Bishop, oigamos lo que nos dicen sus palabras y lo que, a través de ellas, nos dice su silencio.

EL MONUMENTO

Allá, ¿ves allá el monumento? Es de madera,
construido un poco como una caja. No. Construido
como varias cajas de tamaños decrecientes,
una sobre la otra
y cada una dispuesta de tal modo
que sus esquinas apunten contra los lados
de la que está abajo y se alternen los ángulos.
Después, surge del cubo superior
una suerte de flor de lis de gastada madera,
largos tablones de pétalos
—acribillados por extraños agujeros—
cuadrangulares, tiesos, eclesiásticos.
Cuatro perchas brotan de ahí, delgadas, torcidas
(oblicuas cañas de pescar o astabanderas),
de las que cuelga un objeto de madera segueteada,
cuatro líneas —ornamento vagamente tallado—
desde las aristas de las cajas al suelo.

Un tercio del monumento contra
un mar; dos tercios contra un cielo.
La vista apunta
(más bien: la perspectiva de la vista)
tan hacia abajo que no tiene *allá lejos*
y nosotros estamos allá lejos dentro de la vista.
Un mar de angostos y horizontales tablones
se extiende tras nuestro solitario monumento;
sus largas vetas alternan de derecha a izquierda
como un entarimado —moteadas, en sordo enjambre,
inmóviles. Un cielo paralelo,
hecho de vallas más toscas que las del mar:
sol astillado, nubes de fibras largas.
«¿Por qué este extraño mar no hace ningún ruido?
¿Será porque estamos tan lejos?
¿En dónde estamos? ¿En Asia Menor
o en Mongolia?»
Un antiguo promontorio,
un antiguo señorío cuyo príncipe-artista
tal vez quiso construir un monumento
para señalar una tumba, una linde
o hacer un decorado romántico o melancólico...
«Pero este mar tan raro parece de madera,
brilla de un lado como un mar de madera a la deriva.
El cielo es madera veteada de nubes.
Un decorado de teatro ¡y todo tan plano!
Esas nubes están llenas de astillas centelleantes.
¿Qué es esto?»
Es el monumento
«Son cajas apiladas.
Sus contornos son calados vulgares, medio caídos,
hendidos y despintados. Un vejestorio.»
—El sol violento, el viento del mar,
todo lo que lo rodea,
tal vez descascaró la pintura, si pintura hubo,
y lo ha hecho más rústico de lo que fue.
«¿Por qué me has traído a ver esto?
Un templo de guacales en un paisaje atestado de guacales,

¿qué prueba?
Me cansa respirar este aire viciado,
este aire seco que resquebraja al monumento.»

Es un artefacto
de madera. La madera se preserva
mejor que mar, nube o arena—
mucho mejor que el mar, la nube o la arena reales.
Eligió esta manera de crecer sin moverse.
El monumento es un objeto, esos ornamentos
clavados al desgaire, como si nada,
revelan que allí hay vida, hay deseo:
voluntad de ser monumento, un querer ser algo.
La voluta más tosca nos dice: *conmemorad,*
mientras que cada día, como animal que merodea,
la luz lo cerca
o cae la lluvia y lo empapa o
sopla el viento y entra.
Tal vez está lleno, tal vez está vacío.
Quizás adentro están los huesos del príncipe-artista
o quizá están allá lejos en un suelo aún más seco.
Pero en general —pero cabalmente— ampara
lo que está adentro (y que después de todo
no está destinado a ser visto).
Es el comienzo de una pintura,
una escultura, un poema, un monumento
—y todo de madera. Contempladlo despacio.

SUEÑO DE VERANO

Al muelle aquel derrengado
apenas llegaban barcos.
La población comprendía
dos gigantes, un idiota,

una enana, un buen tendero
tras su mostrador dormido,

y nuestra amable patrona
—la enana su costurera.

Convencían al idiota
que recolectase moras
pero luego las tiraba.
La encogida costurera

sonreía. Cabe el mar,
tendido pescado azul,
nuestra pensión se rayaba
como si hubiese llorado.

Geranios extraordinarios
en la ventana estallaban,
los escogidos linóleos
abajo resplandecían.

En las noches escuchábamos
gritar al búho cornudo.
Lámpara de doble llama
hacía temblar los muros.

El gigante tartamudo
de la patrona era el hijo.
Rezongaba en la escalera
sobre una vieja gramática.

Él siempre malhumorado,
aleluyas ella siempre.
Recámara congelada,
cerrado lecho de plumas.

Nos despertaba en la sombra
el sonámbulo arroyuelo
que al acercarse al océano
soñaba hablando en voz alta.

VISITAS A ST. ELIZABETH[1]

Ésta es la casa de los locos.

Éste es el hombre
que está en la casa de los locos.

Éste es el tiempo
del hombre trágico
que está en la casa de los locos.

Éste es el reloj-pulsera
que da la hora
del hombre locuaz
que está en la casa de los locos.

Éste es el marinero
que usa el reloj
que da la hora
del hombre tan celebrado
que está en la casa de los locos.

Ésta es la rada hecha de tablas
adonde llega el marinero
que usa el reloj
que da la hora
del viejo valeroso
que está en la casa de los locos.

Éstos son los años y los muros del dormitorio,
el viento y las nubes del mar de tablas
navegado por el marinero
que usa el reloj
que da la hora
del maniaco
que está en la casa de los locos.

[1] El manicomio en donde estaba recluido Ezra Pound.

Éste es un judío con un gorro de papel periódico
que baila llorando por el dormitorio
sobre el mar de tablas rechinantes
más allá del marinero
que da cuerda al reloj
que da la hora
del hombre cruel
que está en la casa de los locos.

Éste es un universo de libros desinflados.
Éste es un judío con un gorro de papel periódico
que baila llorando por el dormitorio
sobre el rechinante mar de tablas
del marinero ido
que da cuerda al reloj
que da la hora
del hombre atareado
que está en la casa de los locos.

Éste es un muchacho que golpetea el piso
por ver si el mundo está allí y si es plano
para el viudo judío con un gorro de papel periódico
que baila llorando por el dormitorio
valsando sobre una tabla ondulada
cerca del marinero mudo
que oye el reloj
que puntúa las horas
del hombre fastidioso
que está en la casa de los locos.

Éstos son los años y los muros y la puerta
que se cierra sobre un muchacho que golpetea el piso
para saber si el mundo está allí y si es plano.
Éste es un judío con un gorro de papel periódico
que baila alegremente por el dormitorio
en los mares de tablas que se van
más allá del marinero de los ojos en blanco
que sacude el reloj

que da la hora
del poeta, el hombre
que está en la casa de los locos.

Éste es el soldado que vuelve de la guerra.
Éstos son los años y los muros y la puerta
que se cierra sobre un muchacho que golpetea el piso
para saber si el mundo es plano o redondo.
Éste es un judío con un gorro de papel periódico
que baila con cuidado por el dormitorio
caminando sobre la tabla de un ataúd
con el marinero chiflado
que muestra el reloj
que da la hora
del desdichado
que está en la casa de los locos.

Cambridge, Mass., 1974

EL FIN DE MARZO, DUXBURY

El mes de marzo llega como león,
se va como cordero
—o viceversa: como cordero llega,
se va como león.
Viejo refrán inglés

A John Malcom Brinnin
y Bill Read

Frío y ventoso, no el mejor día
para un paseo por esa larga playa.
Distante cada cosa —lo más lejos posible,
lo más adentro: remota, la marea; encogido, el océano;
pájaros marinos, solos o en parejas.
El viento de la costa, pendenciero y helado,
nos entumió la mitad de la cara,

desbarató la formación
de una bandada solitaria de gansos canadienses,
sopló sobre las horizontales olas inaudibles
y las alzó en niebla acerada.
El cielo más obscuro que el agua
—*su* color el jade de la grasa de carnero.
Con botas de hule, por la arena mojada, seguimos
un rastro de grandes pisadas de perro
(tan grandes que parecían más bien de león). Después,
repetidos, sin fin, hallamos unos hilos blancos y mojados
—leguas y leguas de lazos, hasta el filo del agua,
donde comienza la marea. Terminaron al cabo:
una gruesa maraña blanca del tamaño de un hombre
aparecía con cada ola, empapada alma en pena,
y se hundía con ella, saturada, dando el alma...
¿El hilo de una cometa? Pero ¿dónde la cometa?

Yo quería ir hasta mi proto-soñada-casa,
mi cripta-soñada-casa, caja sobre pilotes,
torcida y de verde tejado
—una casa alcachofa pero más verde
(¿hervida en bicarbonato de soda?),
protegida contra las mareas de primavera
por una empalizada de —¿son barras de ferrocarril?
(Muchas de las cosas de este lugar son dudosas.)
Me gustaría retirarme ahí, para no hacer *nada*
o casi nada —y para siempre— en dos cuartos desnudos:
mirar con los binoculares, leer libros aburridos,
largos, muy largos libros viejos, apuntar notas inútiles,
hablar conmigo misma y, los días de niebla,
atisbar el resbalar de las gotas, grávidas de luz.
En la noche, un *grog à l'americaine.*
Lo encendería con un fósforo de cocina
y la adorable, diáfana llama azul
se mecería duplicada en la ventana.

Ha de haber ahí una estufa; *hay* una chimenea,
sesgada, enderezada con alambres,

y electricidad sin duda
—al menos, atrás de la casa, otro alambre
ata flojamente todos los cabos
con algo que está más allá de las dunas.
Luz para leer: ¡perfecto! Pero —imposible.
Y aquel día el viento era demasiado frío
para ir hasta allá —y, por supuesto,
habían condenado las ventanas con tablones.

Al regreso, se heló la otra mitad de nuestras caras.
Salió el sol, justo por un minuto.
Por un minuto justo, montadas en sus biseles de arena,
las pardas, húmedas piedras dispersas
fueron multicolores
y las que eran bastante altas arrojaron largas sombras,
sombras individuales, que recogían inmediatamente.
Tal vez se habían estado burlando del sol león
pero ahora él estaba detrás de ellas
—un sol que al caminar por la playa con la última marea baja
había dejado ese rastro de grandes, majestuosas pisadas,
y que quizá, para jugar, había dado un batazo
a una cometa en el cielo.

Nueva York, 1974

[«Elizabeth Bishop o el poder de la reticencia» son las palabras pronunciadas en la lectura de poemas de Elizabeth Bishop en la Academia Americana de poetas el 4 de diciembre de 1974 en Nueva York. Este texto se publicó en *In/mediaciones*, Seix Barral, Barcelona, 1979.]

VENTANA AL ORIENTE

Tres momentos de la literatura japonesa

Es un lugar común decir que la primera impresión que produce cualquier contacto —aun el más distraído y casual— con la cultura del Japón es la extrañeza. Sólo que, contra lo que se piensa generalmente, este sentimiento no proviene tanto del sentirnos frente a un mundo distinto como del darnos cuenta de que estamos ante un universo autosuficiente y cerrado sobre sí mismo. Organismo al que nada le falta, como esas plantas del desierto que secretan sus propios alimentos, el Japón vive de su propia sustancia. Pocos pueblos han creado un estilo de vida tan inconfundible. Y sin embargo, muchas de las instituciones japonesas son de origen extranjero. La moral y la filosofía política de Confucio, la mística de Chuang-tsé, la etiqueta y la caligrafía, la poesía de Po Chü-i y el *Libro de la piedad filial,* la arquitectura, la escultura y la pintura de los Tang y los Sung modelaron durante siglos a los japoneses. Gracias a esta influencia china, Japón conoció también las especulaciones de Nagarjuna y otros grandes metafísicos del budismo Mahayana y las técnicas de meditación de los hindúes.

La importancia y el número de elementos chinos —o previamente pasados por el cedazo de China— no impiden sino subrayan el carácter único y singular de la cultura japonesa. Varias razones explican esta aparente anomalía. En primer término, la absorción fue muy lenta: se inicia en los primeros siglos de la era cristiana y no termina sino hasta entrada la época moderna. En segundo lugar, no se trata de una influencia sufrida sino libremente elegida. Los chinos no llevaron su cultura al Japón; tampoco, excepto durante las abortadas invasiones mongólicas, quisieron imponerla por la fuerza: los mismos japoneses enviaron embajadores y estudiantes, monjes y mercaderes a Corea y a China para que estudiasen y comprasen libros y obras de arte o para que contratasen artesanos, maestros y filósofos. Así, la influencia exterior jamás puso en peligro el estilo de vida nacional. Y cada vez que se presentó un conflicto entre lo propio y lo ajeno se encontró una solución feliz como en el caso del budismo, que pudo convivir con el culto nativo. La admiración que siempre profesaron los japoneses a la cultura china no los llevó a la imitación suicida ni a desnaturalizar sus propias inclinaciones. La única excepción fue, y sigue siendo, la escritura. Nada más ajeno a la índole de la lengua japonesa que el sistema ideográfico de los chinos; y aún en esto se encontró un método que combina la escritura fonética con la ideográfica y que, acaso, hace innecesaria esa reforma que predican muchos extranjeros con más apresuramiento que buen sentido.

La literatura es el ejemplo más alto de la naturalidad con que los elementos propios lograron triunfar de los modelos ajenos. La poesía, el teatro y la novela son creaciones realmente japonesas. A pesar de la influencia de los clásicos chinos, la poesía nunca perdió, ni en los momentos de mayor postración, sus características: brevedad, claridad del dibujo, mágica condensación. Puede decirse lo mismo del teatro y la novela. En cambio, la especulación filosófica, el pensamiento puro, el poema largo y la historia no parecen ser géneros propicios al genio japonés.

A principios del siglo v se introduce oficialmente la escritura sínica; un poco después, en 760, aparece la primera antología japonesa, el *Manyōshū* o *Colección de las diez mil hojas*. Se trata de una obra de rara perfección, de la que están ausentes los titubeos de una lengua que se busca. La poesía japonesa se inicia con un fruto de madurez; para encontrar acentos más espontáneos y populares habrá que esperar hasta Bashō. A fines del siglo VIII la Corte Imperial se traslada de Nara a Heian-Kio (la actual Kioto). Como la antigua capital, la nueva fue trazada conforme al modelo de la dinastía china entonces reinante. En la primera parte de este periodo se acentúa la influencia china pero desde principios del siglo X el arte y la literatura producen algunas de sus obras clásicas. Se trata de una época de excepcional brillo, sobre la que tenemos dos documentos extraordinarios: un diario y una novela. Ambos son obras de dos damas de la corte: las señoras Murasaki Shikibu y Sei Shonagon.

Nada más alejado de nuestro mundo que el que rodeó a estas dos mujeres excepcionales. Dominada por una familia de hábiles políticos y administradores (los Fujiwara), aquella sociedad era un mundo cerrado. La corte constituía por sí misma un universo autónomo, en el que predominaban como supremos los valores estéticos y, sobre todo, los literarios.

«Nunca entre gentes de exquisita cultura y despierta inteligencia tuvieron tan poca importancia los problemas intelectuales.»[1] Y hay que agregar: los morales y religiosos. La vida era un espectáculo, una ceremonia, un ballet animado y gracioso. Cierto, la religión —mejor dicho: las funciones religiosas— ocupaban buena parte del tiempo de señoras y señores. Pero Sei Shonagon nos revela con naturalidad cuál era el estado de espíritu con que se asistía a los servicios budistas: «El lector de las Escrituras debe ser guapo, aunque sea sólo para que su belleza, por el placer que experimentamos al verla, mantenga viva nuestra atención. De lo contrario, una empieza a distraerse y a pensar en otras cosas. Así, la fealdad del lector se convierte en ocasión de nuestro pecado». En realidad, la verdadera religión era la poesía y, aun, la caligrafía. Los señores se enamoraban de las damas por la elegancia de su escritura tanto como por su ingenio para versificar. El buen tono lo presidía todo: amores y ceremonias, sentimientos y actos. Sería vano juzgar con severidad esta concepción estética de la vida. Los artistas modernos sienten cierta repulsión por el «buen gusto», pero esta repugnancia no se justifica del todo. Nuestro «buen gusto» es el de una sociedad de advenedizos que se han apropiado de valores y formas que no les corresponden. El de la sociedad heiana estaba hecho de gracia natural y de espontánea distinción.

La ligereza danzante con que esos personajes se mueven por la vida, como si hubiesen abolido las leyes de la gravedad, se debe entre otras cosas a que esas almas no conocían el peso de la moral. Las cosas para ellos no eran graves sino hermosas o feas. Mundo de dos dimensiones, sin profundidad, es cierto, pero también sin espesor; mundo transparente, nítido, como un dibujo rápido y precioso sobre una hoja inmaculada. En su diario, Sei Shonagon divide a las cosas en placenteras y desagradables. Entre las primeras están, por ejemplo, cruzar un río en una noche de luna brillante y ver bajo el fondo brillar los guijarros; o recorrer en carruaje el campo y luego aspirar el perfume que desprenden las ruedas, entre las que se han quedado prendidos manojos de hierba fresca. En otra parte Shonagon anota que «es muy importante que un amante sepa despedirse. Para empezar, no se debería levantar con apresuración sino aguardar a que se le insista un poco: *Anda, ya hay luz... no te gustaría que te sorprendieran aquí.* Tampoco debería ponerse los pantalones de un golpe, como si tuviese mucha prisa y sin antes acercarse a su compañera, para mur-

[1] Arthur Waley, *The Pillow Book of Sei-Shonagon*, Londres, 1928.

murar en su oído lo que sólo ha dicho a medias durante la noche». Más adelante la señora Shonagon pinta al amante perfecto:

> Me gusta pensar en un soltero —su ánimo aventurero le ha hecho escoger este estado— al regresar a su casa, después de una incursión amorosa. Es el alba y tiene un poco de sueño pero, apenas llega, se acerca a su escritorio y se pone a escribir una carta de amor —no escribiendo lo primero que se le ocurre sino entregado a su tarea y trazando con gusto hermosos caracteres. Luego de enviar su misiva con un paje, aguarda la respuesta mientras murmura ese o aquel pasaje de las Escrituras budistas. Más tarde lee algunos poemas chinos y espera a que esté listo el baño. Vestido con su manto de corte —quizá escarlata y que lleva como una bata de casa— toma el sexto capítulo de la *Escritura del Loto* y lo lee en silencio. Precisamente en el momento más solemne y devoto de su lectura religiosa, regresa el mensajero con la respuesta. Con asombrosa si blasfema rapidez, el amante salta del libro a la carta.

La prosa de Sei Shonagon es transparente. A través de ella vemos un mundo milagrosamente suspendido en sí mismo, cercano y remoto a un tiempo, como encerrado en una esfera de cristal. Los valores estéticos de esa sociedad —por más exquisitos y refinados que nos parezcan— no eran sino los de la moda. Mundo *up to date,* sin pasado y sin futuro, con los ojos fijos en el presente. Mas el presente es una aparición, algo que se deshace apenas se le toca. Este sentimiento de la fugacidad de las cosas —subrayado por el budismo, que afirma la irrealidad de la existencia— tiñe de melancolía las páginas del *Libro de cabecera* de Sei Shonagon. El mismo sentimiento —sólo que profundizado, convertido, por decirlo así, en conciencia creadora— constituye el tema central de la obra de la señora Murasaki.

La *Historia de Genji* no sólo es una de las más antiguas novelas del mundo, sino que, además, ha sido comparada a los grandes clásicos occidentales: Cervantes, Balzac, Jane Austen, Boccaccio. En realidad, según se ha dicho varias veces, la *Historia de Genji* recuerda, y no sólo por su extensión y por la sociedad aristocrática que pinta, a la obra de Proust. En un pasaje Murasaki pone en boca de uno de los personajes sus ideas sobre la novela:

> Este arte no consiste únicamente en narrar las aventuras de gentes ajenas al autor. Al contrario, su propia experiencia de los hombres y de las cosas, buena o mala —y no sólo lo que a él mismo le ha ocurrido sino los sucesos que ha

> presenciado o que le han contado—, despierta en su ser una emoción tan profunda y poderosa que lo obliga a escribir. Una y otra vez algo de su propia vida, o de la de su contorno, le parece de tal importancia que no se resigna a dejarlo hundirse en el olvido.

El arte, nos dice Murasaki, es un acto personal contra el olvido; la lucha contra la muerte, raíz de todo gran arte, lleva al novelista a escribir.

A semejanza de Proust, lo característico de Murasaki es la conciencia del tiempo. Esto, más que las aventuras amorosas de Genji y sus hermosas amantes, es el verdadero tema de la obra. La conciencia del tiempo es tan aguda en Murasaki que de pronto todo se vuelve irreal. Inclinado sobre sí mismo, en un momento de soledad o al lado de su amante, Genji ve al mundo como una fantasmal sucesión de apariencias. Todo es imagen cambiante, aire, nada. «El sonido de las campanas del templo de Heion proclama la fugacidad de todas las cosas.» Simultáneamente, la conciencia de la irrealidad del mundo y de nosotros mismos nos lleva a darnos cuenta de que también el tiempo es irreal. Nada existe, excepto esa instantánea conciencia de que todo, sin excluir a nuestra conciencia, es inexistente. Y así, por medio de una paradoja, se recobra de un golpe la existencia, ya no como acción, deseo, goce o sufrimiento, sino como conciencia de la irrealidad de todo. Para Proust sólo es real el tiempo; apresarlo, resucitarlo por obra de la memoria creadora, es aprehender la realidad. Ese tiempo ya no es la mera sucesión cuantitativa, el pasar de los minutos, sino el instante que no transcurre. No es el tiempo cronométrico sino la conciencia de la duración. Para Murasaki, como para todos los budistas, el tiempo es una ilusión y la conciencia del tiempo, y la de la muerte misma, meras imágenes en nuestra conciencia; apenas tenemos conciencia de nosotros mismos y de nuestra nadería, sin excluir la de nuestra conciencia, nos libramos de la pesadilla de la ilusión y penetramos al reino en donde ya no hay ni tiempo ni conciencia, ni muerte ni vida. La única realidad es la irrealidad de nuestros pensamientos y sentimientos.

No es casual la importancia de la música en la obra de Proust. La sonata de Vinteuil simboliza la nostalgia del tiempo perdido y, asimismo, su recaptura. La novela está regida por un ritmo que no es inexacto llamar musical; los personajes desaparecen y reaparecen como temas o frases musicales. La música es un arte temporal: fluye, transcurre. El arte que preside la historia de Genji es estático y mudo: la pintura. Donald Keene ha comparado la novela de Murasaki a uno de esos rollos chinos pletóricos de personajes, objetos y paisajes.[1] A medida que se va desenvolviendo el lienzo, ese mundo se disuelve gradualmente «hasta que sólo quedan aquí y allá dos o tres pequeñas y melancólicas figuras aisladas, junto a un árbol o a una piedra». El resto es espacio, espacio vacío. ¡Mas qué lleno de vida real está ese espacio, ese silencio! La obra de Murasaki no implica la reconquista del tiempo sino su disolución final en una conciencia más ancha y libre.

La sociedad que pintan Sei Shonagon y Murasaki fue desgarrada por las luchas intestinas de dos familias rivales: los Taira y los Minamoto. Dos siglos después se instaura una dictadura militar, el Shogunato, y se traslada la capital administrativa y política a Kamakura, aunque la corte sigue residiendo en Kioto. Tras un nuevo periodo de guerras civiles, ascienden al poder los shogunes de la casa Ashikaga, en el siglo XIV. El gobierno regresa a Kioto y el Shogún se instala en un barrio, Muromachi, que da nombre a este periodo. La clase militar da el tono a la nueva sociedad, como los cortesanos dieron el suyo a la época heiana. La primera diferencia es ésta: la ausencia de mujeres escritoras. Quizá, dice Waley, durante la dominación de los Fujiwara los hombres estaban demasiado ocupados en aclarar y allanar las dificultades de los clásicos chinos y las sutilezas de los metafísicos indios. En efecto, la literatura docta de ese periodo fue escrita en chino y por hombres; la de mera diversión —novelas y diarios— en japonés y por mujeres. No es ésta la única ni la más importante de las diferencias que separan a estas dos épocas. La casta militar, como en su tiempo la cortesana, cede a la fascinación de la cultura china y especialmente a la del budismo; pero la rama del budismo que escoge —llamada *zen*— tiene características especiales y que exigen un breve paréntesis.

Tanto en su forma primera *(hinayana)* como en la tardía *(mahayana)*, el budismo sostiene que la única manera de detener la rueda sin fin del nacer y del morir y, por consiguiente, del dolor, es acabar con el origen del mal. Filosofía antes que religión, el budismo postula como primera condición de una vida recta la desaparición de la ignorancia acerca de nuestra verdadera naturaleza y la del mundo. Sólo si nos damos cuenta de la irrealidad del mundo fenomenal, podemos abrazar la buena vía y escapar del ciclo de las reencarnaciones, alimentado por el fuego del deseo y el error. El yo se revela ilusorio. Es una entidad sin realidad propia, compuesta por agregados o factores mentales. El conocimiento consiste

[1] Donald Keene, *Japanese Literature*, Londres, 1953.

ante todo en percibir la irrealidad del yo, causa principal del deseo y de nuestro apego al mundo. Así, la meditación no es otra cosa que la gradual destrucción del yo y las ilusiones que engendra; ella nos despierta del sueño o mentira que somos y vivimos. Este despertar es la iluminación (*satori* en japonés). La iluminación nos lleva a la liberación definitiva (Nirvana). Aunque las buenas obras, la compasión y otras virtudes forman parte de la ética budista, lo esencial consiste en los ejercicios de meditación y contemplación. El estado *satori* implica no tanto un saber la verdad como un *estar* en ella y, en los casos supremos, un ser la verdad. Algunas sectas buscan la iluminación por medio del estudio de los libros canónicos (Sutras); otras por la vía de la devoción (ciertas corrientes de la tendencia *mahayana*); otras más por la magia ritual y sexual (tantrismo); algunas por la oración y aun por la repetición de la fórmula *Namu Amida Butsu* (Gloria a Buda Amida). Todos estos caminos y prácticas se enlazan a la vía central: la meditación. Los ritos sexuales del tantrismo son también meditación. No consisten en abandonarse a los sentidos sino en utilizarlos, por medio de un control físico y mental, para alcanzar la iluminación. El cuerpo y las sensaciones ocupan en el tantrismo el lugar de las imágenes y la oración en las prácticas de otras religiones: son un «apoyo». La doctrina zen —y esto la opone a las demás tendencias budistas— afirma que las fórmulas, los libros canónicos, las enseñanzas de los grandes teólogos y aun la palabra misma del Buda son innecesarios. Zen predica la iluminación súbita. Los demás budistas creen que el Nirvana sólo puede alcanzarse después de pasar muchas reencarnaciones; Gautama mismo logró la iluminación cuando ya era un hombre maduro y después de haber pasado por miles de existencias previas, que la leyenda budista ha recogido con gran poesía *(Jatakas)*. Zen afirma que el estado satori es aquí y ahora mismo, un instante que es todos los instantes, momento de revelación en que el universo entero —y con él la corriente de temporalidad que lo sostiene— se derrumba. Este instante niega al tiempo y nos enfrenta a la verdad.

Por su misma naturaleza el momento de iluminación es indecible. Como el taoísmo, a quien sin duda debe mucho, zen es una «doctrina sin palabras». Para provocar dentro del discípulo el estado propicio a la iluminación, los maestros acuden a las paradojas, al absurdo, al contrasentido y, en general, a todas aquellas formas que tienden a destruir nuestra lógica y la perspectiva normal y limitada de las cosas. Pero la destrucción de la lógica no tiene por objeto remitirnos al caos y al absurdo sino, a través de la experiencia de lo sin sentido, descubrir un nuevo *sentido*. Sólo que ese *sentido* es incomunicable por las palabras. Apenas el humor, la poesía o la imagen pueden hacernos vislumbrar en qué consiste la nueva visión. El carácter incomunicable de la experiencia zen se revela en esta anécdota: un maestro cae en un precipicio pero puede asir con los dientes la rama de un árbol; en ese instante llega uno de sus discípulos y le pregunta: ¿en qué consiste zen, maestro? Evidentemente, no hay respuesta posible: enunciar la doctrina implica abandonar el estado satori y volver a caer en el mundo de los contrarios relativos, en el «esto» y el «aquello». Ahora bien, zen no es ni «esto» ni «aquello», sino, más bien, «esto y aquello». Así, para emplear la conocida frase de Chuang-tsé, «el verdadero sabio predica la doctrina sin palabras».

El periodo Muromachi está impregnado de zen. Para los militares, zen era el otro platillo de la balanza. En un extremo, el estilo de vida *bushido*, es decir, del guerrero vertido hacia el exterior; en el otro, la Ceremonia del Té, la decoración floral, el teatro Nô y, sustento al mismo tiempo que cima de toda esta vida estética, cara al interior, la meditación zen. Según Isotei Nishikawa esta vertiente estética se llama *furyu* o sea «diversión elegante».[1] Las palabras *diversión* y *elegante* tienen aquí un sentido peculiar y no denotan distracción mundana y lujosa sino recogimiento, soledad, intimidad, renuncia. El símbolo de furyu sería la decoración floral —*ikebana*— cuyo arquetipo no es el adorno simétrico occidental, ni la suntuosidad o la riqueza de colorido, sino la pobreza, la simplicidad y la irregularidad. Los objetos imperfectos y frágiles —una piedra rodada, una rama torcida, un paisaje no muy interesante por sí mismo pero dueño de cierta belleza secreta— poseen una calidad furyu. Bushido y furyu fueron los dos polos de la vida japonesa. Economía vital y psíquica que nos deja entrever el verdadero sentido de muchas actitudes que de otra manera nos parecerían contradictorias.

El sentido de los valores estéticos que regían la sociedad del periodo Muromachi es muy distinto al de la época heiana. En el universo de Murasaki triunfa la apariencia; corroído o no por el tiempo, mera ilusión acaso, el mundo exterior existe. Para los Ashikaga y su círculo, la distinción entre «esto» y «aquello», entre el sujeto y el objeto, es innecesaria y superflua. Se acentúa el lado interior de las cosas: el refinamiento es simplicidad; la simplicidad, comunión con la naturaleza. Gracias al budismo

[1] Isotei Nishikawa, *Floral Art of Japan*, Tokio, 1936.

zen, la religiosidad japonesa se ahonda y tiene conciencia de sí. Las almas se afinan y templan. El culto a la naturaleza, presente desde la época más remota, se transforma en una suerte de mística. La pintura Sung, con su amor por los espacios vacíos, influye profundamente en la estética de esta época. El octavo shogún Ashikaga (Yoshimasa) introduce la Ceremonia del Té, regida por los mismos principios: simplicidad, serenidad, desinterés. En una palabra: quietismo. Pero nada más lejos del quietismo furibundo y contraído de los místicos occidentales, desgarrados por la oposición inconciliable entre este mundo y el otro, entre el creador y la criatura, que el de los adeptos de zen. La ausencia de la noción de un Dios creador, por una parte, y la de la idea cristiana de una naturaleza caída, por la otra, explican la diferencia de actitudes. Buda dijo que todos, hasta los árboles y las yerbas, algún día alcanzarían el Nirvana. El estado búdico es un trascender la naturaleza pero también un volver a ella. El culto a lo irregular, a la armonía asimétrica, brota con esta idea de la naturaleza como arquetipo de todo lo existente. Los jardineros japoneses no pretenden someter el paisaje a una armonía racional, como ocurre con el arte francés de Le Nôtre, sino al contrario: hacen del jardín un microcosmo de la inmensidad natural.

El teatro Nô está profundamente influido por la estética zen. Como en el caso del teatro griego, que nace de los cultos agrarios de fertilidad, el género Nô hunde sus raíces en ciertas danzas populares llamadas *Dengaku no Nô*. Según Waley era un espectáculo de juglares y acróbatas que, hacia el siglo XIV, se transformó en una suerte de ópera. En los mismos años una gran danza llamada *Sarugaku* (música de monos) alcanzó gran popularidad. El origen al mismo tiempo sagrado y licencioso de este arte puede comprobarse con esta leyenda que relata el nacimiento de la danza: «La diosa Sol se había retirado y no quería salir a iluminar al mundo; entonces la diosa Uzumi se desnudó los pechos, alzó su falda, mostró su ombligo y su sexo y danzó. Los dioses se rieron a carcajadas y la diosa Sol volvió a aparecer». La unión de estas dos formas artísticas, *Dengaku* y *Sarugaku*, produjo finalmente el Nô.[1] Esta evolución no deja de ofrecer

[1] Sobre el nacimiento y evolución del Nô véase *The Nô Plays of Japan*, de Arthur Waley, Londres, 1950. Después de escrito este ensayo ha aparecido un libro fundamental: *La Tradition secrete du Nô, suivie d'Une journée de Nô*, traducción y comentario de René Sieffert, París, 1960, que publica por primera vez en una lengua europea el texto casi completo de los tratados de Zeami, a quien el erudito francés no vacila en comparar con Aristóteles. Por último, en 1968, Kasuya Sakai publicó en México su excelente *Introducción al Nô*,

analogías con la evolución del teatro español, desde las comedias y «pasos» de Gil Vicente, Juan del Encina y Lope de Rueda a la estilización intelectual del «auto sacramental». Dos hombres de genio hacen del Nô el complejo mecanismo poético que admiramos: Kan'ami Kiyotsugu (1333-1384) y su hijo Zeami Motokiyo (1363-1443). Ambos fueron protegidos del shogún Yoshimitsu, que se distinguió por su devoción a las artes y al budismo zen. Es probable que el shogún haya instruido al joven Zeami, con quien vivió en términos más bien íntimos, en la «doctrina sin palabras».

La palabra *Nô* quiere decir talento y, por extensión, exhibición de talento, o sea: representación. El número de personajes de una pieza Nô se reduce a dos: el *chite* y el *waki*. El primero es el héroe de la pieza y, en realidad, su único actor; el *waki* es un peregrino que encuentra al *chite* y provoca, casi siempre involuntariamente, lo que llamaríamos la descarga dramática. El *chite* lleva una máscara. Ambos actores pueden tener cuatro o cinco acompañantes *(tsure)*. Hay además un coro de unas diez personas. Cada obra dura poco menos de un acto del teatro occidental moderno. Una sesión de Nô está compuesta por seis piezas y varios interludios cómicos *(Kyogen)*, arreglados de tal modo que formen una unidad estética: piezas religiosas, guerreras, femeninas, demoníacas, etc. Los argumentos proceden del fondo legendario, la historia y los clásicos. La palabra es sólo uno de los elementos del espectáculo; los otros son la danza, la mímica y la música (flauta y tambores). También hay que señalar la riqueza de los trajes, el carácter estilizado del decorado y la función simbólica del mobiliario y los objetos. Todos los actores son hombres. La expresión verbal pasa del lenguaje hablado a una recitación que linda con el canto aunque sin jamás convertirse en palabra cantada. Más que a la ópera o al ballet, el Nô podría parecerse a la liturgia. O al auto sacramental. La acción se inicia con una cita de los Sutras budistas, por ejemplo: «nuestras vidas son gotas de rocío que sólo esperan que sople el viento, el viento de la mañana»; o esta otra, que recuerda a Calderón: «la vida es un sueño mentiroso del que despierta sólo aquel que arroja a un lado, como un harapo, el manto del mundo». Inmediatamente después el *waki* se presenta a sí mismo, declara que debe hacer un viaje a un templo, una ermita o un lugar célebre, y danza. La danza simboliza el viaje. La descripción del viaje es siempre un fragmento poético, en el que abundan juegos de palabras que aluden a los sitios que recorre el viajero. Al llegar al término de su

---

que contiene la traducción, la primera que se haya hecho al castellano, de cuatro piezas. [Nota de 1970.]

recorrido, en un momento inesperado, el *chite* aparece. Tras una escena de «reconocimiento» irrumpe en un monólogo entrecortado y violento que revive los episodios de su vida y, si se trata de un fantasma, de su muerte. Es el instante de la crisis y el delirio, en el que la intensidad dramática se alía a un lirismo sonámbulo. Aquí la poesía del Nô se revela como una de las formas más puras del teatro universal. El *chite,* poseído por el alma en pena de un muerto al que estuvo íntimamente ligado en el pasado (su amante, su enemigo, su señor, su hijo), se habla a sí mismo con el lenguaje del otro. Cambia de alma, por decirlo así. Identificado con aquel que odia, ama o teme, el *chite* resucita el pasado en una forma que hace pensar en los mimodramas de la psicología moderna. Sólo que no se trata de psiquiatría —aunque su valor psicológico sea evidente— sino de poesía y aun de metafísica. La noción de *monólogo,* y con ella la del *yo,* se quebranta. El *chite* no es un personaje: es dos y su alma es el teatro de un conflicto. La escena termina cuando, apaciguado por el peregrino que le promete ayudar a su salvación, el *chite* se retira. La obra concluye casi siempre con una nueva invocación extraída de los textos budistas.

Dentro de estos moldes rígidos, Kan'ami y Zeami vertieron una poesía dramática de gran intensidad. El monólogo de Komachi, en la pieza de ese nombre, me parece uno de los momentos más altos del teatro universal. Es imposible dar una idea, siquiera aproximada, de la belleza de los textos. Baste decir que Arthur Waley piensa que «si por algún cataclismo el teatro Nô desapareciese, como espectáculo, los textos, por su valor puramente literario, perdurarían». Eso fue lo que ocurrió con el teatro griego, del cual sólo nos quedan las palabras, y sin embargo, esas palabras nos siguen alimentando. El género Nô ha dejado de ser un espectáculo popular pero ha influido en otros dos géneros: el teatro de títeres y el *Kabuki.* No es ocioso agregar que estas obras están salpicadas de fragmentos de poesía clásica, japonesa y china, y de citas de las Escrituras budistas. Zeami y sus contemporáneos no procedieron de manera distinta a la de Shakespeare, Marlowe, Lope de Vega y Calderón.

Con frecuencia se ha comparado el teatro Nô a la tragedia griega. Los coros, las máscaras, la escasez de personajes, la importancia de música y danza y, sobre todo, la alianza de poesía pasional y lírica con la meditación sobre el hombre y su destino, recuerdan, en efecto, al teatro griego. Como las obras de Esquilo y Sófocles, el teatro Nô es un misterio y un espectáculo, quiero decir, es una visión estética y simbólica de la condición humana y de la intervención, ora nefasta, ora benéfica, de ciertos poderes a los que, alternativamente, el hombre se enfrenta o se inmola. Pero la tragedia griega es más amplia y humana: sus héroes no son fantasmas sino seres terriblemente vivos, poseídos, sí, mas también lúcidos. Por otra parte, es una meditación sobre el hombre y el cosmos infinitamente más arriesgada y profunda; su verdadero tema es la libertad humana frente a los dioses y el destino. El pensamiento de los trágicos griegos es de raíz religiosa y todo su teatro es una reflexión sobre la *hybris,* esto es, sobre las causas y los efectos del *sacrilegio* por excelencia: la desmesura, la ruptura de la medida cósmica y divina. Esta reflexión no es dogmática sino de tal modo libre que no retrocede ante la blasfemia, según se ve en Eurípides y aun en Sófocles y Esquilo. La tradición intelectual de los poetas dramáticos griegos es la poesía homérica y la osada especulación de los filósofos; y el clima social que envuelve a sus creaciones, la democracia ateniense. La «política» —en el sentido original y mejor de la palabra— es la esencia de la actividad griega y lo que hizo posible su inigualable libertad de espíritu. En cambio, los autores japoneses viven en la atmósfera cerrada de una corte y su tradición intelectual es la teología budista y la estricta poesía de China y Japón.

Me parece que el teatro Nô ofrece mayores semejanzas con el español; no es arbitrario comparar las piezas de Kan'ami y Zeami a los «autos sacramentales» de Calderón, Tirso o Mira de Amescua. La brevedad de las obras y su carácter simbólico, la importancia de la poesía y el canto —en unos a través del coro, en otros por medio de las canciones—, la estricta arquitectura teatral, la tonalidad religiosa y, especialmente, la importancia de la especulación teológica —dentro y no frente a los dogmas— son notas comunes a estas dos formas artísticas. El «auto sacramental» español y el Nô japonés son intelectuales y poéticos. Teatro en donde la vida es sueño y el sueño la única vida posible. El mundo y los hombres no tienen existencia propia: son símbolos. Teatro suspendido por hilos racionales entre el cielo y la tierra, construido con la precisión de un razonamiento y con la violencia fantasmal del deseo que sólo encarna para aniquilarse mejor.

El arte Nô no es realista, al menos en el sentido moderno de la palabra. Tampoco es fantástico. Zeami dice: «música, danza y actuación son artes imitativas». Ahora bien, esta imitación quiere decir: reproducción o recreación simbólica de una realidad. Así, el abanico que llevan los actores puede simbolizar un cuchillo, un pañuelo o una carta, según la acción pida. El teatro Nô, como todo el arte japonés, es alusivo y elusivo. Chikamatsu nos ha dejado una excelente definición de la estética japonesa: «El arte vive en las delgadas fronteras que separan lo real de lo irreal». Y en otra parte dice: «Es esencial no decir: esto es triste, sino que el objeto mismo sea triste, sin necesidad de que el autor lo subraye». El artista muestra; el propagandista y el moralista demuestran.

Las reflexiones críticas de Zeami están impregnadas del espíritu zen. En un pasaje nos habla de que hay tres clases de actuación: una es para los ojos, otra para los oídos y la última para el espíritu. En la primera sobresalen la danza, los trajes y los gestos de los actores; en la segunda, la música, la dicción y el ritmo de la acción; en la tercera se apela al espíritu: «un maestro del arte no moverá el corazón de su auditorio sino cuando haya eliminado todo: danza, canto, gesticulaciones y las palabras mismas. Entonces, la emoción brota de la quietud. Esto se llama la *danza congelada*». Y agrega: «Este estilo místico, aunque se llama: Nô que habla al entendimiento, también podría llamarse: Nô sin entendimiento». Es decir, Nô en el que la conciencia se ha disuelto en la quietud. Zeami muestra la transición de los estados de ánimo del espectador, verdadera escala del éxtasis, de este modo: «*El libro de la crítica* dice: olvida el espectáculo y mira al Nô; olvida el Nô y mira al actor; olvida el actor y mira la idea; olvida la idea y entenderás al Nô».[1] El arte es una forma superior del conocimiento. Y este conocer, con todas nuestras potencias y sentidos, sí, pero también sin ellos, suspendidos en un arrobo inmóvil y vertiginoso, culmina en un instante de comunión: ya no hay nada que contemplar porque nosotros mismos nos hemos fundido con aquello que contemplamos. Sólo que la contemplación que nos propone Zeami posee —y ésta es una diferencia capital— un carácter distinto al del éxtasis occidental: el arte no convoca una presencia sino una *ausencia*. La cima del instante es un estado paradójico del ser: es un no ser en el que, de alguna manera, se da el pleno ser. Plenitud del vacío.

En la época de los Ashikaga declina el poder central, mientras crecen las rivalidades entre los grandes señores feudales. La sociedad del periodo Muromachi puede compararse a las pequeñas cortes italianas del Renacimiento, dedicadas al cultivo de las artes y de la filosofía neoplatónica en tanto que el resto del país era desgarrado por guerras que no es exagerado llamar privadas. En el siglo XV el poder de los shogunes Ashikaga se des-

[1] Citado por Arthur Waley en *The Nô Plays of Japan*, Londres, 1950.

morona. Kioto es destruida y saqueada. Tras un largo interregno se restablece el poder central, nuevamente en manos de la clase militar. Al iniciarse el siglo XVII una nueva familia —los Tokuwaga— asume la dirección del Estado, que no dejará sino hasta la restauración del poder imperial, a mediados del siglo pasado. La residencia de los shogunes se traslada a Edo (la actual Tokio). Durante estos siglos el Japón cierra sus puertas al mundo exterior. Los shogunes establecen una rígida disciplina política, social y económica que a veces hace pensar en las modernas sociedades totalitarias o en el Estado que fundaron los jesuitas en Paraguay. Pero desde mediados del siglo XVII una nueva clase urbana empieza a surgir en Edo, Osaka y Kioto. Son los mercaderes, los *chonines* u hombres del común, que si no destruyen la supremacía feudal de los militares, sí modifican profundamente la atmósfera de las grandes ciudades. Esta clase se convierte en patrona de las artes y la vida social. Un nuevo estilo de vida, más libre y espontáneo, menos formal y aristocrático, llega a imponerse. Por oposición a la cultura tradicional japonesa —siempre de corte y de cerrado círculo religioso— esta sociedad es abierta. Se vive en la calle y se multiplican los teatros, los restaurantes, las casas de prostitución, los baños públicos atendidos por muchachas, los espectáculos de luchadores. Una burguesía próspera y refinada protege y fomenta los placeres del cuerpo y del espíritu. El barrio alegre de Edo no sólo es lugar de libertinaje elegante, en donde reinan las cortesanas y los actores, sino que, a diferencia de lo que pasa en nuestras abyectas ciudades modernas, también es un centro de creación artística. Genroku —tal es el nombre del periodo— se distingue por una vitalidad y un desenfado ausentes en el arte de épocas anteriores. Este mundo brillante y popular, compuesto por nuevos ricos y mujeres hermosas, por grandes actores y juglares, se llama *Ukiyo,* es decir, el Mundo que Flota o Pasa, bello como las nubes de un día de verano. El grabado en madera —*Ukiyoe:* imágenes del mundo fugitivo— se inicia en esta época. Arte gemelo del Ukiyoe, nace la novela picaresca y pornográfica: *Ukiyo-Soshi.* Las obras licenciosas —llamadas con elíptico ingenio: *Libros de primavera*— se vuelven tan populares como en Europa la literatura libertina de fines del siglo XVIII. El teatro Kabuki, que combina el drama con el ballet, alcanza su mediodía y el gran poeta Chikamatsu escribe para el teatro de muñecos obras que maravillaron a sus contemporáneos y que todavía hieren la imaginación de hombres como Yeats y Claudel. La poesía japonesa, gracias sobre todo a Matsuo Bashō, alcanza una libertad y una frescura ignoradas hasta entonces. Y asimismo, se convierte en una réplica al tumulto mundano. Ante ese mundo vertiginoso y colorido, el haikú de Bashō es un círculo de silencio y recogimiento: manantial, pozo de agua oscura y secreta.

Bashō no rompe con la tradición sino que la continúa de una manera inesperada; o como él mismo dice: «No sigo el camino de los antiguos: busco lo que ellos buscaron». Bashō aspira a expresar, con medios nuevos, el mismo sentimiento concentrado de la gran poesía clásica. Así, transforma las formas populares de su época (el *haikai no renga)* en vehículos de la más alta poesía. Esto requiere una breve explicación. La poesía japonesa no conoce la rima ni la versificación acentual y su recurso principal, como sucede con la francesa, es la medida silábica. Esta limitación no es pobreza, pues el japonés es rico en onomatopeyas, aliteraciones y juegos de palabras que son también combinaciones insólitas de sonidos. Todo poema japonés está compuesto por versos de siete y cinco sílabas; la forma clásica consiste en un poema corto —*waka* o *tanka*— de treinta y una sílabas, dividido en dos estrofas: la primera de tres versos (cinco, siete y cinco sílabas) y la segunda de dos (ambos de siete sílabas). La estructura misma del poema permitió, desde el principio, que dos poetas participasen en la creación de un poema: uno escribía las tres primeras líneas y el otro las dos últimas. Escribir poesía se convirtió en un juego poético parecido al «cadáver exquisito» de los surrealistas; pronto, en lugar de un solo poema, se empezaron a escribir series enteras, ligados tenuemente por el tema de la estación. Estas series de poemas en cadena se llamaron *renga* o *renku*. El género ligero, cómico o epigramático, se llamó *renga haikai* y el poema inicial, *hokku*. Bashō practicó con sus discípulos y amigos —dándole nuevo sentido— el arte del renga haikai o cadena de poemas, adelantándose así a la profecía de Lautréamont y a una de las tentativas del surrealismo: la creación poética colectiva.

Cualquiera que haya practicado el juego del «cadáver exquisito», el de las «cartas rusas» o algún otro que entrañe la participación de un grupo de personas en la elaboración de una frase o de un poema, podrá darse cuenta de los riesgos: las fronteras entre la comunión poética y el simple pasatiempo mundano son muy tenues. Pero si, gracias a la intervención de ese magnetismo o poesía objetiva que obliga a rimar una cosa con otra, se logra realmente la comunicación poética y se establece una corriente de simpatía creadora entre los participantes, los resultados son sorprendentes: lo inesperado brota como un pez o un chorro de agua. Lo más extraño es que esta súbita irrupción parece natural y, más que nada, fatal, necesaria. Los poemas escritos por Bashō y sus amigos son memorables y la complicación de las reglas a que debían someterse no hace sino subrayar la naturalidad y la felicidad de los hallazgos. Cito, en pobre traducción, uno de esos poemas colectivos:

El aguacero invernal,
incapaz de esconder a la luna,
la deja escaparse de su puño. *Tokoku*

Al caminar sobre el hielo
piso la luz de mi linterna. *Jugo*

Al alba los cazadores
atan a sus flechas
blancas hojas de helechos. *Yasui*

Abriendo de par en par
la puerta norte del Palacio: ¡la Primavera! *Bashō*

Entre los rastrillos
y el estiércol de los caballos
humea, cálido, el aire. *Kakei*[1]

El poema se inicia con la lluvia, el invierno y la noche. La imagen de la caminata nocturna sobre el hielo convoca a la del alba fría. Luego, como en la realidad, hay un salto e irrumpe, sin previo aviso; la primavera. El realismo de la última estrofa modera el excesivo lirismo de la anterior.

El poema suelto, desprendido del renga haikai, empezó a llamarse *haikú*, palabra compuesta de haikai y hokku. Un haikú es un poema de 17 sílabas y tres versos: cinco, siete, cinco. Bashō no inventó esta forma; tampoco la alteró: simplemente transformó su sentido. Cuando empezó a escribir, la poesía se había convertido en un pasatiempo: poema quería decir poesía cómica, epigrama o juego de sociedad. Bashō recoge este nuevo lenguaje coloquial, libre y desenfadado, y con él busca lo mismo que los antiguos: el instante poético. El haikú se convierte en la anotación rápida, verdadera recreación, de un momento privilegiado; excla-

[1] Utilizo la versión inglesa de Donald Keene, *Japanese Literature*, Londres, 1953.

mación poética, caligrafía, pintura y escuela de meditación, todo junto. Discípulo del monje Buccho —y él mismo medio ermitaño que alterna la poesía con la meditación—, el haikú de Bashō es ejercicio espiritual. La filosofía zen reaparece en su obra, como reconquista del instante. O mejor: como abolición del instante. Uno de sus sucesores, el poeta Oshima Ryoto, alude a esta suspensión del ánimo en un poema admirable:

No hablan palabra
el anfitrión, el huésped
y el crisantemo.

Yosa Buson, pintor, calígrafo y uno de los cuatro maestros del haikú (con Bashō, Issa y Shiki), expresa la misma intuición aunque con una ironía ausente en el poema de Ryoto y que es una de las grandes contribuciones del haikú:

Llovizna: plática
de la capa de paja
y la sombrilla.

A lo que responde Masaoka Shiki, un siglo después:

Ah, si me vuelvo,
ese que pasa ya
no es sino bruma.

Los ejemplos anteriores muestran la aptitud del haikú para convertirse en medio de expresión de la sensibilidad zen. Quizá el genio de Bashō reside en haber descubierto que, a pesar de su aparente simplicidad, el haikú es un organismo poético muy complejo. Su misma brevedad obliga al poeta a significar mucho diciendo lo mínimo.[1]

Desde un punto de vista formal el haikú se divide en dos partes. Una da la condición general y la ubicación temporal y espacial del poema (otoño o primavera, mediodía o atardecer, un árbol o una roca, la luna, un ruiseñor); la otra, relampagueante, debe contener un elemento activo.

[1] Sobre el haikú, su técnica y sus fuentes espirituales, véase la obra que, en cuatro volúmenes, ha dedicado R. H. Blyth al tema: *Haikú*, 1949-1952. Después de escritas estas páginas la bibliografía sobre el haikú se ha multiplicado, especialmente en lengua inglesa. Véase *The Haiku Handbook*, de William J. Higginson, 1985.

Una es descriptiva y casi enunciativa; la otra, inesperada. La percepción poética surge del choque entre ambas. La índole misma del haikú es favorable a un humor seco, nada sentimental, y a los juegos de palabras, onomatopeyas y aliteraciones, recursos constantes de Bashō, Buson e Issa. Arte no intelectual, siempre concreto y antiliterario, el haikú es una pequeña cápsula cargada de poesía capaz de hacer saltar la realidad aparente. Un poema de Bashō —que ha resistido, es cierto, a todas las traducciones y que doy aquí en una inepta versión— quizá ilumine lo que quiero decir:

Un viejo estanque:
salta una rana ¡zas!
chapalateo.

Nos enfrentamos a una casi prosaica enunciación de hechos: el estanque, el salto de la rana, el chasquido del agua. Nada menos «poético»: palabras comunes y un hecho insignificante. Bashō nos ha dado simples apuntes, como si nos mostrase con el dedo dos o tres realidades inconexas que, sin embargo, tienen un «sentido» que nos toca a nosotros descubrir. El lector debe recrear el poema. En la primera línea encontramos el elemento pasivo: el viejo estanque y su silencio. En la segunda, la sorpresa del salto de la rana, que rompe la quietud. Del encuentro de estos dos elementos debe brotar la iluminación poética. Y esta iluminación consiste en volver al silencio del que partió el poema, sólo que ahora cargado de significación. A la manera del agua que se extiende en círculos concéntricos, nuestra conciencia debe extenderse en oleadas sucesivas de asociaciones. El pequeño haikú es un mundo de resonancias, ecos y correspondencias:

Tregua de vidrio:
el son de la cigarra
taladra rocas.

El paisaje no puede ser más nítido. Mediodía en un lugar desierto: el sol y las rocas. Lo único vivo en el aire seco es el rumor de las cigarras. Hay un gran silencio. Todo calla y nos enfrenta a algo que no podemos nombrar: la naturaleza se nos presenta como algo concreto y, al mismo tiempo, inasible, que rechaza toda comprensión. El canto de las cigarras se funde al callar de las rocas. Y nosotros también quedamos paralizados y, literalmente, petrificados. El haikú es satori.

El mar ya oscuro:
los gritos de los patos
apenas blancos.

Aquí predomina la imagen visual: lo blanco brilla débilmente sobre el dorso oscuro del mar. Pero no es el plumaje de los patos, ni la cresta de las olas sino los gritos de los pájaros lo que, extrañamente, es blanco para el poeta. En general Bashō prefiere alusiones más sutiles y contrastes más velados:

Este camino
nadie ya lo recorre
salvo el crepúsculo.

La melancolía no excluye una buena, humilde y sana alegría ante el hecho sorprendente de estar vivos y ser hombres:

Bajo las abiertas campánulas
comemos nuestra comida,
nosotros, que sólo somos hombres.

Un poema de Issa contiene el mismo sentimiento, sólo que teñido de una suerte de simpatía cósmica:

Luna montañesa,
también iluminas
al ladrón de flores.

El haikú no sólo es poesía escrita —o, más exactamente, dibujada— sino poesía vivida, experiencia poética recreada. Con inmensa cortesía, Bashō no nos dice todo: se limita a entregarnos unos cuantos elementos, los suficientes para encender la chispa. Es una invitación al viaje, un viaje que debemos hacer con nuestras propias piernas. Pues como él mismo dice: «No hay que viajar a lomos de otro. Piensa en el que te sirve como si fuera otra y más débil pierna tuya». Y en otro pasaje agrega: «No duermas dos veces en el mismo sitio; desea siempre una estera que no hayas calentado aún».

Los diarios de viaje son un género muy popular en la literatura japonesa. Zeami escribió uno —*El libro de la Isla de Oro*— en el que entrevera pensamientos sueltos, poemas y descripciones. Bashō escribió cinco diarios de viaje, cuadernos de bocetos, impresiones y apuntes. Estos diarios son ejemplos perfectos de un género en boga en la época de Bashō y del cual él es uno de los grandes maestros: el *haibun*, texto en prosa que rodea, como si fuesen islotes, a los haikú. Poemas y pasajes en prosa se completan y recíprocamente se iluminan. El mejor de esos diarios, según la opinión general, es el famoso *Oku no Hosomichi (Sendas de Oku)*.[1] En este breve cuaderno, hecho de veloces dibujos verbales y súbitas alusiones —signos de inteligencia que el autor cambia con el lector— la poesía se mezcla a la reflexión, el humor a la melancolía, la anécdota a la contemplación. Es difícil leer un libro —y más aún cuando casi todo su aroma se ha perdido en la traducción— que no nos ofrece asidero alguno y que se despliega como una sucesión de paisajes. Quizás haya que leerlo como se mira al campo: sin prestar mucha atención al principio, recorriendo con mirada distraída la colina, los árboles, el cielo y su rincón de nubes, las rocas... De pronto nos detenemos ante una piedra cualquiera, de la que no podemos apartar la vista y entonces conversamos, por un instante sin medida, con las cosas que nos rodean. En este libro de Bashō no pasa nada, salvo el sol, la lluvia, las nubes, unas cortesanas, una niña, otros peregrinos. No pasa nada, excepto la vida y la muerte:

Es primavera:
la colina sin nombre
entre la niebla.

La idea del viaje —un viaje desde las nubes de esta existencia hasta las nubes de la otra— está presente en toda la obra de Bashō. Viajero fantasma, un día antes de morir escribe este poema:

Caído en el viaje:
mis sueños en el llano
dan vueltas y vueltas.

En una forma voluntariamente antiheroica la poesía de Bashō nos llama a una aventura de veras importante: la de perdernos en lo cotidiano

[1] Publicado por la Imprenta Universitaria de México en 1957, traducción de Eikichi Hayashiya y Octavio Paz (2ª ed., Seix Barral, Barcelona, 1970). Se incluye al final del volumen VII, *Obra poética*, de estas *OC*.

para encontrar lo maravilloso. Viaje inmóvil, al término del cual nos encontramos con nosotros mismos: lo maravilloso es nuestra verdad humana. En tres versos el poeta insinúa el sentido de este encuentro:

Un relámpago
y el grito de la garza,
hondo en lo oscuro.

El grito del pájaro se funde al relámpago y ambos desaparecen en la noche. ¿Un símbolo de la muerte? La poesía de Bashō no es simbólica: la noche es la noche y nada más. Al mismo tiempo, sí es algo más que la noche, pero es un algo que, rebelde a la definición, se rehúsa a ser nombrado. Si el poeta lo nombrase, se evaporaría. No es la cara escondida de la realidad: al contrario, es su cara de todos los días... y es aquello que no está en cara alguna. El haikú es una crítica de la realidad: en toda realidad hay algo más de lo que llamamos *realidad.* Simultáneamente, es una crítica del lenguaje:

Admirable
aquel que ante el relámpago
no dice: la vida huye...

Crítica del lugar común pero también crítica a nuestra pretensión de identificar, significar y decir. El lenguaje tiende a dar sentido a todo lo que vemos y una de las misiones del poeta es hacer la crítica del sentido. Y hacerla con las palabras, instrumentos y vehículos del sentido. Si decimos que la vida es corta como el relámpago no sólo repetimos un lugar común sino que atentamos contra la originalidad de la vida, contra aquello que efectivamente la hace única. La verdad original de la vida es su vivacidad y esa vivacidad es consecuencia de ser mortal, finita: la vida está tejida de muerte. Pero al decirlo convertimos en dos conceptos, *vida* y *muerte,* la vivaz y fúnebre unidad vida-muerte. ¿Hay un lenguaje que diga, sin decirla, esa unidad? Sí, el haikú: una palabra que es la crítica de la realidad, una realidad que es la burla oblicua del significado. El haikú de Bashō nos abre las puertas de satori: sentido y falta de sentido, vida y muerte, coexisten. No es tanto la anulación de los contrarios ni su fusión como una suspensión del ánimo. Instante de la exclamación o de la sonrisa: la poesía ya no se distingue de la vida, la realidad reabsorbe a la significación. La vida no es ni larga ni corta sino que es como el relámpago de

Bashō. Ese relámpago no nos avisa de nuestra mortalidad; su misma intensidad de luz, semejante a la intensidad verbal del poema, nos dice que el hombre no es únicamente esclavo del tiempo y de la muerte sino que, dentro de sí, lleva a *otro tiempo.* Y la visión instantánea de ese otro tiempo se llama poesía: crítica del lenguaje y de la realidad: crítica del tiempo. La subversión del sentido produce una reversión del tiempo: el instante del haikú es inconmensurable. La poesía de Bashō, ese hombre frugal y pobre que escribió ya entrado en años y que vagabundeó por todo el Japón durmiendo en ermitas y posadas populares —ese reconcentrado que contemplaba largamente un árbol y un cuervo sobre el árbol, el brillo de la luz sobre una piedra— ese poeta que después de remendarse las ropas raídas leía a los clásicos chinos —ese silencioso que hablaba en los caminos con los labradores y las prostitutas, los monjes y los niños—, es algo más que una obra literaria: es una invitación a vivir de veras la vida y la poesía. Dos realidades inseparables y que, no obstante, jamás se funden enteramente: el grito del pájaro y la luz del relámpago.

México, 1954

[«Tres momentos de la literatura japonesa» se publicó en *Las peras del olmo,* UNAM, México, 1957.]

La tradición del haikú

En 1955 un amigo japonés, Eikichi Hayashiya, ante mi admiración por algunos de los poetas de su lengua, me propuso que, a pesar de mi ignorancia del idioma, emprendiésemos juntos la traducción de *Oku no Hosomichi.* A principios de 1956 entregamos nuestra versión a la sección editorial de la Universidad Nacional de México y en abril del año siguiente apareció nuestro pequeño libro. Fue recibido con la acostumbrada indiferencia, a despecho de que, para avivar un poco la curiosidad de los críticos, habíamos subrayado en la advertencia que nuestra traducción del famoso diario era la primera que se hacía a una lengua de Occidente. Ahora, trece años después, repetimos el gesto: la apuesta; no para ganar comentarios, Bashō no los necesita, sino lectores. Aclaro: son los lectores, somos nosotros —atareados, excitados, descoyuntados— los que ganamos con su lectura; su poesía es un verdadero *calmante,* aunque la suya sea una calma que no se parece ni al letargo de la droga ni a la modorra de la digestión. Calma alerta y que nos aligera: *Oku no Hosomichi* es un diario de viaje que es asimismo una lección de desprendimiento. Viajar no es «morir un poco» sino ejercitarse en el arte de despedirse para así, ya ligeros, aprender a recibir. Desprendimientos: aprendizajes.

Entre 1957 y 1970 han aparecido muchas traducciones de la obrita de Bashō. Cuatro han llegado a mis ojos, tres en inglés y una en francés. Por cierto, cada una de ellas ofrece una versión diferente del título: *The Narrow Road to the Deep North,*[1] *Back Roads to Far Towns,*[2] *La Sente étroite du bout-du-monde*[3] y *The Narrow Road through the Pro-*

[1] Introd., trad. y notas de Noboyuki Yuasa. Contiene traducciones de otros cuatro relatos de viaje de Bashō. Londres, 1966.

[2] Trad. y notas de Cid Corman y Kamaike Susum, Nueva York, 1968.

[3] Trad. y notas de René Sieffert, *L'éphémère,* núm. 6, París, 1968.

vince.[1] Tal diversidad de versiones me pone en la obligación de justificar la nuestra: *Sendas de Oku.* En tres de las traducciones que he citado aparece el adjetivo: *estrecho;* nosotros lo suprimimos por antipatía a la redundancia: todos los senderos son estrechos. Las versiones al inglés dan una idea más bien realista del viaje de Bashō y de su punto de destino: norte remoto, pueblos lejanos, provincias; la traducción francesa, aunque más literal, se inclina hacia lo simbólico: fin de mundo. Nosotros preferimos la vía intermedia y pensamos que la palabra *Oku,* por ser extraña para el lector de nuestra lengua, podría quizá reflejar un poco la indeterminación del original. *Oku* quiere decir *fondo* o *interior;* en este caso designa a la distante región del norte, en el fondo del Japón, llamada Oou y escrita con dos caracteres, el primero de los cuales se lee Oku. El título evoca no sólo excursión a los confines del país, por caminos difíciles y poco frecuentados, sino también una peregrinación espiritual. Desde las primeras líneas Bashō se presenta como un poeta anacoreta y medio monje; tanto él como su compañero de viaje, Sora, recorren los caminos vestidos con los hábitos de los peregrinos budistas; su viaje es casi una iniciación y Sora, antes de ponerse en marcha, se afeita el cráneo como los bonzos. Peregrinación religiosa y viaje a los lugares célebres —paisajes, templos, castillos, ruinas, curiosidades históricas y naturales— la expedición de Bashō y de Sora es asimismo un ejercicio poético: cada uno de ellos escribe un diario sembrado de poemas y, en muchos de los lugares que visitan, los poetas locales los reciben y componen con ellos esos poemas colectivos llamados *haikai no renga.*

El número de traducciones de *Oku no Hosomichi* es un ejemplo más de la afición de los occidentales por el Oriente. En la historia de las pasiones de Occidente por las otras civilizaciones, hay dos momentos de fascinación ante el Japón, si olvidamos el *engouement* de los jesuitas en el siglo XVII y el de los filósofos en el XVIII: uno se inicia en Francia hacia fines del siglo pasado y, después de fecundar a varios pintores extraordinarios, culmina con el *imagism* de los poetas angloamericanos; otro comienza en los Estados Unidos unos años después de la segunda Guerra Mundial y aún no termina. El primer periodo fue ante todo estético; el encuentro entre la sensibilidad occidental y el arte japonés produjo varias obras notables, lo mismo en la esfera de la pintura —el ejemplo

[1] Introd., trad. y notas de Earl Miner. Es parte del libro *Japanese Poetic Diaries,* California University Press, 1966.

mayor es el impresionismo— que en la del lenguaje: Yeats, Pound, Claudel, Éluard. En el segundo periodo la tonalidad ha sido menos estética y más espiritual o moral; quiero decir: no sólo nos apasionan las formas artísticas japonesas sino las corrientes religiosas, filosóficas o intelectuales de que son expresión, en especial el budismo. La estética japonesa —mejor dicho: el abanico de visiones y estilos que nos ofrece esa tradición artística y poética— no ha cesado de intrigamos y seducirnos pero nuestra perspectiva es distinta a la de las generaciones anteriores. Aunque todas las artes, de la poesía a la música y de la pintura a la arquitectura, se han beneficiado con esta nueva manera de acercarse a la cultura japonesa, creo que lo que todos buscamos en ellas es otro estilo de vida, otra visión del mundo y, también, del trasmundo.

La diversidad y aun oposición entre el punto de vista contemporáneo y el del primer cuarto de siglo no impide que un puente una a estos dos momentos: ni antes ni ahora el Japón ha sido para nosotros una escuela de doctrinas, sistemas o filosofías sino una sensibilidad. Lo contrario de la India: no nos ha enseñado a pensar sino a sentir. Cierto, en este caso no debemos reducir la palabra *sentir* al sentimiento o a la sensación; tampoco la segunda acepción del vocablo (dictamen, parecer) conviene enteramente a lo que quiero expresar. Es algo que está entre el pensamiento y la sensación, el sentimiento y la idea. Los japoneses usan la palabra *kokoro:* corazón. Pero ya en su tiempo José Juan Tablada[1] advertía que era una traducción engañosa: «kokoro es más, es el corazón y la mente, la sensación y el pensamiento y las mismas entrañas, como si a los japoneses no les bastase sentir con sólo el corazón». Las vacilaciones que experimentamos al intentar traducir ese término, la forma en que los dos sentidos, el afectivo y el intelectual, se funden en él sin fundirse completamente, como si estuviese en perpetuo vaivén entre uno y otro, constituye precisamente el sentido (los sentidos) de *sentir.*

En un ensayo reciente Donald Keene señala que esta indeterminación es un rasgo constante del arte japonés e ilustra su afirmación con el conocido haikú de Bashō:

La rama seca
Un cuervo
Otoño-anochecer.

[1] José Juan Tablada, *Hiroshigué,* México, 1914.

El original no dice si sobre la rama se ha posado un cuervo o varios; por otra parte, la palabra *anochecer* puede referirse al fin de un día de otoño o a un anochecer a fines del otoño. Al lector le toca escoger entre las diversas posibilidades que le ofrece el texto pero, y esto es esencial, su decisión no puede ser arbitraria. La Capilla Sixtina, dice Keene, se presenta como algo acabado y perfecto: al reclamar nuestra admiración nos mantiene a distancia; el jardín de Ryoanji, hecho de piedras irregulares sobre un espacio monocromo, nos invita a rehacerlo y nos abre las puertas de la participación. Poemas, cuadros: objetos verbales o visuales que simultáneamente se ofrecen a la contemplación y a la acción imaginativa del lector o del espectador. Se ha dicho que en el arte japonés hay una suerte de exageración de los valores estéticos que, con frecuencia, degenera en esa enfermedad de la imaginación y de los sentidos llamada «buen gusto», un implacable gusto que colinda en un extremo con un rigor monótono y en el otro con un alambicamiento no menos aburrido. Lo contrario también es cierto y los poetas y pintores japoneses podrían decir con Yves Bonnefoy: *la imperfección es la cima.* Esa imperfección, como se ha visto, no es realmente imperfecta: es voluntario inacabamiento. Su verdadero nombre es conciencia de la fragilidad y precariedad de la existencia, conciencia de aquel que se sabe suspendido entre un abismo y otro. El arte japonés, en sus momentos más tensos y transparentes, nos revela esos instantes —porque son sólo un instante— de equilibrio entre la vida y la muerte. Vivacidad: mortalidad.

El poema clásico japonés *(tanka* o *waka)* está compuesto de cinco versos divididos en dos estrofas, una de tres líneas y otra de dos: 3/2/. La estructura dual del tanka dio origen al *renga,* sucesión de tankas escrita generalmente no por un poeta sino por varios: 3/2/3/2/3/2/3/2... A su vez el renga adoptó, a partir del siglo XVI, una modalidad ingeniosa, satírica y coloquial. Este género se llamó *haikai no renga.* El primer poema de la secuencia se llamaba *hokku* y cuando el renga haikai se dividió en unidades sueltas —siguiendo así la ley de separación, reunión y separación que parece regir a la poesía japonesa—la nueva unidad poética se llamó *haikú,* compuesto de haikai y de hokku. El cambio del renga tradicional, regido por una estética severa y aristocrática, al renga haikai, popular y humorístico, se debe ante todo a los poetas Arakida Moritake (1473-1549) y Yamazaki Sōkan (1465-1553). Un ejemplo del estilo rápido y hecho de contrastes de Moritake:

Noche de estío:
el sol alto despierto,
cierro los párpados.

Otro ejemplo de la vivacidad ingeniosa pero no exenta de afectación del nuevo estilo es el poemita de Sōkan:

Luna de estío:
si le pones un mango,
¡un abanico![1]

El haikai de Sōkan y Moritake opuso a la tradición cortesana y exquisita del renga un saludable horror a lo sublime y una peligrosa inclinación por la imagen ingeniosa y el retruécano. Además y sobre todo significó la aparición en la poesía japonesa de un elemento nuevo: el lenguaje de la ciudad. No el llamado «lenguaje popular» —vaga expresión con la que se pretende designar al lenguaje del campo, arcaico y tradicional— sino sencillamente el *habla de la calle:* el lenguaje de la burguesía urbana. Una revolución poética semejante, en este sentido, a las ocurridas en Occidente, primero en el periodo romántico y después en nuestros días. El habla del siglo, diría yo, para distinguirla de las hablas sin tiempo del campesino, el clérigo y el aristócrata. Irrupción del elemento histórico y, por tanto: *crítico,* en el lenguaje poético.

Matsunaga Teitoku (1571-1653) es otro eslabón de la cadena que lleva a Bashō. Teitoku intentó regresar al lenguaje más convencionalmente poético y atemporal del antiguo renga pero sin abandonar la inclinación de sus antecesores por lo brillante. Más bien la exageró hasta una insolencia briosa:

Año del tigre:
niebla de primavera
¡también rayada!

[1] Antonio Machado glosó este poema en *Nuevas Canciones* (1925): «A una japonesa / le dijo Sokán: / con la luna blanca / te abanicarás, / con la luna blanca / a orillas del mar». A pesar de que una de sus virtudes era la reticencia, en este caso Machado no resistió a la muy hispánica e hispanoamericana tendencia a la explicación y la reiteración. En su paráfrasis ha desaparecido la sugestión, esa parte *no dicha* del poema y en la que está realmente la poesía.

Esta manera crispada puede producir poemas menos ingeniosos y más verdaderos, como éste de Nishiyama Sōin (1605-1682), fundador de la escuela *Danrin:*

Lluvia de mayo:
es hoja de papel
el mundo entero.

Sin duda Bashō tenía en la mente este poema cuando dijo: «Si no hubiese sido por Sōin todavía estaríamos lamiéndole los pies al viejo Teitoku». A Bashō le tocó convertir estos ejercicios de estética ingeniosa en experiencias espirituales. Al leer a Teitoku, sonreímos ante la sorprendente invención verbal; al leer a Bashō, nuestra sonrisa es de comprensión y, no hay que tenerle miedo a la palabra, piedad. No la piedad cristiana sino ese sentimiento de universal simpatía con todo lo que existe, esa fraternidad en la impermanencia con hombres, animales y plantas, que es lo mejor que nos ha dado el budismo. Para Bashō la poesía es un camino hacia una suerte de beatitud instantánea y que no excluye la ironía ni significa cerrar los ojos ante el mundo y sus horrores. En su manera indirecta y casi oblicua, Bashō nos enfrenta a visiones terribles; muchas veces la existencia, la humana y la animal; se revela simultáneamente como una pena y una terca voluntad de perseverar en esa pena:

Carranca acerba:
su gaznate hidrópico
la rata engaña.

Al expresionismo de este cuadro de la rata con la garganta reseca bebiendo el agua helada del albañal, suceden otras visiones —no contradictorias sino en oposición complementaria— en las que la contemplación estética se resuelve en visión de la unidad de los contrarios. Una experiencia que es percepción simultánea de la identidad de la pluralidad y de su final vacuidad:

Narciso y biombo:
uno al otro ilumina,
blanco en lo blanco.

El poeta traza en tres líneas la figura de la iluminación y, como si fuese un copo de algodón, sopla sobre ella y la disipa. La verdadera iluminación, parece decirnos, es la no-iluminación.

Una réplica en negro, tanto en el sentido físico de la palabra como en la moral, del poema de Bashō es éste de Oshima Ryoto (1718-1787):

Cae el carbón,
cae sobre el carbón:
noche en la noche.

Recursos de Ryoto: contra lo negro, lo verde; contra la cólera, el árbol:

Vuelvo irritado
—mas luego, en el jardín:
el joven sauce.

Rivaliza con el poema que acabo de citar un haikú de Enamoto Kikaku (1661-1707), uno de los mejores y más personales discípulos de Bashō. En el poema de Kikaku hay una valiente y casi gozosa afirmación de la pobreza como una forma de comunión con el mundo natural:

¡Ah, el mendigo!
El verano lo viste
de tierra y cielo.

En un haikú de otro discípulo de Bashō, también excelente poeta: Hattori Ransetsu (1654-1707), hasta la sombra adquiere una diafanidad cristalina:

Contra la noche
la luna azules pinos
pinta de luna.

La noche y la luna, luz y sombra que se interpenetran, victoria cíclica de lo oscuro seguida por el triunfo del día:

El Año Nuevo:
clarea y los gorriones
cuentan sus cuentos

(La otra madrugada me despertaron, más temprano que de costumbre, el alba y los pájaros. Cogí un lápiz y sobre un pedazo de papel escribí lo siguiente:

Clarea; cuentan
sus cuentos los gorriones
¿Es año nuevo?)

Después de Bashō aparece una gran figura: Yosa Buson (1716-1753). Poeta, pintor y, como Bashō, maestro de poetas. Su actitud es más estética: Buson es ante todo un artista que penetra, con los cinco sentidos abiertos a los cambios imperceptibles de la hora y la luz, en regiones intocadas por sensibilidades menos sutiles. Este poema sobre la flor que en México llamamos *huele de noche* y en otros sitios *dondiego* y *dama de noche,* es memorable:

Dama de noche:
en su perfume esconde
su blancura.

La objetividad de Buson no excluye a la sonrisa:

Guardián de frutos
—pero sin arco y flechas:
¡espantapájaros!

La precisión del dibujo, la nitidez del color y el peso de las sílabas ligeras cayendo sobre el silencio se conjugan a veces, en sus mejores poemas, en visión espiritual:

Ante este blanco
crisantemo, las mismas
tijeras dudan.

Entre los sucesores de Bashō y Buson hay uno, Kobayashi Issa (1763-1827), que rompe la reticencia japonesa pero no para caer en la confesión a la occidental sino para descubrir y subrayar una relación punzante, dolorosa, entre la existencia humana y la suerte de animales y plantas. Hermandad cósmica en la pena, comunidad en la condena universal, seamos hombres o insectos:

Para el mosquito
también la noche es larga,
larga y sola.

El regreso al pueblo natal, como siempre, es una nueva herida:

Mi pueblo: todo
lo que me sale al paso
se vuelve zarza.

¿Quién no ha recordado, ante ciertas caras, al animal inmundo? Pero pocos con la intensidad y naturalidad de Issa:

En esa cara
hay algo, hay algo... ¿qué?
Ah, sí, la víbora.

Si el horror forma parte del sentimiento del mundo de Issa, en su visión hay también humor, simpatía y una suerte de resignación jubilosa:

Al Fuji subes
despacio —pero subes,
caracolito.

Miro en tus ojos,
caballito del diablo,
montes lejanos.

Maravilloso:
ver entre las rendijas
la Vía Láctea.

Masaoka Shiki (1867-1902) es el último de los cuatro grandes nombres de la tradición. Con él no se cierra pero su obra alcanza una intensidad más puramente humana y desgarrada que la de sus antecesores:

Agonizante
la cigarra en otoño
canta más fuerte.

Las dos formas tradicionales de la poesía japonesa, tanka y haikú, han llegado hasta nuestros días. Además, han penetrado profundamente en la poesía moderna de Occidente y la han fertilizado. No me referiré a la influencia de la poesía japonesa en las de lengua inglesa y francesa: es una historia muy sabida y ha sido contada varias veces. La historia de esa influencia en la poesía de nuestro idioma, lo mismo en América que en España, es muchísimo menos conocida y todavía no existe un buen estudio sobre el tema. Una deficiencia, otra más, de nuestra crítica. Aquí me limitaré a recordar que entre los primeros en ocuparse de arte y literatura japoneses se encuentran, a principios de siglo, dos poetas mexicanos: Efrén Rebolledo y José Juan Tablada. Ambos vivieron en el Japón, el primero varios años y el segundo, en 1910, unos cuantos meses. Su afición nació sin duda por contagio francés: el libro que Tablada consagró a Hiroshigué —quizá el primer estudio en nuestra lengua sobre ese pintor— está dedicado a la «venerada memoria de Edmond de Goncourt». A pesar de que Rebolledo conoció más íntimamente el Japón que Tablada, su poesía nunca fue más allá de la retórica modernista; entre la cultura japonesa y su mirada se interpuso siempre la imagen estereotipada de los poetas franceses de fin de siglo y su Japón fue un exotismo parisino más que un descubrimiento hispanoamericano. Tablada empezó como Rebolledo pero pronto descubrió en la poesía japonesa ciertos elementos —economía verbal, humor, lenguaje coloquial, amor por la imagen exacta e insólita— que lo impulsaron a abandonar el modernismo y a buscar una nueva manera.

En 1918 Tablada publicó *Al sol y bajo la luna*, un libro de poemas con un prólogo en verso por Leopoldo Lugones. En aquellos años el escritor argentino era considerado, con razón, como el único poeta de la lengua comparable a Darío; su poesía (ahora lo sabemos) anunciaba y preparaba a la vanguardia. El libro del mexicano es todavía modernista y su relativa novedad residía en la aparición de esos elementos irónicos y coloquiales que los historiadores de nuestra literatura han visto como constitutivos de esa tendencia que llaman, con notoria inexactitud, *posmodernismo*. Esa tendencia es una invención de los manuales: el *posmodernismo* no es sino la crítica que, dentro del modernismo y sin rebasar su horizonte estético, hacen al modernismo algunos poetas modernistas. Es la descendencia, vía Lugones, del simbolista antisimbolista Laforgue. Además de esta nota crítica, había otro elemento en el libro de Tablada que anunciaba su futuro, inminente cambio: el crecido número de poemas con asunto japonés, entre ellos uno, muy celebrado en su tiempo, dedicado a Hokusai. Al año siguiente, en 1919, Tablada publicó en Caracas un delgado libro: *Un día...* Era casi un cuaderno y estaba compuesto exclusivamente por haikús, los primeros que se hayan escrito en nuestra lengua. Un año después aparece *Li-Po,* un volumen de poemas ideográficos en los que Tablada sigue de cerca al Apollinaire de *Calligrammes* (aunque también figuran en esa colección poemas más personales, entre ellos el inolvidable y perfecto *Nocturno alterno*). En 1922, en Nueva York: *El jarro de flores,* otro volumen de haikú. En esos años Vicente Huidobro publica *Ecuatorial, Poemas árticos* y otros muchos textos poéticos, en español y en francés, que inician el gran cambio que experimentaría unos pocos años después la poesía de lengua castellana. En la misma dirección de exploración y descubrimiento se sitúa la poesía de Tablada. El mexicano fue lo que se llama un «poeta menor», sobre todo si se le compara con Huidobro, pero su obra, en su estricta y querida limitación, fue una de las que extendieron las fronteras de nuestra poesía. Y la extendieron en dos sentidos: en el espacio, hacia otros mundos y civilizaciones; en el tiempo, hacia el futuro: la vanguardia. Doble injusticia: el nombre de Tablada no figura en casi ninguno de los estudios sobre la vanguardia hispanoamericana ni su obra aparece en las antologías hispanoamericanas. Es lamentable. Sus pequeñas y concentradas composiciones poéticas, además de ser el primer transplante al español del haikú, fueron realmente algo nuevo en su tiempo. Lo fueron a tal punto y con tal intensidad que, todavía hoy, muchas entre ellas conservan intactos sus poderes de sorpresa y su frescura. ¿De cuántas obras más presuntuosas puede decirse lo mismo?

Tablada llamó siempre a sus poemas *haikai* y no, como es ahora costumbre, *haikú.* En el fondo, según se verá, no le faltaba razón. Sus breves composiciones, aunque dispuestas generalmente en secuencias temáticas, pueden considerarse como poemas sueltos y en este sentido son haikú; al mismo tiempo, por su construcción ingeniosa, su ironía y su amor por la imagen brillante, son haikai:

> Pavo real, largo fulgor:
> por el gallinero demócrata
> pasas como una procesión.

Tablada casi siempre está más cerca de Teitoku que de Bashō:

> Insomnio:
> en su pizarra negra
> suma cifras de fósforo.

Por nada los gansos
tocan alarma
en sus trompetas de barro.

El poeta mexicano conserva la estructura tripartita del haikú aunque poquísimas veces se ajusta a su esquema métrico (17 sílabas: 5/7/5). Pero hay un ejemplo de perfecta adaptación métrica y de real poesía:

Trozos de barro:
por la senda en penumbra
saltan los sapos.

Una objetividad casi fotográfica que, por su precisión misma, libera ese sentimiento indefinible que nos produce el recordar una caminata al atardecer por un sendero mojado. En sus momentos más afortunados la objetividad de Tablada confiere a todo lo que sus ojos descubren un carácter religioso de *aparición:*

Tierno saúz;
casi oro, casi ámbar,
casi luz.

A la imagen visual yuxtapone con exquisita maestría la fricción de las sílabas y los fonemas:

Peces voladores:
al golpe del oro solar
estalla en astillas el vidrio del mar.

Tablada concibe al haikú como la unión de dos realidades en unas cuantas palabras, poética tan cerca de Reverdy como de sus maestros japoneses. Citaré ahora dos poemas que son dos visiones absolutamente modernas, el primero por la alianza de lo cotidiano y lo insólito, el segundo por el humor y las asociaciones verbales y visuales entre la luna y los gatos:

Juntos en la tarde tranquila
vuelan notas de Angelus,
murciélagos y golondrinas.

Bajo mi ventana la luna en los tejados
y las sombras chinescas
y la música china de los gatos.

Casi nunca sentimental ni decorativo, el poeta mexicano alcanza en unos cuantos de sus haikú una difícil simplicidad que tal vez habría merecido la aprobación de Bashō. En ellos el humor se vuelve complicidad, comunidad de destino con el mundo animal, es decir, con el mundo:

Hormigas sobre un
grillo inerte. Recuerdo
de Gulliver en Liliput.

Mientras lo cargan
sueña el burrito amosquilado
en paraísos de esmeralda.

El pequeño mono me mira
¡quisiera decirme
algo que se le olvida!

La obra de Tablada es breve y desigual. Vivió del periodismo y el periodismo acabó por devorarlo. Murió en 1945 y todavía no ha sido posible que en México se publique un volumen con sus poemas y aquellos pocos textos en prosa (crónicas y crítica de arte) que valga la pena rescatar.[1] Su último libro de poemas, *La feria,* apareció en 1928. Debe de haber poemas no recogidos en volumen. A mí me tocó descubrir uno, en francés: *La Croix du Sud;* es la segunda parte de *Offrandes,* una cantata que compuso Edgard Varèsse en 1922; para la primera parte Varèsse se sirvió de un poema de Huidobro, también en francés. Hasta hace poco, a más de juzgar su poesía insignificante, se tenía a Tablada por un semiletrado ingenuo y víctima de un orientalismo descabellado. La acostumbrada, inapelable condenación en nombre de la cultura clásica y del humanismo grecorromano y cristiano. Una cultura en descomposición y un humanismo que ignora que el hombre es los hombres y la cultura las culturas. Cierto, las ideas filosóficas y religiosas de Tablada eran una curiosa mix-

[1] El primer volumen de sus obras, *Poesías completas de José Juan Tablada,* apareció en 1971.

tura de budismo real y de ocultismo irreal, pero ¿qué decir entonces de Yeats y de Pessoa? No es posible dudar de su familiaridad con la cultura japonesa aunque, claro, la suya no haya sido la familiaridad del erudito o del *scholar*. Su conocimiento de la escritura japonesa debe haber sido rudimentario pero sus libros y artículos revelan un trato directo con la gente, el arte, las costumbres, las ideas y las tradiciones de ese país. Si es excepcional haber escrito, en 1914 y en México, un libro sobre Hiroshigué, más lo es que en ese libro Tablada hablase también, con discreción y gusto, del teatro Nô y de Bashō, de Chikamatsu y de Takizawa Bakin. Otro dato de interés: gran aficionado a las artes plásticas, logró reunir en su casa de Coyoacán más de mil estampas de artistas japoneses, una colección que dispersó al abandonar el país, hacia 1915. Dicho todo esto, repito: Tablada no es memorable por su erudición sino por su poesía.

¿Cuáles fueron los modelos que inspiraron su adaptación del haikú al español? Si hemos de creerle, su tentativa fue independiente de las que por esos años se hacían en Francia y en lengua inglesa. Como su testimonio puede ser tachado de parcial, vale más atenerse a los datos de la cronología: los experimentos franceses fueron anteriores a los de los «imaginistas» angloamericanos y a los de Tablada; así pues es posible que Tablada haya seguido el ejemplo de Francia aunque, hay que decirlo, los haikú del mexicano me parecen más frescos y originales que los de los poetas franceses. O sea: hubo estímulo, no influencia ni imitación. Por lo que toca al *imagism* de Pound, Hulme y sus amigos ingleses y norteamericanos: Tablada conocía bien el inglés pero no creo que en esos años le interesase mucho la poesía inglesa. En cambio, por su correspondencia con López Velarde sabemos que seguía muy de cerca lo que ocurría en París. Fue uno de los primeros hispanoamericanos que habló de Apollinaire y sus caligramas lo entusiasmaron; nada más natural: veía en ellos lo que él mismo se proponía hacer, la unión de la vanguardia con la poesía y la caligrafía del Oriente. En suma, Tablada recoge y expresa las tendencias de la época pero sería falso hablar de imitación. Las fuentes de su haikú no fueron los escritos por poetas franceses y angloamericanos sino los mismos textos japoneses. En primer término, las traducciones al inglés y al francés; en seguida, la lectura más o menos directa de los originales con la ayuda de amigos y consejeros japoneses.

La influencia de Tablada fue instantánea y se extendió a toda la lengua. Se le imitó muchísimo y, como siempre ocurre, la mayoría de esas imitaciones han ido a parar a los inmensos basureros de la literatura no leída. Pero hubo algo más y mejor que las imitaciones descoloridas y las exageraciones caricaturescas: los poetas jóvenes descubrieron en el haikú de Tablada el humor y la imagen, dos elementos centrales de la poesía moderna. Descubrieron asimismo algo que habían olvidado los poetas de nuestro idioma: la economía verbal y la objetividad, la correspondencia entre lo que dicen las palabras y lo que miran los ojos. La práctica del haikú fue (es) una escuela de concentración. En la obra juvenil de muchos poetas hispanoamericanos de esa época, entre 1920 y 1925, es visible el ejemplo de Tablada. En México la lección fue recogida por los mejores: Pellicer, Villaurrutia, Gorostiza. Años después el poeta ecuatoriano Jorge Carrera Andrade redescubrió por su cuenta el haikú y publicó un precioso librito: *Microgramas* (Tokio, 1940). En España el fenómeno es un poco más tardío que en América: hay un momento japonés en Juan Ramón Jiménez y otro en Antonio Machado; ambos han sido poco estudiados. Lo mismo sucede con la poesía juvenil de García Lorca. En los tres poetas hay una curiosa alianza de dos elementos dispares: el haikú y la copla popular. Dispares por el espíritu, no por la métrica: tanto la seguidilla como el tanka y el haikú están compuestos por versos de cinco y siete sílabas. La diferencia es que el tanka es un poema de cinco líneas, el haikú de tres y la seguidilla de cuatro (7/5/7/5). No obstante, en la segunda estrofa de una combinación menos frecuente, la seguidilla compuesta, aparece una duplicación del haikú: 7/5/7/5: :5/7/5. La analogía métrica no hace, por lo demás, sino subrayar las diferencias profundas entre estas dos formas: en la seguidilla la poesía se alía a la danza, es canto y baile, en tanto que en el haikú la palabra se resuelve en silenciosa contemplación, sea pictórica como en Buson o espiritual como en Bashō. Ninguno de los tres poetas españoles —Jiménez, Machado y García Lorca— se inspiraron en el haikú por su parecido métrico con la seguidilla, aunque esta semejanza sin duda debe haberles impresionado, sino porque vieron en esa forma japonesa un modelo de concentración verbal, una construcción de extraordinaria simplicidad hecha de unas cuantas líneas y una pluralidad de reflejos y alusiones. ¿Habían leído los poemas de Tablada? Parece imposible que los ignorasen. Un indicio: Enrique Díez-Canedo, el primero en señalar la influencia del haikú en las *Nuevas canciones* de Antonio Machado, conocía y admiraba a la poesía de Tablada. Es revelador, por otra parte, que el haikú haya sido para Tablada, a la inversa de los poetas españoles, una ruptura de la tradición y no una ocasión para regresar a ella. Actitudes contradictorias (complementarias) de la poesía española y de la hispanoamericana.

Después de la segunda Guerra Mundial los hispanoamericanos vuelven a interesarse en la literatura japonesa. Citaré, entre otros muchos ejemplos, nuestra traducción de *Oku no Hosomichi,* el número consagrado por la revista *Sur* a las letras modernas del Japón y, sobre todo, las traducciones de un traductor solitario pero que vale por cien: Kasuya Sakai. Ya señalé que la actitud contemporánea difiere de la de hace cincuenta años: no sólo es menos estética sino que también es menos etnocéntrica. El Japón ha dejado de ser una curiosidad artística y cultural: es (¿fue?) otra visión del mundo, distinta a la nuestra pero no mejor ni peor; no un espejo sino una ventana que nos muestra otra imagen del hombre, otra posibilidad de ser. Dentro de esta perspectiva lo realmente significativo no es quizá la traducción de textos clásicos y modernos sino la reunión, en abril de 1969, en París, de cuatro poetas con el objeto de componer un renga, el primero en Occidente. Los cuatro poetas fueron el italiano Edoardo Sanguineti, el francés Jacques Roubaud, el inglés Charles Tomlinson y el mexicano Octavio Paz. Un poema colectivo escrito en cuatro lenguas pero fundado en una tradición poética común. Nuestra tentativa fue, a su manera, una verdadera traducción: no de un texto sino de un *método para componer textos.* No son difíciles de adivinar las razones que nos movieron a emprender esa experiencia: la práctica del renga coincide con las preocupaciones mayores de muchos poetas contemporáneos, tales como la aspiración hacia una poesía colectiva, la decadencia de la noción de autor y la correlativa preeminencia del lenguaje frente al escritor (las lenguas son más inteligentes que los hombres que las hablan), la introducción deliberada del azar concebido como un homólogo de la antigua inspiración, la indistinción entre traducción y obra original... El haikú fue una crítica de la explicación y la reiteración, esas enfermedades de la poesía; el renga es una crítica del autor y la propiedad privada intelectual, esas enfermedades de la sociedad.

Sendas de Oku aparece ahora en una versión revisada. Comparamos nuestra traducción con las otras al inglés y al francés pero además Eikichi Hayashiya tuvo oportunidad de consultar las nuevas ediciones críticas de *Oku no Hosomichi* publicadas en Japón durante los últimos años. Al corregir las versiones de los poemas he procurado ajustarme a la métrica de los originales. En todos los casos prescindo de la rima: la poesía japonesa no la usa, a pesar de que abunda en paranomasias, aliteraciones y otros juegos verbales. También son nuevas las versiones de los poemas que cito. Por último: hemos añadido muchas notas a las 70 de Eikichi Hayashiya que contenía la primera edición. En verdad, esta edición es *otro* libro... Después de estas aclaraciones debería cortar este prólogo sinuoso y prolijo, pero me parecería traicionar a Bashō si no añado algo más: su sencillez es engañosa, leerlo es una operación que consiste en ver *al través* de las palabras. El poeta Mukai Kyorai (¿1651?-1704), uno de sus discípulos, explica mejor que yo el significado de la transparencia verbal de Bashō. Un día Kyorai le mostró este haikú a su maestro:

Cima de la peña:
allí también hay otro
huésped de la luna.

¿En qué pensaba cuando lo escribió?, le preguntó Bashō. Contestó Kyorai: Una noche, mientras caminaba en la colina bajo la luna de verano, tratando de componer un poema, descubrí en lo alto de una roca a otro poeta, probablemente también pensando en un poema. Bashō movió la cabeza: Hubiera sido mucho más interesante si las líneas «allí también hay otro / huésped de la luna» se refiriesen no a otro sino a usted mismo. El tema de ese poema debería ser usted, lector.

Cambridge, 22 de marzo de 1970

[«La tradición del haikú» se publicó en *El signo y el garabato*, Joaquín Mortiz, México, 1973.]

El sentimiento de las cosas: *Mono no Aware*

Desde hace más de cien años la literatura japonesa no cesa de fascinarnos. Pasado el deslumbramiento inicial de fines de siglo, los poetas europeos y americanos de las dos Américas, la sajona y la latina, descubrieron en el haikú la posibilidad de reducir el universo a diecisiete sílabas y el infinito a una exclamación. La influencia del haikú en los poetas no fue menos profunda ni menos decisiva que la de los grabados en madera japoneses sobre los pintores impresionistas; para probarlo, basta recordar los nombres de Pound, William Carlos Williams, Éluard, Ungaretti y, en la lengua española, el del mexicano José Juan Tablada y los de los españoles Antonio Machado, Juan Ramón Jiménez y Federico García Lorca. Casi al mismo tiempo que los poetas escribían en casi todas las lenguas de Occidente variaciones más o menos fantásticas del hokku, comenzaron a aparecer las grandes traducciones de la literatura clásica: las novelas, el teatro, los diarios. Entre estas traducciones hay una, la de *Genji Monogatari* por Arthur Waley, que ya es parte de la literatura moderna en lengua inglesa y algo semejante ocurre, me parece, con la versión que Donald Keene ha hecho recientemente del libro de Kenko *(Essays in Idleness)*. En francés René Sieffert nos ha dado la primera versión a una lengua de Occidente de los tratados de Zeami *(La Tradition secrète du Nô)*. Aunque esta lista podría prolongarse con otros nombres de traductores y de obras, sería inútil buscar en ella una traducción de poesía que resista la comparación con las de las novelas, las piezas de teatro y los diarios. Hay, sí, un puñado de nítidas versiones de Waley, Keene y otros pocos pero ninguna de ellas representa lo que significaron las traducciones de poesía china de Ezra Pound: la invención de otra tradición poética para la lengua inglesa. Digo que Pound *inventó* otra tradición porque, antes de la aparición de *Cathay* (1917), esa tradición no existía ni en inglés... ni en chino. El libro que acaba de publicar Jacques Roubaud *(Mono no Aware,* Gallimard, 1970) se inserta dentro de esta perspectiva, la única válida en materia de traducción poética. No es exagerado afirmar que por primera vez estamos ante una verdadera traducción de poesía japonesa, a condición de entender esa expresión como sinónimo de transmutación y esta última como invención de *otra* poesía francesa.

Los poemas que Roubaud «pidió prestados» a la literatura japonesa para componer su libro no fueron ni *hokku* ni *renga* sino *tankas* y *chokas* pertenecientes a la porción más antigua, que es, asimismo, la más estricta y compleja, de esa tradición. Este gesto es característico del joven poeta francés y define su coherencia poética, su actitud ante la poesía; se trata de las mismas preocupaciones e intenciones que lo llevaron a escribir Σ como un «soneto de sonetos» y que, en otra esfera, guían sus estudios de poesía provenzal y dantesca. La pluralidad de direcciones no es contradictoria o, mejor dicho, la fecundidad de esas distintas tradiciones depende de la posibilidad de enfrentarlas, sin suprimir sus contradicciones, en un poema. Hay un punto en que la tradición más antigua y central de la poesía de Occidente se une a la de Extremo Oriente pero ese punto no se sitúa en el pasado sino en el presente: las obras de unos cuantos poetas contemporáneos. Como una prueba de esta convergencia de tradiciones, señalo una coincidencia (que es lo contrario de una casualidad): Roubaud ha dedicado su libro a Kamo no Chōmei, el poeta ermitaño del siglo XII, y uno de los mejores poemas extensos de la poesía inglesa moderna es la extraordinaria paráfrasis que ha hecho Basil Bunting de las *Notas de mi cabaña de monje* de Chōmei.

Doble transmutación: los viejos poemas japoneses no sólo se convierten en poemas franceses sino en poemas modernos. Las traducciones de Roubaud, sin cesar de ser traducciones, son realmente poemas franceses que sólo ahora podían haber sido escritos. Así, la composición tipográfica y la construcción sintáctica obedecen a una lógica poética inaugurada, entre otros, por Reverdy y por cummings. Apenas si necesito aclarar que estos parecidos son ilusorios: los poemas de *Mono no Aware* no se parecen ni a Hitomaro ni a cummings porque cada poema ha sido sometido a una transposición que implica un cambio no sólo de posición sino de sentido y de función: sólo el poeta Roubaud podía haber escrito esos poemas «japoneses». La paradoja consiste en que estamos ante traducciones bastante fieles, como puede comprobarlo todo aquel que las compare con los originales o con las versiones de los especialistas. Pero Roubaud no nos acerca a unos poemas japoneses escritos hace siglos; más bien se sirve de ellos para inventar una secuencia poética en la que el poema japonés aparece no como el *original* sino como el *acompañamiento,* tipográfico y musical, del texto francés. Los poemas japoneses fueron, por una parte, el punto de partida; por la otra, los agentes del cambio, los reactivos destinados a provocar la aparición de los poemas franceses.

No contento con escoger como «asuntos» de composición poemas anteriores al siglo XIV, Roubaud adoptó para su selección el método tradicional japonés de las antologías clásicas: integración y progresión. Por lo primero, los poemas se ordenan en secuencias conforme al principio de las afinidades temáticas, que son al mismo tiempo afinidades verbales. Por lo segundo, cada secuencia fluye a la manera de los días en las estaciones y de las estaciones en los años. Cada poema es parte de un conjunto en movimiento y simultáneamente, es una unidad autosuficiente. Secuencias de cientos de poemas o poema aislado de cinco líneas, el principio es el mismo: los instantes se funden en los siglos pero cada siglo es un instante. Roubaud-Tamehide dice: «a la luz / de la centella / instantánea / conté el número / de gotas de lluvia sobre la hoja». Ese relámpago podía haber durado un siglo y, no obstante, la visión no habría sido menos instantánea ni menos minuciosa. La secuencia se inicia con diez *nagauta,* poemas (relativamente) extensos, entre los que descuellan los de Hitomaro, y termina con siete *tanka* del bonzo Sagyô, un poeta angustiado y retraído. Hitomaro piensa en su mujer: «pequeña llama en el sílex / agua profunda en la roca». Sagyô piensa en la realidad: «si lo real / en nada es real / ¿cómo creer / que los sueños son sueños?»

El lenguaje de Hitomaro es nítido y poderoso como «el son del arco», pero pronto ese lenguaje, sin perder nada de su nitidez, se aligera y se vuelve una malla de alusiones, un tejido verbal literalmente insustancial y, sin embargo, irrompible. Las voces femeninas no son menos poderosas que las masculinas: «hoy mismo hoy / espero a mi señor / pero no me digan / que yace entre los guijarros / del Río de Piedra». Violencia pasional de Ono no Komachi, una poetisa que hace pensar más en Catulo que en Safo: «tan fuerte / es mi deseo / que vuelvo al revés mi camisa: / bahía violeta de la noche». El lector no tiene por qué saber que Komachi alude a un hechizo: vuelve de revés su camisa de noche para obligar al espíritu de su amante a compartir su lecho. La soledad asume formas insólitas, como en estas dos líneas con ruido de élitros: «a mi costado el grito / del insecto de la espera». La escritura es un dibujo que se disipa —y la realidad también: «Carta trazada / con tinta apenas / oh mira / en el cielo brumoso / regresan los gansos». Las voces aparecen y desaparecen en el fluir de la secuencia poética y todas ellas, sin perder su tono y su timbre particulares, se funden en una sola voz —que no es la de Roubaud ni la de persona alguna: el poeta no es el que habla sino el que deja hablar. Voz de las cosas: «Y la hierba y el árbol / cambian de color mas / para la flor de las olas / del gran mar / no hay otoño».

Cambridge, a 28 de octubre de 1910

[«El sentimiento de las cosas: *Mono no Aware*» se publicó en *El signo y el garabato*, Joaquín Mortiz, México, 1973.]

Centro móvil

Frente a la concepción de la obra como imitación de los modelos de la Antigüedad, la edad moderna exaltó los valores de originalidad y novedad: la excelencia de un texto no depende de su parecido con los del pasado sino de su carácter único. A partir del romanticismo, tradición no significa ya continuidad por repetición y variaciones dentro de la repetición; la continuidad asume la forma del salto y tradición se vuelve un sinónimo de sucesión de cambios y rupturas. Falacia romántica: la obra impar es el reflejo del yo excepcional. Creo que, ahora, estas ideas tocan a su fin. Dos indicios significativos, entre otros muchos: el surrealismo, al redescubrir a la inspiración y convertirla en el eje de la escritura, puso entre paréntesis a la noción de autor; por su parte, los poetas de lengua inglesa, en particular Eliot y Pound, han mostrado que la traducción es una operación indistinguible de la creación poética.

Nuestro siglo es el siglo de las traducciones. No sólo de textos sino de costumbres, religiones, danzas, artes eróticas y culinarias, modas y, en fin, de toda suerte de usos y prácticas, del baño finlandés a los ejercicios yóguicos. Inclusive la historia nos parece la traducción imperfecta —lagunas de la estupidez e interpolaciones de copistas perversos— de un texto perdido y que los filósofos, de Hegel y Marx a Nietzsche y Spengler, se esfuerzan por reconstruir. Es verdad que otras épocas y otros pueblos también han traducido y con la misma pasión y esmero que nosotros (ejemplo: la traducción de los libros budistas por chinos, japoneses y tibetanos), pero ninguno de esos pueblos tuvo conciencia de que, al traducir, cambiamos aquello que traducimos, y, sobre todo, nos cambiamos a nosotros mismos. Para nosotros traducción es transmutación, metáfora: una forma del cambio y la ruptura; por tanto, una manera de asegurar la continuidad de nuestro pasado al transformarlo en diálogo con otras civilizaciones. Continuidad y diálogos ilusorios: traducción: transmutación: solipsismo.

La idea de la correspondencia universal regresa. Cierto, ya no vemos al macrocosmos y al microcosmos como las dos mitades de una esfera pero concebimos al universo entero como una pluralidad de sistemas en movimiento; esos sistemas se reflejan unos en otros y, al reflejarse, se combinan a la manera de las rimas de un poema. Así se transforman en otros sistemas, cada vez más transparentes y abstractos, sistemas de sistemas, verdaderas geometrías de símbolos, hasta que, imperceptibles para nuestros aparatos de observación, terminan por evaporarse —otra vez a la manera de las rimas que desembocan en el silencio y de la escritura que se resuelve en vacío.

Inmersos en el mundo de la traducción o, más exactamente, en un mundo que es en sí mismo una traducción de otros mundos y sistemas, es natural que hayamos intentado transplantar en Occidente una forma oriental de creación poética. Apenas si es necesario aclarar que no nos propusimos apropiarnos de un género sino poner en operación un sistema productor de textos poéticos. Nuestra traducción es analógica: no el *renga* de la tradición japonesa sino su metáfora, una de sus posibilidades, o avatares. ¿Y por qué el *renga* y no otra forma china, esquimal, azteca, persa? En este momento de su historia, Occidente se cruza en varios puntos con Oriente —se cruza sin tocarlo, movido por la propia lógica de su destino. Uno de esos puntos es la poesía. No es una idea de la poesía sino su práctica. Y el *renga* es, ante todo, una práctica. Destaco dos afinidades: la primera, el elemento combinatorio que rige al *renga,* coincide con una de las preocupaciones centrales del pensamiento moderno, de las especulaciones de la lógica a los experimentos de la creación artística; la segunda, el carácter colectivo del juego, corresponde a la crisis de la noción de autor y a la aspiración hacia una poesía colectiva.

El elemento combinatorio consiste en la redacción de un poema por un grupo de poetas; de acuerdo con un orden circular, cada poeta escribe sucesivamente la estrofa que le toca y su intervención se repite varias veces. Es un movimiento de rotación que dibuja poco a poco el texto y del que no están excluidos ni el cálculo ni el azar. Mejor dicho: es un movimiento en el que el cálculo prepara la aparición del azar. Subrayo que el *renga* no es una combinatoria de signos sino de productores de signos: poetas.

En cuanto a la poesía colectiva: sería una impertinencia recordar que es una de las obsesiones modernas. Es una idea que nació con el romanticismo y que desde el principio fue contradictoria: la creencia en la índole anónima, impersonal de la inspiración no es fácilmente compatible con la creencia en el poeta como un ser único. El romanticismo exaltó simultáneamente al yo y al nosotros: si el poeta es una colectividad que canta, el pueblo es un poeta con cien mil ojos y una sola lengua. Homero no es un nombre propio sino un apelativo: designa a una comunidad. La crítica desechó pronto esas hipótesis sobre el origen anónimo, espontáneo y popular de la poesía épica. Uno de los primeros ensayos de Nietzsche está dedicado a mostrar que la *Ilíada* y la *Odisea*, por el mero hecho de ser poemas, postulan la necesaria existencia de un poeta, un Homero. El razonamiento de Nietzsche es memorable porque contradice por igual a las ideas de los románticos y a las de los clasicistas: Homero no es tanto un ser real, histórico, como una condición formal, estética, de la obra. El Homero de Nietzsche no es ni el pueblo de los románticos ni el formidable poeta ciego de la tradición; más que un autor con nombre propio, es una consecuencia de la perfección y unidad de los poemas. Nietzsche da a entender que no es el poeta el que hace a la obra sino a la inversa. Inaugura así una nueva concepción de las relaciones entre el poema y el poeta. Pero fueron los surrealistas los que consumaron la ruina de la idea de autor al disolver la contradicción de los románticos: el poeta no es sino el lugar de encuentro, el campo de batalla y de reconciliación, de las fuerzas impersonales y enmascaradas que nos habitan. Inspirados por una de las máximas de *Poésies*, afirmaron que la poesía debe ser hecha por todos. Los juegos surrealistas tenían en común acentuar el carácter colectivo de la creación artística, del mismo modo que la escritura automática puso de manifiesto la naturaleza de la inspiración.

Las afinidades y analogías entre los juegos surrealistas y el *renga* son numerosas y profundas. Más que coincidencias son rimas, correspondencias: uno de los lugares en que se cruzan Oriente y Occidente. No menos notables son las diferencias. Me limitaré a mencionar la más importante: la actividad surrealista disuelve la noción de obra en beneficio del acto poético; en el *renga* los autores se anulan como individuos en beneficio de la obra común. En un caso se exalta a la experiencia poética; en el otro, al poema. En el primero: preeminencia de la subjetividad; en el segundo, de la obra. En uno y otro la intrusión del azar es una condición del juego pero las reglas que producen su aparición son distintas y aun opuestas. Entre los surrealistas el azar opera en un espacio abierto: la pasividad de la conciencia crítica. (Señalo, al pasar, la índole paradójica de esta pasividad: es voluntaria y deliberada, el resultado de la actividad crítica de la conciencia.) El poeta surrealista aspira a alcanzar ese estado de absoluta distracción que invita y provoca la descarga de la energía poética reconcentrada. En el *renga,* el azar opera como uno de los signos del juego —el signo sin nombre, la corriente invisible que acelera o retarda la carrera, la fuerza que tuerce el volante y cambia la dirección del poema. El azar no aparece en un espacio libre sino dentro de los carriles de las reglas; su función consiste en trastornar la regularidad de la escritura por interrupciones que distraen al poema de sus metas y lo orientan hacia otras realidades. En el juego surrealista: distracción que atrae la concentración máxima, el *estallido fijo de* André Breton; en el *renga:* máxima concentración que produce la distracción liberadora, la ruptura por la cual brota el instantáneo chorro de poesía. ¿Estamos ante el mismo azar o designamos con el mismo nombre a dos fuerzas distintas y que sólo tienen en común su capacidad para perturbar nuestros sistemas mentales y vitales?

La práctica del *renga* implica la negación de ciertas nociones cardinales de Occidente, tales como la creencia en el alma y en la realidad del yo. El contexto histórico en que nació y se desplegó el *renga* ignoró la existencia de un Dios creador y denunció al alma y al yo como ilusiones perniciosas. Con el mismo furor con que es monoteísta (o ateo), Occidente es individualista. En el Japón tradicional la célula social, la unidad básica, no era el individuo sino el grupo. Además, cada uno a su manera, el budismo, el confucianismo y el shintoísmo combatieron a la idolatría del yo. Para el primero era una entidad quimérica: desde el punto de vista de la realidad real (la vacuidad), el ego no es tanto una enfermedad como un error de óptica. El confucianismo y el shintoísmo, por su parte, uncieron el individuo al doble yugo de la «piedad filial» y la lealtad al señor feudal. Por todo esto me imagino que el *renga* debe haber ofrecido a los japoneses la posibilidad de salir de sí mismos, y pasar del anonimato del individuo aislado al círculo del intercambio y el reconocimiento. También debe haber sido una manera de aligerarse del peso de la jerarquía. Aunque el *renga* está regido por reglas que no son menos estrictas que las de la etiqueta, su objeto no era imponer un freno a la espontaneidad personal sino abrir un espacio libre para que el genio de cada uno se manifestase sin herir a los otros ni herirse a sí mismo.

Práctica que contradice las creencias de Occidente, para nosotros el *renga* fue una prueba, un pequeño purgatorio. Como no era ni un torneo ni una competencia, nuestra animosidad natural se encontró sin empleo: ni meta que conquistar ni premio que ganar ni rival que vencer. Un juego sin adversarios. Desde el primer día en el salón del subsuelo del Hotel Saint-Simon y durante todos los días siguientes, del 30 de marzo al 3 de abril de 1969, irritación y humillación del yo:

sensación de desamparo, pronto convertida en desasosiego y después en agresividad. ¿Contra quién: contra mis compañeros o contra mí mismo? Contra nadie. El enemigo es nadie, la cólera se llama nadie, yo es la máscara de nadie. Vaivenes: de la humildad a la cólera, de la cólera a la humildad: escribir lo mejor que pueda, no para ser mejor que los otros sino para contribuir a la edificación de un texto que no ha de representarme y que tampoco representará a los otros: avanzar inerme por el papel, disiparme en la escritura, dejar de ser nadie y dejar de ser yo;

sensación de opresión: para un japonés el círculo del *renga* es un espacio que se abre, para mí es un lazo que se cierra. Una trampa. Oigo pasar, muy cerca, los vagones del metro. (Estruendos: las metáforas de Homero sobre el mar en tempestad, las de los himnos védicos sobre el trueno, las cataratas férreas de Joyce.) Oigo los pasos de la gente que entra y sale del hotel. *Renga:* colegio, andén, sala de espera. Alguien baja y nos pregunta si hemos visto su maleta. Al vernos, cada uno encorvado sobre un papel, retrocede, balbucea unas excusas y desaparece. *Renga:* cadena de poemas, cadena de poemas-poetas, cadena de cadenas. Susurros, cuchicheos, risas sofocadas. Sequía, electricidad en las sedas, los metales, el papel en que escribo. De pronto, como una cortina que se desgarra, el tiempo se abre: aparecen Marie Jo, Brenda, Luciana. Las mujeres disipan la tempestad en seco. Ahora hablamos en voz alta, reímos, ascendemos a la superficie;

sensación de vergüenza: escribo ante los otros, los otros escriben frente a mí. Algo así como desnudarnos en el café o defecar, llorar ante extraños. Los japoneses inventaron el *renga* por las mismas razones y de la misma manera que se bañan desnudos en público. Para nosotros el cuarto de baño y el cuarto en donde escribimos son lugares absolutamente privados, a los que entramos solos y en los que realizamos actos alternativamente infames y excelsos. En el cuarto de baño nos lavamos, nos confesamos, nos embellecemos, nos purificamos, hablamos a solas, nos espiamos, nos absolvemos... Cada uno de esos actos y los ritos y delirios que los acompañan tienen su contrapartida simbólica en el cuarto del escritor y sus altares y letrinas: mesa, lámpara, papeles, libros, silla, máquina de escribir. La diferencia es que el baño es improductivo en tanto que al escribir producimos textos. Desechos o deseos, ¿cuál es la materia prima del escritor?;

sensación de *voyeurisme*: me veo manipular frases, las veo unirse, desunirse, volverse a unir. *Les mots font l'amour* en mi página, en mi cama. Hermosa, aterradora promiscuidad del lenguaje. El abrazo se vuelve pelea; la pelea, danza; la danza, oleaje; el oleaje, bosque. Dispersión de signos. Concentraciones de insectos negros, verdes, azules. Hormigueros sobre el papel. Volcanes, archipiélagos desparramados. Tinta: astros y moscas. Escritura-estallido, escritura-abanico, escritura-marisma. Alto: el que escribe se detiene, alza la cara y me mira: mirada vacía, plena, estúpida, excelsa. Escribir, jugar, copular: ¿agonizar? Los ojos cesan de ver —y ven. ¿Qué ven? Ven lo que se está escribiendo y al verlo lo borran. Escribir es leer y borrar signos escritos en un espacio que está dentro y fuera de nosotros, un espacio que es nosotros mismos y aquello en que cesamos de ser nosotros para ser ¿qué o quién?;

sensación de regreso: descenso a la cueva mágica, caverna de Polifemo, escondrijo de Alí Babá, catacumba de los conspiradores, celda de los acusados, sótano de los castigados en el colegio, gruta submarina, cámara subterránea (Proserpina, Calipso), vagina del lenguaje, cala de la ballena, fondo del cráter. Los trabajadores del subsuelo, los gnomos de la palabra, los mineros de signos, los perforadores y dinamiteros de los significados. Topos, ratas, lombrices. Venerables serpientes, augustos dragones: guardianes del tesoro enterrado, el cofre de hierro lleno de hojas secas, el tesoro de la loca sabiduría. Vergüenza, soberbia, irrisión. Paso de la angustia a la risa, del golpe de pecho a la pirueta, del aislamiento a la fraternidad. Complicidad en la tarea común; respeto sin respeto por los otros: me burlo de mí al burlarme de ti y así me honro, te honro. Comunidad en la risa y en el silencio, comunidad en la coincidencia y en la disidencia. Alegría en el subterráneo;

Renga, baño de conciencias, afrontamiento conmigo mismo y no con los otros: no hubo combate ni victoria;

Renga, espiral recorrida durante cinco días en el sótano de un hotel, cada vuelta más alto, cada círculo más amplio;

Renga, taladro perforador del lenguaje: por una brecha de silencio salimos, el día quinto, a un mediodía helado. Dispersión de la espiral en el carrefour del Boulevard Saint-Germain y la rue du Bac: Gloucester, Dijon, Salerno, Pittsburgh.

Nuestra tentativa se inscribe con naturalidad en la tradición de la poesía moderna de Occidente. Inclusive podría decirse que es una consecuencia de sus tendencias predominantes: concepción de la escritura poética como una combinatoria, atenuación de las fronteras entre traducción y obra original, aspiración a una poesía colectiva (y no colectivista). Y ahora conviene destacar la característica central de nuestro *renga*, el rasgo que lo distingue radical y totalmente del modelo japonés: es un poema escrito en cuatro lenguas. Añado y subrayo: en cuatro lenguas y en un solo lenguaje: el de la poesía contemporánea. Curtius mostró la unidad de la literatura europea. Hoy esa unidad es más visible e íntima que en la Edad Media o en el siglo pasado. También es más ancha: se extiende desde Moscú hasta San Francisco, desde Londres y París hasta Santiago de Chile y Sidney. Hablen en alemán, polaco, rumano o portugués, los poetas de este tiempo escriben el mismo poema; y cada una de las versiones de ese poema es un poema distinto, único. No hicieron otra cosa Góngora, Donne, los románticos, los simbolistas y nuestros maestros y predecesores de la primera mitad del siglo XX. No hay (nunca la hubo) una poesía francesa, italiana, española, inglesa: hubo una poesía renacentista, barroca, romántica. Hay una poesía contemporánea escrita en todas las lenguas de Occidente. Si en esta primera tentativa por transplantar el *renga* entre nosotros participaron un francés, un italiano, un inglés y un mexicano, en las reuniones venideras (porque estoy seguro de que se escribirán otros *rengas*) habrá poetas rusos, alemanes, brasileños, catalanes, griegos, húngaros..., todos los idiomas de Occidente. En cambio, aunque sea deseable, la confrontación con poetas de otras civilizaciones me parece un poco más difícil, al menos por ahora. La razón: nuestro *renga* gira en torno a dos elementos contradictorios pero complementarios: la diversidad de lenguas y la comunidad de lenguaje poético.

El poema clásico japonés *(tanka)* está compuesto por dos estrofas, la primera de tres líneas y la segunda de dos. Nada más fácil que partir un *tanka: 3 / 2*, palabra/eco, pregunta / respuesta. Una vez dividido, el *tanka* se multiplica. Prolifera por partenogénesis: 3 / 2 3 / 2 3 / 2 3 / 2... Fisiparidad verbal, fragmentos que se separan y encadenan: la figura que dibuja el *renga* participa de la esbeltez de la serpiente y de la fluidez de la flauta japonesa. Al buscar un equivalente occidental del *tanka*, encontramos al soneto: por una parte, es una forma tradicional que ha llegado viva hasta nosotros; por otra, está compuesta, como el *tanka*, por unidades semiindependientes y separables. Pero la estructura del soneto es muchísimo más compleja que la del *tanka*. Mientras que este último tiene sólo dos estrofas, el número de las del soneto es variable en virtud del principio de duplicación: la primera parte de un soneto está compuesta por dos cuartetos y la segunda por dos tercetos. En el *tanka* la relación entre las estrofas es la de impar / par; en el soneto es simultáneamente par / par y par / impar, ya que la segunda estrofa está dividida en dos partes impares. Repeticiones, reflejos, redundancias y ecos que permiten una gran variedad de combinaciones: el «soneto de las vocales» de Rimbaud es una sola frase, un solo término; el soneto siciliano (ocho y seis líneas) es dualista y prolonga los temas del amor cortés; el de cuatro miembros es un cubo sonoro, un razonamiento autosuficiente, casi un silogismo; el de tres términos es dialéctico, pasional: afirma, niega y acaba por incendiarse en una paradoja; el isabelino es más música que monumento verbal y, si se le compara con el de Góngora, es más inductivo que deductivo. Las relaciones entre las formas del soneto y las de la lógica son extraordinarias y turbadoras. En el *renga* japonés triunfa la sucesión lineal: el poema transcurre; en el *renga* de Occidente la sucesión es zigzag, oposición y reconciliación de términos: el poema se vuelve sobre sí mismo y su modo de transcurrir es la negación dialéctica. En Japón, vaivén del 3 al 2, del 2 al 3, del 3 al 2; en Occidente, continua metamorfosis por el combate y el abrazo de contrarios.

El *renga* está dividido en varias secuencias o modos. El modelo de esta disposición es el paso de las estaciones y el de las veinticuatro horas del día, del alba a la noche. Una composición lineal y circular, un dibujo de extrema simplicidad y elegancia que, en la esfera de la música, tiene su correspondiente en la melodía. Nosotros modificamos radicalmente estas características melódicas y lineales. Y es revelador que lo hayamos hecho sin darnos cuenta exacta de lo que hacíamos, guiados quizá por el mismo instinto que nos llevó a escoger el soneto y a concebir nuestro *renga* no como un río que se desliza sino como un lugar de reunión y oposición de varias voces: una confluencia. Decidimos que nuestro poema se dividiría en cuatro secuencias y que cada uno de nosotros daría el «modo» (sería excesivo hablar de tema) de una secuencia. Como no disponíamos sino de cinco días para componer el poema, resolvimos escribir al mismo tiempo las cuatro secuencias. Me explico: el primer día escribimos los cuatro primeros sonetos de las cuatro secuencias y así sucesivamente; al terminar la redacción del *renga* y leer por primera vez el texto, descubrimos que habíamos cambiado el orden lineal melódico por el contrapunto y la polifonía: cuatro corrientes verbales que se despliegan simultáneamente y que tejen entre ellas una red de alusiones. Cada secuencia está compuesta por siete sonetos que deben leerse uno detrás de otro pero este orden se apoya sobre un texto compuesto por las relaciones de las secuencias entre ellas.[1] El solo de cada secuencia (lectura vertical) se desliza sobre el fondo de un diálogo a cuatro voces (lectura horizontal). La composición tipográfica que hemos adoptado tiende a facilitar estos dos modos de lectura. Me gustaría que se viese a nuestro *renga* no como una tapicería sino como un cuerpo en perpetuo cambio, hecho de cuatro elementos, cuatro voces, en cuatro direcciones cardinales que se encuentran en un centro y se dispersan. Una pirámide: una pira.

No faltará quien denuncie al *renga* como una supervivencia feudal y cortesana, un juego mundano, una reliquia del pasado. No sé si, en el Japón, esta acusación resulte cierta; en Occidente la práctica del *renga* puede ser saludable. Un antídoto contra las nociones de autor y propiedad intelectual, una crítica del yo y del escritor y sus máscaras. Entre nosotros escribir es una enfermedad a un tiempo vergonzosa y sagrada; por eso escribir en público, *ante* los otros, parece una experiencia insoportable. No obstante, escribir en público, *con* los otros, tiene un sentido distinto: construcción de otro espacio de manifestación de la palabra plural, sitio de confluencia de distintas voces, corrientes, tradiciones. Antídoto y contradicción, el *renga* occidental no es ni un método de escritura ni un camino de poesía. Renga: poema que se borra a medida que se escribe, camino que se anula y no quiere llegar a esta o aquella parte. Nadie nos espera al fin: no hay fin y tal vez no hubo comienzo: todo es tránsito.

Atlántico, mayo de 1969

[«Centro móvil» es el prólogo a *Renga*, poema colectivo en cuatro lenguas de Jacques Roubaud, Edoardo Sanguineti, Charles Tomlinson y Octavio Paz (Gallimard, París, 1971; Joaquín Mortiz, México, 1972; George Braziller, Nueva York, 1972). *Renga* fue escrito en abril de 1969, en París. Se incluye en *Obra poética*, volumen VII de estas *OC*. «Centro móvil» se publicó en *El signo y el garabato*, Joaquín Mortiz, México, 1973.]

[1] El soneto VII de la cuarta serie no se escribió.

Kavya
(POESÍA SÁNSCRITA CLÁSICA)[1]

PREFACIO

En los últimos meses del año pasado escribí un libro, *Vislumbres de la India*. Pagué así, como en el caso de *La llama doble*, una deuda contraída conmigo mismo hace muchos años. Mientras escribía, recordaba mis viejas lecturas sobre el arte y la civilización de esa nación o, más bien, conglomerado de pueblos, culturas, lenguas y religiones. Entre esas lecturas estaba la de los libros, no son muchos, dedicados a la poesía sánscrita clásica (Kavya). Volví a leer algunos de ellos. Decidí entonces traducir unos cuantos de esos poemas. Lo hice en parte por gratitud y en parte por divertimento. Comunicar el placer que hemos experimentado al leer ciertos poemas es también, en sí mismo, otro placer. Además, fue una suerte de contraveneno de la lectura de nuestros diarios que, durante estos días desdichados para nuestro país, aparecen con noticias terribles y denuncias, unas justas, otras injustas. La indignación es sana pero el odio envenena.

La poesía sánscrita clásica es poco conocida en Occidente y aún más entre nosotros. La atención de los eruditos, los traductores y los exégetas se ha concentrado en los grandes libros filosóficos y religiosos, en los poemas épicos (el Mahabharata y el Ramayana) y en la gran mina de los cuentos y los apólogos. En cambio, la poesía clásica ha sido vista con cierta indiferencia, al contrario de lo que ha ocurrido con la china y la japonesa. Sin embargo, esa poesía, que va del siglo IV al XII, es contemporánea del mediodía de la civilización de la India antigua, es decir, de los

[1] Con el objeto de completar un poco las páginas que dedico a la poesía de la India antigua [en *Vislumbres de la India*, volumen VI de estas *OC*], he agregado una brevísima muestra de poemas cortos. Seis de los poemas aparecen también, comentados, en «La ápsara y la yakshi». Los he repetido para no dañar la unidad del conjunto. Reproduzco la selección publicada en el número 220 de la revista *Vuelta* (marzo de 1995), pero he añadido cinco epígramas más cuyos temas son la vida literaria y la poesía misma. La muestra comienza con una Erótica y termina con una Poética.

templos, las esculturas y las pinturas que hoy suscitan la admiración universal. A principios del siglo pasado, Goethe y los románticos alemanes, especialmente Friedrich Schlegel, descubrieron a Kalidasa y a otros poetas pero su entusiasmo no se propagó y fueron la filosofía y la religión las que ejercieron en Occidente una duradera y profunda influencia. Apenas si debo recordar los casos de Schopenhauer, Nietzsche, Emerson, Whitman e incluso Mallarmé. Desdén poco explicable y, sobre todo, injusto.

El sánscrito clásico, dice Louis Renou, es «un instrumento simple y preciso tanto por su morfología como por su sintaxis». Fijada por Panini (¿siglo v?), en el curso de los siglos esta lengua experimentó cambios notables, «no en su gramática sino en el estilo, sobre todo en la poesía: el orden de las oraciones se vuelve arbitrario» (como en la poesía de Góngora y su círculo), «las frases se alargan [...], el repertorio de metáforas y comparaciones se enriquece y abundan los juegos de palabras y las frases de doble sentido». La poesía clásica, a un tiempo sutil y compleja, fue escrita para una minoría de cortesanos, brahmanes y guerreros, esto es, para una aristocracia refinada y sensual, amiga de las especulaciones intelectuales y de los placeres de los sentidos, especialmente los eróticos. El sánscrito clásico fue una lengua hablada por una minoría culta, al lado de las hablas y dialecto populares (prakriti). Expresión y vehículo de esta realidad lingüística, la poesía de la India antigua posee las mismas virtudes y limitaciones: inmensa riqueza de vocabulario, sintaxis compleja, aptitud y flexibilidad para fusionar en uno solo varios vocablos e ideas, como en el alemán pero con mayor abundancia y complicación.

Se distinguen tres modos o géneros: el poema extenso, maha-kavya, que relata una historia real o, más frecuentemente, mitológica, el teatro y el poema corto, kavya propiamente dicho. La gran figura del maha-kavya es Kalidasa, el poeta que impresionó, entre otros, a Goethe (lo conoció en una traducción al alemán de la versión inglesa del orientalista William Jones). He leído buenas traducciones de Kalidasa en inglés y en francés, como la del *Nacimiento de Kumara,* que ha sido traducido con pericia al inglés por Barbara Stoler Miller y al francés por Bernardette Tubine. Naturalmente, Kalidasa no es un caso aislado pero sería ocioso citar a los otros poetas que, durante más de ocho siglos, escribieron estos poemas que la crítica llama «épica culta». La expresión hace pensar en los poemas épicos de Tasso y de Ariosto; sin embargo, tanto por sus asuntos mitológicos como por su extensión, a mí me parecen más cercanos a las «fábulas» de nuestros siglos XVI y XVII, como el *Polifemo* de Góngora y el

Faetón de Villamediana. En cuanto al teatro: la figura central de nuevo es Kalidasa, autor de una obra capital: *Sakuntala.* El teatro cuenta también con comedias, algunas encantadoras, como *El carro de arcilla* que, si no me equivoco, inspiró a Nerval en una de sus tentativas teatrales y que después ha sido adaptada a la escena moderna por Claude Roy. Una pieza de teatro del poeta Vishakadatta, *El sello del anillo de Rakhasa,* convertida en leyenda y recogida por Richard Burton, le sirvió a Hawthorne para escribir un cuento, *La hija de Rappaccini,* y a mí para componer un poema dramático.

El tercer género, el poema corto (kavya), es muy abundante y variado. Sus temas son los de la vida misma: los dioses, la moral, la naturaleza, la juventud, la riqueza, la vejez, la pobreza, la muerte y, sobre todo, el amor y los juegos eróticos. Toda la humana comedia. La extensión de cada poema oscila entre dos y seis versos. Abundan los de cuatro líneas. Como la griega y la latina, la poesía sánscrita es cuantitativa (combinación de sílabas largas y cortas) y no usa sino excepcionalmente la rima pero es rica en aliteraciones, paranomasias y juegos de sonidos y de sentidos. Las figuras de lenguaje *(alamkara)* son numerosas y fueron estudiadas por los críticos indios minuciosamente y con gran sutileza. En los tratados de poética aparece una categoría estética difícil de definir en una lengua occidental: *rasa.* La palabra quiere decir «sabor» pero Ingalls, con buen juicio, prefiere traducirla por *mood.* ¿Y en español? ¿Talante, humor, estado de ánimo? Rasa es todo eso y más: «gusto». No nada más sabor ni sensación sino «sensibilidad para apreciar las cosas bellas y criterio para distinguirlas» (María Moliner, *Diccionario de uso del español*). Los europeos que han escrito con mejor gusto sobre el gusto son los franceses, sobre todo los prosistas del XVIII y algunos poetas del XIX, como Baudelaire.

Reveladora coincidencia: lo mismo los poetas de la India antigua que los autores franceses de la segunda mitad del siglo XVIII, pienso sobre todo en los novelistas libertinos, no usan palabras gruesas y evitan casi siempre la mención explícita de los órganos genitales. La excepción serían Restif de la Bretonne y Sade, aunque en este último aparecen, al lado de periodos de lenguaje brutal, nunca o casi nunca coloquiales, otros que son filosóficos e históricos. Una de las obras más célebres de la novela libertina del XVIII se llama, precisamente, *Therèse philosophe.* En Laclos el erotismo es mental y el autor nos muestra no tanto lo que sienten los personajes como lo que piensan al sentir o al ver sentir a su pareja-víctima. En la pequeña obra maestra de Vivant Denon, *Pas de lendemain*, traducida con tanta felicidad por Aurelio Asiain (Editorial Vuelta, 1994) y sobre la que apenas si se ha detenido nuestra miope crítica, la limpidez clásica del lenguaje, recorrido por un secreto estremecimiento que anuncia al romanticismo, hace aún más equívoca y ambigua la relación erótica. Algo semejante puede decirse de muchos poemas breves en sánscrito clásico. Ni en una ni en otra tradición esta reserva se debía a una preocupación moral sino estética. Era una cuestión de gusto. Exactamente lo contrario de lo que ocurre en la literatura moderna.

Otra cualidad que destacan los críticos indios: la sugerencia. No hay que decirlo todo: el poema está en lo no dicho. En esto los poetas de la India clásica podrían parecerse a los simbolistas europeos o a los chinos y los japoneses. Pero el parecido con estos últimos es engañoso: el espíritu del sánscrito, como el del griego y el latín, es explícito y enfático. El encanto mayor de la poesía china y de la japonesa consiste, precisamente, en su admirable reticencia, algo muy difícil de lograr en una lengua indoeuropea. Una tercera característica: la impersonalidad. Se trata de un rasgo que comparten todos los clasicismos, sin excluir al europeo, y también la poesía barroca. Para el poeta clásico la poesía es arte, no confesión. El autor no expresa sus propios sentimientos sino los de los personajes de sus poemas: el amante, la muchacha abandonada, el héroe. Nada menos romántico que la poesía kavya: la originalidad del poema no está en la expresión de sus sentimientos y pensamientos sino en la perfección y la novedad de sus giros e imágenes. Hay excepciones, claro, como la de Bhartrihari, en la que la voz del poeta se filtra, por decirlo así, a través del cedazo del lenguaje. También en el irónico y sensual Dharmakirti, que al mismo tiempo fue un severo filósofo (¿o por eso mismo?), hay de pronto relámpagos de una intimidad pasional que rompe las convenciones del género. La regla general, sin embargo, es la impersonalidad. Vale la pena aclarar que impersonalidad no es sinónimo de inautenticidad. El arte verdadero transciende, simultáneamente, al mero artificio y a la expansión subjetiva. Es objetivo como la naturaleza pero introduce en ella un elemento que no aparece en los procesos naturales y que es propiamente humano: la simpatía, la compasión.

Aunque las pérdidas han sido grandes —los rigores del clima, el monzón, los insectos, las guerras, las invasiones y el letargo de la civilización hindú desde el siglo XIII— han sobrevivido muchos poemas. Hay conjuntos de poemas breves, formados por cien o más composiciones (centurias) sobre un tema o varios. Estas centurias son a veces obra de un solo poeta pero con frecuencia, como en los casos de Amaru y Bhartrihari, se trata de atribuciones: no pocos de esos poemas son de otros autores. La centuria de Amaru (¿siglo VII?) es predominantemente erótica y es muy estimada. Fue traducida al español por Fernando Tola, al que debemos otras traducciones de textos budistas. También son justamente famosas las tres centurias de Bhartrihari. Contamos con la excelente versión al inglés de Barbara Stoler Miller. Cada una de estas tres colecciones está compuesta por más de cien poemas y, como ya dije, no todos son de Bhartrihari. La primera se refiere a un tema actual: el intelectual y el príncipe (pero el poeta no nos dice nada nuevo ni original); la segunda centuria —muy superior a la primera— al amor; y la tercera, asimismo notable, a la vida religiosa.

Por último, las antologías. La más famosa —y la fuente de este trabajo— es la del monje budista Vidyakara, un bengalí de fines del siglo XI. Según el erudito D. D. Kosambi, descubridor de la antología en una vieja biblioteca de Katmandú, Vidyakara fue un alto dignatario del monasterio budista de Jagaddala, que es hoy un montón de piedras. No sabemos nada o casi nada de Vidyakara pero su antología revela gusto poético y un espíritu abierto y tolerante. Aunque mostró preferencia, observa Ingalls, por los poetas de su región y de su época (700-1050), en su antología aparecen no sólo poemas dedicados al Buda y a los bodisattvas sino a los dioses brahmánicos: Shiva, Vishnu, Párvati y otros. Los poemas de temas eróticos, un amor inseparable del cuerpo y de sus encuentros con otros cuerpos, componen la mayor parte de la antología.

No es extraño que un monje budista incluya en una antología poemas eróticos. La alianza entre el erotismo y la religión, particularmente intensa en el hinduismo, aparece también en el budismo, por ejemplo en los grandes santuarios de Sanchi y Karli. Ahora bien, subrayo que lo característico de la poesía kavya y de la antología de Vidyakara es la naturaleza totalmente profana de la mayoría de esos poemas. La veneración por los dioses, casi siempre implícita, no opera como una censura. No se trata de erotismo religioso o místico, como en los poemas de San Juan de la Cruz o en los que, en la India, cantan los amores del dios Krishna con la vaquera Radha. No hay nada religioso en todos esos poemas que exaltan al cuerpo y a sus poderes. Los temas eróticos no son los únicos; figuran asimismo la naturaleza y sus fenómenos, la vida diaria con sus alegrías y sus penas, sin olvidar a la muerte. La antología se llama *Subhasitaratnakosa,* que Ingalls traduce por *Treasury of Well Turned Verses* y nosotros, en español, por *Tesoro de poemas memorables.*[1]

El *Tesoro* de Vidyakara está compuesto por mil setecientos veintiocho poemas, un número inferior al de la *Antología palatina.* Sin embargo, el parecido entre las dos obras es extraordinario: la brevedad y la concisión, la ironía y la sensualidad, la multiplicidad de temas y el cuidado por el detalle característico, la presencia de la muerte y la burla o la reflexión que provoca en nosotros, la familiaridad y el artificio, las repeticiones innumerables y las sorpresas súbitas. La forma plena y bien dibujada hace de cada poema una miniatura exquisita o un camafeo verbal. Poesía que se graba en la memoria y que, alternativamente, nos hace sonreír y reflexionar.

Los poemas breves en sánscrito clásico son, como los de los griegos y los latinos, epigramas. Esta palabra no quiere decir únicamente poema breve, satírico o ingenioso, sentido que le dan nuestros diccionarios. El significado es más amplio: composición que expresa en unos pocos versos las peripecias de los hombres, sus sensaciones, sus sentimientos y sus ideas. Por esto, a pesar de haber sido escritos hace más de mil años, estos poemas son modernos. La suya es una modernidad sin fechas. Las civilizaciones nacen, crecen y desaparecen; una filosofía sucede a otra; el ferrocarril desplaza a la diligencia y el avión al ferrocarril; el fusil sustituye al arco y la bomba al fusil... pero los hombres cambiamos poco. Las pasiones y los sentimientos apenas si se transforman. Aunque un ateniense del siglo V a.C. o un chino del IX se sorprenderían ante el teléfono y la televisión, comprenderían los celos de Swann, la flaqueza de Dimitri Karamázov ante las tentaciones o los éxtasis de Constanza y el guardabosque Mellors. La naturaleza humana es universal y perdurable, es de todos los climas y de todas las épocas. Éste es el secreto de la perennidad de ciertos poemas y de algunos libros.

Mi selección —mejor dicho: pobre muestra— se basa principalmente en la antología de Ingalls. Me hubiera gustado utilizar las traducciones de John Brough (*Poems from the Sanskrit,* Londres, 1969), notables por su perfección métrica pero el uso de la rima me habría alejado demasiado

[1] Los editores del texto sánscrito fueron D. D. Kosambi y V. V. Gokhala, Harvard Oriental Series 42, 1957. La traducción de Daniel H. H. Ingalls apareció, en la misma serie, núm. 44, bajo el título de *Anthology of Sanskrit Court Poetry.* Posteriormente, en 1965, Ingalls publicó en Harvard University Press una muy amplia selección de la antología: *Sanskrit Poetry.*

del texto original. Veintitrés poemas de los veinticinco que escogí vienen del libro de Ingalls; otro más, *Las dos vías* (número 1), de la traducción de Barbara Stoler Miller de los poemas de Bhartrihari (1967) y otro, *Arriba y abajo* (número 11), de la traducción al francés de Amina Okada del libro de Bilhana (¿siglo XI?), *Poèmes d'un voleur d'amour* (1988). Algunos de los poemas que he traducido son pasionales y otros ingeniosos, unos risueños y otros sarcásticos. Ejemplo de esto último es el número 18, *Paz,* pesimista negación tanto de la liberación *(moksha)* que nos ofrece el hinduismo como de la iluminación budista (Nirvana). Por cierto, en el número 6, *La lámpara ruborosa,* hay un juego levemente blasfemo: la palabra *Nirvana* quiere decir «extinción» y asimismo la beatitud de aquel que ha roto la cadena de las transmigraciones. En el número 5, *La nueva ciudadela,* y en el número 10, *El tallo,* hay una palabra que necesita una explicación: *romavali* (hay que pronunciarla como se escribe), significa la delgada línea de vello que sube del pubis y llega a unas pulgadas antes del ombligo. Era una marca de belleza y el signo del tránsito de la adolescente a la madurez sexual.

Según ya indiqué, la crítica y la teoría estética son parte esencial de la tradición poética de la India clásica. Incluso puede decirse que poesía y crítica son inseparables, como puede verse en muchos poemas de la antología de Vidyakara. De ahí que haya agregado a mi selección inicial otros cinco epigramas que se refieren expresamente a la poesía y a los poetas. Los traduje un poco antes de los otros, en 1993, para leerlos en un recital de poetas jóvenes organizado por la revista *Vuelta.* Los cinco epigramas son los siguientes: *Los clásicos* (21), *Fama* (22), *Retórica* (23), *Posteridad* (24) y *La tradición* (25). Tres de ellos —los números 21, 23 y 25— fueron publicados en *Vuelta* (núm. 81, junio de 1994) bajo el título: «Avisos a los poetas jóvenes». El epigrama número 22, *Fama,* requiere una breve explicación. Vidyakara no lo incluyó en la sección dedicada a los poetas sino en otra consagrada a la Fama. Está formada por breves poemas que son panegíricos de reyes y de héroes. El primer verso de este epigrama literalmente dice: «—¿ Quién eres? Soy la Fama de Kuntalamalla». El profesor Ingalls nos informa, puntualmente, que Kuntalamalla fue un rey. Así pues, el sentido del poema es claro: desaparecido el rey, no ha nacido aún nadie digno de conquistarla y hacerla suya. Por esto su fama vaga por el mundo para encontrar a alguien que sea como el heroico rey. Al suprimir el nombre de Kuntalamalla, que no significa nada para la inmensa mayoría de los lectores modernos del poema, di una connotación negativa a la

Fama y transformé al panegírico en sátira. Al mismo tiempo, extendí su significado: ya no se refiere únicamente a los monarcas y a los guerreros sino a todo el género humano y, sobre todo, a los artistas y a los poetas. Fui infiel, lo confieso, al texto y al autor; al mismo tiempo, fui fiel al pensamiento y a la tradición indias, en sus dos ramas, la brahmánica y la budista, que ven en la impermanencia el defecto cardinal del hombre y de todos los entes. La Fama es la impermanencia en persona. Fui también fiel al espíritu de cierta tradición poética, representada en mi selección por el poema de Bhavabhuti: *Posteridad.*

Desconocemos los nombres de los autores de los poemas 2, 3, 6, 8, 10, 13, 17, 18, 19, 20 y 22; o sea más de la tercera parte del total. No es extraño. Sabemos poquísimo, salvo el nombre y, a veces, el siglo en que vivieron, de las vidas de los poetas que escribieron en sánscrito clásico. Ya me referí a las destrucciones de la naturaleza y a los actos no menos devastadores de los hombres: guerras, conquistas, incuria. Debe agregarse otra circunstancia: el genio metafísico de la India. Desdeñó siempre a la historia, en la que veía la imagen misma de la impermanencia: el contrario de los chinos, enamorados no de las esencias intemporales sino del pasado, que concebían como el arquetipo del presente y del futuro. La literatura china es rica en noticias acerca de los poetas. Abundan las biografías de Tu Fu, Li Po, Po Chü-i o Su Tung-p'o pero sería imposible escribir una vida de Kalidasa o de Bhartrihari. Termino: mis traducciones son traducciones de traducciones y no tienen valor filológico. Quise que tuviesen, por lo menos, algún valor literario y aun poético. El lector decidirá. En fin, los títulos son míos: flechas de indicación.

México, a 26 de enero de 1995

EPIGRAMAS

1

Las dos vías

¿Para qué toda esta hueca palabrería?
Sólo dos mundos valen la devoción de un hombre:
la juventud de una mujer de pechos generosos,

inflamada por el vino del ardiente deseo,
o la selva del anacoreta.

Bhartrihari

2

Amor

Admira el arte del arquero:
no toca el cuerpo y rompe corazones.

3

Aparición en el arroyo

Sacude la melena
y entre el desorden de sus rizos
brillan límpidas gotas.
Cruza los brazos y comprueba
la novedad creciente de sus senos.
A sus muslos se pega, translúcida, una tela.
Levemente se inclina, lanzando una mirada,
y sale de las aguas a la orilla.

4

Primera cita

El deseo la empuja hacia el encuentro,
la retiene el recelo; entre contrarios,
estandarte de seda, quieta, ondea
y se pliega y despliega contra el viento.

Kalidasa

5
La nueva ciudadela

Hacia arriba, apenas una línea,
asciende y brilla el *romavali,*
asta de la bandera que ha plantado
el amor en su nueva ciudadela.

Ladahacandra

6
La lámpara ruborosa

La lámpara de amor ya alcanzaba el *nirvana*
pero quiso mirar lo que esos dos harían
a la hora del acto: curiosa, estiró el cuello
y al ver lo que veía, exhaló un humo negro.

7
Confidencia: confusión

Al lado de la cama
el nudo se deshizo por sí solo
y apenas detenido por la faja
se deslizó el vestido hasta mis ancas.
Querida, no sé más: llegué a sus brazos
y no recuerdo ya quién era quién,
lo que hicimos ni cómo.

¿Vikatanitamba? ¿Amaru?

8

Ecuación

Si las ajorcas del tobillo callan,
aretes y collares tintinean;
si se fatiga el hombre
su pareja, briosa, lo releva.

9

Sus pechos

Dos monarcas hermanos, iguales en nobleza,
en la misma eminencia se miran, lado a lado,
soberanos de vastas provincias que han ganado,
en guerras fronterizas, desafiante dureza.

Bhavakadevi

10

El tallo

El *romavali,* tallo firme, sostiene
altos, dos lotos: sus senos apretados,
casa de dos abejas: sus pezones obscuros.
Estas flores delatan el tesoro
bajo el monte del pubis escondido.

11

Arriba y abajo

Todavía hoy recuerdo sus aretes de oro,
círculos de fulgores, rozando sus mejillas
—¡era tanto su ardor al cambiar posiciones!—
mientras que su meneo, rítmico en el comienzo,

al galope después, en perlas convertía
las gotas de sudor que su piel constelaban.

Bilhana

12

El sello

¿Cuándo veré de nuevo, firmes, plenos, tus muslos
que en defensa se cierran el uno contra el otro
para después abrirse, al deseo obedientes,
y al caer de las sedas súbito revelarme,
como sello de lacre sobre un secreto obscuro,
húmeda todavía, la marca de mis uñas?

Kishitisa

13

La invitación oblicua

Viajero, apresura tus pasos, sigue tu camino,
los bosques están infestados de fieras,
serpientes, elefantes, tigres y jabalíes,
el sol se oculta ya y tú, tan joven, andas solo.
Yo no puedo hospedarte:
soy una muchacha y no hay nadie en casa.

14

Otra invitación, menos oblicua

Aquí duerme mi anciana madre,
aquí mi padre, el viejo más viejo entre los viejos,
aquí, como una piedra, la esclava,

y aquí yo duermo, yo que por no sé qué pecado
merezco estos días de ausencia de mi esposo...
Le decía al viajero la joven casada.

Rudrata

15

Edad

Mira este cano pilar de victoria.
Gané: tus flechas, amor, ya no me tocan.

Dharmakirti

16

Campeona

Si se trata de zurcir vestidos rotos
yo no tengo rival en este mundo.
También soy maestra en el arte
de hacer rica comida con pobres condimentos.
Soy una esposa.

Vira

17

El pedagogo

No llevo cadenas
doradas como la luna de otoño;
no conozco el sabor de los labios
de una muchacha tierna y tímida;
no gané, con la espada o la pluma,
fama en las galerías del tiempo:
gasté mi vida en ruinosos colegios
enseñando a muchachos díscolos y traviesos.

18

Paz

Atravesó los ríos del deseo
y ahora, inmune a pena y alegría,
al fin limpio de impuros pensamientos,
la beatitud alcanza, con los ojos cerrados.
—¿Quién y dónde?
—¿No miras, viejo y fofo,
a ese fiambre tendido en su mortaja?

19

Sin fanfarria

No truena ni graniza,
no dispara relámpagos
ni desata huracanes:
esta gran nube simplemente llueve.

20

Sol y sombra

Bajo el sol impiadoso
a otros les da sombra
y para otros da sus frutos.
El hombre bueno es como un árbol.

21

Los clásicos

¿ Kalidasa y los otros poetas?
Nosotros también lo somos.
La galaxia y el átomo
son cuerpos: los dos existen.

Krishnabhatta

22

Fama

—¿Quién eres?
—Soy la Fama.
—¿En dónde vives?
—Vagabundeo.
—¿Y tus amigas,
Elocuencia, Riqueza y Hermosura?
—Elocuencia vive en la boca de Brahma,
Riqueza duerme en los brazos de Vishnu,
Hermosura brilla en la esfera de la luna.
Sólo a mí me dejaron sin casa en este mundo.

23

Retórica

La belleza no está
en lo que dicen las palabras
sino en lo que, sin decirlo, dicen:
no desnudos sino a través del velo
son deseables los senos.

Vallana

24

Posteridad

Armados de sus reglas y preceptos
muchos condenan a mis versos.
No los escribo para ellos:
para esa alma gemela de la mía
que ha de nacer mañana, los escribo.
El tiempo es largo y ancho el mundo.

Bhavabhuti

25

La tradición

Nadie atrás, nadie adelante.
Se ha cerrado el camino
que abrieron los antiguos.
Y el otro, ancho y fácil, de todos,
no va a ninguna parte.
Estoy solo y me abro paso.

Dharmakirti

Los manuscritos
de Rabindranath Tagore

Las relaciones entre Tagore y el mundo hispánico han sido múltiples, complejas y apasionadas. Múltiples no sólo porque comprenden a muchas personas sino porque abarcan a varios países, de España a México, Argentina y Chile: todo un continente. Complejas porque la influencia de Tagore, especialmente en los años de su apogeo, entre 1915 y 1925, no fue únicamente literaria ni se limitó a personalidades aisladas: para muchos fue la primera revelación del mundo oriental, hasta entonces sólo abierto a unos cuantos especialistas; para otros, un signo del despertar histórico de la India. Numerosas y complejas, esas relaciones fueron sobre todo apasionadas. Hace poco un ensayista brillante, excéntrico y discutible (estos adjetivos, aplicados a un escritor, no designan defectos sino cualidades), Nirod C. Chaudhuri, destacaba ciertas afinidades o analogías entre Bengala y América Latina. Yo extendería el parecido a otras dos regiones: Goa y Kerala. En las tres la tradición india y la de Occidente, lejos de neutralizarse, se interpenetraron y crearon una suerte de «barroco» indo-occidental. Pero el hecho de que Tagore fuese bengalí no explica del todo la atracción que despertó su figura entre nosotros. La verdadera explicación reside en el poder magnético de su poesía. Un ejemplo bastará para dar una idea del culto que rodeaba a su nombre: hacia 1920 el escritor José Vasconcelos, fundador de la educación moderna en México, decidió publicar en ediciones gratuitas a los clásicos universales y en esa colección incluyó una antología del poeta bengalí, al lado de Platón, Dante, Cervantes, Goethe, el teatro griego, Tolstói.

La paradoja de la poesía consiste en que es universal y, al mismo tiempo, intraducible. La paradoja se disipa apenas se piensa que si efectivamente la traducción es imposible no lo es su recreación en otra lengua. Tagore tuvo la fortuna de encontrar en lengua española un traductor que era también un gran poeta: Juan Ramón Jiménez. Las traducciones de Jiménez, hechas en colaboración con su esposa Zenobia, convirtieron al poeta bengalí en un poeta español. Su poesía no perdió su extrañeza original y, sin embargo, circula desde entonces como disuelta en la sangre de nuestra tradición. Lo mismo había ocurrido con el primer *Fausto* de Goethe, traducido por Nerval al francés y con los poetas chinos que Pound ha trasladado al inglés. No exploraré el tema de las afinidades y diferencias entre el poeta bengalí y el español pero recomiendo a los curiosos un ensayo de la señora Graciela Nemes, publicado en el volumen que dedicó a Tagore en 1961 la Sahitya Akademi. Tampoco me extenderé sobre la influencia de Tagore en los poetas de lengua española. Fue muy profunda en la generación anterior a la mía, y no es difícil percibirla, por ejemplo, en la obra de juventud de Pablo Neruda.

Tagore influyó en algunos poetas hispanoamericanos pero nuestra poesía no influyó en la suya. Ignoraba el español y sus escritos no revelan familiaridad con nuestros autores ni, en general, con la tradición latina. En cambio, en los últimos meses de 1924, estuvo en Buenos Aires y allí conoció a Victoria Ocampo. Fue un encuentro memorable por más de un motivo. Tagore nunca olvidó los meses pasados a orillas del río de La Plata y uno de sus libros, escrito precisamente en la quinta de campo de Victoria, está dedicado a ella: *Puravi.* La escritora argentina, por su parte, nos ha dejado un vivo testimonio de esa temporada. En ese relato Victoria Ocampo nos cuenta algo sobre los orígenes de la afición de Tagore a la pintura:

> Durante la estancia de Tagore en San Isidro, me asombró el aspecto del cuaderno en que escribía en bengalí los poemas de su libro *Puravi.* Se recreaba dibujando líneas y figuras entre las correcciones y tachones de sus versos. Esas líneas de pronto adquirían vida y así surgían de ese juego monstruos prehistóricos, pájaros, rostros. Las correcciones de los poemas de Tagore engendraban un mundo de formas que sonreían, o gesticulaban ante nosotros de una manera misteriosa y fascinante. Le pedí que me dejase fotografiar algunas de esas páginas. Él accedió de buena gana. Creo que ese cuaderno fue el principio de Tagore el Pintor. El origen de su necesidad de expresar sus sueños con el pincel y la brocha. La seducción de esos grabados era tan grande que lo animé a continuar. Cuando lo volví a ver, seis años después, en Francia, pintaba ya y no sólo hacía garabatos poéticos. Me tocó organizar, con la ayuda de un grupo de amigos franceses, una exposición de sus obras que tuvo mucho éxito.

A medida que pasan los años crece el interés por la pintura de Tagore. En un artículo reciente uno de los pintores indios de mayor talento, Swaminathan, afirmaba que la obra plástica del poeta de Bengala es uno de los orígenes de la pintura india contemporánea. Tiene razón. A mí me parece que su pintura es, por lo menos, tan importante como su poesía. Además, *es más moderna*. Muchos de sus poemas hoy nos parecen *camp* y nos hacen sonreír. No ocurre lo mismo con su obra plástica: Tagore dice en sus cuadros cosas que no dijo en sus poemas; y lo dice con una violencia, una fantasía y una libertad en verdad impresionantes. El pintor Tagore está más cerca de nosotros que el poeta Tagore. Pero hay un punto de unión entre el pintor y el poeta. Este punto de unión es un verdadero «punto sensible» y confiere una profunda actualidad a su obra. Me refiero a esos manuscritos que menciona Victoria Ocampo en su ensayo. Siguiendo sin saberlo la idea de Leonardo da Vinci y de los surrealistas, Tagore acepta la colaboración del azar. Al convertir los tachones y otros accidentes de la escritura en experiencias plásticas, transforma la página en un objeto mágico. Las palabras se vuelven signos plásticos y abandonan la esfera de la significación; al mismo tiempo, las manchas, líneas y colores se unen y separan en una suerte de prefiguración del lenguaje. Derrota de la palabra pero triunfo de la poesía. Lo que dice el poema está más allá del lenguaje; lo que nos muestra el cuadro está más allá de la vista.

El interés de Tagore por las relaciones entre pintura y poesía aparece temprano en su obra. Al leer por primera vez a los poetas japoneses, comenta: «No escriben poemas-canciones sino poemas-pinturas». Esta observación revela con perspicacia la diferencia entre la tradición poética india y la de China y Japón. Ahora bien, Tagore no cedió a la tentación del ideograma ni a la del poema-pintura. Esto distingue su tentativa de la de Apollinaire. El poeta francés quería dibujar con palabras y de ahí que, a pesar de la gracia de muchos de sus *calligrammes,* haya fracasado en su intento de unir poesía y pintura. En cambio, Tagore quería cantar con las líneas y los colores. Por eso no parte de las palabras y las letras sino de las líneas y las manchas, que son siempre rítmicas. En un ensayo de 1930, dice: «El principio del ritmo, común a todas las artes, transforma la materia inerte en creaciones vivientes. Mi instinto rítmico y mis experimentos plásticos me llevaron a descubrir que, en arte, las líneas y colores no transmiten información: buscan una encarnación rítmica en formas plásticas. Su último propósito no es ilustrar o copiar realidades exteriores o visiones interiores». Estas palabras, que me hacen pensar en Kandinsky, son una admirable definición de lo que es y se propone el arte moderno. Más adelante, en el mismo ensayo, agrega: «Y ésta fue mi experiencia con los *accidentes* de mis manuscritos. Las correcciones aisladas se unieron en una relación rítmica dando nacimiento a formas únicas». El poeta bengalí no cesa de asombrarnos: adivina ahora una de las empresas más osadas del arte moderno: la «poesía concreta». Se trata, como ustedes saben, de un movimiento que tiene sus centros en Brasil, Inglaterra y Alemania. Estos jóvenes artistas pretenden (y a veces logran) crear con letras, líneas y colores correspondencias verbales y plásticas, en las fronteras entre significación y no significación. Tagore intentó algo semejante. Este aspecto de su obra abre a los nuevos pintores, poetas y músicos un mundo que pocos han explorado. Los fascinantes manuscritos de Tagore nos revelan a un artista que es simultáneamente nuestro precursor y nuestro contemporáneo.

Delhi, 1967

[«Los manuscritos de Rabindranath Tagore» es un texto leído en la Universidad de Delhi, 1967, y publicado en *El signo y el garabato*, Joaquín Mortiz, México, 1973.]

TESTIGOS

El diablo y el ideólogo: Dostoyevski

Hace un siglo, el 28 de enero de 1881, murió Fiódor Dostoyevski. Desde entonces su influencia no ha cesado de crecer y extenderse; primero en su patria —donde en vida ya había alcanzado la celebridad—, después en Europa, América y Asia. Esta influencia no ha sido exclusivamente literaria sino espiritual y vital: varias generaciones han leído sus novelas no como ficciones sino como estudios sobre el alma humana y cientos de miles de lectores, en todo el mundo, han conversado y discutido silenciosamente con sus personajes, como si fuesen viejos conocidos. Su obra ha marcado a espíritus tan diversos como Nietzsche y Gide, Faulkner y Camus; en México dos escritores lo leyeron con pasión, sin duda porque pertenecían a su misma familia intelectual y se reconocían en muchas de sus ideas y obsesiones: Vasconcelos y Revueltas. Es (o fue) un autor preferido por los jóvenes: todavía recuerdo las conversaciones interminables que sostenía, al finalizar el bachillerato, con algunos compañeros de clase, en caminatas que comenzaban al anochecer en San Ildefonso y terminaban, pasada la medianoche, en Santa María o en la Avenida de los Insurgentes, en busca del último tranvía. Iván y Dimitri Karamazov peleaban en cada uno de nosotros.

Nada más natural que aquel fervor: a pesar del siglo que nos separa, Dostoyevski es nuestro gran contemporáneo. Muy pocos escritores del pasado poseen su actualidad: leer sus novelas es leer una crónica del siglo XX. Pero su actualidad no es la de la novedad intelectual o literaria. Por sus gustos y sus preocupaciones estéticas es un escritor en otra edad; es prolijo, y si no fuese por su humor, extrañamente moderno, muchas de sus páginas serían tediosas. Su mundo histórico no es el nuestro. El *Diario de un escritor* tiene muchos pasajes que me repugnan por su eslavismo y su antisemitismo. Sus tiradas antieuropeas me recuerdan, aunque son más inspiradas, los desahogos y resentimientos del nacionalismo mexicano e hispanoamericano. Su visión de la historia a veces es profunda pero también confusa: carece de esa comprensión del acontecimiento, a un tiempo rápida y aguda, que nos deleita en un Stendhal. Tampoco tuvo la mirada de un Tocqueville, que traspasa la superficie de una sociedad y de una época. No fue, como Tolstói, un cronista épico. No nos cuenta lo que pasa sino que nos obliga a descender al subsuelo para que veamos *qué* es lo que está pasando realmente: nos obliga a vernos a nosotros mismos. Dostoyevski es nuestro contemporáneo porque adivinó cuáles iban a ser los dramas y conflictos de nuestra época. Y lo adivinó no porque tuviese el don de la doble vista o fuese capaz de prever los sucesos futuros sino porque tuvo la facultad de penetrar en el interior de las almas.

Fue uno de los primeros —tal vez el primero— que se dio cuenta del nihilismo moderno. Nos ha dejado descripciones de ese fenómeno espiritual que son inolvidables y que, todavía, nos estremecen por su penetración y su misteriosa exactitud. El nihilismo de la Antigüedad estaba emparentado con el escepticismo y el epicureísmo; su ideal era una noble serenidad: alcanzar la ecuanimidad ante los accidentes de la fortuna. El nihilismo de la India antigua, que tanto impresionó a Alejandro y a sus acompañantes, según cuenta Plutarco, era una actitud filosófica no sin analogía con el pirronismo y que terminaba en la contemplación de la vacuidad. El nihilismo era, para Nagarjuna y sus seguidores, la antesala de la religión. Pero el nihilismo moderno, aunque también nace de una convicción intelectual, no desemboca ni en la impasibilidad filosófica ni en la beatitud de la ataraxia; más bien es una incapacidad para creer y afirmar algo, una falla espiritual más que una filosofía.

Nietzsche imaginó el advenimiento de un «nihilista completo», encarnado en la figura del Superhombre, que juega, danza y ríe en los giros del Eterno Retorno. La danza del Superhombre celebra la *insignificancia* universal, la evaporación del sentido y la subversión de los valores. Pero el verdadero nihilista, como lo vio con mayor realismo Dostoyevski, no danza ni ríe: va de aquí para allá —alrededor de su cuarto o, es igual para él, alrededor del mundo— sin poder jamás descansar pero también sin poder hacer nada. Está condenado a dar vueltas, hablando con sus fantasmas. Su mal, como el de los libertinos de Sade o la acidia de los monjes medievales, atacados por el demonio de mediodía, es una continua insatisfacción, un no poder amar a nadie ni a nada, una agitación sin objeto, un disgusto ante sí mismo —y un amor por sí mismo. El nihilista moderno, Narciso desdichado, mira en el fondo del agua su imagen rota en pedazos. La visión de su caída lo fascina: siente náuseas ante sí mismo y no puede apartar los ojos de sí. Quevedo adivinó su estado en dos líneas difíciles de olvidar:

> Las aguas del abismo
> donde me enamoraba de mí mismo.

Stavrogin, el héroe de *Demonios* (aunque sea menos literal, la antigua traducción: *Los poseídos,* era más exacta), escribe a Daría Pavlovna, que lo amaba:

> He puesto a prueba, en todas partes, mi fuerza... Durante estas pruebas, ante mí mismo o ante los otros, esa fuerza se ha revelado siempre sin límites. Pero ¿a qué aplicarla? Esto es lo que nunca supe y lo que continúo sin saber, a pesar de todo el ánimo que quieres darme... Puedo sentir el deseo de realizar una buena acción y esto me da placer; sin embargo, experimento el mismo placer ante el deseo de cometer una maldad... Mis sentimientos son mezquinos, nunca fuertes... Me lancé al libertinaje... pero no amo ni me gusta el libertinaje... ¿Crees, porque me amas, que podrás darle algún propósito a mi existencia? No seas imprudente: mi amor es tan mezquino como yo... Tu hermano me dijo un día que aquel que ya no tiene lazos con la tierra pierde inmediatamente a sus dioses, es decir, a sus designios. Se puede discutir de todo indefinidamente pero yo sólo puedo negar, negar sin la menor grandeza de alma, sin fuerza. En mí, la negación misma es mezquina. Todo es fofo, blanduzco. El generoso Kirilov no pudo soportar *su idea* y se voló la tapa de los sesos... Yo nunca podría perder la razón ni creer en una idea, como él... Yo nunca, nunca, podría darme un tiro en la sien.

¿Cómo definir a esta situación? Desánimo, falta de ánima. Stavrogin: el desalmado.

Sin embargo, después de haber escrito esa carta, Stavrogin se ahorca en el desván. Última paradoja: el cordón era de seda y el suicida, previa y cuidadosamente, lo había untado de jabón. Fascinación por la muerte y miedo al dolor. Pero la grandeza del nihilista no reside ni en su actitud ni en sus ideas sino en su lucidez. Su claridad lo redime de lo que Stavrogin llamaba su bajeza o mezquindad. ¿O el suicidio, lejos de ser una respuesta, es otra prueba? Si es así, es una prueba insuficiente. No importa: el nihilista es un héroe intelectual, pues se atreve a penetrar en su alma dividida, a sabiendas de que se trata de una exploración sin esperanza. Nietzsche diría que Stavrogin es un «nihilista incompleto»: le falta el saber del Eterno Retorno. Pero quizá sea más exacto decir que el personaje de Dostoyevski, como tantos de nuestros contemporáneos, es un cristiano incompleto. Ha dejado de creer pero no ha podido sustituir las antiguas certidumbres por otras ni vivir a la intemperie, sin ideas que justifiquen o den sentido a su existencia. Dios ha desaparecido, no el mal. La pérdida de las referencias ultraterrenas no extinguen al pecado: al contrario, le dan una suerte de inmortalidad. El nihilista está más cerca del pesimismo gnóstico que del optimismo cristiano y su esperanza en la salvación. Si no hay Dios no hay redención de los pecados, pero tampoco hay abolición del mal: el pecado deja de ser un accidente, un estado, y se transforma en la condición permanente de los hombres. Es un agustinismo al revés: el mal es ser. El utopista quisiera traer el cielo a la tierra, hacernos dioses; el nihilista se sabe condenado de nacimiento: la tierra ya es el infierno.

El retrato del nihilista, ¿es un autorretrato? Sí y no; Dostoyevski quiere escapar del nihilismo no por el suicidio y la negación sino por la afirmación y la alegría. La respuesta al nihilismo, enfermedad de intelectuales, es la simplicidad vital de Dimitri Karamazov o la alegría sobrenatural de Aliocha. De una y otra manera, la respuesta no está en la filosofía y las ideas sino en la vida. La refutación del nihilismo es la inocencia de los simples. El mundo de Dostoyevski está poblado de hombres, mujeres y niños a un tiempo cotidianos y prodigiosos. Unos son angustiados y otros sensuales, unos cantan en la abyección y otros se desesperan en la prosperidad. Hay santos y criminales, idiotas y genios, mujeres piadosas como un vaso de agua y niños que son ángeles atormentados por sus padres. (¡Qué opuestas visiones de la niñez la de Dostoyevski y la de Freud!) Mundo de criminales y justos: para unos y otros están abiertas las puertas del reino de los cielos. Todos pueden salvarse o perderse. El cadáver del padre Zósima despide un tufo de corrupción, revelador de que, a pesar de su piedad, no murió en olor de santidad; en cambio, al recordar a los bandidos y criminales que fueron sus compañeros de prisión en Siberia, Dostoyevski dice: «allá el hombre, de pronto, escapa a toda medida». El hombre, «criatura improbable», puede salvarse en cualquier momento. En esto el cristianismo de Dostoyevski está cerca de las ideas sobre la libertad y la gracia de Calderón, Tirso y Mira de Amescua.

Para nosotros, los santos y las prostitutas, los criminales y los justos de Dostoyevski poseen una realidad casi sobrehumana; quiero decir, son seres insólitos y de otro tiempo. Un tiempo en vías de extinción: pertenecen a la era preindustrial. En este sentido Marx fue más lúcido pues previó la disgregación de los vínculos tradicionales y la erosión de las antiguas formas de vida por la doble acción del mercado capitalista y la industria. Pero Marx no adivinó el surgimiento de un nuevo tipo de hombres que, aunque llamándose sus herederos, consumarían en el siglo XX la ruina de los sueños y aspiraciones socialistas. Dostoyevski fue el primero en describir esta clase de hombres. Nosotros los conocemos muy bien pues en nuestros días se han convertido en legión: son los sectarios y los fanáticos de la ideología, los prosélitos de los Stavrogin y los Iván. Su prototipo es Smerdiakov, el parricida, discípulo de Iván y precursor de Stalin y de tantos otros. Los sectarios no han heredado de los nihilistas la lucidez sino la incredulidad. Mejor dicho, han convertido a la incredulidad en una nueva y más baja superstición. Dostoyevski los llama *endemoniados* aunque, a diferencia de Iván y de Stavrogin, no tiene conciencia de que están poseídos por los diablos. Por eso los compara con los cerdos del Evangelio (San Lucas, VII, 32-36). Al perder su antigua fe, veneran ídolos falsamente racionales: el progreso, las utopías sociales y revolucionarias. Han abjurado de la religión de sus padres, no de la religión: en lugar de Cristo y la Virgen adoran dos o tres ideas de manual. Son los antepasados de nuestros terroristas. El mundo de Dostoyevski es el de una sociedad enferma de esa corrupción de la religión que llamamos ideología. Su mundo es la prefiguración del nuestro.

Dostoyevski fue revolucionario en su juventud. Por sus actividades fue encarcelado, condenado a muerte y después perdonado. Pasó varios años en Siberia —los campos de concentración de la Rusia actual son una herencia perfeccionada y amplificada del sistema de represión zarista— y a su regreso rompió con su pasado radical. Fue conservador, cristiano, monárquico y nacionalista. Sin embargo, sería un error reducir su obra a una definición ideológica. No fue un ideólogo —aunque las ideas tengan una importancia cardinal en sus novelas— sino un novelista. Uno de sus héroes, Dimitri Karamazov, dice: «Debemos amar más a la vida que al sentido de la vida». Dimitri es una respuesta a Iván, pero no es *la* respuesta: Dostoyevski no opone una idea a otra sino una realidad humana a otra. A diferencia de Flaubert, James o Proust, las ideas son reales para él, pero no en sí mismas sino como una dimensión de la existencia. Las únicas ideas que le interesaron fueron las ideas encarnadas. Algunas vienen de Dios, es decir, de la profundidad del corazón; otras, las más, vienen del diablo, es decir, del cerebro. Como el alma de los clérigos medievales, la conciencia del intelectual moderno es un teatro de batalla. Las novelas de Dostoyevski, desde esta perspectiva, son parábolas religiosas y su arte está más cerca de San Agustín y Pascal que del realismo moderno. Al mismo tiempo, por el rigor de sus análisis psicológicos, su obra anticipa a Freud y, en cierto modo, lo trasciende.

Debemos a Dostoyevski el diagnóstico más profundo y completo de la enfermedad moderna: la escisión psíquica, la conciencia dividida. Su descripción es, simultáneamente, psicológica y religiosa. Stavrogin e Iván padecen visiones: ven y hablan con espectros que son demonios. Al mismo tiempo, como ambos son modernos, atribuyen esas apariciones a transtornos psíquicos: son proyecciones de su alma perturbada. Pero ninguno de los dos está muy seguro de esa explicación. Una y otra vez, en sus conversaciones con sus espectrales visitantes, se ven constreñidos a aceptar, con desesperación, su realidad: en verdad hablan con el diablo. La conciencia de la escisión es diabólica: estar poseído significa saber que el yo se ha roto y que hay un extraño que usurpa nuestra voz. ¿Ese extraño es el diablo o nosotros mismos? Cualquiera que sea nuestra respuesta, la identidad de la persona se escinde. Estos pasajes son alucinantes: las conversaciones de Iván y Stavrogin con sus demonios están relatados con gran realismo y como si se tratase de sucesos cotidianos. Abundan las situaciones absurdas y las reflexiones irónicas. Alternativamente el miedo nos hace reír y nos hiela la sangre. Experimentamos una fascinación ambigua: la descripción psicológica se transforma insensiblemente en especulación metafísica, ésta en visión religiosa y, en fin, la visión religiosa en cuento que mezcla de modo inexplicable lo sobrenatural y lo cotidiano, lo grotesco y lo abismal.

Los diablos de Dostoyevski poseen una veracidad única en la literatura moderna. Desde el siglo XVIII los fantasmas de nuestros poemas y novelas son poco convincentes. Son personajes de comedia y la afectación de su lenguaje y de sus actitudes es, a un tiempo, pomposa e insoportable. Los de Goethe y Valéry son plausibles por su mismo carácter extremadamente intelectual y simbólico; también son aceptables los que de manera deliberada e irónica se presentan como ficciones fantásticas: el diablo de *La mano encantada* de Nerval o el delicioso *Diablo enamorado* de Cazotte. Pero los diablos modernos se jactan de ser diablos y hacen todo lo posible por hacernos saber que vienen de allá, del mundo subterráneo. Son los *parvenus* de lo sobrenatural. Los diablos de Dostoyevski también son modernos y no se parecen a los antiguos demonios medievales y barrocos, lascivos, extravagantes, astutos y un poco estúpidos. Los diablos de Dostoyevski son nuestros contemporáneos y tienen una realidad *clínica*, por decirlo así. En esto reside su gran descubrimiento: vio el parentesco oculto entre el mal y la enfermedad, la posesión y la reflexión. Sus diablos razonan y, como si fuesen psicoanalistas, se empeñan en probar su inexistencia, su naturaleza imaginaria. Nos dicen: no soy nada sino una obsesión. Y en seguida: soy la nada que se manifiesta como obsesión. Soy tu obsesión, soy *tu* nada. Triunfan sobre nosotros (y sobre ellos mismos) gracias a estos razonamientos irrefutables; Iván y Stavrogin, dos intelectuales, no tienen más remedio que creerlos: son verdaderamente el diablo pues solamente el diablo puede razonar así. Pero también estarían poseídos por el diablo si se aferrasen a la creencia de que se trata de meras alucinaciones de una mente enferma. En uno y otro caso, los dos están poseídos por la negación, esencia del demonio. Así se cumple el pensamiento que aterra a Iván: para creer en el diablo no es necesario creer en Dios.

Hay una especie inmune a la seducción del diablo: el ideólogo. Es el hombre que ha extirpado la dualidad. No conversa: demuestra, adoctrina, refuta, convence, condena. Llama a los otros *camaradas* pero jamás habla con ellos: habla con *su idea*. Tampoco habla con el *otro* que todos llevamos dentro. Ni siquiera sospecha que existe: el *otro* es una fantasía idealista, una superstición pequeño-burguesa. El ideólogo es el mutilado del espíritu: le falta la mitad de sí mismo. Dostoyevski amaba a los pobres y a los simples, a los humillados y ofendidos, pero nunca ocultó su antipatía hacia los que se decían sus salvadores. Le parecía absurda su «pretensión de querer liberar al hombre de la carga de la libertad». Carga terrible y preciosa. Los ideólogos han correspondido a su antipatía con otra no menos intensa. En una carta a su amiga Inés Armand, Lenin lo llama «el archimediocre Dostoyevski». En otra ocasión dijo: «no pierdo el tiempo con esa basura». En la época de Stalin fue un autor casi prohibido y todavía hoy, en los círculos oficiales, es visto como un reaccionario y un enemigo. A pesar de la hostilidad gubernamental, sus libros son los más leídos en Rusia, sobre todo entre los estudiantes, los intelectuales y, claro, los detenidos en los campos de concentración.

El tirano es arbitrario y caprichoso; contra los excesos de locos y desequilibrados como Nerón o Calígula, el remedio tradicional ha sido el puñal del regicida. Es un recurso inutilizable contra el despotismo ideológico, que es sistemático e impersonal: no se puede asesinar a una abstracción. Pero la ideología, que es inmune a las balas, no lo es a la crítica. De allí que el déspota ideológico no conozca, como forma de expresión, sino el monólogo y el discurso. La tiranía del ideólogo es el soliloquio de un profesor sádico y pedante, empeñado en hacer de la sociedad un cuadrado y de cada hombre un triángulo. Por esto, aparte de la permanente fascinación que sentimos ante su obra, Dostoyevski es actual. Su actualidad es moral y política: nos enseña que la sociedad no es un pizarrón y que el hombre, criatura imprevisible, escapa a todas las definiciones y presiones, incluso a las del tirano convertido en geómetra.

México, 1981

[«El diablo y el ideólogo: Dostoyevski» se publicó en *Hombres en su siglo*, Seix Barral, Barcelona, 1984.]

Memento: Jean-Paul Sartre

La muerte de Jean-Paul Sartre, pasada la sorpresa inicial que provoca esta clase de noticias, despertó en mí un sentimiento de resignada melancolía. Yo viví en París durante los años de la posguerra, que fueron los del mediodía de su gloria y de su influencia. Sartre soportaba aquella celebridad con humor y sencillez; a pesar de que la beatería de muchos de sus admiradores —sobre todo la de los latinoamericanos, ávidos siempre de filosofías *up-to-date*— era irritante y cómica a un tiempo, su simplicidad, realmente filosófica, desarmaba a los espíritus más reticentes. Durante esos años lo leí con pasión encarnizada: una de sus cualidades fue la de suscitar en sus lectores, con la misma violencia, la repulsa y el asentimiento. Muchas veces, en el curso de mis lecturas, lamenté no conocerlo en persona para decirle de viva voz mis dudas y desacuerdos. Un incidente me dio esa oportunidad.

Un amigo, enviado a París por nuestra universidad para completar sus estudios de filosofía, me confió que estaba en peligro de perder su beca si no publicaba pronto un trabajo sobre algún tema filosófico. Se me ocurrió que un diálogo con Sartre podía ser la materia de ese artículo. A través de amigos comunes nos acercamos a él y le propusimos nuestra idea. Aceptó y a los pocos días comimos los tres en el bar del Pont-Royal. La comida-entrevista duró más de tres horas y durante ella Sartre estuvo animadísimo, hablando con inteligencia, pasión y energía. También supo escucharnos y se tomó el trabajo de responder a mis preguntas y mis tímidas objeciones. Mi amigo nunca escribió el artículo pero aquel primer encuentro me dio ocasión de volver a ver a Sartre en el mismo bar del Pont-Royal. La relación cesó al cabo del tercer o cuarto encuentro: demasiadas cosas nos separaban y no volví a buscarlo. He puntualizado esas diferencias en algunas páginas de *Corriente alterna* y de *El ogro filantrópico.*

Los temas de esas conversaciones fueron los de aquellos días: el existencialismo y sus relaciones con la literatura y la política. La publicación en *Les Temps Modernes* de un fragmento del libro sobre Jean Genet, que entonces escribía, nos llevó a hablar de ese escritor y de Santa Teresa. Un paralelo muy de su gusto pues ambos, decía, al escoger el Mal Supremo y el Bien Supremo *(le Non-Être de l'Être et l'Être du Non-Être)*, en realidad habían escogido lo mismo. Me sorprendió que, guiado sólo por la lógica verbalista, ignorase precisamente aquello que era el centro de sus preocupaciones y el fundamento de su crítica filosófica: la subjetividad de Santa Teresa y su situación histórica. O sea: la persona concreta que había sido la monja española y el horizonte intelectual y afectivo de su vida, la religiosidad del siglo XVI español. Para Genet Satanás y Dios son palabras que significan realidades nebulosas, entidades suprasensibles: mitos o ideas; para Santa Teresa, esas mismas palabras eran realidades espirituales y sensibles, ideas encarnadas. Y esto es lo que distingue a la experiencia mística de las otras: aunque el Diablo es No-Persona por antonomasia y aunque estrictamente, salvo en el misterio de la Encarnación, Dios tampoco es una persona, para el creyente los dos son presencias tangibles, espíritus humanados.

Durante esta conversación hice un descubrimiento incómodo: Sartre no había leído a Santa Teresa. Hablaba de oídas. Más tarde, en unas declaraciones periodísticas, dijo que se había inspirado en una comedia de Cervantes, *El rufián dichoso,* para escribir *Le Diable et le bon Dieu,* aunque aclaró que no había leído la pieza sino sólo el argumento. Esta ignorancia de la literatura española no es insólita sino general entre europeos y norteamericanos: Edmund Wilson se vanagloriaba de no haber leído ni a Cervantes ni a Calderón ni a Lope de Vega. No obstante, la confesión de Sartre revela que desconocía uno de los momentos más altos de la cultura europea: el teatro español de los siglos XVI y XVII. Su incuria todavía me asombra pues uno de los grandes temas del teatro español, origen de algunas de las mejores obras de Tirso de Molina, Mira de Amescua y Calderón, es precisamente el mismo que lo desveló a él toda su vida: el conflicto entre la gracia y la libertad. En otra conversación me confió su admiración por Mallarmé. Años después, al leer lo que había escrito sobre ese poeta, me di cuenta de que, nuevamente, el objeto de su admiración no eran los poemas que efectivamente escribió Mallarmé sino su proyecto de poesía absoluta, aquel Libro que nunca hizo. A despecho de lo que predica su filosofía, Sartre prefirió siempre las sombras a las realidades.

Nuestra última conversación fue casi exclusivamente política. Al comentar las discusiones en las Naciones Unidas sobre los campos de concentración rusos, me dijo: «Los ingleses y los franceses no tienen derecho a criticar a los rusos por sus campos, pues ellos tienen sus colonias. En realidad, las colonias son los campos de concentración de la burguesía». Su tajante juicio moral pasaba por alto las diferencias específicas —históricas, sociales, políticas— entre los dos sistemas. Al equiparar el colonialismo de Occidente con el sistema represivo soviético, Sartre escamoteaba el problema, el único que podía y debía interesar a un intelectual de izquierda como él: ¿cuál era la verdadera naturaleza social e histórica del régimen soviético? Al eludir el fondo del tema, ayudaba indirectamente a los que querían perpetuar las mentiras con que, hasta entonces, se había ocultado la realidad soviética. Ésta fue su grave equivocación, si puede llamarse así a esa falta intelectual y moral.

Cierto, en aquellos días el imperialismo explotaba a la población colonial como el Estado soviético explotaba a los prisioneros de los campos. La diferencia consistía en que las colonias no formaban parte del sistema represivo de los Estados burgueses (no había obreros franceses condenados a trabajos forzados en Argelia ni había disidentes ingleses deportados a la India), mientras que la población de los campos era el pueblo mismo soviético: campesinos, obreros, intelectuales y categorías sociales enteras (étnicas, religiosas y profesionales). Los campos, es decir: la represión, eran parte integrante del sistema soviético. En esos años, por lo demás, las colonias conquistaron su independencia, en tanto que el sistema de campos de concentración se ha extendido, como una infección, en todos los países en donde imperan regímenes comunistas. Y hay algo más: ¿es pensable siquiera que, dentro de los campos rusos, cubanos o vietnamitas, nazcan y se desarrollen movimientos de emancipación como los que han liberado a las antiguas colonias europeas de Asia y África? Sartre no era insensible a estas razones pero era difícil convencerlo: pensaba que los intelectuales burgueses, mientras subsistiesen en nuestros países la opresión y la explotación, no teníamos derecho moral para criticar los vicios del sistema soviético. Cuando estalló la revolución húngara, atribuyó en parte la sublevación a las imprudentes declaraciones de Jruschov revelando los crímenes de Stalin: no había que desesperar a los trabajadores.

El caso de Sartre es ejemplar pero no es único. Una suerte de masoquismo moralizante, inspirado en los mejores principios, ha paralizado a gran parte de los intelectuales de Occidente y de la América Latina durante más de treinta años. Hemos sido educados en la doble herencia del cristianismo y de la Ilustración; las dos corrientes, la religiosa y la secular, en sus momentos más altos fueron críticas. Nuestros modelos han sido aquellos hombres que, como un Las Casas o un Rousseau, tuvieron el valor de mostrar y denunciar los horrores y las injusticias de su propia sociedad. No seré yo quien reniegue de esa tradición; sin ella, nuestras sociedades dejarían de ser ese diálogo consigo mismas sin el cual no hay verdadera civilización y se transformarían en el monólogo, a un tiempo bárbaro y monótono, del poder. La crítica sirvió a Kant y a Hume, a Voltaire y a Diderot para fundar el mundo moderno. Su crítica y la de sus herederos en el siglo XIX y en la primera mitad del XX fue creadora. Nosotros hemos pervertido a la crítica: la hemos puesto al servicio de nuestro odio a nosotros mismos y a nuestro mundo. No hemos construido nada con ella, salvo cárceles de conceptos. Y lo peor: con la crítica hemos justificado a las tiranías. En Sartre esta enfermedad intelectual se convirtió en miopía histórica: para él nunca brilló el sol de la realidad. Ese sol es cruel pero también, en ciertos momentos, es un sol de plenitud y de dicha. Plenitud, dicha: dos palabras que no aparecen en su vocabulario... Nuestra conversación terminó bruscamente: llegó Simone de Beauvoir y, con cierta impaciencia, lo hizo apurar su café y marcharse.

A pesar de que Sartre había hecho un corto viaje a México, apenas si me habló de su experiencia mexicana. Creo que no era un buen viajero: tenía demasiadas opiniones. Sus verdaderos viajes los hizo alrededor de sí mismo, encerrado en su cuarto. La naturalidad de Sartre, su franqueza y su rectitud me impresionaron tanto como la agilidad de su pensamiento y la solidez de sus convicciones. Estas dos cualidades no se contraponían: su agilidad era la de un pugilista de peso completo. Carecía de gracia pero la suplía con un estilo campechano, directo. Esta falta de afectación era una afectación en sí misma y podía pasar de la franqueza al exabrupto. Sin embargo, acogía con cordialidad al extraño y se adivinaba que era más áspero consigo mismo que con los otros. Era rechoncho y un poco torpe de movimientos; rostro redondo y sin acabar: más que una cara, un proyecto de cara. Los gruesos vidrios de sus anteojos hacían más distante su persona. Pero bastaba con oírlo para olvidar su fisonomía. Es extraño: aunque Sartre ha escrito páginas sutiles sobre la significación de la mirada y del acto de mirar, el efecto de su conversación era el contrario: anulaba el poder de la vista.

Al recordar aquellas pláticas me sorprende la continuidad moral, la constancia de Sartre: los temas y problemas que lo apasionaron en su juventud fueron los mismos de su madurez y su vejez. Cambió de opinión muchas veces y, no obstante, en todos esos cambios fue fiel a sí mismo. Recuerdo que le pregunté si yo estaba en lo cierto al suponer que el libro de moral que prometía escribir —un proyecto que concibió como su gran empresa intelectual y que no llegó a realizar enteramente— tendría que desembocar en una filosofía de la historia. Movió la cabeza, dudando: la expresión «filosofía de la historia» le parecía sospechosa, espuria, como si la filosofía fuese una cosa y la historia otra. Además, el marxismo era ya esa filosofía pues había desentrañado el sentido del movimiento histórico de nuestra época. Él se proponía insertar, dentro del marxismo, al individuo concreto, real. Somos nuestra situación: nuestro pasado, nuestro momento; asimismo, somos algo irreductible a esas condiciones, por más determinantes que sean. En la presentación de *Les Temps Modernes* habla de una liberación *total* del hombre, pero unas líneas más adelante dice que el peligro consiste en que «el hombre-totalidad» desaparezca «tragado por la clase». Así, se oponía tanto a la ideología que reduce los individuos a no ser sino funciones de la clase como a la que concibe a las clases como funciones de la nación. Conservó esta posición durante toda su vida.

Su filosofía de la «situación» —Ortega había dicho con mayor exactitud: *circunstancia*— no le parecía una negación de lo absoluto sino la única manera de comprenderlo y de realizarlo. En el mismo ensayo decía: «Lo absoluto es Descartes, el hombre que se nos escapa porque ha muerto, que vivió en su época y la pensó hora tras hora con los medios a su mano, que amó en su infancia a una muchacha bizca, etc.; lo relativo es el cartesianismo, esa filosofía ambulante que pasean de siglo en siglo...» No estoy muy seguro de que estas fórmulas perentorias resistan a un análisis un poco detenido. ¿Por qué lo «absoluto» ha de ser una pasión infantil por una muchacha bizca (¿por qué bizca?) y por qué ha de ser relativa, frente a esa pasión infantil, la filosofía de Descartes (que no es lo mismo exactamente que el cartesianismo a que alude Sartre despectivamente)? ¿Y para qué usar esa palabra: *absoluto,* impregnada de teología? Ni a las pasiones ni a las filosofías les conviene ese adjetivo despótico. Hay pasiones por y hacia lo absoluto y hay filosofías de lo absoluto pero no hay pasiones ni filosofías absolutas... Me he desviado. Lo que deseaba subrayar es que en ese ensayo Sartre introduce en las determinaciones sociales e históricas un elemento de indeterminación: la persona humana, los hombres. Así, ya en 1947 había comenzado su largo e infortunado diálogo con el marxismo y los marxistas. ¿Qué se propuso realmente? Reconciliar al comunismo con la libertad. Fracasó pero su fracaso ha sido el de tres generaciones de intelectuales de izquierda.

Sartre escribió tratados de filosofía y ensayos de política, libros de crítica y novelas, cuentos y piezas de teatro. Profusión no es excelencia. Sus dones no eran los del artista: con frecuencia se pierde en digresiones y amplificaciones inútiles. Su lenguaje es insistente y repetitivo: el martilleo como argumento. El lector acaba cansado, no convencido. Si su prosa no es memorable, ¿qué decir de sus novelas y cuentos? Escribió relatos admirables pero le faltaba el poder del novelista: la capacidad de crear mundos, ambientes y personajes. El mismo reproche puede hacerse a sus piezas teatrales; recordamos las ideas de *Les Mouches* y de *Huis-Clos,* no a los fantasmas que las exponen. En su búsqueda del hombre concreto Sartre se quedó muchas veces con un puñado de abstracciones. ¿Y su filosofía? Sus contribuciones fueron valiosas pero parciales. Su obra no es un comienzo sino una continuación y, a veces, un comentario de otras. ¿Qué quedaría de ella sin Heidegger?

En sus ensayos abundan las páginas vivas, densas, siempre un poco excesivas, poderosas oleadas verbales hirvientes de ideas, sarcasmos, ocurrencias. Lo mejor de su escritura, para mi gusto, es lo más personal, lo menos «comprometido», esos textos que están más cerca de la confesión que de la especulación, como tantas páginas de *Les Mots,* quizá su mejor libro: las palabras encarnan, juegan, vuelven a la niñez. Sartre sobresalía en dos formas opuestas: el análisis y la invectiva. Fue un crítico excelente y un encendido polemista. El polemista dañó al crítico: sus análisis se convierten muchas veces en acusaciones, como en sus libros sobre Baudelaire y Flaubert o en sus descabelladas críticas del surrealismo. Peores que el hacha del polemista fueron la vara del moralista y la regla del profesor. Con frecuencia Sartre ejerció la crítica como un tribunal que distribuye, exclusivamente, castigos y amonestaciones. Su Baudelaire es, a un tiempo, penetrante y parcial; más que un estudio, es un escarmiento, una lección. Aunque el libro sobre Genet peca por el exceso contrario —hay momentos en que es una muy cristiana apología de la abyección como camino de salud— tiene páginas que es difícil olvidar. Cuando Sartre se dejaba arrastrar por su don verbal, el resultado era sorprendente. Si al hablar de los hombres los reducía a conceptos, ideas y tesis, en cambio convertía a las palabras en seres animados. Cruel paradoja: despreció a la literatura y fue ante todo un literato.

Pensó y escribió mucho y sobre muchas cosas. A pesar de esta diversidad, mucho de lo que dijo, incluso cuando se equivocó, me parece esencial. Aclaro: esencial *para nosotros,* sus contemporáneos. Sartre vivió las ideas, las luchas y las tragedias de nuestra época con la intensidad con que otros viven sus dramas privados. Fue una conciencia y una pasión. Las dos palabras no se contradicen porque la suya fue la conciencia de una pasión; quiero decir: conciencia del tránsito del tiempo y de los hombres. Más que un filósofo fue un moralista. No en el sentido de la tradición del *Grand Siècle,* interesada en la descripción y el análisis del alma y sus pasiones. No fue un La Rochefoucauld. Lo llamo moralista no por su penetración psicológica sino porque tuvo el valor de hacerse durante toda su vida las únicas preguntas que de veras importan: ¿qué razones tenemos para vivir?, ¿por qué y para qué vivimos?, ¿vale la pena vivir como vivimos?

Conocemos las respuestas que dio a estas preguntas: el hombre, rodeado de nada y no-sentido, es poco ser. El hombre no es hombre: es un proyecto de hombre. Ese proyecto es elección: estamos condenados a escoger y nuestra pena se llama libertad. También conocemos a dónde lo llevó esta paradoja de la libertad como condena. Una y otra vez apoyó a las tiranías de nuestro siglo porque pensó que el despotismo de los césares revolucionarios no era sino la máscara de la libertad. Una y otra vez tuvo que confesar que se había equivocado: lo que parecía un antifaz era el rostro de cemento de los Jefes. En nuestro siglo la revolución ha sido la máscara de la tiranía. Sartre saludó a cada revolución triunfante con alegría (China, Cuba, Argelia, Vietnam) y después, siempre un poco tarde, tuvo que declarar que se había equivocado: esos regímenes eran abominables. Si fue severo con la intervención norteamericana en Vietnam y con la política francesa en Argelia, tampoco cerró los ojos ante los casos de Hungría, Checoslovaquia y Cambodya. Sin embargo, durante años se obstinó en defender a la URSS y a sus satélites porque creyó que, a pesar de todo, esos regímenes encarnaban, aunque deformado, el proyecto socialista. Su crítica de Occidente fue implacable y destila odio a su mundo y a sí mismo; su prólogo al libro de Fanon es un feroz e impresionante ejercicio de denigración que es, asimismo, una auto-expiación. Es revelador que, al escribir esas páginas, no haya percibido en los movimientos de liberación del llamado Tercer Mundo los gérmenes de corrupción política que han transformado esas revoluciones en dictaduras.

¿Por qué se empeñó en no ver y en no oír? Excluyo desde luego la posibilidad de complicidad o duplicidad, como en los casos de los Aragon, los Neruda y tantos otros que, aunque sabían, callaban. ¿Terquedad, orgullo? ¿Cristianismo penitencial de un hombre que ha dejado de creer en Dios pero no en el pecado? ¿Loca esperanza en que un día las cosas cambiarán? Pero ¿cómo pueden cambiar si nadie se atreve a denunciarlas, o si esa denuncia, «para no hacerle el juego al imperialismo», es condicional y está llena de reservas y cláusulas exculpatorias? Sartre predicó la responsabilidad del escritor y, no obstante, durante los años en que ejerció una suerte de magisterio moral en todo el mundo (salvo en los países comunistas), sus sucesivos y contradictorios *engagements* fueron un ejemplo, ya que no de irresponsabilidad, sí de precipitación y de incoherencia. La filosofía del «compromiso» se disolvió en gestos públicos contradictorios. Es aleccionador comparar los cambios de Sartre con la obra lúcida y extremadamente coherente de Cioran, un espíritu en apariencia al margen de nuestra época pero que la ha vivido y pensado en profundidad y, por lo tanto, silenciosamente. Las ideas y las actitudes de Sartre justificaron lo contrario de lo que él se proponía: la desenfadada y generalizada irresponsabilidad de los intelectuales de izquierda (sobre todo los latinoamericanos) que durante los últimos veinte años, en nombre del «compromiso» revolucionario, la táctica, la dialéctica y otras lindezas, han elogiado y solapado a los tiranos y a los verdugos.

No sería generoso continuar con el catálogo de sus ofuscaciones. ¿Cómo olvidar que fueron hijas de su amor por la libertad? Tal vez su amor fue poco clarividente por su misma arrebatada intensidad. Además, muchos de esos errores fueron los nuestros, los de nuestra época. Al fin de su vida rectificó casi completamente y se unió a su antiguo adversario, Raymond Aron, en la campaña para fletar un barco que transportase a los fugitivos de la tiranía comunista de Vietnam. También protestó contra la invasión de Afganistán y su nombre es uno de los que encabezan el manifiesto de los intelectuales franceses que pidieron a su gobierno unirse al *boycott* contra la Olimpiada de Moscú. Las sombras de Breton y de Camus, que él atacó con saña y poca justicia, deben estar satisfechas... Los extravíos de Sartre son un ejemplo más del uso perverso de la dialéctica hegeliana en el siglo XX. Su influencia ha sido funesta en la conciencia intelectual europea: la dialéctica nos hace ver al mal como el necesario complemento del bien. Si todo está en movimiento, el mal sólo es un momento del bien; pero un momento *necesario* y, en el fondo, bueno: el mal sirve al bien.

En una capa mas profunda de la personalidad de Sartre había un antiguo fondo moral marcado, más que por la dialéctica, por la herencia del protestantismo familiar. Durante toda su vida practicó con gran severidad el examen de conciencia, eje de la vida espiritual de sus antepasados hugonotes. Nietzsche dijo que la gran contribución del cristianismo al conocimiento del alma había sido la invención del examen de conciencia y de su corolario, el *remordimiento,* que simultáneamente es autocastigo y ejercicio de introspección. La obra de Sartre es una confirmación, otra más, de la exactitud de esta idea. Su crítica, trátese de la política norteamericana o de las actitudes de Flaubert, obedece al esquema intelectual y moral del examen de conciencia: comienza por ser un desvelamiento, un arrancar los velos y las máscaras, no en busca de la desnudez sino de la llaga oculta, y termina, inexorablemente, en un juicio. Para la conciencia religiosa protestante conocer al mundo es juzgarlo y juzgarlo es condenarlo.

A través de una curiosa transposición filosófica, Sartre sustituyó la predestinación y la libertad de la teología protestante por el psicoanálisis y el marxismo. Pero todos los grandes temas que apasionaron a los reformadores aparecen en su obra. El centro de su pensamiento fue la oposición complementaria entre la situación (la predestinación) y la libertad; éste fue también el tema de los calvinistas y el punto capital de sus debates con los jesuitas. Ni siquiera falta Dios: la Situación (la Historia) asume sus funciones, ya que no sus rasgos ni su esencia. Pero la Situación de Sartre es una divinidad que, a fuerza de tener todos los rostros, no tiene ninguno: es una divinidad abstracta. A la inversa del Dios cristiano, no se humaniza ni es cómplice de nuestro destino: nosotros somos sus cómplices y ella se realiza en nosotros. Sartre heredó del cristianismo no la trascendencia, la afirmación de otra realidad y de otro mundo, sino la negación de este mundo y el aborrecimiento de nuestra realidad terrestre. Así, en el fondo de sus análisis, protestas e insultos contra la sociedad burguesa, resuena la vieja voz vindicativa del cristianismo. El verdadero nombre de su crítica es *remordimiento.* Al acusar a su clase y a su mundo, Sartre se acusa a sí mismo con una violencia de penitente.

Es notable que los dos escritores de mayor influencia en Francia durante este siglo —hablo de moral, no de literatura— hayan sido André Gide y Jean-Paul Sartre. Dos protestantes en rebelión contra el protestantismo, su familia, su clase y la moral de su clase. Dos moralistas inmoralistas. Gide se rebeló en nombre de los sentidos y de la imaginación;

más que liberar a los hombres, quiso liberar a las pasiones aherrojadas en cada hombre. El comunismo lo decepcionó porque vio que sustituía la cárcel de la moral cristiana por una más total y más férrea. Gide era un moralista pero también era un esteta y en su obra la crítica moral se alía al culto por la hermosura. La palabra *placer* tiene en sus labios un sabor a un tiempo subversivo y voluptuoso. Más evangélico y radical, Sartre despreció al arte y a la literatura con el furor de un Padre de la Iglesia. En un momento de desesperación dijo: «El infierno es los otros». Frase terrible pues los otros son nuestro horizonte: el mundo de los hombres. Por esto, sin duda, después sostuvo que la liberación del individuo pasaba por la liberación colectiva. Su obra parte del yo a la conquista del nosotros. Olvidó quizá que el nosotros es un tú colectivo: para amar a los otros hay que amar antes al otro, al prójimo. Nos hace falta, a los modernos, redescubrir al tú.

En una de sus primeras obras, *Les Mouches,* hay una frase que ha sido citada varias veces pero que vale la pena repetir: «la vida comienza del otro lado de la desesperación». Sólo que lo que está del otro lado de la desesperación no es la vida sino la antigua virtud cristiana que llamamos esperanza. La primera vez que, de una manera explícita, aparece la palabra *esperanza* en los labios de Sartre es al final de la entrevista que publicó *Le Nouvel Observateur* un poco antes de su muerte. Fue su último escrito. Un texto deshilvanado y conmovedor. En algún momento, con desenvoltura que unos han encontrado desconcertante y otros simplemente deplorable, declara que su pesimismo fue un tributo a la moda del tiempo. Curiosa afirmación: la entrevista entera está recorrida por una visión del mundo a ratos desilusionada y otros, los más, acentuadamente pesimista. En el curso de su conversación con su joven discípulo, Sartre muestra una estoica y admirable resignación ante su muerte próxima. Esta actitud cobra justamente todo su valor porque se destaca contra un fondo negro: Sartre confiesa que su obra ha quedado incompleta, que se frustró su acción política y que el mundo que deja es más sombrío que el que encontró al nacer. Por esto me impresionó de veras su tranquila esperanza: a pesar de los desastres de nuestra época, algún día los hombres reconquistarán (¿o conquistarán por primera vez?) la fraternidad. Me extrañó, en cambio, que dijese que el origen y el fundamento de esa esperanza está en el judaísmo. Es el menos universal de los tres monoteísmos. El judaísmo es una fraternidad cerrada. ¿Por qué fue otra vez sordo a la voz de su tradición?

El sueño de la hermandad universal —y más: la iluminada certidumbre de que ése es el estado al que todos los hombres estamos natural y sobrenaturalmente predestinados, si recobramos la inocencia original— aparece en el cristianismo primitivo. Reaparece entre los gnósticos de los siglos III y IV y en los movimientos milenaristas que, periódicamente, han conmovido a Occidente, desde la Edad Media hasta la Reforma. Pero no importa ese pequeño desacuerdo. Es exaltante que, al final de su vida, sin renegar de su ateísmo, resignado a morir, Sartre haya recogido lo mejor y más puro de nuestra tradición religiosa: la visión de un mundo de hombres y mujeres reconciliados, transparentes el uno para el otro porque ya no hay nada que ocultar ni que temer, vueltos a la desnudez original. La pérdida y la reconquista de la inocencia fue el tema de otro gran protestante, envuelto como él en las luchas del siglo y que, por el exceso de su amor a la libertad, justificó al tirano Cromwell: el poeta John Milton. En el canto final de su *Paradise Lost* describe la lenta y penosa marcha de Adán y Eva —y con ellos la de todos nosotros, sus hijos— hacia el reino inocente:

> The world was all before them, where to choose
> Their place of rest, and Providence their guide:
> They hand in hand, with wandering steps and slow,
> Through Eden took their solitary way.

Al terminar estas páginas y releerlas, pensé otra vez en el hombre que las ha inspirado. Sentí entonces la tentación de parafrasearlo —homenaje y reconocimiento— escribiendo en su memoria: *la libertad es los otros.*

México, 1980

[«*Memento:* Jean-Paul Sartre» se publicó en *Hombres en su siglo,* Seix Barral, Barcelona, 1984.]

Kostas Papaioannou
(1925-1981)

El 18 de noviembre del año pasado murió Kostas Papaioannou. Si un hombre ha merecido, entre los que he tratado, el nombre de amigo, en el sentido que daban los filósofos antiguos a esta palabra, ese hombre fue Kostas. Lo conocí en 1946 en un París con frío y sin automóviles, sin comida y con mercado negro. Desde entonces hasta el día de su muerte fuimos amigos. Jamás encontré en él una sombra de interés, egoísmo, envidia u otro sentimiento mezquino. Su generosidad era inmensa. Kostas era pobre pero rico en ideas y en saber; unas y otros, las ideas y los conocimientos, los regalaba a sus amigos y oyentes con una magnífica naturalidad. Su cultura era extensa y profunda: el neoplatónico Proclo y Hegel, Marx y Marlowe, el arte greco-budista y la poesía de John Donne, la religión griega arcaica y Buster Keaton, el *cool-jazz* y Montaigne. Como todos los que fuimos sus amigos, le debo mucho a Kostas. Pero mi deuda intelectual, con ser grande, es poca cosa comparada con sus otros dones: la alegría, la lealtad, la rectitud, la claridad en el juicio, la benevolencia, la sonrisa y la risa, la camaradería y, en fin, esa mirada vivaz e irónica con que acogía cada mañana la salida del sol y que era su manera de decir *Sí* a la vida aun en los momentos peores. Incorruptible, no buscó honores, dinero, puestos o poder. Vivió al día y a la intemperie. Buscó la amistad, el amor y el saber. No fue ávido pero no desdeñó los dones de la vida: el placer, decía citando a Aristóteles, no es enemigo ni de la sabiduría ni de la bondad.

Padeció cárcel, destierro y estrecheces. El gobierno reaccionario de Grecia le negó el pasaporte y tuvo que vivir durante algunos años sin poder cruzar las fronteras de la nación que le había dado asilo: Francia. Como era grande su sed de viaje, recorrió todo el país, a veces a pie, con Nitsa, su mujer; así lograron conocer como pocos los monumentos, la arquitectura, el arte y los paisajes de Francia. Se había formado, intelectual y políticamente, en la tradición marxista y, justamente, su conocimiento profundo de esa doctrina lo llevó a la crítica del «socialismo» totalitario. Por muchos años escribió en la revista de Boris Souvarine: *Le Contrat Social.* Más tarde fue amigo de Raymond Aron y colaboró con él en la universidad y en la revista *Commentaire.* Sus ensayos y sus artículos le valieron el reconocimiento de los entendidos, que es el que de veras cuenta. Recuerdo que en una ocasión, al final de su vida y de regreso de algunas de sus ilusiones intelectuales y políticas, Lucien Goldmann me dijo: «Kostas ha sido el vigía. Vio más claro y antes que casi todos nosotros». Tenía razón.

Daré un ejemplo de la acción esclarecedora de Kostas. En el París de la posguerra, sacudido por las polémicas entre Camus, Breton, Sartre, David Rousset y los comunistas, se discutió mucho el libro de Merleau-Ponty, *Humanismo y terror,* defensa inteligente, aunque equivocada, del estalinismo disfrazado de razón histórica. Kostas desmontó el argumento del filósofo francés y así nos ayudó a ver claro. Merleau-Ponty incurría, como Sartre, en ese vicio lógico que se llama petición de principio: para ellos el régimen soviético, *per se* y a pesar de su palmaria injusticia social y sus crímenes, era revolucionario y socialista. Los dos filósofos franceses no habían hecho con la URSS lo que había hecho Marx con el capitalismo: comparar los principios con la realidad y así examinar la verdadera naturaleza, social e histórica, de la dictadura burocrática. Años más tarde Kostas publicó un pequeño libro, *L'Idéologie froide.* Escrito con violencia, humor y saber, es uno de los textos más brillantes y contundentes de la polémica contemporánea contra el oscurantismo que ha usurpado el nombre y la tradición socialistas.

Las preocupaciones y las pasiones intelectuales de Kostas no se reducían a los temas ideológicos y políticos de la actualidad. Amaba el teatro isabelino y la pintura de Matisse, la música de la India y los poemas de Bonnefoy. Son memorables sus estudios sobre el arte griego y sobre la pintura de Bizancio y de Rusia; lo son también sus reflexiones acerca del nacimiento del espíritu moderno. El día en que sus ensayos y artículos dispersos sean al fin recogidos en una edición accesible podrá verse que su pensamiento es uno de los más ricos y densos de estos años. La persona, como ya he dicho, no era menos notable que sus escritos. Era una personalidad *vital,* a condición de agregar que esa vitalidad era un prodigioso compuesto de generosidad, inteligencia, fantasía y *drôlerie.*

Kostas conservó intacta y fresca la facultad de los niños y los poetas: el asombro y, también, la de saber reírse del mundo y de sí mismo.

En la primavera de 1981 mi mujer y yo pasamos diez días en París. Kostas acababa de internarse en un hospital. Fuimos a verlo varias veces. Nos sorprendió su entereza y su alegría. Lo visitaban sus amigos y su cuarto de enfermo se convirtió en una tertulia en la que podía verse a Raymond Aron, Claude Roy y Loleh Belon, Alain Besançon, Philippe y Carmen Meyer, Pierre Nora, Le Roy Ladurie, François Furet... Incluso logró, no sé con qué artimañas, como en sus tiempos de estudiante, burlar la vigilancia del hospital y reunirse con sus amigos en el *bistrot* de la esquina. Regresamos a México y nos enteramos de que había salido con bien de la operación. A los pocos meses tuvo una recaída y empeoró. El verano lo pasó en Grecia: no quería morir sin ver otra vez su isla: Skíros. El regreso fue terrible, según me lo refirió en una carta Cornelio Castoriadis, su compañero en el barco: «Kostas está muy disminuido pero conserva intacto el ánimo y clara la mente». Más tarde, en otra carta, Carmen Figueroa Meyer me hizo el relato de las semanas finales, la desintegración física y la tenaz voluntad de *comprender.* Un telegrama de Claude Roy me anunció el fin. Kostas *murió como los buenos.*

PARÍS: BACTRA: SKÍROS

A Nitsa y Reia

In this monody the author bewails a learned friend, unfortunately drowned in his passage from Chester on the Iris Seas, 1637. And by occasion foretells the ruin of our corrupted clergy.

JOHN MILTON, *Lycidas,* 1638

Yo tenía treinta años, venía de América y buscaba entre las pavesas de 1946 el huevo del Fénix,

tú tenías veinte años, venías de Grecia, de la insurrección y la cárcel, nos encontramos en un café lleno de humo, voces y literatura,

pequeña fogata que había encendido el entusiasmo contra el frío y la penuria de aquel febrero,

nos encontramos y hablamos de Zapata y su caballo, de la piedra negra cubierta por un velo, Deméter cabeza de yegua, y al recordar a la linda hechicera de Tesalia que convirtió a Lucio en asno y filósofo

la oleada de tu risa cubrió las conversaciones y el ruido de las cucharillas en las tazas,

hubo un rumor de cabras blanquinegras trepando en tropel un país de colinas quemadas,

la pareja vecina dejó de decirse cosas al oído y se quedó suspensa con la mirada vacía

como si la realidad se hubiese desnudado y no quedase ya sino el girar silencioso de los átomos y las moléculas,

hubo un aleteo sobre la onda azul y blanca, un centelleo de sol sobre las rocas,

oímos el rumor de las pisadas de las aguas nómadas sobre las lajas color de brasa,

vimos una mariposa posarse sobre la cabeza de la cajera, abrir las alas de llama y dispersarse en reflejos,

tocamos los pensamientos que pensábamos y vimos las palabras que decíamos,

después volvió el ruido de las cucharillas, creció la marejada, el ir y venir de las gentes,

pero tú estabas a la orilla del acantilado, era una ancha sonrisa la bahía y allá arriba pactaban luz y viento: Psiquis sopló sobre tu frente.

No fuiste Licidas ni te ahogaste en un naufragio en el mar de Irlanda,

fuiste Kostas Papaioannou, un griego universal de París, con un pie en Bactriana y el otro en Delfos,

y por eso escribo en tu memoria estos versos en la medida irregular de la sístole y la diástole,

prosodia del corazón que hace breves las sílabas largas y largas las breves, versos largos y cortos como tus pasos subiendo del Puente Nuevo al león de Belfort recitando el poema de Proclo,

versos para seguir sobre esta página el rastro de tus palabras que son cabras que son ménades

saltando a la luz de la luna en un valle de piedra y sólidos de vidrio inventados por ellas,

mientras tú hablas de Marx y de Teócrito y ríes y las miras bailar entre tus libros y papeles

—es verano y estamos en un *atelier* que da a un jardincillo en el callejón Daguerre,

hay un emparrado del que cuelgan racimos de uvas, condensaciones de la noche: adentro duerme un fuego,

tesoros quemantes, ¿así serían las que vio y tocó Nerval entre el oro de la trenza divina?—

tu conversación caudalosa avanza entre obeliscos y arcos rotos, inscripciones mutiladas, cementerios de nombres,

abres un largo paréntesis donde arden y brillan archipiélagos mentales, sin cerrarlo prosigues,

persigues una idea, te divides en meandros, te inmovilizas en golfos y deltas, tu idea se ha vuelto piedra,

la rodeas, regresas, te adelgazas en un hilillo de frías agujas, la horadas

y entras —no, no entras ni sales, no hay adentro ni afuera, sólo hay tiempo sin puertas

y tú te detienes y miras callado al dios de la historia: cabras, ménades y palabras se disipan.

Fuiste a la India, de donde salió Dionisos y adonde fue rey el general Menandro, que allá llaman Milinda,

y como el rey tú te maravillaste al ver las diferencias entre el Uno y la Vacuidad resueltas en identidad,

y fue mayor maravilla —porque tu genio bebía no sólo en la luz de la idea sino en el manantial de las formas—

ver en Mahabalipuram a una adolescente caminar descalza sobre la tierra negra, su vestido era un relámpago,

y dijiste: ¡Ah, la belleza como en tiempos de Pericles! y te reíste y Marie José y yo nos reímos contigo

y con nosotros tres se rieron todos los dioses y los héroes del Mahabarata y todos los Bodisatvas de los sutras,

rayaban el espacio naciones vehementes: una tribu de cuervos y, verde tiroteo, una banda de loros,

el sol se hundía y hasta la piedra del ídolo y la espuma del mar eran una vibración rosada;

otra noche, en el patio del hotelito de Trichi, mientras servías *whisky* al *bearer* atónito que nos servía:

¿Hay puertas? Hay tierra y en nosotros la tierra se hace tiempo y el tiempo en nosotros se piensa y se entierra, pero —señalando a las constelaciones babilonias— podemos contemplar a este mundo y los otros y regocijarnos,

la contemplación abre otras puertas: es una transfiguración y es una reconciliación,

también podemos reírnos de los ogros y sonreír ante el inicuo con la sonrisa de Pirrón o con la de Cristo,

son distintos pero la sonrisa es la misma, hay corredores invisibles entre la duda y la fe,

la libertad es decir *para siempre* cuando decimos *ahora,* es un juramento y es el arte del enigma transparente:

es la sonrisa —y es desatar al prisionero y al decir *no* al monstruo decir *sí* al sol de este instante, la libertad es

—y no terminaste: sonreíste al beber el vaso de *whisky.* El agua del alba borraba las constelaciones.

El hombre es sus visiones: una tarde, después de una tormenta, viste o soñaste o inventaste, es lo mismo,

caer sobre la doble cima del monte Parnaso la luz cenital en un torrente inmóvil, intangible y callado,

árboles, piedras y yerbas chorreaban luz líquida, el agua resplandecía, el aire podía tocarse, cuerpo sin cuerpo,

los elementos y las cosas obedecían a la luz apacible y reposaban en sí mismos, contentos con ser lo que eran,

poco a poco salieron de sus refugios y madrigueras los toros y las vacas, las cabras, las serpientes, los perros,

bajaron la tórtola, el águila y el tordo, llegaron caballos, asnos, un jabalí, un gato y un lince,

y todos, los animales salvajes y los domados por el hombre, en círculo pacífico bebían el agua de la lluvia.

Kostas, entre las cenizas heladas de Europa yo no encontré el huevo de la resurrección:

encontré, al pie de la cruel Quimera empapada de sangre, tu risa de reconciliación.

México, 1982

[«Kostas Papaioannou» se publicó en *Hombres en su siglo,* Seix Barral, Barcelona, 1984.]

FRONTERAS

El árbol de la vida

La otra noche, al cerrar el libro,[1] los ojos rojos de insomnio, la cabeza hirviente de ideas en guerra, mientras miraba sin mirar a través de la ventana el paisaje negro atravesado por las luces veloces de los autos, me oí murmurar: *gris es la teoría, verde el árbol de la vida.* ¿Verde o dorado? Qué importa. Tal vez: verde y dorado. Las dos palabras, al repetirlas mentalmente, se iluminaron como el follaje encendido de los arces en estos días de otoño, flotaron en mi memoria un instante y después se desvanecieron enteramente. Desaparecieron como habían aparecido: silenciosamente y sin avisar, por una de esas brechas súbitas que el cansancio o la distracción abren a veces en nosotros. En esos espacios vacíos los tiempos se entrecruzan y se invierte nuestra relación con las cosas: más que recordar al pasado sentimos que el pasado nos recuerda. Premios inesperados: el pasado se hace presente, presencia impalpable pero real. Entre el temblor de las ramas y el rumor de las sílabas, alguien me mira —el que fui antes, hace mucho, el muchacho aquel que repetía embelesado por los patios de la Escuela Nacional Preparatoria la frase recién leída: *gris es la teoría, verde el árbol...*

¿Quién podría ahora repetir esa frase con la misma inocencia? La vida ya no se nos presenta como un árbol verde y/o dorado sino como una relación físico-química entre moléculas. Su representación gráfica es una caprichosa configuración de polígonos irregulares que evoca, si algo evoca, no al mundo que llamamos natural sino a esos paisajes mentales de Yves Tanguy hechos de una playa abstracta cubierta con una población de burbujas-guijarros. La palabra *vida* no sólo ha dejado de ser una imagen sino, incluso, una idea: es un nombre vacío. El concepto *vida* designaba a una realidad única, dueña de propiedades también únicas; había un momento (¿cuál, dónde, cómo?) en el que la materia cambiaba y

[1] *La Logique du vivant (Une histoire de l'hérédité)* de François Jacob, Gallimard, París, 1970.

se transformaba en vida, es decir, en una materia cualitativamente diferente del resto de la materia. En las células había un elemento irreductible a los otros elementos, sustancias o combinaciones de sustancias —un elemento inasible y de ahí que se le identificase como «el misterio de la vida». Ese elemento animaba a la materia como si fuese un equivalente del antiguo soplo vital. El espíritu, expulsado del reino de las esencias incorruptibles, volvía a ser lo que había sido al principio: el aliento que anima al barro. Esa metáfora llevaba a otra: si lograba aislar ese elemento que era el homólogo moderno del soplo divino, el hombre se convertiría en un verdadero dios. Curiosa inversión de la historia bíblica: el mismo saber que había causado la pérdida de Adán y Eva sería ahora el instrumento de la divinización de los hombres... La genética moderna nos desengaña: no es posible aislar a ese elemento cualitativamente diferente porque ese elemento no existe. El secreto es que no hay secreto. El misterio se evapora porque el concepto mismo de *vida* se disuelve: es un proceso y no hay en ella ningún elemento distinto e irreductible a los otros procesos. La vida no es una excepción, salvo en el sentido de ser, probablemente, una combinación insólita, un caso fortuito en la naturaleza.

Al desvanecerse el «misterio de la vida», se desvaneció también nuestra pretensión a la divinidad y a la inmortalidad: en el programa genético, dice Jacob, está inscrita la palabra *muerte*. Una de las condiciones para la reduplicación de las células —la condición *sine qua non*— es que sean mortales; por lo tanto, la serie de combinaciones físico-químicas que llamamos vida incluye necesariamente la combinación que llamamos muerte. En el nivel de la biología molecular las palabras *vida* y *muerte* no poseen existencia propia: la vida se resuelve (se disuelve) en una relación físico-química y la muerte se disuelve (se resuelve) en el proceso vida. Pero la diferencia entre una y otra no desaparece; mejor dicho, desaparece sólo para reaparecer en otro nivel. Si lo físico-químico absorbe a lo biológico, la distinción entre vida y muerte se desplaza de las células a la conciencia. Desde el punto de vista del proceso físico-químico, la diferencia entre lo que llamamos vida y lo que llamamos muerte es ilusoria: son dos momentos inseparables y complementarios de la misma operación; desde el punto de vista humano, las realidades vida y muerte, aunque sean inseparables, no son complementarias sino contradictorias; yo sé que voy a morir y saberlo me desvela. La ciencia había mostrado que las eternidades y las inmortalidades de las religiones eran quimeras; al mismo tiempo, nos había hecho creer que ella nos daría alguna vez la sabiduría y, quizá, la inmortalidad. La sabiduría: el temple, para mirar de frente a la muerte y reconciliarnos con ella; la inmortalidad: el poder de vencerla. La genética repite ahora, en un lenguaje distinto pero no menos definitivo que el del cristianismo, el «polvo eres y en polvo te convertirás». Ni inmortalidad ni sabiduría.

En el fondo de los materialismos modernos yacía escondida, hasta hace poco, la semilla de la esperanza en la resurrección. No es difícil entender la razón: nuestros materialismos están impregnados de evolucionismo y por eso, a diferencia del pesimismo de los de la Antigüedad, son optimistas. Esto es lo que distingue a Epicuro y Lucrecio de Marx y de Darwin. Así Engels pensaba que si los hombres no son inmortales, la especie llegaría a serlo: algún día se descubriría el secreto para vencer a la segunda ley de la termodinámica que condena nuestro mundo a la extinción. Maiakovski creía que en el futuro los sabios podrían devolverle la vida a los muertos y en uno de sus grandes poemas de amor, con una exageración que oscila entre lo ridículo y lo grandioso, pide a los camaradas del futuro la resurrección del poeta Maiakovski y de su amada. Pero el ejemplo más impresionante es el de César Vallejo. En su poema *Masa* no es la ciencia del futuro sino la voluntad de todos los hombres la que resucita al combatiente caído. Un milagro no menos prodigioso que el de Lázaro y que depende de otro milagro: el amor universal entre los hombres. El comunismo vencerá a la muerte.

La ciencia disipa las ilusiones de Maiakovski y de Vallejo como antes había disipado las ilusiones religiosas. No obstante, no disipa la contradicción: la desplaza. Si fuésemos como las células, nuestro único deseo sería morir para duplicarnos; somos hombres y nos espanta tanto la idea de la duplicación como la de la muerte. En todas las sociedades el hombre teme a su doble: es su enemigo, su fantasma, la imagen presente de su muerte futura. Nuestra sombra nos avisa de nuestra mortalidad y por eso es aborrecible; matar a mi doble es matar a mi muerte y de ahí que en muchos mitos uno de los gemelos ha de ser sacrificado. Cada hombre se cree único y efectivamente lo es para sí mismo. Incluso si la reflexión me hace descubrir que el yo es un haz de sensaciones, deseos y pensamientos inconsistentes y sin realidad propia, según dicen los budistas y Hume, ese descubrimiento sólo puedo hacerlo yo y en mí mismo. La crítica del yo es por necesidad una autocrítica. Así, entre el programa de las células y el del hombre hay una disparidad radical: ellas están hechas para morir duplicándose —o sea que buscan la inmortalidad en su doble; nosotros matamos a nuestro doble y buscamos (inútilmente) la inmortalidad en nosotros mismos. Ellas realizan su programa y nosotros fracasamos. ¿De veras fracasamos? Quizás en nuestro programa está inscrita la palabra *fracaso* como la palabra *muerte* está inscrita en el programa celular. Y hay algo aún más turbador: somos ese momento de la evolución en que las células se critican y se niegan. Nuestra contradicción es constitucional y por eso, tal vez, insoluble.

Los avances de la ciencia se parecen, en cierto modo, a los actos de los prestidigitadores; concluida la función, el mago nos enseña sus manos limpias para decirnos con ese gesto que sus prodigios estaban hechos de aire: no había nada detrás de ellos. La física nos reveló que la materia no era ni una sustancia ni una cosa sino una relación: la antigua materia, como en un acto de prestidigitación, se desvaneció. Ahora la genética repite la misma operación con la vida. Materia y vida se han vuelto palabras no menos gaseosas que alma y espíritu. Lo que llamamos vida es un sistema de llamadas y respuestas, una red de comunicaciones que es asimismo un circuito de transformaciones. En el proceso de la comunicación las llamadas se transforman y esa transformación es análoga a lo que llamamos traducción. Cada transformación equivale, en cierto modo, a una traducción que provoca una respuesta que, a su vez, ha de ser traducida. El sistema puede concebirse como un circuito de transformaciones / traducciones, es decir, como una cadena de metáforas que se resuelve en una serie de equivalencias. La analogía con el lenguaje es perfecta —y con el lenguaje en su perfección extrema: el poema. Como en un poema de poemas, cada cosa rima con la otra, cada cosa —sin dejar de ser ella misma— es otra y todas ellas, siendo distintas, son la misma cosa. El sistema es un orbe de equivalencias y correspondencias. Pero hay un momento en que la espiral de llamada / transformación/respuesta se interrumpe: *muerte* y *vida* son términos correspondientes entre las células, no en mi conciencia. Para mí la muerte es la muerte y la vida es la vida. Ruptura, disonancia, incomunicación, ironía: el universo se nos apareció como un sistema solar de correspondencias y de pronto, en el centro, el sol ennegrece. El texto se vuelve ilegible y hay una laguna: el hombre. El único ser que oye (o cree oír) el poema del universo, no se oye en ese poema —salvo como silencio.

Cambridge, Mass., octubre de 1971

[«El ábol de la vida» se publicó en *In/mediaciones*, Seix Barral, Barcelona, 1979.]

Inteligencias extraterrestres y demiurgos, bacterias y dinosaurios

Francis Crick, premio Nobel de biología en 1962 con James Watson y Maurice Wilkins por su descubrimiento de la estructura molecular del DNA y actualmente investigador del Instituto Salk en San Diego, California, acaba de publicar un libro que ha despertado muchos comentarios en la prensa mundial: *Life itself, its Origin and Nature* (Nueva York, 1981). Es una obra clara y breve. Su claridad no excluye ni la riqueza de las informaciones —física, biología nuclear, teoría de la evolución— ni la complejidad de los hechos y razones en que funda su arriesgada hipótesis; su brevedad puede llamarse también condensación rigurosa de un vasto saber. Así, el libro no sólo es claro y breve: es denso, arduo y osado. Es un libro de ciencia y es un ejercicio fascinante de la imaginación históricocientífica. Por esto último me atrevo a comentarlo.

Me sorprendió encontrar, desde las primeras páginas, una frase: *feliz accidente (happy accident).* Reaparece una y otra vez en los momentos cruciales de la exposición, al hablar del origen de la vida en nuestro planeta o del origen de nuestro sistema solar —la gran mayoría de los otros sistemas ofrecen la desventaja de tener dos soles en lugar de uno como nosotros— o del origen del universo mismo. Encontrar tantas veces la noción de *accidente* en un libro de uno de los grandes científicos contemporáneos es un signo de los tiempos. Revela un cambio en la actitud de los hombres de ciencia: la aparición de la perspectiva histórica en la consideración de los fenómenos naturales, trátese de la materia orgánica o de la inorgánica. La palabra *accidente,* por supuesto, no designa a un fenómeno sin causa sino a un hecho excepcional y que es el resultado de la conjunción, poco frecuente o improbable, de ciertas circunstancias. El accidente no es algo indeterminado pero sí difícilmente previsible. Al determinismo intemporal de la ciencia del siglo XIX sucede la idea de un proceso entre varios *posibles.*

La ciencia contemporánea se inclina, a la manera de la historia, sobre los fenómenos particulares y aspira a comprenderlos en su evolución temporal y como lo que son realmente: excepciones. Es irónico que en el momento mismo en que las ciencias sociales pretenden, vanamente, imitar el formalismo de las ciencias puras, éstas adopten el punto de vista histórico (pero sin renunciar a la regularidad sino, más bien, dentro de ella). El dominio de las matemáticas está fuera del tiempo y el teorema de Pitágoras es hoy tan cierto como el día en que fue formulado. Sin embargo, apenas intentamos aplicar las matemáticas y sus combinaciones a la materia, debemos tomar en cuenta al factor tiempo. Y el tiempo es cambio: particularidad, historia. Hace poco, en una conferencia pronunciada ante la Academia de Ciencias y Artes de Boston, el físico Victor E. Weisskopf del MIT indicó que el universo, con sus galaxias, sus sistemas solares, sus moléculas, sus átomos y sus partículas, tiene una historia que la ciencia física debe tomar en consideración. El libro de Crick revela que la materia orgánica, con sus moléculas, sus ácidos y sus mecanismos de reproducción celular, mutación y selección natural, también tiene una historia.

Crick pone al servicio de su exploración todo lo que sabemos en materia de astronomía, física nuclear y biología molecular. Su método recuerda al de los historiadores y los arqueólogos: los datos científicos, como las piedras y los documentos al historiador, le sirven para su reconstrucción del pasado de la materia viva. Sólo que en su caso ese pasado no se cuenta en millares de años sino en billones de siglos. El método también hace pensar en la criminología. Mezcla sorprendente, como en Sherlock Holmes, de sólido empirismo, inducciones arriesgadas y deducciones categóricas. Pero el método no sólo evoca a los procedimientos e hipótesis de historiadores y detectives: el adjetivo *feliz,* unido al sustantivo *accidente,* hace pensar en otra tradición: la de la historia sagrada. Llamar *feliz accidente* a la aparición de la vida sobre la tierra debe hacer fruncir el entrecejo a más de un budista: todos ellos están empeñados en escapar de la rueda de las transmigraciones; en cambio, hace sonreír a un cristiano: San Agustín llamó *felix culpa* a la de Adán y Eva porque, sin su pecado, Cristo no se habría hecho hombre ni habría muerto en la cruz por nosotros. A medida que avanzaba en la lectura del libro de Crick se dibujaba con mayor claridad lo que al principio me pareció una sospecha gratuita: leía una suerte de transposición o alegoría moderna, laica, materialista y atea, de la vieja historia judeo-cristiana de la creación de la vida.

ENIGMAS DE LAS GÉNESIS

Un misterio rodea al origen de la vida, al de nuestro sistema solar y al del universo. Todo comenzó con el *Big Bang* o como traduce, y muy bien, Jorge Hernández Campos: el Gran Pum. Steve Weinberg explica en su libro famoso que, en los tres primeros minutos que sucedieron al Gran Pum, se formaron los elementos de la primitiva y más bien pequeña bola de fuego que, al dilatarse y rodar, se convertiría en el universo actual, con sus estrellas innumerables.[1] Pero ¿qué pasó en los primeros segundos y, sobre todo, qué pasó *antes*? Weinberg confiesa que no lo sabemos. A pesar de sus inmensos progresos, la ciencia física no puede responder a la pregunta básica: nuestra ignorancia acerca del origen del universo es la de los filósofos de Jonia hace más de dos mil quinientos años. En una ocasión, en Harvard, conversando con el físico Gerald Holton acerca de las visiones del tiempo que han elaborado las distintas civilizaciones y filosofías, me dijo que el Gran Pum, para algunos científicos, era un fenómeno recurrente: el universo comienza con el estallido de una bola de materia condensada que se dilata más y más hasta que empieza a enfriarse, cae en sí misma, se contrae y ¡otra vez el Gran Pum! Me pareció oír una versión puesta al día del eterno retorno de los estoicos, con su cíclica conflagración universal *(ekpyrosis)* y el inevitable recomienzo. Sólo que los estoicos exageraban la fatalidad del fenómeno; los modernos, tal vez como una reacción ante el rígido determinismo del siglo XIX, son más cautos. El determinismo se atempera y, en plural, reaparecen los posibles.

En un libro reciente el biólogo François Jacob dice:

> Es muy difícil no encontrar elementos de arbitrariedad e incluso de fantasía en las estructuras y el funcionamiento de la naturaleza... Es imposible imaginar un mundo en el que uno más uno no sea dos. Hay un aspecto inevitable en esa relación... En cambio, podemos imaginar perfectamente un mundo en el que las leyes físicas sean diferentes a las del nuestro; un mundo en el que, por ejemplo, el hielo caiga al fondo del agua en lugar de subir a la superficie; o en el que la manzana, al desprenderse de la rama, se dispare hacia arriba y desaparezca en el cielo... La contingencia se manifiesta más netamente en el mundo de la vida.[2]

[1] Steve Weinberg, *The First Three Minutes,* Nueva York, 1977.

[2] François Jacob, *Le Jeu des possibles. (Essai sur la diversité du vivant),* París, 1981.

Después de esto no puede extrañarnos que Crick use la palabra *accidente* para designar la aparición de la materia viva. En verdad, fue algo más que un accidente: un prodigio. No repetiré aquí el examen, riguroso y exhaustivo, de las posibilidades de su emergencia. La conclusión es desalentadora: no podemos afirmar nada con certeza, salvo lo siguiente: «Un hombre honesto, armado con todos los conocimientos hoy disponibles, sólo podría decir que, en cierto modo, el origen de la vida aparece casi como un milagro, tantas son las condiciones que habrían tenido que satisfacerse para que comenzase». El resultado de su investigación no desanimó a Crick: «Se haya originado aquí en la Tierra o en cualquier otro lugar, la vida comenzó: éste es un hecho histórico que no podemos dejar de lado como si fuese algo insignificante». Me complace la admisión: el problema es científico y es histórico. Su resolución requiere conocimientos e imaginación.

Frente al enigma, dice Crick, hay dos —y sólo dos— teorías válidas. Una, la ortodoxa, «sostiene que la vida se originó aquí por sí misma, con poca o ninguna ayuda que viniese de fuera de nuestro sistema solar». Esta teoría no es falsa sino muy improbable y, además, indemostrable. Otra, la de Crick, considera que «acaso pudiera haber surgido en otros lugares del universo en donde, por esto o aquello, las condiciones eran más favorables». Enseguida, el científico inglés emprende un examen, no menos estricto y amplio que los anteriores, para determinar con razonable probabilidad el número de planetas en la galaxia en los que podría haberse originado la vida. Las cifras marean: entre un millón y, mínimo, diez mil planetas. La segunda teoría postula que

> las raíces de nuestra forma de vida aparecieron en otro lugar del universo, casi seguramente en otro planeta, en el que la vida había alcanzado una forma mucho más avanzada cuando aún no había comenzado nada aquí, y que esa vida fue esparcida *(seeded)* por microorganismos enviados en una suerte de navío espacial por una alta civilización extraterrestre.

Crick llama a esta operación de siembra cósmica: Panespermia Dirigida.[1]

Una de las razones en que se apoya Crick es turbadora: el código genético de todos los seres vivos, sin excluir a las especies desaparecidas en

[1] Se debe el término *panespermia* al científico sueco S. A. Arrhenius (1859-1927), premio Nobel de físico-química en 1903, que atribuyó el origen de la vida a una lluvia de esporas bacteriales venidas del espacio exterior.

el curso de la evolución, es el mismo. Pero ¿por qué las inteligencias extraterrestres no se transportaron ellas mismas en sus naves espaciales y prefirieron enviar a la Tierra un cargamento de bacterias? Crick explica abundantemente que, debido a la inmensidad de las distancias y a otras circunstancias no menos desfavorables, era imposible para los extraterrestres realizar el viaje a través de la galaxia. Por lo visto, cada civilización —también la nuestra— está condenada a extinguirse precisamente en el planeta en donde nació y creció: sombría visión de la historia de los sistemas solares del universo. Presas en su planeta, las inteligencias extraterrestres no tuvieron más recurso que lanzar en una nave a las bacterias, únicos organismos vivos capaces de resistir la duración y las penalidades de la travesía. Las bacterias cayeron en el caldo nutricio que era entonces la superficie terrestre, medraron, se desarrollaron y así comenzó la historia de la evolución hasta llegar a la especie humana... Aunque muchos lo han hecho con más ligereza que discernimiento, no es fácil hacer una crítica de las hipótesis de Crick. Al lego que soy, sus razones le parecen convincentes. Tengo un reparo que él comparte: tal vez su hipótesis es «un tanto prematura». Pero mi crítica —o más bien, mi comentario— se refiere a otro aspecto de su teoría.

INTELIGENCIAS EXTRATERRESTRES Y DEMIURGOS

Es claro que la hipótesis de la Panespermia Dirigida no responde a la pregunta sobre el origen de la vida: cambia el lugar de su aparición, eso es todo. Continuamos sin saber cómo emergió la vida en nuestro planeta. Tampoco en el otro; en realidad, no sabemos nada ni de ese planeta ni de sus inteligentes nativos. ¿Cómo saber si en ese planeta que nos envió sus bacterias hace miles de millones de años existían condiciones favorables para que comenzase la vida? Muy bien pudo ocurrir que otra civilización de otro planeta les haya enviado, por un procedimiento análogo, un cargamento de microorganismos. La hipótesis de la Panespermia Dirigida puede aplicarse indefinidamente —regresión que escandalizaría a los lógicos— hasta encontrar al planeta en donde sí haya existido el «caldo de pollo» y las otras condiciones propicias a la emergencia de la vida. Ese planeta, tanto desde el punto de vista de la lógica como del de su comprobación empírica, es inlocalizable. No digo que no haya podido existir: digo que *nunca* podrá encontrarse. Es un planeta que está, como la felicidad en el poema de Baudelaire, *anywhere out of this world.* Crick no responde a estas preguntas. Mejor dicho: ni siquiera se las hace; se limita a decirnos que las bacterias fueron fabricadas —o seleccionadas: no lo aclara— por altas inteligencias extraterrestres y lanzadas hacia la Tierra. Esta afirmación puede verse como una respuesta implícita. Es bueno compararla con las que ha dado la tradición al mismo problema.

Ante el enigma del origen —el del universo, el de la vida y el del hombre— los antiguos conocieron dos respuestas: unos, como los judíos y los cristianos, creían que un Dios omnipotente había creado al mundo, a las plantas, los animales y los hombres; otros, sostenían que el universo existía por sí mismo y que era eterno o estaba sujeto a destrucciones y resurrecciones cíclicas. Aristóteles, por ejemplo, creía que el universo no había tenido principio ni tendría fin y que, ventaja suplementaria, era finito. El Gran Pum está en contra de Aristóteles y de su universo autosuficiente: el mundo tuvo un principio y de ahí que sea necesario afirmar que también tuvieron un comienzo nuestro sistema solar y la vida terrestre. No sabemos a ciencia cierta si el Gran Pum es recurrente o si ha sido un fenómeno único. La idea de un Dios creador omnipotente repugna a muchos espíritus modernos; tampoco era del gusto de la mayoría de los filósofos de la Antigüedad aunque por razones opuestas a las nuestras: no era digno de Dios crear un mundo como el nuestro, regido por la contingencia. Platón habla, en el *Timeo,* de un demiurgo que crea, a imitación de las Formas eternas, al universo con sus astros-dioses y sus hombres. El demiurgo es divino pero no es Dios en el sentido judeo-cristiano. La noción del demiurgo fue aprovechada después por otras escuelas y sectas, entre ellas por los gnósticos, que vieron en él a una divinidad maléfica, origen de la materia, el pecado y el tiempo. Así resolvieron un misterio que siempre ha perturbado a los hombres: ¿cómo un Dios perfecto, todopoderoso y bueno pudo crear un mundo cambiante y sujeto al error, al mal, a la enfermedad, al accidente y la muerte?

La alta civilización extraterrestre de Crick es el equivalente moderno no tanto del Dios omnipotente de la tradición judeo-cristiana como del demiurgo de los platónicos y los gnósticos. Un demiurgo semejante al de Platón, bueno e inteligente. El parecido con el del *Timeo* es impresionante: combina, ya que no las almas y sus propiedades, las moléculas y los ácidos para reproducir *(imitar)* la vida y enviarla a este planeta. El demiurgo de los modernos no es individual sino colectivo y se llama civilización. Su modo de operación no es la contemplación de las esencias sino la acción histórica. La noción del demiurgo es filosófica y teológica; la de la civilización es social e histórica. Sin embargo, sus funciones son semejantes. En el siglo XX la historia ha sido divinizada de muchas maneras pero esa divinización no había sido, hasta ahora, la obra de los científicos sino de los filósofos y los ideólogos. En este sentido es insólita la hipótesis de la Panespermia Dirigida: Crick es un científico notable. Por fortuna su idea no contiene gérmenes nocivos y pasionales —religiosos o políticos— capaces de encender los ánimos; nadie matará ni morirá por una civilización extraterrestre que floreció en un planeta desconocido hace millones de millones de años.

La analogía entre las inteligencias extraterrestres y el demiurgo de los antiguos no agota el paralelo. En la hipótesis de Crick hay otro elemento —inconsciente como el del demiurgo que pertenece no a la historia profana sino a la sagrada. En la tradición cristiana Dios no sólo es creador sino redentor del mundo. Por eso es *feliz* la culpa de Eva: gracias al accidente del Edén, Dios bajó a la Tierra, se hizo hombre, padeció con nosotros y murió para darnos vida verdadera. La alta civilización extraterrestre de Crick también desciende a la Tierra, en la forma humilde de unas bacterias, y nos da la vida. ¿Por qué? Según Crick porque esa civilización de inteligencias superiores alcanzó, en un momento de su evolución histórica e intelectual, la clara conciencia de su muerte y de la imposibilidad de escapar. Antes de morir, como Cristo, la civilización extraterrestre nos regaló la vida. Fue un acto de filantropía cósmica. Sin embargo, me pregunto cuál podría ser la reacción de un espíritu auténticamente religioso ante una teoría como la de la Panespermia Dirigida. Por ejemplo, un Bernardino de Sahagún, que también tuvo la experiencia de otra civilización: la de los antiguos mexicanos. Me imagino que su reacción habría sido la misma que experimentó ante los sacrificios humanos de los aztecas. Le parecieron una fúnebre caricatura de la historia de la redención.

EL EPISODIO DE LOS DINOSAURIOS

La idea de la civilización extraterrestre, como metáfora o alegoría inconsciente del antiguo demiurgo, adquiere una tonalidad a un tiempo cómica y escalofriante apenas recordamos uno de los episodios más extraños de la historia de la evolución. En el periodo Cretáceo dominaban la Tierra unos inmensos vertebrados: los dinosaurios. Su repentina extinción hace sesenta y cinco millones de años, en el apogeo de su desarrollo, nunca ha sido explicada del todo. Crick acepta la teoría de los Álvarez (padre e hijo). Estos dos reputados científicos (el mayor es premio Nobel de física) dan una ingeniosa explicación de la catástrofe que cambió el curso de la evolución: un asteroide de unas seis millas de diámetro cayó sobre la Tierra y tras causar un terremoto y abrir una cavidad enorme, cubrió nuestro planeta con un fino polvo que durante varios años no dejó pasar la luz solar. La vegetación pereció, ahogada por la oscuridad y el polvo. Y con ella los dinosaurios, en su mayoría vegetarianos. El infortunio de los grandes reptiles favoreció a los mamíferos, unos pequeños animales nocturnos e insectívoros, que soportaron mejor que las otras especies los años de oscuridad y escasez. Hasta entonces los mamíferos habían vivido dominados por los gigantescos saurios: el asteroide los libró de sus opresores. Los mamíferos se desarrollaron, poblaron la Tierra, cambiaron y, en un momento de su evolución, produjeron al hombre. La extinción de los dinosaurios fue un verdadero *accidente feliz*. Esas enormes bestias, dice Crick, difícilmente habrían llegado a producir inteligencias capaces de crear una ciencia y una tecnología: «Los dinosaurios se habían especializado en una dirección equivocada».

Temo que Crick no haya reparado en las consecuencias que tiene para su teoría el episodio de los dinosaurios. Cuando las inteligencias extraterrestres decidieron enviar, hace miles de millones de años, sus bacterias a la Tierra, no podían prever que un asteroide chocaría con nuestro planeta y que su caída provocaría la extinción de los dinosaurios. Este hecho no es menos histórico que el del origen de la vida y nos hace una pregunta que, asimismo, tiene dos, y sólo dos, respuestas.

La primera: las inteligencias extraterrestres fabricaron la vida a su imagen y semejanza. Si lo hicieron así, coincidieron con nuestra tradición religiosa: Dios creó al hombre a su imagen. Consecuencia: los dinosaurios debieron ser una copia más o menos fiel de las inteligencias extraterrestres y su estupidez nos enfrenta a un enigma: ¿por qué, a diferencia de sus lejanos progenitores, los sabios reptiles extraterrestres, no lograron ascender en la escala de la evolución hasta llegar a la inteligencia? Tuvieron tiempo suficiente para hacerlo; se calcula que duraron más de ciento cincuenta millones de años mientras que la evolución de la especie humana se realizó apenas en unos tres millones y medio. ¿Cuánto tiempo habrían necesitado los reptiles para desarrollar una inteligencia comparable a la de los primeros homínidos? Los sabios de la civilización extraterrestre se equivocaron: los seres a su semejanza, los reptiles gigantes, fracasaron y fueron eliminados por los diminutos mamíferos.

La segunda hipótesis no es menos inquietante y también tiene un antecedente en la Antigüedad: el pesimismo de los gnósticos. Las inteligencias extraterrestres fabricaron las bacterias no a su semejanza sino con un código genético distinto: el nuestro y el de todos los seres vivos terrestres, sin excluir a los dinosaurios. Si fue así, esas inteligencias revelaron una perversidad insondable por gratuita: decidieron que la Tierra fuese poblada y dominada (no previeron la caída del asteroide) por enormes y estúpidos reptiles. La primera hipótesis indica que las inteligencias extraterrestres cometieron un grave error, indigno de su alto saber; la segunda revela una maldad inexplicable. La alta civilización de Crick es el equivalente de un demiurgo estúpido o de un demiurgo perverso.

GÉRMENES VAGABUNDOS

Vivimos en una red invisible de llamadas y respuestas. A veces percibimos estas señales y decimos, por falta de palabra mejor, que son *coincidencias*. Hace unos días, un poco después de haber escrito el pequeño comentario sobre el libro de Francis Crick acerca del origen de la vida, al recorrer con ojos distraídos un estante en el que guardo libros de poetas franceses, me detuve de pronto y sin motivo ante un volumen de Jules Supervielle: *Gravitations*. Movido por un impulso indefinible, lo retiré del estante y, de pie, me dispuse a hojearlo. Al pasar las páginas, en una sección cuyo título, como el del libro, no necesita comentarios: *El corazón astrológico*, me encontré con un curioso poema: *Les Germes*. Confieso que no habría reparado en él a no ser por el epígrafe, una frase de Svante August Arrhenius, el físico sueco que, a principios de este siglo, sostuvo por primera vez la hipótesis del origen extraterrestre de la vida. Según Arrhenius, la vida comenzó por el descenso, desde los espacios estelares, de una lluvia de esporas vagabundas movidas suavemente por la luz. Los poemas de *Gravitations* (NRF, 1925) fueron escritos entre 1922 y 1924; así pues, ya en esos años la Panespermia —ése fue el nombre que dio Arrhenius a su hipótesis— conmovía a los espíritus curiosos y excitaba la fantasía de los poetas.

Después de leer el poema, cambié un imaginario y fugaz signo de inteligencia con el fantasma de Supervielle. Sentí que él —alto, delgado y con aquel aire suyo de álamo que habla solo en la noche— sonreía en su mundo de allá. Incluso me pareció que sus labios invisibles me decían, en un lenguaje idéntico al silencio, estas palabras: «¿Le asombra la coincidencia? Sí, en aquellos años la idea de la Panespermia Espontánea me maravilló y me aterró. Pero ¿no le parece aún más escalofriante la suposición que hoy lo desvela a usted? La Panespermia Dirigida: ¡unas inteligencias extraterrestres, desde otro sistema solar, hace miles de millones de años, enviaron a los planetas naves cargadas de bacterias! ¿Se imagina la desesperación de aquellas inteligencias extraterrestres que, a punto de extinguirse, decidieron confiar a los océanos sin olas de la galaxia unos gérmenes de vida? Cuando el fin se acerca, regresamos al origen...» Extrañas palabras en boca de un fantasma. Me sorprendió, además, su acento patético, elocuente. La muerte le había hecho perder uno de los encantos de su conversación: los rodeos, las vacilaciones, las pausas en busca de la palabra no demasiado exacta. Pensé en el hombre que había conocido: Supervielle o la poética de la incertidumbre. Un arte que hemos olvidado... El espíritu se desvaneció y me quedé solo de nuevo. A manera de oblación, ofrenda a sus manes, traduje el poema:

LOS GÉRMENES

Se repartieron por todas partes,
como si sembrasen en el universo.
Arrhenius

Noche condenada a la ceguera,
Noche que aún a través del día buscas a los hombres
Con manos perforadas de milagros,
He aquí a los gérmenes espaciales, polen vaporoso de los mundos.
Los gérmenes que en su larga jornada han medido los cielos
Y se posan sobre la hierba sin ruido,
Capricho de una sombra que atraviesa el espíritu.

Escapan fluidos del murmullo confuso de los mundos
Hasta donde se eleva el rumor de nuestros más lejanos pensamientos,
Sueños del hombre bajo las estrellas atentas
Que suscitan zarzas violentas en pleno cielo
Y un cabrito que gira sobre sí mismo hasta volverse astro.

Sueño del marinero que va a dispersar la tormenta
Y que, al entregar su alma al último lucero,
Visto entre dos olas que se alzan,
Hace nacer de su mirada, ahogada en el mar y la muerte,
En millones de horribles años-luz, los gérmenes.
Y los postigos verdes de sus moradas tímidamente se entreabren
Como si una mano de mujer los lanzase desde allá dentro.
Pero nadie sabe que los gérmenes acaban de llegar
Mientras la noche remienda los andrajos del día.

No es el mejor Supervielle. El poema es confuso; tiene sin embargo, como casi todo lo que escribió, una gracia desmañada y secreta. Me gustan sobre todo esos gérmenes que abren sus postigos verdes —como los de tantas ventanas de París— y que una mujer lanza al espacio con el gesto de una muchacha al asomarse al balcón. Imagen diaria en la que reaparece el antiguo mito: la mano sembradora de estrellas.

México, 1982

[«Inteligencias extraterrestres y demiurgos, bacterias y dinosaurios» se publicó en *Sombras de obras,* Seix Barral, Barcelona, 1983.]

La mirada anterior: Carlos Castaneda

Hace unos años me dijo Henri Michaux: «Yo comencé publicando pequeñas *plaquettes* de poesía. El tiro era de unos 200 ejemplares. Después subí a 2 mil y ahora he llegado a los 20 mil. La semana pasada un editor me propuso publicar mis libros en una colección que tira cien mil ejemplares. Rehusé: lo que quiero es regresar a los 200 del principio». Es difícil no simpatizar con Michaux: más vale ser desconocido que mal conocido. La mucha luz es como la mucha sombra: no deja ver. Además, la obra debe preservar su misterio. Cierto, la publicidad no disipa los misterios y Homero sigue siendo Homero después de miles de años y miles de ediciones. No los disipa pero los degrada: hace de Prometeo un espectáculo de circo, de Jesucristo una estrella de *music-hall,* de *Las meninas* un icono de obtusas devociones y de los libros de Marx objetos simultáneamente sagrados e ilegibles (en los países comunistas nadie los lee y todos juran en vano sobre ellos). La degradación de la publicidad es una de las fases de la operación que llamamos *consumo.* Transformadas en golosinas, las obras son literalmente deglutidas, ya que no gustadas, por lectores apresurados y distraídos.

Algunos desesperados de talento oponen a las facilidades de la publicidad un texto impenetrable. Recurso suicida. La verdadera defensa de la obra consiste en irritar y seducir la atención del lector con un texto que pueda leerse de muchas maneras. El ejemplo mayor es *Finnegans Wake.* La dificultad de ese libro no depende de que su significado sea inaccesible sino de que es múltiple: cada frase y cada palabra es un haz de sentidos, un puñado de semillas semánticas que Joyce siembra en nuestras orejas con la esperanza de que germinen en nuestra cabeza. Ixión convertido en libro, Ixión y sus reflexiones, flexiones y fluxiones. Una obra que dura —lo que llamamos: un clásico— es una obra que no cesa de producir nuevos significados. Las grandes obras se reproducen a sí mismas en sus distintos lectores y así cambian continuamente. De la capacidad de autoproducción se sigue la pluralidad de significados y de ésta la multiplicidad de lecturas. Sólo hay una manera de leer las últimas noticias del diario pero hay muchas de leer a Cervantes. El periódico es hijo de la publicidad y ella lo devora: es un lenguaje que se usa y que, al usarse, se gasta hasta que termina en el cesto de basura; el *Quijote* es un lenguaje que al usarse se reproduce y se vuelve otro. Es una transparencia ambigua: el sentido deja ver otros posibles sentidos.

¿Qué pensará Carlos Castaneda de la inmensa popularidad de sus obras? Probablemente se encogerá de hombros: un equívoco más en una obra que desde su aparición provoca el desconcierto y la incertidumbre. En la revista *Time* se publicó hace unos meses una extensa entrevista con Castaneda. Confieso que el «misterio Castaneda» me interesa menos que su obra. El secreto de su origen —¿es peruano, brasileño o chicano?— me parece un enigma mediocre, sobre todo si se piensa en los enigmas que nos proponen sus libros.[1] El primero de esos enigmas se refiere a su naturaleza: ¿antropología o ficción literaria? Se dirá que mi pregunta es ociosa: documento antropológico o ficción, el significado de la obra es el mismo. La ficción literaria es ya un documento etnográfico— y el documento, como sus críticos más encarnizados lo reconocen, posee indudable valor literario. El ejemplo de *Tristes tropiques* —autobiografía de un antropólogo y testimonio etnográfico contesta la pregunta. ¿La contesta realmente? Si los libros de Castaneda son una obra de ficción literaria, lo son de una manera muy extraña: su tema es la derrota de la antropología y la victoria de la magia; si son obras de antropología, su tema no puede serlo menos: la venganza del «objeto» antropológico (un brujo) sobre el antropólogo hasta convertirlo en un hechicero. Antiantropología.

La desconfianza de muchos antropólogos ante los libros de Castaneda no se debe sólo a los celos profesionales o a la miopía del especialista. Es natural la reserva frente a una obra que comienza como un trabajo de etnografía (las plantas alucinógenas —peyote, hongos y datura— en las prácticas y rituales de la hechicería yaqui) y que a las pocas páginas se transforma en la historia de una conversión. Cambio de posición: el «objeto» del estudio —don Juan, chamán yaqui— se convierte en el sujeto que estudia y el sujeto —Carlos Castaneda, antropólogo— se vuelve el objeto

[1] *The Teaching of Don Juan: A Yaqui Way of Knowledge*, University of California Press, 1968; *A Separate Reality: Further Conversations with Don Juan*, Simon and Schuster, 1970; *Journey to Ixtlán: The Lessons of Don Juan*, Simon and Schuster, 1972.

de estudio y experimentación. No sólo cambia la posición de los elementos de la relación sino que también ella cambia. La dualidad sujeto/objeto —el sujeto que conoce y el objeto por conocer— se desvanece y en su lugar aparece la de maestro/neófito. La relación de orden científico se transforma en una de orden mágico-religioso. En la relación inicial, el antropólogo quiere *conocer* al otro; en la segunda, el neófito quiere *convertirse* en otro.

La conversión es doble: la del antropólogo en brujo y la de la antropología en *otro* conocimiento. Como relato de su conversión, los libros de Castaneda colindan en un extremo con la etnografía y en otro con la fenomenología, más que de la religión, de la experiencia que he llamado de la *otredad*.[1] Esta experiencia se expresa en la magia, la religión y la poesía pero no sólo en ellas: desde el paleolítico hasta nuestros días es parte central de la vida de hombres y mujeres. Es una experiencia constitutiva del hombre, como el trabajo y el lenguaje. Abarca del juego infantil al encuentro erótico y del saberse solo en el mundo a sentirse parte del mundo. Es un desprendimiento del yo que somos (o creemos ser) hacia el *otro* que también somos y que siempre es distinto de nosotros. Desprendimiento: aparición: Experiencia de la *extrañeza* que es ser hombres. Como destrucción crítica de la antropología, la obra de Castaneda roza las opuestas fronteras de la filosofía y la religión. Las de la filosofía porque nos propone, después de una crítica radical de la realidad, otro conocimiento, no científico y alógico; las de la religión porque ese conocimiento exige un cambio de naturaleza en el iniciado: una conversión. El *otro* conocimiento abre las puertas de la *otra* realidad a condición de que el neófito se vuelva *otro*. La ambigüedad de los significados se despliega en el centro de la experiencia de Castaneda. Sus libros son la crónica de una conversión, el relato de un despertar espiritual y, al mismo tiempo, son el redescubrimiento y la defensa de un saber despreciado por Occidente y la ciencia contemporánea. El tema del saber está ligado al del poder y ambos al de la metamorfosis: el hombre que sabe (el brujo) es el hombre de poder (el guerrero) y ambos, saber y poder, son las llaves del cambio. El brujo puede ver la otra realidad porque la ve con otros ojos —con los ojos del *otro*.

Los medios para cambiar de naturaleza son ciertas drogas usadas por los indios americanos. La variedad de las plantas alucinógenas que cono-

[1] *Cf. El arco y la lira*, FCE, México, 1956, especialmente «Los signos en rotación». Incluido en el volumen I, *La casa de la presencia*, de estas *OC*.

cían las sociedades precolombinas es asombrosa, del *yagé* o *ayahuaca* de Sudamérica al peyote del altiplano mexicano, y de los hongos de las montañas de Oaxaca y Puebla a la *datura* que da don Juan a Castaneda en el primer libro de la trilogía. Aunque los misioneros españoles conocieron (y condenaron) el uso de sustancias alucinógenas por los indios, los antropólogos modernos no se interesaron en el tema sino hasta hace muy poco tiempo. En realidad, señala Michael J. Harner, «los estudios más importantes sobre la materia se deben, más que a los antropólogos, a farmacólogos como Lewis y a botánicos como Schultze y Watson».[1] Uno de los méritos de Castaneda es haber pasado de la botánica y la fisiología a la antropología. Castaneda ha penetrado en una tradición cerrada, una sociedad subterránea y que coexiste, aunque no convive, con la sociedad moderna mexicana. Una tradición en vías de extinción: la de los brujos, herederos de los sacerdotes y chamanes precolombinos.

La sociedad de los brujos de México es una sociedad clandestina que se extiende en el tiempo y en el espacio. En el tiempo: es nuestra contemporánea, pero por sus creencias, prácticas y rituales hunde sus raíces en el mundo prehispánico; en el espacio, es una cofradía que por sus ramificaciones abarca a toda la república y penetra hasta el sur de los Estados Unidos. Una tradición sincretista, lo mismo por sus prácticas que por su visión del mundo. Por ejemplo, don Juan usa indistintamente el peyote, los hongos y la datura mientras que los chamanes de Huatla, según Munn, se sirven únicamente de los hongos. En las ideas de don Juan sobre la naturaleza de la realidad y del hombre aparece continuamente el tema del doble animal, el *nahual*, cardinal en las creencias precolombinas, al lado de conceptos de origen cristiano. Sin embargo, no me parece aventurado afirmar que se trata de un sincretismo en el que tanto el fondo como las prácticas son esencialmente precolombinos. La visión de don Juan es la de una civilización vencida y oprimida por el cristianismo virreinal y por las sucesivas ideologías de la República Mexicana, de los liberales del siglo XIX a los revolucionarios del XX. Un vencido indomable.

[1] *Hallucinogens and Schamanism*, ed. Michael J. Harner, Oxford University Press. Entre los ensayos que recoge este libro, dos me llamaron particularmente la atención, uno de Henry Munn sobre el uso de los hongos entre los chamanes mazatecos, y otro de Harner sobre la importancia, hasta ahora ignorada, de los alucinógenos —datura, mandrágora, belladona— en la hechicería medieval y renacentista. La hipótesis de Munn es apasionante: los hongos excitan la facultad hablante y poetizante del chamán. En cuanto a la hechicería de Occidente, hay que releer, a la luz del estudio de Harner, ciertas obras clásicas, como los primeros capítulos de *El asno de oro*.

Las ideologías por las que matamos y nos matan desde la Independencia, han durado poco; las creencias de don Juan han alimentado y enriquecido la sensibilidad y la imaginación de los indios desde hace miles de años.

Es notable, mejor dicho: reveladora, la ausencia de nombres mexicanos entre los de los investigadores de la faz secreta, nocturna de México.[1] Esta indiferencia podría atribuirse a una deformación profesional de nuestros antropólogos, víctimas de prejuicios cientistas que, por lo demás, no comparten todos sus colegas de otras partes. A mi juicio se trata más bien de una inhibición debida a ciertas circunstancias históricas y sociales. Nuestros antropólogos son los herederos directos de los misioneros, del mismo modo que los brujos lo son de los sacerdotes prehispánicos. Como los misioneros el siglo XVI, los antropólogos mexicanos se acercan a las comunidades indígenas no tanto para conocerlas como para cambiarlas. Su actitud es inversa a la de Castaneda. Los misioneros querían extender la comunidad cristiana a los indios; nuestros antropólogos quieren integrarlos en la sociedad mexicana. El etnocentrismo de los primeros era religioso, el de los segundos es progresista y nacionalista. Esto último limita gravemente su comprensión de ciertas formas de vida. Sahagún comprendía profundamente la religión india, incluso si la concebía como una monstruosa artimaña del demonio, porque la contemplaba desde la perspectiva del cristianismo. Para los misioneros las creencias y prácticas religiosas de los indios eran algo perfectamente serio, *endemoniadamente* serio; para los antropólogos son aberraciones, errores, productos culturales que hay que clasificar y catalogar en ese museo de curiosidades y monstruosidades que se llama etnografía.

Otro de los obstáculos para la recta comprensión del mundo indígena, lo mismo el antiguo que el contemporáneo, es la extraña mezcla de *behaviorismo* norteamericano y de marxismo vulgar que impera en los estudios sociales mexicanos. El primero es menos dañino; limita la visión pero no la deforma. Como método científico es valioso, no como filosofía de la ciencia. Esto es evidente en la esfera de la lingüística, la única de las llamadas ciencias sociales que se ha constituido verdaderamente como tal. No es necesario extenderse sobre el tema: Chomsky ha dicho ya lo esencial. La limitación del marxismo es de otra índole. Reducir la magia a una mera superestructura ideológica puede ser, desde cierto punto de vista,

[1] Una excepción: los estudios de Fernando Benítez, una notable contribución a este tema. Pero una golondrina no hace verano.

exacto. Sólo que se trata de un punto de vista demasiado general y que no nos deja ver el fenómeno en su particularidad concreta. Entre antropología y marxismo hay una oposición. La primera es una ciencia o, más bien, aspira a convertirse en una; por eso se interesa en la descripción de cada fenómeno particular y no se atreve sino con las mayores reservas a emitir conclusiones generales. Todavía no hay leyes antropológicas en el sentido en que hay leyes físicas. El marxismo no es una ciencia, sino una teoría de la ciencia y de la historia (más exactamente: una teoría de la ciencia como producto de la historia); por eso engloba todos los fenómenos sociales en categorías históricas universales: comunismo primitivo, esclavismo, feudalismo, capitalismo, socialismo. El modelo histórico del marxismo es sucesivo, progresista y único; quiero decir, todas las sociedades han pasado, pasarán o deben pasar por cada una de esas fases de desarrollo histórico, desde el comunismo original hasta el comunismo de la era industrial. Para el marxismo no hay sino una historia, la misma para todos. Es un universalismo que no admite la pluralidad de civilizaciones y que reduce la extraordinaria diversidad de sociedades a unas cuantas formas de organización económica. El modelo histórico de Marx fue la sociedad occidental; el marxismo es un etnocentrismo que se ignora.[1]

En otras páginas me he referido a la función de las drogas alucinógenas en la experiencia visionaria.[2] Sería una impertinencia repetir aquí lo que dije entonces, de modo que me limitaré a recordar que el uso de los alucinógenos puede equipararse a las prácticas ascéticas: son medios predominantemente físicos y fisiológicos para provocar la iluminación espiritual. En la esfera de la imaginación son el equivalente de lo que son el ascetismo para los sentidos y los ejercicios de meditación para el entendimiento. Apenas si debo añadir que, para ser eficaz, el empleo de las sustancias alucinógenas ha de insertarse en una visión del mundo y del trasmundo, una escatología, una teología y un ritual. Las drogas son parte de una disciplina física y espiritual, como las prácticas ascéticas. Las maceraciones del eremita cristiano corresponden a los padecimientos de Cristo y de sus mártires; el vegetarianismo del yoguín a la fraternidad de todos los seres vivos y a los misterios del karma; los giros del derviche a la espiral cósmica y a la disolución de las formas en su movimiento. Dos trans-

[1] Naturalmente, a diferencia de sus discípulos, Marx no fue insensible del todo a la prodigiosa pluralidad de sociedades. Ejemplos: sus observaciones sobre la India y sus ideas, por desgracia nunca desarrolladas, acerca de lo que llamaba «el modo asiático de producción».

[2] «Conocimiento, drogas, inspiración», pp. 174-178 de este volumen.

gresiones opuestas, pero coincidentes, de la sexualidad normal: la castidad del clérigo cristiano y los ritos eróticos del adepto tantrista. Ambas son negaciones religiosas de la generación animal. La comunión huichol del peyote implica prohibiciones sexuales y alimenticias más rigurosas que la Cuaresma católica y el Ramadán islámico. Cada una de estas prácticas es parte de un simbolismo que abarca al macrocosmos y al microcosmos; cada una de ellas, asimismo, posee una periodicidad rítmica, es decir, se inscribe dentro de un calendario sagrado. La práctica es visión y sacramento, momento único y repetición ritual.

Las drogas, las prácticas ascéticas y los ejercicios de meditación no son fines sino medios. Si el medio se vuelve fin, se convierte en agente de destrucción. El resultado no es la liberación interior sino la esclavitud, la locura y no la sabiduría, la degradación y no la visión. Esto es lo que ha ocurrido en los últimos años. Las drogas alucinógenas se han vuelto potencias destructivas porque han sido arrancadas de su contexto teológico y ritual. Lo primero les daba sentido, trascendencia; lo segundo, al introducir periodos de abstinencia y de uso, minimizaba los transtornos psíquicos y fisiológicos. El uso moderno de los alucinógenos es la profanación de un antiguo sacramento, como la promiscuidad contemporánea es la profanación del cuerpo. Los alucinógenos, por lo demás, sólo son útiles en la primera fase de la iniciación. Sobre este punto Castaneda es explícito y terminante: una vez rota la percepción cotidiana de la realidad —una vez que la visión de la *otra* realidad cesa de ofender a nuestros sentidos y a nuestra razón— las drogas salen sobrando. Su función es semejante a la del *mandala* del budismo tibetano: es un *apoyo* de la meditación, necesario para el principiante, no para el iniciado.

La acción de los alucinógenos es doble: son una crítica de la realidad y nos proponen otra realidad. El mundo que vemos, sentimos y pensamos aparece desfigurado y distorsionado; sobre sus ruinas se eleva otro mundo, horrible o hermoso, según el caso, pero siempre maravilloso. (La droga otorga paraísos e infiernos conforme a una justicia que no es de este mundo, pero que, indudablemente, se parece a la del otro según lo han descrito los místicos de todas las religiones.) La visión de la *otra* realidad reposa sobre las ruinas de *esta* realidad. La destrucción de la realidad cotidiana es el resultado de lo que podría llamarse la crítica sensible del mundo. Es el equivalente, en la esfera de los sentidos, de la crítica racional de la realidad. La visión se apoya en un escepticismo radical que nos hace dudar de la coherencia, consistencia y aun existencia de este mundo que vemos, oímos, olemos y tocamos. Para ver la otra realidad hay que dudar de la realidad que vemos con los ojos. Pirrón es el patrono de todos los místicos y chamanes.

La crítica de la realidad de este mundo y del yo la hizo mejor que nadie, hace dos siglos, David Hume: nada cierto podemos afirmar del mundo objetivo y del sujeto que lo mira, salvo que uno y otro son haces de percepciones instantáneas e inconexas ligadas por la memoria y la imaginación. El mundo es imaginario, aunque no lo sean las percepciones en que, alternativamente, se manifiesta y se disipa. Puede parecer arbitrario acudir al gran crítico de la religión. No lo es: «When I view this table and that chimney, nothing is present to me but particular perceptions, which are of a like nature with all the other perceptions [...] When I turn my reflection on *my self,* I never can perceive this *self* without some one or more perceptions: nor can I ever perceive anything but the perceptions. It is the compositions of these, therefore, which forms the *self.*»[1] Don Juan, el chamán yaqui, no dice algo muy distinto: lo que llamamos realidad no son sino «descripciones del mundo» (*pinturas* las llama Castaneda, siguiendo en esto a Russell y a Wittgenstein más que a su maestro yaqui). Estas descripciones no son más sino menos consistentes e intensas que las visiones del peyote en ciertos momentos privilegiados. El mundo y yo: un haz de percepciones percibidas (¿emitidas?) por otro haz de percepciones. Sobre este escepticismo, ya no sensible sino racional, se construye lo que Hume llama la *creencia* —nuestra idea del mundo y de la identidad personal— y don Juan la *visión del guerrero.*

El escepticismo, si es congruente consigo mismo, está condenado a negarse. En un primer momento su crítica destruye los fundamentos pretendidamente racionales en que descansa nuestra fe en la existencia del mundo y del ser del hombre: uno y otro son opiniones, creencias desprovistas de certidumbre racional. El escéptico se sirve de la razón para mostrar las insuficiencias de la razón, su sinrazón secreta. Inmediatamente después, en un movimiento circular, se vuelve sobre sí mismo y examina su razonamiento: si su crítica ha sido efectivamente racional, debe estar marcada por la misma inconsistencia. La sinrazón de la razón,

[1] *A Treatise of Human Nature.* «Cuando veo esta mesa y esa chimenea, lo único que se me hace presente son determinadas percepciones particulares, que son de naturaleza semejante a la de todas las demás percepciones [...] Cuando vuelvo mi reflexión sobre *mí mismo,* no puedo jamás percibir este *yo mismo* sin alguna o algunas percepciones: ni puedo percibir nada más que las percepciones. Es pues la composición de éstas lo que forma al *yo.*»

la incoherencia, aparecen también en la crítica de la razón. El escéptico tiene que cruzarse de brazos y, para no contradecirse una vez más, resignarse al silencio y a la inmovilidad. Si quiere seguir viviendo y hablando debe afirmar, con una sonrisa desesperada, la validez no-racional de las creencias.

El razonamiento de Hume, incluso su crítica del yo, aparece en un filósofo budista del siglo II, Nagarjuna. Pero el nihilismo circular de Nagarjuna no termina en una sonrisa de resignación sino en una afirmación religiosa. El indio aplica la crítica del budismo a la realidad del mundo y del yo —son vacuos, irreales— al budismo mismo: también la doctrina es vacua, irreal. A su vez, la crítica que muestra la vacuidad e irrealidad de la doctrina es vacua, irreal. Si todo está vacío también «todo-está-vacío-incluso-la-doctrina-*todo-está-vacío*» está vacío. El nihilismo de Nagarjuna se disuelve a sí mismo y reintroduce sucesivamente la realidad (relativa) del mundo y del yo, después la realidad (también relativa) de la doctrina que predica la irrealidad del mundo y del yo. El fundamento del budismo con sus millones de mundos y, en cada uno de ellos, sus millones de Budas y bodhisattvas es un precipicio en el que *nunca* nos despeñamos. El precipicio es un reflejo que nos refleja.

No sé qué pensarán don Juan y don Genaro de las especulaciones de Hume y de Nagarjuna. En cambio, estoy (casi) seguro de que Carlos Castaneda las aprueba —aunque con cierta impaciencia. Lo que le interesa no es mostrar la inconsistencia de nuestras descripciones de la realidad —sean las de la vida cotidiana o las de la filosofía— sino la consistencia de la visión mágica del mundo. La visión y la práctica: la magia es ante todo una práctica. Los libros de Castaneda, aunque poseen un fundamento teórico: el escepticismo radical, son el relato de una iniciación a una doctrina en la que la práctica ocupa el lugar central. Lo que cuenta no es lo que dicen don Juan y don Genaro, sino lo que hacen. ¿Y qué hacen? Prodigios. Y esos prodigios ¿son reales o ilusorios? Todo depende, dirá con sorna don Juan, de lo que se entienda por real y por ilusorio. Tal vez no son términos opuestos y lo que llamamos realidad es también ilusión. Los prodigios no son ni reales ni ilusorios: son medios para destruir la realidad que vemos. Una y otra vez el humor se desliza insidiosamente en los prodigios como si la iniciación fuese una larga tomadura de pelo. Castaneda debe dudar tanto de la realidad de la realidad cotidiana, negada por los prodigios, como de la realidad de los prodigios, negada por el humor. La dialéctica de don Juan no está hecha de razones sino de actos pero no por eso es menos poderosa que las paradojas de Nagarjuna, Diógenes o Chuang-tsé.

La función del humor no es distinta de la de las drogas, el escepticismo racional y los prodigios: el brujo se propone con todas esas manipulaciones romper la visión cotidiana de la realidad, transtornar nuestras percepciones y sensaciones, aniquilar nuestros endebles razonamientos, arrasar nuestras certidumbres —para que aparezca la *otra* realidad. En el último capítulo de *Journey to Ixtlán,* Castaneda ve a don Genaro nadando en el piso del cuarto de don Juan como si nadase en una piscina olímpica. Castaneda no da crédito a sus ojos, no sabe si es víctima de una farsa o si está a punto de *ver.* Por supuesto, no hay nada que ver. Eso es lo que llama don Juan: *parar el mundo,* suspender nuestros juicios y opiniones sobre la realidad. Acabar con el «esto» y el «aquello», el sí y el no, alcanzar ese estado dichoso de imparcialidad contemplativa a que han aspirado todos los sabios. La *otra* realidad no es prodigiosa: es. El mundo de todos los días es el mundo de todos los días: ¡qué prodigio!

La iniciación de Castaneda puede verse como un regreso. Guiado por don Juan y don Genaro —ese Quijote y ese Sancho Panza de la brujería andante, dos figuras que poseen la plasticidad de los héroes de los cuentos y leyendas— el antropólogo desanda el camino. Vuelta a sí mismo, no al que fue ni al pasado: al ahora. Recuperación de la visión directa del mundo, ese instante de inmovilidad en que todo parece detenerse, suspendido en una pausa del tiempo. Inmovilidad que sin embargo transcurre —imposibilidad lógica pero realidad irrefutable para los sentidos. Maduración invisible del instante que germina, florece, se desvanece, brota de nuevo. El ahora: antes de la separación, antes de falso-o-verdadero, real-o-ilusorio, bonito-o-feo, bueno-o-malo. Todos vimos alguna vez el mundo con esa mirada *anterior* pero hemos perdido el secreto. Perdimos el poder que une al que mira con aquello que mira. La antropología llevó a Castaneda a la hechicería y ésta a la visión unitaria del mundo: la contemplación de la *otredad* en el mundo de todos los días. Los brujos no le enseñaron el secreto de la inmortalidad ni le dieron la receta de la dicha eterna: le devolvieron la vista. Le abrieron las puertas de la *otra* vida. Pero la otra vida está aquí. Sí, allá está aquí, la otra realidad es el mundo de todos los días. En el centro de este mundo de todos los días centellea, como el vidrio roto entre el polvo y la basura del patio trasero de la casa, la revelación del mundo de allá. ¿Qué revelación? No hay nada que ver, nada que decir: todo es alusión, seña secreta, estamos en una de las esquinas del cuarto de los ecos, todo nos hace signos y todo se calla y se oculta. No, no hay nada que decir.

Alguna vez Bertrand Russell dijo que «la clase *criminal* está incluida en la clase hombre». Uno podría decir: «La clase *antropólogo* no está incluida en la clase *poeta,* salvo en algunos casos». Uno de esos casos se llama Carlos Castaneda.

Cambridge, Mass., 15 de septiembre de 1973

[«La mirada anterior: Carlos Castaneda» se publicó en *In/mediaciones,* Seix Barral, Barcelona, 1979.]

CORRIENTE ALTERNA

ASTILLAS

¿Qué nombra la poesía?

Se ha comparado la poesía con la mística y con el erotismo. Las semejanzas son indudables; no lo son menos las diferencias. La primera y más decisiva es la significación o, mejor dicho, el objeto: aquello que el poeta nombra. La experiencia —mística sin excluir a la de sectas ateas, como el budismo y el jainismo primitivos— implica la noción de un bien trascendental; la actividad poética tiene por objeto, esencialmente, el lenguaje: cualesquiera que sean sus creencias y convicciones, el poeta nombra a las palabras más que a los objetos que éstas designan. No quiero decir que el universo poético carezca de significado o viva al margen del sentido; digo que en poesía el sentido es inseparable de la palabra, es *palabra,* en tanto que en el discurso ordinario, así sea el del místico, el sentido es aquello que denotan las palabras y que está más allá del lenguaje. La experiencia del poeta es ante todo verbal; o si se quiere: toda experiencia, en poesía, adquiere inmediatamente una tonalidad verbal. Es algo común a todos los poetas de todas las épocas pero que, desde el romanticismo, se convierte en lo que llamamos *conciencia* poética: una actitud que no conoció la tradición. Los poetas antiguos no eran menos sensibles al valor de las palabras que los modernos; en cambio, sí lo fueron al del significado. El hermetismo de Góngora no implica una crítica del sentido; el de Mallarmé o el de Joyce es, ante todo, una crítica y, a veces, una anulación del significado. La poesía moderna es inseparable de la crítica del lenguaje que, a su vez, es la forma más radical y virulenta de la crítica de la realidad. El lugar de los dioses o de cualquier otra entidad o realidad externa, lo ocupa ahora la palabra. El poema no tiene objeto o referencia exterior; la referencia de una palabra es otra palabra. Así, el problema de la significación de la poesía se esclarece apenas se repara en que el sentido no está fuera sino dentro del poema; no en lo que dicen las palabras, sino en aquello que *se dicen entre ellas.*

No se puede leer de la misma manera a Góngora y a Mallarmé, a Donne y a Rimbaud. Las dificultades de Góngora son externas: gramaticales, lingüísticas, mitológicas. Góngora no es oscuro: es complicado. La sintaxis es inusitada, veladas las alusiones mitológicas e históricas, ambivalente el significado de cada frase y aun de cada palabra; vencidas estas asperezas y sinuosidades, el sentido es claro. Otro tanto ocurre con Donne, poeta no menos difícil que Góngora y más denso. Las dificultades de Donne son lingüísticas y, asimismo, intelectuales y teológicas. Una vez en posesión de la llave, el poema se abre como un tabernáculo. La comparación no es casual: los mejores poemas de Donne encierran una paradoja carnal, intelectual y religiosa. En los dos poetas las referencias se encuentran fuera del poema: en la naturaleza, la sociedad, el arte, la mitología o la teología. El poeta habla de algo que está fuera del poema: el ojo de Polifemo, la blancura de Galatea, el horror a la muerte, la presencia de una muchacha. La actitud de Rimbaud, en sus textos centrales, es radicalmente distinta. Por una parte, su obra es una crítica de la realidad y de los «valores» que la sustentan o la justifican: cristianismo, moral, belleza; por la otra, es una tentativa por fundar una nueva realidad: una nueva fraternidad, un nuevo erotismo, un hombre nuevo. Todo esto será obra de la poesía, «la alquimia del verbo». Mallarmé no es menos sino más riguroso. Su obra —si es que puede llamarse obra a unos cuantos signos sobre unas cuantas páginas, restos de un viaje y de un naufragio sin paralelo— es más que una crítica y que una negación de la realidad: el reverso del ser. La palabra es el reverso de la realidad: no la nada sino la idea, el signo puro que ya no designa y que no es ni ser ni no-ser. El «teatro espiritual» —la Obra o Palabra— no sólo es el doble del universo: es la verdadera realidad. En Rimbaud y en Mallarmé el lenguaje se interioriza, cesa de designar y no es símbolo ni mención de realidades externas, trátese de objetos físicos o suprasensibles. Para Góngora la mesa es «cuadrado pino» y para Donne la Trinidad cristiana es *bones to philosophy but milk to faith.* El poeta moderno no dice al mundo sino a la Palabra sobre la que el mundo reposa:

Elle est retrouvée!
Quoi? L'eternité.
C'est la mer allée
Avec le soleil.

La dificultad de la poesía moderna no proviene de su complejidad —Rimbaud es mucho más *simple* que Góngora o Donne— sino de que exige, como la mística y el amor, una entrega total (y una vigilancia no menos total). Si la palabra no fuese equívoca, diría que la dificultad no es de orden intelectual sino moral. Se trata de una experiencia que implica una negación —así sea provisional, como en la meditación filosófica— del mundo exterior. Para decirlo de una vez: la poesía moderna es una tentativa por abolir todas las significaciones porque ella misma se presiente como el significado último de la vida y el hombre. Por eso es, a un tiempo, destrucción y creación del lenguaje. Destrucción de las palabras y de los significados, reino del silencio; pero, igualmente, palabra en busca de la Palabra. No faltará quien se encoja de hombros ante esta «locura». Sin embargo, desde hace más de un siglo, algunos espíritus solitarios, entre los más altos y ricos de dones que hayan visto ojos de hombre, no han vacilado en consagrar su vida a esta empresa insensata.

[«¿Qué nombra la poesía?» se publicó en *Corriente alterna,* Siglo XXI, México, 1967.]

Forma y significado

Las verdaderas ideas de un poema no son las que se le ocurren al poeta *antes* de escribir el poema sino las que *después,* con o sin su voluntad, se desprenden naturalmente de la obra. El fondo brota de la forma y no a la inversa. O mejor dicho: cada forma secreta su idea, su visión del mundo. La forma significa; y más: en arte sólo las formas poseen significación. La significación no es aquello que quiere decir el poeta sino lo que efectivamente dice el poema. Una cosa es lo que creemos decir y otra lo que realmente decimos.

[«Forma y significado» se publicó en *Corriente alterna,* Siglo XXI, México, 1967.]

Homenaje a Esopo

Todo lo que nombramos ingresa al círculo del lenguaje y, en consecuencia, a la significación. El mundo es un orbe de significados, un lenguaje. Pero cada palabra posee un significado propio, distinto y contrario a los de las otras palabras. En el interior del lenguaje los significados combaten entre sí, se neutralizan y se aniquilan. La proposición: todo es significativo porque todo lenguaje puede invertirse: todo carece de significación porque todo es lenguaje. El mundo es un orbe, etcétera...

[«Homenaje a Esopo» se publicó en *Corriente alterna,* Siglo XXI, México, 1967.]

Metamorfosis

Apuleyo nos cuenta la de Lucio en asno; Kafka la de Gregorio Samsa en cucaracha. Conocemos el pecado de Lucio: su afición por la hechicería y la concupiscencia; ignoramos cuál fue la falta de Samsa. Tampoco sabemos quién lo castiga: su juez no tiene nombre ni rostro. Convertido en asno, Lucio recorre la Grecia entera y le suceden mil cosas maravillosas, terribles o cómicas. Vive entre bandidos, asesinos, esclavos, terratenientes feroces y campesinos igualmente crueles; su lomo transporta el altar de una diosa oriental, servida por sacerdotes invertidos, ladrones y aficionados a la flagelación; varias veces está a punto de perder la virilidad, lo que no le impide tener amores con una señora rica, hermosa y ardiente; pasa temporadas de hambre y otras de hartura... A Gregario Samsa no le ocurre nada: su horizonte son los cuatro muros sórdidos de una casa sórdida. A pesar de los palos, la salud jamás abandona al asno; la cucaracha está más allá de salud o enfermedad: su estado es la abyección. Lucio es sentido común y truculencia mediterráneos; gastronomía y sensualidad teñida de sadismo; elocuencia grecolatina y misticismo oriental. El Falo y la Idea. Todo culmina en la visión gloriosa de Isis, la madre universal, una noche frente al mar. Para Gregario Samsa, el fin es la escoba doméstica que barre el suelo de su cuarto. Apuleyo: el mundo visto y juzgado por un asno; Kafka: la cucaracha no juzga al mundo, lo sufre.

[«Metamorfosis» se publicó en *Corriente alterna*, Siglo XXI, México, 1967.]

Invención, subdesarrollo, modernidad

Para nosotros el valor de una obra reside en su novedad: invención de formas o combinación de las antiguas de una manera insólita, descubrimiento de mundos desconocidos o exploración de zonas ignoradas en los conocidos. Revelaciones, sorpresas: Dostoyevski penetra en el subsuelo del espíritu, Whitman nombra realidades desdeñadas por la poesía tradicional, Mallarmé somete el lenguaje a pruebas más rigurosas que las de Góngora e inventa el poema crítico, Joyce hace del idioma una epopeya y de un accidente lingüístico un héroe (Tim Finnegan es la caída y la resurrección del inglés y de todos los lenguajes), Roussel convierte la charada en poema... Desde el romanticismo la obra ha de ser única e inimitable. La historia del arte y la literatura se despliega como una serie de movimientos antagónicos: romanticismo, realismo, naturalismo, simbolismo. Tradición no es continuidad sino ruptura y de ahí que no sea inexacto llamar a la tradición moderna: tradición de la ruptura. La Revolución francesa sigue siendo nuestro modelo: la historia es cambio violento y ese cambio se llama progreso. No sé si estas ideas sean aplicables al arte. Podemos pensar que es mejor conducir un automóvil que montar a caballo, pero no veo cómo podría decirse que la escultura egipcia es inferior a la de Henry Moore o que Kafka es superior a Cervantes. Creo en la tradición de la ruptura y no niego al arte moderno; afirmo que utilizamos nociones dudosas para comprenderlo y juzgarlo. Los cambios artísticos no tienen, en sí mismos, ni valor ni significación; la *idea* de cambio es la que tiene valor y significación. De nuevo: no por sí misma sino como agente o inspiradora de las creaciones modernas. La imitación de la naturaleza y de los modelos de la Antigüedad —la idea de imitar, más que el acto mismo— alimentó a los artistas del pasado; después, durante cerca de dos siglos, la modernidad —la idea de la creación original y única— nos nutrió. Sin ella no existirían las obras más perfectas y duraderas de nuestro tiempo. Lo que distingue a la modernidad es la crítica: lo nuevo se opone a lo antiguo y esa oposición es la *continuidad* de la tradición. La continuidad se manifestaba antes como prolongación o persistencia de ciertos rasgos o formas arquetípicas en las obras; ahora se manifiesta como negación u oposición. En el arte clásico la novedad era una variación del modelo; en el barroco, una exageración; en el moderno, una ruptura. En los tres casos la tradición vivía como una relación, polémica o no, entre lo antiguo y lo moderno: el diálogo de las generaciones no se rompía.

Si la imitación se vuelve simple repetición, el diálogo cesa y la tradición se petrifica; y del mismo modo, si la modernidad no hace la crítica de sí misma, si no se postula como ruptura y sólo es una prolongación de «lo moderno», la tradición se inmoviliza. Esto último es lo que sucede con gran parte de la llamada «vanguardia». La razón es clara: la idea de modernidad empieza a perder su vitalidad. La pierde porque ya no es una crítica sino una convención aceptada y codificada. En lugar de ser una herejía como en el siglo pasado y en la primera mitad del nuestro, se ha convertido en un artículo de fe que todos comparten. El Partido Revolucionario Institucional —ese monumental hallazgo lógico y lingüístico de la política mexicana— es un rótulo que podría designar a una buena parte del arte contemporáneo. Desde hace más de quince años el espectáculo —especialmente el de la pintura y la escultura— es más bien cómico; aunque los «movimientos» se suceden unos a otros con gran velocidad, toda esa agitación de ardillas puede reducirse a esta fórmula: la aceleración de la repetición. Nunca se había imitado con tal frenesí y descaro en nombre de la originalidad, la invención y la novedad. Para los antiguos la imitación no sólo era un procedimiento legítimo sino un deber; sin embargo, la imitación no impidió la aparición de obras nuevas y realmente originales. El artista vive en la contradicción: quiere imitar e inventa, quiere inventar y copia. Si los artistas contemporáneos aspiran a ser originales, únicos y nuevos deberían empezar por poner entre paréntesis las ideas de originalidad, personalidad y novedad: son los lugares comunes de nuestro tiempo.

Algunos críticos mexicanos emplean la palabra *subdesarrollo* para describir la situación de las artes y las letras hispanoamericanas: nuestra cultura está «subdesarrollada», la obra de fulano rompe el «subdesarrollo de la novelística nacional», etc. Creo que con esa palabra aluden a ciertas corrientes que no son de su gusto (ni del mío): nacionalismo cerrado, academismo, tradicionalismo, etc. Pero la palabra *subdesarrollo* pertenece a la economía y es un eufemismo de las Naciones Unidas para designar a las naciones atrasadas, con un bajo nivel de vida, sin industria o con una industria incipiente. La noción de *subdesarrollo* es una excrecencia de la idea de progreso económico y social. Aparte de que me repugna reducir la pluralidad de civilizaciones y el destino mismo del hombre a un solo modelo: la sociedad industrial, dudo que la relación entre prosperidad económica y excelencia artística sea la de causa y efecto. No se puede llamar «subdesarrollados» a Kavafis, Borges, Unamuno, Reyes, a pesar de la situación marginal de Grecia, España y América Latina. La prisa por «desarrollarse», por lo demás, me hace pensar en una desenfrenada carrera para llegar más pronto que los otros al infierno.

Muchos pueblos y civilizaciones se llamaron a sí mismos con el nombre de un dios, una virtud, un destino, una fraternidad: islam, judíos, nipones, tenochcas, arios, etc. Cada uno de esos nombres es una suerte de piedra de fundación, un pacto con la permanencia. Nuestro tiempo es el único que ha escogido como nombre un adjetivo vacío: moderno. Como los tiempos modernos están condenados a dejar de serlo, llamarse así equivale a no tener nombre propio.

La idea de la *imitación* de los antiguos es una consecuencia de la visión del suceder temporal como degeneración de un tiempo primordial y perfecto. Es lo contrario de la idea del *progreso:* el presente es insustancial e imperfecto frente al pasado y el mañana será el fin del tiempo. Esta concepción postula, por una parte, la virtud regeneradora del pasado; por la otra, contiene la idea del regreso a un tiempo original —para recomenzar el ciclo de la decadencia, la extinción y el nuevo comienzo. El tiempo se gasta y, asimismo, se reengendra. De uno y otro modo el pasado es el modelo del presente: imitar a los antiguos y a la naturaleza, modelo universal que contiene en sus formas a todos los tiempos, es un remedio que demora el proceso de la decadencia. La idea de la *modernidad* es hija del tiempo rectilíneo: el presente no repite el pasado y cada instante es único, diferente y autosuficiente. La estética de la modernidad, como lo vio uno de los primeros en formularla: Baudelaire, no es idéntica a la noción del progreso: es muy difícil —y aun grotesco— afirmar que las artes progresan. Pero modernidad y progreso se parecen en ser manifestaciones de la visión del tiempo rectilíneo. Hoy ese tiempo se acaba. Asistimos a un fenómeno doble: crítica del progreso en los países progresistas o desarrollados y, en el campo del arte y la literatura, degeneración de la vanguardia». Lo que distingue al arte de la modernidad del arte de las otras épocas es la crítica —y la «vanguardia» ha cesado de ser crítica. Su negación se neutraliza al ingresar en el circuito de producción y consumo de la sociedad industrial, ya sea como *objeto* o como *noticia*. Por lo primero, la verdadera significación del cuadro o la escultura es el *precio;* por lo segundo, lo que cuenta no es lo que dice el poema o la novela sino lo que *se dice* sobre ellos, un decir que se disuelve finalmente en el anonimato de la publicidad.

Otro arte despunta. La relación con la idea del tiempo rectilíneo empieza a cambiar y ese cambio será aún más radical que el de la modernidad, hace dos siglos, frente al tiempo circular. Pasado, presente y futuro han dejado de ser valores en sí; tampoco hay una ciudad, una región o un espacio privilegiados. Las cinco de la tarde en Delhi son las cinco de la mañana en México y medianoche en Londres. El fin de la modernidad es, asimismo, el fin del nacionalismo y el de los «centros mundiales de arte». Escuelas de París o Nueva York; poesía inglesa, novela rusa o teatro singalés; modernismo o vanguardia —reliquias del tiempo lineal. Todos hablamos simultáneamente, si no el mismo idioma, el mismo lenguaje. No hay centro y el tiempo ha perdido su antigua coherencia: este y oeste, mañana y ayer se confunden en cada uno de nosotros. Los distintos tiempos y los distintos espacios se combinan en un ahora y un aquí que está en todas partes y sucede a cualquier hora. A la visión diacrónica del arte se superpone una visión sincrónica. El movimiento empezó cuando Apollinaire intentó la conjunción de varios espacios en un poema; Pound y Eliot hicieron lo mismo con la historia, al incorporar en sus textos otros textos de otros tiempos y de otras lenguas. Estos poetas creían que así eran modernos: su tiempo era la suma de los tiempos. En realidad iniciaban la destrucción de la modernidad. Ahora el lector y el oyente participan en la creación del poema y, en el caso de la música, el ejecutante también participa del albedrío del compositor. Las antiguas fronteras se borran y reaparecen otras; asistimos al fin de la idea del arte como contemplación estética y volvemos a algo que había olvidado Occidente: el renacimiento del arte como acción y representación colectivas y el de su complemento contradictorio, la meditación solitaria. Si la palabra no hubiese perdido su significado recto, diría: un arte espiritual. Un arte mental y que exigirá al lector y al oyente la sensibilidad y la imaginación de un ejecutante que, como los músicos de la India, sea, asimismo, un creador. Las obras del tiempo que nace no estarán regidas por la idea de la sucesión lineal sino por la de combinación: conjunción, dispersión y reunión de lenguajes, espacios y tiempos. La fiesta y la contemplación. *Arte de la conjugación.*

[«Invención, subdesarrollo, modernidad» se publicó en *Corriente alterna,* Siglo XXI, México, 1967.]

Sólido/insólito

A Hubert Juin

La obra nunca tiene realidad real. Mientras escribo, hay un más allá de la escritura que me fascina y que, cada vez que me parece alcanzarlo, se me escapa. La obra no es lo que estoy escribiendo sino lo que no acabo de escribir —lo que no llego a decir. Si me detengo y leo lo que he escrito, aparece de nuevo el hueco: bajo lo dicho está siempre lo no dicho. La escritura reposa en una ausencia, las palabras recubren un agujero. De una y otra manera, la obra adolece de irrealidad. Todas las obras, sin excluir a las más perfectas, son el presentimiento o el borrador de otra obra, la real, jamás escrita.

La solidez de una obra es su forma. Los ecos y las correspondencias entre los elementos que la componen configuran una coherencia visible que se despliega ante los ojos y la mente como un todo: una presencia. Pero la forma está construida sobre un abismo. Lo no dicho es el tejido del lenguaje. La forma es una arquitectura de palabras que, al reflejarse unas en otras, revelan el reverso del lenguaje: la no-significación. La obra no dice lo que dice y dice lo que no dice. Lo dice independientemente de lo que quiso decir el autor y de lo que ella misma, en apariencia, dice. La obra no dice lo que dice: siempre dice otra cosa. La misma cosa.

La obra es insólita porque la coherencia que es su forma nos descubre una incoherencia: la de nosotros mismos que decimos sin decir y así nos decimos. Soy la laguna de lo que digo, el blanco de lo que escribo. La forma es una máscara que no oculta sino que revela. Pero lo que revela es una interrogación, un no decir: un par de ojos que se inclinan sobre el texto —un lector. A través de la máscara de la forma el lector descubre no al autor sino a sus ojos leyendo lo no escrito en lo escrito.

El poeta es el lector de sí mismo: el lector que descubre en lo que escribe, mientras lo escribe, la presencia de lo no dicho, la ausencia de decir que es todo decir. La obra es la forma, la transparencia del lenguaje sobre la que se dibuja —intocable, ilegible— una sombra: lo no dicho. Yo también adolezco de irrealidad.

[«Sólido/insólito» se publicó en *In/mediaciones,* Seix Barral, Barcelona, 1979.]

SOBRE Y DE PIERRE REVERDY

Señor Jaime García Terrés
Director de *La Gaceta*

Querido Jaime:

Te envío con estas líneas unas cuantas versiones de poemas de Pierre Reverdy. Si te gustan, publícalas en *La Gaceta.* Aunque Reverdy es poco leído ahora, incluso en su tierra, es un poeta secreto que tiene lectores también secretos. Soy uno de ellos y con mis traducciones quisiera, sin disiparlo, extender ese secreto, compartirlo.

La figura de Reverdy es inseparable del movimiento cubista, como pudieron comprobarlo todos aquellos que vieron, en el Museo de Arte Moderno de París, hace unos años, la exposición conmemorativa del poeta organizada por la Fundación Maeght: retratos, dibujos y libros ilustrados por Picasso, Braque, Gris y otros artistas. Entre los poetas de esa época, Reverdy fue el que estuvo más cerca de esa tendencia, sin excluir al mismo Apollinaire. Sus poemas son estrictas composiciones en las que cada frase es una línea que converge con las otras para construir la totalidad de un objeto, su cara visible tanto como la invisible. Cubismo: objetividad y esencialidad. Ahora bien, el cuadro cubista es una estructura visual de relaciones espaciales; el poema de Reverdy es una organización verbal de relaciones temporales. Cada poema está concebido como un objeto pero ese objeto no tiene cuerpo: es un instante, un fragmento de tiempo. El elemento temporal acerca la poesía de Reverdy al arte de otros poetas y pintores que, en rebelión contra el cubismo, buscaron en lo cotidiano lo insólito y aun lo sobrenatural. Pienso en los surrealistas. El tiempo es lo que vuelve singular —problemático o abismal— al espacio. La hendidura del tiempo en el espacio: boca de sombras.

En el poema de Apollinaire el tiempo transcurre, está en marcha; en el de Reverdy está fijo, inmovilizado: es una relación que une a dos o más realidades. La imagen poética, dijo alguna vez, es una relación y la imagen será tanto más justa y poderosa cuanto más alejadas entre sí estén esas realidades. Imagen: puente —pero puente temporal— entre una orilla y otra. El tiempo es la corriente que comunica una cosa con otra y a todas con el hombre. Percepción, concepción, figuración del objeto: por el tiempo y en el tiempo sentimos, comprendemos e imaginamos a todas esas realidades que componen la realidad. El proceso es instantáneo: poema / flash que penetra en el corazón del tiempo por una fracción de segundo. Esa fracción de segundo es una cápsula de realidades que, al abrirse, se dispersan sobre el papel en una configuración de signos. Ahora que es la configuración del inacabamiento, aunque no le falte nada, porque muestra espacios en blanco, zonas nulas, hoyos, huecos, sombras. La elocuencia del poeta es su reticencia y el lector de Reverdy debe aprender a leer las pausas y los silencios.

Amigo y discípulo de Apollinaire, maestro de los surrealistas, Reverdy sigue presente en la poesía contemporánea francesa (por ejemplo, en André du Bouchet). También está presente en algunos poetas norteamericanos como John Ashberry y, a través de la influencia de Ashberry, en varios jóvenes poetas ingleses. Para un hispanoamericano, es difícil hablar de Reverdy sin recordar a Vicente Huidobro. Fueron muy amigos por una corta temporada, editaron juntos una revista famosa y acabaron por pelearse. El genio poético es irascible. Durante años los envidiosos persiguieron a Huidobro acusándole de plagiario de Reverdy; otros, no menos injustos, dijeron que el francés era el que había robado al nuestro. Es una querella que ya no apasiona a nadie. Las deudas de Huidobro con la poesía francesa, especialmente con Apollinaire y Reverdy, son indudables, pero su obra es única e inconfundible, lo mismo en castellano que en francés. Aunque el punto de partida de Huidobro fue el mismo que el de Reverdy, su evolución poética fue diametralmente opuesta a la del poeta francés. Son distintos hasta en sus defectos: Huidobro nos cansa a fuerza de brillo y exageraciones, Reverdy nos llega a parecer opaco, monótono en sus repeticiones. Temperamentos no sólo diferentes sino antagónicos: el chileno fue un poeta exterior, viajero lanzado a todos los espacios, como lo dicen los títulos mismos de sus libros: *Ecuatorial, Poemas árticos, Altazor, El ciudadano del olvido;* el francés fue un poeta del objeto interior y en su mundo, más intenso que extenso, las eternidades se llaman instantes y el infinito es una mancha de tinta vista a la luz de una lámpara.

Un abrazo de tu amigo

Octavio Paz

Sobre cada pizarra
que se deslizaba del tejado
habían
escrito
un poema
El canalón estaba orlado de diamantes
los pájaros los beben

SOL

Alguien acaba de irse
En el cuarto
Queda un suspiro
Vida que deserta

La calle
Y la ventana abierta

Un rayo de sol
sobre el césped

MAÑANA

La fuente fluye en la plaza del puerto de verano
A través del agua brilla el sol sin arrugas
El murmullo de las voces se aleja más y más
Quedan todavía unos cuantos pedazos frescos
Yo escucho el ruido
Pero ellas ¿adónde se han ido

Dónde están sus cestos floridos?
Los muros limitaban la profundidad del gentío
Y el viento dispersó las cabezas parleras
Las voces se han quedado más o menos iguales
Las palabras se posan en mis orejas
El menor grito las hace volar

LUZ

Mediodía
Brilla el espejo
El sol en la mano
Una mujer mira
sus ojos
y su pena
Se apaga el muro de enfrente
El viento hace pliegues en las cortinas
Algo tiembla
La imagen se desvanece
Pasa una nube
La lluvia

SALIDA

El horizonte se inclina
Los días se alargan
Viaje
Un corazón salta en una jaula
Un pájaro canta
Va a morir
Se abre otra puerta
En el fondo del pasillo
Se enciende
Una estrella
Una mujer morena
La linterna del tren que arranca

SECRETO

Campana vacía
Pájaros muertos
En la casa donde todo se adormece
Son las nueve

La tierra se queda inmóvil
Se diría que alguien suspira
Los árboles parecen sonreír
El agua tiembla en la punta de cada hoja
Una nube atraviesa la noche

Frente a la puerta canta un hombre
La ventana se abre sin ruido

PASILLO

Somos dos
En la misma línea donde todo se alinea
En los meandros de la noche
Hay una palabra en medio
Dos bocas que no se ven
Un ruido de pasos
Un cuerpo ligero se desliza hacia el otro
La puerta tiembla
Pasa una mano
Uno quisiera abrir
El rayo claro erguido
Allí frente a mí
Y lo que nos separa es el fuego
En la sombra donde tu perfil se pierde
Un minuto sin respirar
Al pasar tu aliento me ha quemado

UNA PRESENCIA

Si nada pasa al caminar más allá
Si nos quedamos donde estamos
Mirando hacia atrás
Lo que hay
Si la tierra desciende
No se podrá regresar
El camino se borra

El viento que sopla sobre tus pasos
Se lleva las huellas
La luz brilla
Atrás de las ramas del día
Son los ojos que mira

JUGADORES

Su mano tendida es una concha donde llueve
El agua en el tejado
                        hace un ruido de metal
Tras los visillos una figura roja
En el aire blanco matinal
                La ventana se abre para hablar
En el patio el violón rechina como una llave
Frente al hombre el muro se pone serio
Llueve sobre la cabeza del jugador
      Está viejo
El perro lo mira con inquina
    Después un niño corre
        Sin que le importe
          Adónde va

SORPRESA DE LO ALTO

Se abrirán las puertas al fondo del corredor
Una sorpresa aguarda a los pasantes
Allá van a reunirse unos amigos
Hay una lámpara que nadie enciende
Y tu ojo único que brilla

Baja la escalera descalzo
Es un ladrón o el que acaba de llegar
Ya nadie lo esperaba
La luna se esconde en un cubo de agua
Sobre el techo un ángel juega al aro
La casa se derrumba

En el arroyo hay una canción que fluye

UNA ESCAMPADA

Oscurece
          Los ojos se cierran
Más clara se despliega la pradera
          Había un pañuelo en el aire
Y tú me hacías señas
            Tu mano salía de la manga de sombra
Yo quería atravesar la barrera
                              Algo me detenía
El grito venía de lejos
            Por detrás de la noche
Y todo lo que avanza
               Y todo de lo que huyo
Todavía
          Me acuerdo
La calle que la mañana inundaba de sol

* * *

Rostro desleído en el agua
En el silencio
Tanto peso en el pecho
Tanta agua en la jarra
Tanta sombra en el suelo
Tanta sangre en la rampa
Jamás se acaba
Este sueño de cristal

TAL VEZ NADIE

La copa se redondea
                    Sol que nos alumbra
El cielo se entreabre
                    En un rincón del horizonte
Al caer las hojas hacen temblar la tierra
Y el viento que vagabundeaba alrededor de la casa

                                        Habla

Alguien venía
            Quizá por atrás
La noche formaba el fondo
Y uno se regresaba
                    Los árboles simulaban un canto
                    Una plegaria
Se tenía miedo a ser sorprendido
    En el camino las sombras se doblaban
    No se sabía qué pasaba
    Tal vez no había nadie

MINUTO

No ha regresado todavía
Pero ¿quién entró en la noche?

El péndulo los brazos cruzados

se ha detenido

México, febrero de 1971

[La carta a Jaime García Terrés y algunas de estas versiones de los poemas de Reverdy fueron publicadas en *El signo y el garabato,* Joaquín Mortiz, México, 1973.]

CRISTALIZACIONES: ROGER CAILLOIS

Piedras: reflejos y reflexiones

México, 2 de septiembre de 1975

Monsieur Roger Caillois
París

Querido Roger:

Acabo de recibir *Pierres réfléchies*. Libro admirable, tal vez uno de los mejores de usted y, sin duda, uno de los más hermosos de la prosa francesa moderna. De la prosa y de la poesía. En una antología de ese género anfibio inventado por el genio francés, el poema en prosa, de Aloysius Bertrand y Baudelaire a Michaux y Char, los textos de *Pierres réfléchies* ocuparían un lugar privilegiado y extremo: allí donde la incandescencia se resuelve en luz glacial, allí donde la escultura se disuelve en transparencia. Usted ha inventado en las letras modernas una nueva y difícil forma de la *coincidentia oppositorum*.

Materia y espíritu son para usted, sin cesar de ser opuestos, dos dimensiones de la naturaleza y de ahí que, por ejemplo, encuentre en las espirales de un cristal la prefiguración tanto de la geometría como de la arquitectura. Al escribir estas líneas acuden a mi memoria los edificios circulares de los antiguos mexicanos consagrados al viento, a Quetzalcóatl, uno de cuyos atributos era el caracol marino, emblema del poema lo mismo para Mallarmé que para Darío. Los textos de *Pierres réfléchies* son, como el caracol marino, finitos y dueños de resonancias remotas. Continua intercomunicación entre la materia y el espíritu precisamente en sus dos formas extremas: la piedra y la palabra.

Me pregunto si esos textos reflejan, como usted dice, una experiencia cercana a la mística. Me inclinaría a creerlo el género de embriaguez que le otorga la contemplación de esas piedras, esa «media hora de silencio» que es un imprevisto y gratuito golfo de claridad y de calma en la «baraúnda de ese discurso sin pausas ni comas» que son nuestras vidas.

Pero la experiencia provoca en usted un surtidor de imágenes —algunas inolvidables— mientras que la experiencia mística las disipa. No pienso solamente en la vacuidad de los budistas sino en los cristianos y los neoplatónicos, en esa «divina desolación», semejante a la inmensidad desierta del mar monótono, de que habla uno de ellos. Lo que Dante ve al final de su viaje es propiamente nada: un esplendor.

A mi juicio, la experiencia de usted se acerca más a lo que se llama la «experiencia poética» y que consiste en ver al mundo como un sistema de correspondencias, un tejido de acordes, universo de señales que son llamadas y respuestas —y, a veces, ruptura dolorosa o resignada, el silencio, el hueco: la ironía, la excepción que es ser hombre. Cierto, no hay que confundir la «experiencia poética», con la poesía. Ése fue, creo, el error de Breton. La materia prima de la poesía, en el sentido en que los escolásticos usaban esta expresión, es la «experiencia poética» pero el poeta es el que hace, con esa experiencia, poemas: objetos verbales finitos y, a un tiempo, sensibles y mentales. En este sentido *Pierres réfléchies* es la obra de un raro y verdadero poeta.

Un abrazo de su antiguo amigo y lector.

Octavio Paz

[«Piedras: reflejos y reflexiones» es la carta-prólogo a una selección de *Pierres réfléchies* (trad. de José de la Colina), publicada en *Plural,* núm. 56, México, mayo de 1976, y, posteriormente, en *In/mediaciones,* Seix Barral, Barcelona, 1979.]

El ágata, el pulpo, la idea

La muerte repentina de Roger Caillois a fines del año pasado (1978) nos entristeció. Lo empezamos a leer hace más de treinta años cuando, en plena guerra, gracias a la generosidad de Victoria Ocampo, editaba *Lettres françaises.* Desde entonces sus ensayos y poemas en prosa no cesaron de fascinarnos. Interesado en la antropología y en la mineralogía, en la manta religiosa y en la oniromancia china, en Valéry y en *Las mil y una noches,* en las metáforas de la naturaleza —los cristales, el pulpo, el narval— y en las de los hombres —el unicornio, el centauro, las divinidades mayas, los fantasmas japoneses— su obra es a un tiempo vasta y rigurosa. En un extremo, sus ensayos sociológicos y filosóficos; en el otro, sus estudios sobre poesía y literatura fantástica; en el centro, delgada columna transparente, sus poemas en prosa. A su obra le convienen admirablemente los términos con que el *Littré* define las cristalizaciones químicas: operación íntima y molecular por la cual los cuerpos adoptan formas regulares y poliédricas. En el caso de Caillois esas formas —*bellas cristalizaciones,* dice el diccionario— son asimismo precisas geometrías mentales. Desvelado por la presencia constante, a un tiempo evidente e indemostrable, de la analogía —siempre a la vista y siempre huidiza— Callois buscó sin cesar el puente invisible que une a la piedra y a la idea. No sé si él advirtió que hay rastros de esta preocupación en el lenguaje popular y en expresiones como *piedra filosofal, piedra de escándalo* y otras semejantes.

Roger Caillois fue uno de los descubridores de la literatura latinoamericana, ese continente verbal que es, simultáneamente, la expresión y la negación del continente real. Sin la acción de Caillois y de la colección que él dirigía en Gallimard, *La Croix du Sud,* no hubiese sido posible la extraordinaria difusión e irradiación en Francia de nuestros poetas y novelistas. Traductor de Borges —fue uno de los primeros, si no es que el primero, que en Europa reconoció la originalidad del gran escritor argentino—, Gabriela Mistral, Neruda y otros poetas hispanoamericanos, colaboró en *Sur* y, en los últimos años, en el antiguo *Plural* y en *Vuelta.*

México, 1979

[«El ágata, el pulpo, la idea» se publicó en *Sombras de obras,* Seix Barral, Barcelona, 1983.]

Fábula de la piedra

En el número pasado de *Vuelta,* en esta misma sección, nos referimos a la tristeza que nos había causado la muerte de Roger Caillois. Hace unos días, para avivar nuestra pena pero también nuestra memoria, recibimos un pequeño libro suyo, ya sin dedicatoria: *Récurrences dérobés.* El libro apareció después de su muerte y el editor ha tenido la delicadeza de enviarlo a sus amigos. Le damos las gracias... Por cierto, la editorial que ha publicado el libro (Hermann) fue fundada por un viejo amigo, Enrique Freyman, nativo de Nayarit e hijo, según él contaba, de un judío alemán y una india huichol. Al morir, en París, Freyman dejó una biblioteca de obras de ciencia y una colección de pinturas, entre ellas muchas pertenecientes al periodo cubista de Diego Rivera. La pequeña editorial de Freyman publicó varias obras célebres, entre ellas el primer libro sobre cibernética de Wiener, el estudio de Soustelle sobre el pensamiento cosmológico de los antiguos mexicanos y el primer texto filosófico de Sartre. El libro de Caillois —ilustrado por Estève— es parte de esa serie de ensayos que él llamó *Poética generalizada.* Según Caillois la *poesía* no es un fenómeno particular del lenguaje humano sino una propiedad de la naturaleza entera. Hay una suerte de unidad y continuidad entre el mundo físico, el intelectual y el imaginario; esa unidad es de orden formal y se constituye, a la manera de poema, no como una serie deductiva de significados sino como un sistema de ecos, correspondencias y analogías. Caillois no ignoraba que las piedras son piedras y que las fábulas son fábulas pero decía que, a veces, «convenía ver a las piedras como poemas y buscar en las ficciones poéticas la perennidad de las piedras...» Confrontación de las opuestas metáforas en donde, simultáneamente, se aguzan y se disipan los dos extremos del universo: el mineral y la idea.

México, abril de 1979

[«Fábula de la piedra» se publicó en *Sombras de obras,* Seix Barral, Barcelona, 1983.]

Las piedras legibles de Roger Caillois

En 1940 cayó en mis manos un libro de un joven escritor francés, refugiado en Buenos Aires por la guerra y la ocupación nazi. El escritor se llamaba Roger Caillois y el libro *Le Mythe et l'homme.* En Buenos Aires, a la sombra de la revista *Sur* y de su directora, Victoria Ocampo, se había congregado un pequeño grupo de escritores franceses desterrados. Hubo otros grupos análogos en Nueva York y en México pero el de Buenos Aires fue, quizá, el más activo. Tuvo un órgano de expresión, *Lettres Françaises,* y publicó libros de Saint-John Perse, Supervielle y otros. El animador era Roger Caillois. Leí su libro con sorpresa y avidez; aunque su autor era apenas un año mayor que yo, me deslumbró por el rigor de su pensamiento, la pureza de su lenguaje y su erudición. El libro de Caillois fue para mí un descubrimiento y un reconocimiento. Lo primero por la novedad de sus ideas; lo segundo porque muchos de sus temas y preocupaciones eran también míos, aunque él los trataba con mayor claridad y desde una perspectiva más amplia. Lo que en mí eran conjeturas y adivinaciones, en su libro eran proposiciones nítidas y respuestas osadas. No es extraño que desde mi soledad mexicana hubiese sentido espontánea afinidad no tanto con las ideas como con la actitud de Caillois. Aunque nos separaban la lengua, la historia y la geografía, pertenecíamos a la misma generación. Teníamos veintitantos años, nuestra juventud coincidía con la segunda Guerra Mundial y con la gran crisis de nuestra civilización; ambos, en fin, habíamos sido, simultáneamente, sacudidos e iluminados por la gran explosión surrealista.

En aquella época yo comenzaba a explorar un enigma que nunca ha cesado de fascinarme: la relación entre la creación mítica y la fabulación poética. Uno de los temas que trataba Caillois estaba estrechamente aliado a este problema: la *mantis religiosa,* emblema a un tiempo fúnebre e irrisorio de la *mujer fatal.* Es un mito antiguo como los hombres y en el que la edad moderna ha descubierto matices y variaciones que no conocieron las Fedras y las Clitemnestras de la Antigüedad. Es difícil ahora describir la excitación intelectual que me produjo el hallazgo de Caillois: encontrar en los crueles hábitos sexuales de reproducción de un insecto el arquetipo de un mito cardinal en la poesía, la novela y el cine de nuestra época. Caillois unía dos extremos que parecía imposible comunicar: la rama de la zoología más alejada de nosotros, los insectos, y el mundo de la imaginación. Años más tarde, al leer otros libros suyos, me di cuenta de que su intuición, más que un hallazgo, había sido el comienzo de un método que lo llevaría, de investigación en investigación y de deducción en deducción, a edificar diáfanos edificios de conceptos-imágenes. Júbilo y vértigo de la razón.

Seis años después, en 1946, en el París intenso de la posguerra, en donde se carecía de todo menos de ideas y de pasión intelectual, conocí al fin a Roger Caillois. Me parece que Susana Soca nos presentó. Me lo había imaginado como un intelectual sutil e irónico, un mandarín; me encontré frente a un hombre directo, robusto y de rostro encendido, con algo de manzano y algo de bovino. Era mi contemporáneo y, no obstante, parecía salido de las profundidades de la tierra francesa. Conciliaba en su persona cualidades y atributos contradictorios; siempre me asombró su calor humano y la precisión de su mente, su cordialidad expansiva y su intransigencia intelectual, su reserva rota por súbitas franquezas, un buen sentido y su poderosa fantasía, que abarcaba lo mismo al subsuelo de lo grotesco que a la más alta poesía. Sus años de exilio en Argentina le habían dado un conocimiento poco frecuente de la literatura latinoamericana; había leído mis poemas y estaba enterado de la estimación que yo profesaba a sus escritos. No tardamos en ser amigos. Fue una amistad hecha de coincidencias y diferencias; nos unían ciertos nombres y otros nos separaban. Hubo periodos fríos y otros cálidos, silencios rotos por súbitos, calurosos acuerdos. Durante mis años parisienses nos vimos con cierta frecuencia y nuestro trato no se redujo nunca al mero intercambio de ideas: nos unía también el amor a la noche, a la ciudad y a lo maravilloso cotidiano.

Era difícil seguir a Roger Caillois en sus actividades y en sus aventuras intelectuales. Amigo generoso de la literatura latinoamericana, dirigió en Gallimard la colección La Croix du Sud, que dio a conocer a muchos de nuestros mejores escritores; sus actividades en la UNESCO fueron notables, entre ellas la fundación de la revista *Diógenes*. Viajó a los cuatro puntos cardinales, poseído por dos pasiones igualmente poderosas: una, la singularidad de los hombres y la diversidad de sus costumbres e inclinaciones; otra, el misterio de las piedras, frutos caídos del árbol invisible del tiempo. Lo guiaban en esas peregrinaciones el espíritu de Montesquieu y el genio de *Las mil y una noches*. La variedad de las disciplinas y asuntos que frecuentó es asombrosa: el mito y la novela, lo sagrado y lo profano, la guerra y el juego, el mimetismo y el sacrificio, la mineralogía y la acústica, el clasicismo francés y el cuento fantástico, el marxismo y la oniromancia, la prosodia poética y la sintaxis de las constelaciones, la historia y sus recurrencias pero asimismo la historia y sus rupturas, el sí y el no, el lado derecho y el lado izquierdo del universo. Exploraciones en distintas civilizaciones y en diferentes universos: los primitivos y los chinos de la dinastía Han, las guerras fratricidas entre las hormigas y en los clanes del Japón medieval, la arqueología de los sueños y la población impalpable de reflejos que recorre las galerías de un pedazo de cuarzo.

Cada uno de sus libros fue pensado y escrito con un objeto preciso y una finalidad definida: unos pretenden elucidar el fenómeno de la guerra o el del mimetismo vegetal y animal, otros la función creadora de las disimetrías o la de la rima como una suerte de polen verbal; sin embargo, todas esas construcciones, lucubraciones y demostraciones buscan las relaciones secretas que unen al fenómeno estudiado con otros muy alejados y que, casi siempre, pertenecen a otras esferas. Quizá la imagen que convenga mejor a esta obra tan diversa y tan vertebrada es la de las nervaduras de una hoja reflejadas en un prisma triangular. El prisma las descompone, las rehace y las proyecta en extrañas pero no irracionales combinaciones. Juego de reflejos que es también guerra de razones. A través de la diversidad de los asuntos Caillois se propuso descubrir la unidad del mundo. No pretendió demostrar esa unidad; para él era una evidencia irrecusable: no había que probarla sino revelarla. Por esto, más que una construcción intelectual, su obra aspira a ser una descripción. Pero una descripción no de lo que vemos sino de la red de relaciones invisibles y de correspondencias secretas entre los mundos que componen este mundo. Concebía al universo como un vasto y preciso sistema de reflejos. Aparece aquí la función central de la analogía en su visión. Aunque sus razonamientos obedecen a la lógica más estricta y aceptan la jurisdicción de la experiencia empírica, el lazo que une a cada deducción y a cada hipótesis con las otras es de orden analógico. Nunca el *de esto se deduce aquello* de la lógica y la ciencia; tampoco el *esto es aquello* del poeta y del místico sino el *esto como aquello*.

La piedra y la obra de imaginación son los dos extremos del universo. La primera es materia y nada más materia; la segunda está hecha de algo menos que aire: palabras. La oposición y la final correspondencia entre la piedra y la fábula fue uno de sus temas predilectos. En uno de sus libros mejores, aparecido poco después de su muerte prematura, traza un puente entre los dibujos hipérboles de un sílex, los producidos en un polvo metálico por las vibraciones de un arco y dos fábulas, una alemana y otra japonesa. En los cuatro casos las transformaciones obedecen a una lógica semejante y producen resultados análogos. Caillois observa: las fábulas no sufren trepidaciones físicas que transtornen su forma pero sí catástrofes o pasiones que rompen sus reglas. Agrego al margen: y crean otras. En efecto, trátense de trepidaciones materiales o de alteraciones mentales, los cambios son disimetrías que rompen el equilibrio y que, fatalmente, producen nuevas simetrías. Los cambios no son imputables a un agente único, sea un demiurgo, una sustancia o una fuerza cualquiera. Las causas son particulares en cada caso; lo invariable son las leyes de la operación. Caillois cita una línea de Ronsard: *La matière demeure et la forme se perde* y añade: el poeta se equivocaba. En realidad, la materia se evapora y el modelo persiste.[1]

El universo de Caillois es, como el de Aristóteles, finito e increado; además, es recurrente y no posee siquiera un Motor Inmóvil. ¿Quién lo mueve entonces? Caillois no lo dice. Me atrevo a insinuar: quizá sea el tiempo, padre de las cosas y de sus movimientos. No sé si él estaría de acuerdo con mi respuesta. Pero no debemos ser demasiado severos con su silencio: no se propuso nunca escribir sobre las primeras causas. Tampoco una metafísica ni una teoría científica. Su propósito fue distinto: nos dejó los elementos de una Poética Generalizada, una suerte de tratado de la analogía universal que abarca lo mismo a los fenómenos materiales que a las obras de imaginación.

En ese mundo de resonancias y ecos en el que el silencio mismo es parte de la universal correspondencia, ¿cuál es el lugar del hombre? Su respuesta fue inequívoca: el hombre, recién llegado a esta tierra, es parte de la naturaleza como la mantis religiosa, el sílex y el rumor del viento entre los follajes. Nuestra especie ha logrado dominar a las fuerzas natu-

[1] *Récurrences dérobées. Le champ des signes: Aperçu sur l'unité et la continuité du monde physique, intellectuel et imaginaire ou Premiers éléments d'une poétique généralisée,* Hermann, París, 1978. Es una verdadera desventura que Roger Caillois no haya podido darnos sino las bases de esa Poética. O quizá fue mejor así: desconfiaba de los sistemas.

rales y crearse un reino aparte, que llamamos cultura, historia, civilizaciones. Pero no es un reino invulnerable a los cambios de la naturaleza, a las disimetrías creadoras y a las otras que prefiguran la asimetría final, ese estado indiferenciado que será el triunfo de la entropía. El justificado pesimismo con que veía a nuestra especie no le impidió, sin embargo, aceptar que el universo tiene dos vertientes. La entropía parece tener una réplica, una negación creadora, en el fenómeno que llamamos vida. La especie no está condenada a la extinción sino al cambio y, en el mundo de la vida, *cambio* es sinónimo no de regreso a la asimetría original sino de individuación.

Caillois veía las piedras con un sentimiento contradictorio: por una parte le mostraban lo que es y será el hombre, no en un puñado de polvo sino en una forma sólida, impenetrable e invulnerable; por otra, eran emblemas de longevidad. Las piedras están aquí desde antes de la aparición del primer hombre y sobrevivirán a la catástrofe final. Son emblemas de muerte y de inmortalidad: ¿cómo no venerarlas? Frente a ellas, lo más frágil y cambiante: el hombre y sus obras. ¿Por quién apostar? No es necesario escoger: Caillois escribió y nosotros lo leemos. Cierto, no lo leemos como se mira a una piedra sino como se lee un texto; pero hay un momento en que la lectura se transforma en algo que no la niega sino que la completa: la contemplación. Lo leemos entonces como él leyó los signos grabados en cada piedra: como ecos y reflejos del tiempo incorpóreo. Si las piedras son legibles a través de la contemplación de un poeta, los poemas y los textos son también bloques sólidos de tiempo, piedras. Los poemas en prosa de Caillois son cristalizaciones verbales de dos formas predilectas del movimiento universal: el remolino y el torbellino. El emblema de ambos es el caracol marino. Poemas caracoles en los que oímos el doble canto del agua y del viento.

México, a 26 de abril de 1991

[«Las piedras legibles de Roger Caillois» se publicó en *Al paso,* Seix Barral, Barcelona, 1992.]

DEL PAÍS DE LAS LÁMPARAS: GEORGES SCHEHADÉ

La hora *otra* de Georges Schehadé

Entre los poetas franceses contemporáneos Georges Schehadé ocupa un sitio singular. En la vieja y estéril disputa entre lucidez y delirio, cálculo e inspiración, previsión y azar, Schehadé se nos aparece como un artífice que no confía en la casualidad pero, al mismo tiempo, sus poemas producen el efecto de que son el fruto de un «desarreglo de los sentidos». Nada menos involuntario, nada más riguroso que estos mecanismos verbales, triunfo de una ingeniería simple y refinada; y, simultáneamente, nada menos preciso, nada más vago e indefinible que la sensación poética que crean. Sus poemas son algo así como relojes de extremada precisión que *nunca dan la hora debida* sino otra acaso fuera del tiempo. Hechos de palabras simples y transparentes —agua y pena, aire y melancolía, felicidad, luna, lágrimas, jardines, soledad, labios—, logran con un mínimo de elementos una concentración poética casi enrarecida. Y así, con un esfuerzo invisible, impulsada alternativamente por el ala del humor y por la de la fantasía, la poesía de Schehadé echa a volar y desafía todas las leyes de la gravedad: «Aquel que sueña se mezcla al aire».

POEMAS

1

Mi amor maravilloso como la piedra insensata
Esta palidez que tú juzgas ligera
De tal modo te alejas de mí para regresar
A la hora en que el sol y nosotros dos formamos una rosa
Nadie la ha vuelto a encontrar
Ni el cazador furtivo ni la esbelta amazona que habita las nubes
Ni este canto que anima las habitaciones perdidas

Y tú eras esa mujer y tus ojos mojaban
De aurora la planicie donde yo era la luna

2

Sobre una montaña
Donde los rebaños hablan con el frío
Como lo hizo Dios
Donde el sol vuelve a su origen
Hay granjas llenas de dulzura
Para el hombre que marcha en su paz
Yo sueño con ese país donde la angustia
Es un poco de aire
Donde los' sueños caen en los pozos
Yo sueño y estoy aquí
Contra un muro de violetas y esta mujer
Cuya desviada rodilla es una pena infinita

3

Hay jardines que ya no tienen país
Y están solos con el agua
Palomas azules y sin nido los recorren

Mas la luna es un cristal de dicha
Y el niño recuerda un gran desorden claro

4

Como esos lagos que dan tanta pena
Cuando el otoño los cubre y vuelve azules
Como el agua que no tiene sino un solo sonido mil veces el mismo
No hay reposo alguno para ti oh vida
Los pájaros vuelan y se encadenan
Cada sueño es de un país
Y tú entre las hojas de esta llanura
Hay tanto adiós delante de tu rostro

5

Los árboles que no viajan sino con su murmullo
Cuando el silencio tiene la hermosura de mil pájaros juntos
Son los compañeros bermejos de la vida
Oh polvo sabor de hombres

Pasan las estaciones mas pueden volver a verlos
Seguir al sol en el límite de las distancias
Y después —como los ángeles que tocan la piedra
Abandonados a las tierras del anochecer

Y aquellos que sueñan bajo sus follajes
Cuando madura el pájaro y deja sus rayos
Comprenderán por las grandes nubes
Muchas veces la muerte muchas veces el mar

6

Amor mío no hay nada de lo que amamos
Que no huya como la sombra
Como esas tierras lejanas donde se pierde el nombre
No hay nada que nos retenga
Como esta cuesta de cipreses donde dormitan
Niños de hierro azules y muertos

7

Los ríos y las rosas de las batallas
Dulce bandera mecida por el hierro

Brillaban llanuras sin país
Después la nieve malvada y blanca

Las hormigas devoraban el vestido de las maravillas
Qué lentos eran los años

Cuando tú llevabas mandil de colegial
Cuando dormías cada noche sobre tu infancia

8

Si tú eres bella como los Magos de mi país
Oh amor mío no llores
A los soldados muertos y su sombra que huye de la muerte
Para nosotros la muerte es una flor del pensamiento

Hay que soñar en los pájaros que viajan
Entre el día y la noche como una huella
Cuando el sol se aleja entre los árboles
Y hace de sus hojas otra pradera

Amor mío
Tenemos los ojos azules de los prisioneros
Mas los sueños adoran nuestros cuerpos
Tendidos somos dos cielos en el agua
Y la palabra es nuestra sola ausencia

9

Aquel que piensa y no habla
Un caballo lo lleva hacia la Biblia
Aquel que sueña se mezcla al aire

10

Os llamo María
Un casto cuerpo a cuerpo con vuestras alas
Sois bella como las cosas ya vistas
Al principio no estaba vuestro Hijo en los paisajes
Ni vuestro pie de plata en los lechos
Os envidio María
El cielo te cubre de pena

Los cuervos han tocado tus ojos azules
Tú me inquietas muchacha me inquietas
El follaje está loco por ti

México, 1958

[«La hora *otra* de Georges Schehadé» se publicó en *Puertas al campo,* UNAM, México, 1966.]

Un pensamiento y un poco de vaho

En la *Nouvelle Revue Française* de julio-agosto de este año, E. M. Cioran publica una serie de aforismos: *Confesiones y anatemas.* No resisto a la tentación de citar uno de ellos: *Es más fácil imitar a Júpiter que a Lao-tsé.* Medítenlo nuestros jefes y nuestros literatos.

En el mismo número de la *N. R. F.* aparecen cinco breves poemas de nuestro viejo amigo Georges Schehadé. Ligeros como el vaho en el vidrio del alba, esos cinco poemas poseen un encanto —¿cómo llamarlo: inactual, fuera de este mundo o con un adjetivo que Baudelaire vuelve *indefinible* cuando dice que ve *les défuntes années / sur les balcons du ciel, en robes surannées?* Sea como sea, no he resistido tampoco a la tentación de traducir uno de esos poemas:

Un manantial llora
Y cuenta

Cuando dejes el país de la lámparas
Una noche como un niño del frío
Tal vez un ángel
Te dará un poco de tinta
Para que escribas esto que ves:
El agua viva que se vuelve sombra
El árbol que pierde su camino

México, 1981

[«Un pensamiento y un poco de vaho» se publicó en *Sombras de obras,* Seix Barral, Barcelona, 1983.]

Polvo, sabor de hombres

(GEORGES SCHEHADÉ
Alejandría 1910-París 1989)

En febrero pasado murió Georges Schehadé. Fugitivo de Beirut y sus insensatas matanzas, había anidado, como el pájaro que siempre fue, en un alto inmueble de Montparnasse. Allá pasó sus últimos años. Escribió giratorias piezas de teatro, molinos de viento que muelen no grano sino palabras; polvo de reflejos irisados convertido en proverbios cristalinos. También escribió pequeños poemas con un vago olor de jardines quemados por el otoño y resucitados por la luna que divaga en las galerías de la memoria. Escribió poco, muy poco; casi todo fue perfecto. No dudaba, ni tachaba, ni corregía: sus poemas caían sobre la página como frutos maduros de un árbol invisible. Una tarde del verano de 1950, cansados de caminar por un París desierto, nos sentamos en una banca del Square Lamartine y me confió su secreto: «La inspiración existe pero no aparece de golpc. Comienza como una pequeña irritación en la frente, un punto rojizo; me rasco y brota una frase. La anoto en mi memoria y espero: nada. Pasan varios días. Otra vez la comezón; otra vez me rasco: otra frase. Y así sucesivamente hasta que la roncha, el diminuto sol, se apaga. Entonces escribo sobre un papel un poema de ocho o diez líneas, lo leo con asombro y firmo. *Mon cher, comme dans quelques films, chez moi l'inspiration c'est au ralenti*».

DOS POEMAS

1

La gran tristeza de un caballo
Se pasea por las nubes
Y tú en tu cuarto
Sin decir palabra sueñas
En la más tierna infancia de un viaje
Por los reinos de este muro

2

Tú que partes hacia un país lejano
Que los obispos del Sueño en vestiduras doradas
Te presenten a la luz
Y te digan tú eres la gota de agua
Que tiembla en sus dedos con toda su riqueza
El ámbar y el maíz de sus collares
Y te llamen ataúd de violín o gacela
Pobre murciélago que cojea revoloteando en el aire
Y te preserven de las espinas del frío
De las distancias y sus heridas:

Sea para ti dulce el agua, aun la del mar

México, 1989

[«Polvo, sabor de hombres» se publicó en la revista *Vuelta,* núm.149, México, abril de 1989.]

HISTORIA Y NATURALEZA

La ginestra: Leopardi

El diálogo entre la naturaleza y la cultura —o más exactamente: el abrazo de la vegetación que desmorona los palacios y de la arena que sepulta los templos y los anfiteatros— es tan antiguo como la historia del hombre. Quien dice historia dice ruinas y, claro está, meditación ante las ruinas. Lo que se ha dicho menos es que las palabras de esa meditación, y la meditación misma, también son historia y están destinadas a sufrir una suerte idéntica a la de los edificios que inspiran lamentos y reflexiones: caer y confundirse con el polvo. Y asimismo: casi siempre olvidamos que la naturaleza, aunque nos parezca eterna e inalterable, tampoco escapa a la historia: el universo tuvo un principio y tendrá un fin. ¿Qué son los astros y los planetas, los átomos y sus partículas, sino fósiles del espacio —tiempo del comienzo? La idea de una naturaleza idéntica a sí misma siempre no es menos ilusoria que las eternidades de los metafísicos. Un poema de Leopardi, *La ginestra (La retama),* admirablemente traducido por Unamuno, expresa con violencia reconcentrada, como si sus estrofas fuesen lava enfriada, el doble y mortal movimiento de la naturaleza y de la historia: la primera devora a la segunda sólo para, un instante después, devorarse a sí misma. Ante el Vesubio y sus poderes de aniquilación, la historia humana —y precisamente la más ilustre entre otras: la de la Antigüedad grecorromana— aparece en toda su inerme e irrisoria fragilidad:

> a través de las filas
> de truncadas columnas
> el peregrino desde el yermo foro
> lejos contempla las gemelas cumbres
> y la cresta humeante
> que aún amenaza a la esparcida ruina.
> Y en el horror de la secreta noche,

por los deformes templos,
por los circos vacíos
corre el fulgor de la funérea lava
que enrojece a las sombras a lo lejos
y tiñe los lugares del contorno.

Así, ignara del hombre y de los siglos
que él llama antiguos...,
Naturaleza, verde siempre, marcha
por tan largo camino
que inmóvil nos parece.
El tiempo imperios en su sueño ahoga,
gentes e idiomas pasan; no los ve ella
y el hombre eternidad vano se arroga.

El triunfo de la naturaleza —su símbolo es la retama que cubre valles y llanos de la región de Nápoles— también es ilusorio. El círculo y su perfecto girar, imagen de la eterna perfección que, a través del movimiento, se engendra a sí misma y así expresa la identidad del ser, siempre coincidiendo consigo mismo, es una abstracción o, más bien dicho, una ficción. La naturaleza, como todo en este mundo, de las galaxias y los sistemas solares a los hombres, tiene un comienzo y un fin:

Y tú, lenta retama
que adornas estos campos desolados,
también tú pronto a la cruel potencia
sucumbirás del soterraño fuego
que al lugar conocido retornando
sobre tus tiernas matas
su avaro borde extenderá. Rendida
al mortal peso, inclinarás entonces
tu inocente cabeza.

Líneas espléndidas que unen a la mesura y la objetividad clásica la melancolía romántica y que, para un lector de poesía española moderna, evocan inmediatamente ciertos poemas de Cernuda. (Debió de haber leído a Leopardi con la misma atención con que leyó a Unamuno.) La conclusión del poema es sorprendente. Nutrido de Lucrecio y de los estoicos,

Leopardi afirma, con cierta extravagancia, la superioridad *moral* de la retama, es decir: de la naturaleza, sobre los hombres:

Eres más sabia y sana
que el hombre, en cuanto tú nunca has pensado
que inmortales tus tallos
se hayan hecho por ti o por el hado.

Las expresiones de Leopardi son más enérgicas y más negras que las de Unamuno: la retama no es «más sana» sino «menos enferma» que el hombre. La enfermedad humana es moral y consiste en la loca creencia en la inmortalidad. Más allá de su exageración romántica, el pesimismo del poeta italiano evoca preocupaciones que son familiares a los hombres de este fin de siglo: ¿cuál es el lugar de la especie humana en la naturaleza? Desde la aparición de los primeros organismos animales sobre la tierra, las células no hacen sino reproducirse y morir. En este ciclo de duplicación y extinción, dice el biólogo Jacob, consiste todo su programa vital. Dije: reproducirse y morir; debería haber dicho: morir para reproducirse. Pero hay una excepción: el hombre. Es el único animal que se rebela contra la muerte. Su rebelión se llama cultura, historia: hacer cosas y pensar pensamientos que lo sobrevivan. ¿O la historia no es sino otra manera de morir para reproducirse? ¿Platón, Shakespeare y Newton sirvieron al mismo amo que, desde el principio de la vida, sirven las células, las amibas y los infusorios: la muerte?

[«*La ginestra:* Leopardi» se publicó en *Sombras de obras,* Seix Barral, Barcelona, 1983.]

Imperios y bonetes

En la poesía de Occidente la dualidad entre naturaleza y cultura se manifiesta casi siempre como oposición irreductible. El poema de Leopardi nos muestra el triunfo final de la naturaleza sobre la cultura, a través de la sabiduría inocente de la humilde retama. Otros poetas y filósofos, desde Platón hasta nuestros días, han proclamado la victoria de la potencia contraria: aunque el cuerpo se disuelve, el espíritu, inmortal, permanece y escapa a la corrupción, al cambio y a la muerte. Estos dos extremos no agotan la gama de las actitudes humanas; aunque menos frecuente, hay otra actitud que busca descubrir, en el incesante fluir del tiempo y las cosas, el secreto punto de intersección entre cultura y naturaleza, espíritu y materia, cuerpo y no-cuerpo (llámese como se llame este último: alma, pneuma, *atman*, etc.). Un poema de Tu Fu muestra, a través de su aparente simplicidad, el carácter a un tiempo enigmático y cotidiano de las relaciones entre la naturaleza y la historia. Es un poema de apenas ocho versos pentasilábicos: cuarenta sílabas que son cuarenta palabras que contienen un mundo. Antes de reproducirlo, en versión al castellano, vale la pena detenerse un instante sobre la estructura de esta forma poética. Los ocho versos de este género de poemas *(Lu-shih)* pueden ser de cinco o de ocho sílabas y se dividen en dos cuartetos subdivididos en cuatro dísticos. Cada verso, a su vez, se divide en dos segmentos o hemistiquios, Sólo riman los versos pares, todos con la misma rima. Entre el segundo y el tercer dístico debe haber una relación de paralelismo, generalmente en forma de oposición de imágenes o tema.

Tu Fu escribió este poema en la primavera de 757, en la ciudad de Ch'ang-an, capital del imperio bajo la dinastía Tang. La ciudad estaba ocupada desde julio de 755 por las tropas tártaras del general rebelde An Lu-shan. La corte había huido y en la retirada las fuerzas leales al emperador Hsüan Tsung se amotinaron y exigieron al soberano la ejecución de su favorita, la hermosa Yang Kuei-fei, acusada de haber causado, con sus familiares y partidarios, la ruina del imperio. El aterrado monarca accedió. Este episodio es famoso no sólo en la historia de China sino en la de su poesía. Mientras tanto, en la capital los partidarios de An Lu-shan aterrorizaban a la población: ejecuciones públicas, confiscaciones y otros excesos. Tu Fu tenía entonces cuarenta y cinco años. Ocupaba un oscuro puesto en la burocracia imperial y desde hacía un año vivía en Ch'ang-an. Aunque sus sentimientos lo inclinaban hacia el trono —apenas encontró ocasión se fugó de la capital y se puso al servicio del nuevo emperador— no fue molestado por los rebeldes. Sin duda la insignificancia de su posición lo salvó de las persecuciones. El poema de Tu Fu dice así:

PRIMAVERA CAUTIVA[1]

El imperio se ha roto, quedan montes y ríos;
marzo, verde marea, cubre calles y plazas.

Dureza de estas horas: lágrimas en las flores,
los vuelos de los pájaros dibujan despedidas.

Hablan torres y almenas el lenguaje del fuego,
oro molido el precio de una carta a mi gente.

Me rasco la cabeza, cano y ralo mi pelo
ya no detiene el tenue alfiler del bonete.

Mi traducción omite la rima aunque no rehúye las asonancias y las aliteraciones. Las cuarenta sílabas-palabras de Tu Fu se transforman en ciento doce sílabas castellanas; sin embargo, el número de voces —si se excluyen los artículos, las conjunciones, los auxiliares y las preposiciones que exigen las lenguas romances— es el mismo: en uno y otro texto, cuarenta. En el primer verso del primer dístico aparece la oposición entre historia y naturaleza: el imperio, forma suprema de la cultura, se ha desmembrado pero los ríos y los montes permanecen. El segundo verso transforma sutilmente la oposición: indiferente a la historia y a los suce-

[1] *Chung wang.* La mayoría traduce *Escena* o *Vista de primavera* pero yo adopto el título que François Cheng, más fiel al espíritu que a la letra, da al poema: *Primavera cautiva.* Mi versión se basa en las traducciones literales y en las transcripciones fonéticas (sistema Pinyin) de David Hawkes, Paul Demiéville, Wai-lim Yip y François Cheng.

sos humanos la primavera llega a la ciudad y hace reverdecer parques, jardines y corazones. La oposición se disuelve: la cultura obedece a las mismas leyes de la naturaleza. El segundo dístico invierte la situación: ante la dureza de los tiempos, la naturaleza misma se apiada, las flores lloran (¿alusión al rocío?)[1] y el vuelo de los pájaros evoca las separaciones forzadas que impone la guerra. (Como a tantos, los acontecimientos habían separado a Tu Fu de su mujer y de sus hijos.) En el primer dístico se presenta a la cultura como naturaleza; en el segundo, la naturaleza obedece, a su vez, a las leyes de la compasión y la simpatía universal. Distintos acordes del mismo ritmo cósmico.

El tercer dístico, conforme a las reglas poéticas del género, abandona el paralelismo entre naturaleza e historia en favor de otro más próximo: vida pública y vida privada, historia e intimidad. La relación de oposición reaparece pero sus términos son otros. «El lenguaje del fuego que hablan las torres y las almenas» es una metáfora mía para significar a las *almenaras* del texto: aquellas «hogueras que se encendían en las atalayas como señal convenida de que se acercaba el enemigo». Las fortalezas hablan entre ellas y ese terrible lenguaje de la guerra civil impide el verdadero lenguaje, diario e íntimo, de los hombres del común. Tu Fu no puede siquiera enviar una carta a su familia: cuesta una fortuna enviar a un mensajero a través de las líneas enemigas. El cuarto dístico, como una cámara cinematográfica, nos acerca a otra escena aún más íntima. El poeta está solo y se rasca la cabeza con maniática frecuencia; se le han caído ya algunos cabellos y empieza a encanecer. Destierro, pena, ociosidad forzada y vida en suspenso se resuelven en una reflexión irónica: sus cabellos ya no pueden detener el alfiler de su raído bonete de mandarín en desgracia. Hawkes aclara que hasta la dominación de los manchúes, en el siglo XVII, que impusieron la coleta, los chinos anudaban sus cabellos en un chongo; el bonete de los mandarines se sostenía, como los sombreros de nuestras abuelas, por un alfiler que atravesaba el moño. La imagen final es tierna y levemente cómica: la calvicie incipiente del poeta —emblema del tiempo— cierra la serie de oposiciones con un acorde que las engloba a todas.

En el primer dístico la oposición entre naturaleza y cultura se resuelve en armonía: la primavera entra en la ciudad desgarrada por la lucha ci-

[1] Todos los traductores señalan que esta línea también podría interpretarse así: ver a las flores, en estos duros tiempos, hace llorar. Pero todos los traductores igualmente indican que esta interpretación no es contraria a la primera. El texto chino incluye a las dos: lloran las flores ante los tiempos malos y llora el poeta ante las flores.

vil y la vivifica. En el segundo dístico la naturaleza se revela no como una potencia ciega, a la manera de Leopardi, sino como un movimiento en el que se cumple la ley del cielo. La fatalidad natural es armonía y la forma superior de esta armonía es el acorde universal entre los elementos y los hombres: la simpatía cósmica. Por eso las flores lloran y los pájaros trazan el signo de la separación. El tercer dístico nos muestra otro aspecto de las oposiciones y las reuniones de que está hecha la vida. La oposición entre vida pública y vida privada es un aspecto de la oposición universal, como cielo y tierra, adentro y afuera, historia y cultura, *yin* y *yang*. Como ellas, al final se resuelve en un acorde para, en seguida, volver a dividirse. En el cuarto dístico aparece otra relación, ahora en el interior de la vida privada: lo serio y lo trivial, la pena y la calvicie, el destierro y el alfiler del bonete. Así, Tu Fu nos ha presentado, en ocho versos refinados y simples, la progresiva disolución de todas las oposiciones en una visión instantánea de la criatura humana, perdida en la inmensidad de la naturaleza y la historia. Perdida y rescatada con una sonrisa que, a su vez, disuelve burla y piedad en *comprensión*. Sabiduría que introduce en lo universal lo relativo y que, al saberse relativa, recobra una suerte de universalidad. Montaigne hubiera aprobado con otra sonrisa.

Tu Fu escribió *Primavera cautiva* a mediados del siglo VIII. Mi amigo Claude Roy me recuerda que en esa época, en Europa, los reinos bárbaros se disputaban los restos del Imperio romano y que Bizancio era una momia dorada y negra despertada por intermitentes y sangrientas convulsiones. Mientras tanto, en el islam los emires asesinaban a los visires y los visires conspiraban con los enemigos del exterior. La comparación puede extenderse a Mesoamérica: Teotihuacan, Monte Albán, Tikal y las otras ciudades mayas caían una tras otra —hasta la fecha no tenemos una explicación satisfactoria del fenómeno— y comenzaba un periodo de luchas intestinas entre bárbaros semicivilizados que no terminaría sino hasta el triunfo del sanguinario Estado azteca. Pasaron muchos siglos en Europa —y más en América— antes de que apareciesen sociedades civilizadas en las que fuese posible escribir poemas como el de Tu Fu. ¿Qué sentido tiene la palabra progreso?

México, 1983

[«Imperios y bonetes» se publicó en *Sombras de obras*, Seix Barral, Barcelona, 1983.]

VARIEDADES

Le Con d'Irène

«Literatura erótica» es una expresión tan imprecisa como «literatura religiosa» o «literatura revolucionaria». Hay un erotismo religioso y otro revolucionario, hay la religión del erotismo y la revolución erótica, hay... ¿para qué seguir? Me resigno a la imprecisión y acepto, sin saber a ciencia cierta qué es y qué significa realmente, la existencia de una literatura erótica, del *Cantar de los cantares* al *King Ping Mei,* de *Ragionamenti* a *Juliette ou Les prosperités du vice,* de *La lozana andaluza* a *Fanny Hill.* A la literatura erótica pertenecen algunos de los textos más vivos de las letras contemporáneas y entre ellos *Irène,* ese relato singular que publicamos en este número de *Plural* en la espléndida traducción del poeta Gerardo Deniz. Sobre su autor no sabemos nada. Mejor dicho, sabemos mucho pero no podemos decir nada: una y otra vez el famoso escritor al que la opinión general atribuye esta obra se ha rehusado a que aparezca bajo su nombre.[1] Lo único que podemos decir es aquello que el examen del texto nos revela: se trata de una de esas obras briosas en las que la elegancia se alía a la violencia, la velocidad mental a la desenvoltura verbal, el realismo brutal a la fantasía más inesperada —una de esas obras en las que la prosa de la primera generación surrealista alcanza una suerte de cristalización en libros sinuosos, deslumbrantes e insolentes, tales como *Le Paysan de Paris, Traité du style, Le Libertinage.* Prosa que salta entre precipicios y desaparece en un recodo del camino para reaparecer en la línea indecisa del horizonte. Prosa a la que le va el adjetivo *vertiginosa* como la traza invisible que deja en el aire la bala.

Las relaciones entre el erotismo y el amor son ambiguas. Sin pasión erótica no hay amor pero lo contrario, erotismo sin amor, no sólo es posible sino frecuente. Una de las obras más considerables en este dominio,

[1] Hoy puede decirse: Louis Aragon.

la de Sade, está hecha *contra* el amor: una ilusión, dice Juliette, no menos vana y peligrosa que la creencia en un Dios. Pero Sade era un filósofo y el autor de *Irène es* un poeta. En *Irène* el erotismo se presenta como un grito de desesperación ante la ausencia de amor y de ahí la bajeza y sordidez de las imágenes del burdel de provincia, visitado por militares y politicastros. Erotismo cochambroso. El mundo burgués, dice el autor de *Irène,* no sólo ha asesinado al amor sino que ha degradado al erotismo. Frente al burdel, la sensualidad terrestre de la granja y sus campesinos, con su paralítico que todo lo ve, testigo de la copulación universal, máscara del autor como *voyeur* ubicuo. (¿Cómo no pensar en *The Waste Land,* aunque el paralítico de *Irène* sea el otro polo de la resignación cristiana de Eliot —la imagen extrema de la rebelión?:

> And I Tiresias have foresuffered all
> Enacted on this same divan or bed;
> I who have sat by Thebes under the wall
> And walked among the lowest of the dead.)

¡Y las mujeres de la granja! Terribles animales, verdaderas mujeres de presa en el sentido en que las águilas son aves de presa. Todas esas imágenes abyectas o gloriosas pasan rápidas y superpuestas como el paisaje incoherente que vemos en el momento del *looping-the-loop.* Estallidos verbales, saltos del realismo a la poesía onírica, de la injuria a la divagación, del humor al esplendor. Si el erotismo es la transgresión de las prohibiciones sexuales de una sociedad dada, la poesía es una violación de los hábitos verbales de esa misma sociedad, una transgresión lingüística. ¿Qué es entonces *Irène?* Una erupción que lanza, no rocas, astros, cuerpos, peces, sino palabras y palabrotas que son rocas, astros, cuerpos, peces. Un reverdecimiento general del lenguaje. El erotismo como rabia verbal.

México, enero de 1973

[«*Le Con d'Irène*» se publicó en *In/mediaciones,* Seix Barral, Barcelona, 1979.]

Un *do* no de pecho

Al recibir mi ejemplar del pasado número de *Vuelta* (diciembre de 1978) me sedujo inmediatamente la portada: en la parte inferior, la foto de las cifras del núm. 25 fundidas en caracteres de imprenta y de la que brotan hacia arriba, como de una fuente, chorro colorido cubriendo la página blanca y brillante, alegres letras verdes, rojas, azules y negras. En esta ocasión, pensé, Vicente Rojo ha hecho una suerte de poema visual, sin duda como homenaje a uno de nuestros colaboradores, Haroldo de Campos. La portada me pareció, más que una inscripción, un jardín. Docta vegetación resuelta en nombres: Hopkins, Elizondo, Calvino, Zaid, Edwards, Rodríguez Monegal, Goytisolo, Fouad El-Etr. De pronto, se rompió mi encantamiento: entre Haroldo y Campos percibí, verde y reluciente, un *do* incongruente. Al principio no quise creerlo pero no tardé en rendirme a la evidencia: el funesto *do* se repite en el sumario y en las otras páginas donde figura el nombre de mi amigo Haroldo.

¿Cómo se transformó la preposición *de* en ese *do* más falso y discorde que el gallo de un tenor duro de oído? No sabemos cómo ni cuándo se cometió el crimen pero sí donde: no en la Imprenta Madero sino en la sala de redacción de *Vuelta*. El pérfido duende de la escritura, maestro en los artificios del bustrófedon y el anagrama, cincelador de runas, pendolista de aljamías, ducho en cecografías, patrón de los grafómanos, se deslizó entre los repliegues del cansado cerebro de uno de nosotros, guió imperceptiblemente los movimientos de su lápiz y cambió, con un ligerísimo quiebro, la *e* en *o:* Haroldo *do* Campos. Por el agujero verbal de esa *o* nos precipitamos a los infiernos de la cacografía, esos tristes sótanos donde, entre pirámides de diccionarios y gramáticas, diablillos pedantes torturan a los pecadores con instrumentos afilados en Hanuman y Panini, Apolonio y Aelio Donato, Nebrija y Bello. Sesiones interminables durante las cuales un signo, convertido en clavo ardiente, se clava en los sesos del infractor. Pero el descenso al mundo subterráneo —salvo para los teólogos cristianos— no es eterno y hasta Perséfone regresa, periódicamente, a la superficie terrestre. El camino de subida, dice el filósofo, es el de bajada —sólo que al revés. Por la boca de la letra Omega, que es el signo del Oeste, el lugar del horizonte por donde el sol desaparece, bajamos a los reinos inferiores y ahora, como el invicto Huitzilopochtli, al terminar nuestro viaje por los dominios infernales, subimos y reaparecemos por el punto opuesto: la *E* de Este. Llevamos en el pico, como la paloma bíblica la ramita verde, la sílaba *de* y la depositamos —signo de unión, desagravio y restauración— entre las runas de Haroldo y las letras romanas de Campos.

México, 1979

[«Un *do* no de pecho» se publicó en *Sombras de obras,* Seix Barral, Barcelona, 1983.]

Un absoluto literario...
con una laguna

Prosiguen los estudios sobre el romanticismo. Acaba de aparecer en Francia un volumen de quinientas páginas dedicado al primer romanticismo alemán, es decir, al grupo de Jena (los hermanos Schlegel, Novalis) y a su revista *Athenäum*. Los autores son dos críticos, Ph. Lacoue-Labarthe y J. L. Nancy, y su obra se intitula *L'Absolu littéraire* (Seuil). En *Le Monde des Livres* del 15 de diciembre aparece una entrevista con el profesor Lacoue-Labarthe en la que éste subraya que hay una relación directa entre el romanticismo y los movimientos de vanguardia del siglo XX. Aunque la idea no es nueva el profesor Labarthe la expone con claridad y sobriedad:

> Los románticos de Jena inventaron algo que, antes, no existía. Hasta entonces los grupos literarios habían funcionado de manera separada y las teorías que emitían eran esencialmente retóricas y técnicas. Con los románticos de Jena aparece por primera vez un grupo homogéneo, cerrado sobre sí mismo, dotado de una voluntad puramente artística y dirigido de una manera enérgica por Friedrich von Schlegel, una personalidad dinámica, más un teórico y un animador que un creador. Cuando se observa cómo funcionaba el grupo, se descubren muchas de las características que más tarde serían las de los grupos de vanguardia... La otra novedad consistió en que se rehusaron a distinguir entre la teoría y la práctica literaria: Schlegel dijo: *una novela debe ser también una teoría de la novela...* Se trata de la aparición de un nuevo tipo de literatura, el mismo que hoy predomina: una literatura crítica en cuyo interior hay un perpetuo intercambio entre el discurso intelectual y el discurso de la ficción.

Estamos *casi* de acuerdo con el profesor Labarthe. Pero el *casi* que nos separa es muy grande: en el romanticismo aparece también y de manera preponderante la voluntad de borrar las fronteras entre el arte y la vida. Los románticos se propusieron, como más tarde sus descendientes del siglo XIX y del XX, cambiar la vida. Esa voluntad, mitad revolucionaria y mitad religiosa, es lo que distingue al romanticismo y a la vanguardia de todos los otros movimientos literarios del pasado.

México, 1979

[«Un absoluto literario... con una laguna» se publicó en *Sombras de obras,* Seix Barral, Barcelona, 1983.]

Lawrence, Elizondo y los indios

Los artículos que Salvador Elizondo publica semanalmente en un diario de esta ciudad son afilados como un epigrama y vivificantes como la explosión de una bomba de oxígeno en el *polumo*[1] ideológico que nos asfixia. Hace unas semanas, ante una perentoria condenación de D. H. Lawrence como «racista» e «imperialista», Elizondo tuvo el buen sentido de recordar a los inquisidores que *La Serpiente Emplumada* es precisamente una novela que exalta al mundo indio. Inmediatamente los censores se le echaron encima y lo acusaron de ignorancia o de mala fe. Lawrence no sólo se había expresado en términos despectivos de los indios sino que su pintura de la india Juana en *La Serpiente Emplumada,* era la de un ser animal *(sic).* Confieso que no recuerdo a esa «india Juana», personaje secundario de la novela; en cambio, sí recuerdo claramente a uno de los personajes centrales, don Cipriano. Repruebo ese retrato no por ser denigrante sino por lo contrario: por ser una glorificación fantástica del hombre indio. Por otra parte: los juicios de Lawrence sobre los mexicanos no fueron menos arbitrarios y apasionados que los que profirió sobre sus compatriotas y sobre los italianos, los franceses, los prusianos y los norteamericanos. Pero nadie juzga *Aaron Rod* por sus opiniones sobre los italianos ni *Women in Love* por sus juicios contra los ingleses. En ningún caso se puede reducir el significado de una novela o de un poema a las opiniones —casi siempre episódicas— de su autor. Esta regla general es particularmente cierta en el caso de Lawrence. Por último, las obras de Lawrence —especialmente *The Plumed Serpent, Kangaroo, Lady Chatterley's Lover,* los poemas del fin, ciertos cuentos *(The Woman who Rode Away)* y ciertos ensayos *(Fantasia of the Unconscious)*— son un ataque pasional y encarnizado contra la civilización ju-

[1] *Polumo:* polvo y humo.

deo-cristiana de Occidente, contra sus clases dirigentes —aristocracia, burguesía, intelectuales— y contra el industrialismo y la democracia plutocrática. Cierto, Lawrence no exalta ni al obrero ni al revolucionario: sus héroes son otros: el hombre de otra raza (don Cipriano) o el hombre no contaminado por la civilización moderna (el guardabosques Mellors). Apenas si debo agregar que Lawrence no necesita ninguna defensa. Como todos los grandes autores modernos —Proust, Joyce, Kafka— su visión de nuestra sociedad es sombría pero no ideológica. Su obra no se inscribe en la historia de las querellas políticas de nuestro siglo sino en la de las grandes creaciones literarias.

México, 1979

[«Lawrence, Elizondo y los indios» se publicó en *Sombras de obras*, Seix Barral, Barcelona, 1983.]

Santa Demetria y el autobús

Acaba de aparecer el segundo tomo de la *Histoire des croyances et les idées religieuses (De Gautama Boudha au triomphe du christianisme)* de Mircea Eliade. Este segundo volumen termina con una historia prodigiosa y que habría podido ocurrir en el Tepeyac, en la basílica de la Virgen de Guadalupe, antiguo adoratorio de Tonantzin.

El santuario de Eleusis fue quemado por Alarico en 396 y después ocupado por los «hombres vestidos de negro» (los monjes cristianos). Este acontecimiento, dice Eliade, señala el fin del paganismo. Más bien dicho: su metamorfosis. En Eleusis todavía se venera a una santa que nadie sabe a ciencia cierta quién es y que nunca fue canonizada: Santa Demetria. Hasta el siglo XIX los campesinos de Eleusis cubrían con flores una estatua de Deméter pero en 1820, a pesar de la resistencia armada de los lugareños, la misión inglesa de E. D. Clarke se la arrebató; la estatua fue a parar a la Universidad de Cambridge. En 1860 el viejo párroco de Eleusis le contó al arqueólogo F. Lenormant la historia de Santa Demetria: era una anciana de Atenas cuya hija había sido raptada por un turco; más tarde un valiente cristiano griego la rescató. En 1928 una nonagenaria de Eleusis le contó la misma historia al arqueólogo Mylonas. Como si se tratase de una confirmación de las ideas de Lévi-Strauss, el mito se transforma en leyenda histórica: Deméter → la anciana ateniense; Hades → el turco; Perséfone → la hija raptada. Pero hay algo más. En febrero de 1940 la prensa ateniense divulgó un extraño suceso:

En una de las paradas del autobús de la línea Atenas-Corinto subió una vieja, «flaca, seca y de grandes ojos vivos». Como no tenía dinero para pagar el pasaje, el conductor la hizo bajar en la estación siguiente, que era justamente la de Eleusis. El chofer no logró poner en movimiento el vehículo; los pasajeros decidieron cotizarse y pagarle el pasaje a la vieja, que subió al autobús... ¡y el coche arrancó! Entonces, ante la consternación general, les dijo: «Deberían haberlo hecho antes. Son un hatajo de egoístas y poltrones. Serán castigados: ¡habrá sequía y no comerán ni siquiera hierbas!». Dicho esto, desapareció... El profesor Charles Picard comenta: «Ante esta anécdota, todos los helenistas recordamos el célebre *Himno homérico* en el que Deméter, bajo la apariencia de una *vieja,* penetra en la morada del rey de Eleusis, Celeos, y profetiza, en un acceso de cólera ante la impiedad de los hombres, catástrofes naturales».

México, 1979

[«Santa Demetria y el autobús» se publicó en *Sombras de obras,* Seix Barral, Barcelona, 1983.]

Festín lunar

Estábamos en el último piso de un viejo y empinado edificio del *sixième arrondissement.* Éramos cuatro: el poeta Fouad El-Etr y su mujer, Marie José y yo. El cuarto era minúsculo y la ventana enorme. Daba vértigo asomarse a la *cour* —estrecha, profunda y negra. Un verdadero pozo. Los cuatro bebíamos y reíamos. De pronto, nos callamos: allá arriba soplaba el viento y limpiaba al cielo de nubes. La luna de verano bajó verticalmente, se detuvo ante la buhardilla y, sin hacer ruido, abrió la ventana. Fouad buscó papel y escribimos:

J'ai peur et la lune O.P.
ne fait mal a personne F.E.
Je suis absent dans cette chambre O.P.

La lune sur le jambon O.P.
rêve de quartz F.E.
Un chat miaule F.E.

[Tengo miedo y la luna
no le hace mal a nadie
Estoy ausente en este cuarto

La luna sobre el jamón
sueño de cuarzo
Maúlla un gato]

México, 1980

[«Festín lunar» se publicó en *Sombras de obras,* Seix Barral, Barcelona, 1983.]

El poeta y la historia

La noticia de la muerte de Eugenio Montale apenas si provocó un murmullo, entre distraído y apresurado, en la prensa; pronto fue recubierta, ola tímida, por el trueno de otra noticia más trágica: el asesinato de Sadat, víctima del odio sectario. Un odio en el que se conjugan dos formas de fanatismo, la antigua (religiosa) y la moderna (ideológica). Pero no hay que quejarse demasiado por la indiferencia del mundo moderno ante la muerte de un poeta. Es mejor repetir lo que el mismo Montale escribió hace unos años: «¿De qué podría lamentarme? Logré vivir sin lustrarle los zapatos a ningún tirano; he expresado a veces opiniones heterodoxas sin terminar en la hoguera... Se me ha permitido escribir (¿hasta cuándo?) sin recibir órdenes de arriba o de abajo». Montale se enfrentó a la historia con una sonrisa a un tiempo melancólica y despectiva. Cuando fue necesario decir NO, lo hizo con entereza y sin gritar: En 1925 firmó el manifiesto de los intelectuales antifascistas inspirado por Croce y se negó siempre a afiliarse al Partido fascista. Por su actitud sufrió humillaciones y estrecheces que soportó con dignidad e ironía. Montale no pensaba que la historia fuese una razón y menos aún la Razón. Nunca vio en ella una instancia superior. Como todo en este mundo sublunar, la historia es una mezcla donde se confunden el azar y la libertad, la luz y la basura. Al final de sus días escribió un poema sobre este tema. Reproduzco la primera parte de la excelente versión de Horacio Armani:

LA HISTORIA

La historia no se articula
como una cadena
de eslabones ininterrumpida.
En todo caso,

muchos anillos no están sujetos.
La historia no contiene
el antes y el después,
nada que en ella hierva
a fuego lento.
La historia no es producida
por quien la piensa y ni siquiera
por quien la ignora. La historia
no se abre camino, se obstina,
detesta ir poco a poco, no procede
ni desiste, cambia de vías
y su rumbo
no figura en el horario.
La historia no justifica
ni deplora.
La historia no es intrínseca,
porque está fuera.
La historia no administra
caricias ni latigazos.
La historia no es magistra
de nada que nos ataña.
Comprenderlo, no sirve
para hacerla más verdadera o más justa.

México, 1981

[«El poeta y la historia» se publicó en *Sombras de obras*, Seix Barral, Barcelona, 1983.]

Kenneth Rexroth

El 6 de junio pasado murió en Montecito (California) Kenneth Rexroth. Tenía 76 años y fue un buen poeta, un notable traductor y un amigo generoso. Nació en Indianápolis y vivió su primera juventud en Chicago, en donde estudió pintura —un arte que jamás abandonó del todo— y comenzó a escribir poesía. También militó en grupos radicales anarquistas. Nunca abjuró pero al final de sus días dijo que «el rasgo distintivo del siglo XX había sido la pérdida de la esperanza revolucionaria». En 1930 se instaló en San Francisco y pronto su casa y su persona se convirtieron en un centro de irradiación poética. Fue amigo y guía de los poetas que más tarde formarían la *beat generation* y en 1950 contribuyó, con William Carlos Williams, al reconocimiento público de Allen Ginsberg y Jack Kerouac. También impulsó en sus comienzos a Gary Snyder y a Robert Creeley. Su obra poética tuvo menos suerte que la de sus jóvenes amigos y sólo hasta ahora empieza a ser reconocida en los círculos literarios del Este. (La división entre el Este y el Oeste no es, en los Estados Unidos, únicamente geográfica sino política y artística.) Su labor de traductor no fue menos señalada que la de autor de breves e intensos poemas de amor. Son admirables sus traducciones de Reverdy y lo mismo debe decirse de sus versiones de poesía china y japonesa. No es exagerado añadir que estas últimas son ya parte de la poesía viva norteamericana. En 1980 *The Ark* publicó un hermoso volumen de homenaje a Rexroth: dibujos de Morris Graves y poemas, entre otros, de Carol Tinker (la mujer de Rexroth), James Laughlin (su amigo y editor), Czeslaw Milosz, Octavio Paz, W. S. Merwin, Muriel Rukeyser, Richard Eberhart, Denise Levertov, Lawrence Ferlinghetti y Eliot Weinberger.

El amor a la poesía china llevó a Rexroth a interesarse en el budismo y el taoísmo; a su vez, la sabiduría oriental lo llevó a ver con ojos nuevos su propia tradición y a redescubrir el catolicismo. Sin embargo, su visión religiosa y sus ideas políticas no fueron sino manifestaciones de su visión poética. Así, no es extraño que, por disposición suya, su entierro se haya celebrado según el rito católico y que la misa de difuntos haya sido oficiada por su amigo Alberto Huerta, sacerdote jesuita de origen mexicano. También él pronunció el elogio fúnebre. En una carta a Octavio Paz, el padre Huerta relata que «diez monjas budistas acompañaron al féretro desde la Iglesia del Carmelo hasta el altar. Las monjas recitaron un Sutra Prajñaparamita y cantaron un himno. Después se leyeron poemas de Rexroth y el Evangelio. Al finalizar la ceremonia, en la tradición de Chuang-tsé, se tocó una alegre música de jazz. En el camposanto Carol Tinker leyó un poema *(tanja)* de Narihira»:

> Siempre lo supe:
> el camino sin nadie
> es el de todos.
> Pero yo nunca supe
> que hoy lo recorrería.[1]

[«Kenneth Rexroth» se publicó en *Sombras de obras,* Seix Barral, Barcelona, 1983.]

[1] Traducción de Octavio Paz (*Versiones y diversiones,* 1976).

Tatha-ta: ¿tal cual, mismidad?

El término budista *tatha-ta* se ha traducido muchas veces y todas de manera aproximada. Tal vez es intraducible. Conze dice que «Se habrían evitado muchos errores acerca del significado del término *vacuidad (śunyata)* si se hubiesen empleado algunos sinónimos». Uno de ellos es No-Dualidad y el otro es precisamente *tatha-ta,* que Conze traduce como *suchness:* la realidad tal cual (vacía). También *The Truly so:* lo que real o verdaderamente es así (*Buddhist Texts,* Oxford, 1954). Por su parte, Lilian Silburn traduce el mismo término como *Ainsité* y como *Realité Absolue.* Una realidad absolutamente vacía y que, siendo absolutamente irreal —y por serlo— es lo único absolutamente real (*Le Bouddhisme,* París, 1977). A propósito de este concepto elusivo Arthur Waley cita un poema de Po Chü-i. Lo traduzco pero antes aclaro que *Dhyana* significa meditación y, en este caso, meditación sobre la realidad tal cual es (la realidad es sólo vacuidad y la vacuidad es la sola realidad):

> Todas las substancias carecen de substancia:
> demorarse en la vacuidad es salir de ella.
> Para comprender a la Palabra, olvídala al decirla;
> contar tu sueño mientras sueñas: vacuidad de vacuidad.
> ¿Cómo esperar que dé frutos la flor de aire?
> ¿Cómo pescar en el agua del miraje?
> *Dhyana:* supresión del acto —pero *Dyhana* es un *acto.*
> Lo que de veras *es* no es ni *Dhyana* ni *acto.*

Temo que de esta traducción de una traducción no haya quedado sino una seca dialéctica. Un pequeño poema de Rexroth, impreso en una tarjeta y distribuido entre sus amigos unos pocos días después de su muerte, quizá evoque más nítidamente, gracias a la intervención del ángel invisible que desciende de nuestro cielo católico, ese estado indecible que designa *tatha-ta:*

TAL CUAL

En la teosofía de la luz
la lógica universal ya no es
sino el cuerpo muerto de un ángel.
¿Qué es substancia?
Aquello
que come y bebe el ángel nuestro.
El alcanfor es el incienso perfecto:
sus llamas no dejan cenizas.

México, 1982

[«Tatha-ta: ¿tal cual, mismidad?» fue publicado en *Sombras de obras,* Seix Barral, Barcelona, 1983.]

Privación y plenitud: W. B. Yeats

Hay una copiosa literatura, contagiada de pesadez sociológica, que se obstina en ver a la ciudad como el teatro de las enajenaciones y en donde los hombres sufren la más cruel amputación: la de su propio ser. Es cierto que la vida en común amenaza siempre nuestra identidad pero también lo es que la ciudad, con sus muchedumbres anónimas, provoca asimismo el encuentro con nosotros mismos y, a veces, la revelación de lo que está más allá de nosotros. Los antiguos tenían visiones en los desiertos y los páramos; nosotros, en el pasillo de un edificio o en una esquina cualquiera. La poesía de la ciudad es, simultáneamente, poesía de la pérdida del ser y poesía de la plenitud. En un breve poema Yeats describe con palabras simples y misteriosas el cambio súbito de la privación a la beatitud:

> Cincuenta años cumplidos y pasados.
> Perdido entre el gentío de una tienda,
> me senté, solitario, a una mesa,
> un libro abierto sobre el mármol falso,
> viendo sin ver las idas y venidas
> del torrente. De pronto, una descarga
> cayó sobre mi cuerpo, gracia rápida,
> y por veinte minutos fui una llama:
> ya, bendito, podía bendecir.

México, 1985

[«Privación y plenitud: W. B. Yeats» se publicó en la revista *Vuelta*, núm. 102, México, mayo de 1985.]

Roman Jakobson

Nos hemos reunido aquí para recordar a Roman Jakobson, al lingüista y al científico, al enamorado del arte y de la poesía pero, asimismo, al maestro y al amigo. Sus contribuciones a la ciencia del lenguaje han sido, todos lo sabemos, fundamentales; también ha sido decisiva la influencia de sus estudios lingüísticos en otras disciplinas, como la antropología. No menos profunda y fecunda ha sido la huella de su pensamiento en la esfera de la poética y de la crítica literaria. Su ensayo sobre «la función poética», para citar uno de sus trabajos más conocidos, mostró de manera inequívoca que la poesía es un lenguaje dentro del lenguaje; mejor dicho, mostró que la poesía no sólo está sometida a convenciones diversas de las que rigen a las otras funciones lingüísticas sino que todos los poemas, cualquiera que sea su tema, hablen de la guerra de Troya o de la transformación de Dafne en árbol, hablan de la poesía. El verdadero tema de la poesía, aunque siempre secreto y nunca explícito, es la poesía misma.

El papel de la imaginación ha sido determinante lo mismo en las ciencias que en las artes. Unos y otros, el matemático y el poeta, el físico y el músico, el biólogo y el pintor, con métodos distintos y lenguajes diferentes, buscan restablecer la unidad del mundo o, al menos, su coherencia. Baudelaire definía a la imaginación como la facultad que descubre las relaciones escondidas entre las cosas, es decir, su oculta unidad. En uno de sus ensayos sobre fonología, Jakobson recuerda que en Praga, cuando estudiaba las propiedades de los fonemas, encontró como modelos de inspiración, por una parte, a los descubrimientos de la física atómica y, por otra, a las experiencias pictóricas de los cubistas. Percibió así que había una suerte de correspondencia entre el sistema fonológico, la estructura atómica y la estética cubista. La palabra clave, en los tres casos, la palabra que al definirlos los une, es *relación*.

En el otoño de 1971, mi mujer y yo conocimos, en Cambridge, a Roman Jakobson. Debemos a su amistad muchos momentos excepcionales. Roman leyó con simpatía e indulgencia mis poemas y mis ensayos; sus consejos me iluminaron más de una vez. En una de sus visitas a nuestro apartamento vio unos *collages* de Marie José Paz —una forma artística de su predilección, ya que el *collage* es sobre todo una *relación* visual entre elementos diferentes— y al día siguiente le envió el libro de Aragon sobre el tema. Roman era cálido y lúcido, erudito y simple, generoso e irónico. Extraña pero muy humana alianza de inteligencia y pasión, humor y fantasía. Hablaba como un maestro, callaba como un sabio, sonreía como un amigo.

He dedicado a su memoria este poema que es, en cierto modo, un comentario al margen de sus reflexiones sobre la naturaleza de la poesía:

Entre lo que veo y digo,
entre lo que digo y callo,
entre lo que callo y sueño,
entre lo que sueño y olvido,
la poesía.
Se desliza
entre el sí y el no:
dice
lo que callo,
calla
lo que digo,
sueña
lo que olvido.
No es un decir:
es un hacer.
Es un hacer
que es un decir.
La poesía
se dice y se oye:
es real.
Y apenas digo
es real
se disipa.
¿Aquí es más real?

Idea palpable,
palabra
impalpable:
la poesía
va y viene
entre lo que es
y lo que no es.
Teje reflejos
y los desteje.
La poesía
siembra ojos en la página,
siembra palabras en los ojos.
Los ojos hablan,
las palabras miran,
las miradas piensan.
Oír
los pensamientos,
ver
lo que decimos,
tocar
el cuerpo de la idea.
Los ojos
se cierran,
las palabras se abren.

[«Roman Jakobson» fue leído en el Instituto Tecnológico de Massachusetts el 12 de noviembre de 1982 en el homenaje luctuoso al lingüista, muerto ese mismo año, y se publicó en *Vuelta*, núm. 83, México, octubre de 1983.]

Héctor Bianciotti: la libertad y la forma

Antes se escribía sólo en la lengua de un imperio, o de una religión universal: el latín, el sánscrito, el árabe; hoy casi todas las lenguas poseen una literatura escrita. La pluralidad de literaturas implica la abundancia de traducciones y ambas acentúan el carácter internacional de la tradición moderna: nuestros clásicos están escritos en italiano y en francés, en inglés y en ruso, en alemán y en español —en muchas lenguas europeas y en algunas asiáticas. Un fenómeno menos frecuente pero igualmente característico es la repetida aparición de autores que escriben en una lengua distinta a la materna. En dos grandes literaturas, la inglesa y la francesa, la aportación de los extranjeros ha sido particularmente rica: Conrad, Santayana, Nabokov, Ionesco, Tzara, Beckett, Cioran... No es extraña la presencia de tantos acentos foráneos en esas lenguas: el inglés y el francés han sido los dos idiomas de predilección de la modernidad literaria y, como todos sabemos, los movimientos literarios y artísticos de nuestra época se han distinguido por su universalismo o, más exactamente, por su cosmopolitismo. En algunos casos, como el de Conrad, el autor escribe únicamente en su lengua de adopción; en otros, como el de Beckett, en sus dos lenguas y con la misma felicidad. A este último grupo pertenece Héctor Bianciotti: la literatura hispanoamericana le debe obras de consideración aunque ahora escribe sobre todo en francés. Añado que en un francés natural y elegante, sin coloquialismos ni arcaísmos, equidistante del expresionismo y del preciosismo, un francés que no es de esta o de aquella región sino de la tradición literaria. Prosa regida por el sentimiento de la medida, clara sin obviedades y veloz sin precipitación pero, asimismo, prosa que de pronto nos sorprende por un giro inesperado, una visión grotesca, un salto, una ruptura: intrusiones no de la lengua española sino de su genio. Bianciotti podría decir de su prosa francesa lo que dijo Santayana de la suya: escribo las cosas menos inglesas en el inglés más inglés.

Bianciotti acaba de publicar un libro de título evocador, *Ce que la nuit raconte au jour,* en el que se extrema la tensión entre lengua heredada y lenguaje elegido, es decir, entre la lengua que hablamos por fatalidad y la que escribimos por elección. Digo que la tensión se extrema porque se trata de un libro de memorias; ahora bien, nuestro pasado está unido de tal modo a nuestra lengua que resucitarlo en un idioma distinto es, simultáneamente, un descubrimiento y una pérdida: el encuentro con el que fuimos se resuelve en una definitiva separación. El resucitado se ve en el espejo de otra lengua; al verse, se reconoce pero, al oírse se desconoce. Sobre esta tensión esta construido el libro de Bianciotti. Es el relato de una separación de su tierra natal y de aquel que fue; al mismo tiempo, es el anuncio de un encuentro futuro, como lo presiente el protagonista al embarcarse en Buenos Aires: abandona a su tierra natal porque sabe, oscuramente, que al buscar otra tierra va al encuentro de sí mismo. En efecto, el cambio de tierra y de lengua se resolvió, al cabo de los años, en el nacimiento, no de otra persona sino de otro escritor. Así, la resurrección del pasado implica, ya que no su abolición, su distanciamiento. Yo soy aquel que fui porque, aunque él no comprenda mis palabras, yo comprendo las suyas. La distancia no anula la comunicación; al contrario, es lo que la hace posible: el que fui habla en mí y yo traduzco sus palabras. Por el puente de la escritura me comunico con mi pasado: lo que dice la noche lo comprende el día.

Como su título lo dice, el libro de Bianciotti es una historia que el autor se cuenta a sí mismo. La narración no es lineal sino que, como en las novelas, avanza, retrocede, recomienza, se desvía, da un salto en el espacio o en el tiempo, regresa y sigue imperturbable su marcha sinuosa. Guiada por la memoria, que es siempre intermitente, la narración fluye bajo la mirada, a ratos tierna y otras veces severa, del escritor. Bianciotti procede por pinceladas y toques, prefiere sugerir a explicar, insinúa en lugar de contar y reduce a unos cuantos elementos esenciales cada situación. No describe realmente: evoca, convoca. Un arte más cerca de la música que de la pintura.

Bianciotti se sirve de todos los recursos de la novela, especialmente de la ambigüedad. Se trata, más que de un recurso, de un atributo que la novela comparte con la poesía. Es el rasgo constitutivo de la imaginación literaria y lo que distingue a las obras propiamente de creación de otras como las biografías y las memorias. La ambigüedad pone de manifiesto la naturaleza doble o triple de todo lo humano. Es un procedimiento literario que también tiene un valor moral pues nos enseña que nada, del sexo a la razón, es simple en el hombre.

La ambigüedad elude las explicaciones y Bianciotti, salvo de manera indirecta, no explica: muestra, revela. Para él, comprender al mundo no es descifrarlo sino aceptarlo. Pero lo acepta no con la razón sino con los sentidos o, mejor dicho, con ese raro compuesto de inteligencia e instinto que es la sensibilidad poética. No es fácil aceptar a la realidad; cada aceptación comienza por una negación y cada ruptura provoca, a su vez, una reconciliación. La historia que nos cuenta Bianciotti es una sucesión de rupturas y negaciones seguidas de reconciliaciones que no tardan en provocar nuevas y más radicales negaciones. La primera negación es la del espacio físico: hijo de inmigrantes italianos dedicados a las labores del campo, el protagonista opone a la llanura argentina, inhabitada e inhabitable, la casa y su jardín salvaje; más tarde deja la casa por la ciudad de provincia y, nueva ruptura, a ésta por Buenos Aires hasta que, negación final, se embarca hacia Europa en un viaje sin regreso. En otras series de rupturas, el protagonista, niño, se aísla de los mayores y escoge una soledad huraña, visitada sólo por sueños, quimeras y una tía fantasmagórica. Abandona la familia por la comunidad de un convento y, en fin, al convento por amigos libremente escogidos. La sexualidad se despliega conforme a la misma ley de rupturas y aceptaciones: los placeres solitarios, que son siempre para el adolescente efímeras tentativas de reunión con la naturaleza primigenia de la que fue arrancado al nacer, el descubrimiento repentino del amor en la figura de un compañero mayor en el seminario del convento, seguido de una ruptura de tal modo profunda que Bianciotti ha olvidado incluso su nombre; la bisexualidad en los amores violentos con una joven actriz que culmina en una nueva ruptura. El mismo proceso en el dominio de las ideas y las creencias. La familia es católica ferviente pero el padre es ateo, de modo que la religiosidad infantil del protagonista es también una negación de la figura del padre y una afirmación de sí mismo. En la adolescencia, Bianciotti niega a la religión ritualista de su familia y esa negación se transforma inmediatamente en otra afirmación: la decisión de abrazar la vida conventual. Nueva negación: la religión lo decepciona y el joven abandona su fe para descubrir otra, la literatura. El sumo sacerdote del nuevo culto se llama Paul Valéry y él se convierte en su fervoroso oficiante. Fe hecha de duda y entrega, diaria pena y diaria alegría, fe a la que Bianciotti ha sido siempre fiel. Todas estas negaciones y rupturas están contenidas en la primera: la negación de la pampa. ¿Cómo definir a la pampa? La pampa no es el campo, cultivado y transformado por el agricultor sedentario; tampoco es el escenario de la historia, la planicie del Asia central, recorrido por los pueblos nómadas, por las caravanas y por los peregrinos budistas. La pampa es lo indefinido y lo indefinible: en ella el principio y el fin, lo lejano y lo próximo, el centro y la periferia, la cultura y la naturaleza, se anulan y se disuelven. Huir de la pampa fue así una doble negación: la de su origen y la de lo ilimitado. Esta doble negación se resuelve en una afirmación única: ser él mismo.

Lo ilimitado y lo indeterminado, lo que carece de forma y de dirección, es uno de los extremos de las novelescas memorias de Bianciotti. El otro es el exceso de forma y la obstinación en el propósito: lo pintoresco, lo grotesco, el loco empeño de ser lo que se es, un ente singular o, con mas frecuencia, estrafalario. Hipertrofia de la voluntad de forma: la Pinotta, la tía loca y vagabunda, doña Quijota que recorre en harapos los polvosos senderos de la llanura; Florencio, el suicida saltimbanqui; el cura enamorado de las Lolitas de pueblo; la jorobadita lúbrica; la cartomanciana que baraja las cartas lustrosas y marcadas en las que lee la suerte de los que no tienen suerte; y las figuras dobles, almas viles casi siempre pero iluminadas súbitamente por un relámpago de generosidad: la pareja de policías, Cástor y Pólux, al servicio del genio torcido de la delación política y sexual; el amigo traidor y que, al final, inesperadamente, le ofrece la llave para abrir las puertas del destino: un pasaje de ida en un barco que zarpa hacia Europa. Poco a poco se dibuja el sentido de todas esas dolorosas rupturas, reconciliaciones y nuevas rupturas, reconciliaciones y nuevas rupturas, entre la extensión y lo grotesco, entre lo informe y lo deforme, Bianciotti busca en el viejo continente a sus perdidos orígenes pero, asimismo, algo más precioso: no una norma sino una forma. La libertad no sólo es elección sino encarnación en una forma.

Nueva York, a 3 de enero de 1992

[«Héctor Bianciotti: la libertad y la forma» se publicó en *Vuelta,* núm. 192, México, noviembre de 1992.]

Irving Howe (1920-1993)

El pasado mes de mayo murió nuestro amigo Irving Howe, una de las grandes figuras de los llamados «intelectuales de Nueva York». Pertenecía a una generación que se dio a conocer en las páginas de *Partisan Review*, una de las grandes revistas de este siglo, lo mismo en Europa que en América. Por un corto periodo *Partisan Review* simbolizó la alianza entre el radicalismo político y el estético, el pensamiento revolucionario y la vanguardia. La alianza no duró mucho y *Partisan Review* se convirtió en uno de los campos de batalla de la guerra intelectual de la segunda mitad del siglo XX. Una contienda política y filosófica que fue asimismo un combate en defensa de la libertad de las letras y en contra de la opresión y la mentira disfrazadas de «socialismo». Irving Howe no abandonó nunca sus convicciones juveniles —el socialismo democrático— ni su integridad moral. Fue un testigo incómodo para ambos bandos pues con la misma intrepidez y razón reprobó los excesos de la política imperialista de su país que los horrores del régimen soviético y de sus satélites. Desde el principio colaboró en *Plural* y más tarde en *Vuelta*. Participó con brillo en el encuentro organizado por nuestra revista en 1990 en torno al tema central de nuestro siglo: la libertad. En esos debates defendió con valor intelectual y claridad de exposición su filosofía política: el socialismo democrático.

Conocí a Irving en 1970, en casa de Richard y Jeannette Silver, mis editores de entonces. Irving acababa de publicar un extenso y generoso artículo en *The New York Times* acerca de dos libros míos, en esos días traducidos al inglés. No tardamos en ser amigos: veníamos del mismo campo y nos unían parecidas decepciones y esperanzas. Pero mucho antes de nuestro primer encuentro yo tenía noticias de Irving y lo estimaba doblemente: como crítico literario y como ensayista político. Por recomendaciones de un amigo, el psicoanalista Erich Fromm, me había convertido en un fiel lector de *Dissent,* la revista que dirigía Howe y que era la oveja negra de las publicaciones literarias norteamericanas. Era una revista claramente de izquierda que se atrevía a criticar, con rigor ejemplar pero sin encono, tanto a la «vieja izquierda», todavía empantanada en el lodazal estalinista, como a la «nueva», compuesta por intelectuales jóvenes, frívolos turistas ideológicos de las tiranías latinoamericanas, asiáticas y africanas, semiocultas tras la careta del «socialismo». Sí, los mismos que hoy, sin darse el trabajo de explicarnos su cambio, se han transformado en fervorosos partidarios del mercado libre y de la democracia.

Aparte de ser una conciencia libre y lúcida, Irving Howe fue también y sobre todo un excelente crítico literario. Algunos de sus ensayos sobre los novelistas modernos son un modelo de penetración y de transparencia. Signo de amplitud moral y probidad literaria: Howe reconoció la grandeza incluso en escritores que eran la negación de sus ideas, como Kipling, sobre el que escribió páginas memorables. Ni la venda de la ideología ni los gruesos lentes del profesor pedantesco. Nunca confundió la teoría literaria con la crítica propiamente dicha; tampoco incurrió en los terminajos y neologismos que han hecho de la crítica literaria un género que oscila entre el pedregal y el pantano. Para él la literatura y la política fueron actividades afines pero separadas: dos formas, una estética y otra moral, de la simpatía, virtud estoica en épocas viles como la nuestra. La verdadera crítica nace siempre del cuerpo a cuerpo, mitad abrazo y mitad combate, entre el texto y el lector. Ésta fue la crítica que ejerció Irving Howe, hecha de amor y rigor. En *Vuelta* recordamos a nuestro amigo con afecto, gratitud y melancolía.

[«Irving Howe (1920-1993)» se publicó en *Vuelta,* núm. 199, México, junio de 1993.]

François Bondy, «el incorruptible»

Conocí a François Bondy en París y en un momento brillante de su vida como escritor y periodista. Eran los años de la revista *Preuves* y Bondy era su director. Una gran revista *europea*. Subrayo el adjetivo porque hoy que se habla tanto de Europa, no hay una sola revista, en ningún país, que sea realmente europea, en el sentido en que lo fue *Preuves*. Era un periodo de intensa vida intelectual y artística: el fin del existencialismo a lo Sartre y el comienzo del estructuralismo. Asimismo, la culminación del gran debate acerca de la defensa de la herencia liberal y democrática frente al totalitarismo, un debate que, en Francia, tuvo en Raymond Aron a uno de sus protagonistas centrales. *Preuves* estuvo en el centro de esta disputa, a un tiempo intelectual y política. Muchos intelectuales y escritores, su visión nublada por la retórica seudorrevolucionaria, defendían en esos días con pasión ignorante a la Unión Soviética y a las otras naciones que se presentaban con la máscara del socialismo. Bajo la dirección de Bondy, la revista contribuyó poderosamente a desenmascarar a esos regímenes y a sus acólitos en Europa y en América. Es imposible olvidar la acción de Bondy en este campo. En su persona se unieron la inteligencia crítica y el arrojo intelectual y moral.

Preuves no era únicamente una revista política y en sus páginas abundaban los ensayos filosóficos y literarios, la crítica de arte y aun la poesía (ese género desdeñado en este fin de siglo). *Preuves* me abrió sus puertas con generosidad. No era fácil: yo no era muy conocido. Además, en México y en América Latina muchos me habían repudiado por los mismos motivos que habían hecho de *Preuves* una publicación maldita. La revista de Bondy fue una publicación abierta sin eclecticismo, atenta a las distintas corrientes literarias y artísticas de ese momento. Así, fue al mismo tiempo moderna y universal.

He mencionado la inteligencia y la generosidad intelectual de Bondy. Me falta destacar otro de los rasgos de su carácter: es un hombre incorruptible. Se ha hecho mal uso de esta palabra: el tirano Robespierre fue llamado el Incorruptible; también se llama así a muchos puritanos y moralistas de corazón seco y almas tapiadas. No, la integridad de Bondy es abierta y sus juicios son, a un tiempo, rigurosos e irónicos. Lucidez y coherencia moral e intelectual. François Bondy merece los tres adjetivos que inspiran esta breve nota de amistad y homenaje: ha sido inteligente, generoso e incorruptible.

Noviembre, 1994

[«François Bondy, "el incorruptible"» se publicó por primera vez en el volumen 14, *Miscélanea II*, de la primera edición de las *Obras completas*.]

Cioran: cincelador de cenotafios

La muerte de Émil Cioran no me ha sorprendido: desde hacía más de un año estaba gravemente enfermo y su enfermedad era incurable. Pero la noticia me ha entristecido profundamente: la muerte, la esperada siempre, la puntual, es siempre inesperada. Conocí a Cioran cuando acababa de publicar su primer libro, hacia 1947. Fue en una reunión en el departamento de un amigo común en la que los únicos extranjeros éramos él, rumano, y yo, mexicano. A los pocos minutos comenzamos a hablar de la literatura española, que él conocía bastante bien. Eran los años del apogeo de Sartre y del existencialismo; ante el asombro de algunos de los presentes Cioran señaló que ya antes de la guerra Ortega y Unamuno, desde distintas perspectivas, habían explorado los temas que encendían los debates de esos días: la libertad, la muerte, el tiempo, la filosofía como un saber vital enraizado en las circunstancias concretas de cada hombre. Nos hicimos amigos muy rápidamente. Desde nuestro primer encuentro nos vimos con frecuencia. Después dejé París pero la ausencia no nos separó: Cioran colaboró en *Plural* y en *Vuelta* y en cada una de mis visitas a París lo visitaba. Por eso su muerte nos afecta, a mí y a Marie José, doblemente: la literatura ha perdido a un gran escritor y nosotros a un amigo muy querido.

En una época que ha hecho de la mentira una segunda naturaleza, la lucidez de Cioran cumplió una función primordial: limpiar nuestra mente de ilusiones funestas, crueles quimeras y telarañas intelectuales. Este pesimista, que revelaba la vanidad de todo lo que llamamos útil y necesario, nos ayudó, paradójicamente, a vivir: la inmensa utilidad moral de sus escritos consistió en ser el elogio de la inutilidad de nuestros esfuerzos para escapar de nuestro destino mortal. No nos hizo más felices pero nos enseñó a mirar de frente al sol de la muerte. Su pesimismo y su escepticismo nos hicieron más soportable la desdicha de haber nacido.

¿Y al escritor? En sus obras echo de menos las potencias solares y lunares, la alegría del mar, la irrupción de la primavera, la pasión y la sensualidad, el asombro ante la naturaleza y sus prodigiosas invenciones, ante el cuerpo y sus diarias revelaciones. Pero lo que escribió fue singularmente perfecto y durará. Sus aforismos y reflexiones poseen la concisión, la precisión y la luminosidad de los moralistas del gran siglo; su filosofía —si se puede llamar filosofía a un pensamiento que está no antes sino *después* de los sistemas— colinda con los grandes nihilistas de la India como Nagarjuna y con Pirrón, el silencioso sonriente. Cioran, el rumano, reinventó el clasicismo francés del siglo XVII en pleno siglo XX. Fue un cincelador de cenotafios, un artista de la desesperación y un poeta del arte más difícil: el epitafio. Veo su obra como un esbelto mausoleo, un cubo negro y resplandeciente, que no encierra ningún cadáver sino algo por esencia indefinible: la vacuidad.

[«Cioran: cincelador de cenotafios» se publicó en Vuelta, núm. 224, México, julio de 1995.]

Una Francia íntima

La pirámide es una figura de singular elegancia y de enigmático designio. Su base es un polígono, casi siempre un cuadrilátero, cuyas caras son cuatro triángulos que se unen en un vértice. Nada más natural que, tradicionalmente, se haya visto en ella un símbolo de la aspiración hacia lo alto. En efecto, en la pirámide el espacio horizontal y plano parece erguirse y, atraído por un secreto magnetismo, lanzarse hacia lo más evanescente e indefinible: un punto. Doble movimiento: la pirámide se levanta hacia arriba y, sin embargo, está atada al suelo. Arriba, el ápice, el punto de reunión de todos los caminos; abajo, el cuadrilátero, representación de los cuatro puntos cardinales. Forma geométrica simultáneamente dinámica y estable, la pirámide es la imagen tanto del impulso ascendente como de la inmovilidad.

Los ejemplos más notables y conocidos de la forma piramidal, tanto en la historia de las civilizaciones como en la de la arquitectura, son las pirámides de Egipto y las de México. Las mexicanas se distinguen de las egipcias, primero, por ser truncas: no terminan en un vértice sino en una plataforma cuadrangular; en seguida, porque están hechas de la superposición de superficies que repiten al cuadrilátero de la base, aunque en formas paulatinamente más reducidas. La función de las pirámides egipcias y la de las mexicanas fue semejante: ambas servían de tumbas reales; sin embargo, las diferencias en su estructura y en su forma revelan distintas orientaciones psíquicas. Las de Egipto son proposiciones de una sola pieza, imágenes pétreas de la eternidad; las mexicanas son conjugaciones del tiempo, símbolos de la revolución de los siglos, los años y los días que, incesantemente, cambian y se repiten, se acaban y regresan. Las egipcias son la negación de la sucesión y del movimiento; las mexicanas son una representación del movimiento que sin cesar se separa y se reúne consigo mismo.

El simbolismo de las pirámides truncas y escalonadas puede servirnos para comprender un poco la historia de México. En la base, la civilización mesoamericana; en seguida, las sucesivas plataformas que ha sido la vida mexicana desde el siglo xvi: los siglos en los que México se llamó Nueva España y, desde la Independencia, la formación de un nuevo país, con influencias europeas y norteamericanas. Superposiciones que han sido rupturas y soldaduras: continuidad. Cada periodo es una plataforma y un escalón. Entre esas plataformas hay una que se llama Francia. Se trata de una relación larga y compleja, que ha resistido a la erosión de los años, la distancia y la indiferencia. Comenzó, a principios del siglo pasado, como una fascinación ante la Revolución francesa; se transformó, más tarde, en una pelea que nos opuso a la intervención de Napoleón III; sobrevivió a ese conflicto y se convirtió en la afición que han sentido muchos escritores y artistas mexicanos frente a la civilización francesa.

En mi caso esa afición se confunde con mi vida misma y es parte de mi biografía: mi mujer es francesa y yo he vivido cerca de diez años en París. Mi primera memoria de Francia se confunde con mi niñez. Entre mis recuerdos más antiguos hay uno en el que me veo, en la biblioteca de mi abuelo, hojeando con un primo mío las estampas de una gruesa historia de Francia. Una de aquellas ilustraciones me turbaba a tal punto que no podía mirarla sin escalofrío. Representaba el suplicio de la infortunada visigoda Brunequilda; se la veía por tierra, rodeada de gentes de armas, semidesnuda, ensangrentada pero hermosa, los senos cubiertos por los ríos de las trenzas, atada a la cola de un caballo salvaje. En un extremo, bajo una encina, entre los ramajes oscuros, se vislumbraba al fantasma de su enemiga, la no menos hermosa Fredegunda. Aquel grabado fue una iniciación tanto a la historia política como a la de las pasiones.

Podría recordar otros momentos de mi infancia aliados a imágenes de la historia y de la literatura francesas. Fui un gran lector de Alexandre Dumas y mientras leía los capítulos finales de *Los tres mosqueteros,* me preguntaba con angustia: ¿y cuando acabe, qué leeré después? Un familiar me tranquilizó: me aguardaban los volúmenes de *Veinte años después* y de *El vizconde de Bragelonne.* El culto a D'Artagnan era una pasión compartida con todos mis amigos de entonces pero, en mi caso, pronto cambió de dirección: mi abuelo, que fue escritor y editor, años atrás había publicado una traducción de las *Memorias* de Charles de Batz, señor D'Artagnan y mariscal de Francia, un libro que había sido la fuente de la novela de Dumas. Encontré el libro en un estante, me precipité sobre sus páginas y lo leí con una mezcla de asombro y decepción. Es una obra muy entretenida, en la que abundan las intrigas y las historias galantes; pasé así de la novela romántica a la crónica escandalosa. Las *Memorias* de D'Artagnan fueron una preparación indirecta para, años más tarde, leer *La cartuja de Parma*. Daré otro ejemplo: en 1986, en un viaje a París, visité una exposición de pintura dedicada a Diderot, crítico de arte. Al ver algunas marinas de Vernet, me pareció reconocerlas aunque nunca las había visto; de pronto recordé las descripciones que hace Diderot en sus *Salones* y que yo había leído cincuenta años antes. En suma, mi vida intelectual, literaria y artística ha sido inseparable de mi lenta exploración de ese territorio inmenso que son la literatura y el arte de Francia. Comencé en mi niñez y aún no termino.

Como se habrá advertido por lo que he dicho, pertenezco a una familia «afrancesada» de la clase media de México. Había muchas hasta 1915. ¿Qué se quiere decir realmente cuando se habla de «afrancesamiento»? Si consultamos los diccionarios, encontramos que la palabra designa a aquellos que imitan con exageración a los franceses. También se dice de los que, en España, siguieron el partido de Napoleón en el siglo pasado. Pero el vocablo tiene un significado más amplio y más noble. Basta con leer a nuestros historiadores, novelistas y pensadores para comprobar que, desde fines del siglo XVIII, se comenzó a llamar «afrancesados» a los partidarios de la Ilustración y, un poco después, a los que simpatizaban con la Revolución francesa. La palabra se siguió empleando a lo largo del siglo XIX para designar a los liberales. En este sentido, fueron «afrancesados» casi todos nuestros grandes liberales. Unos admiraron a Benjamin Constant y otros a Danton, unos fueron girondinos, otros jacobinos y otros más juraron por el primer cónsul o por el emperador. Al final del siglo el vocablo adquirió una coloración estética y ser «afrancesado» significó ser simbolista o «decadente», adorador de Flaubert o de Zola y, en fin, como dice Rubén Darío, ser «con Hugo fuerte y con Verlaine ambiguo». Así llegamos al siglo XX.

La literatura francesa es estimada, en general, más por sus prosistas que por sus poetas. No discutiré esa opinión, aunque confieso que no la comparto enteramente: la poesía francesa ha sido una de mis grandes pasiones. Ha alimentado. mi espíritu, me ha consolado en momentos difíciles y me ha encantado siempre. Cierto, el francés es un idioma encadenado por la precisión de su sintaxis y limitado por su claridad conceptual; además, carece de acentos tónicos y apenas si tolera los cambios e inversiones en el orden de las palabras. Todo esto lo hace un idioma poco apto para el lirismo y el rapto, ese entusiasmo o furor sagrado en que consiste finalmente la poesía —un lenguaje más allá del lenguaje. Sin embargo, debemos a los poetas franceses algunas de las creaciones más perfectas y misteriosas de la época moderna. Lo más notable es que Nerval, Mallarmé y Apollinaire, para citar sólo a tres, escribieron rodeados de intelectuales adoradores del silogismo y de un público que con frecuencia confundió (y confunde) la elocuencia con la poesía. Tal vez mi amor por estos poetas se debe a que encuentro en ellos un antídoto contra los males de las democracias contemporáneas y la barbarie tecnológica. La otra noche, para defenderme de la cháchara de nuestros ideólogos y del descaro de nuestros publicistas, hojeando un tomo de *Les Contemplations*, encontré un admirable poema que nos reconcilia con la vida: *Paroles sur les dunes*. Victor Hugo está ante el mar, un déspota gobierna a su patria, su vida y el siglo se acaban. Sabe que ha vivido y que, como todos, quizá ha vivido en vano. No obstante, nada se ha perdido:

> L'été rit et l'on voit sur le bord de la mer
> Fleurir le chardon bleu des sables.

18 de mayo de 1992

[«Una Francia íntima» se publicó en la revista *Vogue*.]

La ciudad y la literatura

La literatura moderna nace con la ciudad moderna. Son realidades complementarias o, más exactamente, aspectos complementarios de la misma realidad. Nuestra literatura es hija de la ciudad pero, a su vez, nuestras ciudades no serían lo que son sin los poemas, las novelas, los cuentos, los dramas y las comedias que, simultáneamente, las retratan, las desfiguran y las transfiguran. Más que el espejo de la ciudad la literatura es su lengua y su conciencia, sus sueños y sus remordimientos. La ciudad, vasta como un cosmos y diminuta como una buhardilla, es nuestro tema. Un tema único y diverso, que abarca a todos los individuos, a todas las situaciones y a todos los escenarios, de las cavilaciones del solitario a los monosílabos entrelazados de los amantes, de las confidencias en el bar a las contraseñas de las catacumbas, de los ritos de la alcoba a las arengas de la plaza pública. Cierto, el tema de la ciudad es tan antiguo como la literatura, es decir, tan antiguo como la historia de los hombres. Aparece en Teócrito y en Horacio, en Quevedo y en Pope, en los poemas de Tu Fu y en los cantos a Tenochtitlan de los aztecas. Sin embargo, este tema universal cambia radicalmente al llegar a nuestra época. Y cambia porque la ciudad moderna es una creación histórica única.

La literatura moderna tiene la edad de la ciudad moderna, pero ¿qué edad tiene la modernidad? La respuesta depende de lo que se entienda por modernidad. Algunos la identifican con el triunfo de la democracia, es decir, con la Revolución francesa; otros, con la Revolución industrial; otros más, con la victoria técnica. Baudelaire encontró una respuesta a un tiempo críptica y profunda, que engloba a la política y a la técnica pero sólo para condenarlas en una reprobación teológica: la modernidad no se mide por los progresos del alumbrado de gas sino por la disminución de las señas del pecado original. Para él la democracia era una superstición, el culto insensato al número; el progreso, una superchería diabólica y una pendiente que terminaba en un precipicio. Para Whitman, en cambio, la ciudad moderna, especialmente la suya: Nueva York, era una creación no menos grandiosa que las Babilonias y las Romas de la Antigüedad; además, y sobre todo, era el lugar de encarnación de la gran novedad histórica que representaban los Estados Unidos: la democracia. La nueva ciudad democrática no era Atenas, aunque los gérmenes de la democracia fueran griegos; tampoco era Jerusalén, aunque los Estados Unidos fuesen los herederos de los profetas. Nueva York era el advenimiento de una comunidad abierta a los cuatro puntos cardinales y en cuyo centro, eje de energía, brillaba el sol de la fraternidad. Nuestra idea de la ciudad moderna ha oscilado, desde hace un siglo y medio, entre estos dos extremos: la modernidad como caída en el viejo agujero infernal o como ascenso hacia una nueva edad de la historia.

Son numerosas las variantes de estas dos visiones extremas, cada una de ellas marcada por una época, un lugar y un temperamento. El Londres de Dickens, purgatorio de adolescentes, o el París de Balzac, teatro de las conspiraciones de los Trece y de las desventuras del padre Goriot; el Madrid sórdido y quimérico de Galdós o las blancas noches interminables del San Petersburgo de Chéjov. Una de las primeras imágenes de la ciudad infernal, anterior a la de Baudelaire, es la del Londres de Wordsworth, reino del espíritu analítico, la baja ambición y el sórdido interés, frente a la poderosa simplicidad de la naturaleza, fuente de la imaginación creadora. Para Apollinaire la ciudad fue el teatro de la tragicomedia del Mal Amado y para Eliot la antesala del cielo y del infierno, el lugar de prueba del alma. La poesía de la ciudad, que es esencial y radicalmente la poesía de la modernidad, se presenta en muchas y distintas versiones, pero en todas ellas aparece como el sitio de elección de un conflicto espiritual. O dicho de otro modo: la ciudad es el teatro donde se despliega, una vez más, el antiguo misterio de la libertad.

Hablar de la poesía de la ciudad quiere decir, en cierto modo, hablar de la historia. La ciudad no sólo es la gran creación de la edad moderna sino que todos los episodios decisivos de los últimos doscientos años han ocurrido en nuestras ciudades. Agrego que también los de la vida privada; nuestras vidas individuales son el tejido de la historia pública, su materia prima. Éste es uno de los rasgos que distinguen a la modernidad: el continuo entrecruzarse de lo público y lo privado, lo individual y lo colectivo. La democracia moderna, a diferencia de la ateniense, no tiene como teatro la plaza pública, el ágora: sucede en todas partes y sus actores son simultáneamente ciudadanos y personas privadas. La preeminencia de lo urbano explica la tenuidad de las fronteras entre lo público y lo privado. La democracia de los Estados Unidos es un ejemplo impresionante de cómo la publicidad borra la antigua separación entre lo íntimo y lo público: la vida erótica, que era secreta en el pasado, puede convertirse hoy en un asunto de Estado. La ciudad ha desterrado, incluso, ciertos géneros literarios: hoy nadie escribe poesía bucólica y cuando Auden compone una égloga no sucede en un bosquecillo sino en un bar.

Poesía de la ciudad y poesía de la historia son expresiones que pueden considerarse intercambiables, con dos salvedades de importancia. La primera es que la historia es una realidad más vasta que la ciudad; la segunda, que la ciudad, a pesar de ser una creación de la historia, contiene elementos que son, unos, ahistóricos (por ejemplo, la naturaleza humana) y, otros, metahistóricos (las religiones, las artes, la literatura). Y hay otra razón que nos prohíbe aceptar la identidad entre historia y poesía de la ciudad: la creencia en la historia como un proceso dotado de una finalidad y un designio ha sido el origen de una doble simplificación moral y estética. Me refiero al realismo socialista y a la literatura comprometida. Por fortuna, la misma historia se ha encargado de refutar esas doctrinas. Sin embargo, desde otro punto de vista, sí es posible afirmar no la identidad sino la relación estrecha entre la historia y la ciudad. El siglo XX se ha resuelto en una gran interrogación: las supuestas leyes que pretendían regir su movimiento se han disipado en unos cuantos años. La pregunta que nos hace hoy la historia —mejor dicho, que nosotros nos hacemos ante ella— no es distinta a la que, desde el comienzo, se han hecho los hombres. Pregunta sin cesar cambiante y, no obstante, siempre la misma. Sus términos no aparecen aún con toda claridad en el horizonte espiritual de nuestra época aunque vislumbramos que se refieren al doble tema del origen y del fin de nuestra presencia en la tierra; en cambio, sí sabemos quién hace esa pregunta y a quién se la hace. La ciudad es la que hace la pregunta. La ciudad: los otros que somos nosotros y que son ellos, los otros que somos nosotros mismos.

Barcelona, junio de 1992

[«La ciudad y la literatura» son las palabras pronunciadas en la sesión de clausura del Encuentro de Escritores Iberoamericanos celebrado en Barcelona, en junio de 1992, y se publicó en *Cultura,* suplemento de *La Nación,* Buenos Aires, 13 de septiembre de 1992.]

Al aire de su vuelo

Les diables dans les abîmes levent la tête pour le regarder
Ils dissent qu'il imite Simon Mage en Judée

Apollinaire

Algunas de las personas que concurrieron a las lecturas de mis poemas el pasado mes de agosto, me han pedido más detalles sobre la rivalidad entre Simón el Mago y el Apóstol San Pedro. Entre los historiadores de la religión se discute si realmente Simón el Mago fue el primer gnóstico o si, más bien, fue un profeta errante como tantos otros de la tradición hebraica. En todo caso, no predicó únicamente a los judíos y es indudable que sus ideas muestran un gran parentesco con lo que fue más tarde el gnosticismo. Es aún menos dudoso que fue un rival temido y detestado por los cristianos. Simón nació en Gitta, una aldea de Samaria, y predicó por los mismos caminos, pueblos y ciudades que recorrían los Apóstoles. Tenía una compañera, Helena, que había recogido de un burdel de Tiro y en la que reconoció a Ennoia, la Sabiduría caída en la tierra y Madre del universo. Su prédica era una suerte de misticismo sexual no sin analogías con el taoísmo de los Turbantes Amarillos y con las creencias de otras sectas libertinas de Oriente y del Mediterráneo. Pero no es ésta la ocasión de exponer las complejas doctrinas de Simón; baste con señalar que esas ideas, tanto como el personaje mismo, provocaron las maledicencias de los cristianos. El primer ataque aparece en los Hechos de los Apóstoles, en donde se relata que Simón, viendo los milagros que hacían Pedro y Juan mediante la imposición de las manos, quiso comprarles con dinero el secreto. Así nació el pecado de *simonía.* Más tarde Justino, en su *Apología,* lo acusa de proclamarse Dios (Simone Deo Sancto), infundio que la crítica moderna ha encontrado falso. Otros Padres de la Iglesia —Ireneo, Epifanio, Tertuliano, Hipólito— refutan las doctrinas de Simón y relatan extraños sucedidos en torno a su persona, todos ellos oprobiosos para su memoria. El más notable es el episodio de su muerte, contado por todos los apologistas cristianos con una suerte de regodeo a un tiempo beato y vindicativo; durante su estancia en Roma, Simón atrae a las multitudes por sus prédicas y prodigios; un día discute en público con San Pedro, que le niega todo verdadero poder; Simón replica que posee el don de la levitación; el Apóstol le pide que pruebe su dicho y el Mago inmediatamente deja el suelo y se eleva por los aires... Confundido, San Pedro alza los ojos al cielo, se hinca y ruega a Nuestro Señor que castigue a su enemigo. Al instante, ¡paf!, Simón se desploma de las alturas y se estrella contra el suelo. La plegaria de San Pedro fue más eficaz que un cañón antiaéreo.

[«Al aire de su vuelo» se publicó en *Sombras de obras,* Seix Barral, Barcelona, 1983.]

San Epifanio y las catequistas

Otros oyentes de las mismas lecturas, interesados por una alusión a ciertas prácticas de los gnósticos, me han pedido también esclarecimientos. Antes de que se publicasen los manuscritos descubiertos en Nag-Hammadi, la literatura gnóstica era conocida sobre todo por los libros polémicos de los Padres de la Iglesia. Entre ellos sobresale el de San Epifanio de Chipre, que en 375 dio a luz su *Panarión (Caja de remedios contra herejes),* en el que describe nada menos que ochenta herejías. En el caso de los gnósticos, no se limita a citar fragmentos de las obras que incrimina sino que relata sus experiencias con una de esas sectas. Interesado en el monaquismo egipcio, Epifanio vivió una temporada en Alejandría, cuando joven, hacia 335. Allí conoció a unas lindas gnósticas encargadas de reclutar neófitos; las catequistas eran llamadas, según ellas mismas le dijeron a Epifanio, «vasos de elección» y «urnas de felicidad». Los miembros de la secta se decían cristianos y esto sin duda acabó por convencer al joven, que se dejó arrastrar por las graciosas misioneras a las reuniones del grupo. Durante algún tiempo Epifanio frecuentó a los miembros de la secta, leyó sus libros y participó en las reuniones y ceremonias hasta que —aterrorizado, saciado o asqueado: *chi lo sa?*— rompió con sus correligionarios, no sin tener que soportar «los abucheos y burlas de las mujeres». Indignado, buscó a los obispos de la ciudad, expuso las abominaciones que practicaba el grupo y logró que excomulgasen a más de noventa. H. Leisesang comenta: «Epifanio no hubiera podido denunciar a tantos si no hubiera sido íntimo de la secta» (*La Gnose,* Payot, 1951).

[«San Epifanio y las catequistas» se publicó en *Sombras de obras,* Seix Barral, Barcelona, 1983.]

Espermatofagia

Los delatados por Epifanio pertenecían a una secta llamada Barbelognóstica porque, dice el santo, «veneran a una tal Barbelo, que vive en el octavo cielo y que es una emanación femenina del Padre. Ella engendró a Sabaoth, que gobierna el séptimo cielo. Pero su hijo comenzó a ejercer una autoridad tiránica sobre todos los vivientes, diciendo: "Yo soy el Eterno, soy el verdadero Dios" (Is. XIV 5). Barbelo, al oír estas palabras, lloró. Desde entonces se manifiesta a los Arcontes (gobernadores de los planetas) bajo cualquier forma de hermosura y les sustrae, por la vía de la emisión voluptuosa, su esperma, a fin de recoger su Potencia diseminada entre los seres». El sentido del mito es claro: Sabaoth o la pluralidad: el mal; Barbelo o el regreso a la unidad: el bien. Epifanio relata así el ágape de los Barbelognósticos:

> Se reúnen hombres y mujeres. Una vez que, mediante ciertas señas, se cercioran de que todos los presentes pertenecen a su religión, se sientan al banquete. Sirven platos refinados, comen carne y beben vino, incluso los pobres. Una vez satisfechos y las venas henchidas, si puedo decirlo así, de un exceso de pujanza, pasan a la orgía. El marido se levanta del lugar que ocupa al lado de su mujer y le dice: Levántate y consuma el ágape con tu hermano. Entonces los desdichados comienzan a fornicar, todos al mismo tiempo. Aunque enrojezco ante la sola idea de describir sus costumbres inmundas, no me avergüenza revelarlas pues ellos tampoco se avergüenzan en hacer lo que hacen... Una vez acoplados, como si este crimen de prostitución no les bastase, alzan hacia lo alto su propia ignominia: el hombre y la mujer recogen el esperma del hombre y, depositada su ignominia entre las manos, la ofrendan al Padre diciendo: Te ofrecemos este don, el cuerpo de Cristo. Después, comen y comulgan con su propio esperma diciendo: Éste es el cuerpo de Cristo, éste es el cordero pascual por el que sufren nuestros cuerpos y por el que

confiesan la pasión de Cristo. Hacen exactamente lo mismo con los menstruos de la mujer. Recogen la sangre de su impureza y comulgan de la misma manera diciendo: Ésta es la sangre de Cristo. Pero al practicar estas promiscuidades prescriben que no deben procrearse hijos. Por pura lascivia ejecutan estos actos vergonzosos. Cometen el acto de lujuria hasta su culminación pero recogen el esperma impidiéndole que penetre más profundamente y después comen el fruto de su vergüenza».[1]

La descripción de Epifanio no es, seguramente, inexacta pero el sentido del rito se le escapó enteramente: la idea que lo inspira es el regreso de las criaturas a la unidad divina. Es un ágape en el curso del cual los fieles hacen el amor, sin que esa unión obedezca a motivos sentimentales sino religiosos, practican el *coitus interruptus* y, tras de consagrarlo y ofrecerlo a la deidad, comulgan con su propio semen. Las prácticas que describe Epifanio no fueron exclusivas de los barbelognósticos: aparecen también en el tantrismo hindú y en el budista.[2]

México, 1979

[«Espermatofagia» se publicó en *Sombras de obras,* Seix Barral, Barcelona, 1983.]

[1] Versión de J. Lacarrière en *Les Gnostiques,* Gallimard, 1973.

[2] *Cf.* D. L. Snellgrove, *The Hevajra Tantra,* Oxford University Press, 1959, y Agehananda Bharati, *The Tantric Tradition,* Londres, 1970.

LAS FASES DE MARCIA

La perennemente pura

For all that moveth doth in Change delight.
EDMUND SPENSER, *Mutability Cantos*

Virgen Islands es un pequeño poema de Gilberto Owen que es la simplicidad misma: una enumeración de mujeres célebres, sacada de la literatura y la mitología, que simbolizan vagamente la historia íntima del poeta y sus amores y amoríos. El procedimiento es tan antiguo como nuestra tradición poética. Aparece en todas las épocas y en todas las lenguas de Occidente, desde la *Antología griega* hasta Ezra Pound y, en el otro extremo, Paul Éluard. La lista es tan larga como la historia de nuestra poesía: Homero, Villon, Ronsard, Marvell, Lope, Góngora, Rochester, Pope, Chénier, Verlaine, etc. Los modernistas hispanoamericanos adoptaron este motivo con entusiasmo y al usarlo, como siempre, abusaron. Los mejores ejemplos de ese periodo están en *Prosas profanas: Divagaciones* y *Heraldos.* Después, para mi gusto, en los poemas de Apollinaire: son los más afortunados (por su perfección) y los más conmovedores (por su carga poética y vital). En cuanto a *Virgen Islands:* confesión enmascarada y, a ratos, imaginaria, pirueta y pirotecnia, chisporroteo de nombres famosos, no es el mejor poema de Owen pero es representativo de su talento y de sus límites: ingenioso, irónico, literario.

Entre los nombres de mujer que cita Owen aparece el de Marcia, «la perennemente pura». Esta Marcia no es otra que la mujer de Catón el Menor, convertido por Dante en guardián del Purgatorio. Marcia aparece dos veces en la *Comedia.* La primera como residente del alegórico *nobile castello* del Limbo —donde moran las sombras de los paganos virtuosos y sabios que murieron sin ser bautizados— en compañía de otras ilustres mujeres: Pentesilea, la reina de las amazonas, Camila, la virgen guerrera de la *Eneida,* Lucrecia, la suicida por honor, Julia, hija de César y mujer ejemplar de Pompeyo, Cornelia, la madre de los Graco (aunque C. S. Lewis, con buenas razones, cree que se trata de la segunda mujer de Pompeyo, que figura en la *Farsalia* como esposa ideal). La segunda vez, según dice puntualmente el joven poeta Aurelio Asiain, en el Canto Primero del Purgatorio (79-90). Marcia fue considerada durante toda la Edad Media como el arquetipo de la esposa fiel y buena. El Renacimiento y la Edad Barroca heredaron esa veneración.

¿Cómo llegó Owen a Marcia? A juzgar por sus escritos y por su correspondencia, Dante no fue uno de sus autores. ¿Entonces? Arriesgo, en seguida, una no muy implausible hipótesis. *Simbad el Varado* fue terminado en Bogotá, en 1943. Esta serie de poemas no fue escrita de un tirón sino que debe haberse gestado durante varios años, como eco y tentativa por resolver o sublimar una larga crisis moral, poética y sentimental. En ese periodo sudamericano Owen publicó un pequeño artículo sobre Lope de Vega en el que hace un juego de palabras con los nombres de Marta de Nevares y Lope (vuelve del revés el nombre de este último y lo llama pelo de Marta).[1] Es imposible que Owen no conociese, al menos por el título, el libro de Lope dedicado a Marta de Nevares: *Novelas a Marcia Leonarda.* Muy probablemente la Marta de Lope lo llevó a Marcia y ésta a Dante. Además, Owen estudió en un seminario y en sus estudios debe de haberse tropezado más de una vez con Lucano y su *Bellum civile* (la *Farsalia),* en donde Marcia aparece como el dechado de las virtudes mujeriles romanas.

Desconozco las razones que llevaron a Lope a usar el nombre de Marcia: hay otros nombres de mujer igualmente cercanos a Marta. Sospecho que lo escogió como una compensación de la irregularidad de sus amores: ella casada y él sacerdote. En esos años no sólo se inclinó más y más al neoplatonismo sino que en su égloga *Amarilis* —transparente transposición de su historia real— hizo que todas las culpas recayesen sobre el infortunado marido de la pastora (Amarilis-Marta). La Marcia de la historia romana era una figura perfectamente conocida por Lope y su época, tanto a través de la tradición medieval como (y sobre todo) directamente por la frecuentación de Lucano, muy leído y traducido entonces. La identificación entre Marta y Marcia se justificaba por la misma complicación del estado civil de la segunda. Mujer primero de Catón, después de Hortensio y otra vez de Catón, pero siempre modelo de esposas, Marcia prefiguraba y exculpaba la situación de Marta, casada con un hombre indigno (según Lope) y amante, por decreto de las estrellas, de un poeta célebre.

[1] En realidad, como me lo recuerda el joven poeta Andrés Sánchez Robayna, el juego de palabras no es de Owen: figura en una letrilla contra Lope atribuida a Góngora.

Marcia y Dante

C. S. Lewis señala la popularidad de Lucano en la Edad Media. Michael Grant dice que Dante lo cita cincuenta veces; me parece que el *scholar* inglés exagera un poco: conté las citas y encontré que eran diecisiete. De todos modos son muchas, sobre todo si se piensa que en algunos casos, como el del *Convivio,* se trata, más que de una mención, de un extenso comentario. En la *Comedia,* una de las cuatro sombras que se acercan a recibir a Virgilio y a Dante es la de Lucano; las otras son las de Homero, Horacio y Ovidio (Infierno, I, 85-90). Uno de los regalos de Lucano a la Edad Media fue la figura de Marcia. Aparece en el segundo libro de la *Farsalia* como un personaje heroico. Había sido mujer de Catón pero éste, cediendo a la petición de su amigo, el orador Hortensio, se la entrega. Hortensio muere justamente en el momento en que comienza la guerra entre César y Pompeyo; entonces Marcia, ya vieja, por motivos que la honran según la ética romana, pide a Catón que la acepte y se case de nuevo con ella. El patricio republicano accede. Boda frente al destino, boda estoica, por decirlo así; la guerra civil estalla, Catón combate al lado de Pompeyo, César vence y Catón se suicida en Útica.

Dante lee el poema épico y político de Lucano como una alegoría. En la *Comedia,* aunque transfigurados en sombras piadosas, Marcia y Catón son aún reales. En *Il Convivio* la transfiguración es más radical: los dos se vuelven alegorías. El libro IV del *Convivio* es un comentario sobre una canción en la que Dante renuncia al amor juvenil *(Le dolci rime d'Amor ch'io solia).* Esa renuncia es también una sublimación: la Dama gentil de *Vita nuova* se transforma en la severa Filosofía. Toda una parte de ese libro comenta los versos finales de la canción. El tema de esos versos es un tópico: las cuatro edades de la Dama gentil, que simbolizan —o mejor dicho: figuran, alegorizan— los cuatro estados del «alma noble». En la cuarta, la vejez, el alma quiere regresar a Dios, su esposo.

Dante ve en el episodio de Marcia una alegoría de la sinuosa peregrinación del alma por las cuatro edades:

> Marcia fue virgen y en ese estado significa la adolescencia; después se casa con Catón y en ese estado significa la juventud; entonces tiene hijos, en los cuales se significan las virtudes que son propias de los jóvenes; deja a Catón y se casa con Hortensio, en lo cual se significa que ha dejado de ser joven y que ha llegado a la madurez; los hijos que tuvo con éste significan las virtudes de la edad adulta. Murió Hortensio... Y Marcia regresa, apenas enviuda, a Catón: y esto significa que el alma noble, en cuanto comienza la vejez, regresa a Dios. ¿Y qué hombre terrestre más digno de significar a Dios que Catón? [*Il Convivio*, IV, XXVIII, 12-19.]

La interpretación del discurso de Marcia ante Catón, cuando le pide que de nuevo se case con ella, no es menos extraña. El doble y orgulloso razonamiento de Marcia —quiero que se diga de mí, cuando muera, que fui la mujer de Catón, y quiero que no se diga que tú me diste a otro sino que me amaste y al final de nuestros días te uniste a mí— se convierte en la pía oración del alma que vuelve a su esposo divino. Más sorprendente es la transformación del pagano y suicida Catón en figura de Dios.

La interpretación de Dante me desconcierta, incluso si me esfuerzo en ver a Catón y a Marcia desde la perspectiva de su época. Si el Catón que recibe a Marcia en su vejez significa a Dios, ¿qué significa el Catón que la desposa en su juventud? Si Marcia merece un lugar en el *nobile castello* del Limbo y Catón es el guardián del Purgatorio, ¿por qué el noble Bruto, sobrino y yerno de Catón, enamorado como él de la filosofía estoica y de las libertades republicanas, padece por la eternidad entre los dientes de Lucifer, al lado de Judas y de Casio, en el centro del Infierno? La severidad con Bruto quizá se explica por el lugar que tenía César, como fundador del Imperio, en el pensamiento de Dante. Un lugar sólo segundo al de Cristo, fundador de la Iglesia. Sin embargo, dice Grandgent, «como tirano y enemigo de Catón, probablemente César no era muy del gusto de Dante». El Catón de Dante es el héroe de la *Farsalia*. En la *Monarquía* lo exalta sobre todos los mártires de la libertad: «El sacrificio de este romano, severo mantenedor de la verdadera libertad, está más allá de todo lo que se puede decir». En *Il Convivio* confiesa que, ante Catón, es mejor callar, imitando así a San Jerónimo cuando dijo, a propósito de San Pablo, que era preferible el silencio pues todo lo que se dijese era poco.

Marcia y Plutarco

La admiración de Dante por Catón tal vez se habría enfriado un poco si hubiese leído a Plutarco. Aunque no deja de conmoverse, y conmovernos, al relatar el suicidio del patricio romano en la sitiada Útica —se quita la vida después de discurrir sobre la libertad con dos filósofos y de leer el diálogo platónico sobre la inmortalidad del alma— el Catón que pinta Plutarco no siempre es simpático. Los historiadores modernos son aún más severos. Catón el Menor fue uno de los jefes de la facción que heredó el poder del cruel Sila, o sea, de la oligarquía patricia. Aunque fue honrado, sus amigos —que se llamaban a sí mismos los Óptimos— se habían enriquecido con las rapiñas de la guerra civil y las expropiaciones y despojos de que habían sido víctimas los partidarios de Mario. Su amigo, Quinto Hortensio Hortalo —gran orador en el «estilo asiático», rival y amigo de Cicerón— fue una figura política prominente; también fue en su juventud un hombre disoluto y que acumuló grandes riquezas. Su casa en Roma era tan vasta y suntuosa que Octavio Augusto, a su triunfo, la escogió como residencia imperial.

El matrimonio de Hortensio con Marcia, tal como lo cuenta Plutarco, es un episodio de baja política. Hortensio deseaba aliarse más íntimamente con Catón, jefe de partido y hombre de gran influencia; para conseguir este propósito, se le ocurrió ofrecerle como esposa a su hija Porcia, a pesar de que estaba ya casada con Bíbulo y de que tenía dos hijos. Ante la negativa de Catón, «no tuvo inconveniente en declararle que le pedía a su propia mujer, joven todavía, para procrear hijos ya que Catón tenía sucesión bastante. Y hay que decir que a esto se movió por saber que Catón estaba desviado de Marcia, pues suponen que se hallaba a la sazón encinta». Catón repuso que había que consultar el caso con Filipo, el padre de Marcia; «pasaron a hablarle y, propuesta que le fue la traslación, resolvió que no se desposase Marcia de otro modo que hallándose presente Catón y consintiendo en los desposorios». Así se hizo.

A pesar de estas complicaciones, Marcia gozó de buena fama. En esto se distinguió de la primera mujer de Catón, Atilia, a la que tuvo que repudiar por sus infidelidades. A Catón, dice Plutarco, «le siguió la desgracia en punto a las mujeres de su familia». Sus dos hermanas fueron de costumbres disolutas y una de ellas fue amante de César, su enemigo. Y agrega: «sobre Marcia hubo mucho que hablar pues esta parte de la vida de Catón es, ni más ni menos, como una fábula o comedia, en la que todo es problemático y dudoso». Cuando Catón vuelve a casarse con Marcia, viuda y rica, Plutarco lo defiende diciendo que lo hizo «atendiendo al cuidado de su casa y de sus hijas, que se lo rogaban». César, en su *Contra Catón*, lo acusó de comerciar con su propia esposa por codicia: «y así pasó aquella mujerzuela a poder de Hortensio como un cebo; la dio joven y la recobró rica y vieja». Plutarco rechaza este ataque como una calumnia: «inmediatamente que Catón celebró su segundo matrimonio con Marcia, le hizo entrega de su casa y de sus hijas y él se fue en seguimiento de Pompeyo». Catón no volvió a ver a Marcia: dos años después, perdida la guerra, murió.

A través de Plutarco se vislumbra una Marcia más real. En esa lucha terrible de intereses y pasiones que precedió a la caída de la República Romana, Marcia representa el elemento central de aquella sociedad: la familia. No la familia moderna, cuyo modelo es la célula, sino la antigua, que era un extenso y sólido tejido hecho de alianzas y uniones. Marcia es uno de los eslabones de esa malla. La función política de las matronas romanas consistía en ser uno de los medios para asegurar y fortificar las alianzas; la ruptura entre Julio César y Pompeyo, por ejemplo, no sobrevino sino hasta que murió la mujer del segundo, hermana de César. La historia se repitió con Octavio y Marco Antonio. Ni Marcia fue un personaje pasivo ni lo fueron las otras patricias. Marcia participó con plena conciencia en aquel juego peligroso de las alianzas políticas; al volver con Catón, no hizo sino defender a su grupo, amenazado por la revolución de César.

Marcia, Lucano y Jáuregui

La Marcia de Lucano no es la de Plutarco y los historiadores, aunque está más cerca de ellos que la de Dante. Lucano ve la lucha de la facción oligárquica contra Julio César como la lucha de la libertad contra la tiranía. Lucano escribe bajo Nerón, del que fue amigo primero y al que después aborreció. Era sobrino de Séneca y, como su tío, tuvo que quitarse la vida en 65, por lo de la conspiración de Pisón. Tenía 26 años. La Marcia de Lucano es la esposa del héroe Catón: una mujer igualmente heroica y que encarna las virtudes de la clase patricia. Dante ve en Marcia a una figura de la vida contemplativa; para Lucano es un ejemplo de la vida activa: la doble influencia de las tradiciones republicanas romanas y la filosofía estoica han forjado su carácter y la han preparado para afrontar los horrores de la guerra civil. Vuelve a Catón y se encarga de su casa y sus hijos sólo para darle la posibilidad de ser libre y morir como un hombre libre. En la Marcia de Lucano, además, es determinante la preocupación por la honra y el buen nombre. Es una nota que aparece en todas las aristocracias y que en España tuvo la fortuna que sabemos: se convirtió, simultáneamente, en una obsesión y una caricatura.

No es fortuita la aparición de España en esta peregrinación en busca de la cambiante Marcia: la imagen que de ella nos ha dejado el siglo XVII no es menos asombrosa que la de Dante. En España la fuente también fue Lucano, muy leído, comentado e imitado desde la Edad Media. La circunstancia de haber nacido en Córdoba contribuyó mucho a su prestigio. Se le consideraba español y todavía en el siglo pasado Castelar pudo decir: «Aunque la historia hubiese callado su nacimiento, lo diría la naturaleza de su genio». El siglo XVII es el del apogeo de su celebridad: lo citan todos los poetas y uno de ellos, Jáuregui, traduce la *Farsalia*.

El sevillano don Juan de Jáuregui (1583-1641) fue poeta y pintor. Sus obras pictóricas se han perdido; quizá no valían mucho: ya en su tiempo alcanzó mayor nombradía como poeta. En esa constelación —mejor dicho: constelaciones— de talentos de nuestro siglo XVII, Juan de Jáuregui brilla con luz propia. En su juventud siguió a Herrera y abominó de Góngora y su escuela; después vivió en la Corte y abrazó con el mismo entusiasmo la nueva estética. Muy joven estuvo en Roma. Allá estudio pintura y publicó, en 1607, una celebrada traducción de *Aminta* de Tasso. En esos años tradujo también un pasaje de Lucano: la batalla naval que relata el tercer libro de la *Farsalia*. De regreso a Sevilla, publicó las *Rimas sacras y profanas* (1618), un volumen que incluye poemas originales, notables paráfrasis de algunos salmos, la traducción de *Aminta* (corregida) y el fragmento de Lucano. A su segundo estilo poético, que corresponde su madurez y a su residencia en Madrid, pertenecen su *Orfeo,* recreación de Ovidio, y su famosa traducción de la *Farsalia.* Aunque estas dos obras aparecieron en 1684, cuando ya había muerto Jáuregui, sin duda sus contemporáneos las conocieron por la lectura de copias manuscritas. Tampoco Góngora vio impresos el *Polifemo* y las *Soledades.*

En el prólogo a sus *Rimas,* Jáuregui expuso su ideal de lo que debería ser una traducción. Cada obra poética, dice, se compone de tres partes: alma, cuerpo y adorno; el buen traductor debe «trasladar» las tres. En realidad, su idea de la traducción es lo que ahora llamamos *imitación.* En su versión de *Aminta* se atrevió a usar versos blancos, que él llama libres, y comenta con gracia: «sé que hay orejas que, si no sienten a ciertas distancias el porrazo del consonante, pierden la paciencia». Sin embargo, en la *Farsalia* usó siempre el consonante. La forma que escogió fue la octava. En la portada de la primera edición (1684) se lee: «LA FARSALIA / POEMA ESPAÑOL / ESCRITO POR DON JUAN DE JÁUREGUI...», título doblemente cierto para sus contemporáneos: Lucano era un español de Córdoba y Jáuregui era otro español de Sevilla que había escrito de nuevo su poema en lengua española.

Lucano ha sido tachado de enfático y elocuente; Grant atribuye el desvío moderno a que en nuestro siglo *with its unusual distaste for the purple patch, is ill-fitted to recognize his great qualities.* Lo contrario del XVII, el siglo que quizá de un modo más total ha hecho un culto de la forma. No la forma cerrada y lineal del clasicismo sino la espiral proliferante de los manierismos. La *Farsalia* de Jáuregui exagera al ya extremoso Lucano y, además, lo glosa y lo amplifica: el poema de Lucano está dividido en diez libros y el de Jáuregui en veinte. El episodio de Marcia, que en el original está en el segundo libro, en la versión del poeta sevillano ocupa la parte final del libro tercero. El resultado, como ocurre siempre que se acumulan los efectos, es el opuesto al deseado: la cascada de sorpresas y juegos acaba por cansar. Pero hay momentos admirables. Jáuregui, si no nos conmueve, nos deslumbra. Si es prolijo, también es luminoso. Logró algo notable: convertir la ferocidad de la guerra civil en un fuego de artificios verbales.

El episodio de Marcia es un pretexto para una serie de variaciones sobre el tópico predilecto de la Edad Barroca: la unión de los opuestos. En la enlutada Marcia se juntan el sepelio y el himeneo, el duelo y la danza, el velorio y el jolgorio, lo negro y lo blanco. En ella, como dice Jáuregui con valentía, es «célebre el luto y fúnebre el consuelo». La matrona heroica de Lucano, la noble alma de Dante, no son ya sino un sonoro espectro verbal donde se entretejen el comienzo y el fin, «el túmulo y el tálamo». Marcia: paradoja andante... Fascinación del caleidoscopio: el tiempo convierte a Marcia, mujer-adivinanza pues se casó tres veces y sólo tuvo dos maridos, en personaje de la historia, en heroína de la épica, en alegoría teológica y en concepto poético. ¿Cuál es la verdadera, la de Lucano o la de Plutarco, la de Dante o la de Jáuregui? Ninguna, es decir, todas.

México, 1980

[Estos cuatro textos sobre Marcia («La perennemente pura», «Marcia y Dante», «Marcia y Plutarco» y «Marcia, Lucano y Jáuregui») se publicaron en *Sombras de obras*, Seix Barral, Barcelona, 1983.]

Saludo a Czeslaw Milosz

En 1951 yo vivía en París. Muchos de mis amigos y conocidos eran jóvenes escritores: franceses e hispanoamericanos pero también griegos, brasileños, irlandeses, suecos. Una tarde uno de ellos llegó a mi casa con un joven polaco. Alto, sólido, con esa cara noble y ancha de muchos eslavos. Nos contó que era poeta, que se llamaba Czeslaw Milosz y que acababa de «escoger la libertad», como se decía entonces. «Yo también», me dijo, «era, como usted, secretario de la Embajada de mi país, pero hace quince días decidí romper con el régimen y ahora soy un refugiado político». En aquellos años todavía no se decía «disidente». Vi a Milosz varias veces y así pude conocer su rectitud moral y política, su inteligencia y su pasión metafísica. Me contó que era sobrino del poeta lituano de expresión francesa Oscar Wenceslao de Lubicz Milosz, al que yo había leído en mi adolescencia. Me dijo también que había participado en la resistencia contra la ocupación alemana, que había colaborado al principio con el régimen comunista y, en fin, que su poeta moderno preferido era el mío: Eliot.

Al poco tiempo Milosz abandonó París. Obtuvo una cátedra de literatura eslava en la Universidad de California, en Berkeley, y se instaló en San Francisco. A través de libros y revistas le seguí. En esos años publicó un notable ensayo político: *La mente cautiva*, que es una de las primeras y más lúcidas descripciones de la suerte del arte y el pensamiento en los países comunistas. Por amigos comunes me enteré de que había regresado al cristianismo. De vez en cuando leía en las revistas poemas suyos —sobrios y punzantes— y ensayos sobre temas de literatura y filosofía. Milosz es un poeta pero también es un crítico agudo. En 1970 volvimos a vernos, en una reunión de poetas celebrada en Austin, bajo los auspicios de la Universidad de Texas. Leímos nuestros poemas en público y después del acto me dijo: «Qué envidia te tengo. Mucha gente entendía tus poemas sin necesidad de oír al traductor, pero ¿quién diablos comprende aquí el polaco?»

Entre mis amigos de Austin estaba un escritor hindú, Raja Rao. Lo presenté a Milosz e inmediatamente se hicieron amigos. Raja tiene una mente filosófica y conoce admirablemente el budismo y el hinduismo. Esos pocos días pude ser testigo —e incluso participar en ellas con un poco de escepticismo pagano— de las encarnizadas discusiones entre el cristiano Milosz y el hindú Raja Rao. Meses después Milosz escribió un «poema-carta», dedicado a Raja Rao, en el que alude a esas conversaciones. Nos enseña mucho sobre Milosz —sobre el poeta y sobre el hombre:

> Raja Rao, cómo quisiera saber
> la causa de esta enfermedad.
>
> Por años no pude aceptar
> que el sitio en que estaba era mi sitio.
> En otra parte estaba mi lugar.
>
> La ciudad, los árboles,
> las voces de los hombres,
> no eran, no estaban.
> Vivía en un perpetuo irme.
>
> En algún lado había una ciudad real,
> árboles reales, voces, amistad, amor, presencias.
>
> Atribuye, si quieres, este caso peculiar,
> al borde de la esquizofrenia,
> a la mesiánica esperanza
> de mi civilización.
>
> Infeliz bajo la tiranía,
> infeliz en la república:
> en una, suspiraba por la libertad,
> en otra, por el fin de la corrupción.
>
> Construía en mi alma una ciudad,
> permanente, la prisa desterrada.

Al fin aprendí a decir: ésta es mi casa,
aquí, ante la lumbre del crepúsculo marino,
en esta orilla frente a la orilla de tu Asia,
en esta república moderadamente corrompida.

Raja, nada de esto me ha curado
de mi pecado, de mi vergüenza.
La vergüenza de no ser
aquel que pude ser.

La imagen de mi ser
crece gigantesca en el muro
y aplasta mi sombra miserable.

Por eso creo en el Pecado Original,
que no es nada sino la primera
victoria sobre el yo,

«Atormentado por el yo y por él engañado»:
te doy, ya ves, un fácil argumento.

Te oí hablar de liberación:
idéntica a la de Sócrates
la sabiduría de tu *guru*.

No, Raja, yo debo empezar
desde lo que soy.
Soy los monstruos que habitan mis sueños,
los monstruos que me enseñan quién soy yo.

Si estoy enfermo, ¿quién puede decir
que el hombre es una criatura sana?

Grecia tenía que perder, su pura inocencia
tenía que hacer más intensa nuestra agonía.

Necesitábamos a un Dios que nos amase,
no en la gloria de la beatitud: en nuestra flaqueza.

No hay alivio, Raja,
mi suerte es agonía y pelea,
abyección, amor y odio a mí mismo:
orar por el Reino y leer a Pascal.

Milosz es poco conocido entre nosotros. A mí me tocó dar a conocer en español, en las páginas de la revista *Plural* (la auténtica), un ensayo de Milosz acerca del olvidado filósofo ruso Vladimir Soloviev, que tuvo gran influencia sobre Alexándrovich Blok y más tarde sobre Pasternak. El ensayo de Milosz es la defensa de un género desdeñado, no obstante sus afinidades con la «ciencia-ficción»: las obras de anticipación histórico-religiosa. Después de todo, la *Revelación de San Juan en Patmos* pertenece a ese género. El libro de Soloviev se llama: *Tres conversaciones acerca de la guerra, la paz y el fin del mundo, con una historia breve del Anticristo y suplementos* (*Plural,* núm. 12, septiembre de 1972). En esa obra el escritor ruso profetiza el conflicto sinoruso, que es el comienzo del fin: la coalición mongólica triunfa e impone por largos años su dominación en Europa, hasta que los pueblos logran liberarse de sus opresores. Se instaura el Estado universal, omnipotente, omnisciente, pacífico y benévolo. Un rey-filósofo gobierna el mundo inspirado en los principios de la razón. Así se desencadena la horrible catástrofe final: el rey-filósofo, hijo de Platón y de Kant, no es sino el Príncipe de este mundo, el diablo.

Ahora me entero, con alegría, de que le han otorgado a Milosz el premio Nobel. Es el año de Polonia: el Papa, las huelgas obreras y el Nobel a un poeta polaco. ¿Cómo interpretar todo esto sino como retribuciones por las desdichas y sufrimientos de esa nación? Estamos, diría Milosz, ante la misteriosa operación de la justicia divina. O como dirían los estoicos: ante la economía cósmica, patente en la rotación de las desdichas y las dichas. Pero hay premios y premios. Aunque el Nobel es un gran premio, hay otro más puro, que nos dan las potencias sin nombre y que consiste en vivir, así sea por unos pocos minutos, reconciliados con los elementos terrestres, con el tiempo, con nuestros semejantes y con nosotros mismos. Un pequeño poema de Milosz, escrito hace poco, expresa esta armonía espiritual. Se llama significativamente *El premio.* Haberlo escrito es el verdadero premio:

Qué día feliz.
La niebla se disipó temprano.
Me puse a trabajar en el jardín.

Colibríes quietos sobre la madreselva.
Nada sobre la tierra que yo quisiese tener,
nadie sobre la tierra que yo pudiese envidiar.
Había olvidado todo lo que sufrí,
no tenía ya vergüenza del hombre que fui.
No me dolía el cuerpo.
Al enderezarme, vi el mar azul y las velas.[1]

México, 1980

[«Saludo a Czeslaw Milosz» se publicó en *Sombras de obras,* Barcelona, Seix Barral, 1983.]

[1] Mis traducciones son del inglés. El poema dedicado a Raja Rao fue escrito directamente en esa lengua y mi traducción del segundo es de una versión inglesa hecha por el mismo Milosz.

CLAUDE ROY

Un absoluto quizá

A la orilla del tiempo: esta frase, que es un desafío a la razón, es el título de un libro de poemas que acaba de publicar Claude Roy. Aunque no sabemos si el tiempo tuvo un principio y si tendrá un fin, sabemos que no es un terreno ni un bosque, una extensión con un aquí y un allá. El tiempo no tiene lados. Cierto, tiene un antes, un después y un ahora pero nadie puede estar a la derecha del cinco de octubre de 1843 ni a la izquierda de este instante. Sin embargo, ante la sonrisa de reprobación del profesor de filosofía, Claude Roy alza los hombros y se interna en los corredores del tiempo. Son transparentes e interminables. Claude Roy marcha lentamente, con los ojos entreabiertos, lúcido y sonámbulo, por un camino sinuoso hecho de curvas y bifurcaciones, ascensos y declives, vueltas y revueltas. Abundan las repeticiones y las reiteraciones, los espacios en blanco y los baldíos, las plazas cerradas y los muros que son espejos ilusorios donde se reflejan figuras no menos ilusorias. Las figuras poseen la intensidad de las imágenes en el sueño y también su fragilidad. Aparecen, desaparecen, reaparecen, se transforman, se iluminan, se disipan en bruma. Son cristalizaciones de tiempo y duran lo que dura un parpadeo, son de aquí y son de allá, viven en el tiempo de ahora y viven en otro tiempo que transcurre en un allá que está en ninguna parte, quiero decir: aquí mismo.

La memoria siempre improvisa y Claude Roy inventa su camino al recorrerlo. ¿Recupera así al pasado? Más bien, con fragmentos y briznas de su pasado construye instantes fuera del tiempo pero que no son sino tiempo: poemas. Anda por tortuosos pasillos que desembocan en explanadas de claridad, atraviesa espesuras y callejuelas, visita casas deshabitadas, tuerce por un baldío urbano, asciende en ascensor hasta terrazas babilonias, desciende por escaleras húmedas a la gruta del dragón, oye el eco de sus pasos en el salón desierto de su escuela, mira el rostro de una muchacha muerta tras el vidrio de una ventana y de pronto se encuentra en el «reverso de la sombra». Hay mucha luz y un estanque

> Las hojas del fresno esparcen su murmullo
> crepita de grillos verdes la yerba viva
> quisiera tocar una a una cada nota
> del canto del alionín

pero el pájaro y su canto, los fresnos duplicados por el estanque que también duplica el rostro atónito de Claude Roy, han desaparecido. El poeta regresa a su cuarto (en realidad no se ha movido). Nada de lo que ha visto y oído es real; todo lo que queda son unos cuantos signos sobre el papel. Lee lo que ha escrito: esos signos no son irreales. Tampoco es irreal lo que vio y oyó: ocurrió en el otro lado del tiempo, en ese lugar que no es un lugar y en ese ayer que es ahora mismo. Todo pasó, todo pasa y está pasando, en un espacio mental y físico construido por la memoria y habitado por las palabras.

La materia prima de la poesía es la vida humana —sus accidentes y sus incidentes, sus victorias y sus desastres— filtrada por la memoria y la imaginación. Las relaciones entre una y otra son íntimas y contradictorias. Sin la imaginación la poesía no podría resucitar lo vivido; a su vez, la imaginación deforma y transfigura continuamente al pasado. El ayer de la memoria no es una realidad sino una imagen. Además, es una imagen instantánea; para que dure, es necesario que el poeta la fije, la convierta en palabras y ritmos verbales. La materia prima de la poesía de Claude Roy es su vida misma, vista y sentida, oída y dicha, desde un ahora *precario*. Subrayo el adjetivo porque la orilla desde la que contempla su vida no es un terreno firme sino una franja de tiempo inestable, amenazada continuamente por ese ahora sin antes ni después que llamamos muerte. La vida se nos revela en su verdad verdadera, es decir: en su irreal realidad, en su plenitud abismal, en su presencia-vacío, sólo en momentos excepcionales, cuando tocamos literalmente el límite de la existencia. Los poemas de Claude Roy han sido escritos desde esa orilla —algunos en un lecho de hospital, otros en el sillón del convaleciente— y todos ellos son tentativas por expresar esa experiencia. Son resurrecciones de momentos vividos; al mismo tiempo, los mejores, son revelaciones de ese tiempo secreto que habita cada instante.

Claude Roy desconfía, con razón, del lenguaje sublime. Ha aprendido a dudar con Montaigne y a sonreír con Chuang-tsé. Su lenguaje es, sin oposición, coloquial y precioso. La combinación de estas dos tendencias es casi siempre afortunada y los hallazgos verbales de Claude Roy me recuerdan, a veces, a los poetas árabes de Andalucía. Pequeñas instantáneas poéticas: «Disfrazada de hojas una oropéndola improvisa...» Cuando el tiempo es ligero «la brisa llama a la clemátide por su nombre». Al comenzar el otoño el mar «me escribe una carta de blanquísima sal con una sombra apenas de melancolía» (perfecta definición de algunos poemas de este libro). El peligro del género es el ingenio, la *pointe*. El remedio es el humor y la lección de algunos maestros que, aunque lejanos, son sus amigos íntimos, como Wang Wei y Su Tung-p'o. Su humor no es negro ni rojo ni verde: es una respuesta al hecho insólito de estar vivo en este mundo y de que las cosas sean como son. Ante las variadas decepciones que provoca en cada uno de nosotros la existencia en esta tierra, a veces horrible y otras risible, el humor de Claude Roy es una apuesta a favor de la vida —a pesar de todo. El asombro nace del «a pesar de todo».

El escepticismo no es el enemigo de la poesía sino del énfasis y la sencillez es una cura moral y estética:

> A las once en agosto el mundo es transparente
> Una eternidad muy modesta baña de viva claridad
> el agua que corre...

Todos los absolutos son relativos; sin embargo, la percepción instantánea de esa relatividad universal equivale a ver, bajo la claridad del agua corriente, la fijeza del fondo: hay un tiempo inmóvil dentro del tiempo. Ésa es nuestra modesta porción de eternidad. Pero *eternidad* es una palabra vacía o, al menos, una palabra que denota una idea contradictoria y en verdad ininteligible: si es tiempo fijo, tiempo que no transcurre, la eternidad es un tiempo que es no-tiempo. Es algo que podemos decir y desear pero no pensar ni comprender. Sin duda por esto Nietzsche prefería *vivacidad* a eternidad. Vivacidad del instante: decirla es revivirlo —revivir. Me parece que esto es lo que se propone Claude Roy: revivir lo vivido y así revivificar la vida. En un corto poema que es, para mí, uno de los mejores de este libro, la percepción de lo relativo se convierte en un canto a la incertidumbre que es también un canto de amor:

Claude Roy

OFRENDAS

A los cuatro puntos cardinales de la palabra ahora
Al derecho al revés en el corazón de la palabra aquí
A la respiración alas de mariposa de la palabra quizá
Al entre suspiro y sonrisa de la palabra antes
A la duda de puntillas de la palabra mañana
A la claridad tranquila de tu nombre en voz baja

Absoluto y *eternidad* son palabras que no puedo decir sin sentir vértigo. Lo mismo me sucede con las opuestas: *relatividad, finitud.* Los argumentos de los escépticos contra las abstracciones metafísicas me parecen irrefutables; los argumentos contra el escepticismo —el que mejor los formuló fue el escéptico Hume— también me lo parecen. Quizá la salida es vivir *entre,* como si el quizá fuese un absoluto. Buscar la identidad pero preservando en su interior las diferencias y así, como dice Claude Roy

con llave de cristal
abrir cerradura de escarcha

México, 1985

[«Un absoluto quizá» se publicó en la revista *Vuelta,* núm. 100, México, mayo de 1985.]

Un poema es muchos poemas: Claude Roy

Conocí a Claude Roy, hace cerca de treinta años, en un café de Saint-Germain des Pres. No recuerdo quién nos presentó pero no he olvidado la impresión que me hizo su persona. Conocer al autor confirmó inmediatamente la atracción que me había despertado la lectura de sus poemas, ensayos, relatos y artículos. Cualidades en apariencia opuestas: ligereza y hondura, fineza y arrojo intelectual y moral. Muchas curiosidades por cosas diferentes y una sola fidelidad a unas cuantas esenciales. Hay una palabra que define al estilo de Claude Roy: *gracia*. Es un don que tienen unos pocos seres privilegiados, como los ángeles y los felinos. También ciertos objetos y lugares: un antiguo instrumento de música o una página de caligrafía cúfica; una colina que vemos allá, a lo lejos, contra un horizonte límpido; tres nubes y unos cuantos álamos; una cala y el murmullo azul y blanco del oleaje; una torre en una pequeña plaza redonda como la luna llena... Pronto nos hicimos amigos y la simpatía inicial se transformó en una relación más profunda. Se ha escrito mucho sobre la amistad pero yo prefiero callar y practicarla: Claude es mi amigo.

Entre las varias afinidades éticas y estéticas que nos unen está la afición al Oriente. Él ha visitado China varias veces y yo he vivido algunos años en la India. Son dos civilizaciones muy distintas pero unidas por un puente espiritual: el budismo. Claude ha hecho algunas traducciones admirables de poetas chinos y hace poco dedicó un libro encantador a un poeta que es de su predilección y de la mía: Su Tung-p'o (Su Shih). Hace unos días se me ocurrió traducir —mínimo signo de amistad y de homenaje a Claude Roy— un poema de otro poeta, Han Yü. Fue un severo moralista confuciano pero es autor también de textos extraños e irónicos, como su célebre *Exhortación a los cocodrilos.* Mi poema está hecho de tres versiones al inglés y no es una verdadera traducción. Es un poema escrito a partir de otro poema. Una recreación, en el doble sentido de la palabra. La composición de Han Yü está formada por cinco breves poemas acerca del mismo tema; yo los transformé en un poema compuesto de cinco estrofas de cuatro versos cada una.

LA PALANGANA

A Claude Roy

Ser viejo es regresar y yo he vuelto a ser niño.
Eché un poco de agua en una palangana
y oí toda la noche el croar de las ranas
como, cuando muchacho, pescaba yo en Fang-Kúo.

Palangana de barro, estanque verdadero:
el renuevo del loto es ya una flor completa.
No olvides visitarme una tarde de lluvia:
oirás, sobre las hojas, el chaschás de las gotas.

O ven una mañana: mirarás en las aguas
peces como burbujas que avanzan en escuadra,
bichos tan diminutos que carecen de nombre.
Un instante aparecen y otro desaparecen.

Un rumor en las sombras, círculo verdinegro,
inventa rocas, yerbas y unas aguas dormidas.
Una noche cualquiera ven a verlas conmigo,
vas a oír a las ranas, vas a oír al silencio.

Toda la paz del cielo cabe en mí palangana.
Pero, si lo deseo, provoco un oleaje.
Cuando la noche crece y se ha ido la luna
¡cuántas estrellas bajan a nadar en sus aguas!

HAN YÜ (768-824)

[«Un poema es muchos poemas: Claude Roy» se publicó en *Vuelta,* núm. 218, México, enero de 1995.]

EL ESQUÍ Y LA MÁQUINA DE ESCRIBIR

James Laughlin

Conocí a James Laughlin hace más de treinta años, en Nueva York, aunque no podría decir ahora la fecha exacta de nuestro primer encuentro. Antes de conocerlo en persona, ya tenía noticias suyas porque, hacia 1940, comenzaron a llegar a México las publicaciones de New Directions. Se podían encontrar en la librería Misrachi, la única en la ciudad que recibía las novedades literarias de lengua inglesa. Unos cuantos muchachos, cuatro o cinco aprendices de escritores y aficionados a las letras extranjeras, rondábamos por los pasillos de Misrachi; nos interesaba sobre todo el anuario de *New Directions.* Para nosotros cada número de esa revista era un mapa, no de las tierras ya descubiertas y colonizadas sino de los continentes desconocidos que en aquellos años exploraban (o inventaban) los nuevos escritores. Lejos de limitarse a publicar a los autores norteamericanos, *New Directions* seguía con gran atención las corrientes y personalidades que aparecían en las cuatro esquinas del planeta. Nuestro interés era comprensible: nos sentíamos encerrados en México, un país al que a veces ahoga la misma riqueza de sus tradiciones y la complejidad de su pasado. Nos separaban del mundo no tanto nuestras montañas y volcanes como una impalpable muralla de siglos, hecha de la pasividad de los de adentro y de la indiferencia de los de afuera. Leer *New Directions* era abrir una ventana y vislumbrar un paisaje que a un tiempo nos seducía y nos aterraba: la literatura moderna.

Unos años más tarde yo mismo fui el objeto de la curiosidad universal de James Laughlin y de *New Directions.* Un buen día recibí una carta de un joven profesor y crítico, interesado en la literatura de América Latina: Lloyd Mallan. Con su carta me enviaba algunas traducciones de mis poemas y me pedía informes sobre el estado de la poesía mexicana, especialmente la escrita por los jóvenes. Así comenzó una febril correspondencia que produjo una pequeña idea: al entusiasta Lloyd Mallan se le ocurrió hacer una selección de la nueva poesía mexicana (incluyó únicamente a cinco poetas), tradujo los poemas, escribió una introducción y presentó el manuscrito a Laughlin. Todos esperábamos con ansia y no sin temor la decisión de aquel remoto y severo lector. Laughlin leyó el manuscrito y, no sin vacilaciones (¿era realmente moderna nuestra poesía?), decidió publicarlo con el título de *A Little Anthology of Mexican Poetry* (número 9 de *New Directions,* 1947). Pasaron más años y otra amiga generosa, Muriel Rukeyser, volvió a interesarse en mis poemas. Tradujo algunos, los publicó en varias revistas y, previsiblemente, terminó por proponer a New Directions la publicación de un pequeño libro. De nuevo, James aceptó nuestro manuscrito.

La preparación de mi libro me puso en relación epistolar con él. Aproveché una corta estadía en Nueva York (¿en 1957 o en 1958?) para llamarlo por teléfono y concertar una cita. Un día después nos vimos en sus oficinas en el Village. Austeridad, pocos muebles y muchos libros. En cada pieza había altos armarios metálicos —¿grises o verdes?— que sin duda guardaban los manuscritos de los autores y la correspondencia con Pound, Williams, Neruda, Michaux y tantos otros. Una secretaria me condujo a su despacho; se abrió la puerta y vi surgir, entre los papeles y libros de una mesa, a un hombre alto y atlético —después supe que era un gran esquiador. Una fisonomía abierta, pelo escaso, frente amplia, mentón enérgico, ojos interrogantes, manos grandes, gestos pausados y, en fin, una cortesía simple, hecha de cordialidad y reserva. Acostumbrado a los circunloquios de los mexicanos, a las efusiones y exabruptos de los españoles y a los rituales de la *politesse française,* el recibimiento llano y directo de Laughlin me agradó. A esta entrevista rápida sucedió, a los pocos días, una invitación a comer en un pequeño restaurante italiano de las cercanías. Allí, al calor de una botella de Chianti, descubrimos que teníamos algunos amigos comunes y que compartíamos ciertas antipatías y admiraciones. Entre ellas la afición a la India, a la poesía de Apollinaire y a la *Antología griega* —me contó que había sido discípulo de Dudley Fitts, al que yo admiraba pues había convertido los viejos epigramas de Meleagro y de Paulo el Silenciario en poemas vivos. Al despedirme de Laughlin me dije: busqué a un editor y he encontrado a un poeta. Desde entonces somos amigos.

James habla con frecuencia de la poesía pero nunca o muy raramente de la suya. Pudor de enamorado que guarda secreto el nombre de su amante. Porque la poesía ha sido su gran pasión; la otra ha sido el esquí.

Su vida se ha repartido entre los poemas —escribirlos y editarlos— y las figuras que traza el esquí sobre la nieve. Son pasiones muy distintas y, no obstante, afines. No son lucrativas ni dan poder al que las cultiva. Ni ganancia ni mando. Más bien lo contrario: son juegos estéticos arriesgados, artes que exigen destreza y cuyo peligro es la caída. Laughlin, el esquiador, escribe poemas desde la adolescencia. Los escribe como quien se desliza por una colina entre altos árboles. Sus grandes admiraciones han sido y son Ezra Pound y William Carlos Williams. Dos antenas de la poesía: uno empeñado en captar la tradición universal, el otro en inventar la tradición norteamericana. Pero ninguno de los dos aparece en sus poemas. James asimiló sus enseñanzas tan profunda y completamente que, en lugar de ahogarlo, le sirvieron para encontrarse a sí mismo. Su voz poética es inconfundible.

Sus breves poemas se ofrecen a los ojos como una sucesión de dísticos, una nítida disposición tipográfica acorde con su estructura sintáctica: concisión y claridad, humor y melancolía. James se burla del mundo y de sí mismo pero acaba por aceptar, con un gesto más irónico que resignado, la locura universal y la suya propia. Está más cerca de Epicuro que de Calvino, a pesar de sus orígenes protestantes. Poesía inteligente, sensible y, en una palabra, civilizada. Poesía urbana como la de los epigramas griegos, inmersa en nuestras diarias pasiones y decepciones, en la comedia y la ridícula tragedia de nuestras vidas. A pesar de sus alusiones literarias y del uso deliberado de muchos recursos de la tradición poética universal, los mejores poemas de Laughlin *no* hacen pensar en Marcial o en los poetas provenzales. Son extrañamente modernos y —escribo mi elogio con reflexión— podrían haber sido escritos por un gran maestro melancólico que jamás escribió una línea: Buster Keaton. No señalo un parecido literario sino un parentesco espiritual.

El poeta Laughlin se ha revelado en los últimos años como un notable crítico y cronista de la poesía norteamericana moderna. Sus libros de ensayos combinan la penetración crítica con la vivacidad de las memorias y ambas con la veracidad del retratista. Son a un tiempo estudios literarios y testimonios que nos ayudan a comprender a unas obras y a sus autores. Todos están escritos en un lenguaje fluido y preciso, libre de esa pedantesca jerga universitaria que es la gran infección verbal de nuestra época. Una prosa con frecuencia irónica pero no impía: Laughlin conoce a sus héroes, se ríe un poco de sus flaquezas y termina por perdonarlos. La admiración que profesa a Pound es lúcida y no le hace cerrar los ojos ante los terribles errores del hombre y las arbitrariedades y caídas del poeta. En el amor que le inspiran la obra y la persona de Williams hay también una ternura irónica ante las puerilidades del doctor. No es posible detenerse aquí en este aspecto de la obra de Laughlin; baste con decir que su contribución ha sido esencial, como testimonio de una época y como reflexión crítica sobre algunos de sus grandes protagonistas. Sus ensayos son indispensables para todo aquel que quiera conocer por dentro la historia del rico y poderoso movimiento de la poesía norteamericana en el siglo XX.

Los ensayos literarios de Laughlin se apoyan en la perspicacia del psicólogo y en el arte del cronista. Cualidades que son también del narrador. Nada más natural que se haya decidido a recoger en un volumen sus cuentos y narraciones. Los textos que forman *Random Stories* fueron escritos en su juventud, con la excepción de *A Visit* (1978), y publicados en revistas de la época. Todos ellos conservan su frescura y su poder iniciales. La primera virtud de estas narraciones es, como en el caso de los poemas y los ensayos, la sobriedad. La historia puede ser trágica pero el lenguaje nunca es patético; Laughlin no incurre en la retórica de las lágrimas y tampoco en las piruetas del payaso. Economía y concisión; ironía y, de nuevo, su complemento: la comprensión del otro —única manera de comprendernos a nosotros mismos. Sobriedad pero también naturalidad: su prosa se desliza sin esfuerzo, transcurre como agua y, como agua, es límpida: nos deja ver el fondo.

Algunas de las historias que nos cuenta Laughlin nos conmueven, otras nos hacen sonreír (casi siempre con una sonrisa triste) pero todas ellas nos entretienen, en el buen sentido de la palabra: despiertan nuestro interés y lo mantienen hasta el fin. A veces la narración es lineal, otras se sirve de los procedimientos de la poesía moderna, como la yuxtaposición y la simultaneidad de tiempos y situaciones; pero cualquiera que sea su tema y la técnica empleada, todas las narraciones poseen una nota en común: la simpatía humana. Es el centro, el núcleo de la visión poética y ética de Laughlin. La simpatía era la virtud suprema para los estoicos: el mundo les parecía un todo unido por el fluido universal de la amistad. Su otro nombre —su nombre cristiano y moderno— es fraternidad. Epicuro corregido —mejor dicho: completado— por Séneca. Entre estos extremos se mueven la prosa y la poesía de James Laughlin; no son dos mundos separados sino en perpetua comunicación. Su obra es un ejemplo, no tanto de la conjunción como de la convivencia de los contrarios. Al escribir esta frase pienso involuntariamente en un círculo. Mejor dicho: lo *veo*. Es una forma geométrica perfecta, y un emblema de la reconciliación de las oposiciones y las contradicciones. La obra de Laughlin puede representarse como un círculo alrededor de un punto fijo: la poesía, una forma que no es distinta a la que dibuja el esquí sobre el hielo.

México, 21 de agosto de 1990

[«El esquí y la másquina de escribir: James Laughlin» es el prólogo al libro de James Laughlin, *Random Stories*, Nueva York, 1990.]

VARIACIONES CHINAS

Parque de los Venados

RIBETE[1]

El ensayo de Eliot Weinberger sobre las sucesivas traducciones del pequeño poema de Wang Wei ilustra, con sucinta claridad, no sólo la evolución del arte de traducir en el periodo moderno sino asimismo los cambios de la sensibilidad poética. Sus ejemplos vienen del inglés y, subsidiariamente, del francés; estoy seguro de que una exploración paralela en alemán e italiano daría resultados semejantes. Weinberger sólo cita una versión al español: la mía; quizá haya alguna otra. También debe haber alguna o algunas al portugués. Hay que confesar, sin embargo, que la poesía china no cuenta en ninguno de los dos idiomas con un corpus de traducciones semejante, por la importancia y la calidad, a los de las otras lenguas. Es lamentable: la edad moderna ha descubierto otros clasicismos además del de la cultura grecorromana y uno de ellos es el de China y Japón.

El inteligente ensayo de Weinberger me ha hecho volver sobre mi traducción. Probablemente la mayor dificultad que presenta para cualquier traductor un poema chino es la índole de la lengua y de la escritura. La mayor parte de los poemas del *Shih-Ching*, la colección más antigua de poesía china, están escritos en versos de cuatro sílabas que son cuatro palabras / caracteres. Por ejemplo, la transcripción fonética de la primera línea de un pequeño poema erótico del *Shih-Ching* está compuesta de estos cuatro monosílabos: *Shing-nü-ch'i-shu*. La traducción literal es la siguiente: *Dulce muchacha cuanto linda*. No es imposible transformar

[1] Comentario al ensayo de Eliot Weinberger: *Nineteen Ways of Looking at Wang Wei* (Nueva York, 1987), en el que examina dieciséis traducciones al inglés, dos al francés y una al español del poema de Wang Wei: *Parque de los Venados (Lu zhai)*. Este poema es parte de una serie de veinte poemas de cuatro líneas; cada uno describe distintos lugares en las orillas del río Wang, en cuyas cercanías el poeta poseía una casa de campo. Hay otra serie de poemas con el mismo tema, escritos por un amigo de Wang Wei, el poeta P'ei Ti. Wang Wei fue también un reputado pintor pero su obra, por desgracia, ha desaparecido. Quedan copias, no muy confiables, de una serie de pinturas que ilustraban los *Poemas del río Wang*. La serie fue escrita y pintada probablemente al final de su vida, entre 756 y 759.

esta frase en un verso de romance: *¡Qué linda la dulce niña!* Cinco palabras y ocho sílabas: el doble del original. Arthur Waley pensó resolver el problema prosódico procurando que a cada monosílabo chino correspondiese un acento tónico en el verso inglés. El resultado ha sido versos ingleses muy largos aunque con el mismo número de acentos del original chino. Este método, aparte de no ser muy perfecto, es inaplicable en español: en nuestro idioma las palabras tienen en general más sílabas que en inglés y menos acentos tónicos. El equivalente de nuestro endecasílabo es el pentámetro yámbico inglés. Nuestro verso tiene, a veces, tres acentos (en la cuarta, en la octava o la séptima, en la décima) y otras sólo dos (en la sexta y en la décima); en cambio, el verso inglés tiene cinco acentos o golpes rítmicos. Además, en inglés el número de sílabas es fluctuante y en español es fijo. ¿Y la rima? Aquí el español es más afortunado que el inglés; no sólo tenemos más consonantes sino que contamos con la rica asonancia. Gran ventaja del asonante: la rima se vuelve un eco lejano que nunca repite exactamente el final del verso anterior. Señalo, en fin, un pequeño parecido entre la versificación china y la española: en los poemas chinos riman solamente los versos pares, exactamente como en nuestro romance y en poemas tradicionales asonantados.

El primero que logró hacer poemas ingleses con los originales chinos fue Ezra Pound. Todos los que, después, hemos hecho traducciones de poesía china y japonesa no sólo somos sus continuadores sino sus deudores. Cierto, la teoría de Pound para traducir del chino no me convence. En otros escritos he tratado de explicar mis razones. No importa: si desconfío de su teoría, su práctica no sólo me convence sino que, literalmente, me encanta. Pound no buscó ni la equivalencia métrica ni la rima: a partir de las versiones de Fenollosa, escribió poemas de lengua inglesa en versos libres. Esos poemas tenían (y todavía tienen) una inmensa novedad poética y, al mismo tiempo, nos hacen vislumbrar otra civilización muy lejos de la tradición grecorromana de Occidente.

Los poemas de *Cathay* (1915) están escritos en un idioma nervioso y en versos irregulares que, con cierta ligereza, he llamado libres. La verdad es que, aunque no tienen medida fija, cada uno es una unidad verbal. Nada más alejado de la prosa cortada en renglones cortos que hoy pasa por verso libre. ¿Los poemas de Pound se parecen a los de los originales? Vana pregunta: Pound *inventó*, como dice Eliot, la poesía china en inglés. El punto de partida fueron unos antiguos poemas chinos, revividos y cambiados por un gran poeta; el resultado fueron otros poemas. Otros:

los mismos. Con el pequeño volumen de traducciones de Pound comenzó, en gran medida, la poesía moderna de lengua inglesa pero, asimismo, comenzó algo muy singular: la tradición moderna de la poesía clásica china en la conciencia poética de Occidente.

La experiencia de Pound tuvo fortuna y después de *Cathay* muchos otros intentaron vías diferentes. Pienso sobre todo en Arthur Waley. Las traducciones de poesía china y japonesa al inglés han sido tantas y tan diversas que forman un capítulo de la poesía moderna en esa lengua. No encuentro nada parecido en francés, aunque hay algunas traducciones notables, como las de Claude Roy y las de François Cheng. Cierto, debemos a Claudel, Segalen y Saint-John Perse visiones poéticas de la China pero no traducciones memorables. Es lástima. En lengua española la escasez se vuelve pobreza.

En mis aisladas tentativas seguí, al principio, el ejemplo de Pound y, más que nada, el de Waley, un tanto más dúctil aunque menos intenso y poderoso. Después, poco a poco, he buscado mi propio camino. Al comenzar usé el verso libre, más tarde quise ajustarme a un patrón fijo, sin tratar por supuesto de reproducir los metros chinos. En general, he procurado conservar el número de versos de cada poema, no desdeñar las asonancias y respetar, hasta donde me ha sido posible, el paralelismo. Este elemento es central en la poesía china pero ni Pound ni Waley le prestaron la atención debida. Tampoco los otros traductores de lengua inglesa. Omisión grave pues el paralelismo no sólo es el núcleo de los mejores poemas chinos sino que corresponde a la visión del universo de poetas y filósofos: el *yin* y el *yang*. La unidad que se bifurca en dualidad para reunirse de nuevo y de nuevo dividirse. Añado que el paralelismo une tenuemente a nuestra poesía primitiva con la china.

En la época Han se pasó del verso de cuatro sílabas a los de cinco y siete *(Ku-shih)*. Estos poemas están compuestos en un estricto contrapunto tonal. (El lenguaje clásico tiene cuatro tonos.) El número de versos es indefinido y se riman sólo las líneas pares. Durante el periodo Tang la versificación se hizo más estricta y se escribieron poemas de ocho y cuatro versos (*Lu-shih* y *Chüeh-chü* respectivamente). Los versos de estos poemas son, como los del estilo anterior, de cinco y siete sílabas; la misma rima se usa en todo el poema. Las otras reglas se refieren al paralelismo (los cuatro versos en el centro del poema deben formar dos parejas antitéticas) y a la estructura tonal. Esta última recuerda, en cierto modo, la versificación cuantitativa clásica aunque el ritmo no se logra a través de la combinación de sílabas breves y largas sino de la alternancia de tonos. Cada poema chino se presenta como un verdadero contrapunto que no puede reproducirse en una lengua indoeuropea. Ahorro al lector el cuadro de las diferentes combinaciones (dos para los versos de cinco sílabas y dos para los de siete). Hay otras formas: el *Tz'u*, poesía escrita para acompañar a tonadas musicales ya existentes y con líneas de desigual extensión; el verso dramático *(Ch'u)* y el lírico-dramático *(San-Ch'ü)*.

PRIMERAS VERSIONES

Hace unos veinte años, seducido por la visión de la naturaleza que aparece en la poesía de Wang Wei, traduje algunos poemas, con la ayuda de varios amigos y de algunas traducciones al inglés y al francés. He escrito «visión de la naturaleza» pero debo aclarar que en los poemas de Wang Wei, como dice el poeta Wai-lim Yip, «la naturaleza *habla* y *actúa*». Recogí esas traducciones y otras más en *Versiones y diversiones* (1974). En la segunda edición de ese libro (1978) me sentí obligado a dedicar unas páginas del prólogo a *Parque de los Venados*. Transcribo lo que entonces escribí.

> El poema de Wang Wei ha sido traducido y comentado muchas veces. James J. Y. Liu le dedica varias páginas de exégesis en su *The Art of Chinese Poetry*. Además, yo tuve la suerte de discutir mi traducción con Wai-lim Yip. El poema pertenece al género *Chüeh-chü*: cuatro líneas de cinco caracteres cada una, con rimas enlazadas. A continuación ofrezco la transcripción fonética (sistema Wade) y una versión literal:
>
> *K'ung shan pu chien jen*
> Desierta montaña no ver gente
> *Tan wen jen yü hsiang*
> Sólo oír gente hablar sonido
> *Fan ying ju shen lin*
> Refleja luz penetrar profundo bosque
> *Fu chao ch'ing t'ai shang*
> Otra vez brillar verde musgo sobre
>
> La traducción de este poema es particularmente difícil porque extrema las características de la poesía china: universalidad, intemporalidad, imper-

sonalidad, ausencia de sujeto. En el poema de Wang Wei la soledad del monte es tan grande que ni el mismo poeta está presente. Después de muchas consultas y tentativas, escribí estos cuatro versos sin rima, todos de nueve sílabas, salvo el último que es de once:

No se ve gente en este monte.
Sólo se oyen, lejos, voces,
Por los ramajes la luz rompe.
Tendida entre la yerba brilla verde.

Meses después, leyendo algunos textos Mahayana, me sorprendió la frecuencia con que se menciona al Paraíso Occidental, sede del Buda Amida. Recordé entonces que Wang Wei había sido ferviente budista; consulté una de sus biografías y descubrí que su devoción por Amida era tal que había escrito un himno en el que habla de su deseo de renacer en el Paraíso Occidental —el lugar del sol poniente. El poema sobre el *Parque de los Venados* forma parte de una serie famosa: *Veinte vistas de Wang-ch'uan.* Poesía de la naturaleza pero poesía budista de la naturaleza: ¿el cuarteto no reflejaba, más allá del esteticismo naturalista tradicional en ese tipo de composiciones, una experiencia espiritual? Un poco más tarde, leí el libro de Burton Watson: *Chinese Lyricism.* Allí encontré una confirmación de mi sospecha: para Wang Wei la luz del sol poniente poseía una significación muy precisa. Alusión al Buda Amida: al caer la tarde el adepto medita y como el musgo del bosque, recibe la iluminación. Poesía perfectamente objetiva, impersonal, muy lejos del misticismo de un San Juan de la Cruz, pero no menos auténtica y profunda que la del poeta español. Transformación del hombre y la naturaleza ante la luz divina, aunque en sentido inverso al de la tradición occidental. En lugar de humanizar al mundo que nos rodea, el espíritu oriental se impregna de la objetividad, pasividad e impersonalidad de los árboles, las yerbas y las peñas para así, impersonalmente, recibir la luz imparcial de una revelación también impersonal. Sin perder su realidad de árboles, piedras y tierra, el monte y el bosque de Wang Wei son emblemas de la vacuidad. Imitando la reticencia de Wang Wei me limité a cambiar ligeramente las dos últimas líneas:

No se ve gente en este monte.
Sólo se oyen, lejos, voces:
La luz poniente entre las ramas.
El musgo la devuelve, verde.

TERCERA VERSIÓN

Nunca me satisfizo mi traducción. La lectura del ensayo de Eliot Weinberger me animó a revisarla.

Parque de los Venados tiene cuatro versos y sólo riman el segundo y el cuarto. Escogí, como ya dije, el verso de nueve sílabas porque parece un endecasílabo trunco y el poema chino es un poema cortado súbitamente (algunos traducen *Chüeh-chü* por la expresión inglesa *stop-short)*. El verso de nueve sílabas es el menos tradicional de nuestros metros y aparece poco en la poesía de nuestra lengua, salvo entre los modernistas, que lo practicaron mucho, sobre todo Rubén Darío. Decidí, además, usar rimas asonantes pero, a diferencia del original chino, rimé las cuatro líneas. El poema está dividido en dos partes. La primera alude a la soledad del bosque y en ella predominan las sensaciones auditivas y no las visuales (no se ve a nadie, sólo se oyen voces); la otra se refiere a la aparición de la luz en un claro del bosque y está compuesta por sensaciones visuales silenciosas: la luz atraviesa las ramas, cae sobre el musgo y, por decirlo así, sube de nuevo. Atento a esta división sensorial y espiritual, dividí al poema en dos pareados; el primer verso rima con el segundo y el tercero con el cuarto. Utilicé sin cambiarlos los dos primeros versos de mi versión anterior pero modifiqué radicalmente el tercero y el cuarto:

> No se ve gente en este monte,
> sólo se oyen, lejos, voces.
> Bosque profundo. Luz poniente:
> alumbra el musgo y, verde, asciende.

Las dos primeras líneas no necesitan justificación. Me parece que logré transmitir la información del poema conservando la impersonalidad: el yo es virtual. ¿Qué dicen dos autoridades en la traducción de poesía china, James J. Y. Liu y François Cheng, acerca del tercer y cuarto verso, a un tiempo simples y enigmáticos?[1] El tercer verso, según Cheng, dice así: «sombra retornada-penetrar-bosque-profundo». Cheng aclara que sombra retornada alude al sol poniente. Liu traduce en términos semejantes sólo que, con mayor propiedad, dice luz reflejada en lugar de sombra re-

[1] James J. Y. Liu: *The Art of Chinese Poetry* (Londres, 1962), y François Cheng: *L'Écriture poétique chinoise* (París, 1977).

tornada. En su versión literaria Liu escribe: *the reflected sunlight pierces the deep forest.* Por su parte Cheng dice: *ombres retournent dans la forêt profonde.* El lector, por una nota al pie de la página, debe comprender que *ombres retournent* —giro forzado— significa: rayos del sol poniente. ¿Y por qué sombras y no luz, claridad o algo semejante? Vacilé mucho al traducir esta línea. Primero escribí: «Cruza el follaje el sol poniente». Pero el poeta no habla de follaje sino de bosque. Intenté entonces: «Traspasa el bosque el sol poniente». Un poco mejor pero quizá demasiado enérgico, activo. Decidí omitir el verbo, ya que el español permite la elipsis. Los dos bloques sintácticos («bosque profundo / luz poniente») preservan la impersonalidad del original y, al mismo tiempo, aluden al silencioso rayo de luz que atraviesa la espesura.

Según Cheng el último verso significa: «todavía-brillar-sobre-musgo-verde». A su vez, Liu dice: «Otra vez-brillar-verde-musgo-sobre». O sea: el reflejo es verde. En la versión literal de Eliot Weinberger se incluyen todos los posibles sentidos: «volver-otra vez / brillar-reflejar / verde-azul-negro / musgo-liquen / en-sobre». En dos puntos mi versión se aparta de las otras. El primero: la luz poniente alumbra el musgo —en lugar de reflejarlo o brillar sobre él— porque en el verbo alumbrar aparece el aspecto físico del fenómeno (brillo, luz, claridad) y el espiritual: iluminar el entendimiento. El segundo: digo que el verde reflejo *asciende* porque quise acentuar el carácter espiritual de la escena. La luz del sol poniente alude al punto del horizonte regido por el Buda Amida. Sin tratar de precisar demasiado el juego flotante de las analogías, puede decirse que el sol poniente está por la luz espiritual del paraíso del Oeste, el punto cardinal del Buda Amida; la soledad del monte y el bosque están por este mundo, en el que no hay nadie realmente aunque se oigan ecos de voces; el claro del bosque iluminado por el rayo silencioso está por aquel que medita y contempla.[1]

México, 1984

[«*Parque de los Venados*» se publicó en *Al paso*, Seix Barral, Barcelona, 1992.]

[1] Ya escrito y publicado este texto (*Vuelta*, núm. 91, México, junio de 1984), el profesor Russell Maeth, severo crítico, publicó un pequeño ensayo en el que me felicita por haber restituido el antiguo significado de la palabra clave del verso final: *ziang* (en el sistema Wade: *shang*). Esta palabra significa hoy «sobre» pero en la época Tang significaba «ascender». No sin confusión le doy las gracias al profesor Maeth; ignoraba el cambio de significado: me decidí por la palabra *asciende* inspirado no por razones filológicas sino poéticas.

Un poema de Tu Fu

A Wei Pa y a Jaime García Terrés

Hace más de treinta años traduje varios poemas de Tu Fu, entre ellos este que ahora ofrezco en una nueva versión. Recogí esos entretenimientos en *Versiones y diversiones* (1974). En esta nueva tentativa he tenido como único guía a David Hawkes y a su libro *A Little Primer of Tu Fu*. Publicado por Oxford University Press en 1967, sigue siendo insustituible para todo aquel que quiera acercarse a la obra del gran poeta chino. El libro de Hawkes contiene sólo treinta y cinco poemas de Tu Fu pero el cuidado inteligente que presta a cada texto vale más que una copiosa antología: cada poema aparece en caracteres chinos, acompañado de una transliteración (sistema Pin-yin), que da una idea de la música del verso; después, una nota sobre el título y el tema del poema, seguido de otra sobre su forma (metro, rima, estrofas); a continuación, una traducción literal *(crib)* y una exégesis; al fin, una versión en prosa. El defecto del nuevo sistema de transliteración es que vuelve irreconocibles muchos nombres propios muy conocidos: Li Po se transforma en Li Bai, el gran emperador Kiangsi en Jian-xi, Tao en Dao, el poeta favorito de Waley, Po Chü-i, en Bai Juyi, el gran T'ao Ch'ien en Tao Qian y así sucesivamente. Naturalmente yo escribo Tu Fu y no, como quieren las nuevas reglas, Du Fu.

El título del poema es *Zeng Wei Ba chu-shi*. La primera palabra, *Zeng*, significa: dedicado a; Wei es el apellido del amigo de Tu Fu y Ba (Pa) es ocho. El poema está dedicado a Wei, octavo de su nombre. Como quien dice: A Wei el octavo. O más bien: a Octavio Wei. El término *chu-shi* significa recluso pero no designa a un ermitaño o anacoreta sino a un caballero —un letrado— que vive en el campo, en algún lugar tranquilo y hermoso, lejos de la corte y de los negocios del mundo. Pensemos en las villas de la Antigüedad, en el poeta y filósofo Filodemo en las cercanías de Nápoles o en la quinta de Horacio en la campiña romana. Tu Fu escribió el poema probablemente en 759, durante su visita, en misión oficial, como funcionario del Departamento provincial de Educación, a la prefectura de Hua-Chou. El letrado Wei Pa vivía en esa región y Tu Fu tuvo entonces ocasión de volver a ver a su amigo y pasar una noche o dos en su casa de campo.

El poema, escrito en un metro de cinco sílabas, está compuesto por doce dísticos. Este tipo de poema pertenece al llamado Viejo Estilo *(Ku-shih)* y se parece, por la rima única en verso par, a nuestros romances y corridos. En la segunda línea del poema se cita a las constelaciones de Shen y Shang; son estrellas en Orión y Escorpión que nunca pueden verse al mismo tiempo: unas salen cuando las otras se ponen. El poema es límpido y su tema familiar: la visita a un amigo al que no se ha visto durante muchos años. En un verso se menciona a «las cebollas cortadas en la lluvia nocturna». Es un proverbio que alude a una anécdota: un letrado sale una noche lluviosa a cortar en su huerto cebollas y otras legumbres para hacer la sopa de un visitante inopinado. Por último, renuncié a la rima pero no a la métrica: utilicé versos de catorce sílabas. En cambio, procuré preservar dos de las características del poema: el número de dísticos y versos (doce y veinticuatro) y, sobre todo, el paralelismo, recurso central de la poesía china y al que varios traductores ilustres, como Pound y Waley, no le prestaron la atención debida.

He dedicado mi traducción al poeta y letrado Jaime García Terrés. Nos vemos poco pero no porque, como en el poema de Tu Fu, nos separen altas montañas y leguas de distancia; los dos vivimos en la ciudad de México, inmenso hormiguero que nos ha convertido a todos en reclusos, separados de nuestros amigos por los embotellamientos de tránsito, el ruido, el *polumo*[1] y el desorden. Durante nuestros raros encuentros conversamos y bebemos, no en copas de jade o de cuerno de rinoceronte como los cortesanos chinos, sino en vasos de vidrio. Tenemos opiniones distintas sobre la naturaleza del Cielo y sobre la marcha incierta de los hombres sobre la Tierra pero nos gustan los mismos poetas. Esto es bastante. Hablamos de las diez mil cosas que han hecho este universo y de algunas de las que forman los otros. Bebemos sin emborracharnos, salvo de palabras.

[1] *Polumo:* polvo y humo.

AL LETRADO WEI PA

A Jaime García Terrés

Arriba Shen y Shang giran sin encontrarse:
como las dos estrellas pasamos nuestras vidas.
Noche de noches, larga y nuestra, sea esta noche:
nos alumbra la mansa luz de la misma lámpara.
Miro tus sienes, miras las mías: ya cenizas.
Los años de los hombres son rápidos y pocos.
Brotan nombres amigos: la mitad son espectros.
La pena es alevosa: quema y hiela la entraña.
Veinte años anduve por el mundo inconstante;
ahora, sin pensarlo, subo tus escaleras.
Cuando nos separamos eras aún soltero;
hoy me rodea un vivo círculo risueño.
Todos, ante el antiguo amigo de su padre,
se aguzan en preguntas: ¿de dónde, cuándo, a dónde?
Preguntas y respuestas brillan y se disipan:
tus hijos han traído los cántaros de vino,
arroz inmaculado, mijo color de sol
y cebollas cortadas en la lluvia nocturna.
Hay que regar, me dices, con vino nuestro encuentro.
Sin respirar bebemos las copas rebosantes
diez veces y otras diez y no nos dobla el vino.
Nuestra amistad lo vence: es un alcohol más fuerte.
Mañana, entre nosotros —altas, infranqueables—
se alzarán las montañas. Y el tráfago del mundo.

COLOFÓN: LOS RINOCERONTES Y LAS DAMAS

Este poema de Tu Fu ha sido traducido muchas veces, sobre todo al inglés. Entre los traductores está el poeta Kenneth Rexroth. Releí su versión y me intrigó la forma en que traduce el pasaje en que los dos amigos apuran de un tirón diez copas de vino: *we drink ten toasts rapidly from the rhinoceros horn cups*. En el original no aparecen esas copas de rinoceronte; probablemente Rexroth las mencionó para darle un poco de color de época al poema. Para saber si realmente eran de uso corriente en la China del siglo VIII consulté el curioso libro de Edward H. Schafer: *The Golden Peaches of Samarkand (A Study of T'ang Exotics,* 1963). En el capítulo dedicado a los rinocerontes encontré que las copas en cuestión eran más bien pequeñas. No está claro si servían para beber vino en los banquetes o si tenían solamente usos mágicos y medicinales. De cualquier modo, los cuernos de rinoceronte eran artículos de importación raros y costosos; sólo los muy ricos y los altos funcionarios de la corte imperial y sus allegados podían poseer esos objetos preciosos. No es fácil que Wei Pa tuviese en su casa esa clase de copas. Los rinocerontes —mejor dicho: sus despojos— venían de Anam y de la India pero también de África. La corte Tang era inmensamente rica, como la Roma del apogeo imperial, cuyo lujo provocaba la cólera del poeta Juvenal. Schafer atribuye la casi extinción de los rinocerontes en Indochina al comercio de exportación con los Tang.

En otro poema de Tu Fu, también estudiado por Hawkes, la *Balada de las damas hermosas (Li Rin-xing),* aparecen de nuevo los cuernos de rinoceronte. El poema es una pieza cortesana: la descripción de un banquete en el palacio imperial al que asisten la joven emperatriz Yang Kuei-fei, sus hermanas y otras señoras. Tu Fu las nombra sin nombrarlas, llamándolas «el linaje de la Señora de la Cortina de Nubes y de la Cámara de la Flor de Pimienta». O sea: la parentela de la emperatriz. Una familia de advenedizos intrigantes y corrompidos. Tu Fu menciona algunos de los platos que les sirven, tales como carne rosa de joroba de camello y pescados de carnes blancas como nieve. Enseguida dice que las elegantes señoras cortan esos manjares con cuchillos provistos de campanilla de jade y se llevan a la boca, con displicencia, algunos pedazos en palillo de cuerno de rinoceronte.

¿Esos palillos eran únicamente objetos de lujo? Entre las propiedades del cuerno de rinoceronte estaba la de ser poderoso antídoto. Tal vez las damas los usaban en las ceremonias oficiales para detectar algún veneno o para neutralizarlo. El cuerno de rinoceronte, molido en polvo, se bebía en pequeñas cantidades; en forma de placa se llevaba en el pecho como un talismán o un escapulario. Era general la creencia en los poderes afrodisiacos y restauradores del polvo de cuerno de rinoceronte. Formaba parte de la medicina mágica taoísta. El emperador reinante, Hsüan Tsung, era un devoto taoísta y pretendía descender del fundador de la doctrina, Lao-tsé. Estaba casado con una mujer hermosa y más joven que él (había sido concubina de uno de sus hijos antes de ocupar su lecho) y era natural que se interesase en la magia erótica. También se interesaba, como muchos emperadores y notables, en los elixires de inmortalidad que prometían los magos taoístas.

Los cuernos de rinoceronte eran doblemente apreciados: primero, por sus virtudes curativas y afrodisíacas; en seguida, como materia preciosa. Se les estimaba como al marfil, el jade, el nácar y las perlas. Además de copas y palillos, se hacían cajas, hebillas de cinturón, placas y otros ornamentos. Entre los presentes que en una ocasión ofreció la pareja imperial, Hsüan Tsung y Yang Kuei-fei, a su protegido, el general An Lu-shan, se encontraban cucharas y palillos de cuerno de rinoceronte. An Lu-shan era un bárbaro, un extranjero. Era mitad persa y mitad turco; su nombre en iranio era *Rowshan* (el Brillante). Un nombre, dice Schafer, afín al de Roxana, la mujer de Alejandro. Sin embargo, Waley indica, en su biografía de Li Po, que An Lu-shan es una corrupción china de la palabra persa *chakar,* sirviente. Como otros extranjeros del mismo origen, desde joven se alistó en los ejércitos imperiales de China y pronto alcanzó el grado de general. La política de los Tang, como antes la del Bajo Imperio romano, era confiar el alto mando a jefes de origen extranjero en la defensa de las fronteras continuamente amenazadas. (*Cf.* Arthur Waley: *The Poetry and Career of Li Po,* 1950). Las tropas bajo el mando de An Lu-shan ascendieron a doscientos mil hombres.

En 755, por una serie de incidentes, enemistado con la facción en el poder, encabezada por el primer ministro Yang Kuo-chung, primo de la emperatriz Yang Kuei-fei, el general se levantó en armas y avanzó hacia la capital. La rebelión de An Lu-shan hizo temblar a la dinastía Tang, que nunca pudo recobrarse enteramente del golpe, causó la muerte de la hermosa Yang Kuei-fei y la abdicación de Hsüan Tsung. Las tropas imperiales, derrotadas por los rebeldes, abandonaron la capital, Ch'ang-an. En la huida se amotinaron y obligaron a Hsüan Tsung a ejecutar a su esposa, a la que con cierta razón atribuían los desastres del imperio. El emperador dejó el poder y sólo años más tarde, después de mucho batallar, pudo su hijo restablecer la dinastía. An Lu-shan —bandido para unos y para otros héroe— murió asesinado en una conspiración en la que participó su propio hijo.

Estos episodios terribles han sido tema constante de la poesía y del teatro no sólo de China sino del Japón. Hay un largo y famoso poema de Po Chü-i *(Pena Eterna)* en la que Hsüan Tsung, todavía enamorado y lleno de remordimientos, envía un mago taoísta al otro mundo para que busque a Yang Kuei-fei. El mago recorre los reinos de abajo y de arriba hasta que la encuentra en un palacio construido en lo alto de la montaña de una isla, en compañía de otros inmortales. Yang Kuei-fei había sido, en la tierra, famosa por su vida disoluta pero en la Isla de los Bienaventurados se llama Purísima Esencia. En prenda de amor eterno le envía a su amante, por medio del mago taoísta, un alfiler de oro y una cajita (¿de cuerno de rinoceronte?) incrustada en gemas preciosas, con este mensaje: «Seamos en el cielo como los dos pájaros que vuelan siempre juntos y en la tierra como la doble planta que florece en un solo follaje». El poeta comenta: tal vez esta unión no fue eterna pero sí lo fue la pena de esos amores. En su diario *Oku no Hosomichi* (*Sendas de Oku,* México, 1970), Matsuo Bashō cita estos versos de Po Chü-i, aunque en una versión un poco distinta. Los recuerda en un cementerio y llega a la misma conclusión melancólica del poeta chino: «entre los pinos hay muchas tumbas. Ver que en esto terminan todos esos juramentos y promesas de vivir *como el pájaro de dos cabezas o los árboles de ramas unidas* aumentó mi tristeza...»

Dos detalles que no sé si llamar cómicos o atroces: Yang Kuei-fei era regordeta, un tipo de belleza raro en la tradición china; An Lu-shan era de baja estatura y obeso. Yang Kuei-fei lo adoptó como hijo. ¿Serían amantes, como dicen algunos, tal vez sin mucho fundamento? Los gordos, el incesto simbólico, la magia, el crimen... Estamos muy lejos del mundo de Tu Fu y Wei Pa.

México, 1986

[«Un poema de Tu Fu» se publicó en la revista *Vuelta,* núm. 120, México, noviembre de 1986.]

Ermitaño de palo

Han Yü (768-824) es más conocido y estimado como renovador de la prosa y como acerbo polemista que como poeta. Los historiadores recuerdan sus ataques al budismo y las vicisitudes de su variada carrera política, que lo llevó de la universidad al destierro y de éste, tras una «abyecta apología» a ocupar altos puestos en el Ministerio de la Guerra y en el Gobierno Imperial Metropolitano. Los críticos literarios elogian la pureza y el vigor de su prosa; los legos, como yo, adoramos el extraño humor de sus breves ensayos, como aquella *Proclama a los cocodrilos* (publicada en uno de los primeros números de la *Revista Mexicana de Literatura,* hace ya un cuarto de siglo). Sin embargo, la poesía de Han Yü no es menos notable que su prosa, aunque la mayoría de los críticos chinos la han juzgado con cierta reticencia. El desvío se debe, tal vez, a que no pocas veces sus poemas se apartan de la corriente central de la tradición poética china. A. C. Graham, en su excelente *Poems of the Late T'ang,* cita la opinión de Liu Hsi-tsai, un crítico del siglo pasado: «Han Yü tiene el poder de hacer bello lo feo». Esta definición lo acerca al gusto de Occidente y sobre todo al moderno expresionismo. Es extraño que —a la inversa de Tu Fu, Po Chü-i o Su Shi— no haya atraído a más traductores. El desdén resulta más extraño si damos crédito a otro sinólogo, Charles Hartman, que dice: «Han Yü cumple con los tres requisitos que, según T. S. Eliot, debe satisfacer un gran poeta: abundancia, variedad y completa maestría».

En su célebre *Memorial sobre el hueso de Buda,* Han Yü increpa al emperador mismo:

> El Buda fue un bárbaro de nación; no conocía la lengua del Imperio del Centro y sus ropas eran de corte distinto. Ni su lengua hablaba ni su cuerpo se vestía según las reglas prescritas por los reyes de la Antigüedad; ignoraba lo mismo los deberes del ministro con el príncipe que los del hijo con el padre.

> Si ahora viviese y se presentase en la Corte, enviado por su nación, Su Majestad le concedería apenas una audiencia en la Sala de los Extranjeros, le ofrecería un banquete y le obsequiaría un juego de trajes de gala; después, haría que los guardias lo devolviesen a la frontera para impedir que descarriase a los ignorantes con sus prédicas. Hay menos razón para, después de tantos años de muerto, recibir hoy en la Ciudad Prohibida uno de sus huesos ya roído y podrido, sucia y repugnante reliquia. *Reverencio a los seres sobrenaturales,* dice Confucio, *pero los mantengo a distancia.*

A pesar de la violencia de sus sentimientos confucianos, Han Yü sentía cierta atracción por el budismo. Se parecía en esto a aquellos comecuras mexicanos que hace años pedían en la Cámara de Diputados la cabeza del arzobispo pero que secretamente enviaban a sus hijas a los conventos de monjas de Canadá y Francia.

La fascinación de Han Yü por el budismo —o como él diría: distante reverencia— se transparenta en algunos de sus poemas. Por ejemplo, en la última línea de un poema dedicado a un árbol seco, alude simultáneamente a la oquedad de su tronco y a la vacuidad budista *(śunyata)*. La alusión debe provocar en los lectores orientales una respuesta inmediata pues Han Yü emplea, para designar al centro hueco del árbol, una palabra que es el nombre de un sutra muy popular. Al árbol, dice literalmente el poeta, no le importa ya ser sólo el vacío de su corazón; y el sutra más amado y recitado en el Extremo Oriente se llama precisamente *Sutra del Corazón* (el centro, el núcleo, la esencia) *de la Perfecta Sabiduría* (Prajñaparamita-hrdayasutra). La doctrina puede resumirse en unas cuantas líneas: «Forma es vacuidad y vacuidad es forma... allí donde hay forma, hay vacuidad; allí donde hay vacuidad, hay forma; y lo mismo es verdad con las sensaciones y los sentimientos, con las percepciones y las pasiones, con la conciencia». La línea final del poema de Han Yü reposa sobre una doble ambigüedad, frecuente en los textos del budismo Mahayana: centro (del árbol)= centro (de la mente); oquedad (del tronco)= vacuidad (del espíritu). A continuación ofrezco una versión del poema, inspirada en las dos traducciones que ha hecho Graham:

UN ÁRBOL SECO

Un árbol sin renuevos, sin follajes;
no lo injurian heladas ni ventiscas.

Su panza es cueva donde cabe un hombre,
es un manto de hormigas su corteza.
No lo visitan pájaros: su huésped
es el moho que dura una mañana.
Pero su leña es llama que habla en lenguas
y es santa vacuidad su tronco hueco.

Una confesión: no resistí a la tentación de la heterodoxia y cristianicé, en la línea penúltima, al árbol seco. Han Yü dice que su leña sirve para hacer un buen fuego; yo convertí a ese fuego en lenguas y así lo hice hablar como un hombre poseído por el Espíritu. Aquellos sobre los que desciende ese fuego espiritual —el paradigma es el Pentecostés de los Evangelios— «hablan en lenguas». Pero esas lenguas son desconocidas e intraducibles; nadie las entiende, ni siquiera aquellos que las hablan (glosolalia). Por eso San Pablo, en la Primera Epístola a los Corintios, advierte a los fieles de los peligros de hablar en lenguas «desconocidas»: «Porque si yo orare en lengua *desconocida*, mi espíritu ora; mas mi entendimiento es sin fruto». Si Han Yü, el intransigente, leyese mi traducción, movería la cabeza en signo de reproche: no sólo está escrita en caracteres bárbaros sino que contiene una herejía.

México, 1979

[«Ermitaño de palo» se publicó en *Sombras de obras*, Seix Barral, Barcelona, 1983.]

Arcoíris de piedra

La disparidad entre el tiempo de *aquí* y el de *allá* —sea éste último el del otro mundo o simplemente el del mundo interior: sueño, ensoñación— es un tema que pertenece a todas las civilizaciones. Un parpadeo en el Paraíso equivale a un siglo entre los hombres, un día de Brahma es igual a 2.190 millones de años terrestres, durante las persecuciones del emperador Decio (249-251) los Siete Durmientes soñaron un sueño sin sueños en una gruta de Éfeso y no despertaron sino hasta el reinado de Teodosio II (408-450), en una recepción mundana Swan escucha por media hora la sonata de Vinteuil y esos pocos minutos le bastan para revivir su pasión desdichada y reconocer la inanidad de su vida. El tema es universal pero las versiones de Oriente, además de ser las más numerosas, me sorprenden por dos cualidades que, en este caso, no son excluyentes: la fantasía y la profundidad.

En China hay una leyenda que reduce a términos más humanos, aunque no menos asombrosos, la enormidad de los sueños cosmológicos y metafísicos de la India. Según Arthur Waley la primera versión de esta leyenda es el *Cuento de la almohada* de Li Pi (722-789). En Japón hay una hermosa y turbadora pieza Nô, atribuida a Zeami, que recoge el tema y le da una veracidad poética, que es la única veracidad que tolera la literatura. La pieza se llama *Katán* y el mismo Waley la tradujo al inglés de manera admirable, como casi todo lo que hizo. La historia puede contarse en unas pocas líneas: un joven que ha dejado su pueblo en busca de fortuna llega a una posada, en donde encuentra a un viejo vagabundo; el viejo le presta una almohada para que descanse mientras la posadera cuece un poco de arroz; el muchacho se tiende sobre una estera, reclina la cabeza sobre la almohada y se queda dormido; sueña entonces que logra ingresar en la burocracia imperial y que alcanza una posición muy alta; se casa, funda una familia, es destituido, los suyos lo niegan, conoce la abyección, recobra su crédito, lo vuelven a nombrar, manda un ejército que combate en las fronteras contra los bárbaros, sufre terribles penalidades y alcanza victorias insignes, de nuevo es acusado de traición, lo encarcelan, lo juzgan, lo condenan a muerte y en ese instante, antes de saber si se salvará o no, despierta: el arroz no se ha cocido aún. El joven decide volver a su pueblo, convencido de que «la desgracia sigue a los honores y la calumnia a la grandeza».

En la antología de A. C. Graham: *Poems of the Late T'ang* (Penguin, 1965) encontré otra versión que no sé si sea más antigua que la de Li Pi pero que me impresiona por una nota de osadía intelectual que no aparece en las versiones tradicionales. Es un poema de Meng Chiao (751-814),[1] un poema que formó parte del círculo de Han Yü, sobre el que publiqué hace algún tiempo una nota: «Ermitaño de palo» *(Vuelta,* 36, noviembre de 1979). El título del poema es más bien enigmático: *Las piedras donde se pudrió el mango del hacha.* Un pequeño texto que lo precede, a manera de epígrafe, lo aclara un poco: Wang Chih fue a la montaña Puente de Piedra en busca de leña; en un claro del bosque vio a dos muchachos que jugaban ajedrez; al verlo, los adolescentes le dieron algo que parecía un dátil de piedra; Wang Chih, que tenía hambre, mordió el dátil sin temor y lo comió con placer; al finalizar el juego, mientras guardaban las piezas, uno de los adolescentes le dijo: «¡Mira, el mango de tu hacha se ha podrido!» Cuando Chih regresó a su pueblo era un viejo centenario. El poema de Meng Chiao (traduzco la versión de Graham) dice así:

> Una mañana en el paraíso:
> mil años entre los hombres.
> Una jugada en el tablero:
> todas las cosas se vacían de substancia.
> El leñador regresa a su pueblo:
> el mango de su hacha deshecho en el viento.
> Nada es lo que fue pero el Puente de Piedra
> todavía tiene su arcoiris cinabrio.

Mi traducción no tiene pretensiones poéticas; quise únicamente preservar el sentido del poema para destacar su originalidad filosófica, por decirlo así. En todas las versiones del relato la excelencia del tiempo celeste

[1] Meng Jiao según la nueva transcripción fonética (Pin-yin).

se manifiesta de dos maneras que, aunque distintas, producen un resultado idéntico. Una es su inconmensurable duración: el sueño de los Durmientes de Éfeso dura más de un siglo y un siglo dura la partida de ajedrez de los muchachos que Wang Chih encuentra en la montaña. Otra es su indescriptible intensidad: las aventuras y desventuras del héroe de *Katán* duran el tiempo de cocerse un poco de arroz. De uno y otro modo se devalúa el tiempo terrestre y se subraya el carácter ilusorio de la realidad, su radical inconsistencia. La comparación entre los dos mundos asume la forma irrefutable del silogismo y el poder de convicción de la experiencia vivida: el otro mundo es real y este mundo es irreal; ergo, debemos renunciar al mundo de aquí para alcanzar el de allá.

El tiempo ultraterrestre es una suerte de ácido metafísico que disuelve a la realidad, la vacía de todos sus atributos y la revela tal cual es: una apariencia, una ilusión, un esqueleto que se desmorona vuelto polvo. Es menos que nada: una mentira. La desvalorización de la realidad mundana es más rigurosa y total en los sistemas idealistas indios y en su contrapartida, el budismo. También en ellos es más radical la renuncia al mundo. Ascetismo y sensualidad son los dos extremos de la India o, mejor dicho, las dos expresiones complementarias de su genio excesivo. Los chinos y los japoneses, al abrazar al budismo, conservaron su negación radical pero la suavizaron. Hay dos notas características de la civilización de China y de Japón que no aparecen en la India: el humor y la reticencia. Ambos están presentes en la versión del budismo que nos ha dado el Extremo Oriente.

El poema de Meng Chiao sigue a la tradición en todos sus puntos y, con gran sutileza, recoge y desarrolla uno de los elementos más extraños del relato de Wang Chih: la oposición entre lo duro y lo blando. Al contacto con el tiempo celeste la piedra se ablanda. En un caso, un guijarro se convierte en un fruto, el dátil que come Wang Chih; en otro, el mango de piedra del hacha (en aquella época las hachas eran de piedra) se transforma en un pedazo de materia en descomposición. En ambos casos el tiempo celeste infunde vida a la materia inanimada y, al animarla, la vuelve mortal. La inmortalidad verdadera está más allá de la vida y la muerte: es inmutable. La vulnerabilidad de la piedra revela que también ella es mortal: carece de verdadera sustancia, está vacía, es una apariencia. El tiempo celeste opera con la piedra como la razón de los teólogos budistas con la sustancia metafísica: es un disolvente de la realidad. Sin embargo, en el dístico final Meng Chiao insinúa algo completamente distinto y que es una negación de la actitud tradicional.

El poder corrosivo del tiempo celeste, que en un instante ablandó a la piedra, convirtió en centenario a un hombre joven y reveló la vacuidad del universo, se doblega ante un poder callado pero invencible: la naturaleza. Así, en los dos versos finales del poema aparece una idea que es el fundamento de la civilización china y que ha inspirado a todas sus creaciones: la verdadera divinidad es la naturaleza; los dioses y los hombres nacen de ella y a ella vuelven. El tiempo celeste nada puede contra el tiempo natural: la duración de una jugada de ajedrez, en el mundo de *allá*, basta para agotar el tiempo de *aquí*, pero todo el inmenso poder de los dioses se desvanece ante una simple montaña. Entre el cielo y los hombres está la tierra. Nada de lo que fue ayer queda en pie salvo el monte Puente de Piedra que despliega contra el horizonte su masa como un arcoiris color de oscuro cinabrio. El arcoiris es un verdadero puente, material y espiritual, entre el tiempo celeste y el tiempo humano.

Al terminar esta nota me asalta un escrúpulo: ¿no he ido demasiado lejos? Más de un especialista fruncirá el entrecejo. Me consuela pensar que tal vez el excéntrico Han Yü, el amigo de las evidencias, aprobaría mi interpretación.

México, 1983

[«Arcoíris de piedra» se publicó en la revista *Vuelta*, núm. 100, México, marzo de 1985; se incluyó en *Al Paso*, Seix Barral, Barcelona, 1992.]

Fundación y disidencia
DOMINIO HISPÁNICO

Advertencia del editor

Fundación y disidencia constituía el volumen 3 en la primera edición de estas *Obras completas* (1994). En esta edición se incluyen los textos que por afinidades temáticas corresponden a este volumen y que en la edición anterior se publicaron en el tomo 14, *Miscelánea II. Últimos escritos*. Estos textos son: «Al margen. Nota sobre poesía negra», «Premio Príncipe de Asturias», «Poesía y periodismo», «Nuestra lengua», «Reflejos: réplicas. Diálogos con Francisco de Quevedo», «De Octavio Paz a Luis Buñuel», «Columna: Victoria Ocampo», «Vertiginosas revelaciones del tintero: Orlando González Esteva», «Una voz que venía de lejos: María Zambrano (1904-1990)», «Oración fínebre: Luis Cardoza y Aragón (1904-1992)», «Luis Rosales (1910-1992)», «Roberto Juarroz: el pozo y la estrella» y «Pablo Neruda (1904-1973)». Además se incorpora el texto «Carlos Barral».

Al final de cada uno de los ensayos que integran este volumen, el lector encontrará la información concerniente a la procedencia de los textos. Tras la fecha en que se escribió se da la referencia del libro donde se publicó por primera vez; en el caso de que no haya sido recogido en libro se da el medio en el que apareció por vez primera. En caso de inéditos cuando se publicó la primera edición de estas *Obras completas*, así se hace constar. Los libros de procedencia son los siguientes: *Corriente alterna, Cuadrivio, Hombres en su siglo, In/mediaciones, Las peras del olmo, Puertas al campo, El signo y el garabato* y *Sombras de obras*.

PRÓLOGO

Unidad, modernidad, tradición

Los primeros libros que leí, apenas si necesito decirlo, fueron libros escritos en español. Sin pensar jamás en la nacionalidad del autor, leí a Galdós y a Darío, al Arcipreste de Hita y a César Vallejo, a Gómez de la Serna y a José Vasconcelos. Primero como lector, después como escritor, nunca he puesto en duda la unidad de nuestras letras. Es verdad que nuestra literatura abarca a dos continentes y a muchos países pero ni las diferencias geográficas ni las políticas ponen en entredicho su unidad esencial. Aunque el español de México es distinto al de Argentina y el que hablan los castellanos es diferente al de los andaluces, todos hablamos y escribimos en la misma lengua. Lo mismo sucede en el ámbito literario. Las diferencias entre las obras literarias no son menos acusadas que las regionales; sin embargo, no son el resultado de la geografía ni de la historia política. A pesar de que Valle-Inclán y Antonio Machado pertenecieron a la misma nación, sus obras son universos lingüísticos separados, astros de luz propia. Las diferencias entre ellos son de orden estético y espiritual. No hay una literatura peruana, argentina o cubana; tampoco hay una literatura española, al menos desde el siglo XVI. ¿Bernal Díaz del Castillo es español, mexicano, guatemalteco? Pregunta absurda: no se clasifica a los escritores por su nacionalidad o su lugar de nacimiento sino por su lenguaje. Bernal Díaz del Castillo pertenece, por el tema de su libro, a España y a México; por su prosa, a la crónica, un género tradicional que alcanzó en América características propias y excelsas.

¿Y el genio de los pueblos? No lo niego. Creo que cada nación posee un carácter, una índole y un talante, es decir, una suma de disposiciones y de limitaciones. Creo que esas cualidades son variables y que cambian sin cesar, como la historia misma. Creo, por último, que la literatura refleja, tanto o más que el carácter de las naciones, el de cada escritor. Lo que cuenta no es su pasaporte sino su visión del mundo y su lenguaje. Esa visión y ese lenguaje pertenecen a una sociedad y a un momento de su historia pero expresan sobre todo al genio personal del escritor. Si Racine es «muy francés», ¿qué será Balzac? ¿Cervantes es español y no lo son Góngora, Calderón o Lope de Vega? Más útil que dividir a los escritores por su nacionalidad, es pensar en las afinidades que los unen o en las antipatías que los separan. Hay familias de escritores como hay temperamentos humanos; unos somos sanguíneos y otros melancólicos, unos introvertidos y otros joviales, linfáticos o biliosos. Añado que las clasificaciones estilísticas son útiles sólo hasta cierto punto; no debemos tomarlas demasiado en serio: cada obra es única. Decir que Góngora es un poeta barroco no es decir mucho; dentro del llamado «estilo barroco» la poesía de Góngora conserva su arisca y endiablada hermosura. Es una ilustración del barroquismo y, al mismo tiempo, una excepción: no es de nadie sino de Góngora.

La unidad de nuestra literatura no contradice su variedad y su complejidad. No es la unidad de un bloque sino la de un sistema. Una idea que aparece varias veces en este libro es la de la dualidad de nuestra literatura. Hoy no estoy tan seguro de su pertinencia. Más adelante aparecerán las razones de mi desconfianza. Por lo pronto, recuerdo que en algún ensayo recogido en este libro sostengo que nuestra literatura es un sistema dual, compuesto por dos entidades en continua comunicación y choque, implicación y fusión. ¿Literatura española y literatura hispanoamericana? Para dar una respuesta adecuada a esta pregunta, tal vez debería haberla examinado con ojos de historiador. En su origen y hasta el siglo XVI la literatura española fue la escrita en el territorio de la península ibérica, salvo unas pocas excepciones, como la de los judíos desterrados. Unidad lingüística y espacial. La aparición de América fue un cambio radical no sólo en la esfera de la política y la economía sino en el dominio más secreto de las mentalidades, es decir, del alma hispánica. Me refiero a esa zona que es el núcleo psíquico de cada sociedad —Américo Castro la llamaba *intrahistoria*—, inmóvil en apariencia pero cuyos cambios son más profundos y duraderos que las revoluciones políticas. Éste es un tema que, para vergüenza de españoles e hispanoamericanos, apenas ha sido explorado.

Al principio la literatura escrita en la América hispana fue una rama, como dijo Menéndez Pelayo, del tronco español. Sin embargo, incluso en los grandes siglos de la literatura de España, hubo escritores que, de un modo o de otro, se desviaron del canon hispánico de su época. Los mejores y más altos ejemplos son dos escritores hispanoamericanos: Juan Ruiz de Alarcón y Sor Juana Inés de la Cruz. La separación de España comenzó en el siglo XIX y se acentuó al finalizar el periodo romántico con *Martín Fierro,* el poema de José Hernández. La ruptura se consumó en 1888 con la aparición de *Azul...* de Rubén Darío. Ruptura y fusión: el movimiento modernista, iniciado en América por Darío y un puñado de poetas hispanoamericanos, llegó pronto a España y la conquistó. La influencia del modernismo, hecha de aceptación ferviente y de violento rechazo (Jiménez, los Machado, Unamuno, Valle-Inclán), es la historia de la primera época de la literatura española moderna. El episodio se repitió un poco después de la primera Guerra Mundial con el creacionismo de Huidobro. El tercer episodio ha sido el de la influencia de los novelistas hispanoamericanos contemporáneos. En estos tres casos los escritores de América abrieron, ésa es la palabra, la ensimismada y encerrada literatura peninsular española a los vientos del mundo.

¿Cosmopolitismo hispanoamericano y casticismo español? Sí y no: las relaciones entre las dos literaturas han sido de tal modo continuas, complejas y diversas, que rechazan esta sumaria dicotomía. Ni la influencia Juan Ramón Jiménez en los poetas hispanoamericanos modernos ni la de Neruda en los españoles se ajusta a la dualidad cosmopolitismo / casticismo. Es aventurado intentar definir a la literatura española e hispanoamericana con la doble etiqueta de universalidad y tradicionalismo. Por una parte, las literaturas no tienen carácter; mejor dicho, su carácter es la pluralidad y la coexistencia de direcciones, estilos, temperamentos y obras. Por otra, el cosmopolitismo y el tradicionalismo no son atributos inherentes a hispanoamericanos y españoles: son momentos de nuestra historia literaria y nada más. En el siglo XVI los escritores españoles mostraron una viva e inteligente curiosidad ante las novedades italianas y no vacilaron en hacerlas suyas. Sin este acto de conquista creadora habría sido otra la poesía de Garcilaso y de Luis de León, otra la prosa de Cervantes y, en fin, otra la literatura de los siglos de oro. Durante el apogeo del neoclasicismo y la Ilustración, los españoles volvieron a sentir el mismo interés ante la literatura de ese periodo, aunque la asimilaron con menos fortuna y originalidad que dos siglos antes las letras italianas. Tampoco puede olvidarse que en Hispanoamérica han prosperado siempre los nacionalismos estéticos y literarios. Con la regularidad y la virulencia de las epidemias, hemos tenido al criollismo, al nativismo, al indigenismo y al telurismo. A veces, esos movimientos han producido obras notables, como la del mexicano López Velarde; otras, las más, han sido complacientes repeticiones de lugares comunes. Cuando Darío publicó *Prosas profanas,* un rumor de desaprobación rodeó al libro y muchos dictaminaron: Darío no es un poeta americano. Desde entonces un epíteto infamante: *descastado,* ameniza nuestras tertulias literarias. Ha sido lanzado una y otra vez, primero en contra de Reyes, más tarde en contra de Borges, después... ¿para qué alargar la lista?

Es imposible —y más: inútil— tratar de definir a las dos ramas de nuestra literatura: son realidades en perpetua mudanza. Cada obra nueva las modifica y las hace cambiar de color y de rumbo. Sin embargo, aunque inasibles e indefinibles, instintivamente decimos que son dos. Y apenas intentamos aislarlas, renace nuestra confusión: cada una de ellas está compuesta por muchas voces encontradas. No son un coro sino una polifonía. No obstante, siendo muchas, son una. No es difícil advertir que la tradición es lo que da unidad a todas esas voces y direcciones: no sólo el hecho de escribir en la misma lengua sino el de compartir una herencia literaria. Podemos negar esa herencia, aborrecer a Gracián o bostezar con Fernando de Herrera: no podemos negarla en bloque sin negarnos a nosotros mismos. Un poeta joven, por ejemplo, puede prohibirse el uso del endecasílabo: es legítimo. No lo es, sin riesgo de suicidio poético, ignorar los endecasílabos de Garcilaso, los de Lope o los de Darío. La literatura moderna está hecha de sucesivas negaciones de la tradición; al mismo tiempo, cada una de esas negaciones perpetúa a esa misma tradición. Cada autor nuevo necesita, en algún momento, negar a sus predecesores: así los imita y los prolonga. Sobre o, más bien: debajo de esas rupturas, la tradición da unidad y continuidad a nuestra literatura. Aclaro: no anula su diversidad, la hace posible, la sustenta.

Nada más ilustrativo de la función vivificante de la tradición en las creaciones literarias que el caso de Vicente Huidobro. Fue un verdadero creador y un poeta de inmenso talento. Poseído por la misma ambición de Darío, quiso cambiar el rumbo de la poesía de su tiempo y, en parte, contribuyó a cambiarla. Pero Huidobro, a la inversa de Darío, encandilado por el prestigio equívoco del futuro, no tuvo ojos para el pasado ni oídos para recoger sus voces múltiples. La más obvia de las limitaciones de su estilo reside precisamente en aquello que él creía ser su virtud mayor: el cosmopolitismo (en realidad: galicismo). Pensaba que al aligerar sus poemas de la tradición, los hacía más fácilmente traducibles; en realidad, les quitó peso, esa fatalidad verbal que es la ley de gravitación de la poesía. Lo contrario de Neruda, en el que cada palabra parece venir de muy lejos. Los versos de Neruda no son versos inventados sino *oídos*. Para oírnos a nosotros mismos debemos, antes, oír las voces de la tradición. Uno de los rasgos inquietantes de la literatura de los jóvenes de España y de América es que, a veces, no percibimos en sus libros la presencia de nuestra tradición, como si sus autores hubiesen leído únicamente traducciones. Pero tal vez mi impresión es falsa: hay que saber oír a los jóvenes. Es un arte muy difícil y que pocos dominan: Antonio Machado era bondadoso y tenía buena voluntad pero nunca lo logró. En fin, después de todo esto se comprenderá por qué he llegado a ver con reserva la idea de que nuestra literatura es un sistema dual. Me parece más cuerdo atenerse al doble juego de tradición y ruptura, unidad y pluralidad. Hay familias, linajes de escritores y, ante todo, hay personalidades. Hay saltos y choques, cambios y restauraciones que se resuelven en lo único que cuenta: obras. Lo demás pertenece al dominio de la historia y al de la sociología, el primero reino de lo particular y el segundo de las nieblas ideológicas.

En todos los ensayos, artículos y notas que componen este libro aparece el tema de la modernidad de (y en) nuestras letras. ¿Es moderna nuestra literatura? Esta pregunta no me deja desde que comencé a escribir. En el curso de los años he intentado responderla; cada una de mis respuestas terminaba invariablemente por convertirse en otra interrogación. ¿Qué es la modernidad, cómo definirla, en qué consiste? ¿Cuáles son sus límites en el espacio, dónde está su centro de irradiación y hasta dónde llega su influencia? ¿Y sus límites cronológicos? ¿O no los tiene y es un perpetuo presente abierto siempre a lo desconocido? Si así fuese, la modernidad no transcurre y su continuo movimiento no es sino inmovilidad: ¿la modernidad es una quimera? ¿Es un ascenso o una caída, una victoria o una derrota, el signo del alba o el estigma de la decadencia? ¿Es una o son varias? Si lo segundo, ¿cuándo comenzó la nuestra? ¿Ha terminado ya, como muchos afirman? En este caso y si vivimos en un periodo que ya no es «moderno», ¿qué es y cómo se llama? ¿Recomienza otra modernidad distinta a la que conocimos y que se nos ha escapado sin que nunca hayamos logrado aislarla? ¿La modernidad es un nombre vacío? Temo que esto último sea cierto. La modernidad es un expediente, una manera de nombrar lo que todavía no tiene nombre. Nos llamamos «modernos» porque ignoramos nuestro nombre. Nunca lo sabremos, como no supieron el suyo los griegos de la edad clásica, los romanos de Marco Aurelio, los cruzados de Godofredo, los chinos de los Reinos Combatientes. Ninguna época conoce su nombre: la historia sólo nombra a los muertos. Nos bautizan a la hora de nuestro entierro.

Muchos piensan que vivimos un fin de época. Es una creencia que aparece con cierta regularidad desde hace ya más de un siglo. Lo creyó Nietzsche y lo creyeron Verlaine y Valéry; lo proclamó Spengler con un redoble de tambores y Musil lo anunció con un fúnebre solo de flauta. Con la misma seguridad, otros no menos famosos han profetizado auroras y mediodías cargados de frutos solares. Las predicciones y las lamentaciones de unos y otros se han vuelto un montón de cenizas. El siglo xx ha sido pródigo en horrores y ferocidades: Atila y Gengis Khan no tuvieron ni las armas ni los recursos que hoy tiene cualquier oscuro dictador en este o aquel rincón del planeta. Pero este siglo también ha sido abundante en prodigios distintos: descubrimientos científicos, nuevas teorías sobre el universo y la vida, viajes a la luna y al átomo y sus partículas, exploración del cosmos y de las células y los genes, invenciones artísticas y creaciones literarias, hallazgos de ciudades y civilizaciones olvidadas, ideas nuevas y, en la esfera de la conducta, una mayor libertad y tolerancia, sobre todo en el dominio del cuerpo y la sexualidad. La multiplicación de las tiranías ideológicas provocó muchas rebeliones, unas activas y otras pasivas, unas individuales y otras colectivas. Una de las palabras que define a nuestro siglo es *resistencia.* Ha sido mucho más fecunda que otra heredada del siglo pasado: *revolución.* Hemos sido testigos del derrumbe de los imperios totalitarios y de la disolución del antiguo colonialismo. El fin del siglo ha sido igualmente el fin de la era glacial que sucedió a la segunda guerra y el del comienzo del deshielo de los pueblos y las conciencias. Y la gran novedad: la mujer aparece (reaparece) en el horizonte histórico.

Nuestra modernidad —cualquiera que vaya a ser el nombre que le reserve el futuro— ha cambiado al siglo y ha cambiado con el siglo: empezó siendo una arrogante afirmación de la preeminencia del futuro y ahora se resuelve en un haz de preguntas. Uno de los ensayos de este libro tiene por tema unos poemas de Quevedo con un título peregrino: *Heráclito cristiano.* Nada, en apariencia, menos moderno. Sin embargo, el verdadero tema de ese ensayo es la modernidad de la melancolía: Hamlet sigue poblando nuestros insomnios y cavilaciones. No ha sido nuestro santo ni nuestro demonio: ha sido nuestro espejo y, a veces, nuestro cómplice. Lo será más y más, sobre todo ahora que, después de la caída de las falsas certidumbres del socialismo totalitario y del derrumbe de las metahistorias, nos internamos en lo desconocido.

La literatura moderna comienza, en nuestra lengua, con Rubén Darío y el modernismo. Desde el principio, todos nuestros escritores se han definido frente a la modernidad. Por y contra: Ortega y Unamuno, Juan Ramón Jiménez y Antonio Machado, Vicente Huidobro y Alfonso Reyes. La voluntad de modernidad, incluso en aquellos que la negaron como Unamuno, ha sido una nota constante en nuestros escritores, desde el principio del siglo hasta nuestros días. Esta preocupación se alía muchas veces a la discusión sobre la universalidad y el cosmopolitismo. En general, los amantes de las corrientes de fuera han sido también críticos desdeñosos de nuestra tradición literaria; los tradicionalistas, por su parte, han endiosado obras apenas estimables. Confunden la importancia histórica de los textos con su valor literario y han condenado como herejías las influencias del extranjero. Unos tildaron de vejestorios a Calderón y a Lope (sus ídolos fueron, en el XVIII, Racine y, en el XIX, Shakespeare). Hoy tuercen la boca ante el costumbrista Galdós. Los otros han zaherido sucesivamente a Garcilaso, a los afrancesados de la Ilustración, a Larra, Bécquer, Darío, etcétera. Las batallas por y contra la modernidad son un capítulo de esa larga guerra de opiniones que ha sido nuestra crítica literaria desde el siglo XVI. La acritud en los juicios y su carácter absoluto ha sido una de sus notas constantes, seguida invariablemente por largos periodos de silencio somnoliento. En España y América las obras mueren dos veces: primero asesinadas por los envidiosos y después olvidadas por el público. Nuestra literatura ha vivido entre las riñas de las pasiones ideológicas y la calma de los sepulcros, entre la guerra civil y la modorra.

El caso de Jorge Luis Borges fue singular. En su juventud fue un apasionado ultraísta; pronto dejó de serlo y abandonó el estilo convulsivo de la secta, no su amor a las destemplanzas ingeniosas y al terrorismo literario. Leyó a nuestros autores con inteligencia, aprendió en sus libros y se burló de ellos con gracia y, también, con saña. Como en los días de los alborotos ultraístas, sus opiniones irritaron y escandalizaron. Condenó a Gracián al mismo tiempo que admiraba a Schopenhauer, admirador de Gracián. Sus juicios fueron exabruptos. Así se unió, tal vez sin quererlo, a las diatribas de dos escritores que, sin conocer siquiera nuestra lengua ni saber nada de nuestra literatura, la arrojaron al cesto de la basura: Edmund Wilson y Vladimir Nabokov. El primero, gran lingüista, no quiso aprender el español porque no había nada en esa lengua que valiera la pena leer; el segundo incluyó en el mismo gesto desdeñoso a Cervantes y a Borges. ¿Pero hay que defender al Romancero y a los místicos, al teatro y a la novela picaresca, a la Celestina y al Quijote, a Góngora y a Quevedo? Tampoco necesita defensa la literatura europea y americana del siglo XX (otro de los blancos del poeta argentino) ni, dentro de ella, la nuestra. Pienso sobre todo en los poetas, sin excluir naturalmente al mismo Borges. Por su variedad, su abundancia y su excelencia, nuestra poesía moderna sólo puede compararse a la del gran siglo de Góngora, Lope, Quevedo y Juana Inés de la Cruz.

Este pequeño repaso sería incompleto sin mencionar al «realismo socialista». Cada literatura es una sociedad de obras, personalidades, tendencias e ideas en perpetuo movimiento. El periodo moderno, desde fines del siglo XVIII y por razones que he procurado exponer en el primer volumen (*La casa de la presencia*), ha sido de grandes querellas estéticas, morales y filosóficas. Los siglos XIX y XX se distinguen de los otros no tanto por el número y la diversidad de las obras cuanto por las luchas enconadas entre las distintas tendencias literarias. En el siglo XIX los manifiestos literarios no fueron menos abundantes que los políticos y su tono fue igualmente polémico y perentorio. El ascenso de las ideologías totalitarias en nuestro siglo afectó aun más gravemente al arte y la literatura. Aparecieron doctrinas que exaltaron al «mensaje» de la obra por encima de sus otras cualidades. La crítica sectaria mutiló a las novelas, a los poemas y a las piezas de teatro al retirarles una de sus características esenciales, tal vez la central: la ambigüedad. Se intentó reducir *La tempestad* a una apología de la expansión imperialista y se definió a Eliot y a Kafka como un par de hienas dueñas de una máquina de escribir. La obra literaria dejó de ser un complejo y delicado organismo que emite distintos significados y se transformó en una máquina de propaganda que repetía incansable la misma simpleza: ellos son malos y nosotros buenos.

El «realismo socialista» y después, más confusamente, la «literatura comprometida», se convirtieron en catecismos y recetarios de escritores de buena voluntad y poca imaginación. Fue una tentativa universal de domesticación de las mentes. Lo más grave fue que algunos de nuestros mejores poetas, en América y en España, abrazaron con entusiasmo esas inepcias. Las prensas imprimieron y multiplicaron consignas y proclamas en verso, odas a Stalin y a Mao, loas a los comisarios y a sus látigos y ametralladoras. Visitaron al Edén muchas veces y en distintas épocas pero nunca se enteraron de las purgas, las matanzas de la colectivización y los campos de trabajos forzados. Su fe los cegó y donde había sangre y lodo ellos vieron y cantaron a los ángeles férreos que construían el socialismo. Aunque todo esto pertenece al pasado, es sano recordarlo de tiempo en tiempo para evitar que vuelva a suceder.

La modernidad me acompaña desde que comencé a escribir. Sus espejismos y sus realidades, sus vértigos y sus dádivas inesperadas, son parte de mi biografía intelectual y poética. Es el tema que recorre muchas de las páginas de este volumen y de los dos que le preceden. No vale la pena ahora volver sobre esos entusiasmos, fervores, decepciones, iluminaciones; en cambio, sí es bueno repetir que la modernidad, como todo lo que es de la historia, es una realidad evanescente: nada queda de ella sino, cuando algo queda, unos instantes vivos, unas cuantas palabras más allá y más acá de las fechas.

Octavio Paz

México, a 31 de marzo de 1991

FUNDACIÓN Y DISIDENCIA

La búsqueda del presente
(CONFERENCIA NOBEL, 1990)

Comienzo con una palabra que todos los hombres, desde que el hombre es hombre, han proferido: *gracias*. Es una palabra que tiene equivalentes en todas las lenguas. Y en todas es rica la gama de significados. En las lenguas romances va de lo espiritual a lo físico, de la gracia que concede Dios a los hombres para salvarlos del error y la muerte a la gracia corporal de la muchacha que baila o a la del felino que salta en la maleza. Gracia es perdón, indulto, favor, beneficio, nombre, inspiración, felicidad en el estilo de hablar o de pintar, ademán que revela las buenas maneras y, en fin, acto que expresa bondad de alma. La gracia es gratuita, es un don; aquel que lo recibe, el agraciado, si no es un mal nacido, lo agradece: da las gracias. Es lo que yo hago ahora con estas palabras de poco peso. Espero que mi emoción compense su levedad. Si cada una fuese una gota de agua, ustedes podrían ver, a través de ellas, lo que siento: gratitud, reconocimiento. Y también una indefinible mezcla de temor, respeto y sorpresa al verme ante ustedes, en este recinto que es, simultáneamente, el hogar de las letras suecas y la casa de la literatura universal.

Las lenguas son realidades más vastas que las entidades políticas e históricas que llamamos naciones. Un ejemplo de esto son las lenguas europeas que hablamos en América. La situación peculiar de nuestras literaturas frente a las de Inglaterra, España, Portugal y Francia depende precisamente de este hecho básico: son literaturas escritas en lenguas transplantadas. Las lenguas nacen y crecen en un suelo; las alimenta una historia común. Arrancadas de su suelo natal y de su tradición propia, plantadas en un mundo desconocido y por nombrar, las lenguas europeas arraigaron en las tierras nuevas, crecieron con las sociedades americanas y se transformaron. Son la misma planta y son una planta distinta. Nuestras literaturas no vivieron pasivamente las vicisitudes de las lenguas transplantadas:

participaron en el proceso y lo apresuraron. Muy pronto dejaron de ser meros reflejos transatlánticos; a veces han sido la negación de las literaturas europeas y otras, con más frecuencia, su réplica.

A despecho de estos vaivenes, la relación nunca se ha roto. Mis clásicos son los de mi lengua y me siento descendiente de Lope y de Quevedo como cualquier escritor español... pero no soy español. Creo que lo mismo podrían decir la mayoría de los escritores hispanoamericanos y también los de los Estados Unidos, Brasil y Canadá frente a la tradición inglesa, portuguesa y francesa. Para entender más claramente la peculiar posición de los escritores americanos, basta con pensar en el diálogo que sostiene el escritor japonés, chino o árabe con esta o aquella literatura europea: es un diálogo a través de lenguas y de civilizaciones distintas. En cambio, nuestro diálogo se realiza en el interior de la misma lengua. Somos y no somos europeos. ¿Qué somos entonces? Es difícil definir lo que somos pero nuestras obras hablan por nosotros.

La gran novedad de este siglo, en materia literaria, ha sido la aparición de las literaturas de América. Primero surgió la angloamericana y después, en la segunda mitad del siglo XX, la de América Latina en sus dos grandes ramas, la hispanoamericana y la brasileña. Aunque son muy distintas, las tres literaturas tienen un rasgo en común: la pugna, más ideológica que literaria, entre las tendencias cosmopolitas y las nativistas, el europeísmo y el americanismo. ¿Qué ha quedado de esa disputa? Las polémicas se disipan; quedan las obras. Aparte de este parecido general, las diferencias entre las tres son numerosas y profundas. Una es de orden histórico más que literario: el desarrollo de la literatura angloamericana coincide con el ascenso histórico de los Estados Unidos como potencia mundial; el de la nuestra con las desventuras y convulsiones políticas y sociales de nuestros pueblos. Nueva prueba de los límites de los determinismos sociales e históricos; los crepúsculos de los imperios y las perturbaciones de las sociedades coexisten a veces con obras y momentos de esplendor en las artes y las letras: Li Po y Tu Fu fueron testigos de la caída de los Tang, Velázquez fue el pintor de Felipe IV, Séneca y Lucano fueron contemporáneos y víctimas de Nerón. Otras diferencias son de orden literario y se refieren más a las obras en particular que al carácter de cada literatura. ¿Pero tienen *carácter* las literaturas, poseen un conjunto de rasgos comunes que las distingue unas de otras? No lo creo. Una literatura no se define por un quimérico, inasible carácter. Es una sociedad de obras únicas unidas por relaciones de oposición y afinidad.

La primera y básica diferencia entre la literatura latinoamericana y la angloamericana reside en la diversidad de sus orígenes. Unos y otros comenzamos por ser una proyección europea. Ellos de una isla y nosotros de una península. Dos regiones excéntricas por la geografía, la historia y la cultura. Ellos vienen de Inglaterra y la Reforma; nosotros de España, Portugal y la Contrarreforma. Apenas si debo mencionar, en el caso de los hispanoamericanos, lo que distingue a España de las otras naciones europeas y le otorga una notable y original fisonomía histórica. España no es menos excéntrica que Inglaterra aunque lo es de manera distinta. La excentricidad inglesa es insular y se caracteriza por el aislamiento: una excentricidad por exclusión. La hispana es peninsular y consiste en la coexistencia de diferentes civilizaciones y pasados: una excentricidad por inclusión. En lo que sería la católica España los visigodos profesaron la herejía de Arriano, para no hablar de los siglos de dominación de la civilización árabe, de la influencia del pensamiento judío, de la Reconquista y de otras peculiaridades.

En América la excentricidad hispánica se reproduce y se multiplica, sobre todo en países con antiguas y brillantes civilizaciones como México y Perú. Los españoles encontraron en México no sólo una geografía sino una historia. Esa historia está viva todavía: no es un pasado sino un presente. El México precolombino, con sus templos y sus dioses, es un montón de ruinas pero el espíritu que animó ese mundo no ha muerto. Nos habla en el lenguaje cifrado de los mitos, las leyendas, las formas de convivencia, las artes populares, las costumbres. Ser escritor mexicano significa oír lo que nos dice ese presente —esa presencia. Oírla, hablar con ella, descifrarla: decirla... Tal vez después de esta breve digresión sea posible entrever la extraña relación que, al mismo tiempo, nos une y separa de la tradición europea.

La conciencia de la separación es una nota constante de nuestra historia espiritual. A veces sentimos la separación como una herida y entonces se transforma en escisión interna, conciencia desgarrada que nos invita al examen de nosotros mismos; otras aparece como un reto, espuela que nos incita a la acción, a salir al encuentro de los otros y del mundo. Cierto, el sentimiento de la separación es universal y no es privativo de los hispanoamericanos. Nace en el momento mismo de nuestro nacimiento: desprendidos del todo caemos en un suelo extraño. Esta experiencia se convierte en una llaga que nunca cicatriza. Es el fondo insondable de cada hombre; todas nuestras empresas y acciones, todo lo que hacemos y soñamos, son puentes para romper la separación y unirnos al mundo y a nuestros semejantes. Desde esta perspectiva, la vida de cada hombre y la historia colectiva de los hombres pueden verse como tentativas destinadas a reconstruir la situación original. Inacabada e inacabable cura de la escisión. Pero no me propongo hacer otra descripción, una más, de este sentimiento. Subrayo que entre nosotros se manifiesta sobre todo en términos históricos. Así, se convierte en conciencia de nuestra historia. ¿Cuándo y cómo aparece este sentimiento y cómo se transforma en conciencia? La respuesta a esta doble pregunta puede consistir en una teoría o en un testimonio personal. Prefiero lo segundo: hay muchas teorías y ninguna del todo confiable.

El sentimiento de separación se confunde con mis recuerdos más antiguos y confusos: con el primer llanto, con el primer miedo. Como todos los niños, construí puentes imaginarios y afectivos que me unían al mundo y a los otros. Vivía en un pueblo de las afueras de la ciudad de México, en una vieja casa ruinosa con un jardín selvático y una gran habitación llena de libros. Primeros juegos, primeros aprendizajes. El jardín se convirtió en el centro del mundo y la biblioteca en caverna encantada. Leía y jugaba con mis primos y mis compañeros de escuela. Había una higuera, templo vegetal, cuatro pinos, tres fresnos, un huele-de-noche, un granado, herbazales, plantas espinosas que producían rozaduras moradas. Muros de adobe. El tiempo era elástico; el espacio, giratorio. Mejor dicho: todos los tiempos, reales o imaginarios, eran *ahora mismo;* el espacio, a su vez, se transformaba sin cesar: allá era aquí; todo era aquí: un valle, una montaña, un país lejano, el patio de los vecinos. Los libros de estampas, particularmente los de historia, hojeados con avidez, nos proveían de imágenes: desiertos y selvas, palacios y cabañas, guerreros y princesas, mendigos y monarcas. Naufragamos con Simbad y con Robinson, nos batimos con D'Artagnan, tomamos Valencia con el Cid. ¡Cómo me hubiera gustado quedarme para siempre en la isla de Calipso! En verano la higuera mecía todas sus ramas verdes como si fuesen las velas de una carabela o de un barco pirata; desde su alto mástil, batido por el viento, descubrí islas y continentes —tierras que apenas pisadas se desvanecían. El mundo era ilimitado y, no obstante, siempre al alcance de la mano; el tiempo era una sustancia maleable y un presente sin fisuras.

¿Cuándo se rompió el encanto? No de golpe: poco a poco. Nos cuesta trabajo aceptar que el amigo nos traiciona, que la mujer querida nos engaña, que la idea libertaria es la máscara del tirano. Lo que se llama «caer en la cuenta» es un proceso lento y sinuoso porque nosotros mismos somos cómplices de nuestros errores y engaños. Sin embargo, puedo recordar con cierta claridad un incidente que, aunque pronto olvidado, fue la primera señal. Tendría unos seis años y una de mis primas, un poco mayor que yo, me enseñó una revista norteamericana con una fotografía de soldados desfilando por una gran avenida, probablemente de Nueva York. «Vuelven de la guerra», me dijo. Esas pocas palabras me turbaron como si anunciasen el fin del mundo o el segundo advenimiento de Cristo. Sabía, vagamente, que allá lejos, unos años antes, había terminado una guerra y que los soldados desfilaban para celebrar su victoria; para mí aquella guerra había pasado en otro tiempo, no *ahora* ni *aquí*. La foto me desmentía. Me sentí, literalmente, desalojado del presente.

Desde entonces el tiempo comenzó a fracturarse más y más. Y el espacio, los espacios. La experiencia se repitió una y otra vez. Una noticia cualquiera, una frase anodina, el titular de un diario, una canción de moda: pruebas de la existencia del mundo de afuera y revelaciones de mi irrealidad. Sentí que el mundo se escindía: yo no estaba en el presente. Mi ahora se disgregó: el verdadero tiempo estaba en otra parte. Mi tiempo, el tiempo del jardín, la higuera, los juegos con los amigos, el sopor bajo el sol de las tres de la tarde entre las yerbas, el higo entreabierto —negro y rojizo como un ascua pero un ascua dulce y fresca— era un tiempo ficticio. A pesar del testimonio de mis sentidos, el tiempo de allá, el de los otros, era el verdadero, el tiempo del presente real. Acepté lo inaceptable: fui adulto. Así comenzó mi expulsión del presente.

Decir que hemos sido expulsados del presente puede parecer una paradoja. No: es una experiencia que todos hemos sentido alguna vez; algunos la hemos vivido primero como una condena y después transformada en conciencia y acción. La búsqueda del presente no es la búsqueda del edén terrestre ni de la eternidad sin fechas: es la búsqueda de la realidad real. Para nosotros, hispanoamericanos, ese presente real no estaba en nuestros países: era el tiempo que vivían los otros, los ingleses, los franceses, los alemanes. El tiempo de Nueva York, París, Londres. Había que salir en su busca y traerlo a nuestras tierras. Esos años fueron también los de mi descubrimiento de la literatura. Comencé a escribir poemas. No sabía qué me llevaba a escribirlos: estaba movido por una necesidad interior difícilmente definible. Apenas ahora he comprendido que entre lo que he llamado mi expulsión del presente y escribir poemas había una relación secreta. La poesía está enamorada del instante y quiere revivirlo en un poema; lo aparta de la sucesión y lo convierte en presente fijo. Pero en aquella época yo escribía sin preguntarme por qué lo hacía. Buscaba la puerta de entrada al presente: quería ser de mi tiempo y de mi siglo. Un poco después esta obsesión se volvió idea fija: quise ser un poeta moderno. Comenzó mi búsqueda de la modernidad.

¿Qué es la modernidad? Ante todo, es un término equívoco: hay tantas modernidades como sociedades. Cada una tiene la suya. Su significado es incierto y arbitrario, como el del periodo que la precede, la Edad Media. Si somos modernos frente al medievo, ¿seremos acaso la Edad Media de una futura modernidad? Un nombre que cambia con el tiempo, ¿es un verdadero nombre? La modernidad es una palabra en busca de su significado: ¿es una idea, un espejismo o un momento de la historia? ¿Somos hijos de la modernidad o ella es nuestra creación? Nadie lo sabe a ciencia cierta. Poco importa: la seguimos, la perseguimos. Para mí, en aquellos años, la modernidad se confundía con el presente o, más bien, lo producía: el presente era su flor extrema y última. Mi caso no es único ni excepcional: todos los poetas de nuestra época, desde el periodo simbolista, fascinados por esa figura a un tiempo magnética y elusiva, han corrido tras ella. El primero fue Baudelaire. El primero también que logró tocarla y así descubrir que no es sino tiempo que se deshace entre las manos. No referiré mis aventuras en la persecución de la modernidad: son las de casi todos los poetas de nuestro siglo. La modernidad ha sido una pasión universal. Desde 1850 ha sido nuestra diosa y nuestro demonio. En los últimos años se ha pretendido exorcizarla y se habla mucho de la *posmodernidad.* ¿Pero qué es la posmodernidad sino una modernidad aún más moderna?

Para nosotros, latinoamericanos, la búsqueda de la modernidad poética tiene un paralelo histórico en las repetidas y diversas tentativas de modernización de nuestras naciones. Es una tendencia que nace a fines del siglo XVIII y que abarca a la misma España. Los Estados Unidos nacieron con la modernidad y ya para 1830, como lo vio Tocqueville, eran la matriz del futuro; nosotros nacimos en el momento en que España y Portugal se apartaban de la modernidad. De ahí que a veces se hablase de «europeizar» a nuestros países: lo moderno estaba afuera y teníamos que importarlo. En la historia de México el proceso comienza un poco antes de las guerras de la Independencia; más tarde se convierte en un gran debate ideológico y político que divide y apasiona a los mexicanos durante el siglo XIX. Un episodio puso en entredicho no tanto la legitimidad del proyecto reformador como la manera en que se había intentado realizarlo: la Revolución mexicana. A diferencia de las otras revoluciones del siglo XX, la de México no fue tanto la expresión de una ideología más o menos utópica como la explosión de una realidad histórica y psíquica oprimida. No fue la obra de un grupo de ideólogos decididos a implantar unos principios derivados de una teoría política; fue un sacudimiento popular que mostró a la luz lo que estaba escondido. Por esto mismo fue, tanto o más que una revolución, una revelación. México buscaba al presente afuera y lo encontró adentro, enterrado pero vivo. La búsqueda de la modernidad nos llevó a descubrir nuestra antigüedad, el rostro oculto de la nación. Inesperada lección histórica que no sé si todos han aprendido: entre tradición y modernidad hay un puente. Aisladas, las tradiciones se petrifican y las modernidades se volatilizan; en conjunción, una anima a la otra y la otra le responde dándole peso y gravedad.

La búsqueda de la modernidad poética fue una verdadera *quête,* en el sentido alegórico y caballeresco que tenía esa palabra en el siglo XII. No rescaté ningún Grial, aunque recorrí varias *waste lands,* visité castillos de espejos y acampé entre tribus fantasmales. Pero descubrí a la tradición moderna. Porque la modernidad no es una escuela poética sino un linaje, una familia esparcida en varios continentes y que durante dos siglos ha sobrevivido a muchas vicisitudes y desdichas: la indiferencia pública, la soledad y los tribunales de las ortodoxias religiosas, políticas, académicas y sexuales. Ser una tradición y no una doctrina le ha permitido, simultáneamente, permanecer y cambiar. También le ha dado diversidad: cada aventura poética es distinta y cada poeta ha plantado un árbol diferente en este prodigioso bosque parlante. Si las obras son diversas y los caminos distintos, ¿qué une a todos estos poetas? No una estética sino la búsqueda. Mi búsqueda no fue quimérica, aunque la idea de modernidad sea un espejismo, un haz de reflejos. Un día descubrí que no avanzaba sino que volvía al punto de partida: la búsqueda de la modernidad era un descenso a los orígenes. La modernidad me condujo a mi comienzo, a mi antigüedad. La ruptura se volvió reconciliación. Supe así que el poeta es un latido en el río de las generaciones.

La idea de *modernidad* es un subproducto de la concepción de la historia como un proceso sucesivo, lineal e irrepetible. Aunque sus orígenes están en el judeocristianismo, es una ruptura con la doctrina cristiana. El cristianismo desplazó al tiempo cíclico de los paganos: la historia no se repite, tuvo un principio y tendrá un fin; el tiempo sucesivo fue el tiempo profano de la historia, teatro de las acciones de los hombres caídos, pero sometido al tiempo sagrado, sin principio ni fin. Después del Juicio Final, lo mismo en el cielo que en el infierno, no habrá futuro. En la Eternidad no sucede nada porque todo es. Triunfo del ser sobre el devenir. El tiempo nuevo, el nuestro, es lineal como el cristiano pero abierto al infinito y sin referencia a la Eternidad. Nuestro tiempo es el de la historia profana. Tiempo irreversible y perpetuamente inacabado, en marcha no hacia su fin sino hacia el porvenir. El sol de la historia se llama futuro y el nombre del movimiento hacia el futuro es Progreso.

Para el cristiano, el mundo —o como antes se decía: el *siglo,* la vida terrenal— es un lugar de prueba: las almas se pierden o se salvan en este mundo. Para la nueva concepción, el sujeto histórico no es el alma individual sino el género humano, a veces concebido como un todo y otras a través de un grupo escogido que lo representa: las naciones adelantadas de Occidente, el proletariado, la raza blanca o cualquier otro ente. La tradición filosófica pagana y cristiana había exaltado al Ser, plenitud henchida, perfección que no cambia nunca; nosotros adoramos al Cambio, motor del progreso y modelo de nuestras sociedades. El Cambio tiene dos modos privilegiados de manifestación: la evolución y la revolución, el trote y el salto. La modernidad es la punta del movimiento histórico, la encarnación de la evolución o de la revolución, las dos caras del progreso. Por último, el progreso se realiza gracias a la doble acción de la ciencia y de la técnica, aplicadas al dominio de la naturaleza y a la utilización de sus inmensos recursos.

El hombre moderno se ha definido como un ser histórico. Otras sociedades prefirieron definirse por valores e ideas distintas al cambio: los griegos veneraron a la Polis y al círculo pero ignoraron al progreso, a Séneca le desvelaba, como a todos los estoicos, el eterno retorno, San Agustín creía que el fin del mundo era inminente, Santo Tomás construyó una escala —los grados del ser— de la criatura al Creador y así sucesivamente. Una tras otra esas ideas y creencias fueron abandonadas. Me parece que comienza a ocurrir lo mismo con la idea del Progreso y, en consecuencia, con nuestra visión del tiempo, de la historia y de nosotros mismos. Asistimos al crepúsculo del futuro. La baja de la idea de modernidad, y la boga de una noción tan dudosa como *postmodernidad,* no son fenómenos que afecten únicamente a las artes y a la literatura: vivimos la crisis de las ideas y creencias básicas que han movido a los hombres desde hace más de dos siglos. En otras ocasiones me he referido con cierta extensión al tema. Aquí sólo puedo hacer un brevísimo resumen.

En primer término: está en entredicho la concepción de un proceso abierto hacia el infinito y sinónimo de progreso continuo. Apenas si debo mencionar lo que todos sabemos: los recursos naturales son finitos y un día se acabarán. Además, hemos causado daños tal vez irreparables al medio natural y la especie misma está amenazada. Por otra parte, los instrumentos del progreso —la ciencia y la técnica— han mostrado con terrible claridad que pueden convertirse fácilmente en agentes de destrucción. Finalmente, la existencia de armas nucleares es una refutación de la idea de progreso inherente a la historia. Una refutación, añado, que no hay más remedio que llamar devastadora.

En segundo término: la suerte del sujeto histórico, es decir, de la colectividad humana, en el siglo XX. Muy pocas veces los pueblos y los individuos habían sufrido tanto: dos guerras mundiales, despotismos en los cinco continentes, la bomba atómica y, en fin, la multiplicación de una de las instituciones más crueles y mortíferas que han conocido los hombres, el campo de concentración. Los beneficios de la técnica moderna son incontables pero es imposible cerrar los ojos ante las matanzas, torturas, humillaciones, degradaciones y otros daños que han sufrido millones de inocentes en nuestro siglo.

En tercer término: la creencia en el progreso necesario. Para nuestros abuelos y nuestros padres las ruinas de la historia —cadáveres, campos de batalla desolados, ciudades demolidas— no negaban la bondad esencial del proceso histórico. Los cadalsos y las tiranías, las guerras y la barbarie de las luchas civiles eran el precio del progreso, el rescate de sangre que había que pagar al dios de la historia. ¿Un dios? Sí, la razón misma, divinizada y rica en crueles astucias, según Hegel. La supuesta racionalidad de la historia se ha evaporado. En el dominio mismo del orden, la regularidad y la coherencia —en las ciencias exactas y en la física— han reaparecido las viejas nociones de *accidente* y de *catástrofe*. Inquietante resurrección que me hace pensar en los terrores del Año Mil y en la angustia de los aztecas al fin de cada ciclo cósmico.

Y para terminar esta apresurada enumeración: la ruina de todas esas hipótesis filosóficas e históricas que pretendían conocer las leyes del desarrollo histórico. Sus creyentes, confiados en que eran dueños de las llaves de la historia, edificaron poderosos estados sobre pirámides de cadáveres. Esas orgullosas construcciones, destinadas en teoría a liberar a los hombres, se convirtieron muy pronto en cárceles gigantescas. Hoy las hemos visto caer; las echaron abajo no los enemigos ideológicos sino el cansancio y el afán libertario de las nuevas generaciones. ¿Fin de las utopías? Más bien: fin de la idea de la historia como un fenómeno cuyo desarrollo se conoce de antemano. El determinismo histórico ha sido una costosa y sangrienta fantasía. La historia es imprevisible porque su agente, el hombre, es la indeterminación en persona.

Este pequeño repaso muestra que, muy probablemente, estamos al fin de un periodo histórico y al comienzo de otro. ¿Fin y mutación de la edad moderna? Es difícil saberlo. De todos modos, el derrumbe de las utopías ha dejado un gran vacío, no en los países en donde esa ideología ha hecho sus pruebas y ha fallado sino en aquellos en los que muchos la abrazaron con entusiasmo y esperanza. Por primera vez en la historia los hombres viven en una suerte de intemperie espiritual y no, como antes, a la sombra de esos sistemas religiosos y políticos que, simultáneamente, nos oprimían y nos consolaban. Las sociedades son históricas pero todas han vivido guiadas e inspiradas por un conjunto de creencias e ideas metahistóricas. La nuestra es la primera que se apresta a vivir sin una doctrina metahistórica; nuestros absolutos —religiosos o filosóficos, éticos o estéticos— no son colectivos sino privados. La experiencia es arriesgada. Es imposible saber si las tensiones y conflictos de esta privatización de ideas, prácticas y creencias que tradicionalmente pertenecían a la vida pública no terminará por quebrantar la fábrica social. Los hombres podrían ser poseídos nuevamente por las antiguas furias religiosas y por los fanatismos nacionalistas. Sería terrible que la caída del ídolo abstracto de la ideología anunciase la resurrección de las pasiones enterradas de las tribus, las sectas y las Iglesias. Por desgracia, los signos son inquietantes.

La declinación de las ideologías que he llamado metahistóricas, es decir, que asignan un fin y una dirección a la historia, implica el tácito abandono de soluciones globales. Nos inclinamos más y más, con buen sentido, por remedios limitados para resolver problemas concretos. Es cuerdo abstenerse de legislar sobre el porvenir. Pero el presente requiere no solamente atender a sus necesidades inmediatas: también nos pide una reflexión global y más rigurosa. Desde hace mucho creo, y lo creo firmemente, que el ocaso del futuro anuncia el advenimiento del hoy. Pensar el hoy significa, ante todo, recobrar la mirada crítica. Por ejemplo, el triunfo de la economía de mercado —un triunfo por *défault* del adversario— no puede ser únicamente motivo de regocijo. El mercado es un mecanismo eficaz pero, como todos los mecanismos, no tiene conciencia y tampoco misericordia. Hay que encontrar la manera de insertarlo en la sociedad para que sea la expresión del pacto social y un instrumento de justicia y equidad. Las sociedades democráticas desarrolladas han alcanzado una prosperidad envidiable; asimismo, son islas de abundancia en el océano de la miseria universal. El tema del mercado tiene una relación muy estrecha con el deterioro del medio ambiente. La contaminación no sólo infesta al aire, a los ríos y a los bosques sino a las almas. Una sociedad poseída por el frenesí de producir más para consumir más tiende a convertir las ideas, los sentimientos, el arte, el amor, la amistad y las personas mismas en objetos de consumo. Todo se vuelve cosa que se compra, se usa y se tira al basurero. Ninguna sociedad había producido tantos desechos como la nuestra. Desechos materiales y morales.

La reflexión sobre el ahora no implica renuncia al futuro ni olvido del pasado: el presente es el sitio de encuentro de los tres tiempos. Tampoco puede confundirse con un fácil hedonismo. El árbol del placer no crece en el pasado o en el futuro sino en el ahora mismo. También la muerte es un fruto del presente. No podemos rechazarla: es parte de la vida. Vivir bien exige morir bien. Tenemos que aprender a mirar de frente a la muerte. Alternativamente luminoso y sombrío, el presente es una esfera donde se unen las dos mitades, la acción y la contemplación. Así como hemos tenido filosofías del pasado y del futuro, de la eternidad y de la nada, mañana tendremos una filosofía del presente. La experiencia poética puede ser una de sus bases. ¿Qué sabemos del presente? Nada o casi nada. Pero los poetas saben algo: el presente es el manantial de las presencias.

En mi peregrinación en busca de la modernidad me perdí y me encontré muchas veces. Volví a mi origen y descubrí que la modernidad no está afuera sino adentro de nosotros. Es hoy y es la antigüedad más antigua, es mañana y es el comienzo del mundo, tiene mil años y acaba de nacer. Habla en náhuatl, traza ideogramas chinos del siglo IX y aparece en la pantalla de televisión. Presente intacto, recién desenterrado, que se sacude el polvo de siglos, sonríe y, de pronto, se echa a volar y desaparece por la ventana. Simultaneidad de tiempos y de presencias: la modernidad rompe con el pasado inmediato sólo para rescatar al pasado milenario y convertir a una figurilla de fertilidad del neolítico en nuestra contemporánea. Perseguimos a la modernidad en sus incesantes metamorfosis y nunca logramos asirla. Se escapa siempre: cada encuentro es una fuga. La abrazamos y al punto se disipa: sólo era un poco de aire. Es el instante, ese pájaro que está en todas partes y en ninguna. Queremos asirlo vivo pero abre las alas y se desvanece, vuelto un puñado de sílabas. Nos quedamos con las manos vacías. Entonces las puertas de la percepción se entreabren y aparece el otro tiempo, el verdadero, el que buscábamos sin saberlo: el presente, la presencia.

Estocolmo, 8 de diciembre de 1990

[«La búsqueda del presente. Conferencia Nobel, 1990» se publicó en la revista *Vuelta,* núm, 170, México, enero de 1991.]

Literatura de fundación

¿Existe una literatura hispanoamericana? Hasta fines del siglo pasado se dijo que nuestras letras eran una rama del tronco español. Nada más cierto, si se atiende al lenguaje. Mexicanos, argentinos, cubanos, chilenos —todos los hispanoamericanos— escribimos en castellano. Nuestra lengua no es diferente, en lo esencial, a la que escriben andaluces, castellanos, aragoneses o extremeños. Como es sabido, la unidad lingüística es mayor en América que en España. No podía ser de otro modo: nosotros no tuvimos Edad Media. Nacimos en los albores de los tiempos modernos y el castellano que llegó a nuestras tierras era un idioma que había alcanzado ya la universalidad y la madurez. Si algo le falta al español de América, son los particularismos medievales. Hemos creado otros, es verdad. No hay riesgo de que las peculiaridades del habla argentina o centroamericana den origen a lenguas distintas. Aunque el español de América no es eterno —ningún idioma lo es— durará lo que duren las otras lenguas modernas: vivimos la misma historia que rusos, franceses o ingleses. Pero una cosa es la lengua que hablan los hispanoamericanos y otra la literatura que escriben. La rama creció tanto que ya es tan grande como el tronco. En realidad, es otro árbol. Un árbol distinto, con hojas más verdes y jugos más amargos. Entre sus brazos anidan pájaros desconocidos en España.

¿Literatura o literaturas hispanoamericanas? Si abrimos un libro de historia de Ecuador o de Argentina, encontraremos un capítulo dedicado a la literatura nacional. Ahora bien, el nacionalismo no sólo es una aberración moral; también es una estética falaz. Nada distingue a la literatura argentina de la uruguaya; nada a la mexicana de la guatemalteca. La literatura es más amplia que las fronteras. Es verdad que los problemas de Chile no son los de Colombia y que un indio boliviano tiene poco que ver con un negro antillano. La pluralidad de situaciones, razas y paisajes no niega la unidad de la lengua y la cultura. Unidad no es uniformidad. Los grupos, los estilos y las tendencias literarias no coinciden con las divisiones políticas, étnicas o geográficas. No hay escuelas ni estilos nacionales; en cambio, hay familias, estirpes, tradiciones espirituales o estéticas, universales. La novela argentina o la poesía chilena son rótulos geográficos; no lo son la literatura fantástica, el realismo, el creacionismo, el criollismo y tantas otras tendencias estéticas e intelectuales. Los movimientos artísticos, claro está, nacen en este o aquel país; si en verdad son fecundos, no tardan en saltar las fronteras y echar raíces en otras tierras. Por lo demás, la actual geografía política de América Latina es engañosa. La pluralidad de naciones es el resultado de circunstancias y calamidades ajenas a la realidad profunda de nuestros pueblos. América Latina es un continente desmembrado artificialmente por la conjunción de las oligarquías nativas, los caudillos militares y el imperialismo extranjero. Si desapareciesen esas fuerzas (y van a desaparecer), otras serían las fronteras.[1] La existencia de una literatura hispanoamericana es, precisamente, una de las pruebas de la unidad histórica de nuestras naciones.

Una literatura nace siempre frente a una realidad histórica y, a menudo, contra esa realidad. La literatura hispanoamericana no es una excepción a esta regla. Su carácter singular reside en que la realidad contra la que se levanta es una utopía. Nuestra literatura es la respuesta de la realidad real de los americanos a la realidad utópica de América. Antes de tener existencia histórica propia, empezamos por ser una idea europea. No se nos puede entender si se olvida que somos un capítulo de la historia de las utopías europeas. No es necesario remontarse hasta Moro o Campanella para comprobar el carácter utópico de América. Basta con recordar que Europa es el fruto, involuntario en cierto modo, de la historia europea, mientras que nosotros somos su creación premeditada. Durante muchos siglos los europeos ignoraron que eran europeos y sólo hasta que Europa fue una realidad histórica que saltaba a los ojos se dieron cuenta de que pertenecían a algo más vasto que su ciudad natal. Y todavía hoy no es muy seguro que los europeos se sientan europeos: lo saben, pero saberlo es algo muy distinto a sentirlo. En Europa la realidad precedió al nombre. América, en cambio, empezó por ser una idea. Victoria del nominalismo: el nombre engendró la realidad. El continente americano aún no había sido enteramente descubierto y ya había sido bautizado. El nombre que nos dieron nos condenó a ser un mundo nuevo.

[1] Pequé de optimismo. [Nota de 1990.]

Tierra de elección del futuro: antes de ser, América ya sabía cómo iba a ser. Apenas transplantado a nuestras tierras, el emigrante europeo perdía su realidad histórica: dejaba de tener pasado y se convertía en un proyectil del futuro. Durante más de tres siglos la palabra *americano* designó a un hombre que no se definía por lo que había hecho sino por lo que haría. Un ser que no tiene pasado sino nada más porvenir es un ser de poca realidad. Americanos: hombres de poca realidad, hombres de poco peso. Nuestro nombre nos condenaba a ser el proyecto histórico de una conciencia ajena: la europea.

Desde su nacimiento, la América sajona fue una utopía en marcha. La española y la portuguesa fueron construcciones intemporales. En uno y otro caso: anulación del presente. La eternidad y el futuro, el cielo y el progreso niegan al hoy y a su realidad, a la humilde evidencia del sol de cada día. Y aquí termina nuestro parecido con los sajones. Nosotros somos hijos de la Contrarreforma y la Monarquía universal; ellos, de Lutero y la Revolución industrial. Por eso respiran con facilidad en la atmósfera enrarecida del porvenir. También por eso están mal instalados en la realidad. El llamado realismo angloamericano es el pragmatismo —operación que consiste en aligerar las cosas de su compacta materialidad para convertirlas en un proceso. La realidad deja de ser una sustancia y se transforma en una serie de hechos. Nada es permanente porque la acción es la forma privilegiada que asume la realidad. Cada acto es instantáneo; para prolongarse necesita cambiar, ser otro acto. La América española y la portuguesa fueron fundadas por una civilización que concebía la realidad como una sustancia estable; las acciones humanas, políticas o artísticas no tenían más objeto que cristalizar en obras. Encarnación de la voluntad de permanencia, las obras se erigen para resistir al cambio. Cuando oigo decir que Whitman es el gran poeta de la realidad americana me encojo de hombros. Su realidad es el deseo de tocar algo real. La poesía de Whitman tiene hambre de realidad. Y hambre de comunión: va de la tierra de nadie a la tierra de todos. La América sajona padece hambre de ser. Su pragmatismo es una utopía siempre irrealizable y de ahí que desemboque en la pesadilla. No busca la realidad de los sentidos, lo que ven los ojos y tocan las manos, sino la multiplicación de la imagen en el espejo de la acción. Horror y fascinación de la acción: cambia la realidad, pero no la toca ni la goza. Disparo hacia el futuro, flecha que jamás se clava en el blanco, el nomadismo de los angloamericanos no es espacial sino temporal: la tierra que pisan es la tierra evanescente del futuro.

A fines del siglo XIX la literatura hispanoamericana cesa de ser un reflejo de la española. Los poetas modernistas rompen bruscamente con el modelo peninsular. Pero no vuelven los ojos hacia su tierra sino hacia París. Van en busca del presente. Los primeros escritores hispanoamericanos que tuvieron conciencia de sí mismos y de su singularidad histórica fueron una generación de desterrados. Los que no pudieron salir, se inventaron Babilonias y Alejandrías a la medida de sus recursos y de su fantasía. Literatura de evasión y, asimismo, tentativa de fusión con la vida moderna, intento de recuperación del presente. Querían «estar al corriente», estar en la corriente universal. Nuestra porción de nuevo mundo era una vieja casa cerrada, mitad convento y mitad cuartel. Lo primero: echar abajo los muros, despertar al dormido, limpiar de espectros las conciencias. (Esos fantasmas eran, y son, bastante reales: un pasado terco que no se irá si no se le arroja por la fuerza.) Si los exorcismos de los poetas modernistas no disiparon los espectros, por lo menos permitieron que entrara la luz. Pudimos ver al mundo: estábamos en los comienzos del siglo XX. Había que apresurarse. Entre los desterrados no faltó quien volviese los ojos hacia la realidad hispanoamericana: ¿había algo, fuera de aquel pasado español a un tiempo grandioso y anquilosado? Más con la imaginación que con la memoria, algunos entrevieron una naturaleza inmensa y, perdidas entre las selvas y los volcanes, las ruinas de unas civilizaciones brillantes y crueles. La literatura de evasión no tardó en transformarse en literatura de exploración y de regreso. La verdadera aventura estaba en América.

El camino hacia Palenque o hacia Buenos Aires pasaba casi siempre por París. La experiencia de estos poetas y escritores confirma que para volver a nuestra casa es necesario primero arriesgarse a abandonarla. Sólo regresa el hijo pródigo. Reprocharle a la literatura hispanoamericana su desarraigo es ignorar que sólo el desarraigo nos permitió recobrar nuestra porción de realidad. La distancia fue la condición del descubrimiento. La distancia y los espejismos que suscitó —no es malo alimentarse de ilusiones si las transformamos en realidades. Uno de nuestros espejismos fue la naturaleza americana; otro, el pasado indio. Ahora bien, la naturaleza no es sino un punto de vista: los ojos que la contemplan o la voluntad que la cambia. El paisaje es poesía o historia, visión o trabajo. Nuestras tierras y ciudades cobraron existencia real apenas las nombraron nuestros poetas y novelistas. No ocurrió lo mismo con el pasado indio. Por una parte, los indios no son pasado sino presente; y presente que irrumpe. Por la otra, no son naturaleza sino realidades humanas. La literatura indigenista, en sus dos vertientes: la ornamental y la didáctica, la arqueológica y la apostólica, ha fracasado doblemente: como creación artística y como prédica social. Otro tanto puede decirse de la literatura negra. En Hispanoamérica hay escritores indios y negros que cuentan entre los mejores, pero esos poetas y novelistas no escriben *sobre* sino *desde* su condición. Una de las obras más impresionantes de nuestras letras contemporáneas es un documento de antropología: el relato autobiográfico de Juan Pérez Jolote, indio de Chiapas.

El desarraigo de la literatura hispanoamericana no es accidental; es la consecuencia de nuestra historia: el haber sido fundados como una idea de Europa. Al asumirlo plenamente, lo superamos. Cuando Rubén Darío escribe *Cantos de vida y esperanza* no es un escritor americano que descubre al espíritu moderno: es un espíritu moderno que descubre a la realidad hispanoamericana. Esto nos distingue de los españoles. Machado creía que sólo sería universal aquella obra que fuese antes profundamente española; Juan Ramón Jiménez se llama a sí mismo «el andaluz universal». El movimiento de la literatura hispanoamericana se despliega en un sentido inverso: nosotros pensamos que la literatura argentina no es universal; en cambio, creemos que algunas obras de la literatura universal son argentinas. Y hay más. Gracias a nuestro desarraigo hemos descubierto una tradición sepultada: las antiguas literaturas indígenas. La influencia de la poesía náhuatl en varios poetas mexicanos ha sido muy profunda, pero quizás esos poetas no se habrían reconocido en esos textos, a un tiempo contenidos y delirantes, si no hubiesen pasado antes por la experiencia del surrealismo o, en el caso de Rubén Bonifaz Nuño, por la poesía latina. ¿No es revelador que el traductor de Virgilio sea también uno de los que mejor haya entendido en qué consiste la «modernidad» de la poesía indígena? Y del mismo modo: Neruda tenía que escribir *Tentativa del hombre infinito,* ejercicio surrealista, antes de llegar a su *Residencia en la tierra.* ¿Cuál es esa tierra? Es América y asimismo Calcuta, Colombo, Rangún. Podría multiplicar los ejemplos: las novelas de Julio Cortázar, Bioy Casares o Carlos Fuentes, los poemas de Lezama Lima, Cintio Vitier o Roberto Juarroz... No es necesario: un libro del poeta argentino Enrique Molina se llama *Costumbres errantes o la redondez de la tierra.*

Regresar no es descubrir. ¿Qué han descubierto los escritores hispanoamericanos? Casi toda la obra de Borges —y no pienso solamente en su prosa sino en muchos de sus poemas— postula la inexistencia de

América. El Buenos Aires de Borges es tan irreal como sus Babilonias y sus Nínives. Esas ciudades son metáforas, pesadillas, silogismos. ¿Quién dice esa metáfora, quién sueña ese sueño? Otro sueño que se llama Borges. ¿Y a ese sueño? Otro. En el origen alguien sueña; si despertase, se desvanecería la realidad soñada. Bajo pena de muerte estamos condenados a soñar un Buenos Aires donde sueña un Borges. La obra de este poeta no sólo postula la inexistencia de América sino la inevitabilidad de su invención. O, dicho de otro modo: la literatura hispanoamericana es una empresa de la imaginación. Nos proponemos inventar nuestra propia realidad: la luz de las cuatro de la madrugada sobre un muro verdusco en las afueras de Bogotá; la vertiginosa caída de la noche sobre Santo Domingo (en una casa del centro un revolucionario espera la llegada de los esbirros); la hora de la marea alta en la costa de Valparaíso (una muchacha se desnuda y descubre la soledad y el amor); el despiadado mediodía en un pueblo de Jalisco (un campesino ha encontrado un idolillo en su sembrado; mañana irá a la ciudad; ahí lo espera una desconocida y un viaje...) ¿Inventar la realidad o rescatarla? Ambas cosas. La realidad se reconoce en las imaginaciones de los poetas; y los poetas reconocen sus imágenes en la realidad. Nuestros sueños nos esperan a la vuelta de la esquina. Desarraigada y cosmopolita, la literatura hispanoamericana es regreso y búsqueda de una tradición. Al buscarla, la inventa. Pero invención y descubrimiento no son los términos que convienen a sus creaciones más puras. Voluntad de encarnación, literatura de fundación.

París, 1961

[«Literatura de fundación» es el prólogo al número que dedicó la revista *Lettres Nouvelles,* en 1961, a la joven literatura hispanoamericana. Se publicó posteriormente en *Puertas al campo,* UNAM, México, 1966.]

Alrededores de la literatura hispanoamericana

Todos tenemos una idea más o menos clara del tema de nuestra conversación. Cierto, es uno y múltiple, sus orígenes son oscuros, sus límites vagos, su naturaleza cambiante y contradictoria, su fin imprevisible... No importa: todas estas circunstancias y propiedades divergentes se refieren a un conjunto de obras literarias —poemas, cuentos, novelas, dramas, ensayos— escritas en castellano en las antiguas posesiones de España en América. Ése es nuestro tema. Las dudas comienzan con el nombre: ¿literatura latinoamericana, iberoamericana, hispanoamericana, indoamericana? Una ojeada a los diccionarios, lejos de disipar las confusiones, las aumenta. Por ejemplo, los diccionarios españoles indican que el adjetivo *iberoamericano* designa a los pueblos americanos que antes formaron parte de los reinos de España y Portugal. La inmensa mayoría de los brasileños e hispanoamericanos no acepta esta definición y prefiere la palabra *latinoamericano*. Además, Iberia es la antigua España y, también, un país asiático de la Antigüedad. ¿Por qué usar un vocablo ambiguo y que designa a dos pueblos desaparecidos para nombrar una realidad unívoca y contemporánea? *Indoamericano* ni siquiera aparece en los diccionarios españoles aunque sí figuran indoeuropeo e indogermánico. Tal vez para evitar cualquier confusión entre los indios americanos y los indostanos. Esto explicaría asimismo la inclusión de una fea palabra: *amerindio*. A ningún maya o quechua le ha de gustar saber que es un amerindio. De todos modos, indoamericano no sirve: se refiere a los pueblos indios de nuestro continente; su literatura, generalmente hablada, es un capítulo de la historia de las civilizaciones americanas.

La palabra *latinoamericano* tampoco aparece en la mayoría de los diccionarios españoles. Las razones de esta omisión son conocidas; no las repetiré y me limitaré a recordar que son más bien de orden histórico y patriótico que lingüístico. Si *latino* quiere decir, en una de sus acepciones, «natural de algunos de los pueblos de Europa en que se hablan lenguas derivadas del latín», es claro que conviene perfectamente a las naciones americanas que también hablan esos idiomas. La literatura latinoamericana es la literatura de América escrita en castellano, portugués y francés, las tres lenguas latinas de nuestro continente. Casi por eliminación aparece el verdadero nombre de nuestro tema: la literatura *hispanoamericana* es la de los pueblos americanos que tienen como lengua el castellano. Es una definición histórica pero, sobre todo, es una definición lingüística. No podía ser de otro modo: la realidad básica y determinante de una literatura es la lengua. Es una realidad irreductible a otras realidades y conceptos, sean éstos históricos, étnicos, políticos o religiosos. La realidad *literatura* no coincide nunca enteramente con las realidades *nación, Estado, raza, clase* o *pueblo.* La literatura medieval latina y la sánscrita del periodo clásico —para citar dos ejemplos muy socorridos— fueron escritas en lenguas que habían dejado de ser vivas. No hay pueblos sin literatura pero hay literatura sin pueblo. Éste es, por lo demás, el destino final de todas las literaturas: ser obras vivas escritas en lenguas muertas. La inmortalidad de las literaturas es abstracta y se llama biblioteca.

La pintura está hecha de líneas y colores que son formas; la literatura está compuesta de letras y sonidos que son palabras. Si la literatura se define por la materia que la informa, el lenguaje, la literatura hispanoamericana no es sino una rama del tronco español. Ésta fue la idea prevaleciente hasta fines del siglo XIX y nadie se escandalizaba al oírla repetida por los críticos españoles. Es explicable: hasta la aparición de los modernistas no era fácil percibir rasgos originales en la literatura hispanoamericana. Había, sí, desde la época romántica, una vaga aspiración hacia lo que se llamaba la «independencia literaria» de España. Ingenua transposición de los programas políticos liberales a la literatura, esta idea no produjo, a pesar de su popularidad, nada que merezca recordarse. El patriotismo literario fue menos nocivo que el realismo socialista pero fue igualmente estéril. La literatura hispanoamericana nació un poco más tarde, sin proclamas y como un lento desprendimiento de la española. Aparece primero, tímidamente, en las obras de algunos románticos —pienso, sobre todo, en el memorable *Martín Fierro* de José Hernández. La ruptura la consuman los modernistas. Pero los poetas modernistas negaron al tradicionalismo y al casticismo españoles no tanto para afirmar su originalidad americana como la universalidad de su poesía. Su actitud, más que a Whitman, se parece a la de Pound y Eliot: como más tarde los poetas norteamericanos, Darío y los otros hispanoamericanos buscaron, a principios de este siglo, enlazarse a una tradición universal. En uno y otro caso el puente fue el simbolismo francés. Los españoles, por primera vez en nuestra historia, oyeron lo que decían los hispanoamericanos. Oyeron y contestaron: comenzó el diálogo de dos literaturas en el interior de la misma lengua.

El nacimiento y la evolución de las literaturas americanas en lengua inglesa, portuguesa y castellana es un fenómeno único en la historia universal de las literaturas. En general, la vida de una literatura se confunde con la de la lengua en que está escrita; en el caso de nuestras literaturas su infancia coincide con la madurez de la lengua. Nuestros primitivos no vienen antes sino después de una tradición de siglos: son los descendientes de Spenser, Camões, Garcilaso. Nuestras literaturas comienzan por el fin y sus clásicos se llaman Whitman, Darío, Machado de Assis. La lengua que hablamos es una lengua desterrada de su lugar de origen, que llegó al continente ya desarrollada y que nosotros, con nuestras obras, hemos replantado en el suelo americano. La lengua nos une a otra literatura y a otra historia; la tierra en que vivimos nos pide que la nombremos y así las palabras desterradas se entierran en este suelo y echan raíces. El destierro se volvió transplante.

¿Cuándo empezamos a sentirnos distintos? Aunque Ruiz de Alarcón era ya extraño para sus contemporáneos españoles y él lo sabía, jamás dudó de su españolismo y vio su extrañeza como un defecto. Sor Juana Inés de la Cruz tenía conciencia de su ser americano y más de una vez llamó a México su patria pero tampoco dudó de su filiación: su obra y su persona pertenecían a España. Hacia esos años empieza a percibirse en la sensibilidad criolla un difuso y confuso patriotismo, una todavía oscura aspiración a separarse de España. En el siglo XVIII los jesuitas alentaron estos sentimientos y comenzaron a formularlos en términos de historia y política. La expulsión de la Compañía no detuvo el proceso aunque contribuyó a desviarlo: los criollos buscaron más y más en fuentes ajenas a su propia tradición una filosofía política que ofreciese un fundamento a sus aspiraciones separatistas. La encontraron en las ideas de la revolución de Independencia de los Estados Unidos y en las de la Revolución francesa. Sólo que estas ideas, al separarlos de España, también los separaron de sí mismos. El resultado de nuestra Independencia fue diametralmente opuesto al de la Independencia norteamericana. Poseídos por el poderoso sentimiento de misión nacional que esas ideas les daban, los norteamericanos crearon un nuevo e inmenso país; los hispanoamericanos se sirvieron de esas ideas como proyectiles en sus sangrientas y estériles querellas, hasta que se disgregaron en muchas naciones y seudonaciones. Para los norteamericanos esas ideas fueron un espejo en el que se reconocieron y un modelo que los inspiró; para nosotros fueron disfraces y máscaras. Las nuevas ideas no nos revelaron: nos ocultaron.

La hendedura entre los sentimientos patrióticos de los criollos y las ideas políticas que adoptaron se duplica en el dominio de la literatura. Ya mencioné la aparición de la idea de «independencia literaria». Este concepto es el origen de un tenaz prejuicio: la creencia en la existencia de literaturas nacionales. Abusiva aplicación de la idea de nación a las letras, ha sido un obstáculo para la recta comprensión de nuestra literatura. Cada uno de nuestros países pretende tener una historia literaria propia y críticos distinguidos como Pedro Henríquez Ureña y Cintio Vitier han disertado sobre los rasgos distintivos de la poesía mexicana y de la cubana. Apenas si vale la pena recordar que, si no es difícil encontrar obras cubanas o argentinas notables, sí lo es discernir una literatura cubana o argentina con rasgos propios y, sobre todo, que constituya por sí misma un campo inteligible para la comprensión histórica y literaria. Toynbee pensaba, con razón, que la primera condición del objeto histórico es ser una unidad inteligible, una totalidad autosuficiente y relativamente autónoma. Una sociedad histórica es una unidad de este tipo. La literatura es un conjunto de obras, autores y lectores: una sociedad dentro de la sociedad. Hay excelentes poetas y novelistas colombianos, nicaragüenses y venezolanos pero no hay una literatura colombiana, nicaragüense o venezolana. Todas esas supuestas literaturas nacionales son inteligibles solamente como partes de la literatura hispanoamericana. Lugones es incomprensible sin el nicaragüense Darío y López Velarde sin el argentino Lugones. La historia de la literatura hispanoamericana no es la suma de las inconexas y fragmentarias historias literarias de cada uno de nuestros países. Nuestra literatura está hecha de las relaciones —choques, influencias, diálogos, polémicas, monólogos— entre unas cuantas personalidades y unas cuantas tendencias literarias y estilos que han cristalizado en unas obras. Esas obras han traspasado las fronteras nacionales y las ideológicas. La unidad de la desunida Hispanoamérica está en su literatura.

¿Cómo distinguir a la literatura hispanoamericana de la española? Los franceses emplean una curiosa perífrasis para designar obras escritas en su idioma por autores belgas, suizos, senegaleses o antillanos: literaturas de expresión francesa. ¿Quién entre nosotros se atrevería a llamar a Darío o a Vallejo poetas de expresión castellana? El idioma castellano es más grande que Castilla. La aparente paradoja de la literatura hispanoamericana reside en que, escrita en castellano, sería manifiesta locura llamar escritores castellanos a Neruda, Güiraldes, Rulfo. La paradoja es aparente porque si es verdad que las literaturas están hechas de palabras, también lo es que los escritores cambian a las palabras. Los escritores hispanoamericanos han cambiado al castellano y ese cambio es, precisamente, la literatura hispanoamericana.

A propósito de los cambios del idioma castellano y de las relaciones de nuestros escritores con su lengua, a un tiempo violentas y apasionadas como todas las relaciones profundas, se han escrito algunas exageraciones brillantes. Los hispanoamericanos, se ha dicho, hablamos una lengua que no es nuestra y que sólo podemos poseer a través de la violencia. Cada obra genuinamente hispanoamericana es un acto de conquista pasional, un misterio entre religioso y erótico en el que el escritor sacrifica a las palabras europeas en el altar de la autenticidad americana. Los libros hispanoamericanos chorrean sangre verbal: la de sustantivos, adjetivos, adverbios y verbos, la sangre incolora de la sintaxis y la prosodia de Castilla. Armado de su máquina de escribir como si fuese un cuchillo de obsidiana, el escritor se transforma en actor de un rito suntuoso y bárbaro; o es un amante heroico y cada uno de sus poemas y de sus relatos es la representación del rapto, no de las sabinas sino de las palabras; o es el libertador, el guerrillero, el caudillo revolucionario que libera al lenguaje de sus cadenas. Todas estas metáforas expresan las obsesiones históricas, eróticas y políticas que, simultáneamente, han encendido y cegado a nuestros escritores durante los últimos veinte años.

En un pequeño ensayo, llovizna que apagó todos esos fuegos de artificio, Gabriel Zaid nos ha recordado que los hispanoamericanos hablamos el mismo idioma que los españoles. Por este solo hecho nuestra relación con Cervantes, Lope de Vega o Quevedo no puede ser muy distinta a la de los españoles. Haber nacido en Antofagasta o en Navojoa no es un obstáculo para comprender a Góngora; las dificultades son otras y nada tienen que ver con el lugar de nacimiento. Borges dijo alguna vez que la diferencia entre los españoles y los argentinos era que los primeros ya habían tenido a un Cervantes mientras que los otros podrían tenerlo algún día. Brillante pero falso: Cervantes es más de Borges —si es que se puede *tener* una obra como si fuese una cosa— que de un notario de Madrid o un tabernero de Valladolid. Además, en América la unidad lingüística es mayor que en España y es evidente que un nativo de Lima o de Santiago está más cerca del idioma de Cervantes que un catalán, un vasco o un gallego. Los clásicos de la literatura castellana no son propiedad de los españoles peninsulares; son de todos los que hablamos el idioma, son nuestros. Por supuesto, no basta con hablar la lengua; la cultura no es una herencia sino una elección, una fidelidad y una disciplina. Rigor y pasión. No, las palabras que usamos los escritores hispanoamericanos —salvo los localismos y las singularidades del estilo de cada uno— no son distintas a las que usan los españoles; lo distinto es el resultado: la literatura.

¿Hay un lenguaje literario hispanoamericano distinto al de los españoles? Lo dudo. Por encima de las fronteras y del océano se comunican los estilos, las tendencias y las personalidades. Hay familias de escritores pero esas familias no están unidas ni por la sangre ni por la geografía sino por los gustos, las preferencias, las obsesiones. Más de un escritor hispanoamericano desciende de Valle-Inclán, que a su vez desciende de Darío y que aprendió mucho en Lugones. ¿Entonces? Debemos distinguir entre las influencias literarias, los parecidos involuntarios y las diferencias irreductibles. Las primeras han sido recíprocas y profundas. Los estilos, las maneras y las tendencias literarias nunca son nacionales. Los estilos son viajeros, atraviesan los países y las imaginaciones, transforman la geografía literaria tanto como la sensibilidad de autores y lectores. ¿Hay países expresionistas, barrocos, románticos, neoclásicos? El país expresionista no está en México ni en España ni en Perú sino en algunos escritores españoles, mexicanos, peruanos. La nación vanguardista es nómada aunque muestra predilección por las capitales sudamericanas: Buenos Aires, Santiago. Sería un error confundir las influencias y el predominio de este o aquel estilo con los parecidos involuntarios entre escritores de diferentes países. Estos últimos son, casi siempre, más profundos y brotan de semejanzas de temperamento y genio. Una obra literaria es el producto de distintas circunstancias combinadas de manera imprevisible: el carácter del escritor, su biografía, sus lecturas, el medio en que le ha tocado vivir y otros accidentes. Circunstancias parecidas en temperamentos diferentes producen obras antagónicas o, al menos, disímiles. Además, la religión, la filosofía o los conceptos que cada uno tiene sobre este mundo y el otro. Entre Jorge Guillén y José Gorostiza hay indudables afinidades de sensibilidad y también comunidad de lecturas (Valéry) pero estas semejanzas se bifurcan y resuelven en dos visiones opuestas: al español lo alza la ola del ser y al mexicano la misma ola lo sepulta. La misma transparencia verbal dibuja, con nitidez semejante, los dos monosílabos contrarios: Sí y No.

En cuanto a lo que he llamado las «diferencias irreductibles»: creo en el genio de los pueblos y las civilizaciones, de modo que pienso que el carácter español es uno, y otro el hispanoamericano (o más bien otros). Sin embargo de esto, me parece dudoso que se pueda aislar un conjunto de rasgos como elementos característicos de nuestras literaturas. Es cierto que del modernismo para acá los hispanoamericanos hemos mostrado una sensibilidad más abierta y despierta hacia el exterior que los españoles. Casi todos los grandes movimientos poéticos del siglo han llegado a España a través de los poetas hispanoamericanos. Lo mismo ha sucedido, diré de paso, en lengua inglesa: como Darío y Huidobro en España, Pound y Eliot fueron acusados de «galicismo estético» en Inglaterra. El cosmopolitismo, elogio o baldón, según el caso, ha sido destacado como uno de los caracteres de la literatura hispanoamericana. Lo opuesto también es cierto: una de nuestras obsesiones ha sido el americanismo en sus distintas versiones, del criollismo al nativismo y novomundismo. Uno de los mejores poetas modernos de nuestra lengua, Ramón López Velarde, cantó con humor y ternura no a Roma, Babel o Tenochtitlan sino a Zacatecas, la «bizarra capital de mi estado, que es un cielo cruel y una tierra colorada». En la poesía norteamericana aparecen las mismas oposiciones y expresadas con análoga pasión: al americanismo de Vallejo frente al cosmopolitismo de Huidobro corresponde la actitud de William Carlos Williams ante el europeísmo de Eliot. La literatura es el reino de las excepciones y singularidades. En ese reino no son las familias y las especies las que cuentan sino los individuos y los ejemplares únicos: no el estilo barroco sino Góngora o Quevedo, no el modernismo sino Martí o Darío. Santayana quería escribir, en el mejor inglés posible, sus ideas y experiencias de español mediterráneo —lo menos inglés posible. Su ideal es el de todos los escritores. En la literatura la sociedad se refleja pero, con más frecuencia, se contradice.

Lo que acabo de escribir parece que niega lo que afirmé al principio. Dije al comenzar que los escritores hispanoamericanos habían cambiado al castellano y que ese cambio era la literatura hispanoamericana; ahora sostengo que los hispanoamericanos escribimos el mismo idioma que los españoles, sin embargo de lo cual hemos creado una literatura distinta a la de ellos. ¿En qué quedamos? La contradicción existe pero no en mí sino en la misma literatura. La esencia de la literatura es contradictoria.

Sí, cada escritor cambia el lenguaje que recibe al nacer pero en ese cambio el lenguaje se conserva y se perpetúa. El escritor, al cambiarlo, lo lleva a ser más profunda y plenamente lo que es. En ese cambio el lenguaje cumple alguna de sus posibilidades más secretas e insospechadas. Concisión y sorpresa, esa doble operación verbal en cuyo seno la lógica más estricta produce una demostración de la irrealidad del mundo o del tiempo, son virtudes que asociamos ahora al estilo de Borges pero que Borges no inventó. En la naturaleza misma del español latían, implícitas, esas posibilidades que su escritura ha hecho visibles y palpables. El escritor hace algo mejor que inventar: descubre. Y lo que descubre es algo que ya estaba en el idioma, más como inminencia de aparición que como presencia. La escritura de nuestros mejores escritores parece una transgresión del castellano. Tal vez lo sea pero en esa transgresión el lenguaje se realiza, se consuma: es. En este sentido, los hispanoamericanos hemos cambiado al castellano y, al cambiarlo, le hemos sido fieles. La peor infidelidad es el casticismo.

Es indudable la existencia de la literatura hispanoamericana: las obras están allí, al alcance de los ojos y de la mente. Muchas de esas obras son notables y algunas entre ellas son de verdad únicas. También es indudable que esos poemas, novelas y cuentos sólo podían haber sido escritos por hispanoamericanos y que en esos libros el castellano, sin cesar de ser lo que es, no es ya el mismo que el de los escritores españoles. Agregaré que la literatura latinoamericana es una recién llegada. Es la más joven de las literaturas occidentales. Desde el comienzo de nuestra civilización, de una manera paulatina, han ido apareciendo las literaturas de Occidente. En el siglo XIX surgieron dos grandes literaturas: la rusa y la norteamericana. En el siglo XX brotó la latinoamericana, en sus dos grandes ramas: la brasileña y la hispanoamericana. En otras ocasiones me he referido a nuestra carencia mayor: la ausencia de una tradición de pensamiento crítico como la que existe, desde el fin del siglo XVII, en el resto de Occidente. Es una carencia que compartimos con España y Portugal y, en el otro extremo de nuestro mundo, con Rusia. Nuestros países no tuvieron siglo XVIII y nuestra modernidad es incompleta. Pero estas insuficiencias no nos convierten en ciudadanos de ese Tercer Mundo inventado por los economistas y que ahora es la campanita que hacen sonar los demagogos para atraer a la borregada. La campanita es el señuelo del esquilmo y el matadero. No, nosotros escribimos en castellano, una lengua latina: somos un extremo de Occidente. Un continente pobre y ensangrentado, una civilización excéntrica y de frontera. ¿Por qué no agregar que esa desolación se ilumina a veces con luces vivaces y extrañas? Pobreza, violencia, opresión, intolerancia, pueblos anárquicos, tiranos de todos los colores y el reino de la mentira a la derecha y a la izquierda. También imaginación, sensibilidad, finura, sensualidad, alegría, cierto estoicismo ante la muerte y la vida —genio. López Velarde definió a México como un país «castellano y morisco, rayado de azteca». La fórmula no es enteramente aplicable a Venezuela o a Chile pero el elemento central es común a todos los países hispanoamericanos: la lengua y todo lo que ella significa. Las naciones americanas, cualesquiera que sean sus lenguas, son el resultado de la expansión de Occidente. Todos hablamos lenguas transplantadas.

Es imposible reducir la diversidad de las obras hispanoamericanas a unos cuantos rasgos característicos. ¿No ocurre lo mismo con las otras literaturas? ¿Quién podría definir qué es la literatura francesa, la inglesa, la italiana? Racine y Chateaubriand, Pope y Wordsworth, Petrarca y Leopardi: cada uno vive en un mundo distinto aunque haya escrito en la misma lengua. ¿Por qué empeñarse en definir el carácter de la literatura hispanoamericana? Las literaturas no tienen carácter. Mejor dicho: la contradicción, la ambigüedad, la excepción y la indeterminación son rasgos que aparecen en todas las literaturas. En el seno de cada literatura hay un diálogo continuo hecho de oposiciones, separaciones, bifurcaciones. La literatura es un tejido de afirmaciones y negaciones, dudas e interrogaciones. La literatura hispanoamericana no es un mero conjunto de obras sino las relaciones entre esas obras. Cada una de ellas es una respuesta, declarada o tácita, a otra obra escrita por un predecesor, un contemporáneo o un imaginario descendiente. Nuestra crítica debería explorar estas relaciones contradictorias y mostrarnos cómo esas afirmaciones y negaciones excluyentes son también, de alguna manera, complementarias. A veces sueño con una historia de la literatura hispanoamericana que nos contase esa vasta y múltiple aventura, casi siempre clandestina, de unos cuantos espíritus en el espacio móvil del lenguaje. La historia de nuestras letras nos consolaría un poco del desaliento que nos produce nuestra historia real.

[«Alrededores de la literatura hispanoamericana» es una conferencia pronunciada el 4 de diciembre de 1976 en la Universidad de Yale. Se publicó en *In/mediaciones*, Seix Barral, Barcelona, 1979.]

Literatura y crítica

1. ¿ES MODERNA NUESTRA LITERATURA?

Decir que la literatura de Occidente es *una,* provoca inmediatamente legítimas repulsas: ¿qué tienen en común el endecasílabo italiano y el yámbico inglés, Camões y Hölderlin, Ronsard y Kafka? En cambio, parece no sólo razonable sino innegable afirmar que la literatura de Occidente es un *todo.* Cada una de las unidades que llamamos literatura inglesa, alemana, italiana o polaca, no es una entidad independiente y aislada sino en continua relación con las otras. Corneille leyó con provecho a Juan Ruiz de Alarcón y Shakespeare a Montaigne. La literatura de Occidente es un tejido de relaciones; los idiomas, los autores, los estilos y las obras han vivido y viven en perpetua interpenetración. Las relaciones se despliegan en distintos planos y direcciones. Unas son de afinidad y otras de contradicción: Chaucer tradujo el *Roman de la Rose* pero los románticos alemanes se alzaron contra Racine. Las relaciones pueden ser espaciales o temporales: Eliot encontró, al otro lado del Canal de la Mancha, la poesía de Laforgue; Pound, al otro lado del tiempo, en el siglo XII, la poesía provenzal. Todos los grandes movimientos literarios han sido transnacionales y todas las grandes obras de nuestra tradición han sido la consecuencia —a veces la réplica— de otras obras. La literatura de Occidente es un todo en lucha consigo mismo, sin cesar separándose y uniéndose a sí mismo, en una sucesión de negaciones y afirmaciones que son también reiteraciones y metamorfosis.

Literatura en movimiento y, además, literatura en expansión. No sólo se ha extendido a otras tierras (América, Australia, África del Sur) sino que ha creado otras literaturas. En uno de sus extremos han surgido las literaturas eslavas; en el otro, las literaturas americanas de lengua inglesa, castellana, portuguesa y francesa. Muy pronto una de esas literaturas —la norteamericana— se volvió universal, quiero decir, parte constitutiva de nuestro universo cultural e histórico. Imposible concebir a los siglos XIX y XX sin Melville, Poe, Whitman, James, Faulkner, Eliot. La otra gran literatura universal fue la rusa. Digo *fue* porque, a diferencia de la norteamericana que no ha cesado de darnos grandes poetas y novelistas a lo largo de este siglo, la rusa ha sufrido un eclipse. Pero la palabra *eclipse* es inexacta pues designa un fenómeno natural y que escapa a la voluntad de los hombres, mientras que la destrucción de la literatura rusa fue una empresa realizada voluntariamente por un grupo. Lo extraordinario de este caso, único en la historia moderna —la tentativa de Hitler al final falló— es que esa destrucción fue la consecuencia de un proyecto histórico prometeico y que se proponía cambiar tanto a la sociedad como a la naturaleza humana. La decepción de un cristiano del siglo II que resucitase y se diese cuenta de que han pasado dos mil años sin que se haya realizado la Segunda Vuelta de Cristo, juzgada inminente en su época, sería menor que el rubor que sentirían Marx y Engels si pudiesen ver con sus ojos la suerte de sus ideas un siglo y medio después de publicado el *Manifiesto comunista.* Cierto, en los últimos años hemos presenciado el renacimiento de la literatura rusa: Solzhenitsyn, Siniavski, Brodsky y otros. Pero la influencia de estos escritores es moral, no literaria. Solzhenitsyn no es un estilo sino una conciencia; sus obras, más que una visión del mundo, son un testimonio del horror de nuestro mundo.

La tercera literatura occidental no-europea es la latinoamericana, en sus dos grandes ramas: la portuguesa y la castellana. (El caso de la francoamericana es distinto.) Aunque la evolución de las literaturas brasileña e hispanoamericana ofrece grandes analogías y similitudes, ha sido una evolución independiente. Su historia hace pensar en dos gemelos que el azar ha colocado en dos ciudades contiguas pero incomunicadas y que, al enfrentarse a circunstancias parecidas, responden a ellas de una manera semejante. A pesar de que los poetas brasileños y los hispanoamericanos han sufrido durante este siglo las mismas influencias —el simbolismo francés, Eliot, el surrealismo, Pound— no ha habido la menor relación entre ellos, salvo en los últimos años. Lo mismo puede decirse de la novela, el teatro y el ensayo. Además, la historia del Brasil ha sido distinta a la de los otros países latinoamericanos. Por todo esto, en lo que sigue sólo me ocuparé de la literatura hispanoamericana.

En sus comienzos nuestra literatura fue mera prolongación de la española, como la norteamericana lo fue de la inglesa. Desde fines del siglo XVI las naciones hispanoamericanas, sobre todo los virreinatos del Perú y de Nueva España, dieron figuras de relieve a la literatura castellana. Apenas si es necesario recordar al dramaturgo Ruiz de Alarcón y a la poetisa Sor Juana Inés de la Cruz. En la obra de ambos no es imposible encontrar ciertos rasgos y acentos que delatan su origen americano; estas singularidades, por más acusadas que nos parezcan, no los separan de la literatura española de su época. Ruiz de Alarcón es distinto a Lope de Vega pero su teatro no funda otra tradición: simplemente expresa otra sensibilidad, más fina y menos extremada; Sor Juana es superior a sus contemporáneos de Madrid pero con ella no comienza otra poesía: con ella acaba la gran poesía española del siglo XVII. La literatura hispanoamericana escrita durante los siglos XVIII y XIX comparte la general debilidad y mediocridad, con las contadas y conocidas excepciones, de la escrita en España. Ni el neoclasicismo ni el romanticismo tuvieron fortuna en nuestra lengua.

A fines del siglo pasado, fecundada por la poesía simbolista francesa, nace al fin la poesía hispanoamericana. Con ella y por ella, un poco más tarde, nacen el cuento y la novela. Después de un periodo de oscuridad, nuestros poetas y novelistas han ganado, en la segunda mitad del siglo, un reconocimiento universal. Hoy nadie niega la existencia de una literatura hispanoamericana, dueña de rasgos propios, distinta de la española y que cuenta con algunas obras que son también distintas y singulares. Esta literatura se ha mostrado rica en obras poéticas y en ficciones en prosa, pobre en el teatro y pobre también en el campo de la crítica literaria, filosófica y moral. Esta debilidad, visible sobre todo en el dominio del pensamiento crítico, nos ha llevado a algunos entre nosotros a preguntarnos si la literatura hispanoamericana, por más original que sea y nos parezca, es *realmente moderna*. La pregunta es pertinente porque, desde el siglo XVIII, la crítica es uno de los elementos constitutivos de la literatura moderna. Una literatura sin crítica no es moderna o lo es de un modo peculiar y contradictorio.

Antes de contestar a la pregunta sobre la ausencia de crítica en Hispanoamérica, hay que formularla con claridad: ¿se quiere decir que no existe una literatura crítica o que no tenemos crítica literaria, filosófica, moral? La existencia de la primera me parece indudable. En casi todos los escritores hispanoamericanos aparece esta o aquella forma de la crítica, directa u oblicua, social o metafísica, realista o alegórica. ¿Cómo distinguir en la obra de Azuela, por ejemplo, entre invención novelística y crítica política? Lo mismo puede decirse de Borges, un autor diametralmente opuesto al novelista mexicano, y de Mario Vargas Llosa, un escritor muy distinto a Borges. Los cuentos de Borges giran casi siempre sobre un eje metafísico: la duda racional acerca de la realidad de lo que llamamos realidad. Se trata de una crítica radical de ciertas nociones que se dan por evidentes: el espacio, el tiempo, la identidad de la conciencia. En las novelas de Vargas Llosa la imaginación fabuladora es inseparable de la moral, más en el sentido francés de esta palabra que en el español: descripción y análisis de la interioridad humana. En los tres escritores la crítica está indisolublemente ligada a las invenciones y ficciones de la imaginación; a su vez, la imaginación se vuelve crítica de la realidad. Paisajes sociales, metafísicos, morales: en cada uno de ellos la realidad ha sufrido la doble operación de la invención verbal y de la crítica. La literatura hispanoamericana no es solamente la expresión de nuestra realidad ni la invención de otra realidad: también es una pregunta sobre la realidad de esas realidades.

No es accidental la constante presencia de la crítica —más como actitud vital que como reflexión y pensamiento— en la poesía y en la ficción de nuestra América. Se trata de un rasgo común a todas las literaturas modernas de Occidente. Ésta es una prueba más —si es que es necesario probar algo por sí mismo evidente— de nuestra verdadera filiación: por la historia, la lengua y la cultura pertenecemos a Occidente, no a ese nebuloso Tercer Mundo de que hablan nuestros demagogos. Somos un extremo de Occidente —un extremo excéntrico, pobre y disonante. La crítica ha sido el alimento intelectual y moral de nuestra civilización desde el nacimiento de la edad moderna. La frontera entre la literatura moderna y la del pasado ha sido trazada por ella. Una pieza de teatro de Calderón está construida por la razón pero no por la crítica; es una razón que se despliega en el discurso de la providencia divina y su proyección terrestre: la libertad humana. En una novela de Balzac, por el contrario, la acción no se manifiesta como una demostración teológica sino como una historia gobernada por causas y circunstancias relativas, entre ellas las pasiones humanas y el acaso. Hay una zona de indeterminación en las obras modernas que es, asimismo, una zona nula: el hueco que han dejado las antiguas certidumbres divinas minadas por la crítica. Sería muy difícil encontrar una obra hispanoamericana contemporánea en la que no aparezca, de esta o de aquella manera, esa zona nula. En este sentido, nuestra literatura es moderna. Y lo es de una manera más plena que nuestros sistemas políticos y sociales, que ignoran la crítica y que casi siempre la persiguen.

La respuesta a la pregunta es menos inequívoca si, en lugar de literatura crítica, hablamos de crítica literaria, política y moral. Sin duda, hemos tenido buenos críticos literarios, de Bello a Henríquez Ureña y de Rodó a Reyes, para no hablar de los contemporáneos. ¿Por qué, entonces, se dice que no tenemos crítica en Hispanoamérica? El tema es vasto y complicado. Aquí me limitaré a esbozar un principio de explicación. Tal vez no sea *la* causa pero estoy seguro de que, al menos, es una de las causas.

Buena crítica literaria ha habido siempre; lo que no tuvimos ni tenemos son movimientos intelectuales originales. No hay nada comparable, en nuestra historia, a los hermanos Schlegel y su grupo; a Coleridge, Wordsworth y su círculo; a Mallarmé y sus martes. O si se prefieren ejemplos más próximos: nada comparable al *New Criticism* de los Estados Unidos, a Richards y Leavis en Gran Bretaña, a los estructuralistas de París. No es difícil adivinar la razón —o una de las razones— de esta anomalía: en nuestra lengua no hemos tenido un verdadero pensamiento crítico ni en el campo de la filosofía ni en el de las ciencias y la historia. Sin Kant tal vez Coleridge no habría escrito sus reflexiones sobre la imaginación poética; sin Saussure y Jakobson no tendríamos hoy la nueva crítica. Entre el pensamiento filosófico y científico y la crítica literaria ha habido una continua intercomunicación. En la edad moderna los poetas han sido críticos y en muchos casos, de Baudelaire a Eliot, es imposible separar la reflexión de la creación, la poética de la poesía. España, Portugal y sus antiguas colonias son la excepción. Salvo en casos aislados como el de un Ortega y Gasset en España, un Borges en Argentina y otros pocos poetas y novelistas dotados de conciencia crítica, vivimos intelectualmente de prestado. Tenemos algunos críticos literarios excelentes pero en Hispanoamérica no ha habido ni hay un movimiento intelectual original y propio. Por eso somos una porción excéntrica de Occidente.

¿Cuándo comenzó nuestra excentricidad: en el siglo XVII o en el XVIII? Aunque no tuvimos un Descartes ni nada parecido a lo que se ha llamado la «revolución científica», me parece que lo que nos faltó sobre todo fue el equivalente de la Ilustración y de la filosofía crítica. No tuvimos siglo XVIII: ni con la mejor buena voluntad podemos comparar a Feijoo o a Jovellanos con Hume, Locke, Diderot, Rousseau, Kant. Allí está la gran ruptura: allí donde comienza la era moderna, comienza también nuestra separación. Por eso la historia moderna de nuestros países ha sido una historia excéntrica. Como no tuvimos Ilustración ni revolución burguesa —ni Crítica ni Guillotina— tampoco tuvimos esa reacción pasional y espiritual contra la Crítica y sus construcciones que fue el romanticismo. El nuestro fue declamatorio y externo. No podía ser de otro modo; nuestros románticos se rebelaron contra algo que no habían padecido: la tiranía de la razón. Y así sucesivamente... Desde el XVIII hemos bailado fuera de compás, a veces contra la corriente y otras, como en el periodo modernista, tratando de seguir las piruetas del día. Por fortuna, nunca lo hemos logrado enteramente. No seré yo el que lo lamente; nuestra incapacidad para ponernos a tono ha producido, oblicuamente, por decirlo así, obras únicas. Obras que, más que excéntricas, hay que llamar excepcionales. Pero en el campo del pensamiento y en los de la política, la moral pública y la convivencia social, nuestra excentricidad ha sido funesta.

Según la mayoría de nuestros historiadores, la edad moderna comienza, en América Latina, con la revolución de Independencia. La afirmación es demasiado general y categórica. En primer lugar, la Independencia del Brasil presenta características únicas y que la distinguen netamente de la del resto del continente; además, en la misma Hispanoamérica la Independencia no fue una sino plural: la de México no tuvo el mismo sentido que la de Argentina ni la de Venezuela puede equipararse a la del Perú. En segundo lugar: si la revolución de Independencia es el comienzo de la edad moderna en nuestros países, hay que confesar que se trata de un comienzo bien singular.

Los modelos que inspiraron a nuestros ideólogos y caudillos fueron la revolución de Independencia de los Estados Unidos y, en menor grado, la Revolución francesa. El movimiento norteamericano fue una consecuencia —extremada y, si se quiere, contradictoria, pero una consecuencia— de las ideas, las instituciones y los principios ingleses transplantados al nuevo continente. La separación de Inglaterra no fue una negación de Inglaterra: fue una afirmación de los principios y creencias que habían fundado a las primeras colonias, especialmente el de libertad religiosa. En los Estados Unidos, antes de ser conceptos políticos, la libertad y la democracia fueron experiencias religiosas y su fundamento se encuentra en la Reforma. La revolución de Independencia separó a los Estados Unidos de Inglaterra pero no los cambió ni se propuso cambiar su religión, su cultura y los principios que habían fundado a la nación. La relación de las colonias hispanoamericanas con la Metrópoli era completamente distinta. Los principios que fundaron a nuestros países fueron los de la Contrarreforma, la monarquía absoluta, el neotomismo y, al mediar el siglo XVIII, el «despotismo ilustrado» de Carlos III. La Independencia hispanoamericana fue un movimiento no sólo de separación sino de *negación* de España. Fue una verdadera revolución —en esto se parece a la francesa—, es decir, fue una tentativa por cambiar un sistema por otro; el régimen monárquico español, absolutista y católico, por uno republicano, democrático y liberal.

El parecido con la Revolución francesa también es equívoco. En Francia había una relación orgánica entre las ideas revolucionarias y los hombres y las clases que las encarnaban y trataban de realizarlas. Esas ideas habían sido pensadas y vividas no sólo por la «inteligencia» y la burguesía sino por la misma nobleza. Por más abstractas y aun utópicas que pareciesen, correspondían de alguna manera a los hombres que las habían pensado y a los intereses de las clases que las habían hecho suyas. Lo mismo sucedió en los Estados Unidos. En uno y otro caso, los hombres que combatían por las ideas modernas eran hombres modernos. En Hispanoamérica esas ideas eran máscaras; los hombres y las clases que gesticulaban detrás de ellas eran los herederos directos de la sociedad jerárquica española: hacendados, comerciantes, militares, clérigos, funcionarios. La oligarquía latifundista y mercantil unida a las tres burocracias tradicionales: la del Estado, la del Ejército y la de la Iglesia. Nuestra revolución de Independencia no fue sólo una autonegación sino un autoengaño. El verdadero nombre de nuestra democracia es caudillismo y el de nuestro liberalismo es autoritarismo. Nuestra modernidad ha sido y es una mascarada. En la segunda mitad del siglo XIX la «inteligencia» hispanoamericana cambió el antifaz liberal por la careta positivista y en la segunda mitad del XX por la marxista-leninista. Tres formas de la enajenación.

¿Fracasaron nuestros pueblos? Más exacto sería decir que las ideas filosóficas y políticas que han constituido a la civilización occidental moderna han fracasado entre nosotros. Desde esta perspectiva nuestra revolución de Independencia debe verse no como el comienzo de la edad moderna sino como el momento de la ruptura y fragmentación del Imperio español. El primer capítulo de nuestra historia no relata un nacimiento sino un desmembramiento. Nuestro comienzo fue negación, ruptura, disgregación. Desde el siglo XVIII nuestra historia y la de los españoles es la de una decadencia; un todo que se rompe —acaso porque nunca fue *uno*— y cuyos pedazos andan a la deriva. En esto también es notable la diferencia con el mundo anglosajón. La carrera de potencia imperial de Inglaterra, lejos de interrumpirse con la Independencia de los Estados Unidos, continuó y alcanzó su apogeo más tarde, en la segunda mitad del siglo XIX. A su vez, al ocaso imperial de Inglaterra sucedió el ascenso de los Estados Unidos, república imperial. En cambio, ni España ni sus antiguas colonias han logrado siquiera adaptarse al mundo moderno. Se me dirá que no es imposible que los españoles, en un futuro no muy lejano, lleguen a construir una sociedad democrática. Aun así, habrán llegado a ella con un retraso de más de dos siglos.[1]

Nuestros pueblos no son la única excepción de Occidente. Los rusos tampoco tuvieron siglo XVIII; quiero decir, la Ilustración no penetró en esa sociedad sino bajo la forma paradójica, como entre nosotros, del «despotismo ilustrado». Ellos y nosotros hemos pagado cruelmente esta omisión histórica: conocemos la sátira, la ironía, el humor, la rebeldía heroica pero no la crítica. Por eso tampoco conocemos la tolerancia, fundamento de la civilización política, ni la verdadera democracia, que reposa en el respeto a los disidentes y a los derechos de las minorías. Pero hay una diferencia capital entre ellos y nosotros. Aunque la revolución de 1917 fue un cambio inmenso, no se tradujo en ruptura, negación y fragmentación. Entre Pedro el Grande y Lenin, entre Iván el Terrible y Stalin, no hay ruptura sino continuidad. La revolución bolchevique destruyó al zarismo sólo para mejor continuar el autoritarismo ruso; acabó con la ortodoxia cristiana pero en su lugar instaló una ideocracia que si es menos espiritual es más intolerante que la de la religión tradicional. Rusia crece pero no cambia: sin zar sigue siendo un imperio.[2] En cambio, la revolución de Independencia produjo la disgregación del Imperio español (¿o fue uno de los efectos de esa disgregación?). A la fragmentación hay que añadir la crónica inestabilidad: desde el siglo pasado nuestros pueblos viven entre los espasmos del desorden y el estupor de la pasividad, entre la demagogia y el caudillismo.

En los últimos años, intoxicados por esas formas inferiores del instinto religioso que son las ideologías políticas contemporáneas, muchos intelectuales hispanoamericanos han abdicado. No han adorado, como los de otras épocas, a la Razón, el Progreso o la Libertad sino al toro de la violencia ideológica y del poder intolerante. Al toro de pezuñas ensangrentadas que lleva entre los cuernos, como si fuesen guirnaldas, las tripas de sus víctimas. Muchos escritores, atemorizados o seducidos por los bandos ideológicos y la retórica de la violencia, se han convertido en acólitos y sacristanes de los nuevos oficiantes y sacrificadores. Algunos, no contentos con esta abjuración, han trepado a los púlpitos y desde allí han

[1] España ya es una democracia y en América Latina asistimos a un renacimiento democrático. Es tarde, pero... [Nota de 1990.]

[2] ¿Lo seguirá siendo? [Nota de 1990.]

pedido el castigo de sus colegas independientes. No han faltado los que, poseídos por el demonio del autoaborrecimiento, han llegado a pedir el castigo de sí mismos. De ahí la necesidad urgente de la crítica en nuestros países. La crítica —cualquiera que sea su índole: literaria, filosófica, moral, política— no es al fin de cuentas sino una suerte de higiene social. Es nuestra única defensa contra el monólogo del Caudillo y la gritería de la Banda, esas dos deformaciones gemelas que extirpan al *otro*. La crítica es la palabra racional. Esa palabra es dual por naturaleza, ya que implica siempre a un oyente que es también un interlocutor. Sabemos que la crítica, por sí sola, no puede producir una literatura, un arte y ni siquiera una política. No es ésa, por lo demás, su misión. Sabemos asimismo que sólo ella puede crear el espacio —físico, social, moral— donde se despliegan el arte, la literatura y la política. Contribuir a la construcción de ese espacio es hoy el primer deber de los escritores de nuestra lengua.

Cambridge, Mass., diciembre de 1975

2. NOTA MARGINAL

Releo estas reflexiones y siento, inmediatamente, la necesidad de matizarlas. Si es verdad que en la América hispana no hemos tenido movimientos intelectuales comparables a los que han aparecido en Europa desde el siglo XVIII, no es menos cierto que sí hemos tenido pensadores que han reflexionado, a veces con brillo y otras con hondura, sobre nuestra historia, nuestra cultura y nuestras peculiaridades. Su punto de partida ha sido alguna doctrina europea pero sus conclusiones han sido, casi siempre, originales. Apenas si necesito recordar a Sarmiento y a Bello, a Martí y a Rodó o, ya cerca de nosotros, a Mariátegui y a Vasconcelos. El panorama es aún más rico y estimulante si se piensa en los libros que han aparecido desde hace unos cuarenta años sobre dos temas que apasionan a nuestros ensayistas. El primero es la historia de la cultura hispanoamericana, su carácter y sus relaciones con el mundo indígena y con España, con Europa y con los Estados Unidos; el segundo es la índole de nuestras sociedades. En uno y otro caso: meditaciones sobre «el genio de nuestros pueblos», como se decía antes. Finalmente, no debemos quejarnos demasiado porque no haya nacido en nuestra América ninguna gran doctrina filosófica: vivimos hoy, en todas partes, el ocaso de los sistemas.

En la esfera de la crítica literaria propiamente dicha son aún mayores la abundancia y la variedad. Es justo añadir que la crítica literaria hispanoamericana de hoy es más alerta y viva que la de las generaciones anteriores. En el pasado algunos de nuestros mejores críticos mostraron cierta reserva —incluso, a veces, desdén— ante la literatura hispanoamericana, sobre todo frente a la de sus contemporáneos. Preferían abordar temas generales de estética, explorar la literatura europea o encerrarse en la erudición. Algunos de sus estudios son imprescindibles para aquel que quiera conocer nuestra tradición pero salvo en algún caso aislado —por ejemplo: aquel ensayo de Rodó sobre *Prosas profanas*— hubo que esperar a la época actual para encontrar una crítica *viva* sobre nuestra literatura *viva*.

En el pasado reciente la crítica se hacía en los diarios y revistas; hoy se escribe en las universidades. Pérdida y ganancia, como siempre ocurre. La crítica de ayer era menos sólida que la de ahora pero más combativa y arriesgada: era una apuesta y, casi, una declaración de fe. Era también una crítica *parcial*, como quería Baudelaire que fuese la crítica moderna. La de hoy es hija del saber, la reflexión y la constancia. Virtudes admirables pero peligrosas, sobre todo la última: la constancia puede convertirse en mera industria. La crítica contemporánea —la universitaria y la de los francotiradores— ha contribuido poderosamente a la difusión de la literatura hispanoamericana. No sólo ha explorado nuestro pasado sino que se ha mostrado curiosa y sensible ante la aparición de obras y tendencias nuevas. La función de las universidades de los Estados Unidos —focos de irradiación cultural— ha sido central en estas actividades de investigación, valoración y divulgación. Al lado de la crítica universitaria, algunos poetas y novelistas han continuado con loable terquedad la tradición de Valéry, Machado y Eliot. Para varios de estos escritores la crítica, más que una actividad intelectual, es una suerte de respiración, un oxígeno no menos necesario que el otro. La crítica de los poetas y los novelistas completa a la de los universitarios. Son dos corrientes paralelas, una científica y otra impresionista, una objetiva y otra autobiográfica, que se irrigan mutuamente y que, a veces, en sus mejores momentos, se cruzan.

No sé si la crítica sirva al juicio o a la imaginación. Tal vez englobe a los dos: la crítica compara y juzga pero asimismo revela y descubre. ¿La crítica es creación, como pretenden algunos? Pienso que la crítica es siempre creadora pero a condición de que esté al servicio del texto que examina. El poeta y el novelista se enfrentan a algo dado: un lenguaje, unos metros y rimas, unas situaciones, una realidad por expresar y la realidad de una tradición literaria. El crítico se enfrenta a un texto, no como trampolín para saltar a otro texto sino para volverlo más transparente o más rico, más ambiguo o más luminoso. Convertir a la crítica en una actividad autónoma desligada del texto, no sólo es desfigurarla y desnaturalizarla: es una falsificación. La crítica es un texto sobre otro texto. Éstas son verdades de Perogrullo que hoy, por desgracia, no hay más remedio que repetir. También hay que repetir que si la crítica es la servidora del texto literario, a su vez la literatura se alimenta de la crítica. Lo que fue la teología para Dante lo es la crítica para nosotros.

Al hablar de la crítica como sustento de la creación literaria me refiero, en primer término, al pensamiento filosófico, científico y económico de nuestros días. ¿Qué habría sido del surrealismo sin el psicoanálisis, qué habría escrito Machado sin Bergson y Heidegger? A veces podemos deplorar esas influencias; las disparatadas teorías económicas de G. H. Douglas transtornaron a Pound y la *Vulgata* marxista a Neruda y Alberti. No importa: con esas ideologías sumarias esos poetas han escrito poemas de rara intensidad. Pero la crítica más fecunda es la de los propios poetas: la de un Coleridge y un Baudelaire o, en la época moderna, la de un Valéry, un Eliot o un Montale. La poesía de la edad moderna se distingue de la del pasado por la fusión entre la idea y la sensación, el pensamiento y la sensibilidad. Dante y Milton son poetas incomparablemente más vastos que los modernos, pero en ellos no es fácil encontrar líneas en las que la sensualidad sea inseparable del pensamiento y la máxima abstracción encarne en lo más concreto e intenso como en este endecasílabo: *Le Temps scintille et le Songe est savoir*. Lo que he dicho sobre la poesía es aplicable a la novela y, claro, a la crítica: el buen poeta es siempre un verdadero crítico y el crítico un excelente novelista. Me parece que esta noción de *poesía crítica* define, ya que no a todos, sí a una porción de nuestros mejores autores. Por ellos la literatura hispanoamericana es plenamente moderna.

México, 1988

[«¿Es moderna nuestra literatura?» se publicó en *In/mediaciones*, Seix Barral, Barcelona, 1979. La «Nota marginal» se publicó en *La literatura hispanoamericana por un testigo de vista* —separata que recoge «Alrededores de la literatura hispanoamericana», un fragmento de «¿Es moderna nuestra literatura?» y «Nota marginal»—, Crítica, Barcelona, 1988.]

¿Poesía latinoamericana?

Empezaré por una confesión: estoy seguro de la existencia de algunos poemas escritos en los últimos cincuenta años por algunos poetas latinoamericanos pero no lo estoy de la existencia de la poesía latinoamericana. Experimento la misma duda ante expresiones parecidas, tales como la «poesía inglesa» o la «poesía francesa». Una y otra designan realidades heterogéneas y, a veces, incompatibles: La Fontaine y Rimbaud, Dryden y Wordsworth. Aparte de esta dificultad de orden general, hay otra, más inmediata; aunque la frase «poesía latinoamericana» parece natural, no lo es: une dos términos desconocidos. A estas alturas, después de más de dos milenios de especulaciones estéticas, de Aristóteles a Heidegger, padecemos una suerte de mareo filosófico y nadie sabe ya a ciencia cierta qué significa realmente la palabra poesía. Lo mismo ocurre, en el nivel de la política y la historia, con la palabra Latinoamérica: ¿es una o varias o ninguna? Quizá no sea sino un marbete que, más que nombrar, oculta una realidad en ebullición —algo que todavía no tiene nombre propio porque tampoco ha logrado la existencia propia. Enumero estas dificultades del tema no por estrategia retórica sino para justificar el método que emplearé en este artículo: la negación y la comparación. En la imposibilidad de definir o, siquiera, describir a nuestra poesía por lo que es, procuraré decir lo que no es. Me propongo limpiar el terreno; una vez despejado, los curiosos podrán acercarse para ver y, sobre todo, para oír —no a la poesía, que es muda de nacimiento, sino a los poemas, esas realidades verbales.

Si la poesía es ante todo un objeto verbal (un poema), será difícil tratar en un mismo artículo distintas realidades lingüísticas. En América Latina se hablan varios idiomas: el portugués, el español, el francés y las lenguas indígenas. Estas últimas son las únicas realmente americanas —pero no son latinas. Además, esas literaturas son tradicionales y, casi siempre, orales; por tanto, tampoco son, en un sentido estricto, contemporáneas.

La poesía americana de lengua francesa nos enfrenta a un curioso problema. Si los poetas haitianos son latinoamericanos, ¿lo son también los poetas canadienses que escriben en francés? Saint-John Perse nació en Guadalupe y Aimé Césaire en Martinica. El primero es autor de *Éloges* y el segundo de *Cahier d'un retour au pays natal,* dos libros que son dos visiones de las Antillas. La mención de estas obras, tan profundamente americanas y, al mismo tiempo, tan estrechamente ligadas a la tradición poética francesa moderna, hace vacilar la noción de «literatura latinoamericana». La verdad es que América Latina es un concepto histórico, sociológico o político: designa un conjunto de pueblos, no una literatura.

Las relaciones entre la literatura brasileña y la hispanoamericana son de orden distinto. La comunicación entre el portugués y el español fue constante en el pasado. Apenas si es necesario recordar que muchos grandes poetas portugueses —Gil Vicente, Sá de Miranda, Camões— escribieron también en castellano. No obstante, la literatura brasileña no es parte de la literatura hispanoamericana: posee independencia, carácter y fisonomía inconfundibles. El Brasil es algo más que una nación: es un universo lingüístico irreductible al español. La frase «Guimarães Rosa es un escritor brasileño» alude no sólo al registro civil sino a la literatura; decir que Darío es el poeta de Nicaragua es confundir las fronteras políticas con los estilos. No hay una literatura argentina, cubana o venezolana: el mexicano Pellicer está más cerca del ecuatoriano Carrera Andrade que de su compatriota José Gorostiza. En Hispanoamérica las tendencias artísticas y los estilos literarios, sin excluir al «nacionalismo», han traspasado siempre las fronteras nacionales pero se han detenido ante las del Brasil. En cuanto a los grandes poetas brasileños (Bandeira, Drummond de Andrade, Murilo Mendes, Cabral de Melo): ninguno de ellos ha ejercido influencia en la poesía hispanoamericana. El grupo de poetas concretos de São Paulo, que tanto y legítimo interés ha despertado en Inglaterra, apenas si es conocido entre nosotros; sólo en México, que yo sepa, se ha publicado una antología de poesía concreta brasileña.

La evolución literaria en Brasil e Hispanoamérica ha sido simultánea, coincidente y, asimismo, totalmente independiente. Los críticos distinguen tres momentos en la poesía brasileña moderna que equivalen exactamente a otros tres en la hispanoamericana: el modernismo de 1920 a nuestra vanguardia; la generación de 1945 a la de Cintio Vitier y Alberto Girri; la «poesía concreta» a la de los jóvenes. Las tendencias, las influencias, las actitudes y los manifiestos han sido semejantes; casi al mismo tiempo brasileños e hispanoamericanos descubrieron a Dadá y al arte primitivo, al surrealismo y a su propio pasado, a Eliot y a la tradición, al cosmopolitismo y al nacionalismo. Víctimas de las mismas enfermedades, descubridores de las mismas verdades, enamorados de los mismos dioses —y, no obstante, absolutamente incomunicados. Y hay más: una mirada atenta descubre que, como si se tratase de esos mitos que estudia Lévi-Strauss y que en cada tribu se transforman gracias a distintas combinaciones de los mismos elementos, el movimiento de la poesía brasileña se despliega en un orden temporal simétricamente inverso al nuestro: el modernismo brasileño carece del radicalismo de la vanguardia hispanoamericana: nada ni nadie comparable a Huidobro; la figura más representativa de la generación de 1945, Cabral de Melo, es un poeta estricto y riguroso, lo contrario del barroquismo de Lezama Lima o de la vegetación verbal de Enrique Molina; por último, sería inútil buscar entre los poetas jóvenes de Hispanoamérica a un grupo como el de *Invenção* (Haroldo y Augusto de Campos, Décio Pignatari, Braga). En 1920 la vanguardia estaba en Hispanoamérica; en 1960, en Brasil.

La literatura iberoamericana es doble: la escrita en portugués y la escrita en castellano. La segunda es mi tema. Pero el tema, apenas enunciado, de nuevo se bifurca: si el idioma español nos distingue de los brasileños, ¿qué es lo que nos define frente a los españoles? Ante todo: ciertas diferencias lingüísticas; sobre todo: una actitud distinta frente al lenguaje que ellos y nosotros hablamos. Los especialistas afirman que es mayor la unidad lingüística en Hispanoamérica que en España. Nada más natural: el castellano fue transplantado a nuestras tierras cuando ya era un idioma hecho y derecho, el idioma de un Estado que lo había escogido como su vehículo oficial y exclusivo: el embajador de Carlos V pronuncia su discurso ante la corte papal en español y no en latín, en medio del escándalo y la consternación de sus oyentes. La suerte de los otros idiomas de la península ibérica fue semejante a la de los antiguos reinos medievales, sometidos a Castilla. Sólo que la unidad de España ha sido siempre precaria y de ahí la supervivencia tanto de los separatismos regionales como de las lenguas y dialectos locales. En América, por el contrario, el castellano no tuvo que luchar contra el catalán y el vascuence, el gallego y el mallorquín. Nadie habla asturiano o valenciano entre nosotros.[1] Al mismo

[1] Es imposible tratar en este artículo el tema de las lenguas indígenas. Baste con recordar que las hablan algunos millones de individuos. Si desapareciesen, como es muy posible

tiempo, el español de América es una lengua más abierta que la de España, más expuesta a las influencias de afuera: los idiomas indígenas, el inglés y el francés, los italianismos y africanismos de inmigrantes y esclavos... El tejido lingüístico revela historias diferentes: en España, la persistencia de la pluralidad medieval; en América, el centralismo del Imperio español y su final disgregación: 19 países (si cuento a una colonia, Puerto Rico, y a varias seudonaciones inventadas por las oligarquías nativas y el imperialismo norteamericano). El español de España está más pegado a la tierra y a las cosas, es un idioma sustancialista. El de América, más que hundirse en el suelo, parece extenderse en el espacio. El casticismo de ciertos escritores españoles es exasperante; no lo es menos el hibridismo de algunos hispanoamericanos.

La actitud ante el idioma también es distinta: la nuestra es crítica; la de ellos, confiada. Entre los españoles y su idioma no hay distancia; ninguno de sus escritores modernos ha puesto en tela de juicio al lenguaje y un Wittgenstein o un Joyce españoles están todavía por nacer. Nosotros, desde la época de la Independencia, denunciamos el pasado español —en español. En el siglo XX, primero Darío y después Huidobro, decidieron que había que afrancesar al español —para americanizarlo. El español es nuestro y no lo es. O más exactamente: el idioma es una de nuestras incertidumbres. A veces una máscara, otras una pasión —nunca una costumbre. Los españoles creen en lo que dicen, incluso si dicen mentiras; los hispanoamericanos se ocultan en las palabras, creen que el lenguaje es una vestidura. Si la desgarramos, nos desollamos: descubrimos que el lenguaje es el hombre y que estamos hechos de palabras, dichas y no dichas, unas banales y otras atroces. Pero para saberlo hay que hacer la prueba del desollamiento y pocos se han atrevido. Aunque los españoles también han tenido una actitud crítica ante su historia, el objeto implícito o explícito de esa crítica ha sido siempre la regeneración o la restauración: el regreso a una España esencial, sustancial u original. Es el tema de la *verdadera España,* que va de Larra a Unamuno y Machado. Un tema elegiaco. En Hispanoamérica no hay regreso porque, como en Argentina y Chile, no hay más historia que la del triste siglo XIX o porque, como en Perú y México, la historia es *otra:* el mundo precolombino. La verdadera Argentina no está en el pasado ni es una esencia: es una invención diaria, algo que debemos hacer. En México el pasado es algo que no podemos

---

que ocurra, no sólo América Latina sino la humanidad entera se empobrecería: cada lengua que muere es una visión del hombre que se extingue.

abandonar y al que tampoco podemos regresar: una tensión entre un pasado extraño y un presente no menos extraño.

Los movimientos poéticos hacen visibles todas estas alternativas hispanoamericanas. El modernismo (1890) y la vanguardia (1920) nacieron en Hispanoamérica y de allí fueron transplantados a España. En los dos casos los españoles acogieron con reticencia esas revoluciones, aunque terminaron por adoptarlas, las modificaron con genio y les dieron un baño de tradicionalismo (Unamuno, Machado y Jiménez en el primer cuarto del siglo; Gerardo Diego, Lorca, Cernuda y Alberti en el segundo). Así, la primera nota distintiva de la poesía hispanoamericana, por oposición a la española, es su sensibilidad frente a lo temporal, su decisión de afrontar la modernidad y fundirse con ella. Su nostalgia de futuro, diría. La otra: su curiosidad, su cosmopolitismo. Los primeros haikú de lengua española los escribe un mexicano, José Juan Tablada, hacia 1919; tres años después, aparece otro volumen suyo, esta vez de poemas «ideográficos». Mientras Antonio Machado publica, en 1917, *Campos de Castilla,* Vicente Huidobro lanza, en 1918, *Poemas árticos.*

El mejor libro de Huidobro es un extenso poema: *Altazor.* Su héroe es un mago-antipoeta-aviador-cometa: la tradición luciferina del ángel rebelde y caído. El movimiento se refuta a sí mismo y se resuelve en inmovilidad: la modernidad es un abismo en el que se precipita Altazor-Huidobro. Doble tentación: estar en la punta del tiempo o estar en un espacio que sea todos los espacios, todos los mundos. Una cosmópolis particular. La biblioteca de Babel no está ni en Londres ni en París sino en Buenos Aires; su bibliotecario, su dios o su fantasma, se llama Jorge Luis Borges. El escritor argentino descubre que todos los libros son el mismo libro y que, «abominables como los espejos», repiten la misma palabra. Altazor busca a un tiempo que esté después del tiempo y desaparece en el aire. Borges interroga a los espejos y contempla el paulatino desvanecimiento de las imágenes. Su obra se propone la refutación del tiempo; no es, quizá, sino la fábula de la vanidad que son todas las eternidades que fabricamos los hombres.

Otra tentación, otra respuesta a Occidente y a la modernidad: encontrar un tiempo que esté *antes* del tiempo, una antigüedad anterior a la historia. El primer gran libro de Neruda —un libro que marcó a los que llegamos después— se llama *Residencia en la tierra.* No es Chile ni tampoco la América precolombina; es una geología mítica, un planeta en fermentación, putrefacción y germinación: el amasijo primordial. Vida no intrauterina sino intraterrestre: «el tiempo que debajo del océano nos mira». La modernidad de *Residencia en la tierra* es una antigüedad no histórica, la abolición de las fechas. A la barbarie terrestre, genésica de Neruda, responde César Vallejo con su «sermón de la barbarie». Su poesía es religiosa: un sermón; y su tema es bárbaro: no la tierra del principio sino el hombre primordial. No el indio ni el negro ni el mestizo —aunque sea esos tres personajes— sino el huérfano. ¿Quién es ese huérfano? Aquí confluyen el americanismo, el marxismo y el cristianismo: el hombre desposeído de América Latina, el proletariado, la clase internacional sin tierra ni patria, y la víctima abandonada por el padre, el hombre como Cristo colectivo. La madre de este huérfano universal es una «muerta inmortal». Una muerta que no es ni la Iglesia ni la Historia ni la tierra: «el placer que nos engendra y el placer que nos destierra». No hay tierra, no hay *entierro.* Hay exilio.

Los cuatro poetas que he mencionado pertenecen a la generación anterior a la mía. Sus obras, casi es innecesario decirlo, no representan toda la poesía hispanoamericana entre 1920 y 1945; tampoco se dejan encerrar en las frases con que he pretendido, momentáneamente, definirlas. Me he servido de sus nombres como símbolos o, más bien, como signos indicadores de ciertas direcciones de la poesía hispanoamericana. Cuatro maneras de encarnar la modernidad y, en cierto modo, de negarla. Cuatro respuestas a la misma pregunta. A la inversa de lo que afirma implícitamente la poesía de sus contemporáneos españoles, para ninguno de ellos hay una sustancia original ni un pasado por rescatar: hay el vacío, la orfandad, la tierra del principio no bautizada, la conversación de los espejos. Hay sobre todo la búsqueda del origen: la palabra como fundación.

El destino del idioma español en América suscita un paralelo: el del inglés en el mismo continente. La analogía puede resultar engañosa si no se advierte que, de nuevo, se presenta como una simetría inversa. La situación de los interlocutores ha sido distinta y distinto el contenido del diálogo. Las colonias angloamericanas eran efectivamente colonias, prolongaciones más o menos disidentes dentro de la gran disidencia que fue y es el protestantismo inglés. Las hispanoamericanas eran virreinatos hechos a la imagen y semejanza de la monarquía católica. Por una parte, pequeñas comunidades unidas por vínculos religiosos que las consagraban como un grupo aparte (y elegido) dentro del cristianismo protestante; por la otra, una población heteróclita desparramada en un territorio inmenso pero regida por una misma Iglesia y sometida a una compleja máquina burocrática. Entre el protestantismo, las instituciones democráticas anglosajonas, la idea del progreso y el capitalismo hay una relación orgánica. Así, la Independencia de los Estados Unidos puede verse como un conflicto dentro de un sistema: no una ruptura sino una separación. La Independencia hispanoamericana fue una negación del pasado español: catolicismo y monarquía absoluta. Una verdadera revolución. Por eso muchos liberales españoles, como Mina, lucharon al lado de los insurgentes hispanoamericanos: esa pelea era la suya. Los angloamericanos fundaron una sociedad que, lejos de negar sus orígenes, no se proponía sino el cumplimiento de la gran revolución europea iniciada por la Reforma. Los hispanoamericanos querían derribar el viejo orden y sustituir el universalismo católico y monárquico por el universalismo de la Ilustración y la Revolución francesa.

La resistencia a la Independencia angloamericana era exterior, venía de la Metrópoli; en Hispanoamérica la resistencia también era interior: el orden español había arraigado en la tierra. Señalo que ese arraigo se debió no solamente a la conversión de millones de seres al catolicismo y a las notables creaciones de los españoles en la esfera de la cultura, sino a que en el orden colonial participaban, así fuese en la base de la estructura social, todos los habitantes. Las colonias hispanoamericanas eran una complicada red de instituciones, sentimientos e intereses que abarcaba tanto a los criollos como a los indios y mestizos. Entre sus horrores figuraron la esclavitud y la servidumbre, no el *outcast.* Tal vez por esto nuestro movimiento de Independencia fue una revolución abortada: adoptó constituciones republicanas pero dejó intacto el orden social y sustituyó el dominio de la Metrópoli por el de los caudillos militares y los terratenientes. Las instituciones democráticas fueron (son) una fachada, como ciertos recientes «socialismos» asiáticos y africanos. Una realidad imaginaria pero perversa y perdurable. Desde entonces la mentira se volvió consustancial a nuestra vida política. La fragmentación del continente y la acción de los imperialismos, especialmente el de los Estados Unidos, consumaron el fracaso de nuestra Independencia.

Los angloamericanos han vivido su historia como una acción colectiva, de la que se sienten solidarios y responsables. No importa que para Whitman esa empresa común haya sido sinónimo de libertad y fraternidad y que para Robert Lowell lo sea de crimen. De una y otra manera, según su tiempo y su temperamento, los dos poetas afirman su responsabilidad y su participación. Cierto, la infeliz expresión «poesía confesional» no sólo evoca la rejilla del confesionario y el diván del psicoanalista sino que delata la obsesión protestante con el tema del pecado original (y yo prefiero el *otro* tema de Occidente, el de Rousseau y el de Blake: la inocencia original). Pero la confesión se redime o, más exactamente, se *purga,* apenas se inserta dentro del contexto de una sociedad y de sus transtornos históricos y morales. La actitud hispanoamericana es la contraria: Vallejo, no menos sino más religioso y radical que Lowell, no se siente culpable sino víctima. Neruda tampoco se siente culpable: acusa. No, nosotros no hemos vivido nuestra historia; la hemos padecido como una catástrofe o como un castigo. Nuestros héroes son aquellos que nos defienden del tirano local o, como Juárez y Sandino, del poder extraño. No hemos sido sujetos sino objetos de la historia. En suma, por una parte, consagración del acto o confesión del crimen; por la otra, queja o acusación. Dos monólogos.

Whitman y Pound son tal vez los poetas representativos de los Estados Unidos (representativos no quiere decir forzosamente mejores). Ambos proclaman un universalismo que es, en el fondo, un (norte)americanismo. Uno y otro afirman que los Estados Unidos tienen una vocación mundial. Whitman americaniza a la libertad y hace de su tierra el lugar de elección de la «camaradería». Pound acumula en sus *Cantos* los ideogramas chinos, los jeroglíficos egipcios y las citas en griego y provenzal. El método de Pound es semejante al del conquistador romano, ladrón de los dioses de los vencidos. Apropiarse de un dios extraño o de un texto ajeno son ritos mágicos de significación parecida: en ambos casos no se trata tanto de construir un museo universal de despojos como un santuario de ídolos eficaces. El rito es un homenaje y, asimismo, un sacrilegio, una violación: se desaloja a la divinidad de su templo y al texto de su contexto. De paso: ¿cómo y por qué diablos se le ocurrió a Pound que Confucio podía ser el maestro de los Estados Unidos? El chino postula un orden natural, fundado en el tiempo cíclico y en jerarquías inmutables; los Estados Unidos, desde su nacimiento, se han identificado con dos ideas anticonfucianas: el progreso y la democracia.

La actitud de Whitman no es radicalmente distinta: *Passage to India* debería llamarse Passage to U.S.A. El poema canta la reconciliación entre Asia y América: *the Elder Brother found, the Younger melts in fondness in his arms.* Pero este encuentro es el resultado de una intrusión: el poeta norteamericano se presenta como el descendiente espiritual de Alejandro,

Tamerlán, Babur, Vasco de Gama, Marco Polo y hasta del pintoresco y mentiroso Ibn Battuta. En su entusiasmo no se le ocurre a Whitman que *old occult Brahma and tender junior Buddha* podrían encontrar su abrazo más bien incómodo. Turbar la meditación del yogín, abstraído en la contemplación del Uno o en la disolución de todos los vínculos, incluso los fraternales, es por lo menos una impertinencia. Hay una suerte de rapacidad en esta cordialidad excesiva. Un apetito realmente ecuménico; otros pueblos se han contentado con destruir los ídolos y los textos de los muertos y los humillados.

La teoría poética de los *Cantos,* el método de la *presentación,* es lo contrario de la traducción. Es verdad que toda traducción implica transmutación y, por tanto, desfiguración y apropiación, generalmente inconscientes. No obstante, el ideal del traductor es la objetividad, el respeto al texto original. O sea: el reconocimiento del *otro* y de *lo otro.* La traducción es una actividad civilizada porque nace, como la imitación, de la veneración ante lo ejemplar o lo único. Sus raíces son éticas y estéticas. La veneración no excluye sino que exige la fidelidad. Ejemplo: las versiones chinas y tibetanas de los *sutras* y *sastras* budistas. Por esto la traducción también es civilizadora: nos presenta una imagen del otro y así nos obliga a reconocer que el mundo no termina en nosotros y que el hombre es los hombres. Pound ha sido un gran traductor y en este sentido ha sido un civilizador y no sólo del mundo de habla inglesa: sería inútil buscar en francés, español o italiano una versión del *Shih Ching* comparable a la suya. Pero el método de los *Cantos* está fundado en una falsa analogía: lo que Pound llama «presentación» no es muchas veces sino yuxtaposición. Además, en ningún caso su escritura es realmente ideográfica, ni siquiera cuando incrusta ideogramas chinos en su discurso: en ese contexto, que es el de la escritura lineal y fonética de Occidente, los signos chinos dejan de ser ideogramas. En efecto, si el significado de todos los signos es significar, ¿qué significan los ideogramas *dentro* de un texto escrito en inglés? Una de dos: o son citas que exigen una traducción y ésta no puede ser sino no-ideográfica —o son trazos mágicos, signos que han perdido su virtud de significar.

Mi objeción no es únicamente estética —después de todo Pound es un gran poeta— sino moral. Aparte de ser ingenua, su teoría —hay que decirlo aunque resulte escandaloso— es bárbara y arrogante. Barbarie y arrogancia de conquistador: Roma y no Babel. Es verdad que, en cierto modo, los *Cantos* podrían verse como un poema arrancado de la biblioteca de Borges. Hay una diferencia: el poema de Pound tiene (o quiere tener) un sentido: es la imagen del «proceso histórico», el «cuento de la tribu». Un *cuento* que para Borges, más budista que confuciano, no tiene sentido. La biblioteca de Pound es un conjunto de signos con significados contradictorios a los que el poeta pretende (y a veces logra) imponer sentido; la de Borges es un sistema de signos que, en sus combinaciones, disuelven más y más sus precarios significados. Las «ideas en acción» de Pound son, para el escritor argentino, el reverso de las ideas. O más bien: el reverso de la idea de ideas. La fundación de Buenos Aires, tema predilecto de Borges, no es un acto sino una idea —una *hipótesis*... Los poetas de los Estados Unidos están condenados al futuro, al progreso —a cantarlo o a criticarlo, es lo mismo. Los hispanoamericanos estamos condenados a la búsqueda del origen o, también es lo mismo, a imaginarlo. Unos y otros nos parecemos, si en algo nos parecemos, en sentirnos mal en el presente. Somos los prófugos de todas las eternidades, sin excluir el tiempo circular de Confucio.

A pesar de que a lo largo de este artículo he mezclado, tal vez con exceso, las consideraciones literarias y las históricas, no creo en la omnipotencia de la historia. Creo, en cambio, en la soberanía de la poesía: uno de los poemas más hermosos que he leído (sí, en traducción) es un himno funerario de los pigmeos, un pueblo sin historia. Pero historia y poesía se cruzan y, a veces, coinciden. La historia traza figuras y signos que el poeta debe reconocer y descifrar. Lo que unos llaman «lógica de la historia» y otros «destino». Un poeta hispanoamericano no puede ser insensible a esta continuidad: encontrar la palabra del origen y fundar una sociedad no son, en lo esencial, tareas contradictorias sino complementarias. Cuando la historia y la poesía riman, esa coincidencia se llama, por ejemplo, Whitman; cuando hay discordia entre una y otra, la disonancia se llama Baudelaire. Frente a lo segundo no le queda a la poesía sino retraerse, fundarse a sí misma: *l'action restreinte* de Mallarmé. Los peligros de la discordia son la canción irresponsable o el silencio —a no ser que ese silencio se resuelva en *Un Coup de dés*, algo que sucede sólo una vez cada siglo. Los de la coincidencia se ejemplifican con el caso trágico de Maiakovski y con los simplemente deplorables de Aragon, Neruda y tantos otros. La poesía y la historia se completan, *a condición de que el poeta sepa guardar las distancias*. El poder, aun si es un poder revolucionario y generoso, por ley natural tiende siempre a neutralizar y anular no sólo las heterodoxias sino las diferencias. Mi generación ha conocido los dos extremos, la discordia y la coincidencia.[1] La mayoría ha resistido a una y otra tentación, al soliloquio y a la retórica del entusiasmo por consigna. Aunque algunos de los poetas de mi generación han escrito unos cuantos poemas que figuran entre los más hermosos de la poesía hispanoamericana de este siglo, no es esto lo que deseo destacar sino que los mejores, hasta ahora, no han olvidado que la poesía, incluso en la coincidencia, es disidencia. No predico una heterodoxia, a pesar de que por temperamento me seducen las heterodoxias: afirmo que la poesía es irreductible a las ideas y a los sistemas. Es la *otra* voz. No la palabra de la historia ni la de la antihistoria sino la voz que, en la historia, dice siempre *otra cosa* —la misma desde el principio. No sé cómo definirla ni explicar en qué consiste esa diferencia, ese tono que, sin aislarla, la vuelve única y distinta. Diré solamente que es la extrañeza y la familiaridad en persona. Basta *oírla* para reconocerla.

Delhi, 1967

[«Poesía latinoamericana» fue escrito para *The Times Literary Supplement* de Londres. Se publicó en *El signo y el garabato,* Joaquín Mortiz, México, 1973.]

[1] No he hablado de ella, en primer término, por pudor; en seguida, porque este texto no es un panorama de la poesía contemporánea hispanoamericana.

Poesía e historia:
Laurel y nosotros

ADVERTENCIA

En los primeros meses de 1940 la editorial Séneca, que dirigía José Bergamín, nos encargó a Xavier Villaurrutia, Emilio Prados, Juan Gil-Albert y a mí, una antología de la poesía moderna en lengua española. El libro —*Laurel*— apareció a mediados de 1941. Recibido entre salvas y denuestos, se agotó al poco tiempo. La editorial Trillas tuvo la buena idea de publicar una nueva edición y me pidió que escribiese un prólogo. Acepté pero después me pareció mejor escribir un epílogo que fuese, simultáneamente, un comentario a la antología y una *mise au point* de mis ideas acerca de la poesía moderna en nuestra lengua. Aunque en dos libros, *El arco y la lira* y *Los hijos del limo,* he dedicado al tema ensayos de cierta extensión, lo hice desde la perspectiva de la evolución general de la poesía europea y americana en la edad moderna y no, como ahora, en su desarrollo propio. Señalo, además, que he escrito muchos ensayos, notas y aun poemas sobre nuestros poetas y sus obras: Darío, Tablada, López Velarde, Antonio Machado, Reyes, Jorge Guillén, Pellicer, Moreno Villa, José Gorostiza, Luis Cernuda, León Felipe y Villaurrutia. De ahí que, a veces, me ocupe sólo de paso de algunas de estas figuras. La última parte de mi epílogo roza un asunto sobre el que yo no podría escribir con imparcialidad pero que ya merece ser estudiado con detenimiento por los entendidos. Me refiero al periodo poético que va de 1940 a 1980.[1]

OCTAVIO PAZ

[1] *Laurel,* 2ª edición, México, 1986.

HISTORIAS DE *LAUREL*

En época de tribulaciones, la poesía se presenta al espíritu como un desagravio. La realidad del poema, evanescente y sin consistencia física, nos parece una refutación de la realidad incoherente que vivimos, hecha de palabras rotas y pensamientos dispersos; saber que pertenecemos por la lengua a un mundo más vasto, rico y hondo que el cotidiano, nos ayuda a soportar con un poco de entereza los descalabros. Mi generación vivió como un combate suyo la guerra de España; la derrota de los republicanos y el ocaso de las libertades públicas en la mayoría de los países latinoamericanos comprobaron, una vez más y casi al mismo tiempo, la debilidad de nuestros pueblos frente a las grandes potencias y la fragilidad de nuestras instituciones democráticas. Un poco después la segunda Guerra Mundial abrió un largo periodo de incertidumbre histórica. La sombra de Hitler cubrió todo el planeta. En México los que teníamos veinticinco años en 1940 oponíamos mentalmente las figuras de nuestros poetas a las de los tiranos: Darío, Machado y Juan Ramón nos consolaban de los Franco, los Somoza y los Trujillo. Pero la poesía no era, para nosotros, ni un refugio ni una fuga: era una conciencia y una fidelidad. Aquello que la historia había separado, ella lo unía. Frente a las ruinas y los proyectos desmoronados, veíamos elevarse sus edificios diáfanos: la poesía era la continuidad.

Los sentimientos que acabo de evocar fueron determinantes en la concepción de *Laurel*. No me parece impertinente repetir algo de lo que he contado en otro lugar: «A mí se me ocurrió la idea de la antología. Con ella quería mostrar la unidad y la continuidad de la poesía de nuestra lengua. Era un acto de fe. Creía (y creo) que una tradición poética no se define por el concepto político de nacionalidad sino por la lengua y por las relaciones que se tejen entre los estilos y los creadores [...] Hablé con José Bergamín, que era el director de la editorial Séneca, y le propuse el libro [...] Aceptó inmediatamente y me preguntó si había pensado en algún colaborador. No, no había pensado pero allí mismo se me ocurrió el nombre de Xavier Villaurrutia. También lo aceptó y enseguida propuso los nombres de dos poetas españoles: Emilio Prados y Juan Gil-Albert [...] Desde el principio Xavier dirigió nuestros trabajos. Todas las tardes él y yo nos veíamos en la Biblioteca Hispanoamericana o en la editorial Séneca [...] Nuestra tarea consistió, primero, en escoger a los poetas que debían figurar en la antología y, después, en elegir sus poemas y redactar las notas biográficas y bibliográficas».[1]

Xavier Villaurrutia fue, primordialmente, el autor de la antología *Laurel.* Yo fui su colaborador más cercano. Emilio Prados casi nunca asistía a las reuniones y su contribución se redujo a la selección de sus propios poemas. En cambio, se encargó de la tipografía y la imprenta. Gil-Albert estaba lleno de buena voluntad pero conocía apenas la poesía hispanoamericana, de modo que no pudo ayudarnos mucho en la selección de la obra de los poetas nacidos en América; sin embargo, colaboró con acierto y con gusto en la sección española del libro. Por último: fueron decisivas las observaciones y sugerencias de José Bergamín. A él se le ocurrieron el título y el epígrafe de Lope de Vega: *presa en laurel la planta fugitiva.*

A última hora Bergamín y Villaurrutia decidieron, con la aprobación de Emilio Prados, eliminar al grupo de poetas jóvenes que formarían la cuarta sección del libro. Cuando Gil-Albert y yo nos enteramos, quisimos oponernos pero no nos hicieron caso. Me alejé y durante un tiempo dejé de ver a Bergamín y a Villaurrutia. La verdad es que nunca llegó a redactarse la lista definitiva de los poetas que aparecerían en ese grupo juvenil. La intención era escoger unos pocos como muestra simbólica de las «nuevas voces». En el prólogo Xavier Villaurrutia alude, no sin ironía, al incidente: «A los poetas que forman el primer grupo de esta antología han sucedido al menos —puesto que una nueva y en formación se agita e impacienta— dos promociones de poetas». Esos agitados e impacientes éramos nosotros. Confieso que me dolió el desaire. Pero ahora, al cabo de los años, pienso que Bergamín y Villaurrutia tenían razón: salvo en el caso de Miguel Hernández, era prematura la inclusión de los poetas que, en aquellos años, éramos «los jóvenes».

Laurel se terminó de imprimir el 20 de agosto de 1941 en los talleres de Cultura. Menciono este hecho porque ese libro es un ejemplo de la excelencia que había alcanzado en México, durante esos años, el arte de la imprenta. *Laurel* está impreso de una manera impecable en un papel muy delgado; su frontispicio ostenta una hermosa viñeta de Ramón Gaya: un minotauro encerrado en un laberinto no arquitectónico sino caligráfico. El libro recuerda a las ediciones de *La Pléiade* pero los caracteres son más legibles y más fácil el manejo de las páginas. La belleza de

[1] *Xavier Villaurrutia en persona y en obra,* FCE, México, 1978. Este texto se incluye en la primera parte, *Generaciones y semblanzas,* del volumen III de estas OC.]

esta edición refleja el gusto de Prados y Bergamín tanto como la destreza de los obreros de Cultura. Por desgracia, la afean algunas erratas y descuidos, como la inexplicable inclusión, entre los poemas de Borges, de unas Soleares de ¿Manuel Machado? La editorial Séneca se encargó directamente de la corrección de pruebas y de ahí que ninguno de nosotros advirtiese que dos poetas con libre entrada en la imprenta, Carlos Pellicer y Bernardo Ortiz de Montellano, habían modificado las selecciones que habíamos hecho de sus poemas. La intervención de Ortiz de Montellano no fue desacertada pero la de Pellicer parece hecha por un enemigo suyo.

El libro, esperado con cierta expectación, provocó muchas reacciones, unas entusiastas y otras, las más, contrarias y enconadas. La gran mayoría de esos comentarios se publicaron en América; eran los años de la guerra y España, bajo la dictadura de Franco, vivía aislada. Más adelante examinaré las críticas que juzgo razonables. Antes tengo que mencionar un incidente al que atribuyo, en buena parte, el escándalo que rodeó a *Laurel* en el momento de su aparición: Juan Ramón Jiménez, Pablo Neruda y León Felipe se negaron a figurar en la antología, a pesar de que nosotros los habíamos incluido. La actitud de estos tres poetas, según se verá, no estaba inspirada en razones estéticas o morales sino estrechamente personales.

En el prólogo a la nueva edición (1959) de su célebre antología *Poesía española contemporánea* (1901-1934), Gerardo Diego relata que Juan Ramón Jiménez «al aparecer en un diario madrileño unos artículos de José Bergamín elogiando el reciente libro *La voz a ti debida* de Pedro Salinas, con censuras para Juan Ramón y nombrando con elogio a otros poetas [...] injustamente creyendo en una confabulación contra él de todos los citados por Bergamín, decidió comunicar al editor su retirada de la antología». La misma enemistad hacia Bergamín y hacia los poetas que él pensaba confederados en su contra —Guillén, Salinas y otros— fue la causa de su negativa a aparecer en *Laurel;* tuvo, sin embargo, la delicadeza de aclarar que consideraba inocentes a los autores de la antología y que no tenía nada en contra suya. Como la ausencia de Juan Ramón habría causado «grave detrimento y menoscabo del propósito de *Laurel*», la editorial Séneca decidió «interpretar favorablemente el silencio del poeta» (no había contestado a una o dos cartas) y publicar nuestra selección (aumentada con seis o siete poemas). Siempre he lamentado que esa cuerda medida no se haya aplicado también a los casos de Neruda y León Felipe. Aunque la actitud conciliatoria de Bergamín no desarmó a Jiménez, sus críticas perdieron autoridad y parecieron falaces y especiosas. La verdad es que *Laurel* fue una antología más inclinada hacia la tradición lírica encarnada por Juan Ramón que hacia las tendencias de sus críticos y adversarios.

El proceder de Neruda fue más violento y contradictorio. Era amigo de Bergamín desde los años de España. Habían sido aliados en las escaramuzas contra Juan Ramón, la revista de Bergamín *(Cruz y Raya)* había publicado los dos tomos de *Residencia en la tierra* y estaban unidos por la ideología política. Las relaciones entre Neruda y Villaurrutia eran frías, distantes. El segundo, hombre del Altiplano central, era cortés, reservado e ingenioso. La forma era su estética y también su moral. Como un caracol, se había construido con insomnio y angustia un abrigo —geometría inteligente— destinado a preservar su intimidad y que acabó por asfixiarlo. Para Neruda la forma era una prisión, un muro que se desmoronaba ante el oleaje poderoso e insistente de su voluntad. Hombre de pocas ideas y gobernado por pasiones a un tiempo reconcentradas y oceánicas, Neruda veía a Villaurrutia como se ve a un curioso coleóptero; a su vez, Xavier lo veía como a un brontosaurio.

Yo era buen amigo de Neruda. Lo había conocido desde 1938 en París y habíamos estado juntos en España, en el Segundo Congreso de Escritores Antifascistas. Desde nuestro primer encuentro se mostró cordial y enseguida fuimos amigos. Cuando vino a México, como cónsul general de Chile, nuestro trato, durante los primeros meses de su estancia, fue más bien íntimo. Lo veía con frecuencia, visitaba su casa y él la mía. Aparte de la admiración que le profesaba desde mi adolescencia, le tenía gratitud: había sido uno de los primeros, como él lo recuerda en sus *Memorias*, en pensar (y en decir) que mis poemas juveniles tenían algún interés. Él era ya el gran poeta de América y yo me iniciaba en las letras. Neruda era generoso y su inmensa cordialidad no tenía más defecto que el de su mismo exceso; su afecto, a veces, aplastaba como una montaña. El peligro de la amistad con temperamentos de esta índole es que ellos, como ríos en perpetua crecida, se desbordan y derraman sobre los espacios libres; para hacer frente a esta continua inundación no tenemos más remedio que levantar diques y muros. Así la amistad se transforma insensiblemente en un sistema defensivo. Pronto advertí, además, que su vitalidad recubría, con su masa enorme, un alma inquieta, recelosa y exigente. Aun en los momentos de mayor confianza, miraba al interlocutor con ojos entornados pero ansiosos e inquisitivos, como si quisiera examinarlo y ponerlo a prueba antes de juzgarlo. Secreto desasosiego del tirano, soledad del ídolo. No es descabellado pensar que esa desconfianza e inseguridad eran el origen de los estados de melancolía silenciosa en que caía a menudo. Neruda, gran volcán taciturno.

Varias veces me confió que no le gustaba mucho la idea de la antología, sobre todo cuando supo que intervenían en ella Villaurrutia y Gil-Albert. No eran santos de su devoción. En los primeros tiempos, al hablar del tema, me prevenía contra los peligros de caer en una poesía falsamente pura y artificiosa («el mueble juanramonesco con patas de libro»). Me recomendó la inclusión de poetas chilenos que yo no conocía —Carlos Pezoa Véliz entre otros— y me habló con saña de Huidobro. No se reconciliaba con la idea de que la figura de su rival era imprescindible en cualquier antología de la poesía moderna de nuestra lengua. Después hubo un cambio. Empezó a cubrir con los mismos términos de oprobio a los *poetas puros* y a los trotskistas. En una ocasión me atreví a defenderlos; me miró con asombro, casi con incredulidad, y después me respondió con dureza. No volvimos a tocar el tema pero sentí que desde entonces me veía con desconfianza. Había caído de su gracia. Como tantos, Neruda padeció el contagio del estalinismo; hay que agregar que esa lepra se apoderó de su espíritu porque se alimentaba de su egolatría y de su inseguridad psíquica. El estalinismo no ha sido la causa sino una de las formas que ha adoptado la enfermedad de nuestro siglo: la paranoia, el delirio de persecución.

Al mismo tiempo que nuestra amistad se mudaba en recelo mutuo, Neruda rompió con Bergamín. No fue por razones ideológicas: ambos comulgaban en los mismos altares, uno como «católico progresista y compañero de ruta», el otro como militante. Nunca pude saber con claridad cuál había sido la causa del pleito. O si lo supe, lo he olvidado: confusas rivalidades, envidias, luchas de intereses y poder. La disputa entre Neruda y Bergamín se mezcló a otra, no menos sonada; los actores fueron Bergamín y el poeta Juan Larrea. Al principio Neruda tomó el partido de Larrea pero un poco más tarde estalló otra querella, ahora entre Neruda y Larrea. La que opuso Bergamín a Larrea tuvo una consecuencia inesperada: León Felipe, por lealtad de amigo al segundo, decidió no figurar en la antología. Fue inconsecuente, pues también Villaurrutia y yo éramos sus amigos. La actitud de León Felipe no es inexplicable; todo lo oponía a Bergamín: las ideas, la sensibilidad, el temperamento y hasta el tono de voz —tonante el suyo y suave el del otro. León Felipe veía en Bergamín, ingenioso y complejo, agudo como un epigrama y esbelto como un cohete, a una encarnación de la inteligencia luciferina que, ebria de orgullo, se desploma desde la altura. Bergamín, andaluz de Madrid y veneciano de París, encontraba un poco cómico a León Felipe. La verdad es que nuestro amigo —tierno, profético, declamatorio y purísimo— era un león de botica.

Ya en prensa el libro, Neruda envió a Bergamín una carta en la que se negaba a figurar en la antología. Casi al mismo tiempo León Felipe le dirigió otra en el mismo sentido. Nunca pude verlas porque para esas fechas, ante la eliminación de los jóvenes, había decidido alejarme de *Laurel* y sus enredos. Bergamín resolvió, como lo dice una pequeña nota en la última página del libro, «cumplir los deseos, aunque lamentándolo, de los dos poetas». Dos o tres días después de la aparición de *Laurel*, vi por última vez a Neruda. Fue en una cena, celebrada en su honor, no recuerdo con qué motivo. Quince días antes se habían presentado en mi casa dos jóvenes poetas españoles, Lorenzo Varela y Juan Rejano, para pedirme que firmase la tarjeta de invitación al homenaje. Los otros firmantes eran José Vasconcelos, Alfonso Reyes, Enrique González Martínez y Carlos Pellicer. Firmé. Mis relaciones con Neruda, borrascosas unos meses antes, habían alcanzado ese punto que los barómetros señalan como *Beau fixe*. Explicaré la razón.

Pablo me había dado, para un número de *Taller*, unos poemas de una joven poetisa uruguaya que él había descubierto, Sara de Ibáñez, con una nota suya de presentación, en la que maltrataba a Jiménez. Publiqué ese texto, a pesar de que Juan Ramón era colaborador y suscriptor de la revista. En el mismo número aparecieron unos poemas de Alberti dedicados a Bergamín. A Neruda le pareció aquello una traición. Me llamó por teléfono y me increpó: «Alberti es mi hermano y esos sonetos fueron dedicados a Bergamín *antes* de que Alberti conociese lo acontecido [...] Tú has sido cómplice de una intriga en mi contra». Procuré defenderme. Todo fue inútil y acabé por replicarle con la misma rudeza. Dejamos de vernos por una temporada hasta que, por casualidad, nos encontramos en una exposición. Me vio de lejos con cara hosca pero yo me acerqué a él y entonces sonrió y me recibió con un abrazo. A los pocos días me invitó a comer. El día de mi santo —no sé cómo se enteró: no aparece en los calendarios— se presentó en mi casa sin previo aviso, con Delia, su mujer, la pintora María Izquierdo con su amigo y unos músicos. ¿Cómo no iba a firmar aquellas líneas de homenaje?

La cena fue en el Centro Asturiano. Había varias mesas y mucha gente: escritores, artistas, periodistas y, detalle curioso, varios agrónomos. (Pablo se había interesado en la Reforma Agraria.) Busqué sitio en un extremo y me senté al lado de Julio Torri y de José Luis Martínez. Hubo discursos tronitonantes y brindis exaltados. A la salida nos formamos en fila para despedirnos de Pablo, que conversaba con Clemente Orozco, González Martínez y otras notabilidades. Había bebido. Cuando llegó mi turno, me abrazó, me presentó con Orozco, elogió mi camisa blanca —«más limpia», agregó, «que tu conciencia»— y enseguida comenzó una interminable retahíla de injurias en contra de *Laurel*, Bergamín y, claro, contra los otros autores de la maldita antología. Lo interrumpí, estuvimos a punto de llegar a las manos, nos separaron y unos refugiados españoles se me echaron encima para golpearme. Mi amigo José Iturriaga los puso en fuga con dos guantadas. Entonces intervino Enrique González Martínez, que me cogió del brazo y salió conmigo y con Alí Chumacero, José Luis Martínez y José Iturriaga. En la calle me sentí abatido y roto, «como un camarero humillado, como una campana un poco ronca, como un espejo viejo». Para levantar un poco mis ánimos, González Martínez nos invitó a una *boîte de* moda. Tenía más de setenta años. Ordenó champaña, revivió fantasmas de poetas y mujeres, recitó poemas y bebió con sus cuatro jóvenes amigos hasta que llegó el alba «con un alrededor de llanto».

En los meses siguientes Neruda se refirió en varias ocasiones, en términos cada vez más denigrantes, a *Laurel* y a sus autores. Le contesté y me contestó. Un año después hubo otro homenaje —una comida de cinco mil personas, encabezadas por Lázaro Cárdenas— al que naturalmente no fui invitado. José Luis Martínez y yo escribimos dos pequeños textos —publicados en *Letras de México:* «Respuesta a un poeta» y «Despedida a un cónsul»— que nuestro amigo César Moro distribuyó en Lima y en Santiago. Fueron las únicas voces críticas en el tumultuoso coro de elogios que lo rodeaba. Pablo dejó México y yo también. No volví a verlo durante veinticinco años. Leí los párrafos que nos dedica en su *Canto general* y esos denuestos ni siquiera provocaron mi cólera. Pasó el tiempo, murió Stalin y sus crímenes fueron denunciados por Jruschov; Pablo, dócilmente, se unió a los críticos del «culto a la personalidad». Un culto en el que durante muchos años él había oficiado como alto sacerdote. Claude Roy me contó que Neruda, al comentar el discurso de Jruschov, le había dicho a Aragon: «Nos han desmontado del caballo».

En 1967 me invitaron al Festival Internacional de Poesía de Londres, al que también concurrió Pablo. La suerte quiso que los organizadores nos alojasen en el mismo sitio, un pequeño hotel de Cadogan Gardens. Una mañana mi mujer y yo nos encontramos en un pasillo a Matilde Urrutia. Al vernos nos dijo: «Tú eres Octavio y ésta es Marie José, tu mujer, ¿verdad?» Le contesté: «Y tú eres Matilde, la mujer de Pablo». Asintió diciéndome: «¿Quieres saludarlo? Le dará mucho gusto volver a verte». Accedí inmediatamente. Llegamos al pequeño salón y Pablo, al verme, se levantó y me tendió los brazos con su antiguo: «¡Hijito, qué alegría verte!» Nos mirarnos con extrañeza, nos dijimos que no habíamos envejecido demasiado y hablamos un rato de unas cuantas naderías. Llegó un periodista y nosotros nos despedimos. Bajamos de prisa las escaleras; yo no sabía si llorar o cantar. Esa misma tarde Pablo y Matilde salieron de Londres y no volvimos a verlos. Pero unos meses después recibí desde París un libro suyo, *Las piedras del cielo,* con esta dedicatoria: «Octavio, te abrazo y quiero saber de ti, Pablo». Lo tengo entre la primera edición de *Residencia en la tierra* y la de *España en el corazón,* al lado de la colección completa de *Caballo Verde para la Poesía.* Un caballo del que nadie pudo ni podrá nunca desmontar a Pablo Neruda.

ANTECEDENTES Y ANTEPASADOS

Las polémicas que provocó *Laurel* se han disipado. Hace ya muchos años que el libro desapareció del comercio, las nuevas generaciones apenas si han oído hablar de él y sólo unos cuantos lo han leído. Olvido injusto: no es exagerado ver a *Laurel* como el monumento de una sensibilidad y de una idea de la poesía que, en gran parte, son aún las nuestras. Además, contiene algunos de los mejores poemas de los mejores poetas modernos de nuestra lengua. Por último, es una de las poquísimas antologías que recoge tanto la producción hispanoamericana como la española. Su interés histórico también es indudable: fue la última expresión del gusto poético predominante entre 1920 y 1945. Con *Laurel* culmina un movimiento que tuvo en dos antologías, una española y otra mexicana, sus manifestaciones más radicales y lúcidas: *Contemporáneos: Antología de la poesía mexicana moderna,* de Jorge Cuesta (México, 1928) y *Poesía española: 1915-1931,* de Gerardo Diego (Madrid, 1932). Estos dos libros fueron los antecedentes y, hasta cierto punto, los modelos de *Laurel.* Por todo esto, la obra merece un examen a un tiempo más estricto y más generoso de los que se le han dedicado. No sé si yo sea la persona a propósito para hacerlo: participé en su elaboración y también en las controversias que despertó hace cuarenta años. Pero mi relación con *Laurel* fue, desde el principio, ambigua. En 1940 yo era un principiante y desde entonces mi gusto ha cambiado tanto como mi poesía. No me reconozco en *Laurel* aunque en sus páginas reconozco algunas voces que admiro y que han influido en la mía. El libro no es una antología de mis contemporáneos sino de mis predecesores: mis maestros y mis adversarios, mis amores y mis odios. Sin los poetas de *Laurel* yo sería un poeta distinto del que soy —pero yo no soy un poeta de *Laurel.*

La antología está dividida en tres partes (ya indiqué que al final se suprimió la cuarta, dedicada a los jóvenes). La división tripartita no rompe la unidad del libro porque cada una de las secciones está regida por la misma idea de la poesía. Es un criterio que, aunque nunca de modo expreso y explícito, inspira a todos y cada uno de los juicios de Villaurrutia. Incluso puede decirse que cada sección y cada poeta aparecen como ilustraciones y ejemplos de esa idea de la poesía. La división del libro corresponde a la noción, popular en esa época, de las generaciones como protagonistas del cambio histórico, mientras que el criterio que rige a la selección de los poetas y poemas obedece a la visión que tenía Villaurrutia de la poesía. La llamo *visión* porque era, conjuntamente, concepto y sentimiento, idea sensible y forma intelectual. Esa visión fue compartida por la mayoría de los poetas contemporáneos de Villaurrutia, en España y en América, aunque asumió en cada uno de ellos una expresión particular. Más adelante procuraré, ya que no definirla: sería presuntuoso, describirla en sus rasgos característicos. En suma, el eje del pensamiento crítico de Villaurrutia está formado por la intersección entre la idea del tránsito de las generaciones —realidad variable y sucesiva— y una visión de la poesía concebida como una esencia más o menos inmutable. Las generaciones cambian, la poesía permanece.

Para Villaurrutia la poesía moderna de nuestra lengua comienza con el modernismo. Más exactamente: no lo ve como la escuela que está antes de las tendencias contemporáneas sino como su origen, su causa. Años más tarde, en 1953, Juan Ramón Jiménez afirmó que las distintas y contrarias escuelas que sucedieron al modernismo no fueron en realidad sino variaciones de este último. Ricardo Gullón y otros críticos comparten esta idea. La exactitud de esta opinión es muy relativa. Es una exageración decir que el movimiento poético moderno, en toda su contradictoria diversidad, es una mera consecuencia del modernismo; no lo es afirmar que éste es un momento, el inicial, de la modernidad. ¿Ese momento contiene ya a los otros? Sí y no. En todo caso, hay que decir que el modernismo se perpetúa no a través de sus prolongaciones sino de sus negaciones. Villaurrutia no incurre en el absolutismo de Jiménez y conviene en que esa tendencia degeneró en fórmula, repetición y procedimiento; surgió entonces, dice, la «antítesis». Pero él encuentra esa antítesis, más que en el creacionismo, el ultraísmo y las otras tendencias que hacia 1920 se opusieron a la estética modernista, dentro de ésta y en poetas que son inseparables de ese movimiento, como Darío y Lugones. Para Villaurrutia la negación no está fuera sino dentro del modernismo. Por arte de prestidigitación se evaporan la vanguardia y sus distintas manifestaciones americanas y españolas. La continuidad triunfa a expensas de la ruptura. A expensas también de la verdadera historia de nuestra poesía.

¿Cómo pudo el modernismo continuarse justamente en aquellas tendencias que lo contradecían? Villaurrutia lo dice a lo largo del prólogo a *Laurel,* sin decirlo nunca completamente: un mismo principio, nacido con el modernismo, vivifica secretamente a toda nuestra poesía desde 1885. El poeta mexicano no define a ese principio. Aunque Gerardo Diego tampoco lo define, en el prólogo a su *Poesía española contemporánea* (1932) lo designa expresamente: «Cada día que pasa vamos viendo con mayor claridad que la *poesía* es cosa distinta, radicalmente diversa, de la literatura». La distinción entre la poesía y la literatura, agrega enseguida, es el criterio que informa a su antología. Pero ¿qué es la poesía, qué principio la funda? Gerardo Diego no lo dice. No podía decirlo; dentro de sus supuestos estamos condenados a la tautología; la poesía es la poesía. La concepción de Villaurrutia y Diego fue la de su generación, con muy contadas y tardías excepciones. Apenas si necesito señalar su origen: el simbolismo francés. Su primera y más ambiciosa formulación se encuentra en Baudelaire, aunque todavía impregnada de la religión poética de los románticos: el poeta es el instrumento músico en que resuenan las correspondencias universales, la poesía es la traducción en palabras del lenguaje de la naturaleza. Para Baudelaire la poesía es correspondencia y analogía: conocimiento. Mallarmé va más allá: el tema de la poesía es el poema, la poesía es conocimiento de sí misma. Valéry aligera a la poesía de su carga romántica, religiosa y simbólica; ya no es ni saber de sí misma ni revelación de la naturaleza secreta: es magia verbal. Una magia vana, sin poder sobre las cosas, salvo sobre las palabras. La poesía dejó de ver al mundo y al hombre: encerrada en sí misma, reinó solitaria sobre el lenguaje. La operación poética —en el sentido químico y en el mágico pero también en el quirúrgico y en el matemático— transmuta al lenguaje. Oscilante entre el hechizo y el pensamiento, el lenguaje se transforma en poema: un objeto sonoro y mental. El poema no dice nada exterior o extraño a él: se dice a sí mismo.

Ideal inalcanzable: el poema está hecho de palabras y, al decirlas, decimos también al mundo. El poema, para cumplirse, necesita la complicidad del lector: el otro reaparece y con él todo aquello que el poeta puro ha querido expulsar del poema. *El cementerio marino* nos seduce, precisamente, por la realidad del mundo físico que refleja —la ola, las barcas, las rocas, los pinos, el insecto pulido por la sequía— frente a la realidad, no menos real, de la conciencia de la muerte. Sin embargo, las reservas que nos inspira el concepto de *poesía pura* se desmoronan ante su fecundidad en la práctica. Fue una idea tal vez engañosa pero que sirvió para justificar varias y excepcionales experiencias, de la poesía «desnuda» de Jiménez a la poesía «químicamente pura *ma non troppo*» de Guillén. Es natural que la mayoría de los poetas de nuestra lengua, entre 1920 y 1940, hayan adoptado esta concepción. Lo extraordinario fue que en otras partes, en la misma época, predominase una idea que es, punto por punto, su negación: la historia irrumpe en los poemas de Eliot y de Pound con la misma violencia con que fue expulsada de los de Valéry y Jiménez. Notable ejemplo de simetría inversa: la evolución paralela, con técnicas semejantes y propósitos opuestos, de la poesía moderna en inglés y en francés y español.[1] La fascinación que ejerció sobre nuestros poetas la poesía pura fue de tal modo poderosa que cuando, un poco después, algunos de ellos abrazaron una estética diametralmente opuesta —el surrealismo— su actitud fue más lírica que subversiva. Se internaron en el sueño en busca de monstruos hermosos, no de las revelaciones del amor y de la libertad.

En seis poetas, «tocados o no por el modernismo», encuentra Villaurrutia el anuncio de la nueva poesía: Rubén Darío, Miguel de Unamuno, Enrique González Martínez, Leopoldo Lugones, Antonio Machado y Juan Ramón Jiménez. Con ellos comienza *Laurel.* A primera vista la selección no es desacertada: estos poetas —mejor dicho: una parte de sus obras— no se dejan encerrar en los estilos del modernismo. ¿Pero la bue-

[1] Me he referido al tema con cierta extensión en *Los hijos del limo,* Seix Barral, Barcelona, 1972. [Incluido en el volumen I, *La casa de la presencia,* de estas *OC.*]

na poesía no trasciende siempre a las maneras de su tiempo? Basta, por lo demás, comparar *Laurel* con la excelente *Antología de la poesía hispanoamericana (1914-1970)* de José Olivio Jiménez[1] para darse cuenta del cambio operado, en el espacio de treinta años, en los gustos poéticos. En el libro de Jiménez no aparece ninguno de los seis poetas que forman la primera parte de *Laurel;* en cambio, se abre con un puñado de poemas de José Juan Tablada y con otros de Macedonio Fernández. El primero fue un auténtico precursor de la vanguardia y sólo Huidobro lo precede en el tiempo. Aunque Villaurrutia y los otros poetas de *Contemporáneos* sufrieron la influencia liberadora de Tablada, nunca lo confesaron. Lo vieron siempre con reserva; en el fondo, seguían venerando al maestro de sus comienzos: Enrique González Martínez. Por mi parte, confieso que sólo hasta 1945, en Nueva York (año y lugar de su muerte), descubrí a Tablada. Lo leí con fervor y creo que yo inicié su revaloración en México. Macedonio Fernández, el otro poeta desdeñado por *Laurel,* fue autor, más que de una obra, de una leyenda poética. Quiero decir: su obra no sólo está en sus prosas y en sus poemas sino en lo que nos cuentan Borges y sus otros amigos del hombre, sus dichos y sentencias. En fin, aunque en algunos de los seis poetas que forman la primera parte de *Laurel,* sobre todo en Lugones y en Jiménez, aparecen ya ciertos rasgos que anuncian la poesía que surge hacia 1920, ninguno de ellos puede verse como un verdadero contemporáneo de Apollinaire, Reverdy o Pound. En el sentido amplio de la palabra son modernos; no lo son en la acepción más restringida e histórica que doy al término.

Rubén Darío es uno de los grandes poetas de nuestra lengua y su poesía durará lo que dure el castellano. Al mismo tiempo, entre su obra y la de Vallejo, por ejemplo, hay un tajo; cerrar los ojos ante esa ruptura es cerrarlos ante la historia de nuestra poesía, ignorar aquello que distingue a cada poeta y lo vuelve único. Con Darío comienza la poesía moderna en español; asimismo, su obra fue un obstáculo, una frontera, que sus sucesores tuvieron que saltar, perforar o derribar. Si la inclusión de Darío no me parece enteramente justificada, ¿qué decir de la de Unamuno? Este poeta está, en realidad, *antes* del modernismo. Cierto, después de negarlo, adoptó algunos de sus metros; más tarde, aprovechó también la lección de varios poetas jóvenes que habían vuelto a la lírica tradicional; sin embargo, esencialmente, siguió siendo un poeta de otra edad. Lector inteli-

[1] Madrid, 1971.

gente y apasionado de Coleridge y Leopardi, a ratos pedestre y otros profundo, Unamuno es el poeta romántico que no tuvo España en el siglo XIX.[1] El caso de González Martínez es engañoso. Es verdad que opone a la gracia decorativa y artificiosa del primer modernismo una actitud interior más reflexiva, atenta «al alma de las cosas y a la voz del paisaje». Pero este verso, justamente, muestra que su vocabulario siguió siendo el del modernismo y que su actitud fue siempre la del poeta simbolista, intérprete «del misterioso libro del silencio nocturno». Tampoco la obra de Antonio Machado prefigura las direcciones de la poesía posterior. Nació en el modernismo y se apartó de esa tendencia en busca no de la vanguardia sino de la tradición. Criticó con acritud a Huidobro y confesó su antipatía hacia la nueva poética. Guillén y Salinas, sobre todo el primero, le parecían fríos e intelectuales. Su reprobación alcanzó a Proust y a Joyce. Fue un gran poeta pero nada en su obra ni en su actitud profetiza el sacudimiento de 1920.

En una porción de la obra de Leopoldo Lugones —la más original ya que no la más perfecta: *Lunario sentimental* (1907)— sí hay una anticipación de dos de las direcciones que tomó la poesía después del modernismo. No la de la *poesía* pura sino, por una parte, aquella que consiste en mezclar en dosis sabias y pérfidas el humor y la fantasía, el adjetivo insólito y la expresión coloquial y, por otra, aquella que se distingue por la invención de imágenes a un tiempo inusitadas y, a pesar de su apariencia absurda, exactas. La primera modalidad fue ilustrada por varios poetas posmodernistas y, en forma excelsa, por Ramón López Velarde. En la segunda manera, como ha señalado Borges, estaban ya todas las imágenes y metáforas del creacionismo y el ultraísmo. La luna (la poesía) se levanta de los versos de Lugones y

Entre nubes al bromuro
encalla como un témpano prematuro,
haciendo relumbrar, en fractura de estrella,
sobre el solariego muro
los cascos de botella.

[1] Unamuno figura también y por las mismas dudosas razones en la antología de Gerardo Diego. En la segunda edición de ese libro aparece asimismo Rubén Darío. No sin impertinencia se justifica su inclusión por el influjo que ejerció sobre la poesía española. Con el mismo criterio Tennyson o Browning podrían figurar en las antologías de poesía norteamericana.

Dicho todo esto, agrego: por su actitud, su estética, sus ideas y su figura misma, Lugones pertenece a otro tiempo. Ese tiempo prepara al nuestro; Lugones es nuestro antepasado y, a veces, nuestro precursor: no nuestro contemporáneo... Algunos críticos reprocharon a *Laurel* la omisión del uruguayo Julio Herrera y Reissig, un poeta de no menor significación que Lugones y cuya obra, según ellos, influyó en las corrientes de vanguardia tanto o más que la del poeta argentino. El primero en señalar la (presunta) semejanza entre las imágenes de Herrera y Reissig y las de los poetas de vanguardia fue Guillermo de Torre. (Observo, de paso, que semejanza no es lo mismo que influencia.) Un poco después Pablo Neruda y Federico García Lorca saludaron al poeta uruguayo como un precursor. Hace poco Emir Rodríguez Monegal, en un inteligente ensayo sobre la poesía de su paisano, vuelve al tema y me acusa de injusto desdén hacia Herrera y Reissig. No merezco el reproche: admiro a ese poeta, uno de mis favoritos entre los modernistas. Como todos los adolescentes de mi generación, adoré los sonetos de *Los parques abandonados,* aunque no tardé en descubrir que era engañosa su originalidad: esos poemas vienen directamente de *Los crepúsculos del jardín* de Lugones. En cambio, *Los éxtasis de la montaña* me siguen pareciendo una de las obras más felices de la poesía moderna de nuestra lengua. Si la poesía, como pensaba Wordsworth, nos enseña a *sentir,* Herrera y Reissig es un gran maestro pues nos enseña a *ver:*

> hacia la aurora sesgan agudas golondrinas,
> como flechas perdidas de la noche en derrota.

¿Son modernos los sonetos de *Los éxtasis de la montaña*? Sólo en el sentido en que lo es la buena poesía de todos los tiempos. En la otra vertiente de Herrera y Reissig, la de *Fiesta popular de ultratumba, Desolación absurda, Tertulia lunática* y otros poemas, algunos ven una prefiguración de la vanguardia. Confieso que esos poemas me parecen una amplificación caricaturesca de las delicuescencias del modernismo. Poesía extravagante no como puede ser extravagante la de un Apollinaire o un Arp sino como la de un *dandy* provinciano que imita en su poblado las fiestas de la capital. Poesía afeitada, pintada y perfumada en una peluquería de las afueras. Las imágenes de *La tertulia lunática* —el título decadentista lo dice todo— no evocan la geometría de la nueva ciudad ni las máquinas y la técnica del siglo XX sino los rasos, los moños y las sedas ajadas de un aquelarre de fin de siglo: *spleen*, neurastenia e histeria. Uno de los elementos cardinales de la vanguardia, el humor, no aparece por ningún lado en esos poemas. Mejor dicho, hay un humor involuntario. Comicidad no querida ni buscada: el poeta quiere maravillarnos y nos hace reír. Sin embargo, basta con volver a los *Sonetos vascos* para encontrar la verdadera maravilla aliada a la sonrisa, como en esta visión del ajo: «maldiciente canalla del terruño».

El modernismo engendró su crítica: la introspección y la ironía (López Velarde) y su negación: la vanguardia (Huidobro). Pero la corriente central de la poesía posterior al modernismo se desprende lentamente de ese movimiento a través de sucesivas mutaciones, todas ellas inspiradas por un afán de desnudez y simplicidad. Esta corriente parte de Juan Ramón Jiménez: con él y por él, sin negarse, el modernismo cambia y se vuelve otro. La influencia de este poeta se extendió por todo el ámbito de la lengua durante más de quince años. Los poetas de la generación española de 1927, la mayoría de los Contemporáneos en México, los cubanos Florit y Ballagas, el argentino Molinari y muchos otros lo siguieron, al menos en sus comienzos. No abrió caminos nuevos pero el ejemplo de su obra afinó las sensibilidades y depuró el lenguaje poético de su época. Nacida en el modernismo, la poesía de Jiménez, como él mismo lo dice en uno de sus poemas, era «una reina fastuosa de tesoros»; después, la reina comienza a desnudarse y aparece ante nuestros ojos, paulatinamente, una muchacha desnuda. Desnudez quimérica: el cuerpo real de la mujer se ha convertido en un haz de reflejos, ondas y destellos. La influencia de Jiménez fue doble: fue un freno ante las desmesuras de la vanguardia y, al mismo tiempo, desvió sus ímpetus y diluyó sus poderes de subversión creadora.

En la evolución de Juan Ramón se advierte una gradual y cada vez más profunda asimilación de lo mejor de la vanguardia. Este proceso culmina en *Espacio* (1943-1954). Antes, al desprenderse de los ropajes modernistas, la búsqueda de la extrema simplicidad lo conduce a una poesía más cerca de la exclamación que de la metáfora, más flor que raíz. El poema pierde cuerpo y forma —a la inversa de Valéry— hasta reducirse a una suerte de exhalación lírica, entre el silencio y el habla. Anotaciones rápidas de las impresiones de cada día, tanto más apreciadas cuanto más imprecisas y evanescentes. Poética de las emociones y las sensaciones: su centro es el instante, inmensidad a un tiempo efímera y suficiente. El poema de Juan Ramón es breve y simple pero también es vago: carece de la concentración del epigrama griego y de sus modernas resurrecciones. Tampoco se parece al haikú, que es siempre la visión precisa y nada sentimental de una realidad instantánea. La estética de Juan Ramón es impresionista: no lo que ven los ojos sino la sensación que experimentan. Su poema disuelve a la realidad que nombra:

¡sólo queda en mi mano
la forma de su huida!

Peligros del impresionismo: la realidad se adelgaza y evapora, el yo se hincha, el mundo pierde cuerpo y el cuerpo, esqueleto. El poema se vuelve una pompa irisada, exclamación que pronuncian unos labios de viento. Bajo la acusación de ser «literarios», se expulsó del poema a muchos elementos que, desde su origen, han sido el alimento y el tema de la inspiración poética: la visión del mundo y del trasmundo; la historia con sus santos, sus héroes y sus diablos; las pasiones humanas, de la avaricia al erotismo, de la envidia a la sed de absoluto, del ansia de poder al afán de conocer. A la poesía pura le debemos algunos de los poemas más hermosos de este siglo y, simultáneamente, un general empobrecimiento de la realidad poética.

Al final de su larga carrera, Juan Ramón Jiménez cambió el rumbo y, aprovechando la lección de los más jóvenes, como su admirado Yeats lo había hecho con la poesía de Pound, escribió unos poemas excepcionales. En la selección de *Laurel* aparecen algunos de los mejores: *Criatura afortunada, Flor que vuelve, Pájaro fiel, Sitio perpetuo* y *Los árboles.* Son composiciones no demasiado breves, traspasadas por un arrebato de naturalismo religioso: el mundo, transfigurado pero real, aparece al fin, convertido en presencia transparente por la perfecta fusión de la palabra, la emoción y el pensamiento. Dos años después de publicado *Laurel,* en 1943, Juan Ramón Jiménez dio a conocer un extenso fragmento de un poema: *Espacio.* En 1944 y en 1953 aparecieron otros dos fragmentos.[1] Es una obra inacabada o, más bien, inacabable. Fue una tentativa por *renverser la vapeur poétique,* como decía André Breton. Este poema es uno de los grandes textos de nuestra poesía moderna. Vale la pena detenerse en él, así sea por un momento.

[1] El primer fragmento fue publicado en forma de versos libres de nueve a quince sílabas pero en la edición definitiva (1954) los tres fragmentos aparecen como prosa. El texto no gana, la lectura se dificulta y el lector se ahoga.

En una breve nota que acompañó a la publicación del primer fragmento de *Espacio,* Juan Ramón declaraba que no se había propuesto «un poema largo con asunto», ni toleraba «los poemas largos, sobre todo los modernos, aun cuando por sus fragmentos mejores sean considerados universalmente los más hermosos de la literatura». ¿Pensaba en los poetas del siglo pasado o en Eliot, Pound, Saint-John Perse? Fiel a la distinción entre poesía y literatura, agrega: «Creo que un poeta no debe carpintear para *componer* más extenso su poema, sino salvar, librar las mejores estrofas y quemar el resto o dejar éste como literatura adjunta. Pero toda mi vida he acariciado la idea de un poema seguido, sin asunto concreto, sostenido sólo por la sorpresa, el ritmo, el hallazgo, la luz, la ilusión sucesiva... Un poema que sea a lo demás versificado como es, por ejemplo, la música de Mozart o Prokofiev a la demás música». Singular confusión: nada hay más construido que la música de Mozart. En cuanto a Prokofiev: su música evoca más bien el mundo de Kandinsky: un mundo de colores netos y formas precisas y geométricas.

El tema de *Espacio* no es la poesía sino Juan Ramón mismo; no sus ideas sino sus sensaciones y sus iluminaciones. Es sorprendente la vivacidad con que el poeta recrea, en unas cuantas líneas admirables, la atmósfera de un lugar, pero ¿en dónde está ese lugar? Madrid o Nueva York, Miami o Moguer: todo *es* igual a fuerza de ser distinto. La intensidad de las sensaciones anula a la geografía. ¿Y el tiempo? No transcurre: es un relampagueo que todo lo disuelve. Todos los tiempos y todos los lugares son idénticos. El poema es una sucesión, con frecuencia deslumbrante, de logros, descubrimientos, iluminaciones, espejeos y puerilidades. Poema sorprendente y, en más de un sentido, extraordinario; asimismo, poema confuso. La profusión nos impide verlo en su totalidad. Acumulación de fragmentos: nos perdemos en esa maraña y el poeta mismo pierde la dirección de su poema: sabe de dónde vino, no adónde va. ¿Simultaneísmo? No: el orden de *Espacio* es el orden lineal de la sucesión. En los grandes poemas simultaneístas —pienso en *The Waste Land,* en los *Cantos* y, aunque menos complejo, en *Le Musicien de Saint-Merry*— hay un centro, un imán que mantiene unidos a todos los fragmentos. En *Espacio* el imán es la sensibilidad de Juan Ramón: finísima, vasta e insuficiente. Hacía falta algo más: una visión del mundo. Echo de menos en este gran y extraño poema al tiempo y el espacio en su terrible realidad. Reducir esa realidad a una serie de impresiones e imágenes intensas y discontinuas no es ni comprenderla ni trascenderla. La realidad no es una impresión: es un tiempo, un espacio y unos hombres —un mundo. Detrás de los *Cantos* de Pound a pesar de su frecuente incoherencia, oímos el rumor confuso y aterrado; de la historia humana; detrás de *Espacio* hay un hueco y un silencio: el yo del poeta, después de devorar al mundo, se ha devorado a sí mismo.

LOS POETAS DE *LAUREL*

La segunda parte de *Laurel* está compuesta por los poemas de doce poetas (deberían haber sido trece, ya que nosotros habíamos incluido a León Felipe). Es un grupo heterogéneo pues representa a las distintas tendencias de la poesía después del modernismo. Sin embargo, fiel al criterio que he tratado de describir más arriba, Villaurrutia atenúa las diferencias y pasa por alto las rupturas. Las palabras *vanguardia, ultraísmo* y *creacionismo* ni siquiera aparecen en su prólogo. La historia y sus cambios se evaporan en beneficio de una poesía que se supone esencial e intemporal. Una esencialidad más bien quimérica, ya que es imposible sustraerla a la historia y sus accidentes. Villaurrutia no traza un cuadro del periodo ni destaca sus tendencias más acusadas; se limita a caracterizar, en unas cuantas líneas, a cada poeta.

Omite en su enumeración, significativamente, a las dos personalidades más extremas: Vicente Huidobro y César Vallejo. A pesar de estos silencios y reticencias, los doce poetas incluidos representan las tres direcciones de la poesía posterior al modernismo: unos, la reacción crítica, a través del humor y el coloquialismo; otros, la depuración y la superación del modernismo por el camino de la poesía pura, y otros, en fin, la negación radical de la poética modernista. Esta última tendencia la encarnan dos poetas empeñados en una exploración psíquica y verbal opuesta: el minero Vallejo y el aviador Huidobro. Es portentoso que los protagonistas de la aventura poética más extremada hayan sido un millonario aristócrata de Chile y un pequeño burgués del interior de Perú.

Entre los poetas de esta segunda sección hay uno cuya presencia, a pesar del aprecio que le profesaba Villaurrutia, me parece una desafinación: Porfirio Barba Jacob. Por su acento elocuente y la musicalidad de su prosodia, uno y otra no carentes de noble intensidad, Barba Jacob es un modernista rezagado. En cambio, fue acertada la inclusión del nicaragüense Salomón de la Selva. Fue el primero que en lengua española aprovechó las experiencias de la poesía norteamericana contemporánea; no sólo introdujo en el poema los giros coloquiales y el prosaísmo sino que el tema mismo de su libro único —*El soldado desconocido* (1922)— también fue novedoso en nuestra lírica: la primera Guerra Mundial vista y vivida

en el dug-out hermético,
sonoro de risas y de pedos
como una comedia de Ben Jonson.

La aparición de estos acentos en la poesía peninsular es más tardía: José Moreno Villa, el excelente poeta inexplicablemente olvidado por sus compatriotas, publicó *Jacinta la pelirroja* en 1929. La poesía de Ramón López Velarde es anterior pero, en cierto modo, pertenece a este grupo con una salvedad: aunque quizá menos novedosa, es incomparablemente más original y profunda. También se inscribe en esta tendencia Gabriela Mistral. Lo mejor suyo no está en el patetismo de su libro juvenil, *Desolación* (1922), sino en los posteriores: *Tala* (1938) y *Lagar* (1954). Gabriela Mistral supo asimilar con tino y sin servilismo algunas de las experiencias verbales de poetas más jóvenes. Completan el grupo Alfonso Reyes, cuya fama oficial ha oscurecido los reales méritos de su poesía, y León Felipe, auténtico poeta y extraña mezcla de Whitman, Manrique y cómico de la legua. El caso de Mariano Brull es curioso. Su poesía depende de Valéry y, no sin contradicción, de Jiménez. Sin embargo, en momentos de rara felicidad logró escapar de la tiranía de estos dos maestros y escribir unos pocos poemas que todavía brillan y nos refrescan como el agua en el césped:

Por el verde, verde
verdería de verde mar,
Rr con Rr...

La versión de la poesía pura que ofrece Jorge Guillén, tal como aparece en las distintas ediciones de *Cántico*, es más rigurosa que la de Jiménez: la sensación se transmuta en forma y la forma en idea. Guillén restablece la antigua identidad platónica entre forma e idea, aunque su afirmación del ser —o más bien: su visión del ser como afirmación— esté muy lejos del platonismo, según he tratado de mostrar en los dos estudios que he dedicado a este poeta. Usada sin discernimiento, la expresión *poesía pura* es engañosa: designa tanto al impresionismo de Jiménez como a las construcciones de Guillén. Y ya que toco este tema: los poemas de este último sí podrán recordar las formas a un tiempo estrictas y aéreas de Prokofiev. Pero el Guillén de *Cántico* hace pensar sobre todo en Juan Gris: como los cuadros de este pintor, cada uno de sus poemas es un objeto hecho de las relaciones físicas y mentales que entretejen entre ellas las palabras.

La poesía de Salinas prolonga, dice Villaurrutia, en una sola línea monótona a la de Juan Ramón. Juicio injusto y sumario: Salinas es autor de algunos poemas de amor que es imposible olvidar o desdeñar. Poesía que se inscribe con naturalidad en la tradición provenzal y neoplatónica, no porque niegue al cuerpo o a los sentidos sino porque apenas si se detiene en ellos. Sin embargo, el poeta no cierra los ojos ante la mitad sombría de la pasión amorosa, que es siempre un descenso a un abismo. Para Salinas como para toda la tradición de Occidente, el verdadero amor es el amor único: a una persona en cuerpo y *alma.* El erotismo moderno ha cercenado al alma del cuerpo y ha transformado a éste en un manojo de músculos, vibraciones y sensaciones o en un aparato regido por un maquinista a un tiempo ciego y lúcido: el instinto. Salinas recobra la dual unidad de cada uno y la de la pareja:

> Mundo, verdad de dos, fruto de dos,
> verdad paradisíaca, agraz manzana,
> sólo ganada en su sabor total...

En la obra varia de Gerardo Diego confluyen direcciones opuestas que el poeta logra armonizar con sorprendente naturalidad: la lírica tradicional y la barroca, la poesía pura y el creacionismo. Una de las composiciones más asombrosas de esos años es la *Fábula de Equis y Zeda* (1926-1929), perfecta conjunción, en octavas reales, del barroquismo del siglo XVII y del cubismo del XX:

> la bicicleta inmóvil gira y canta
> Oh cielo es para ti su rueda *y* rueda
> Equis canta la una la otra Zeda

Las imágenes de Diego no sólo nos seducen como un viaje por un paisaje inventado; también abren, por el poder espiritual de la poesía, súbitas brechas que nos enseñan, como en un sistema de vasos comunicantes, las invisibles pero evidentes relaciones entre un objeto y otro:

la guitarra es un pozo
con viento en vez de agua.

Gerardo Diego fue el punto de unión entre las distintas tendencias de esos años y la vanguardia propiamente dicha: abrazó el creacionismo de Huidobro y fue amigo de Vallejo. Estos dos poetas, combatientes en las fronteras últimas del lenguaje, descubrieron y colonizaron continentes inexplorados. La irrupción de Vicente Huidobro en la poesía de nuestra lengua fue como una invasión de tártaros o mongoles: arrasó las viejas ciudades pero entre las piedras caídas surgió una nueva y más ligera vegetación poética. Su influencia, breve y fulminante, también puede compararse a un contagio celeste: como si fuese un pueblo de pájaros, muchos poetas se echaron a volar. Audacia funesta: la altura inhospitalaria los derribó casi inmediatamente. Huidobro se propuso crear, con el lenguaje, otra realidad; en un segundo momento, en los cantos finales de *Altazor* (1931), el lenguaje se volatiliza en sílabas que ya no dicen ni significan pues se han transformado en sonido, brillo y aleteo. El universo se vuelve sus nombres y los nombres dejan de decir; nominalismo vertiginoso que desemboca en lo indecible: ¿cuáles son los nombres de los nombres? Ya no son nombres: son sílabas que han perdido su sentido. Son, solamente son. Al perder su sentido, las palabras se desangran y, pellejos vacíos, flotan sobre la página. Exánimes aleluyas de una fúnebre pascua de pentecostés: *Altazor*, el doble de Huidobro, *habla en lenguas* como los apóstoles poseídos por el Espíritu pero, a la inversa de ellos, no dice nada. Esplendor roto, ruido de alas secas que caen. La palabra no *es* si no *es sentido*.

La aventura de Vallejo no fue menos total y arriesgada. Vallejo fue un temperamento tradicional, a pesar de su radicalismo poético y político. No concibió a la poesía como una suerte de religión sin Dios pero con milagros y revelaciones; tampoco endiosó al lenguaje como Huidobro: lo convirtió en una liturgia interior. Aunque Vallejo profesó un cientismo primario y fue ateo y materialista, sus pasiones y sus palabras eran religiosas. La poesía fue para él confesión, penitencia y comunión: una verdadera eucaristía. Sus poemas son como esos cuerpos constelados de heridas y de llagas de los Cristos y los mártires de nuestras iglesias. Los verbos, los adjetivos y los sustantivos desempeñan en su poesía una función a un tiempo punitiva y redentora: como las coronas de espinas, los clavos y las lanzas de las imágenes sagradas, son los signos de su martirio y de su gloria. Pero la santidad es más ardua que la belleza y sólo un puñado de poemas se salvan. Son pocos pero son impresionantes. Son mucho.

Además de Huidobro y Vallejo, hay dos poetas pertenecientes al primer momento de la vanguardia que merecen ser recordados: Oliverio Girondo y Juan Larrea. Varios críticos piensan que deberíamos haberlos incluido en *Laurel*. Procuraré responder a este reproche. Juan Larrea escribió casi todos sus poemas en francés y esto automáticamente lo excluye de una *Antología de la poesía moderna en lengua española* (como lo dice claramente el subtítulo del libro). De haber incluido a Larrea, ¿por qué no incluir también al uruguayo Jules Supervielle, al peruano César Moro y al ecuatoriano Alfredo Gangotena? ¿Y qué hacer con Saint-John Perse y con Aimé Césaire, ambos antillanos? No obstante todo esto, confieso que el caso de Larrea es dudoso: aunque su poesía me parece demasiado dependiente de la de los surrealistas franceses —con frecuencia es indistinguible de la de un Péret, por ejemplo—, es indudable que ejerció una influencia considerable sobre varios poetas españoles de la generación de 1927. En cuanto a la exclusión de Oliverio Girondo: el reproche es más fundado. Girondo está encerrado en la vanguardia, sí, pero no como un prisionero sino como el que vive en su propia casa. Es una omisión que de veras lamento.

La tercera sección de *Laurel* está compuesta por veinte poetas, sin contar a Pablo Neruda. Es el grupo más numeroso. La mayoría de los poetas que la integran tenían entonces alrededor de cuarenta años. Con algunos de la promoción anterior —Guillén, Huidobro, Vallejo y Diego— estos autores representan la porción más viva y varia de la poesía de esa época. Todas las tendencias, con una sola excepción, aparecen en la selección de *Laurel:* la corriente inspirada en la lírica popular, que combina los ritmos tradicionales con el sistema de imágenes puesto en circulación por Huidobro; la poesía pura, en sus distintas manifestaciones y matices; un cierto *criollismo* argentino que, como antes López Velarde con el habla de la provincia mexicana, construye con el lenguaje porteño poemas concisos como los epigramas de la *Antología palatina*, comentarios a veces apasionados y otras sentenciosos del fluir que teje y desteje la fábrica de los universos; la elegía cívica y el canto a los pueblos en guerra, sobre todo el de España en su lucha contra Franco y sus aliados alemanes e italianos (la literatura que más tarde se llamó *comprometida* nace en esos años); la poesía de la ciudad moderna poblada de máquinas y de multitudes —aunque los poetas de esa generación, deslumbrados por los automóviles, los anuncios luminosos, el teléfono y el *subway* no advirtieron el carácter destructivo de la técnica, creadora de gigantescas y prematuras ruinas; el poema extenso concebido no como un monólogo sino como una estructura musical, a la manera de los *Cuartetos* de Eliot, compuesta por variaciones de un tema único: la conciencia solitaria frente a la nada. Más allá de las diferencias de forma, inspiración y genio particular, hay una nota común en todos estos poemas: la alianza entre lo tradicional y lo nuevo, lo popular y lo culto, Góngora y el cubismo, el *slang* de la gran ciudad y las especulaciones metafísicas. Fue una poética que deliberadamente se propuso no conciliar ni atenuar las oposiciones sino enfrentarlas y unirlas en un abrazo violento. Le debemos algunos de los mejores poemas de este siglo.

Villaurrutia subraya la presencia de la lírica tradicional en los poetas españoles que figuran en la tercera sección de *Laurel*. Es una corriente que no ha cesado de irrigar a la poesía hispánica desde el siglo XVI. En pleno modernismo, algunos poetas —Antonio y Manuel Machado, Juan Ramón Jiménez— bebieron de nuevo el agua límpida de los romances y coplas. Se inspiraron en las colecciones de poesía anónima tradicional tanto como en algunos románticos tardíos: Augusto Ferrán, Rosalía de Castro y Gustavo Adolfo Bécquer. Estos poetas habían descubierto la tradición popular a través de Heine y del romanticismo alemán. Señalo esta circunstancia porque es muy distinto adoptar formas poéticas tradicionales a usar en un poema los giros del lenguaje hablado. Lo primero, por más novedosa que sea la adaptación, subraya una continuidad; lo segundo, implica una ruptura. La yuxtaposición y el choque del lenguaje poético culto con el *idioma de la conversación*, como lo llamaba Eliot, es una de las notas distintivas de la poesía moderna; el empleo de las formas tradicionales revela más bien una nostalgia: nadie habla así en nuestras grandes ciudades. Sin embargo, la supervivencia de estas formas es una prueba de vitalidad de la antigua cultura; nos habita un hombre subterráneo que, en ciertos momentos, se *acuerda* y habla en octosílabos.

Aunque el gusto de hoy prefiere los poemas de corte tradicional de Antonio Machado a los de Juan Ramón Jiménez, fue el segundo el que inspiró a los poetas de *Laurel*. Pronto aquellos jóvenes fueron directamente a las fuentes y pronto escribieron breves poemas en los que se alía la más fresca antigüedad con la más exquisita novedad. Combinación insólita de formas tradicionales e imágenes ultraístas. La manera no tardó en convertirse, como siempre ocurre, en una afectación y la mayoría de los poetas españoles e hispanoamericanos la abandonó, aunque no sin antes haber escrito poemas admirables. Uno de estos poetas fue Rafael Alberti. Después de sus primeros y sorprendentes libros —*Marinero en tierra, La amante* y *El alba del alhelí*— cambió mucho: neogongorismo, aparición de ángeles en la clase de aritmética o entre los escombros de las casas en demolición, onirismo con los ojos abiertos, poemas políticos, elegías cívicas, poesía de la guerra y el destierro, odas a la pintura, sátiras y vejámenes —sin olvidar los poemas cinematográficos de *Yo era un tonto y lo que he visto me ha hecho dos tontos.* ¿Cambios de alma o de piel o de traje? En todas sus metamorfosis Alberti ha sido fiel a sí mismo y a sus primeros libros. A nadie le conviene como a él la teoría aquella del *arte como juego.* Arte de piruetas y saltos, juego airoso y peligroso del que el poeta no siempre sale indemne. Hay tropezones, caídas y cornadas; hay cardenales y descalabraduras. Pero las lesiones no son mortales; Alberti sana pronto, sale de la enfermería poética sonriente, da un salto y se planta en la arena con un aro y un chicote de domador de palabras. No es gratuita la mención del aro y del látigo: en Alberti hay destreza y hay juego, en el mejor sentido del término, es decir, hay fantasía y gracia, poesía:

> ¡Jee, compañero, jee, jee!
> ¡Un toro azul por el agua!
> ¡Ya apenas si se le ve!
>
> ¿Queeé?
> ¡Un toro por el mar, jee!

En Argentina la poesía tradicional atrajo a Ricardo Molinari pero sus poemas fueron recreaciones literarias de la lírica medieval y renacentista sin relación directa con la poesía popular argentina. En Molinari hay otra vena, más americana: una poesía de los llanos de su país y de los pueblos criollos que, a ratos, recuerda a la del mexicano López Velarde que, a su vez, recuerda a la del argentino Lugones. Botes y rebotes de la palabra poética. Molinari también ha escrito intensos poemas en versos libres: la melancolía y el cansancio, hijos del tiempo, se ven en los ríos secos y los espacios desolados que el poeta suscita en la página. En un poema de su primer libro *(El imaginero,* 1927) hay una estrofa que define sutil y eficazmente lo que ha sido y es su poesía:

Yo deseo tener una ventana
que sea el centro del mundo,
y una pena
como la de la flor de la magnolia
que si la tocan se obscurece.

En algunos poetas la lírica tradicional se fundió con la poesía pura. Emilio Prados fue uno de esos poetas. Su obra es vasta pero carece de variedad; su abundancia ha dañado la comprensión de su poesía. No es un poeta metafísico, según dijo Juan Larrea, sino intensa y puramente lírico: «como un ángel de vidrio en un espejo». En el cubano Eugenio Florit confluyen dos tendencias de la época: la poesía pura y el neogongorismo. En 1930 publicó las décimas de *Trópico,* que Alfonso Reyes definió con exactitud: «naturaleza reducida a geometría». Se advierte la misma disposición, no hacia la abstracción, sino hacia el dibujo claro, en sus libros siguientes: *Doble acento* y *Reino.* En ellos la poesía pura abandona el impresionismo de Juan Ramón Jiménez. Clasicismo no exento de melancolía, como la estatua de uno de sus poemas «inmóvil en la orilla de este sol que se fuga en mariposas». Emilio Ballagas es el polo opuesto de Florit. También comenzó con la poesía pura pero la suya no fue reflexiva: fue un salto jubiloso. Las palabras eran naranjas meciéndose entre las ramas «como sorpresas redondas». Ballagas escribió después *poesía negra,* no menos vital, pero en su tercer libro, quizá el mejor: *Sabor eterno,* la alegría se vuelve desconsuelo y la sensualidad deja de ser inocente. Las naranjas tienen ahora sabor de ceniza. ¿Cómo puede ser *eterno* el sabor? ¿Recordaría Ballagas las líneas de Valéry:

comme le fruit se fond en jouissance,
comme en délice il change son absence...?

Aunque casi todos los poetas mexicanos escribieron en las formas de la lírica anónima tradicional, no cultivaron el folklorismo como los españoles: sus poemas, como los de Molinari, fueron recreaciones artísticas, según se ve en las nítidas canciones de José Gorostiza. Los poetas mexicanos —con dos excepciones: Carlos Pellicer y Salvador Novo— comenzaron a la sombra de Enrique González Martínez; después, siguieron a Juan Ramón Jiménez por algunos años. Villaurrutia aprovechó con inteligencia la lección de brevedad y esencialidad del poeta andaluz pero se salvó de la vaguedad impresionista gracias a su temperamento reflexivo y a su ojo de pintor: sus poemas cortos colindan con el haikú (ecos de Tablada) y evocan a las naturalezas muertas de Braque. En el caso de Jaime Torres Bodet las influencias de González Martínez y de Juan Ramón se mezclaron a otras, hispánicas y francesas: Tablada, Supervielle, Pellicer, Salinas. Se le han reprochado muchas veces estos cambios continuos pero sus críticos olvidan ciertos momentos, raros e intensos, en que esa misma versatilidad se convierte en angustia ante la dispersión del yo:

en un infinito
dédalo de espejos
me oigo, me sigo,
me busco en el liso
muro del silencio.
Pero no me encuentro...

Novo fue uno de los primeros en utilizar —y con más talento que nadie— el lenguaje descubierto por los poetas norteamericanos: coloquialismo, ironía, precisión. Las palabrotas que el niño oye en la calle son las de la poesía de siempre y que nunca acabamos de deletrear:

Por las noches el alfabeto estelar
combinaba sus veintisiete letras
en frases que me conturbaban
y que aún no encuentro en las enciclopedias.

También Carlos Pellicer mantuvo sus distancias con la poética de Juan Ramón. La poesía pura, al reducir la realidad a la impresión y la impresión a la esencia, ocultó al mundo. Para Pellicer la poesía fue, desde el principio, exactamente lo contrario: un camino para descubrirlo. Tuvo siempre los sentidos despiertos: ver, oír, tocar, oler, gustar. Tal vez pensó poco. ¿Qué importa? La riqueza de sus imágenes nos compensa de la pobreza de sus conceptos. Poesía visual, instantáneas de una *kodak* mágica que, al retratar al objeto, lo transfigura: la paloma inclina la cabeza para beber agua en un charco y «la escritura desfallece en una serie de sílabas maduras». Las imágenes de Pellicer a veces hacen pensar en Huidobro y en el Tablada de los haikai. Pero no vuelan movidas por un motor mental sino por la fuerza de antigravedad del ojo poético. Poeta de América, se ha dicho de Pellicer; agrego: y del mundo. El azul de los pueblos de México aparece de pronto en uno de Siria: es un «azul que se cae de morado». Universalidad del color local.

El ecuatoriano Carrera Andrade también tenía ojos en las manos y todo lo que tocaba se transformaba en imagen. Como Pellicer, fue poeta de América y poeta viajero por el mundo. Menos rico que el mexicano pero quizá más sutil, menos osado y menos irregular, ve al mundo con una melancolía que combina la lucidez con la resignación de los hombres del altiplano:

> Habito un edificio de naipes,
> una casa de arena, un castillo en el aire,
> y paso los minutos esperando
> el derrumbe del muro, la llegada del rayo,
> la sentencia que vuela en una avispa...

Xavier Villaurrutia señala que la gran diferencia entre los poetas del tercer grupo y los anteriores consiste en la presencia de una «corriente de irracionalismo derivada de los movimientos poéticos franceses». Enseguida agrega que esta irrupción del irracionalismo se manifiesta en el interés por «el mundo del subconsciente, la preocupación por el onirismo y cierto automatismo psíquico». Púdica alusión al surrealismo, aunque sin nombrarlo expresamente. Hay que matizar un poco esta opinión. En primer término: el surrealismo no tocó, o tocó apenas, a varios poetas de ese grupo, entre ellos algunos de los mayores. Por ejemplo: no aparece en *Muerte sin fin*, una de las obras más perfectas de ese periodo. El poema de Gorostiza —éste sí compuesto con el mismo rigor y con la misma soltura de una pieza musical para voces y orquestas— no le debe nada o casi nada ni al impresionismo de Jiménez ni a la marea onírica. Aunque nacida de la lírica tradicional redescubierta por esa generación, la obra de Gorostiza se inscribe en una tradición distinta: poesía de la forma que, al desplegarse, se resuelve en una transparencia. Vértigo de la palabra diáfana cayendo interminablemente en su sinfín; la poesía pura adquiere al fin conciencia de sí misma: conciencia de la muerte. En cuanto a los poetas que sí fueron sensibles al magnetismo surrealista: el movimiento los atrajo como una incitación y un ejemplo más que como una doctrina y una práctica. Ninguno de ellos fue surrealista en el sentido estricto de la palabra, quiero decir, ninguno de ellos fue miembro del grupo surrealista como lo fueron en esos años varios pintores (Miró, Dalí, Matta, Lam) y, más tarde, algunos poetas hispanoamericanos. Tampoco fundaron grupos o movimientos surrealistas como los que surgieron en Chile, Argentina y Canarias. Para los poetas de *Laurel* el surrealismo fue más una estética que una subversión. Lo interpretaron como un método de exploración psíquica y de creación poética pero no lo vieron ni lo vivieron como lo que realmente fue: un movimiento de rebelión y de liberación estética, erótica, moral y política. El surrealismo fue para ellos una *manera*, no una aventura vital.

Aun así, reducido a un sacudimiento verbal y estético, el surrealismo fue una perturbación que tocó en su raíz misma al lenguaje poético. A esta conmoción le debemos, entre otros textos memorables, *Poeta en Nueva York* de García Lorca y su visión del Harlem con su «gran rey prisionero en traje de conserje». ¿*Poeta en Nueva York* es el mejor libro de García Lorca? No sabría decirlo pero sí me parece indudable que sin el surrealismo no habría escrito ni los poemas de ese libro ni el *Llanto por Ignacio Sánchez Mejías* ni las turbadoras *gacelas* y *casidas* del *Diván del Tamarit.* Lo mismo debe decirse de Vicente Aleixandre: las caudalosas estrofas de *La destrucción o el amor* —erotismo del primer día del mundo, visión a un tiempo cruel y paradisíaca de la pasión— tienen un antecedente directo en sus dos libros para-surrealistas *(Pasión de la tierra* y *Espadas como labios),* publicados unos años antes y que fueron una explosión verbal del subsuelo psíquico. En el ensayo que he dedicado a la poesía de Luis Cernuda me ocupo del momento, determinante en su historia poética y vital, en que se acerca al surrealismo. En Cernuda el surrealismo se adelgaza y afila hasta convertirse en un canto que es al mismo tiempo un arma blanca: la pureza lírica se alía a la subversión moral.

El surrealismo también penetró en México; mejor dicho, penetró en algunas conciencias, las conmovió y las movió. En mi pequeño libro sobre la obra de Xavier Villaurrutia me detengo sobre la influencia del surrealismo en su poesía; lo concibió como un método de liberación interior más que como una poética; de ahí que incluso dentro del sueño, como él mismo nos advierte, haya mantenido a su espíritu «en una vigilia, en una vigilancia constantes». También Ortiz de Montellano recorre el país negro del sueño con los ojos abiertos: «Soy el último testigo de mi cuerpo», dice en uno de sus poemas. Del mismo modo que García Lorca asoció el surrealismo al andalucismo de sus primeros poemas, Ortiz de Montellano intentó fundir onirismo y mexicanismo. Temperamento reflexivo e intelectual, se inclinó después hacia el extremo opuesto y sus preocupaciones metafísicas lo acercaron a la poesía de Eliot. En Novo, menos complejo y más intenso, aparece otra vertiente del onirismo: el humor explosivo y la sintaxis irreverente de la asociación de ideas. Novo fue el que se acercó más —entre todos los poetas mexicanos y españoles— a la práctica ortodoxa del automatismo psíquico preconizada por Breton: el dictado del inconsciente. Es difícil hoy leer esos textos de Novo: han envejecido. Sus mejores poemas, los de *Nuevo amor*, ostentan huellas de su experiencia surrealista pero como aquel que, en la vigilia, recuerda su sueño y, al recordarlo, lo rehace y lo recrea... Este rápido recuento confirma que, aunque ninguno de estos poetas —ni los españoles ni los mexicanos— fue propiamente surrealista, quizá sin el surrealismo no habrían escrito sus más intensos poemas.

¿Y Neruda? Los poemas extraordinarios que escribió durante esos años están atravesados por una poderosa pasión sonámbula. Muy cerca y, al mismo tiempo, muy lejos del surrealismo. Algunos críticos hablan de *expresionismo* pero Neruda escribe con los ojos entrecerrados, equidistante del sueño surrealista y de la rabiosa vigilia expresionista. En esos poemas hay revelaciones, profecías, humor, sátira, sentido común, observaciones idiotas, sexualidad exasperada —a ratos genésica y otras sórdida—, hay realismo brutal y bruto, poesía exquisita hecha de espuma y sal, hay escoria y basuras, titubeos y vaguedades sentimentales, hay un inmenso oleaje verbal que arrastra todos esos elementos, los levanta, los deja caer, los muele y los extiende sobre la página: playa cubierta de cetáceos gigantes. Y también: llano sembrado de piedras enormes sobre las que han escrito sus escrituras terribles e irrisorias los siglos de la geología y los segundos del instante. Toda esa inmóvil materia verbal, apenas nuestros ojos recorren la página, se anima con un movimiento lento, torpe e invencible. Mar que avanza o lava que desciende: ¿nacimiento o muerte del lenguaje?

Ni los poetas americanos ni los españoles compartieron una de las preocupaciones cardinales del surrealismo: la fascinación por la tradición esotérica. El hermetismo y sus variantes han alimentado a la poesía europea desde el Renacimiento hasta nuestros días. En casi todos los modernistas se percibe claramente la influencia, directa o refleja, de la tradición oculta. Otro tanto ocurre con Tablada y Macedonio Fernández. Aunque la vanguardia europea, lo mismo en la pintura que en la poesía, está impregnada de hermetismo y esoterismo, no hay rastros de esas tendencias en la poesía de lengua española de ese periodo, salvo en Borges. Sólo hasta mi generación renace el interés por la tradición hermética. No menos notable es que ninguno de estos poetas refleje en sus obras o en su actitud la subversión metafísica y la violencia en materia de moral y de política del surrealismo. Cernuda fue la excepción: encontró en ese movimiento un alimento espiritual y poético liberador pero su rebelión fue individual, aislada. Nada más distinto a la posición de los verdaderos surrealistas, que buscaban precisamente en esos años el punto de unión entre la subversión poética y la revolucionaria. Éste fue uno de los ejes del movimiento y la razón de su denuncia del «realismo socialista» como una teoría reaccionaria, destinada a domesticar al arte y a los artistas.

Breton pensaba que la poesía, por su naturaleza misma, era revolucionaria y que convertirla en el vocero de las tácticas momentáneas de un partido (supuestamente) revolucionario equivalía a una castración espiritual. Heredero de los grandes románticos, el surrealismo concibió la revolución como *poesía práctica* y a la práctica de la poesía como *actividad revolucionaria.* El poeta guatemalteco Luis Cardoza y Aragón, residente en México e incluido con justicia en *Laurel,* sostuvo con sensibilidad e inteligencia estos puntos de vista. No por mucho tiempo. Contagiado por el estalinismo, se unió al bando de los defensores incondicionales de «la patria de los trabajadores del mundo» y participó en el coro de los maldicientes de Breton. Ahora, como tantos, sin tomarse la molestia de explicarnos y explicarse a sí mismo sus antiguos extravíos, lamenta los crímenes de Stalin; sin embargo, no ve en ellos el resultado del mal constitucional de la sociedad burocrática sino una nubecilla, ya disipada, en el camino radiante hacia el comunismo. Hace poco ha reincidido y en unas difamaciones que llama crítica literaria escupe sobre los huesos de André Breton.

Más arriba dije que todas las tendencias poéticas de esos años estaban presentes en *Laurel,* menos una. Esa tendencia fue la *poesía negra.* Recuerdo que discutimos mucho el tema. Villaurrutia no apreciaba demasiado el arte popular («me encanta», decía, «pero no es lo que yo llamo arte»). Veía en la poesía negra una recaída en un folklorismo más fácil aún que el gitanismo de García Lorca, que también reprobaba. Su actitud reflejaba un prejuicio estético, no social. Su poema *North Carolina Blues* muestra que sentía hacia los negros una real simpatía y que le parecía abominable su condición en los Estados Unidos. Xavier impuso su punto de vista, con el apoyo de Prados y el tácito de Bergamín. Ésta es la razón de que no figure en *Laurel* una modalidad poética que ilustraron Góngora y

Sor Juana en el siglo XVII y en el XX dos notables poetas: Luis Palés Matos y Nicolás Guillén. La selección de poemas de Emilio Ballagas tampoco incluye ejemplos de su poesía negra. En cuanto a Manuel del Cabral: su contribución más importante a la poesía negra, *Compadre Mon*, es de 1943.

Una ausencia injustificable: Dámaso Alonso. En un principio figuraba en la antología pero al final, por arte de birlibirloque, se esfumó. Más tarde Villaurrutia me explicó que la decisión se había tomado porque la obra de Alonso era muy escasa; sus publicaciones se reducían a un breve cuaderno de poesía (1921) y una *plaquette* (1925). Es verdad, pero en ellas se encuentran algunas de las canciones más puras de ese momento:

> Ésta es la nueva escultura.
> Pedestal, la tierra dura,
> Ámbito, los cielos frágiles.
>
> El viento, la forma pura.
> Y el sueño, los paños ágiles.

Algunos críticos mexicanos nos han reprochado las ausencias de Enrique González Rojo, Jorge Cuesta y Gilberto Owen. La obra del primero, muy estimable, interrumpida por una muerte prematura, es más promesa que realidad. Jorge Cuesta comprendió a la poesía mejor que nadie y su crítica —la escrita y, sobre todo, la viva que prodigaba en sus conversaciones— iluminó a todos los que fuimos sus amigos. Sus obras mejores están en los versos de los que lo escuchamos. En 1940 Gilberto Owen vivía fuera del país; desde hacía mucho nadie tenía noticias suyas y aún no publicaba el libro al que debe su reputación: *Perseo vencido* (1948).

Una omisión que me ruboriza: la de Emilio Adolfo Westphalen. Otras imputables a nuestra ignorancia: la del nicaragüense José Coronel Urtecho y la del peruano Oquendo de Amat. También lamento la del argentino Eduardo González Lanuza. Pero la gran ausencia es la de Pablo Neruda. Es un hueco enorme. Me consuela pensar que el lector inteligente llena inmediatamente ese vacío con poemas de *Tentativa del hombre infinito, Residencia en la tierra* (I y II) y *España en el corazón* (los poemas que habíamos escogido procedían de esos libros). Por lo demás, nunca nos sentimos culpables de esa laguna. La culpa la tuvieron las deplorables costumbres literarias que son parte de nuestra herencia. Apenas si es necesario recordar a Góngora, Quevedo, Lope de Vega, Alarcón y los otros, arrojándose frascos de bilis y redomas de gargajos envenenados.

POESÍA MODERNA Y POESÍA CONTEMPORÁNEA

Una vez contados, confesados y, a veces, justificados sus defectos y omisiones, ¿cómo no ver en *Laurel* a la antología más completa, más rigurosa y más rica del periodo que va de 1915 a 1940? Después se han publicado otras, excelentes, pero ninguna de ellas abarca a las dos vertientes de nuestra lengua, la americana y la española. Otra característica de *Laurel*: es una antología parcial, beligerante y destinada a ilustrar una visión particular de la poesía. No es ocioso decir, una vez más, que esa visión sigue siendo, en parte, la mía, con las reservas que he expresado a lo largo de este comentario. Subrayo que la visión que he llamado *parcial* fue lo bastante amplia para incluir a poetas tan distintos como Jorge Guillén y César Vallejo, Jorge Luis Borges y Federico García Lorca, Vicente Huidobro y José Gorostiza, Pablo Neruda y Xavier Villaurrutia. Otrosí: ni *Laurel* ni sus poetas han envejecido; los leo con el mismo placer de hace cuarenta años. Incluso los poetas que por una perversión del lenguaje llamamos menores —la poesía no es grande o chica: es o no es— me siguen encantando. La otra tarde, hojeando *Laurel,* me encontré con un sorprendente poema de Manuel Altolaguirre. Pocas veces el tema del tiempo y la memoria se ha asociado con tanta felicidad al de la fotografía:

> Mírate en un espejo y luego mira
> esos retratos tuyos olvidados,
> pétalos son de tu belleza antigua,
> y deja que de nuevo te retrate
> deshojándote así de tu presente

Sobre la selección de los poemas pueden hacerse, aquí y allá, reparos. Por ejemplo, en la de Rubén Darío, el poema final, *Armonía,* es una versión menos feliz del extraño soneto hermético que comienza con estos versos:

> La tortuga de oro camina por la alfombra
> y traza por la alfombra un misterioso estigma,

sobre su caparacho hay grabado un enigma
y un círculo enigmático se dibuja en su sombra.

Este soneto y otro de tema semejante («En las constelaciones Pitágoras leía; / yo en las constelaciones pitagóricas leo») son parte central del hermetismo de Darío. Los dos poemas esperan todavía un análisis detenido de sus elementos, en particular de esa tortuga que aparece en las dos composiciones. Tampoco me satisface hoy la selección de Huidobro; deberíamos haber incluido varios fragmentos de los cantos finales de *Altazor.* En fin, aunque la selección de *Laurel* podría mejorarse, es indudable que es muy amplia y que, con frecuencia, contiene los mejores poemas de cada poeta.

Una antología que se propusiese abarcar a la poesía publicada durante los cuarenta años siguientes tendría que comenzar poniendo al día las selecciones de los poetas de *Laurel.* Una sorpresa: hacia 1940 la mayoría de estos poetas había escrito lo mejor de su obra o, al menos, lo más característico. Así, poco habría que añadir. Cierto, algunos escribieron después de 1940 poemas admirables y que cuentan entre lo mejor suyo —Cernuda es un ejemplo— pero ninguna de esas obras modifica sustancialmente el carácter de su poesía. Las excepciones son pocas y se cuentan con los dedos de una mano. La primera es la de Juan Ramón. Ya me he referido a *Espacio,* una de las obras centrales de la poesía de nuestro siglo, publicado en su forma final en 1954. A este periodo último pertenecen también *Animal de fondo* y *Dios deseado y deseante,* dos libros que recogen, entre los vapores de un divagante panteísmo egotista, algunos poemas preciosos: niebla cristalizada. La poesía final de Juan Ramón fue simultáneamente un rejuvenecimiento y una culminación. Segunda excepción: Dámaso Alonso. Sus primeros poemas habían sido cristalinas y frágiles arquitecturas verbales; la publicación de *Hijos de la ira* reveló a un poeta hondo y amplio, poseído por una suerte de realismo sonámbulo y desgarrado, más exasperado que desesperado, religioso sin teología pero con caridad. Tercera excepción: Pablo Neruda. Publicó muchos libros, algunos malos de veras y otros desiguales como el escarpado y difuso *Canto general,* gran olla en donde hay de todo: hundimos la mano y sacamos pájaros de cuarzo, silbatos de plumas, conchas irisadas, pistolas oxidadas, cuchillos rotos, ídolos descalabrados. Arengas, diatribas, kilómetros de lugares comunes y de pronto, sin aviso, luminosos y arrebatadores, manojos de esplendores recién cortados, intactos y todavía vivos. También escribió dos libros menos exuberantes y descosidos que son de lo mejor suyo y que nos dan otra imagen de su rica y extraña *persona* poética: *Odas elementales,* en donde hay muchas admirables, y el singular *Estravagario.* Este último logra algo muy difícil: la sonrisa del taciturno.

A Neruda lo perjudicaron la ideología y la abundancia. La poderosa máquina de propaganda de los partidos comunistas y la influencia que tuvo durante la posguerra la ideología llamada de izquierda, lo convirtieron en una figura pública. Fue un ídolo o, más exactamente, un mito. Pero los mitos tienden fatalmente al estereotipo y Neruda no escapó a la estatua de cartón. En sí misma, la actividad política no tenía por qué haberlo dañado: pensemos en Milton o en Victor Hugo. Pero Neruda no supo guardar las distancias con los jerarcas de su partido. Una actitud tan violentamente opuesta a la sociedad liberal capitalista como la suya, exigía cierta vigilancia crítica frente a sus correligionarios, especialmente ante la política de Stalin y sus sucesores. No fue así: Neruda fue un militante disciplinado, un creyente más que un partidario. Nunca fue una conciencia crítica, como no lo fueron tampoco Aragon, Éluard, Alberti, Brecht —aunque este último tuvo sobresaltos de conciencia al fin de sus días— y tantos otros. En cuanto a la abundancia: lo dañó porque le hizo confundir la facilidad con la inspiración. Fue admirado por la mayoría pero los lectores exigentes opusieron a ese entusiasmo irreflexivo una reticencia desdeñosa. Reticencia no siempre justificada. Neruda se quejó, con razón a veces, de la envidia de sus colegas.

Me ha parecido necesario apuntar todos estos reparos para decir lo que desde hace mucho quiero decir: Pablo Neruda es el poeta más amplio, hondo y humano de su generación, en América y en España. No digo que sea el más perfecto sino el más vasto y variado; también, con frecuencia, el más intenso, ora desgarrador, ora risueño, a un tiempo simple y misterioso. Un poeta inmenso. En cada uno de sus libros, aun los más flojos, hay poemas inolvidables; en cada uno de sus poemas, aun los menos afortunados, hay líneas que son relámpagos de verdad. Quiero decir: relámpagos verdaderos que iluminan brevemente nuestra conciencia y trazan tatuajes en nuestra memoria; asimismo, relámpagos con la luz de una verdad súbita. ¿Qué verdad? Una verdad oculta, olvidada o abandonada, enterrada o acabada de nacer. La verdad de todos los días, la verdad de cada día, que pasa como nosotros pasamos y se queda como los dibujos del tiempo sobre la roca.

La generación de Neruda sobresalió en el arte del verso y Neruda también fue en esto la excepción: fue duro de oído, monótono y no pocas veces torpe. Estas carencias y defectos, por su enorme potencia verbal y su instinto poético, se convirtieron en virtudes. Sus ojos entrecerrados traspasaban la opaca realidad; su mirada volvía rosa a la llama y agua a la piedra. Sus poemas tienen una música extraña, muy antigua y, no obstante, familiar, como oída en duermevela. Música de piedras y polvo que cae interminablemente en el pozo de la noche, pasos del trueno que anda a ciegas por .el llano, rumor de roncos motores en los suburbios del sueño, luz que regresa cada mañana para golpear suavemente nuestros párpados.

La cuarta excepción fue la excepción de las excepciones: Jorge Luis Borges. Cuando apareció *Laurel* era un escritor admirado por sus invenciones en prosa y un poeta marginal, curioso. En esos años parecía demorarse entre los recuerdos del ultraísmo y los encantos del criollismo. Entre 1940 y 1970 surge paulatinamente el archipiélago Borges; cada una de sus islas es un signo que, enlazado a los otros, traza sobre el mapamundi la pregunta del principio que es también la del fin: el asombro de la conciencia humana sujeta al tiempo y sus quiméricas resurrecciones. Cartografía precisa y fantástica de las mutaciones del tiempo en el espacio; erosiones que son creaciones que son accidentes que son reflejos de un espejo pensante que, aunque todo lo sabe, no sabe quién o qué es. A Borges le conviene como a nadie el título de uno de sus libros: *El otro, el mismo.* Uno y múltiple, sus cambios no lo niegan sino que son como las fases de la luna. La misma diversidad aparece en su prosodia: ha vuelto al soneto y, al mismo tiempo, publica poemas en versos libres que parecen escritos hace tres mil años en el Asia Menor por un contemporáneo nuestro. Unos y otros, los sonetos y los poemas libres, me sorprenden por su perfección y por su novedad. ¿Necesito agregar que esa novedad no tiene edad ni fechas pues está tejida por el tiempo que pasa y que, al pasar, se queda?

Hacia 1940 aparecen nuevos poetas y, sobre todo, acentos distintos y distintas preocupaciones y obsesiones. En este sentido, *Laurel* representa una frontera. La ruptura de 1940, aunque menos violenta que la de 1920, no fue menos profunda. No se expresó en manifiestos y actitudes públicas sino que fue la obra más bien silenciosa de unos cuantos poetas aislados. Me he ocupado del tema en el capítulo final de *Los hijos del limo.*[1] En el prólogo a su *Antología de la poesía hispanoamericana contemporánea (1914-1970)*, José Olivio Jiménez señala que «1940 es el año divisorio.

[1] Incluido en el volumen I, *La casa de la presencia*, de estas OC.

Alrededor de esa fecha, poetas que habían nacido a partir de 1910 comienzan a producir una nueva poesía [...] que intenta una penetración de la realidad, en busca de su dimensión última». El resultado de esta tendencia, cuyo representante más notable es Lezama Lima, fue «un hermetismo expresivo casi total». Frente al hermetismo, José Olivio Jiménez advierte otra dirección: «las inquietudes de carácter existencial entrañable», expresadas en poemas «donde aparecen reflejados, en vibrantes irisaciones sensoriales y emotivas, los problemas de la existencia». Habría que agregar, en una y otra tendencia, la fascinación por la tradición hermética, en el sentido lato del término y que designa esa compleja y rica corriente espiritual que no ha cesado de irrigar secretamente, desde la Florencia neoplatónica de fines del siglo xv, la sensibilidad y el entendimiento de poetas, artistas y filósofos.

La antología de José Olivio Jiménez incluye únicamente a los hispanoamericanos y sólo contiene unas pocas muestras de la poesía contemporánea. En el prólogo aclara que «para ofrecer siquiera una breve aproximación a la poesía posterior a 1940, el libro se cierra con varios poetas nacidos entre 1910 y 1914: José Lezama Lima, Pablo Antonio Cuadra, Eduardo Carranza, Vicente Gerbasi, Nicanor Parra y Octavio Paz».[1] Y concluye: «es bien sabido que hay ya, por lo menos, una o dos promociones poéticas posteriores a Parra y a Octavio Paz que merecen los honores antológicos». Así, un autor que se propusiese hacer hoy una antología del último periodo (1940-1980), con el mismo rigor y la misma amplitud de *Laurel,* tendría que incluir a tres grupos o promociones poéticas. El hecho de que nadie lo haya intentado me asombra y entristece. ¿Cómo explicarlo? Se ha dicho que la poesía es la memoria de los pueblos. Esa memoria es un reconocimiento: los hispanoamericanos y los españoles nos reconocemos en la diversidad de las obras de nuestros poetas. Desconocerlas es negarnos a nosotros mismos. Padecemos una inundación de libros bárbaros —mala literatura disfrazada de sociología, psicología y las llamadas ciencias políticas— pero nadie publica aquellos pocos libros indispensables que pulen la sensibilidad, limpian la inteligencia y encienden la fantasía de las naciones y los individuos.[2]

[1] La antología incluye además a Juan Cunha y a Sara de Ibáñez. Echo de menos, entre los de esa edad, al nicaragüense Joaquín Pasos y al argentino Enrique Molina. Pertenecen a esta misma promoción, en España, Miguel Hernández y Luis Rosales.

[2] Dos recientes antologías han reparado esta omisión, una de Juan Gustavo Cobo Borda (1985) y otra de Julio Ortega (1986). Ninguna de las dos incluye a los poetas españoles.

No es fácil describir o, siquiera, enumerar todo aquello que distingue a la poesía escrita entre 1940 y 1980 de la de *Laurel.* Es demasiado variada y las oposiciones no son menos sino más acusadas que las afinidades. No obstante, me arriesgaré a mencionar una característica que me parece central: la ciudad. No agota todas las diferencias pero es un buen ejemplo del cambio de actitudes. La ciudad no como un horizonte ni un espectáculo, a la manera de los poetas de 1920, extasiados ante los anuncios luminosos, las estaciones de ferrocarril y los autos de carrera. Tampoco me refiero a la ciudad de Baudelaire y los simbolistas, en la que «el alumbrado de gas borra las señas del pecado original». Hablo de la ciudad contemporánea, en perpetua construcción y destrucción, novedad de hoy y ruina de pasado mañana, realidad inmensa y diaria que se resume en dos palabras: *los otros.* Un ellos que es siempre un yo cercenado de un nosotros, un yo a la deriva. Hay un poema de Luis Cernuda, *El farero,* que es típico de la generación de *Laurel:* un hombre solo en lo alto de una torre frente al mar desierto. El poeta contemporáneo es un hombre entre los hombres y su soledad es la soledad promiscua del que camina perdido en la multitud.

El campo representó, desde la Antigüedad, una huida hacia la naturaleza que fue también una fuga del presente. Los pastores de Teócrito viven, como los personajes de la *Oda a una urna griega* de Keats, en una naturaleza fuera del tiempo. Pero nadie escribe hoy idilios y églogas, salvo como sátiras. El equivalente del poema pastoril es la meditación solitaria en el bar, en el parque público o en un jardín de los suburbios. Nuestra naturaleza es mental: no es aquello a lo que nos enfrentamos sino aquello que pensamos, soñamos y deseamos. Pero la ciudad no es mental; es nuestra realidad: nuestra selva, nuestra estepa y nuestra colina. Es el espacio físico donde trabajamos, luchamos, amamos y morimos. Ese espacio ha cambiado radicalmente: el antiguo mundo natural estaba animado por dioses y demonios, el bosque era sagrado y bajo las piedras del llano dormía una nación de fantasmas. La ciudad también fue sagrada para babilonios y griegos, romanos y cristianos de la Edad Media. Ya no lo es: la religión, primero por la Reforma y después por el triunfo del liberalismo, ha dejado de ser pública. Quiero decir: se ha vuelto un asunto privado y cuando queremos rezar o meditar nos encerramos en una iglesia o en nuestro cuarto. El templo ha cambiado de posición e incluso en un sentido físico ya no es el centro de la ciudad: congrega a los fieles como un *sitio de retiro.* Para nosotros la ciudad es la vida pública pero la vida pública ya no es religiosa: es política. ¿O hay que decir que hemos hecho de la política una caricatura sangrienta de la religión y que así hemos degradado a las dos?

La ciudad moderna no sólo es la actualidad presente y sus realidades físicas sino los antepasados y sus obras, sean palacios o libros, tonadas de música o actos memorables. La ciudad es la historia pública y la privada, la historia impersonal y la encarnada en individuos, grupos y multitudes. El espíritu plural y uno que mueve la ciudad, la fuerza que la anima y la que un día inevitablemente la destruirá, es la historia. Es nuestra Kali: nos engendra y nos devora.

Vallejo, Neruda y Alberti creyeron que la poesía, al exaltar una causa que encarnaba el movimiento ascendente de los pueblos, se insertaba en la historia y se fundía a ella. Hoy sabemos que el «movimiento ascendente de los pueblos» termina en la instauración de la dictadura burocrática y en el campo de concentración. Pero incluso si no hubiese ocurrido esa terrible catástrofe que ha sido el «socialismo» totalitario, la poesía de la historia no puede confundirse con la propaganda en favor de esta o aquella causa, aun si esa causa fuese la mejor del mundo. Esto es lo que, todavía, se obstinan en ignorar los atardados seguidores de Neruda. La poesía de la historia tampoco puede consistir en el comentario moral o cínico del poeta didáctico o del satírico. La poesía de la historia brota, no de saber que estamos *ante* la historia sino *en* ella: somos historia. Todo lo que digamos sobre ella nos incluye a nosotros. Tampoco es el golpe de pecho, aunque puede y debe incluir la confesión de la culpa. La poesía de la historia se resuelve en la pregunta que el hombre se hace a sí mismo. Es una pregunta que todos los hombres se han hecho desde el principio —¿no dijo Darío: «y no saber adónde vamos ni de dónde venimos»?— pero que nosotros nos hacemos en nuestros propios términos, aquí y ahora. Esos términos, aunque pueden estar impregnados de religión o de filosofía, no son ni religiosos ni filosóficos: son históricos. El hombre del siglo XVII se hizo esa pregunta en y desde el debate entre la gracia y el libre albedrío, la libertad y la predestinación; el del siglo XVIII desde la doble y contraria perspectiva de la razón y las pasiones; el del XIX la vivió como el combate entre la superstición y el progreso, la ciencia y la religión. ¿Y nosotros? Es la pregunta que la ciudad se hace a sí misma. La ciudad: los otros que son nosotros y son ellos, el otro que es yo mismo.

Somos la ciudad y somos algo distinto: somos su pregunta y su negación, su conciencia y su poema. Somos la historia y somos los que se escapan de la historia, la contradicen, se ríen de ella, la juzgan, la condenan, la santifican, la exorcizan —y así la cumplen. Porque la historia ni es una causa que hay que abrazar o combatir ni un espectáculo que podemos contemplar ni un tema de meditación. La historia no está fuera y tampoco está adentro. Estoy en la historia, me confundo con ella y, no obstante, la traspaso, la niego, la trasciendo. Desde hace más de dos mil años los estoicos nos han enseñado la llave maestra de la libertad: la sílaba *no.* Así, no basta con sufrir a la historia: hay que pensarla; no basta con pensarla: hay que traspasarla. Y para traspasarla hay que decir *no.* Pero la poesía de la ciudad no se agota en esta negación. La ciudad moderna no es sólo la vida pública; el espacio público y el privado se confunden en ella. Cada vida y cada biografía, por más individual que parezca, es pública y colectiva; a su vez, la historia es un tejido de pasiones individuales y de accidentes en el que las personas no son menos determinantes que los llamados determinismos sociales. Unos se rebelan en nombre de sus pasiones íntimas; otros las reprimen como si esas pasiones no fuesen privadas sino epidemias sociales. La vida moderna vuelve público lo privado y, al mismo tiempo, convierte en anónimas a las figuras públicas. La tensión entre lo público y lo íntimo, entre la sociedad y la persona es la sustancia de la lírica y de la novela modernas: la prosa de la ciudad es nuestra poesía.

Dualidad de nuestra condición: la poesía de la ciudad es la poesía de mis antepasados y la de mis nietos. Es la conciencia de la continuidad y también la de la ruptura; me rebelo contra mis padres y mis hijos me apedrean. La historia, en fin, es la conciencia de la destrucción: la poesía de la historia culmina siempre con un canto ante las ruinas. México es Tenochtitlan y Tenochtitlan es Teotihuacan y Teotihuacan es Nínive y es Roma y es Nueva York. A todas las sociedades las ha habitado el saber —sentimiento y conciencia— de su mortalidad. Pero las civilizaciones del pasado habían encontrado en sus religiones y filosofías la redención del ahora finito. Eternidad cristiana, contemplación platónica, vacuidad budista, tiempo circular de griegos y chinos: maneras diferentes de anular a la muerte o, al menos, de transfigurarla. Hoy cada uno de nosotros se dice: moriré para siempre y conmigo morirán todos. La muerte se ha vuelto total. La sociedad azteca sufrió la obsesión del fin del mundo pero lo veía como una manifestación del tiempo circular; los cristianos primitivos también aguardaban el fin, sólo que ese fin coincidía con la vuelta de Cristo. Para nosotros el fin no desemboca en la eternidad ni es un momento de la regularidad cósmica: es un *accidente.* Así, el tiempo mortal que vivimos es *todos* los tiempos y es un tiempo único que sólo nosotros hemos conocido. La ciudad es las ciudades; al vivir en Buenos Aires o en Barcelona, vivimos en todas las ciudades y, simultáneamente, vivimos aquí y en este instante que no se repetirá. La poesía de la historia nos hace hablar con los muertos, con los ausentes y con nosotros mismos. Somos universales y somos de este barrio.

Las épocas y las formas artísticas se corresponden. La pluralidad de tiempos y espacios que se conjugan en la ciudad moderna encontró su expresión más viva en el simultaneísmo. Describirlo y definirlo me tomaría muchas páginas: baste con decir que es la traducción o transposición verbal y rítmica de esa propiedad de la ciudad moderna consistente en ser la conjunción de distintos tiempos y espacios en un aquí y un ahora determinados. En su origen fue un procedimiento que los poetas tomaron del montaje cinematográfico. Cendrars y Apollinaire fueron los iniciadores: para ellos el simultaneísmo fue la forma lírica por excelencia de la poesía de la ciudad. Eliot y Pound transformaron este procedimiento y lo insertaron en una visión de la historia.[1] Fue un cambio esencial. En lengua española —salvo en un breve poema de Tablada: *Nocturno alterno*— el simultaneísmo no aparece sino hasta mi generación. Aunque la ciudad moderna fascinó a muchos poetas de *Laurel*, ninguno de ellos la asume o la concibe como *poesía de la historia* —en el sentido particular que he dado a esta expresión— ni tampoco la expresa en la forma poética a que he aludido. Al llegar a este punto debo pedir perdón por una intrusión personal pero las necesidades de la exposición lo exigen: esta forma poética que es una visión tanto como un método de composición me ha guiado al escribir varios poemas extensos. Mi primera y tímida tentativa fue el *Himno entre ruinas* (1946), a la que siguieron, en el transcurso de cerca de cuarenta años, otros poemas que sería impertinente y aburrido enumerar.

El movimiento poético contemporáneo se ha expresado en direcciones muy diversas. Me detuve en una de ellas —la poesía de la ciudad— porque muestra con claridad las diferencias que separan a la poesía contemporánea (1940-1980) de la poesía de *Laurel*. No necesito aclarar que esas diferencias implican asimismo una continuidad. En el caso de la *poe-*

[1] He dedicado a este tema un ensayo: «Simultaneísmos» (1975) publicado en varias revistas hispanoamericanas. Es un complemento del capítulo final de *Los hijos del limo* y ha sido incorporado en *Sombras de obras* en su tercera edición (1981); *Los hijos del limo* forma parte del primer volumen, *La casa de la presencia*, de estas *OC*.

sía de la historia, ¿acaso no la han vivido y expresado los poetas de todos los tiempos, aunque desde perspectivas y situaciones distintas a las nuestras? La poesía contemporánea continúa a la de *Laurel* justamente en el momento en que parece negarla más radicalmente; lo mismo debe decirse de los poetas de *Laurel* en relación con el modernismo. En este sentido sí es verdad que la poesía moderna de lengua española es una unidad viviente y elástica, un tejido de sucesivas negaciones y afirmaciones. Pero no es un bloque: es un movimiento que comienza hacia 1885 con los primeros modernistas y que, en un continuo caer y levantarse de oleaje, llega hasta nuestros días. El corpus poético de este siglo es uno de los más ricos en la historia de nuestra poesía. Quizá sólo pueden comparársele los siglos XVI y XVII. Diré más: en el panorama de la poesía europea y americana de nuestro siglo, la escrita en español tiene un lugar señalado y único, lo mismo por la variedad que por la excelencia de sus voces.

El movimiento, quizá, toca a su fin. Debo repetir lo que he dicho varias veces: vivimos no sólo el ocaso de las vanguardias sino el de la idea misma de arte moderno. Se trata de un aspecto de un fenómeno más vasto pues abarca a la sociedad contemporánea en su totalidad, en sus creencias y en sus instituciones. No asistimos al «fin de los tiempos», como a veces se dice: asistimos al fin de la modernidad. Quiero decir, al fin de la idea que dio el ser e inspiró a la edad moderna desde el siglo XVIII: el progreso infinito, hijo del tiempo lineal. Esta visión del tiempo es la que se muere. Así, lo que se extingue no son ni la poesía ni el arte sino la *idea* que los alimentó durante dos siglos, desde el romanticismo. ¿Hay una nueva idea? Aún no aparece en el horizonte de la historia. Por esto la poesía de la ciudad —que es nuestra poesía— asume la forma de una pregunta.

México, 1982

[«Poesía e historia: *Laurel* y nosotros» se publicó en *Sombras de obras,* Seix Barral, Barcelona, 1983.]

Al margen
NOTA SOBRE POESÍA NEGRA

No hay que buscar en las jintanjáforas de Mariano Brull el origen de la poesía negra. Es indudable que la jintanjáfora tiene cierta relación con el aspecto lúdico de la poesía negra, como la onomatopeya y lo que Ballagas llamaba, en el prólogo a su antología, el «disparate lírico». Se trata, sin embargo, de influencias tangenciales. La poesía negra nace en la América hispana de la confluencia de dos tendencias literarias y artísticas del siglo XX. La primera es el descubrimiento de «lo negro» en Europa y los Estados Unidos, entre 1910 y 1925: las máscaras y esculturas que impresionaron a los cubistas, los cuentos y leyendas que recogieron Frobenius y Blaise Cendrars, la irrupción del jazz y de mitos como el de Josephine Baker, los. poemas de Langston Hughes (*I too sing America*, admirablemente traducido por Xavier Villaurrutia), etc. La segunda fue el redescubrimiento de la poesía tradicional y folklórica: las canciones de Alberti, Gorostiza, Gerardo Diego, los poemas gitanos de García Lorca.

Hacia 1930 comienza el breve pero fecundo periodo de la poesía negra en lengua española. Tres poetas considerables: Nicolás Guillén, Emilio Ballagas y Luis Palés Matos. Esa década fue la de los mejores libros de Guillén: *Motivos del son* (1930), *Sóngoro Cosongo* (1931), *West Indies, Ltd.* (1934). También es la de otros libros notables; uno de Luis Palés Matos, *Tuntún de pasa y grifería* (1937), y otro de Emilio Ballagas, *Cuaderno de poesía negra* (1934). En 1937 el mismo Ballagas publicó su *Antología de la poesía negra hispanoamericana*, una obra que definió al género y que todavía puede leerse con provecho. Hubo otros poetas que también, durante esos años, escribieron poesía negra: el andaluz García Lorca, el uruguayo Ildefonso Pereda Valdés, el argentino

Luis Cané y los cubanos Alejo Carpentier, Ramón Guirao y Alfonso Hernández Catá.

Más allá de sus antecedentes en el siglo XX, el origen de la poesía negra hispanoamericana está en los siglos XVI y XVII. En el periodo barroco se escribieron algunas canciones y villancicos que no sólo anticipan a los poemas del siglo XX sino que rivalizan con ellos. Por ejemplo, las letrillas de Góngora escritas para las fiestas del Sacramento y en las que a veces cantan negros y negras, como en ésta:

> Zambambú, morenito del Congo,
> Zambambú,
> Zambambú, que galana me pongo,
> Zambambú.

No son inferiores a las de Góngora las letrillas de Sor Juana en las que también aparecen negros que cantan y bailan, como en esta «ensalada» de unos villancicos escritos para la fiesta de la Asunción y en la que figuran «dos princesas de Guinea con vultos azabachados» cantando este estribillo:

> 1. ¡Ha, ha, ha!
> 2. ¡Monan vuchilá!
>   ¡He, he, he,
> Cambulé!
> 1. ¡Gila coro,
>   gulungú, gulungú,
> hu, hu, hu!
> 2. ¡Menguiquilá,
>   ha, ha, ha!

También son memorables, en el mismo villancico, las coplas sobre la ascensión de la Virgen al cielo:

> Mílala como cohete
> que va subiendo lo sumo;
> como valita li humo
> que sale de lo pebete;
> y ya la Estrella se mete

adonde mi Dioso está.
¡Ha, ha, ha!

[«Al margen. Nota sobre poesía negra» es una breve rectificación al artículo de Jean-Claude Masson titulado «La fuerza del malentendido»; tanto el artículo de Masson como esta nota se publicaron en *Vuelta,* núm. 154, México, septiembre de 1989.]

Premio Príncipe de Asturias

Su Alteza Real, Don Felipe, Príncipe de Asturias
Señoras y señores:

Se me ha encargado una tarea que es, al mismo tiempo, agradable en extremo y en extremo difícil: dar las gracias, en nombre de las personas y agrupaciones premiadas este año, a su Alteza Real, a la Fundación Príncipe de Asturias y a los distinguidos miembros de los jurados que han otorgado los premios. La tarea es agradable porque agradecer ennoblece tanto al que manifiesta su gratitud como al que la recibe. Si premiar es descubrir en otro una cualidad que reclama nuestro reconocimiento, la gratitud humaniza ese reconocimiento a través de un gesto de reciprocidad: agradecer es premiar al que nos premia. Pero la tarea que se me ha encomendado es difícil porque sé que no basta con la gratitud, por más sincera y profunda que sea; este acto no es únicamente una ceremonia ni puede reducirse a una mera efusión sentimental. Por una parte, ¿cómo hablar con autoridad y competencia en nombre de las destacadas personalidades que han sido agraciadas en 1993 con los premios? Por otra, es imposible no detenerse, así sea brevemente, en la significación que tiene para la cultura hispánica la existencia de una institución como la Fundación Príncipe de Asturias. El tema merecería una meditación amplia y profunda; no es esta la ocasión ni yo soy la persona más indicada para intentarla. Me conformo con ofrecer a ustedes, apenas, un puñado de reflexiones apresuradas. Me consuela pensar que, por más insuficientes que sean, al menos revelan unos sentimientos que, estoy seguro, comparten todos los premiados: la emoción y el agradecimiento.

Dos notas distinguen a los premios de la Fundación Príncipe de Asturias. La primera es la variedad: ocho premios que abarcan disciplinas y actividades diferentes, de las letras, las ciencias y las artes a la comunicación, la solidaridad, la cooperación y el deporte. La segunda: los premios pueden otorgarse a una persona, un grupo o una institución. Lo individual y lo colectivo: las obras que son el resultado de un esfuerzo solitario y las realizadas por un grupo, las que expresan una visión del mundo o del hombre y aquellas que exploran los secretos de la ciencia y el pensamiento, las que cumplen una función ética y las que se emprenden por el beneficio general o en defensa de los individuos, los pueblos o los desvalidos. Todas estas obras y actividades pertenecen al dominio de lo que tradicionalmente se ha llamado la *cultura,* es decir, son hijas del cultivo de las ciencias, las humanidades y las artes; al mismo tiempo, corresponden a otra concepción de la cultura que se ha extendido tanto que es hoy la prevaleciente: cultura en el sentido antropológico, concebida como un conjunto de cosas e ideas, utensilios e instituciones, creencias y monumentos, costumbres y artefactos, obras y símbolos que, simultáneamente, constituyen a una sociedad y la definen frente a las otras. En esta acepción, cultura es inseparable de sociedad: es su fisonomía pero también es su esqueleto, las fuerzas que la mueven y las formas en que se expresa; la sangre que circula por sus arterias y el alma que la habita. La cultura es la sociedad y es su imagen, es su creadora y es su criatura, en ella se realiza y en ella se contempla.

Desde esta perspectiva, los premios de la Fundación Príncipe de Asturias son algo más y algo distinto al simple reconocimiento de esta o de aquella obra científica o literaria: son signos que indican las diferentes tendencias y orientaciones de la cultura hispánica contemporánea, sus preocupaciones y sus limitaciones, sus conquistas y sus carencias, las zonas oscuras y las luminosas. Síntomas, señales e indicios de una situación colectiva, en la que el movimiento vive en perpetua lucha con la tradición y con lo que podría llamarse la fuerza de gravedad de las sociedades. Una cultura sana se distingue por un ligero desequilibrio, a favor del primero, entre el movimiento y la inmovilidad. Las sociedades y las culturas mueren, unas, las más, por la repetición y la autoimitación, que las condenan a la petrificación, y otras, las menos, despeñadas en el vacío por el amor excesivo al cambio. Esto último es el peligro que acecha a la civilización de Occidente: la técnica terminará por despoblar a la naturaleza como ha deshabitado a las almas... En fin, si se interpretasen correctamente los premios concedidos por la Fundación durante los últimos años y, sobre todo, si se les pusiese en relación unos con otros, se advertiría inmediatamente que dibujan una suerte de mapa moral e intelectual de nuestra cultura.

En espera de que alguien se decida a estudiar con ánimo antropológico e histórico los premios de la Fundación Príncipe de Asturias, me parece útil por ahora señalar otra de sus características. Es central y complementaria de la que acabo de mencionar: su ámbito geográfico. Este ámbito es, claro, el de la cultura hispánica, que se extiende a dos continentes. Geografía es historia y de ahí que la palabra *Asturias*, nombre de estos premios, no sea únicamente una designación geográfica. Alude, más que a una tierra, a un origen: aquí comenzó —o recomenzó— España. Una historia que principia en un pequeño reino entre montañas y de codos al mar, prosigue en una nación guerrera, se transforma en un imperio mundial y es hoy un Estado moderno que comprende varios pueblos y lenguas. Historia asimismo de una colosal expansión geográfica en cuatro continentes. A su vez, la pluralidad de tierras surgidas entre dos océanos resultó ser una no menos diversa pluralidad de pueblos y naciones. El mundo hispánico sorprende lo mismo por su vastedad física que por la variedad de razas y culturas que lo componen, algunas entre ellas milenarias, como las de Perú y México. Variedad, no heterogeneidad; hubo violencia y guerra pero también fusión: la cultura hispánica es una y diversa. Al llegar a este punto conviene introducir una distinción.

La cultura hispánica reúne a pueblos distintos en una lengua común y en un conjunto de valores y costumbres. Lo mismo sucede en la cultura angloamericana y entre los árabes y los chinos. En el mundo chino la homogeneidad cultural y social es mucho mayor que entre nosotros; también lo es el peso de tres milenios de historia y la autoridad casi sagrada de una escritura que da unidad a la diversidad de hablas. En los países árabes, igualmente, la homogeneidad es mayor, debido sobre todo al predominio de los valores religiosos. Un absolutismo teológico ha inmovilizado a esas naciones. La mayor afinidad la encuentro con el mundo angloamericano, que nació en la misma época que nosotros y que se extendió en el mismo continente. Ellos son la proyección de una isla; los hispanoaméricanos y los brasileños de una península. Dos extremos de Europa. Tanto en los Estados Unidos como en América Latina, una misma lengua —el inglés, el español y el portugués— comunica a pueblos de distintas razas y orígenes. Esta semejanza no oculta una diferencia radical: la distinta evolución histórica de angloamericanos y de hispanoamericanos. La historia de Estados Unidos ha sido la de un ascenso en verdad deslumbrante; la de España y sus antiguas posesiones, desde fines del siglo XVII, ha sido difícil y nuestros tropiezos han sido frecuentes.

Los historiadores aún disputan acerca de las causas de los desfallecimientos de los pueblos hispánicos en la edad moderna. Sea cual sea la razón, lo cierto es que abrazamos a la modernidad tardíamente, en medio de conflictos ideológicos y de guerras civiles que interrumpieron nuestra evolución. Ustedes, los españoles, al fin han alcanzado la modernidad. Ha sido una gran victoria, aunque la modernidad se enfrenta hoy a situaciones impensables hace cincuenta años. Muchos de los principios que la acompañaron al nacer, con la Ilustración, y que son su fundamento, han sido y son cruelmente negados en este terrible fin de siglo. La modernidad en los orígenes fue un universalismo y hoy asistimos a la resurrección de feroces nacionalismos y obtusos fanatismos religiosos. Y lo más grave: hay un gran vacío en el corazón mismo de la civilización tecnológica. Nadie sabe qué nos espera. Pero ustedes están mejor armados que nosotros para afrontar el porvenir. Tal vez el secreto del gran logro histórico de la España contemporánea —y lo que explica su pacífica transición hacia la modernidad democrática— consiste en haber unido la antigua institución monárquica con la democracia liberal representativa, es decir, ustedes han conseguido reconciliar tradición y modernidad. Así han cancelado la disputa que desgarró a España durante el siglo XIX y buena parte del XX. En cambio, las naciones latinoamericanas, desde la Independencia, no han podido alcanzar plenamente el equilibrio entre tradición y modernidad, única manera de romper el círculo fatal que nos ha llevado durante dos siglos de la dictadura a la anarquía y de ésta otra vez a la dictadura. No obstante —y sin desconocer que hay todavía sombras en nuestras tierras— creo que la esperanza, por primera vez en muchos años, está justificada: América Latina se recobra y la mayoría de nuestros países se encaminan hacia formas de gobierno más democráticas y plurales. México vive un intenso periodo de modernización que no será fácil detener; lo mismo sucede en Chile; la Argentina se endereza y en casi todas partes se inicia la recuperación.

La institución de los premios Príncipe de Asturias ha sido una muestra de sensibilidad histórica. Han contribuido y contribuyen poderosamente a fomentar lo que más falta nos hace: la conciencia de nuestra identidad y la confianza en nosotros mismos. Son un signo de reunión, una llamada que nos reconcilia con nuestro pasado y una invitación a ser lo que somos. Sin embargo, es imposible encerrarlos en las fronteras de la comunidad hispánica, pues las obras y las actividades premiadas son universales y trascienden las fronteras nacionales y los límites de las culturas. Las ciencias no tienen patria o, más exactamente, su patria es el entendimiento humano, que está en todas partes y no pertenece a ningún lugar: brota ahí donde sopla el espíritu. Las leyes científicas carecen de color local y las ecuaciones no tienen papeles de identidad. Se me dirá que las obras literarias están hechas de palabras; cada pueblo y cada cultura posee un lenguaje que es distinto al de los otros pueblos y culturas. Es cierto. Pero cada lenguaje es una visión del mundo y cada una de esas visiones es una ventana abierta a los otros lenguajes. Dicen que el alma eslava es misteriosa e incluso impenetrable; no obstante, gracias a Dostoyevski y a Tolstói, puedo conversar silenciosamente con Iván Karamazov o llorar y reír con Ana Karenina. La poesía, se dice, es intraducible. No estoy muy seguro; en cambio, sí lo estoy de que la historia de la poesía en todas las lenguas, es la historia de muchas traducciones: Darío es impensable sin Verlaine, Eliot sin Laforgue y así sucesivamente. ¿Y las artes visuales y la música? Cada una de esas obras, si en verdad es obra, es un universo cerrado que de pronto se abre, no como una frontera sino como un fruto o un astro. Para penetrar en sus cámaras secretas no necesitamos un visado: basta con amarlas y contemplarlas. Lo mismo puede decirse de las otras actividades que premia la Fundación Príncipe de Asturias, trátese de la comunicación o de la solidaridad social. Los premios, sin dejar de ser un reconocimiento a las obras de la comunidad hispánica, van más allá de esa comunidad: reconocen la universalidad del ingenio humano y de la virtud. En esta hora sombría de regreso de los nacionalismos, los premios de la Fundación Príncipe de Asturias nos recuerdan que cada obra está hecha por un hombre pero que su destinatario es plural: los hombres.

[«Premio Príncipe de Asturias» son las palabras pronunciadas en Oviedo el 27 de noviembre de 1993, al recibir el premio otorgado a la revista *Vuelta*.]

Poesía y periodismo

Soy (o quiero ser) un poeta; igualmente soy (o quiero ser) un periodista. Muy joven, adolescente, escribí poemas y aún los sigo escribiendo; muy joven también, comencé a publicar artículos y notas en diarios y revistas. Las dos actividades no se oponen sino que, a veces, se complementan. Con frecuencia oigo decir que el tiempo del periodismo es el del instante mientras que el de la poesía son los años y aun los siglos. Vale la pena someter a prueba esta opinión. El periodismo, la novela y la poesía son géneros literarios distintos, cada uno regido por su propia lógica y estética. Sin embargo, los tres viven en continua comunicación. Esto es particularmente cierto en el caso del periodismo y la poesía. Los une, ante todo, la brevedad: nadie escribe artículos o poemas de mil páginas. El artículo se distingue por su rapidez, su lenguaje directo y su finalidad: la presentación de esta o de aquella actualidad, lo que sucede hoy, el presente. Basta comparar a la poesía moderna con la del pasado para darse cuenta de que varias de las notas que definen al artículo aparecen también en los poemas que se escriben en el siglo XX. La admirable retórica de nuestros poetas barrocos, no pocas veces enfática y caracoleante, así como la menos admirable pasión de nuestros románticos, también no pocas veces sentimental y divagatoria, han desaparecido casi completamente de los poemas realmente modernos. Pecado sin remisión para un poeta de nuestra época: la prolijidad.

A diferencia de los simbolistas, oficiantes de rituales arcanos y sacerdotes de religiones herméticas, los poetas modernos han descubierto la vida diaria, lo maravilloso cotidiano, lo que ocurre lo mismo entre el gentío de una calle que en la soledad de un cuarto en un edificio anónimo. El poeta se ha vuelto el explorador de los subsuelos psíquicos y sociales, el *reporter* de los movimientos de la conciencia al internarse en sí misma, el cronista de las aglomeraciones urbanas y de esos islotes que son, en el mar de la ciudad, las parejas de enamorados. Las dos grandes influencias en nuestra poesía han sido el cine y el periódico: el montaje, las yuxtaposiciones, la velocidad, la ruptura de la continuidad temporal y la presentación simultánea de espacios diversos y situaciones contradictorias. Además, la tipografía: Mallarmé confesó alguna vez que las páginas de los diarios, con su variedad de caracteres y encabezados habían inspirado la disposición de *Un Coup de dés.*

¿Y la duración? Los artículos no están hechos para durar; sin embargo, unos cuantos, los mejores, sobreviven. Lo mismo sucede con los poemas. La buena poesía moderna está impregnada de periodismo. Es natural, diarios y los otros medios de comunicación —radio y televisión— son la forma en que se presenta o se oculta, alternativamente, la historia. Si queremos comprender un poco lo que pasa hoy, tenemos que leer a la prensa, aunque sepamos que, más abajo de las noticias, operan realidades y fuerzas invisibles que apenas si logramos vislumbrar. Son lo que muchos llaman «la causalidad histórica»; los antiguos, quizá con mayor cordura, la llamaban *Fortuna:* el factor imprevisible. Dos de los grandes poemas de nuestro siglo, *Zone* de Apollinaire y *The Waste Land* de Eliot, están marcados por una tensión que no es exagerado llamar *periodística.* O sea: histórica. Lo contrario no es menos cierto: un artículo de Ortega y Gasset o de Unamuno, un comentario de Eugeni d'Ors o de Bergamín, poseen la forma estricta del poema. ¿Y qué decir de Ramón Gómez de la Serna, que hizo reverdecer las páginas de diarios y revistas con una prodigiosa lluvia de semillas semánticas?

Todo escritor tiene un ideal de escritura. A mí me gustaría dejar unos pocos poemas con la ligereza, el magnetismo y el poder de convicción de un buen artículo de periódico... y un puñado de artículos con la espontaneidad, la concisión y la transparencia de un poema.

Madrid, a 14 de junio de 1995

[«Poesía y periodismo» es el discurso de recepción del premio Mariano de Cavia, Madrid; se publicó en *Vuelta,* núm. 225, México, agosto de 1995.]

Nuestra lengua

Las vocaciones son misteriosas: ¿por qué aquél dibuja incansablemente en su cuaderno escolar, el otro hace barquitos o aviones de papel, el de más allá construye canales y túneles en el jardín, o ciudades de arena en la playa, el otro forma equipos de futbolistas y capitanea bandas de exploradores o se encierra solo a resolver interminables rompecabezas? Nadie lo sabe a ciencia cierta; lo que sabemos es que esas inclinaciones y aficiones se convierten, con los años, en oficios, profesiones y destinos. El misterio de la vocación poética no es menos sino más enigmático: comienza con un amor inusitado por las palabras, por su color, su sonido, su brillo y el abanico de significados que muestran cuando, al decirlas, pensamos en ellas y en lo que decimos. Este amor no tarda en convertirse en fascinación por el reverso del lenguaje, el silencio. Cada palabra, al mismo tiempo, dice y calla algo. Saberlo es lo que distingue al poeta de otros enamorados de la palabra, como los oradores o los que practican las artes sutiles de la conversación. A diferencia de esos maestros del lenguaje, al poeta lo conocemos tanto por sus palabras como por sus silencios. Desde el principio el poeta sabe, oscuramente, que el silencio es inseparable de la palabra: es su tumba y su matriz, la tierra que lo entierra y la tierra donde germina. Los hombres somos hijos de la palabra. Ella es nuestra creación; también es nuestra creadora: sin ella no seríamos hombres. A su vez la palabra es hija del silencio: nace de sus profundidades, aparece por un instante y regresa a sus abismos.

Lo que acabo de decir puede parecer demasiado abstracto pero no lo es. Mi experiencia personal y, me atrevo a pensarlo, la de todos los poetas, confirma el doble sentimiento que me ata, desde mi adolescencia, al idioma que hablo. Mis años de peregrinación y vagabundeo por las selvas y las ciudades de la palabra son inseparables de mis travesías por los desiertos, océanos y arenales del silencio. Las semillas de las palabras caen en la tierra del silencio y la cubren con una vegetación a veces delirante y otras geométrica. Mi amor por la palabra comenzó cuando oí hablar a mi abuelo y cantar a mi madre, pero también cuando los oí callar y quise descifrar o, más exactamente, deletrear su silencio. Las dos experiencias forman el nudo de que está hecha la convivencia humana: el decir y el escuchar. Por esto el amor a nuestra lengua, que es palabra y silencio, se confunde con el amor a nuestra gente, a nuestros muertos los silenciosos y a nuestros hijos que aprenden a hablar. Todas las sociedades humanas comienzan y terminan con el intercambio verbal, con el decir y el escuchar. La vida de cada hombre es un largo y doble aprendizaje: saber decir y saber oír. El uno implica al otro: para saber decir hay que aprender a escuchar. Empezamos escuchando a la gente que nos rodea y así comenzamos a hablar con ellos y con nosotros mismos. Pronto, el círculo se ensancha y abarca no sólo a los vivos sino a los muertos. Este aprendizaje insensiblemente nos inserta en una historia: somos los descendientes no sólo de una familia sino de un grupo, una tribu o una nación. A su vez el pasado nos proyecta en el futuro: somos los padres y los abuelos de otras generaciones que, a través de nosotros, aprenderán el arte de la convivencia humana: saber decir y saber escuchar. El lenguaje nos da el sentimiento y la conciencia de pertenecer a una comunidad. El espacio se ensancha y el tiempo se alarga: estamos unidos por la lengua a una tierra y a un tiempo. Somos una historia.

La experiencia que acabo toscamente de evocar es universal: pertenece a todos los hombres y a todos los tiempos. Pero en el caso de las comunidades de lengua castellana aparecen otras características que conviene destacar. Para todos los hombres y mujeres de nuestra lengua la experiencia de pertenecer a una comunidad lingüística está unida a otra: esa comunidad se extiende más allá de las fronteras nacionales. Trátese de un argentino o de un español, de un chileno o de un mexicano, todos sabemos desde nuestra niñez que nuestra lengua nacional es también la de otras naciones. Y hay algo más y no menos decisivo: nuestra lengua nació en otro continente, en España, hace muchos siglos. El castellano no sólo transciende las fronteras geográficas sino las históricas: se hablaba antes de que nosotros, los hispanoamericanos, tuviésemos existencia histórica definida. En cierto modo, la lengua nos fundó o, al menos, hizo posible nuestro nacimiento como naciones. Sin ella, nuestros pueblos no existirían o serían algo muy distinto a lo que son. El español nació en una región de la península ibérica y su historia, desde la Edad Media hasta el siglo XVI, fue la de una nación europea. Todo cambió con la aparición de América en el horizonte de España. El español del siglo XX no sería lo que es sin la influencia creadora de los pueblos americanos con sus diversas historias, psicologías y culturas. El castellano fue transplantado a tierras americanas hace ya cinco siglos y se ha convertido en la lengua de millones de personas. Ha experimentado cambios inmensos y, sin embargo, sustancialmente, sigue siendo el mismo. El español del siglo XX, el que se habla y se escribe en Hispanoamérica y España, es muchos españoles, cada uno distinto y único, con su genio propio; no obstante, es el mismo en Sevilla, Santiago o La Habana. No es muchos árboles: es un solo árbol pero inmenso, con un follaje rico y variado, bajo el que verdean y florecen muchas ramas y ramajes. Cada uno de nosotros, los que hablamos español, es una hoja de ese árbol. ¿Pero realmente hablamos nuestra lengua? Más exacto sería decir que ella habla a través de nosotros. Los que hoy hablamos castellano somos una palpitación en el fluir milenario de nuestra lengua.

Se dice con frecuencia que la misión del escritor es expresar la realidad de su mundo y su gente. Es cierto, pero hay que añadir que, más que expresar, el escritor explora su realidad, la suya propia y la de su tiempo. Su exploración comienza y termina con el lenguaje: ¿qué dice realmente la gente? El poeta y el novelista descifran el habla colectiva y descubren la verdad escondida de aquello que decimos y de aquello que callamos. El escritor dice, literalmente, lo indecible, lo no dicho, lo que nadie quiere o puede decir. De ahí que todas las grandes obras literarias sean cables de alta tensión no eléctrica sino moral, estética y crítica. Su energía es destructora y creadora pues sus poderes de reconciliación con la terrible realidad humana no son menos poderosos que su potencia subversiva. La gran literatura es generosa, cicatriza todas las heridas, cura todas las llagas y aun en los momentos de humor más negro dice sí a la vida. Pero hay más. Explorar la realidad humana, revelarla y reconciliarnos con nuestro destino terrestre, sólo es la mitad de la tarea del escritor: el poeta y el novelista son inventores, creadores de realidades. El poema, el cuento, la novela, la tragedia y la comedia son, en el sentido propio de la palabra, fábulas: historias maravillosas en las que lo real y lo irreal se enlazan y se confunden. Los gigantes que derriban a don Quijote son molinos de viento y, simultáneamente, tienen la realidad terrible de los gigantes. Son invenciones literarias que nublan o disipan las fronteras entre ficción y realidad. La ironía del escritor destila irrealidad en lo real, realidad en lo irreal. La literatura de nuestra lengua, desde su nacimiento hasta nuestros días, ha sido una incesante invención de fábulas que son reales aun en su misma irrealidad. Menéndez Pidal decía que el realismo era el rasgo que distinguía a la épica medieval española de la del resto de Europa. Verdad parcial y de la que me atrevo a disentir: en el realismo español, aun el más brutal, hay siempre una veta de fantasía.

La lengua es más vasta que la literatura. Es su origen, su manantial y su condición misma de existencia; sin lengua no habría literatura. El castellano contiene a todas las obras que se han escrito en nuestro idioma, desde las canciones de gesta y los romances a las novelas y poemas contemporáneos; también a las que mañana escribirán unos autores que aún no nacen. Muchas naciones hablan el idioma castellano y lo identifican como su lengua maternal; sin embargo, ninguno de esos pueblos tiene derechos de exclusividad y menos aún de propiedad. La lengua es de todos y de nadie. ¿Y las normas que la rigen? Sí, nuestra lengua, como todas, posee un conjunto de reglas pero esas reglas son flexibles y están sujetas a los usos y a las costumbres: el idioma que hablan los argentinos no es menos legítimo que el de los españoles, los peruanos, los venezolanos o los cubanos. Aunque todas esas hablas tienen características propias, sus singularidades y sus modismos se resuelven al fin en unidad. El idioma vive en perpetuo cambio y movimiento; esos cambios aseguran su continuidad y ese movimiento su permanencia. Gracias a sus variaciones, el español sigue siendo una lengua universal, capaz de albergar las singularidades y el genio de muchos pueblos.

Tal vez sea oportuno señalar aquí, de paso, que precisamente la inmensa capacidad de cambio que posee el lenguaje humano le dé un lugar único en los sistemas de comunicación del universo, desde los de las células a los de los átomos y los astros. Hasta donde sabemos esos sistemas son circuitos cerrados; entre la transformación de los glóbulos rojos en blancos y viceversa, en la circulación de la sangre, y la de los planetas alrededor del sol, por ejemplo, no hay, en el sentido propio de la palabra, comunicación. Cada sistema, además, obedece a un programa fijo y sin variaciones. Trátese de la información genética o de las numerosas interacciones entre las partículas elementales o en los sistemas solares que contiene el universo, los mensajes y sus modos de transmisión son siempre los mismos. Cierto, todos los sistemas conocen mutaciones —su función, justamente, en la mayoría de los casos, consiste en causarlas o producirlas— pero esos cambios son parte del sistema o se integran a él rápidamente. Cualesquiera que sean su duración y sus mutaciones, los sistemas no tienen historia. Ocurre lo contrario con el lenguaje humano: su proceso es imprevisible y no está fijado de antemano; es una diaria invención, el resultado de una continua adaptación a las circunstancias y a los cambios de aquellos que, al usarlo, lo inventan: los hombres.

El lenguaje humano está abierto al universo y es uno de sus productos prodigiosos pero igualmente, por sí mismo, es un universo. Si queremos pensar o vislumbrar siquiera al universo, tenernos que hacerlo a través del lenguaje. La palabra es nuestra morada: en ella nacimos y en ella moriremos. Ella nos reúne y nos da conciencia de lo que somos y de nuestra historia. Acorta las distancias que nos separan y atenúa las diferencias que nos oponen. Nos junta pero no nos aísla: sus muros son transparentes y a través de esas paredes diáfanas vemos al mundo y conocemos a los hombres que hablan en otras lenguas. A veces logramos entendernos con ellos y así nos enriquecemos espiritualmente. Nos reconocemos incluso en lo que nos separa del resto de los hombres; estas diferencias nos muestran la increíble diversidad de la especie humana y, simultáneamente, su unidad esencial. Descubrimos así una verdad simple o doble: primero, somos una comunidad de pueblos que habla la misma lengua y, segundo, hablarla es una manera entre muchas de ser hombre. La lengua es un signo, el signo mayor, de nuestra condición humana.

[«Nuestra lengua» son las palabras pronunciadas en el Primer Congreso Internacional de la Lengua Española, celebrado el 7 de abril de 1997 en la ciudad de Zacatecas. Se publicó en *La Jornada,* México, 8 de abril de 1997, y en diversos diarios de México.]

Quevedo, Heráclito y algunos sonetos

A Raimundo Lida, in memoriam

Conocí temprano a Quevedo. Era uno de los autores favoritos de mi abuelo (no el poeta erótico ni el estoico sino el satírico). En mi casa teníamos sus obras en prosa, publicadas por la Biblioteca Clásica, y los dos tomos de *El Parnaso español* (una edición de 1886 que reproducía la de González de Salas de 1648). Cuando Rafael Alberti estuvo en México, en 1934, se sorprendió al oírme decir de memoria uno de los sonetos a Lisi: «En breve cárcel traigo aprisionado, / con toda su familia de oro ardiente…» En esos días Alberti era un apasionado de Quevedo. Sospecho que lo acababa de descubrir: recuerdo que lo acompañé, una tarde, a comprar en una librería de la calle de Gante el volumen de la *Obra poética* que Astrana Marín había publicado en Aguilar. La influencia de Quevedo sobre Alberti aparece por primera vez en los poemas escritos en México, los magistrales aunque fríos sonetos de su elegía a Sánchez Mejías: *Verte y no verte.*

Quevedo no es un autor sino muchos; el Quevedo que yo leía en esos años y al que trataba vanamente de imitar era el poeta cristiano y estoico de los poemas al paso del tiempo, al pecado y a la muerte. También frecuentaba, claro, al poeta erótico y al satírico, al autor de las jácaras y los entremeses de rufianes y putas, pero esas lecturas no se reflejaban en lo que entonces escribía. Años más tarde, en 1957, adapté para la escena un entremés y unos «bailes» de jaques y rameras;[1] después, en 1960, escribí *Homenaje y profanaciones,* vuelta al poeta amoroso.

Los poemas «morales» de Quevedo, agrupados por González Salas bajo la advocación de la musa Polymnia, «descubren y manifiestan las

[1] Cuarto programa de *Poesía en voz alta* (julio de 1957). Las piezas escogidas: *Los valientes y las tomajonas, Los galeotes, Los nadadores* y *Las sonsaconas;* un diálogo entre un galán sin blanca y su dama («¡Jesús, qué gran desvarío, / dinero será mejor!»), y el entremés *El caballero de la tenaza.* Dirección de Héctor Mendoza; decorado y vestuario de Juan Soriano. Memorables una y otros.

pasiones y costumbres del hombre, procurándolas enmendar». Entre esos poemas muchos son simple censura de vicios y defectos: la soberbia, la avaricia, la lujuria, la envidia. Pero los que todavía leemos y todavía nos conmueven son aquellos que tienen por tema la conciencia de la caída, no sólo en el sentido religioso de la palabra sino en el existencial. La caída es inseparable de la libertad y la gracia, del mal y el tiempo, del haber nacido y el tener que morir. Casi todos los críticos modernos —Lida, Valbuena Prat, Blecua— han advertido que la caída, en sus distintas acepciones, desde la física hasta la teológica, fue una constante obsesión de Quevedo. Cualquier incidente se convertía, por medio del *passe-partout* universal del juego de palabras, en símbolo de la situación original del hombre. En una carta refiere, en términos más bien chuscos, que ha sufrido una caída y agrega: «Yo caí. San Pablo cayó. Mayor fue la caída de Luzbel».

La caída, como todo, es doble para el espíritu barroco: el caer puede ser una manera de subir. El símbolo de esta inversión de sentidos es la caída de San Pablo en el camino de Damasco. Una y otra vez, en distintos textos, Quevedo alude a lo que podríamos llamar *caída hacia arriba* pero ¿la practicó alguna vez? La cura que nos propone Quevedo no es el vuelo místico sino el refugiarse en un cristiano estoicismo. Su visión de la existencia humana es cristiana pero la afronta con un temple estoico. O dicho de otro modo: encuentro en su poesía una auténtica comprensión del hombre como un ser caído; no encuentro en ella ni la reconciliación ni la comunión con Dios. Este rasgo, que lo aparta de casi todos sus contemporáneos, es extraordinariamente moderno. Sería exagerado decir que Quevedo es el contemporáneo de Baudelaire; no lo es advertir que, en ciertos momentos y versos, lo anticipa. Su poesía es una prefiguración de lo que vino después y que puede definirse así: a medida que se ha vuelto más intenso el sentimiento de estar mal (y de estar en el mal), se ha atenuado también, hasta casi desvanecerse del todo, la visión de la trascendencia. Él lo dijo en dos líneas que todavía me estremecen: «Nada me desengaña, / el mundo me ha hechizado». El sabernos caídos sigue siendo el fondo —casi siempre no dicho— de nuestras ideas y nociones sobre la existencia humana, incluso en tradiciones intelectuales tan hostiles o ajenas a la religión cristiana como el marxismo y el psicoanálisis. Pero es un saber cercenado: le falta la otra mitad, la visión del ser divino. Quevedo es uno de los primeros poetas europeos en que comienza a hacerse visible esta escisión.

El núcleo central de los poemas «morales» es una colección de sonetos y salmos en forma de silvas: *Lágrimas de un penitente* (1613). Muchas de las composiciones de esta serie figuran también en otra, que ostenta un título descomunal: *Heráclito cristiano y segunda harpa a imitación de David.*[1] Los culpables de esta confusión fueron el sobrino de Quevedo, don Pedro de Alderete, y su editor, José Antonio González de Salas. En su abono hay que decir que los dos títulos se corresponden perfectamente. El Heráclito de Quevedo es el filósofo que llora y el David que imita es el de los salmos de contrición y arrepentimiento; en uno y otro caso: lágrimas de un penitente. En ningún momento Quevedo ve en Heráclito al filósofo del cambio; mejor dicho, desde la perspectiva de su época, cambio y movimiento no eran sino funestos accidentes del mundo sublunar, sujeto al tiempo y a sus horrores: la decadencia, la enfermedad, el pecado y la muerte. Por eso Heráclito llora.

Nadie más alejado del Heráclito de Quevedo que el nuestro, filósofo de la energía y de la contradicción, simultáneamente hegeliano y marxista, nietzscheano y spengleriano. La sobrevaloración del cambio es moderna y está ligada a la aparición de la idea de progreso. Para Heráclito, como para toda la Antigüedad, el cambio no era valioso en sí; al contrario: era el síntoma o la consecuencia de una carencia o imperfección. Las cosas cambian porque, a través del movimiento, buscan el reposo, la plenitud del ser. Así, el movimiento es simultáneamente la consecuencia de la imperfección original —la falta de ser— y el remedio para anularla. No todos los movimientos sino aquellos que, por una suerte de paradoja, logran abolirse o neutralizarse a sí mismos, es decir, los movimientos que imitan la identidad del ser, su perfecta coincidencia con él mismo. Uno de esos modos privilegiados del movimiento es, justamente, el heraclitiano acorde de los contrarios. Otro, el platónico movimiento circular de los astros. La dialéctica de Hegel es sucesiva: es un proceso hacia síntesis cada vez más amplias y altas; las luchas y los abrazos de los contrarios de Heráclito son momentos recurrentes de discordia y concordia: una visión rítmica del universo. Entre la visión de Heráclito y la nuestra se han deslizado, primero, la noción judeo-cristiana del tiempo unilinear y sucesivo; después, la concepción moderna de la historia como cambio creador: la sucesión temporal, sea evolutiva o revolucionaria, tiene un sentido y una dirección. Es una incesante conquista del futuro y se llama progreso.

[1] No son dos composiciones distintas aunque es diferente la ordenación de los salmos (poemas) y menor el número de poemas de *Lágrimas de un penitente.*

La imagen que tiene Quevedo de Heráclito es la de la tradición, tal como la habían transmitido los clásicos (citas, fragmentos y anécdotas). Sus fuentes principales fueron, casi seguramente, Diógenes Laercio y Sexto Empírico. Digo esto porque son los autores antiguos más abundantemente citados en su ensayo sobre el estoicismo. En ese ensayo, polémico como casi todo lo suyo, defiende también a Epicuro y, curiosamente, se apoya en los argumentos del escéptico Señor de la Montaña (Montaigne). En las obras en prosa de Quevedo, por lo demás, el nombre de Heráclito aparece sólo dos veces, la primera en una enumeración de filósofos paganos, la segunda unido, como era costumbre, a Demócrito. Su Heráclito es el del Renacimiento y la Edad Barroca: un arquetipo del temperamento melancólico según lo describe Aristóteles en uno de sus *Problemas* (XXX). Entre los melancólicos ilustres en las armas, Aristóteles cita a Hércules y Belerofonte, entre los filósofos a Heráclito y Demócrito. Esta lista tuvo fortuna y llegó hasta el siglo XVII.

Para Quevedo y sus contemporáneos, en toda Europa, los dos polos o extremos del temperamento saturnino eran Demócrito, el filósofo risueño, y Heráclito, el gemebundo. Esta división heredaba las lucubraciones de Marsilio Ficino sobre la dualidad del temperamento melancólico: el ensimismado y el furioso. Es una concepción que ha llegado hasta nuestros días y que el mismo Freud, tal vez sin darse cuenta de su origen, recoge y sistematiza en sus estudios sobre la dualidad complementaria: melancólicos y maniáticos. En la portada de la tercera edición de *The Anatomy of Melancholy* (1628) aparecen dos figuras rientes: arriba la de *Democritus Abderites* y abajo la de *Democritus Junior*, que no es otro que Robert Burton. En el prólogo de su obra dice Burton: «Democritus, as he is described by Hippocrates and Laertius, was a little wearish old man, very melancholy by nature [...], aunque siempre laughing heartily.[1] Y más adelante: I did sometime laugh and scoff with Lucian, lament with Heraclitus»[2] Burton no hacía sino repetir un lugar común de su época. Hay un *Heráclito melancólico* de Rubens, la mirada perdida y la mano derecha en la mejilla, sosteniendo la cabeza levemente inclinada. Era la actitud tradicional con que se representaba a los melancólicos y que Durero recogió y fijó en su célebre grabado. Realismo flamenco: Rubens pintó una gruesa lágrima rodando entre las arrugas de la mejilla izquierda del filósofo.

[1] «Demócrito, como lo describen Hipócrates y Laercio, era un vejete arrugado, de naturaleza muy melancólica», aunque «siempre riéndose cordialmente».

[2] «A veces reí y me burlé con Luciano, otras me lamenté con Heráclito».

La pareja de filósofos le sirvió a Quevedo para, a la estoica, dictaminar en una de sus *Migajas sentenciosas:* «Séneca, que fue maestro de moralidad, sentía con Heráclito y Demócrito que todas las cosas de esta vida eran de reír o llorar». En los salmos y sonetos del *Heráclito cristiano,* cristianiza a la melancolía y al llanto del filósofo griego pero en un soneto burlesco la pareja filosófica aparece como objeto de escarnio —no se sabe si es el vino o la filosofía lo que hace reír a uno y llorar al otro:

> ¿Qué te ríes, filósofo cornudo?
> ¿Qué sollozas, filósofo anegado?
> Sólo cumples con ser recién casado,
> como el otro cabrón recién viudo.
>
> ¿Una propia miseria haceros pudo
> cosquillas y pucheros? ¿Un pecado
> es llanto y carcajada? He sospechado
> que es la taberna más que lo sesudo.
>
> ¿Que no te agotes tú; que no te corras,
> bufonazo de fábulas y chistes,
> tal, que ni con los pésames te ahorras?
>
> Diréis, por disculpar lo que bebistes,
> que son las opiniones como zorras,
> que uno las toma alegres y otro tristes.

A mí me impresionaron tanto los poemas de Quevedo que un ensayo de esos días («Poesía de soledad y poesía de comunión», lejano origen de *El arco y la lira*) es en buena parte una glosa de *Lágrimas de un penitente.* Escogí otros versos de esa misma colección —algunos con un leve sabor blasfemo— como epígrafes de poemas míos y hasta de un libro. Recuerdo todo esto con un poco de tristeza. Sigo leyendo y admirando al gran poeta y al gran retórico pero no siento ya la simpatía de antes por su figura. Los estudios de Raimundo Lida sobre sus manejos me hicieron ver los recovecos de un intrigante con frecuencia sin escrúpulos, un oportunista que cambió de bando varias veces, un escritor cuyos ataques y adulaciones estaban dictados por el interés. En sus escritos políticos su admirable retórica es humo para no dejar ver la realidad. Falla moral pero también intelectual: el conceptismo oculta a la realidad, siempre irregular, con la simetría de los conceptos. El Quevedo político y el Quevedo moralista me decepcionaron y esta decepción me limpió los ojos. Vi entonces el reverso de la medalla: su genio tétrico y verbalista, su crueldad, su carácter pendenciero y envidioso, su odio a las mujeres, su falta de naturalidad.

¿Y el Quevedo erótico? Hay dos: el de las sátiras y poemas burlescos y el de los sonetos neoplatónicos. El primero es admirable pero esas letrillas, jácaras y bailes, más que un canto picaresco del cuerpo y de sus extravíos, son una lúgubre alegoría de los dos poderes que rigen a este mundo: el dinero y la calavera. Quevedo no ama el cuerpo: lo teme. La sensualidad y el apetito carnal no son, como en el *Libro de Buen Amor,* los soberanos secretos de los hombres: son los criados del interés, que no es sino la máscara de la muerte. En cuanto a sus sonetos de amor: con justicia figuran entre los más intensos de la lírica europea, desde el Renacimiento hasta nuestros días. Es una intensidad conseguida no a despecho sino a través de una forma ceñida y perfecta. Estos sonetos muestran, de nuevo, que la pasión, más que un desorden, es exceso vital convertido en idea fija. La pasión es idolatría; por eso adora la forma y en ella se consume. También por eso colinda con el ascetismo y el heroísmo: el amante goza mientras padece y para triunfar necesita haber pasado por pruebas sobrehumanas. El famoso soneto de Quevedo *Amor constante más allá de la muerte,* que Dámaso Alonso considera «probablemente el mejor de la literatura española», es un ejemplo extraordinario de la cristalización del deseo en idea fija. La imaginación deseante se afirma con una suerte de blasfema obstinación, no frente a la vida y sus mutaciones sino ante la muerte. Aunque es un poema muy conocido, debo citarlo para la mejor comprensión de mi glosa:

> Cerrar podrá mis ojos la postrera
> sombra que me llevare el blanco día,
> y podrá desatar esta alma mía
> hora a su afán ansioso lisonjera;
>
> mas no de esotra parte en la ribera
> dejará la memoria, en donde ardía;
> nadar sabe mi llama la agua fría,
> y perder el respeto a ley severa.

Alma a quien todo un Dios prisión ha sido,
venas que humor a tanto fuego han dado,
medulas que han gloriosamente ardido:

su cuerpo dejarán, no su cuidado;
serán ceniza, mas tendrá sentido;
polvo serán, mas polvo enamorado.

Estos catorce versos me fascinaron durante muchos años. La alianza entre la blancura de cal del día y la sombra que invade el alma del agonizante, el ánima que es una llama nadadora en las aguas muertas del otro mundo, las venas y el chisporroteo fúnebre y vivaz de las medulas pero, sobre todo, la mención final de las cenizas animadas por lo sentido y el sentido, me producían, cada vez que recordaba el soneto o que lo releía, una emoción que casi siempre terminaba en pregunta desolada. ¿Las cenizas sienten, el polvo sabe que está enamorado? Quevedo se aparta del platonismo y del petrarquismo: no afirma la inmortalidad del alma sino la del cuerpo, literalmente reanimado por la pasión. El amor de Quevedo se resuelve en una afirmación eminentemente cristiana que ya había escandalizado a los filósofos paganos: la resurrección del cuerpo. Para los neoplatónicos y los estoicos el cuerpo, al ser abandonado por el alma, desaparecía en el mundo sublunar. Pero la imagen de Quevedo también es escandalosa para un cristiano: el agente de la resurrección no es Dios sino el amor humano hacia otra criatura humana. Y algo todavía más escandaloso: no hay realmente resurrección del cuerpo sino *reanimación* de sus despojos. El alma del amante, en lugar de abandonar el cuerpo para comparecer ante Dios (del que ha sido «la prisión»), se obstina en habitar y animar los restos de esa materia idolatrada: huesos, tuétanos, cenizas.

No es extraño que haya sentido la tentación de enfrentar el soneto de Quevedo a la imagen de la pasión moderna. Desde que el hombre es hombre la física del amor —las maneras de practicarlo— sigue siendo la misma; nuestra manera de sentirlo, pensarlo y, sobre todo, imaginarlo, ha cambiado. El cuerpo no es histórico pero la imaginación sí lo es. Nuestra imagen del amor está desgarrada por la oposición entre la idea fija que es toda pasión y el ocaso, en la conciencia moderna, de la idea del alma. El amor, a diferencia del erotismo, que es siempre plural, es elección de un cuerpo único y de un alma también única. Amamos siempre a una persona. ¿Puede haber *personas,* en el sentido más hondo de esta palabra, sin alma? Para los más, la palabra ya no designa sino un mecanismo de impulsos movidos por la libido, el instinto y otros agentes materiales; para los pocos que todavía creen en ella, el alma no puede tener la realidad que tuvo para los hombres del siglo XVII. Así, mi tentativa por reflejar la imagen moderna en el soneto de Quevedo tenía que resolverse en la dispersión de esa imagen en reflejos y fragmentos simultáneamente luminosos e irrisorios.

En 1960 escribí *Homenaje y profanaciones,* un poema de 118 versos, dividido en tres partes a su vez subdivididas en otras tres. Llamé a esa composición, con ingenua pedantería, «soneto de sonetos». El soneto de Quevedo afirma la sobrehumana inmortalidad del amor. Es un poema escrito desde la creencia en la inmortalidad del alma pero, también, desde la creencia del regreso del alma enamorada a las cenizas en que se ha convertido el cuerpo. Mi poema, escrito desde creencias distintas, quiso afirmar no la inmortalidad sino la vivacidad del amor. Una vivacidad sin tiempo. En la primera parte trato de expresar la insensata aspiración hacia la supervivencia del amor; en la segunda, la resignación irónica; en la tercera, la tentativa por fundir, durante un instante, los dos estados. La primera y la segunda parte contienen dos sonetos un poco más ortodoxos que el resto, aunque sin rima. Aunque no me hago demasiadas ilusiones sobre su valor poético, los reproduzco por ser documentos, en el sentido histórico y psicológico. El soneto de Quevedo operó sobre mi conciencia —mi caso no debe ser el único— como un verdadero reactivo:

ASPIRACIÓN

Sombra del sol Solombra segadora
ciega mis manantiales trasojados
el nudo desanuda siega el ansia
apaga el ánima desanimada

Mas la memoria desmembrada nada
desde los nacederos de su nada
los manantiales de su nacimiento
nada contra corriente y mandamiento

Nada contra la nada
                              Ardor del agua
lengua de fuego fosforece el agua
Pentecostés palabra sin palabras

Sentido sin sentido no pensado
pensar que transfigura la memoria
El resto es un manojo de centellas

ESPIRACIÓN

Sol de sombra Solombra cegadora
mis ojos han de ver lo nunca visto
lo que miraron sin mirarlo nunca
el revés de lo visto y de la vista

Los laúdes del láudano de loas
dilapidadas lápidas y laudos
la piedad de la piedra despiadada
las velas del velorio y del jolgorio

El entierro es barroco todavía
en México
                    Morir es todavía
morir a cualquier hora en cualquier parte

Cerrar los ojos en el día blanco
el día nunca visto cualquier día
que tus ojos verán y no los míos

Los sonetos de amor de Quevedo —casi no es necesario repetirlo— son estremecedores pero lo son porque en ellos el cuerpo, condenado a morir, se quema en las brasas del deseo insatisfecho. Es el amor como martirio. La sensualidad no saciada se vuelve obsesión, rabia y delirio. En los grandes renacentistas, como Ronsard y Garcilaso, el cuerpo femenino emerge entre las aguas del río o las ramas del boscaje con la misma tranquila soberanía con que aparecen el sol y la luna en el horizonte. Aparición que es una metamorfosis: esos cuerpos se transforman en arroyos, piedras, árboles, ciervos, serpientes. Ronsard, dice Sabatier, «mineraliza» y «vegetaliza» a sus amantes, «las vuelve mitología».[1] La muerte misma no es un fin sino una metamorfosis. Uno de los sonetos de Ronsard a la muerte temprana de Marie Dupin muestra admirablemente la diferencia de visiones:

Comme on voit sur la branche au mois de mai la rose,
En sa belle jeunesse, en sa première fleur,
Rendre le ciel jaloux de sa vive couleur,
Quand l'aube de ses pleurs au point du jour l'arrose:

La grâce dans sa feuille et l'amour se repose,
Embaumant les jardins et les arbres d'odeur
Mais, battue ou de pluie ou d'excessive ardeur,
Languissante elle meurt feuille à feuille déclose.

Ainsi en ta première et jeune nouveauté,
Quand la terre et le ciel honoroient ta beauté,
La Parque t'a tuée, et cendre tu reposes.

Pour obsèques reçois mes larmes et mes pleurs,
Ce vase plein de lait, ce panier plein de fleurs,
Afin que vif et mort ton corps ne soit que roses.

El siglo siguiente estiliza y martiriza al cuerpo. Sin embargo, en algunos momentos de la poesía de Lope de Vega resplandece de nuevo y su desnudez acaba por triunfar de la gazmoñería clerical y de la retórica barroca. En Quevedo la desnudez sangra entre las espuelas de un deseo cruel y no hay más triunfo que el de las cenizas. Su petrarquismo exacerbado es la otra cara de su misoginia y de su afición a las putas. Pero Lope nos cura de Quevedo: es el gran poeta del amor humano, el amor deseante y colmado, feliz y despechado, engañado y desengañado, delirante y lúcido. Lope de Vega no sólo es el polo opuesto de Quevedo y de Góngora: también es su contraveneno. Acepto que los dos últimos son, en cierto sentido, más originales, novedosos y sorprendentes, sobre todo Góngora,

[1] Robert Sabatier, *La Poésie du seizième siècle*, París, 1975.

gran inventor de límpidas arquitecturas. Sin embargo, en la acepción literal de la palabra, el verdadero original es Lope: su poesía nace de lo más elemental y primordial. Además, es más vasto y más rico, sabe más de los hombres y de las mujeres, de sus cuerpos y de sus almas. El soneto de Quevedo nos conmueve por su sombría intensidad y su loco deseo de vencer a la muerte; al mismo tiempo revela un desconocimiento de la realidad del amor y de su naturaleza contradictoria. El amor humano es inseparable de la conciencia de la muerte pero en un sentido radicalmente distinto al de Quevedo. Para el amante, la muerte amenaza constantemente al cuerpo amado; perder el cuerpo del otro o la otra es perder también el alma propia. Sin esta solicitud por la persona amada no hay amor sino, a lo más, deseo. Y tal vez tampoco deseo porque el deseo es sed de ver y tocar un ser vivo. La amada de Quevedo es una ficción literaria y filosófica; las mujeres de Lope existen: al oír al poeta las oímos a ellas.

En la lírica europea del primer tercio del siglo XVII, los dos grandes poetas del amor total —quiero decir: del amor completo y recíproco entre el hombre y la mujer— son, para mí, Donne y Lope de Vega. La mente del primero era más rica, compleja y libre pero el español lo superó en la facultad creadora —o más bien recreadora— de imágenes y emociones, vueltas palpables como presencias físicas. El defecto de Lope —pienso en el poeta lírico— es la abundancia monótona: su facilidad y maestría técnica lo llevaron a escribir innumerables variaciones del mismo soneto. Esta falsa riqueza no debe ocultarnos a la verdadera. Nos hace falta una selección realmente moderna de su poesía y, sobre todo, nos hace falta que alguien haga con él lo que Dámaso Alonso hizo con Góngora o Eliot con Donne: situarlo, insertarlo en la tradición moderna.

Unir los nombres de Lope y de Donne puede parecer forzado: el *wit* del poeta inglés está más cerca del ingenio de Quevedo que de la escritura de Lope, que dejaba «obscuro el borrador y el verso claro». Tampoco olvido que Donne fue un intelectual y un polemista como Quevedo, mientras que Lope fue un poeta lírico que escribió sonetos, letrillas y romances que todo el mundo cantaba, un dramaturgo inmensamente popular y un autor de novelas y obras de entretenimiento. Pero hay algo que une a estos dos temperamentos tan distintos: la pasión del amor y la pasión religiosa. Estos dos amores se cruzan en algunas almas: Donne y Lope pertenecen a esa familia espiritual. Los dos fueron mundanos y libertinos, los dos buscaron el sol del poder, los dos fueron clérigos y los dos escribieron algunos de los poemas amorosos y religiosos más intensos de la lírica europea. Ya sé que este género de comparaciones, fundadas en el gusto tanto o más que en la razón, no necesitan pruebas ni demostraciones. No obstante, sobre todo por el placer de leerlo de nuevo, vale la pena citar el soneto LXI de las *Rimas humanas*. Cada uno de sus versos describe con admirable exactitud un movimiento o un estado de la pasión amorosa:

> Ir y quedarse y con quedar partirse,
> partir sin alma e ir con alma ajena,
> oír la dulce voz de una sirena
> y no poder del árbol desasirse;
>
> arder como la vela y consumirse
> haciendo torres sobre tierna arena;
> caer de un cielo y ser demonio en pena
> y de serlo jamás arrepentirse;
>
> hablar entre las mudas soledades,
> pedir prestadas sobre fe, paciencia,
> y lo que es temporal llamar eterno;
>
> creer sospechas y negar verdades,
> es lo que llaman en el mundo ausencia,
> fuego en el alma y en la vida infierno.

El mundo de Quevedo es otro. Un mundo a un tiempo más vasto y más estrecho: la reflexión moral y la acción política, la conciencia a solas con ella misma o frente a la ciudad y la historia —dos formas de la soledad. Su vida transcurre entre el cuarto de estudio y las antecámaras de los grandes, la taberna y el burdel, el sitio apartado donde se reúnen los coaligados y los mentideros de los ambiciosos. En la expresión de ese mundo Quevedo no tuvo rival en su siglo ni lo tiene ahora. Hay que leerlo para saber qué son, realmente, las noches y los días del solitario, el acicate del apetito insaciado, el peso de la sombra de la muerte en la conciencia, las vigilias del rencor, las caídas de la melancolía, el encontrado ir y venir de la cólera al ludibrio y, en fin, toda esa gama de sentimientos y sensaciones que va de la desesperación a la resignación orgullosa. Hecho de contrastes y oposiciones geométricas, violento y simétrico, sentencioso y sarcástico, Quevedo se burla de sí mismo y de los otros, se detiene un momento para contemplar su rostro en

> las aguas del abismo
> donde se enamoraba de sí mismo[1]

y, al verse, no sonríe ni se apiada: se inmoviliza en un rictus. Desconoce la duda y la verdadera ironía. Aunque Lope de Vega tampoco es irreprochable, sus flaquezas son verdaderas flaquezas, fallas de la voluntad y no del entendimiento. De ahí que lo perdonemos más fácilmente. En Quevedo hay algo demoniaco: el orgullo (¿el rencor?) de la inteligencia. Por esto, sin duda, nos atrae tanto a los modernos. Escribo sin alegría lo que pienso y con el temor de ser ingrato. Pero necesitaba decirlo: Quevedo fue uno de mis dioses.

México, 1981

[«Quevedo, Heráclito y alguno sonetos» se publicó en *Sombras de obras,* Seix Barral, Barcelona, 1983.]

[1] La cita exacta es: «las aguas del abismo / donde me enamoraba de mí mismo». [E.]

Reflejos: réplicas
DIÁLOGOS CON FRANCISCO DE QUEVEDO

Nuestras vidas son un tejido de encuentros y desencuentros: físicos, mentales, afectivos. Los desencuentros a veces se transforman en obsesiones; pasamos años y años tratando de recordar esa mujer entrevista al cruzar una esquina y con la que cambiamos una fugitiva mirada, a sabiendas de que nunca recordaremos enteramente su rostro pero, asimismo, de que nunca lo olvidaremos. Los encuentros están regidos por una atracción o por una repulsión en la que se enlazan, de manera indefinible, el azar y la voluntad, el hado y el albedrío. Cada vida, desde que el hombre es hombre, podría definirse como el juego, no pocas veces cruel, de los encuentros y los desencuentros. Y no sólo las vidas individuales sino las de los pueblos; su historia es una sucesión de encuentros, casi siempre violentos, con los otros pueblos o con ellos mismos. ¿Qué diría cualquiera de los grandes actores de la historia si pudiese ver en qué se convirtieron sus hazañas y sus victorias? La historia es el lugar del gran desencuentro. La misma ley rige al mundo de la literatura: ¿qué habría sido Valéry sin Mallarmé o Rimbaud sin Verlaine? ¿Cómo habría escrito Ezra Pound los *Cantos*, ese vasto y descosido poema, si hubiese tenido a su lado un consejero inteligente como él mismo lo fue de Eliot? He mencionado tres ejemplos ilustres; ahora debo descender y tratar un asunto bastante más modesto e íntimo: mis encuentros con Francisco de Quevedo.

Amé en mi juventud a varios poetas. Aunque no reniego de ellos, a la mayoría los he ido abandonando según los cambios de los años y, sobre todo, de mis gustos. A otros los descubrí ya tarde. Por ejemplo, a Machado. Lo leí pronto pero el prosista y el pensador me cautivaron de tal modo que no me dejaron ver al poeta. Llegué al poeta que admiro, al de las *Nuevas canciones* y los poemas finales, cuando ya había transcurrido más de la mitad de mi vida. No lo lamento: Machado es un poeta para adultos. En su poesía el sueño y la reflexión, lo dicho y lo no dicho se funden de tal modo que se convierten en una sola materia, a un tiempo transparente e irrompible. El caso de Quevedo es muy distinto. No cesa de asombrarme su continua presencia a mi lado, desde que tenía veinte años hasta ahora que tengo ochenta. Mi asombro crece apenas reparo en todo lo que me separa de su obra y de su persona. ¿Es uno de mis poetas favoritos? En lugar de responder a esta pregunta, me digo: ha sido, para mí, un poeta indispensable.

Su ingenio me deslumbra y me cansa; un instante me exaltan sus antítesis y paradojas, otro me irritan; he descendido con él por los sinuosos laberintos de mí mismo pero también he descubierto que no pocas veces sus llamas, sus lágrimas y sus amargas carcajadas no son sino muecas retóricas. El estilo no es el hombre, el estilo devora al hombre. Hay la pasión y hay el rictus de Quevedo. Ambos, por razones opuestas, me fascinan. Me seduce su concisión latina, su laconismo centelleante; sin embargo, no cierro los ojos ante sus repeticiones y sus trampas verbales. Su prosa, al cabo de una veintena de páginas, acaba por marearme o, lo que es peor, por hastiarme. Retruécanos, enormidades, vueltas y revueltas de un genio simultáneamente impaciente y laborioso. Quevedo ignora la línea recta y nos enreda con mallas de conceptos. Tanta abundancia, tantos excesos, ¿es verdadera riqueza?

Mi juicio cambia si pienso en el poeta. Fue un maestro en todos los géneros, del cómico al apasionado y del encanallado al sublime. Aunque dominó casi todas las formas, es sobre todo el autor de muchos sonetos inolvidables, unos grotescos y otros tétricos, unos hondos y otros alados. Arquitectura verbal a un tiempo sólida y flexible, simple y compleja, el soneto se adaptó admirablemente a su temperamento. Quevedo esgrime conceptos afilados como armas blancas y con ellos acuchilla, incansable e implacable, ejércitos de sombras. Duelos a muerte con el mundo, con las mujeres, con las modas, con las profesiones, con los pícaros y las prostitutas, con sus rivales y con sus amigos, con él mismo. Baile que a veces es danza y otras aquelarre de cuerpos lascivos y ánimas en pena. Interminable desfile de héroes y tunantes, bufones y diosas. ¿Teatro del mundo? Más bien, teatro de la conciencia. ¿Cómo no advertir que todas esas máscaras y disfraces ocultan o revelan, según el caso, al mismo Quevedo? Sonetos que son llamas esculpidas, urnas funerarias, diamantes verbales, risa congelada. Epitafios de la pasión que, a la luz trémula de su conciencia, escribe el solitario.

Muy joven comencé a leer a Quevedo. Esas lecturas coincidieron con mi descubrimiento de la poesía moderna. Instintivamente lo vi más como un antecedente que como un antepasado. Quevedo fue para mí lo que Góngora había sido para la generación anterior a la mía. En mi casa teníamos casi todas sus obras. Eran una de las lecturas favoritas de mi abuelo. Como ya dije, el prosista, sin excluir al de *El buscón,* no me atrajo: un lenguaje geométrico que no quiere ni convencer ni conmover sino sorprender. Sus sátiras me parecieron gruesas y enrevesadas. El poeta, desde el principio, me sedujo y pronto recité de memoria algunos de sus sonetos. Hay muchos Quevedos y en aquellos años el que más me impresionaba era el poeta erótico y el de la muerte. Son indistinguibles y casi todos sus poemas amorosos contienen alusiones y referencias a la muerte. Son cenotafios grabados verso a verso por el deseo. ¿Cómo leía yo a este poeta tan complejo, quiero decir, desde dónde, cuáles eran mis supuestos intelectuales?

En la universidad, por la influencia de Ortega y de las publicaciones de la *Revista de Occidente*, nuestros profesores, casi todos jóvenes, comenzaron a explicarnos la gran novedad filosófica de ese tiempo: la fenomenología. La tendencia, años después, se popularizó bajo el nombre de «existencialismo»; nosotros la empezamos a conocer en su forma inicial hacia 1931. No entendíamos gran cosa de las investigaciones lógicas de Husserl pero leíamos con pasión, entre otros, a Max Scheler y a un pensador hoy casi del todo olvidado: Pablo Luis Landsberg. Ambos habían escrito ensayos sobre la muerte. Un poco después tuvimos una revelación fulminante: un ensayo de Heidegger, aparecido en *Cruz y Raya*, cuyo tema era precisamente la nada. Casi al mismo tiempo leíamos a Rilke, que veía a la muerte como una maduración interior; con él la muerte dejó de ser anónima y se convirtió en una creación espiritual: cada uno tenía, o debía tener, una muerte propia. Al finalizar esa década, varios notables poetas mexicanos publicaron libros sobre, hacia o en torno al morir. Por todo esto, leí a Quevedo desde una perspectiva ajena a su tiempo y a su persona. Lo más extraño es que esas preocupaciones, en vísperas de la segunda Guerra Mundial, lejos de alejarlo, lo acercaban: Quevedo resultaba un poeta extraordinariamente moderno, casi un contemporáneo.

El punto de convergencia era, por una parte, estético y, por otra, existencial. Había heredado de la generación anterior el culto a la poesía barroca pero en Quevedo, a la inversa de lo que me ocurría con Góngora, aparecían conceptos, ideas, expresiones y paradojas que me tocaban hondamente pues se referían a mi destino de criatura mortal. ¿Conciencia de la muerte? Más bien, conciencia de mí mismo. La caída fue una de las obsesiones de Quevedo, lo mismo la física que la moral. Una y otra le inspiraron tanto burlas y chanzas como consideraciones morales y religiosas. Caídas de Lucifer y de Sancho, uno del cielo y otro de un asno; caídas hacia arriba de Cristo y de San Pablo. Vi en Quevedo al protagonista —testigo y víctima— de una situación que, siglos más tarde, vivirían casi todos los poetas de la modernidad: la caída en nosotros mismos, el silencioso despeñarse de la conciencia en su propio vacío. No la muerte universal sino la escisión interior de la criatura humana. Esta escisión se había hecho más honda y ancha desde el crepúsculo del cristianismo y de su fe en la otra vida. Leía con verdadero recogimiento, una y otra vez, *Lágrimas de un penitente,* un conjunto de poemas escrito en 1633, sin duda después de un grave quebranto espiritual. La unidad del asunto y del tono autoriza a llamar *poema* a esta serie de composiciones. La colección tiene dos títulos: *Heráclito cristiano y segunda harpa a imitación de David* y *Lágrimas de un penitente.* Hay ligeras diferencias entre los conjuntos: el orden de los dos poemas es distinto y en la versión de *Lágrimas de un penitente,* más breve, no aparecen once poemas o salmos como los llamó Quevedo. *Lágrimas de un penitente* es posterior. Es una versión del *Heráclito* corregido por la mano de Quevedo. ¿Por qué preferir a éste, como ya va siendo costumbre de muchos de nuestros críticos? En fin, en uno de esos poemas encontré dos líneas que me marcaron. Son un diagnóstico de la enfermedad que es ser hombre:

> las aguas del abismo
> donde me enamoraba de mí mismo.

En 1942 la Editorial Séneca, que dirigía José Bergamín, celebró el cuarto centenario del nacimiento de San Juan de la Cruz con una serie de conferencias. Me invitaron a participar en el ciclo y acepté. Escribí un ensayo, «Poesía de soledad y poesía de comunión», que es el embrión de la mayoría de mis reflexiones sobre la experiencia poética. En un momento de mi ensayo, el central, me atreví a trazar un rápido y sumario paralelo entre San Juan y Quevedo. El primero es el poeta de la comunión, en el sentido más pleno de la palabra. Comunión mística con la divinidad, corporal con el amado y poética con el mundo natural. San Juan de la Cruz no es panteísta, claro, pero para él los árboles y los ríos, los valles y montañas, la noche y sus estrellas, el viento y el cuerpo humano, son divinos. Quevedo es su reverso y nos muestra la visión de la caída de la conciencia en sí misma, una caída que revela nuestra fractura interior, nuestra escisión. En esta desolada conciencia de la separación reside la extraordinaria modernidad de Quevedo. En mi ensayo hacía una afirmación que fue recibida por los pocos que lo leyeron, con una sonrisa de escepticismo: el primer poema realmente moderno de la literatura española es *Lágrimas de un penitente*. Todavía lo sigo creyendo. Y si pienso en la poesía europea de esa época, sólo encuentro en Donne una premonición semejante, en un pasaje de *The First Anniversary, An Anatomy of the World*. Sin embargo, hay una diferencia esencial y que no es atribuible únicamente a la diversidad de temperamentos sino a las opuestas orientaciones históricas de España y de Inglaterra en los albores de la modernidad. Donne alude a la división del universo en fragmentos inconciliables; «el mundo se ha desintegrado en sus átomos, todo vuelto trizas, rota toda cohesión»;[1] Quevedo ignora voluntariamente a Galileo y a Copérnico: no hay fragmentación del universo sino del alma. Su mundo es premoderno; no lo es su angustia, la conciencia de su escisión interior.

En ese mismo año de 1942 escribí varios sonetos bajo el signo de Quevedo, el signo de la escisión. Dos fueron en memoria de Jorge Cuesta, uno de los hombres más inteligentes y desdichados que he conocido. Nadie vivió como él la batalla de espejos y reflejos que es la caída en nosotros mismos:

LA CAÍDA

A la memoria de Jorge Cuesta

I

Abre simas en todo lo creado,
abre el tiempo la entraña de lo vivo,
y en la hondura del pulso fugitivo
se precipita el hombre desangrado.

¡Vértigo del minuto consumado!
En el abismo de mi ser nativo,
en mi nada primera, me desvivo:
yo mismo frente a mí, ya devorado.

[1] «[...] crumbled out again to his Atomis, Its all in pieces, all coherence gone [...]»

Pierde el alma su sal, su levadura,
en concéntricos ecos sumergida,
en sus cenizas anegada, obscura.

Mana el tiempo su ejército impasible,
nada sostiene ya, ni mi caída,
transcurre solo, quieto, inextinguible.

II

Prófugo de mi ser, que me despuebla
la antigua certidumbre de mí mismo,
busco mi sal, mi nombre, mi bautismo,
las aguas que lavaron mi tiniebla.

Me dejan tacto y ojos sólo niebla,
niebla de mí, mentira y espejismo:
¿qué soy, sino la sima en que me abismo,
y qué, si no el no ser, lo que me puebla?

El espejo que soy me deshabita:
un caer en mí mismo inacabable
al horror de no ser me precipita.

Y nada queda sino el goce impío
de la razón cayendo en la inefable
y helada intimidad de su vacío.

En mi adolescencia había leído con delicia y asombro los sonetos modernistas de Leopoldo Lugones, *Los crepúsculos del jardín*. Poesía de parques abandonados y de parejas que se acarician al caer la tarde, poesía de medias de seda, ligas, botines, parasoles, suspiros y caídas sobre el césped o entre las hojas rojizas de un otoño incipiente. Como respuesta y exorcismo escribí *Crepúsculos de la ciudad*, seis sonetos acerca de la enajenación de los hombres en la gran ciudad. De nuevo Quevedo me guió en los vericuetos de las calles, las plazas y las esquinas de la ciudad de México. El soneto final todavía me gusta:

PEQUEÑO MONUMENTO

A Alí Chumacero

Fluye el tiempo inmortal y en su latido
sólo palpita estéril insistencia,
sorda avidez de nada, indiferencia,
pulso de arena, azogue sin sentido.

Resuelto al fin en fechas lo vivido
veo, ya edad, el sueño y la inocencia,
puñado de aridez en mi conciencia,
sílabas que disperso sin rüido.

Vuelvo el rostro: no soy sino la estela
de mí mismo, la ausencia que deserto,
el eco del silencio de mi grito.

Mirada que al mirarse se congela,
haz de reflejos, simulacro incierto:
al penetrar en mí me deshabito.

Pasaron los años, cambiaron mis ideas y mis gustos pero Quevedo resistió a todas esas mudanzas. En mis libros y ensayos aparecen con cierta frecuencia alusiones a su poesía. Dediqué un comentario, en *El arco y la lira,* a su soneto al martirio de San Lorenzo y otro, más extenso, en *La llama doble,* al célebre soneto que Dámaso Alonso juzga el más perfecto de nuestra poesía: *Amor constante más allá de la muerte.* Además, en 1956, adapté para la escena varias de sus piezas satíricas: el entremés *El caballero de la tenaza* y unos «bailes» de jaques y rameras, todo con música popular moderna. El decorado y el vestuario fueron de Juan Soriano. Al público se le escapaban muchas de las alusiones y giros de Quevedo pero aplaudía a rabiar ante el descaro y las posturas de los actores, que hacían de busconas y de bravucones.

En 1960 acometí, ésa es la palabra, un ambicioso poema: *Homenaje y profanaciones.* Inspirado por varios pintores modernos, que han hecho versiones, mitad homenaje y mitad sátira, de algunos cuadros famosos —el ejemplo mejor y más inmediato es el de Picasso con *Las meninas*— se me ocurrió realizar una operación semejante con *Amor constante más allá de la muerte.* Pero no quise hacer una caricatura ni una sátira sino enfrentar a dos visiones del erotismo, la de la tradición petrarquista transmitida por Quevedo y la moderna. Me propuse una desfiguración y una transfiguración. Empecé con la forma misma: el soneto. Aunque las divisiones del soneto varían, desde el soneto a la inglesa al compuesto por dos partes, todos los sonetos constan de catorce versos: dos cuartetos y dos tercetos. Estos últimos, en general, están más estrechamente enlazados que los cuartetos. De ahí que la división más frecuente sea la tripartita. Un soneto tiene tres partes y es un silogismo poético. O un pequeño drama lírico: el primer cuarteto es la presentación, el segundo el conflicto y los tercetos la solución. Decidí seguir la división tripartita pero con ciertas variaciones sustanciales, conforme a la estética de la desfiguración.

Homenaje y profanaciones es un soneto de sonetos. Ante todo, la extensión: mi poema es un soneto amplificado ocho veces y media. Así, consta de 118 versos (hubo que suprimir uno por razones de simetría). Estos 118 versos están divididos en tres partes, como un soneto. Los que podríamos llamar cuartetos tienen 34 líneas cada uno y los tercetos 50, divididos en dos de 25. Conforme a la lógica poética del soneto, el primer cuarteto, dividido a su vez en tres partes, está compuesto por dos estrofas de diez versos y una tercera de 14 versos endecasílabos, un verdadero soneto, sin rimas pero en el que abundan las paranomasias, las rimas internas y los juegos de palabras. El segundo cuarteto repite el esquema del primero. El primer terceto tiene 25 líneas y tres estrofas: la primera de cinco y las dos siguientes de diez. El segundo terceto tiene una disposición idéntica a la del primero pero invertida: la estrofa de cinco versos va al final, como desenlace provisional. Digo provisional porque en realidad no hay desenlace: el poema se resuelve o, más bien, se disuelve en un instante.

El primer cuarteto se intitula *Aspiración* o sea: inhalación, afirmación y homenaje. *Aspiración* recoge los temas neoplatónicos de Quevedo aunque. en un lenguaje moderno: la memoria, el amor y la inmortalidad del alma. La segunda parte, compuesta también de tres, es *Espiración:* exhalación, negación, profanación. *Espiración* adopta al principio la forma de la interrogación pero en las dos partes siguientes se acentúa la negación, que roza con la burla. El título de los tercetos es *Lauda* (piedra sepulcral). El primero está formado por tres estrofas; la primera, de cinco versos, repite con sus mismas palabras los temas de Quevedo; la segunda niega a la negación del segundo cuarteto; la tercera termina con una afirmación: los cuerpos vuelven a la naturaleza y se desprenden de la historia y sus fechas. La sexualidad es un retorno al mundo natural y por esto la estrofa termina con una línea más bien enigmática: «volvió a ser árbol la columna Dafne». La ninfa fue convertida en laurel que, a su vez, se convirtió en escultura. Las columnas de los templos representaban a los árboles del bosque primigenio. La ninfa-columna vuelve a ser árbol. El sexo nos hace volver al origen, al mundo natural. En la primera estrofa del segundo terceto se recoge el final del primer terceto pero sólo para darle una nueva dimensión: entre la historia y sus fechas (la historia como productora de ruinas y la inmortalidad anónima de la naturaleza (mata a los individuos para que sobreviva la especie) están el hombre y la mujer. El erotismo se separa por igual de la historia y de la biología; no tiene fechas y es sexo individualizado y, así, sacramentado. En la segunda estrofa los temas religiosos y platónicos de Quevedo se transforman en temas eróticos profanos: el dios es un dios instantáneo creado por la unión de los cuerpos y que se deshace cuando éstos se separan. La estrofa final apunta hacia un estado más allá de afirmación o negación, eternidad o muerte. El erotismo no es la eternidad pero tampoco es el tiempo del calendario ni el de la naturaleza. No la inmortalidad sino la vivacidad.

HOMENAJE Y PROFANACIONES

Amor constante más allá de la muerte

Cerrar podrá mis ojos la postrera
sombra que me llevare el blanco día,
y podrá desatar esta alma mía
hora a su afán ansioso lisonjera;

mas no de esotra parte en la ribera
dejará la memoria, en donde ardía;
nadar sabe mi llama la agua fría,
y perder el respeto a ley severa.

Alma a quien todo un Dios prisión ha sido,
venas que humor a tanto fuego han dado,
medulas que han gloriosamente ardido:

su cuerpo dejará, no su cuidado;
serán ceniza, mas tendrá sentido;
polvo serán, mas polvo enamorado.

Francisco de Quevedo

ASPIRACIÓN

1

Sombras del día blanco
contra mis ojos. Yo no veo
nada sino lo blanco:
la hora en blanco, el alma
desatada del ansia y de la hora.

Blancura de aguas muertas,
hora blanca, ceguera de los ojos abiertos.
Frota tu pedernal, arde, memoria,
contra la hora y su resaca.
Memoria, llama nadadora.

2

Desatado del cuerpo, desatado
del ansia, vuelvo al ansia, vuelvo
a la memoria de tu cuerpo. Vuelvo.
Y arde tu cuerpo en mi memoria,
arde en tu cuerpo mi memoria.

Cuerpo de un Dios que fue cuerpo abrasado,
Dios que fue cuerpo y fue cuerpo endiosado
y es hoy tan sólo la memoria
de un cuerpo desatado de otro cuerpo:
tu cuerpo es la memoria de mis huesos.

3

Sombra del sol Solombra segadora
ciega mis manantiales trasojados

el nudo desanuda siega el ansia
apaga el ánima desanimada

Mas la memoria desmembrada nada
desde los nacedores de su nada
los manantiales de su nacimiento
nada contra corriente y mandamiento

Nada contra la nada
                                        Ardor del agua
lengua de fuego fosforece el agua
Pentecostés palabra sin palabras

Sentido sin sentido no pensado
pensar que transfigura la memoria
El resto es un manojo de centellas

ESPIRACIÓN

1

Cielos de fin de mundo. Son las cinco.
Sombras blancas: ¿son voces o son pájaros?
Contra mi sien, latidos de motores.
Tiempo de luz: memoria, torre hendida,
pausa vacía entre dos claridades.

Todas sus piedras vueltas pensamiento
la ciudad se desprende de sí misma.
Descarnación. El mundo no es visible.
Se lo comió la luz. ¿En tu memoria
serán mis huesos tiempo incandescente?

2

Vana conversación del esqueleto
con el fuego insensato y con el agua
que no tiene memoria y con el viento

que todo lo confunde y con la tierra
que se calla y se come sus palabras.

Mi suma es lo que resta, tu escritura:
la huella de los dientes de la vida,
el sello de los ayes y los años,
el trazo negro de la quemadura
del amor en lo blanco de los huesos.

3

Sol de sombra Solombra cegadora
mis ojos han de ver lo nunca visto
lo que miraron sin mirarlo nunca
el revés de lo visto y de la vista

Los laúdes del láudano de loas
dilapidadas lápidas y laudos
la piedad de la piedra despiadada
las velas del velorio y del jolgorio

El entierro es barroco todavía
en México
Morir es todavía
morir a cualquier hora en cualquier parte
Cerrar los ojos en el día blanco
el día nunca visto cualquier día
que tus ojos verán y no los míos.

LAUDA

1

Ojos medulas sombras blanco día
ansias afán lisonjas horas cuerpos
memoria todo Dios ardieron todos
polvo de los sentidos sin sentido
ceniza lo sentido y el sentido.

Este cuerpo, esta cama, el sol del broche,
su caída de fruto, los dos ojos,
la llamada al vacío, la fijeza,
los dos ojos feroces, los dos ojos
atónitos, los dos ojos vacíos,
la no vista presencia presentida,
la visión sin visiones entrevista,
los dos ojos cubriéndose de hormigas,
¿pasan aquí, suceden hoy? Son hoy,
pasan allá, su aquí es allá, sin fecha.

Itálica famosa, madriguera de ratas
y lugares comunes, muladar de motores,
víboras en Uxmal anacoretas,
emporio de centollas o imperio de los pólipos
sobre los lomos del acorazado,
dédalos, catedrales, bicicletas,
dioses descalabrados, invenciones
de ayer o del decrépito mañana,
basureros: no tiene edad la vida,
volvió a ser árbol la columna Dafne.

2

Entre la vida inmortal de la vida
y la muerte inmortal de la historia
hoy es cualquier día
en un cuarto cualquiera
Festín de dos cuerpos a solas
fiesta de ignorancia saber de presencia
Hoy (conjunción señalada
y abrazo precario)
esculpimos un Dios instantáneo
tallamos el vértigo

Fuera de mi cuerpo
en tu cuerpo fuera de tu cuerpo
en otro cuerpo
cuerpo a cuerpo creado

por tu cuerpo y mi cuerpo
Nos buscamos perdidos
dentro de ese cuerpo instantáneo
nos perdemos buscando
todo un Dios todo cuerpo y sentido
Otro cuerpo perdido

Olfato gusto vista oído tacto
el sentido anegado en lo sentido
los cuerpos abolidos en el cuerpo
memorias desmemorias de haber sido
antes después ahora nunca siempre

Desde hace algún tiempo dedico buena parte de mis ocios a la lectura de libros científicos. Lectura lenta pero apasionante: me parece que hoy la ciencia se hace las preguntas que la filosofía ha dejado de hacerse. Tres temas me han interesado: el del origen del universo, el de la vida y el de la conciencia. Los tres están íntimamente relacionados y los dos últimos tienen su fundamento en el primero, es decir, en la física clásica y en la cuántica. Un elemento común entre los tres: la noción de *proceso,* tiempo. Todos los fenómenos se inscriben en el tiempo e incluso podría decirse, sin exagerar, que son tiempo. Desde Einstein el tiempo es inseparable de la física y la astronomía; a su vez, la biología es inexplicable sin la teoría de la evolución y la aparición de la conciencia es un momento, el más complejo, de la evolución natural. Quien dice tiempo dice comienzo pero asimismo dice fin. La segunda ley de la termodinámica nos ha familiarizado con la idea del previsible fin del universo. ¿Y el comienzo? Aquí enfrentamos a una dificultad que no ha sido resuelta enteramente: ¿qué hubo antes del *big bang?*

Como he tratado de mostrar en otros escritos —por ejemplo, en mi comentario a la ingeniosa hipótesis de Crick acerca del origen de la vida— los científicos modernos acuden a veces, casi siempre sin darse cuenta, a viejas ideas filosóficas para explicar esto o aquello. La cuestión del origen del universo nos enfrenta a una pregunta vieja como la filosofía de los presocráticos. En el caso del *big bang* sólo hay una respuesta, si descartamos la intervención de un demiurgo que haya sacado al cosmos de la nada: la existencia de un estado anterior de la materia. Ese estado lo llaman algunos físicos fluctuación cuántica, esto es, una *singularidad* que no está regida por las leyes de la física clásica enunciada por Einstein. Esta teoría evoca inmediatamente a la antigua noción griega de un *caos original* y más aún a la cosmología de los estoicos. Como sabemos, ellos creían que el universo acabaría en una catástrofe —una gran llamarada consumiría a todos los elementos— para renacer enseguida y recobrar cohesión, la *simpatía* que une a todos los componentes del cosmos. Idea que no está muy alejada de la teoría de las fluctuaciones cuánticas como un estado anterior del universo.

Pensaba en todo esto cuando se presentó a mi memoria —sin que yo la hubiese llamado— la primera línea de un conocido soneto de Quevedo. Dice así: «¡Ah de la vida! ¿Nadie me responde?» La pregunta era la misma que yo me hacía. No me parece necesario reproducir el soneto; su asunto está bien definido por José Antonio González de Salas, primer editor de los poemas de Quevedo: «Represéntase la brevedad de la vida y cuán nada parece lo que se vivió». Instintivamente comencé a escribir una respuesta a la pregunta de Quevedo. Como en el caso de *Homenaje y profanaciones,* la respuesta tenía que hacerse desde la perspectiva de nuestro siglo. El soneto se refiere únicamente a la muerte propia y a la celeridad con que el tiempo convierte en ayer todos los hoy y los mañana. Aunque Quevedo conocía admirablemente la doctrina estoica, en su soneto no hay una sola palabra sobre el universo. Su reserva es natural: no quería ser acusado de incurrir en herejías. La verdad es que en nuestra poesía de los siglos XVI y XVII no aparece mención alguna acerca de temas cosmológicos, a diferencia de lo que ocurre en la francesa y, sobre todo, en la inglesa. La gran excepción es Sor Juana, sólo que la astronomía y la cosmología de *Primero sueño,* al finalizar el siglo XVII, eran ya vetusteces.

El título de mi poema es *Respuesta y reconciliación.* Lo escribí en diciembre de 1995 y lo he revisado sin cesar durante los últimos meses. Está dividido en tres partes. En la primera subrayo la mudez esencial de la vida y la naturaleza: nosotros somos los que hablamos por ellas. En la segunda aparece el tiempo, cuna y tumba de los astros y de los hombres. En la tercera, advierto que en el movimiento universal, aunque no sea visible un designio o finalidad, sí hay cierta coherencia, una racionalidad implícita. Muchos científicos piensan lo mismo. Por esas ventanas que son las matemáticas y las ciencias pero asimismo la poesía, la música y las artes, nosotros podemos, a veces, vislumbrar la razón universal: la otra cara del tiempo. El poema es una respuesta a una antiquísima pregunta y una reconciliación con nuestro destino terrestre.

RESPUESTA Y RECONCILIACIÓN

I

¡Ah de la vida! ¿Nadie me responde?
Rodaron sus palabras, relámpagos grabados
en años que eran rocas y hoy son niebla.
La vida no responde nunca.
No tiene orejas, no nos oye;
no nos habla, no tiene lengua.
No pasa ni se queda:
somos nosotros los que hablamos,
somos los que pasamos
mientras oímos de eco en eco y de año en año
rodar nuestras palabras por un túnel sin fin.

Lo que llamamos vida
en nosotros se oye, habla con nuestra lengua
y por nosotros sabe de sí misma.
Al retratarla, somos su espejo, la inventamos.
Invento de un invento: ella nos hizo
sin saber lo que hacía,
somos un acaso pensante.
Criatura de reflejos,
creada por nosotros al pensarla,
en ficticios abismos se despeña.
Profundidades, transparencias
donde flota o se hunde, no la vida: su idea.
Siempre está en otro lado y siempre es otra,
tiene mil cuerpos y ninguno,
jamás se mueve y nunca se detiene,
nace para morir y al morir nace.

¿La vida es inmortal? No le preguntes
pues ni siquiera sabe qué es la vida.
Nosotros lo sabemos:
ella también ha de morir un día
y volverá al comienzo, la inercia del principio.
Fin del ayer, del hoy y del mañana,

disipación del tiempo
y de la nada, su reverso.
Después —¿habrá un después,
encenderá la chispa primigenia
la matriz de los mundos,
perpetuo recomienzo del girar insensato?
Nadie responde, nadie sabe.
Sabemos que vivir es desvivirse.

II

Violenta primavera, muchacha que despierta
en una cama verde guardada por espinas;
árbol del mediodía cargado de naranjas:
tus diminutos soles, frutos de lumbre fresca,
en cestas transparentes los recoge el verano;
el otoño es severo, su luz fría
afila su navaja contra los arces rojos;
eneros y febreros: sus barbas son de yelo
y sus ojos zafiros que el mes de abril licúa;
la ola que se alza, la ola que se tiende,
apariciones-desapariciones
en la carrera circular del año.

Todo lo que miramos, todo lo que olvidamos,
el arpa de la lluvia, la rúbrica del rayo,
el pensamiento rápido, reflejo vuelto pájaro,
las dudas del sendero entre meandros,
los aullidos del viento
taladrando la frente de los montes,
la luna de puntillas sobre el lago,
hálitos de jardines, palpitación nocturna,
en el quemado páramo campamento de estrellas,
combate de reflejos en la blanca salina,
la fuente y su monólogo,
el respirar pausado de la noche tendida
y el río que la enlaza, bajo el lucero el pino
y sobre el mar las olas, estatuas instantáneas,
la manada de nubes que el viento pastorea

por valles soñolientos, los picos, los abismos,
tiempo hecho rocas, eras congeladas,
tiempo hacedor de rosas y plutonio,
tiempo que hace mientras se deshace.

La hormiga, el elefante, la araña y el cordero,
extraño mundo nuestro de criaturas terrestres
que nacen, comen, matan, duermen, juegan, copulan
y obscuramente saben que se mueren;
mundo nuestro del hombre, ajeno y prójimo,
el animal con ojos en las manos
que perfora el pasado y escudriña el futuro,
con sus historias y vicisitudes:
el éxtasis del santo, la argucia del malvado,
los amantes, sus júbilos, encuentros y discordias,
el insomnio del viejo contando sus errores,
el criminal y el justo: doble enigma,
el Padre de los pueblos, sus parques crematorios,
sus bosques de patíbulos y obeliscos de cráneos,
los victoriosos y los derrotados,
las largas agonías y el instante dichoso,
el constructor de casas y aquel que las destruye,
este papel que escribo letra a letra
y que recorres tú con ojos distraídos,
todos y todas, todo,
es hechura del tiempo que comienza y se acaba.

III

Del nacer al morir el tiempo nos encierra
entre sus muros intangibles.
Caemos con los siglos, los años, los minutos.
¿Sólo es caída el tiempo, sólo es muro?
Por un instante, a veces, vemos
—no con los ojos: con el pensamiento—
al tiempo reposar en una pausa.
El mundo se entreabre y vislumbramos
el reino inmaculado,
las formas puras, las presencias

inmóviles flotando
sobre la hora, río detenido:
la verdad, la hermosura, los números, la idea
—y la bondad, palabra desterrada
en nuestro siglo.
                                        Instante sin duración ni peso,
instante fuera del instante:
el pensamiento ve, los ojos piensan.

Los triángulos, los cubos, la esfera, la pirámide
y las otras figuras de la geometría,
pensadas y trazadas por miradas mortales
pero que están allí desde antes del principio,
son, ya legible, el mundo, su secreta escritura,
la razón y el origen del girar de las cosas,
el eje de los cambios, fijeza sin sustento
que en sí misma reposa, realidad sin sombra.
El poema, la música, el teorema,
presencias impolutas nacidas del vacío,
edificios ingrávidos
sobre un abismo construidos:
en sus formas finitas caben los infinitos,
su oculta simetría rige también al caos.

Puesto que lo sabemos, no somos un acaso:
el azar, redimido, vuelve al orden.
Atado al suelo y a la hora,
éter ligero que no pesa,
soporta el pensamiento los mundos y su peso,
torbellinos de soles convertidos
en puñado de signos
sobre un papel cualquiera.
Enjambres giratorios
de transparentes evidencias
donde los ojos del entendimiento
beben un agua simple como el agua.

Rima consigo mismo el universo,
se desdobla y es dos y es muchos
sin dejar de ser uno.
El movimiento, río que recorre sin término,
con los ojos abiertos, los países del vértigo
—no hay arriba ni abajo, lo que está cerca es lejos—
a sí mismo regresa
—sin regresar, ya vuelto
surtidor de quietud.
Árbol de sangre, el hombre siente, piensa, florece
y da frutos insólitos: palabras.
Se enlazan lo sentido y lo pensado,
tocamos las ideas: son cuerpos y son números.

Y mientras digo lo que digo
caen vertiginosos, sin descanso,
el tiempo y el espacio. Caen en ellos mismos.
El hombre y la galaxia regresan al silencio.
¿Importa? Sí —pero no importa:
sabemos ya que es música el silencio
y somos un acorde del concierto.

México, a 20 de abril de 1996

[«Reflejos: réplicas. Diálogos con Francisco de Quevedo» es una conferencia leída en la Biblioteca Nacional de Madrid el 22 de mayo de 1996 y publicada en México, como edición no venal, por El Colegio Nacional y Vuelta en 1996.]

El caracol y la sirena: Rubén Darío

I

[...] la raza
que vida con los números pitagóricos crea.
R. D.

Nuestros textos escolares llaman siglos de oro al XVI y XVII; Juan Ramón Jiménez decía que eran de cartón dorado; más justo sería decir: siglos de la furia española. Con el mismo frenesí con que destruyen y crean naciones, los españoles escriben, pintan, sueñan. Extremos: son los primeros en dar la vuelta al mundo y los inventores del quietismo. Sed de espacio, hambre de muerte. Abundante hasta el despilfarro, Lope de Vega escribe mil comedias y pico; sobrio hasta la parquedad, la obra poética de San Juan de la Cruz se reduce a tres poemas y unas cuantas canciones y coplas. Delirio alegre o reconcentrado, sangriento o pío: todos los colores y todas las direcciones. Delirio lúcido en Cervantes, Velázquez, Calderón; laberinto de conceptos en Quevedo, selva de estalactitas verbales en Góngora. De pronto, como si se tratase del espectáculo de un ilusionista y no de una realidad histórica, el escenario se despuebla. No hay nada y menos que nada: los españoles viven una vida refleja de fantasmas. Sería inútil buscar en todo el siglo XVIII un Swift o un Pope, un Rousseau o un Laclos. En la segunda mitad del siglo XIX surgen aquí y allá tímidas manchas de verdor: Bécquer, Rosalía de Castro. Nada que se compare a Coleridge, Leopardi o Hölderlin; nadie que se parezca a Baudelaire. A fines de siglo, con idéntica violencia, todo cambia. Sin previo aviso irrumpe un grupo de poetas; al principio pocos los escuchan y muchos se burlan de ellos. Unos años después, por obra de aquellos que la crítica seria había llamado descastados y «afrancesados», el idioma español se pone de pie. Estaba vivo. Menos opulento que en el siglo barroco pero menos enfático. Más acerado y transparente.

El último poeta del periodo barroco fue una monja mexicana: Sor Juana Inés de la Cruz. Dos siglos más tarde, en esas mismas tierras americanas, aparecieron los primeros brotes de la tendencia que devolvería al idioma su vitalidad. La importancia del modernismo es doble: por una parte dio cuatro o cinco poetas que reanudan la gran tradición hispánica, rota o detenida al finalizar el siglo XVII; por la otra, al abrir puertas y ventanas, reanimó al idioma. El modernismo fue una escuela poética; también fue una escuela de baile, un campo de entrenamiento físico, un circo y una mascarada. Después de esa experiencia el castellano pudo soportar pruebas más rudas y aventuras más peligrosas. Entendido como lo que realmente fue —un movimiento cuyo fundamento y meta primordial era el movimiento mismo— aún no termina: la vanguardia de 1921 y las tentativas de la poesía contemporánea están íntimamente ligadas a ese gran comienzo. En sus días, el modernismo suscitó adhesiones fervientes y oposiciones no menos vehementes. Algunos espíritus lo recibieron con reserva: Miguel de Unamuno no ocultó su hostilidad y Antonio Machado procuró guardar las distancias. No importa: ambos están marcados por el modernismo. Su verso sería otro sin las conquistas y hallazgos de los poetas hispanoamericanos; y su dicción, sobre todo allí donde pretende separarse más ostensiblemente de los acentos y maneras de los innovadores, es una suerte de involuntario homenaje a aquello mismo que rechaza. Precisamente por ser una reacción, su obra es inseparable de lo que niega: no es lo que está *más allá* sino lo que está *frente* a Rubén Darío. Nada más natural: el modernismo era el lenguaje de la época, su estilo histórico, y todos los creadores estaban condenados a respirar su atmósfera.

Todo lenguaje, sin excluir al de la libertad, termina por convertirse en una cárcel; y hay un punto en el que la velocidad se confunde con la inmovilidad. Los grandes poetas modernistas fueron los primeros en rebelarse y en su obra de madurez van más allá del lenguaje que ellos mismos habían creado. Preparan así, cada uno a su manera, la subversión de la vanguardia: Lugones es el antecedente inmediato de la nueva poesía mexicana (Ramón López Velarde) y argentina (Jorge Luis Borges); Juan Ramón Jiménez fue el maestro de la generación de Jorge Guillén y Federico García Lorca; Ramón del Valle-Inclán está presente en la novela y el teatro moderno y lo estará más cada día... El lugar de Darío es central, inclusive si se cree, como yo creo, que es el menos actual de los grandes modernistas. No es una influencia viva sino un término de referencia: un punto de partida o llegada, un límite que hay que alcanzar o traspasar. Ser o no ser como él: de ambas maneras Darío está presente en el espíritu de los poetas contemporáneos. Es el fundador.

La historia del modernismo va de 1880 a 1910 y ha sido contada muchas veces. Recordaré lo esencial. El romanticismo español e hispanoamericano, con dos o tres excepciones menores, dio pocas obras notables. Ninguno de nuestros poetas románticos tuvo conciencia clara de la verdadera significación de ese gran cambio. El romanticismo de lengua castellana fue una escuela de rebeldía y declamación, no una visión —en el sentido que daba Arnim a esta palabra: «Llamamos videntes a los poetas sagrados; llamamos visión de especie superior a la creación poética». Con estas palabras el romanticismo proclama la primacía de la visión poética sobre la revelación religiosa. Entre nosotros falta también la ironía, algo muy distinto al sarcasmo o a la invectiva: disgregación del objeto por la inserción del yo; desengaño de la conciencia, incapaz de anular la distancia que la separa del mundo exterior; diálogo insensato entre el yo infinito y el espacio finito o entre el hombre mortal y el universo inmortal. Tampoco aparece la alianza entre sueño y vigilia; ni el presentimiento de que la realidad es una constelación de símbolos; ni la creencia en la imaginación creadora como la facultad más alta del entendimiento. En suma, falta la conciencia del ser dividido y la aspiración hacia la unidad. La pobreza de nuestro romanticismo resulta aún más desconcertante si se recuerda que para los poetas alemanes e ingleses España fue la tierra de elección del espíritu romántico: el grupo de Jena descubrió a Calderón; Shelley tradujo algunos fragmentos de su teatro; uno de los libros centrales del romanticismo alemán, el poderoso y alucinante *Titán,* está impregnado de ironía, magia y otros elementos fantásticos que Jean-Paul recogió probablemente de una de las obras menos estudiadas (y más modernas) de Cervantes: *Los trabajos de Persiles y Segismunda...* Cuando la ola del romanticismo se retira, el paisaje es desolador: la literatura española oscila entre la oratoria y la charla, la Academia y el café.

Francia había sido la fuente de inspiración de nuestros románticos. Aunque en ese país el romanticismo no cuenta con figuras comparables a las de germanos y sajones (si se exceptúa a Nerval y al Victor Hugo del *Fin de Satán*), la generación siguiente nos ha dejado un grupo de obras que, simultáneamente, consuman la tentativa romántica y la trascienden. Baudelaire y sus grandes descendientes dan una conciencia —quiero decir: una *forma significativa*— al romanticismo; además, y sobre todo, hacen de la poesía una experiencia total, a un tiempo verbal y espiritual. La palabra no sólo dice al mundo sino que lo funda —o lo cambia. El poema se vuelve un espacio poblado de signos vivientes: animación de la escritura por el espíritu, por el ánima. En el último tercio del siglo XIX las fronteras de la poesía, las fronteras con lo desconocido, están en Francia. En las obras de sus poetas la inspiración romántica se vuelve sobre sí misma y se contempla. El entusiasmo, origen de la poesía para Novalis, se convierte en la reflexión de Mallarmé: la conciencia dividida se venga de la opacidad del objeto y lo anula. Pero los escritores españoles, a pesar de su cercanía de ese centro magnético que era la poesía francesa (o tal vez por eso mismo), no se sintieron atraídos por la aventura de esos años. En cambio, insatisfechos con la garrulería y la tiesura imperantes en España, los hispanoamericanos comprendieron que nada personal podía decirse en un lenguaje que había perdido el secreto de la metamorfosis y la sorpresa. Se sienten distintos a los españoles y se vuelven, casi instintivamente, hacia Francia. Adivinan que allá se gesta no un mundo nuevo sino un nuevo lenguaje. Lo harán suyo para ser más ellos mismos, para decir mejor lo que quieren decir. Así, la reforma de los modernistas hispanoamericanos consiste, en primer término, en apropiarse y asimilar la poesía moderna europea. Su modelo inmediato fue la poesía francesa no sólo porque era la más accesible sino porque veían en ella, con razón, la expresión más exigente, audaz y completa de las tendencias de la época.

En su primera etapa el modernismo no se presenta como un movimiento concertado. En lugares distintos, casi al mismo tiempo, surgen personalidades aisladas: José Martí en Nueva York, Julián del Casal en La Habana, Manuel Gutiérrez Nájera y Salvador Díaz Mirón en México, José Asunción Silva en Bogotá, Rubén Darío en Santiago de Chile. No tardan en conocerse entre ellos y en advertir que sus tentativas individuales forman parte de un cambio general en la sensibilidad y el lenguaje. Poco a poco se forman pequeños grupos y cenáculos; brotan las publicaciones periódicas, como la revista *Azul* de Gutiérrez Nájera; las tendencias difusas cristalizan y se constituyen dos centros de actividad, uno en Buenos Aires y otro en México. Este periodo es el de la llamada segunda generación modernista. Rubén Darío es el punto de unión entre ambos momentos. La muerte prematura de la mayoría de los iniciadores, y sus dones de crítico y animador, lo convierten en la cabeza visible del movimiento. Con mayor claridad que los precursores, los nuevos poetas tienen conciencia de ser la primera expresión realmente independiente de la literatura hispanoamericana. No les asusta que los llamen descastados: saben que nadie se encuentra a sí mismo si antes no abandona el lugar natal.

La influencia francesa fue predominante pero no exclusiva. Con la excepción de José Martí, que conocía y amaba las literaturas inglesa y norteamericana, y de Silva, «lector apasionado de Nietzsche, Baudelaire y Mallarmé»,[1] los primeros modernistas pasaron del culto de los románticos franceses al de los parnasianos. La segunda generación, en plena marcha, «agrega a las maneras parnasianas, ricas en visión, las maneras simbolistas, ricas en musicalidad».[2] Su curiosidad era muy extensa e intensa pero su mismo entusiasmo nublaba con frecuencia su juicio. Admiraban con fervor igual a Gautier y a Mendès, a Heredia y a Mallarmé. Un índice de sus preferencias es la serie de retratos literarios que Rubén Darío publicó en un diario argentino, casi todos recogidos en *Los raros* (1896). En esos artículos los nombres de Poe, Villiers de l'Isle-Adam, Léon Bloy, Nietzsche, Verlaine, Rimbaud y Lautréamont alternan con los de escritores secundarios y con otros hoy totalmente olvidados. Aparece únicamente un escritor de lengua española: el cubano José Martí; y un portugués: Eugenio de Castro, el iniciador del verso libre. En ciertos casos es asombroso el instinto de Darío: fue el primero que se ocupó, fuera de Francia, de Lautréamont. (En la misma Francia, si no recuerdo mal, sólo Léon Bloy y Rémy de Gourmont habían escrito antes sobre Ducasse. Sospecho, además, que es el primer escritor de lengua castellana que alude a Sade, en un soneto dedicado a Valle-Inclán.) A esta lista hay que agregar, claro está, muchos otros nombres. Bastará con mencionar a los más salientes. En primer término Baudelaire y, en seguida, Jules Laforgue, ambos decisivos para la segunda generación modernista; los simbolistas belgas; Stefan George, Wilde, Swinburne y, más como ejemplo y estímulo que como modelo directo, Whitman. Aunque no todos sus ídolos eran franceses, Darío dijo alguna vez, quizá para irritar a los críticos españoles que lo acusaban de «galicismo mental»: «El modernismo no es otra cosa que el verso y la prosa castellanos pasados por el fino tamiz del buen verso y de la buena prosa franceses». Pero sería un error reducir el movimiento a una mera imitación de Francia. La originalidad del modernismo no está en sus influencias sino en sus creaciones.

[1] Max Henríquez Ureña, *Breve historia del modernismo,* México, 1962.

[2] Enrique Anderson Imbert, *Historia de la literatura hispanoamericana,* FCE, México, 1962.

Desde 1888 Darío emplea la palabra *modernismo* para designar las tendencias de los poetas hispanoamericanos. En 1898 escribe: «El espíritu nuevo que hoy anima a un pequeño pero triunfante y soberbio grupo de escritores y poetas de la América española: el modernismo». Más tarde dirá: los modernos, la modernidad. Durante su extensa y prolongada actividad crítica no cesa de reiterar que la nota distintiva de los nuevos poetas, su razón de ser, es la voluntad de ser modernos. Del mismo modo que el término *vanguardia* es una metáfora que delata una concepción guerrera de la actividad literaria, el vocablo *modernista* revela una suerte de fe ingenua en las excelencias del futuro o, más exactamente, de la actualidad. La primera implica una visión espacial de la literatura; la segunda, una concepción temporal. La vanguardia quiere conquistar un sitio; el modernismo busca insertarse en el ahora. Sólo aquellos que no se sienten del todo en el presente, aquellos que se saben fuera de la historia viva, postulan la contemporaneidad como una meta. Ser coetáneo de Goethe o de Tamerlán es una coincidencia, feliz o desgraciada, en la que no interviene nuestra voluntad; desear ser su contemporáneo implica la voluntad de participar, así sea idealmente, en la gesta del tiempo, compartir una historia que, siendo ajena, de alguna manera hacemos nuestra. Es una afinidad y una distancia —y la conciencia de esa situación. Los modernistas no querían ser franceses: querían ser modernos. El progreso técnico había suprimido parcialmente la distancia geográfica entre América y Europa. Esa cercanía hizo más viva y sensible nuestra lejanía histórica. Ir a París o a Londres no era visitar otro continente sino saltar a otro siglo. Se ha dicho que el modernismo fue una evasión de la realidad americana. Más cierto sería decir que fue una fuga de la actualidad local —que era, a sus ojos, un anacronismo— en busca de una actualidad universal, la única y verdadera actualidad. En labios de Rubén Darío y sus amigos, modernidad y cosmopolitismo eran términos sinónimos. No fueron antiamericanos; querían una América contemporánea de París y Londres.

La manifestación más pura e inmediata del tiempo es el ahora. El tiempo es lo que está pasando: la actualidad. La lejanía geográfica y la histórica, el exotismo y el arcaísmo, tocados por la actualidad se funden en un presente instantáneo: se vuelven presencia. La inclinación de los modernistas por el pasado más remoto y las tierras más distantes —leyendas medievales y bizantinas, figuras de la América precolombina y de los Orientes que en esos años descubría o inventaba la sensibilidad europea— es una de las formas de su apetito de presente. Pero no los fascina la máquina, esencia del mundo moderno, sino las creaciones del *art nouveau.* La modernidad no es la industria sino el lujo. No la línea recta: el arabesco de Aubrey Beardsley. Su mitología es la de Gustave Moreau (al que dedica una serie de sonetos Julián del Casal); sus paraísos secretos los de Huysmans de *À Rebours;* sus infiernos los de Poe y Baudelaire. Un marxista diría, con cierta razón, que se trata de una literatura de clase ociosa, sin quehacer histórico y próxima a extinguirse. Podría replicarse que su negación de la utilidad y su exaltación del arte como bien supremo son algo más que un hedonismo de terrateniente: son una rebelión contra la presión social y una crítica de la abyecta actualidad latinoamericana. Además, en algunos de estos poetas coincide el radicalismo político con las posiciones estéticas más extremas: apenas si es necesario recordar a José Martí, libertador de Cuba, y a Manuel González Prada, uno de nuestros primeros anarquistas. Lugones fue uno de los fundadores del socialismo argentino; y muchos de los modernistas participaron activamente en las luchas históricas de su tiempo: Valencia, Santos Chocano, Díaz Mirón, Vargas Vila... El modernismo no fue una escuela de abstención política sino de pureza artística. Su esteticismo no brota de una indiferencia moral. Tampoco es un hedonismo. Para ellos el arte es una pasión, en el sentido religioso de la palabra, que exige un sacrificio como todas las pasiones. El amor a la modernidad no es culto a la moda: es voluntad de participación en una plenitud histórica hasta entonces vedada a los hispanoamericanos. La modernidad no es sino la historia en su forma más inmediata y rica. Más angustiosa también: instante henchido de presagios, vía de acceso a la gesta del tiempo. Es la contemporaneidad. Decadente y bárbaro, el arte moderno es una pluralidad de tiempos históricos, lo más antiguo y lo más nuevo, lo más cercano y lo más distante, una totalidad de presencias que la conciencia puede asir en un momento único:

> y muy siglo diez y ocho y muy antiguo
> y muy moderno; audaz, cosmopolita...

No deja de ser una paradoja que, apenas nacida, la poesía hispanoamericana se declare cosmopolita. ¿Cómo se llama esa Cosmópolis? Es la ciudad de ciudades. Nínive, París, Nueva York, Buenos Aires: es la forma más transparente y engañosa de la actualidad pues no tiene nombre ni ocupa lugar en el espacio. El modernismo es una pasión abstracta, aunque sus poetas se recrean en la acumulación de toda suerte de objetos raros.

Esos objetos son signos, no símbolos: algo intercambiable. Máscaras, sucesión de máscaras que ocultan un rostro tenso y ávido, en perpetua interrogación. Su amor desmedido por las formas redondas y plenas, por los ropajes suntuosos y los mundos abigarrados, delata una obsesión. No es el amor a la vida sino el horror al vacío el que profiere todas esas metáforas brillantes y sonoras. La perpetua búsqueda de lo extraño, a condición de que sea nuevo —y de lo nuevo a condición de que sea único— es avidez de presencia más que de presente. Si el modernismo es apetito de tiempo, sus mejores poetas saben que es un tiempo desencarnado. La actualidad, que a primera vista parece una plenitud de tiempos, se muestra como una carencia y un desamparo: no la habitan ni el pasado ni el futuro. Movimiento condenado a negarse a sí mismo porque lo único que afirma es el movimiento, el modernismo es un mito vacío, un alma deshabitada, una nostalgia de la verdadera presencia. Ése es el tema constante y central, el tema secreto y nunca dicho del todo, de los mejores poetas modernistas.

Toda revolución, sin excluir a las artísticas, postula un futuro que es también un regreso. En la Fiesta de la Diosa Razón los jacobinos celebran la destrucción de un presente injusto y la inminente llegada de una edad de oro anterior a la historia: la sociedad natural de Rousseau. El futuro revolucionario es una manifestación privilegiada del tiempo cíclico: anuncia la vuelta de un pasado arquetípico. Así, la acción revolucionaria por excelencia —la ruptura con el pasado inmediato y la instauración de un orden nuevo— es asimismo una restauración: la de un pasado inmemorial, origen de los tiempos. *Revolución* significa regreso o vuelta, tanto en el sentido original de la palabra —giro de los astros y otros cuerpos— como en el de nuestra visión de la historia. Se trata de algo más profundo que una mera supervivencia del pensamiento arcaico. El mismo Engels no resistió a esta inclinación casi espontánea de nuestro pensar e hizo del «comunismo primitivo» de Morgan la primera etapa de la evolución humana. La revolución nos libera del orden viejo para que reaparezca, en un nivel histórico superior, el orden primigenio. El futuro que nos propone el revolucionario es una promesa: el cumplimiento de algo que yace escondido, semilla de vida, en el origen de los tiempos. El orden revolucionario es el fin de los malos tiempos y el principio del tiempo verdadero. Ese principio es un comienzo pero sobre todo es un origen. Y más: es el fundamento mismo del tiempo. Cualquiera que sea su nombre —razón, justicia, fraternidad, armonía natural o lógica de la historia— es algo que está antes de los tiempos históricos o que de alguna manera los determina. Es el *principio* por excelencia, aquello que rige el transcurrir. La fuerza de gravedad del tiempo, lo que da sentido a su movimiento y fecundidad a su agitación, es un punto fijo: ese pasado que es un perpetuo principio.

Aunque el modernismo canta el incesante advenimiento del ahora, su encarnación en esta y aquella forma gloriosa o terrible, su tiempo marca el paso, corre y no se mueve. Carece de futuro justamente porque ha sido cercenado de pasado. Estética del lujo y de la muerte, el modernismo es una estética nihilista. Sólo que se trata de un nihilismo más vivido que asumido, más padecido por la sensibilidad que afrontado por el espíritu. Unos cuantos, Darío el primero, advierten que la modernidad no es sino un girar en el vacío, una máscara con la que la conciencia desesperada simultáneamente se calma y se exaspera. Esa búsqueda, si es búsqueda de algo y no mera disipación, es nostalgia de un origen. El hombre se persigue a sí mismo al correr tras este o aquel fantasma: anda en busca de su principio. Apenas el modernismo se contempla, cesa de existir como tendencia. La aventura colectiva llega a su término y comienza la exploración individual. Es el momento más alto de la pasión modernista: el instante de la lucidez que es asimismo el de la muerte.

Búsqueda de un origen, reconquista de una herencia: nada más contrario, en apariencia, a las tendencias iniciales del movimiento. En 1896, en pleno furor reformista, Darío proclama: «Los poetas nuevos americanos de idioma castellano hemos tenido que pasar rápidamente de la independencia mental de España [...] a la corriente que hoy une en todo el mundo a señalados grupos que forman el culto y la vida de un arte cosmopolita y universal». A diferencia de los españoles, Darío no opone lo universal a lo cosmopolita; al contrario, el arte nuevo es universal porque es cosmopolita. Es el arte de la gran ciudad. La sociedad moderna «edifica la Babel en donde todos se comprenden». (No sé si todos se comprendan en las nuevas babeles, pero la realidad contemporánea, según se ve por la historia de los movimientos artísticos del siglo XX, confirma la idea de Darío sobre el carácter cosmopolita del arte moderno.) Su oposición al nacionalismo —en aquellos años se decía «casticismo»— es parte de su amor por la modernidad y de ahí que su crítica a la tradición sea también una crítica a España. La actitud antiespañola tiene un doble origen: por una parte, expresa la voluntad de separarse de la antigua metrópoli: «nuestro movimiento nos ha dado un puesto aparte, independiente de la literatura castellana»; por la otra, identifica españolismo con tradicionalismo: «la evolución que llevara el castellano a ese renacimiento, habría de verificarse en América, puesto que España está amurallada de tradición, cercada y erizada de españolismo».

Reforma verbal, el modernismo fue una sintaxis, una prosodia, un vocabulario. Sus poetas enriquecieron el idioma con acarreos del francés y el inglés; abusaron de arcaísmos y neologismos; y fueron los primeros en emplear el lenguaje de la conversación. Por otra parte, se olvida con frecuencia que en los poemas modernistas aparece un gran número de americanismos e indigenismos. Su cosmopolitismo no excluía ni las conquistas de la novela naturalista francesa ni las formas lingüísticas americanas. Una parte del léxico modernista ha envejecido como han envejecido los muebles y objetos del *art nouveau;* el resto ha entrado en la corriente del habla. No atacaron la sintaxis del castellano; más bien le devolvieron naturalidad y evitaron las inversiones latinizantes y el énfasis. Fueron exagerados, no hinchados; muchas veces fueron *cursis,* nunca tiesos. A pesar de sus cisnes y góndolas, dieron al verso español una flexibilidad y una familiaridad que jamás fue vulgar y que habría de prestarse admirablemente a las dos tendencias de la poesía contemporánea: el amor por la imagen insólita y el prosaísmo poético.

La reforma afectó sobre todo a la prosodia, pues el modernismo fue una prodigiosa exploración de las posibilidades rítmicas de nuestra lengua. El interés de los poetas modernistas por los problemas métricos fue teórico y práctico. Varios escribieron tratados de versificación: Manuel González Prada señaló que los metros castellanos, cualquiera que sea su extensión, están formados por elementos binarios, ternarios y cuaternarios, ascendentes o descendentes; Ricardo Jaimes Freyre indicó que se trata de periodos prosódicos no mayores de nueve sílabas. Para ambos poetas el golpe del acento tónico es el elemento esencial del verso. Los dos se inspiraron en la doctrina de Andrés Bello, quien desde 1835 había dicho, contra la opinión predominante en España, que cada unidad métrica está compuesta por cláusulas prosódicas —algo semejante a los pies de griegos y romanos, sólo que determinadas por el acento y no por la cantidad silábica. El modernismo reanuda así la tradición de la versificación irregular, antigua como el idioma mismo, según lo ha mostrado Pedro Henríquez Ureña. Pero las conclusiones teóricas no fueron el origen de la reforma métrica sino la consecuencia natural de la actividad poética. En suma, la novedad del modernismo consistió en la invención de metros; su originalidad, en la resurrección del ritmo acentual.

En materia de ritmo, como en todo lo demás, nuestro romanticismo se quedó a medio camino. Los poetas modernistas recogieron la tendencia romántica a una mayor libertad rítmica y la sometieron a un rigor aprendido en Francia. El ejemplo francés no fue el único. Las traducciones rítmicas de Poe, el verso germánico, la influencia de Eugenio de Castro y la lección de Whitman fueron los antecedentes de los primeros poemas semilibres; y al final del modernismo el mexicano José Juan Tablada, precursor de la vanguardia, introdujo el haikú, forma que indudablemente impresionó a Juan Ramón Jiménez y tal vez al mismo Antonio Machado, como cualquier lector atento puede comprobarlo. No vale la pena enumerar todos los experimentos e innovaciones de los modernistas: la resurrección del endecasílabo anapéstico y el provenzal; la ruptura de la división rígida de los hemistiquios del alejandrino, gracias al «encabalgamiento»; la boga del eneasílabo y el dodecasílabo; los cambios de acentuación; la invención de versos largos (hasta de veinte y más sílabas); la mezcla de medidas distintas pero con una misma base silábica (ternaria o cuaternaria); los versos amétricos; la vuelta a las formas tradicionales, como el cosante... La riqueza de ritmos del modernismo es única en la historia de la lengua y su reforma preparó la adopción del poema en prosa y del verso libre. Pero lo que deseo subrayar es que el cosmopolitismo llevó a los poetas hispanoamericanos a intentar muchos injertos y cruzamientos; y esas experiencias les revelaron la verdadera tradición de la poesía española: la versificación rítmica. El descubrimiento no fue casual. Fue algo más que una retórica: una estética y, sobre todo, una visión del mundo, una manera de sentirlo, conocerlo y decirlo.

A través de un proceso en apariencia intrincado, pero natural en el fondo, la búsqueda de un lenguaje moderno, cosmopolita, lleva a los poetas hispanoamericanos a redescubrir la tradición hispánica. Digo *la* y no *una* tradición española porque la que descubrieron los modernistas, distinta a la que defendían los casticistas, es la tradición central y más antigua. Y precisamente por esto apareció ante sus ojos como ese pasado inmemorial que es también un perpetuo comienzo. Ignorada por los tradicionalistas, esa corriente se revela universal; es el mismo *principio* que rige la obra de los grandes románticos y simbolistas: el ritmo como fuente de la creación poética y como llave del universo. Así, no se trata únicamente de una restauración. Al recobrar la tradición española, el modernismo añade algo nuevo y que no existía antes en esa tradición. El modernismo es un verdadero comienzo. Como el simbolismo francés, el movimiento de los hispanoamericanos simultáneamente fue una reacción contra la vaguedad y facilidad de los románticos y nuestro verdadero romanticismo: el universo es un sistema de correspondencias, regido por el ritmo; todo está cifrado, todo rima; cada forma natural dice algo, la naturaleza se dice a sí misma en cada uno de sus cambios; ser poeta no es ser el dueño sino el agente de transmisión del ritmo; la imaginación más alta es la analogía... En toda la poesía modernista resuena un eco de los *Vers dorés: un mystère d'amour dans le métal repose; tout est sensible.*

La nostalgia de la unidad cósmica es un sentimiento permanente del poeta modernista, pero también lo es su fascinación ante la pluralidad en que se manifiesta: «la celeste unidad que presupones —dice Darío— hará brotar en ti mundos diversos». Dispersión del ser en formas, colores, vibraciones; fusión de los sentidos en uno. Las imágenes poéticas son las expresiones, las encarnaciones a un tiempo espirituales y sensibles, de ese ritmo plural y único. Esta manera de ver, oír y sentir al mundo se explica generalmente en términos psicológicos: la sinestesia. Una exasperación de los nervios, un transtorno de la psiquis. Pero es algo más: una experiencia en la que participa el ser entero. Poesía de sensaciones, se ha dicho; yo diría: poesía que, a pesar de su exasperado individualismo, no afirma el alma del poeta sino la del mundo. De ahí su indiferencia, a veces abierta hostilidad, ante el cristianismo. El mundo no está caído ni dejado de la mano de Dios. No es un mundo de perdición: está habitado por el espíritu, es la fuente de la inspiración poética y el arquetipo de todo transcurrir: «Ama tu ritmo y ritma tus acciones...» La poesía de lengua española nunca se había atrevido a afirmar algo semejante, nunca había visto en la naturaleza la morada del espíritu ni en el ritmo la vía de acceso —no a la salvación sino a la reconciliación entre el hombre y el cosmos. La pasión libertaria de nuestros románticos, su rebelión contra «el trono y el altar», son algo muy distinto a esta visión del universo en la que la escatología del cristianismo apenas si tiene sitio y en la que la figura misma de Cristo no es sino una de las formas en que se manifiesta el Gran Ciclo. Es inexplicable que nuestra crítica no se haya detenido en estas creencias. ¡Y esa misma crítica ha acusado a los poetas modernistas, sobre todo en España, de superficialidad! El modernismo se inicia como una estética del ritmo y desemboca en una visión rítmica del universo. Revela así una de las tendencias más antiguas de la psiquis humana, recubierta por siglos de cristianismo y racionalismo. Su revolución fue una resurrección. Doble descubrimiento: fue la primera aparición de la sensibilidad americana en el ámbito de la literatura hispánica; e hizo del verso español el punto de confluencia entre el fondo ancestral del hombre americano y la poesía europea. Al mismo tiempo reveló un mundo sepultado y recreó los lazos entre la tradición española y el espíritu moderno. Y hay algo más: el movimiento de los poetas hispanoamericanos está impregnado de una idea extraña a la tradición castellana: la poesía es una revelación distinta a la religiosa. Ella es la revelación original, el verdadero *principio*. No dice otra cosa la poesía moderna, desde el romanticismo hasta el surrealismo. En esta visión del mundo reside no sólo la originalidad del modernismo sino su modernidad.

II

Ángel, espectro, medusa...
R. D.

Por su edad, Rubén Darío fue el puente entre los iniciadores y la segunda generación modernista; por sus viajes y su actividad generosa, el enlace entre tantos poetas y grupos dispersos en dos continentes; animador y capitán de la batalla, fue también su espectador y su crítico: su conciencia; y la evolución de su poesía, desde *Azul...* (1888) hasta *Poema del otoño* (1910), corresponde a la del movimiento: con él principia y con él acaba. Pero su obra no termina con el modernismo: lo sobrepasa, va más allá del lenguaje de esta escuela y, en verdad, de toda escuela. Es una creación, algo que pertenece más a la historia de la poesía que a la de los estilos. Darío no es únicamente el más amplio y rico de los poetas modernistas: es uno de nuestros grandes poetas modernos. Es el origen. A ratos hace pensar en Poe; otros, en Whitman. En el primero, por esa porción de su obra desdeñosa del mundo americano y preocupada sólo por una música ultraterrestre; en el segundo, por su afirmación vitalista, su panteísmo y el sentirse por derecho propio cantor de la América Latina como el otro lo fue de la sajona. A diferencia de Poe, nuestro poeta no se encerró en su propia aventura espiritual; tampoco tuvo la fe ingenua de Whitman en el progreso y la fraternidad. Más que a los dos grandes angloamericanos, podría asemejarse a Victor Hugo: elocuencia, abundancia y la sorpresa continua de la rima, esa cascada inagotable. Como el poeta francés, tiene inspiración de escultor ciclópeo; sus estrofas son bloques de materia animada, veteada por delicadezas súbitas: la estría del relámpago sobre la piedra. Y el ritmo, el continuo vaivén que hace del idioma una inmensa masa acuática. Darío es menos desmesurado y profético; también es menos valiente: no fue un rebelde y no se propuso escribir la biblia de la era moderna. Su genio era lírico y profesó el mismo horror a la miniatura y al titanismo. Más nervioso y angustiado, oscilante entre impulsos contrarios, se diría un Hugo atacado por el mal «decadentista». A despecho de que amó e imitó sobre todo (y sobre todos) a Verlaine, sus mejores poemas se parecen poco a los de su modelo. Le sobraban salud y energía; su sol era más fuerte y su vino más generoso. Verlaine era un provinciano de París;[1] Darío un centroamericano trotamundos. Su poesía es viril: esqueleto, corazón, sexo. Clara y rotunda hasta cuando es triste; nada de medias tintas. Nacida en pleno fin de siglo, su obra es la de un romántico que fuese también un parnasiano y un simbolista. Un parnasiano: nostalgia de la escultura; un simbolista: presciencia de la analogía. Un híbrido, no sólo por la variedad de influencias espirituales sino por las sangres que corrían por sus venas: india, española y unas gotas africanas. Un ser raro, ídolo precolombino, hipogrifo. En América, la sajona y la nuestra, son frecuentes estos injertos y superposiciones. América es un gran apetito de ser y de ahí que sea un monstruo histórico. ¿No son monstruosas la hermosura moderna y la más antigua? Darío lo sabía mejor que nadie: se sentía contemporáneo de Moctezuma y de Roosevelt-Nemrod.

Nació en Metapa, un poblacho de Nicaragua, el 18 de enero de 1867. Unos meses después de su nacimiento, el padre abandona la casa familiar; la madre, a la que apenas conoció, lo deja al cuidado de unos tíos. Su verdadero nombre era Félix Rubén García Sarmiento pero desde los catorce años firmó Rubén Darío. Nombre como un horizonte que se despliega: Persia, Judea... Precocidad: innumerables poemas, cuentos y artículos, todos ellos imitaciones de las corrientes literarias en boga. Los temas cívicos del romanticismo español e hispanoamericano: el progreso, la democracia, el anticlericalismo, la independencia, la unión centroamericana; y los líricos: el amor, el más allá, el paisaje, las leyendas góticas y árabes. El despertar erótico fue igualmente precoz: amores infantiles, fascinación por una trapecista yanqui y, a los quince años, la pasión: Rosario Murillo. Pretende casarse con ella. Lo disuaden sus amigos y familiares que lo envían a El Salvador. Allí hace amistad con Francisco Gavidia que

[1] Era algo más y Darío supo *oír* su música, que es la de Villon y la de Apollinaire. [Nota de 1990.]

le da a conocer en el original la poesía de Hugo y de algunos parnasianos: «La lectura de los alejandrinos del gran francés —diría después— hizo surgir en mí la idea de renovación métrica, que debía ampliar y realizar más tarde». Aún leía mal el francés pero en algunos poemas de esos años, advierte Anderson Imbert, hay indicios del cambio: «En *Serenata* ya está el hachís que Baudelaire y Gautier habían lanzado al mercado [...] y en *Ecce Homo* aparece el *spleen*», la enfermedad poética del siglo XIX como la melancolía fue la del XVII. En 1884 regresa a Nicaragua. Segundo encuentro con Rosario Murillo. Su amor había sido violento y sensual pero sólo ahora los enamorados llegan a la consumación final. Darío descubre que Rosario no era virgen. Años después diría que «una particularidad anatómica lo hizo sufrir». El engaño ¿no le dolió más? Herido, en 1886, emprende el primer gran viaje: Chile. Empieza el gran periplo. No cesará de viajar sino hasta su muerte.

En Santiago y Valparaíso penetra en mundos más civilizados e inquietos. Hoy no es fácil hacerse una idea de lo que fueron las oligarquías hispanoamericanas al final del siglo. La paz les había dado riqueza y la riqueza, lujo. Si no sintieron curiosidad por lo que pasaba en sus tierras, la tuvieron muy viva por lo que ocurría en las grandes metrópolis ultramarinas. No crearon una civilización propia pero ayudaron a afinar una sensibilidad. En la biblioteca privada de su joven amigo Balmaceda, Darío «sacia su sed de nuevas lecturas». Bohemia. Aparece el ajenjo. Primeros artículos de combate: «Yo estoy con Gautier, el primer estilista de Francia». Admira también a Coppée y sobre todo a Catulle Mendès, su iniciador y guía. Al mismo tiempo sigue escribiendo desteñidas imitaciones de los románticos españoles: ahora son Bécquer y Campoamor.[1] Es una despedida pues su estética ya es otra: «La palabra debe pintar el color de un sonido, el perfume de un astro, aprisionar el alma de las cosas». En 1888 publica *Azul...* Con ese libro, compuesto de cuentos y poemas, nace oficialmente el modernismo. Desconcertó sobre todo la prosa, más osada que los versos. En la segunda edición (1890), Darío restablece el equilibrio con la publicación de varios poemas nuevos: sonetos en alejandrinos (un alejandrino nunca oído antes en español), otros en dodecasílabos y otro más en un extraño y rico metro de diecisiete sílabas. No sólo fueron los ritmos insólitos sino el brillo de las palabras, la insolencia del tono y la sensualidad de la frase lo que irritó y hechizó. El título era casi un ma-

[1] Sus tres primeros libros, escritos antes de los veinte años, constituyen su contribución al gusto imperante: *Epístolas y poemas* (1885), *Abrojos* (1887) y *Rimas* (1887).

nifiesto: ¿eco de Mallarmé *(Je suis hanté! L'azur, l'azur, l'azur, l'azur)* o cristalización de algo que estaba en el aire del tiempo? Max Henríquez Ureña señala que ya Gutiérrez Nájera había mostrado parecida fascinación por los colores. Abanico de preferencias y caminos a seguir, en *Azul...* hay cinco «medallones», a la manera de Heredia, dedicados a Leconte de Lisle, Mendès, Walt Whitman, J. J. Palma y Salvador Díaz Mirón; también hay un soneto a Caupolicán, primero de una serie de poemas sobre la «América ignota». Todo Darío: los maestros franceses, los contemporáneos hispanoamericanos, las civilizaciones prehispánicas, la sombra del águila yanqui («En su país de hierro vive el gran viejo...») En su tiempo *Azul...* fue un libro profético; hoy es una reliquia histórica. Pero hay algo más: un poema que es, para mí, el primero que escribió Darío; quiero decir: el primero que sea realmente una creación, una obra. Se llama *Venus.* Cada una de sus estrofas es sinuosa y fluida como un agua que busca su camino en la «profunda extensión» (porque la noche no es alta sino honda). Poema negro y blanco, espacio palpitante en cuyo centro se abre la gran flor sexual, «como incrustado en ébano un dorado y divino jazmín». El verso final es uno de los más punzantes de nuestra poesía: «Venus, desde el abismo, me miraba con triste mirar». La altura se vuelve abismo y desde allá nos mira, vértigo fijo, la mujer.

En 1889 Darío vuelve a Centroamérica. Nuevo encuentro con Rosario Murillo. Huida a El Salvador, en donde funda un diario en favor de la unión centroamericana, causa a la que permanecerá fiel toda su vida. Conoce a Rafaela Contreras, la Stella de *Prosas profanas,* y se casa con ella. Vagabundeos centroamericanos: Guatemala, Costa Rica. En 1892 va a España, por dos meses. En el curso de ese viaje, al pasar por La Habana, conoce a uno de los primeros modernistas, Julián del Casal, con el que pasa una semana memorable de poesía, amistad y alcohol. Al regreso de España, muere su mujer. Ella estaba en El Salvador mientras Darío visitaba Nicaragua. Conmoción psíquica, alcoholismo. Al poco tiempo: recaída en Rosario Murillo. La pasión se degrada: en una de sus borracheras los hermanos de su amante, bajo amenaza de muerte, lo obligan a casarse. En 1893 lo nombran cónsul de Colombia en Buenos Aires. Darío emprende el viaje, vía Nueva York y París, con Rosario, pero en Panamá la abandona. No para siempre: esa mujer lo perseguirá hasta su muerte con una suerte de odio amoroso. En Nueva York, otro encuentro decisivo: José Martí. La escala en París fue una iniciación; al salir «juraba por los dioses del nuevo Parnaso; había visto al viejo fauno Verlaine, sabía del misterio de Mallarmé y era amigo de Moréas». En Buenos Aires encuentra lo que buscaba. Vivacidad, cosmopolitismo, lujo. Entre la pampa y el mar, entre la barbarie y el miraje europeo, Buenos Aires era una ciudad suspendida en el tiempo más que asentada en el espacio. Desarraigo pero asimismo voluntad de inventarse, tensión por crear su propio presente y su futura tradición. Los escritores jóvenes habían hecho suya la estética nueva y rodearon a Darío apenas llegó. Fue el jefe indiscutible. Años de agitación, polémica y disipación: la sala de redacción, el restaurante, el bar. Amistades fervientes: Leopoldo Lugones, Ricardo Jaimes Freyre. Años de creación: *Los raros* y *Prosas profanas,* ambos de 1896. *Los raros* fue el vademécum de la nueva literatura; *Prosas profanas* fue y es el libro que define mejor al primer modernismo: mediodía, *non plus ultra* del movimiento. Después de *Prosas profanas* los caminos se cierran: hay que replegar las velas o saltar hacia lo desconocido. Rubén Darío escogió lo primero y pobló las tierras descubiertas; Leopoldo Lugones se arriesgó a lo segundo. *Cantos de vida y esperanza* (1905) y *Lunario sentimental* (1909) son las dos obras capitales del segundo modernismo y de ellas parten, directa o indirectamente, todas las experiencias y tentativas de la poesía moderna en lengua castellana.

Prosas profanas: el título, entre erudito y sacrílego, irritó aún más que el del libro anterior. Llamar *prosas* —himnos que se cantan en las misas solemnes, después del Evangelio— a una colección de versos predominantemente eróticos era, más que un arcaísmo, un desafío.[1] El título, por otra parte, es una muestra de confusión deliberada entre el vocabulario litúrgico y el del placer. Esta persistente inclinación de Darío y otros poetas está muy lejos de ser un capricho; es uno de los signos de la alternativa fascinación y repulsión que experimenta la poesía moderna ante la religión tradicional. El prólogo escandalizó: parecía escrito en otro idioma y todo lo que decía sonaba a paradoja. Amor por la novedad a condición de que sea inactual; exaltación del yo y desdén por la mayoría; supremacía del sueño sobre la vigilia y del arte sobre la realidad; horror por el progreso, la técnica y la democracia: «si hay poesía en nuestra América, ella está en las cosas viejas, en Palenque y en Utatlán, en el indio legendario, y en el inca sensual y fino, y en el gran Moctezuma de la

[1] Sin duda Darío conocía el poema de Mallarmé: *Prose pour Des Esseintes,* aparecido en 1885. Es sabida, además, su admiración por Huysmans; «De septiembre de 1893 a febrero de 1894 —dice Max Henríquez Ureña—, Darío escribió una crónica en un diario de Buenos Aires con el seudónimo de Des Esseintes».

silla de oro. Lo demás es tuyo, demócrata Walt Whitman»; ambivalencia, amor y burla, ante el pasado español: «abuelo, preciso es decíroslo: mi esposa es de mi tierra; mi querida, de París». Entre todas estas declaraciones —clarividentes o impertinentes, ingenuas o afectadas— resaltan las de orden estético. La primera: la libertad del arte y su gratuidad; en seguida, la negación de toda escuela, sin excluir la suya: «mi literatura es mía en mí; quien siga servilmente mis huellas perderá su tesoro personal»; y el ritmo: «como cada palabra tiene un alma, hay en cada verso, además de la armonía verbal, una melodía ideal. La música es sólo de la idea, muchas veces».

Antes había dicho que las cosas tienen un alma; ahora dice que las palabras también la tienen. El lenguaje es un mundo animado y la música verbal es música de almas (Mallarmé había escrito: de la Idea). Si las cosas tienen un alma, el universo es sagrado; su orden es el de la música y la danza: un concierto hecho de los acordes, reuniones y separaciones, de una cosa con la otra, de un ánima con las otras. A esta idea, antigua como el hombre y vista siempre con desconfianza por el cristianismo, los poetas modernos añaden otra: las palabras tienen un alma y el orden del lenguaje es el del universo: la danza, la armonía. El lenguaje es un doble mágico del cosmos. Por la poesía, el lenguaje recobra su ser original, vuelve a ser música. Así, música ideal no quiere decir música de las ideas sino ideas que en su esencia son música. Ideas en el sentido platónico, realidades de realidades. Armonía ideal: alma del mundo; en su seno todos y todo somos una misma cosa, una misma alma. Pero el lenguaje, aunque sea sagrado por participar en la animación musical del universo, es también discordancia. Como el hombre, es contingencia: a un tiempo la palabra es música y significación. La distancia entre el nombre y la cosa nombrada, el significado, es consecuencia de la separación entre el mundo y el hombre. El lenguaje es la expresión de la conciencia de sí, que es conciencia de la caída. Por la herida de la significación el ser pleno que es el poema se desangra y se vuelve prosa: descripción e interpretación del mundo. A pesar de que Darío no formuló su pensar exactamente en estos términos, toda su poesía y su actitud vital revelan la tensión de su espíritu entre los dos extremos de la palabra: la música y el significado. Por lo primero, el poeta es «de la raza que vida con los números pitagóricos crea»; por lo segundo, es «la conciencia de nuestro humano cieno».

Entre la estética de *Prosas profanas* y el temperamento de Darío había cierta incompatibilidad. Sensual y disperso, no era hermético sino cordial: se sentía y sabía solo pero no era un solitario. Fue un hombre perdido en los mundos del mundo, no un abstraído frente a sí mismo. Lo que da unidad a *Prosas profanas* no es la idea sino la sensación —las sensaciones. Unidad de acento, algo muy distinto a esa unidad espiritual que hace de *Les Fleurs du mal* o de *Leaves of Grass* mundos autosuficientes, obras que despliegan un tema único en vastas olas concéntricas. El libro del poeta hispanoamericano es un prodigioso repertorio de ritmos, formas, colores y sensaciones. No la historia de una conciencia sino las metamorfosis de una sensibilidad. Las innovaciones métricas y verbales de *Prosas profanas* deslumbraron y contagiaron a casi todos los poetas de esos años. Más tarde, por culpa de los imitadores y ley fatal del tiempo, ese estilo se degradó y su música pareció empalagosa. Pero nuestro juicio es diferente al de la generación anterior. Cierto, *Prosas profanas* a veces recuerda una tienda de anticuario repleta de objetos *art nouveau*, con todos sus esplendores y rarezas de gusto dudoso (y que hoy empiezan a gustarnos tanto). Al lado de esas chucherías, ¿cómo no advertir el erotismo poderoso, la melancolía viril, el pasmo ante el latir del mundo y del propio corazón, la conciencia de la soledad humana frente a la soledad de las cosas? No todo lo que contiene ese libro es cacharro de coleccionista. Aparte de varios poemas perfectos y de muchos fragmentos inolvidables, hay en *Prosas profanas* una gracia y una vitalidad que todavía nos arrebatan. Sigue siendo un libro joven. Critican su artificio y afectación: ¿se ha reparado en el tono a un tiempo exquisito y directo de la frase, sabia mezcla de erudición y conversación? La poesía española tenía los músculos envarados a fuerza de solemnidad y patetismo; con Rubén Darío el idioma se echa a andar. Su verso fue el preludio del verso contemporáneo, directo y hablado. Se acerca la hora de leer con otros ojos ese libro admirable y vano. Admirable porque no hay poema que no contenga por lo menos una línea impecable o turbadora, vibración fatal de la poesía verdadera: música de este mundo, música de otros mundos, siempre familiar y siempre extraña. Vano porque la manera colinda con el amaneramiento y la habilidad vence a la inspiración. Contorsiones, piruetas: nada podría oponerse a esos ejercicios si el poeta danzase al borde del abismo. Libro sin abismos. Y no obstante...

El placer es el tema central de *Prosas profanas*. Sólo que el placer, precisamente por ser un juego, es un rito del que no están excluidos el sacrificio y la pena. «El dandismo —decía Baudelaire— linda con el estoicismo.» La religión del placer es una religión rigurosa. Yo no reprocharía al

Darío de *Prosas profanas* el hedonismo sino la superficialidad. La exigencia estética no se convierte en rigor espiritual. En cambio, en los mejores momentos, brilla la pasión, «luz negra que es más luz que la luz blanca». La mujer lo fascina. Tiene todas las formas naturales: colina, tigre, yedra, mar, paloma; está vestida de agua y de fuego y su desnudez misma es vestidura. Es un surtidor de imágenes: en el lecho se «vuelve gata que se encorva» y al desatar sus trenzas asoman, bajo la camisa, «dos cisnes de negros cuellos». Es la encarnación de la *Otra* religión: «Sonámbula con alma de Eloísa, en ella hay la sagrada frecuencia del altar». Es la presencia sensible de esa totalidad única y plural en la que se funden la historia y la naturaleza:

> [...] fatal, cosmopolita,
> universal, inmensa, única, sola
> y todas; misteriosa y erudita;
> ámame mar y nube, espuma y ola.

El erotismo de Darío es pasional. Lo que siente no es tal vez el amor a un ser único sino la atracción, en el sentido astronómico de la palabra, hacia ese astro incandescente que es el apogeo de todas las presencias y su disolución en luz negra. En el espléndido *Coloquio de los centauros* la sensualidad se transforma en reflexión apasionada: «toda forma es un gesto, una cifra, un enigma». El poeta oye «las palabras de la bruma» y las piedras mismas le hablan. Venus, «reina de las matrices», impera en este universo de jeroglíficos sexuales. Todo es. No hay bien ni mal: «ni es la torcaz benigna / ni es el cuervo protervo: son formas del enigma». A lo largo de su vida Darío oscilará «entre la catedral y las ruinas paganas», pero su verdadera religión será esta mezcla de panteísmo y duda, exaltación y tristeza, júbilo y pavor. Poeta del asombro de ser.

El poema final de *Prosas profanas*, el más hermoso del libro para mi gusto, es un resumen de su estética y una profecía del rumbo futuro de su poesía. Los temas del *Coloquio de los centauros* y otras composiciones afines adquieren una densidad extraordinaria. La primera línea del soneto es una definición de su poesía: «Yo persigo una forma que no encuentra mi estilo». Busca una hermosura que está más allá de la belleza, algo que las palabras pueden evocar pero no decir. Todo el romanticismo, aspiración al infinito, está en ese verso; y todo el simbolismo: la belleza ideal, indefinible, que sólo puede ser sugerida. Más ritmo que cuerpo, esa forma es femenina. Es la naturaleza y es la mujer:

Adornan verdes palmas al blanco peristilo;
los astros me han predicho la visión de la Diosa;
y mi alma reposa en la luz como reposa
el ave de la luna sobre el lago tranquilo.

Apenas si es necesario señalar que estos soberbios alejandrinos recuerdan a los de *Delfica: Reconnais-tu le Temple au péristyle immense...* La misma fe en los astros y la misma atmósfera de misterio órfico. El soneto de Darío evoca ese «estado de delirio supernaturalista» en que decía Nerval haber compuesto los suyos. En los tercetos hay un brusco cambio de tono. A la certeza de la visión sucede la duda:

Y no hallo sino la palabra que huye,
la iniciación melódica que de la flauta fluye

El sentimiento de esterilidad e impotencia —iba a escribir: indignidad— aparece continuamente en Darío, como en otros grandes poetas de esa época, de Baudelaire a Mallarmé. Es la conciencia crítica, que a veces se resuelve en ironía y otras en silencio. En el verso final el poeta ve al mundo como una inmensa pregunta: no es el hombre el que interroga al ser sino éste al hombre. Esa línea vale todo el poema, como ese poema vale todo el libro: «Y el cuello del gran cisne blanco que me interroga».

En 1898 Darío da el gran salto. Nombrado corresponsal de *La Nación*, vivirá en Europa hasta 1914 y sólo regresará a su tierra para morir. Vida errante, repartida principalmente entre París y Mallorca. Trabajos periodísticos y cargos diplomáticos (cónsul general en París, ministro plenipotenciario en Madrid, delegado de Nicaragua a varias conferencias internacionales). Viajes por Europa y América.[1] En 1900 conoce a Francisca Sánchez, la española humilde que ha de acompañarlo en sus correrías europeas. Fue la devoción y la piedad amorosa, no la pasión. Esos

[1] Visitó nuestro continente en 1906 (Conferencia Panamericana de Rio de Janeiro); en 1907 (el famoso viaje a Nicaragua, que le inspiró varios poemas memorables); en 1910 (la fracasada visita a México), y en 1912 (gira de conferencias). Sobre el viaje a México: el presidente interino de Nicaragua, doctor Madriz, lo había nombrado su representante en las fiestas del centenario de la Independencia mexicana. Mientras Darío se dirigía hacia México, las tropas angloamericanas ocupaban Nicaragua y obligaban a Madriz a dejar el poder. Para evitar complicaciones internacionales al gobierno de México, el poeta no prosiguió su viaje hasta la capital. En 1911 publicó un folleto político sobre la intervención angloamericana en su patria: *Refutación al presidente Taft.*

años son los de la celebridad. Fama, buena y mala: reconocido como la figura central de nuestra poesía, lo rodea la admiración de los mejores españoles e hispanoamericanos (Jiménez, los dos Machado, Valle-Inclán, Nervo) pero también lo sigue una cauda de parásitos, compañeros de tristes francachelas. Años rápidos, horas largas en que diluye su vino, su sangre, en el «cristal de las tinieblas». Creación y esterilidad, excesos vitales y mentales, la «inútil rebusca de la dicha», el «falso azul nocturno» de la juerga y un «dormir a llantos». Noches en blanco, examen de conciencia en un cuarto de hotel: «¿por qué el alma tiembla de tal manera?» Pero el viento en la calle desierta, el rumor del alba que avanza, los ruidos misteriosos y familiares de la ciudad que despierta, le devuelven la vieja visión solar. Durante este periodo publica, aparte de muchos volúmenes de prosa, sus grandes libros de poesía.[1] Buena parte de esas composiciones son una prolongación de la etapa anterior, sin contar con que algunas fueron escritas en la época de *Prosas profanas* y aun antes. Pero la porción más extensa y valiosa revela un nuevo Darío, más grave y lúcido, más entero y viril.

Aunque *Cantos de vida y esperanza* es su libro mejor, los que le siguen continúan la misma vena y contienen poemas que no son inferiores a los de esa colección. Así, todas esas publicaciones pueden verse como un solo libro o, más exactamente, como el fluir ininterrumpido de varias corrientes poéticas simultáneas. Por lo demás, no hay ruptura entre *Prosas profanas* y *Cantos de vida y esperanza.* Aparecen nuevos temas y la expresión es más sobria y profunda pero no se amengua el amor por la palabra brillante. Tampoco desaparece el gusto por las innovaciones rítmicas; al contrario, son más osadas y seguras. Plenitud verbal, lo mismo en los poemas libres que en esas admirables recreaciones de la retórica barroca que son los sonetos de *Trébol;* soltura, fluidez, sorpresa continua de un lenguaje en perpetuo movimiento; y sobre todo: comunicación entre el idioma escrito y el hablado, como en la *Epístola* a la señora de Lugones, indudable antecedente de lo que sería una de las conquistas de la poesía contemporánea: la fusión entre el lenguaje literario y el habla

[1] *Cantos de vida y esperanza, Los cisnes y otros poemas* (1905), *El canto errante* (1907), *Poema del otoño y otros poemas* (1910), *Canto a la Argentina y otros poemas* (1914). Hay que agregar la numerosa obra no recogida en volumen sino hasta después de su muerte. La mejor edición de la poesía de Darío es la del Fondo de Cultura Económica, México, 1952. Comprende todos sus libros poéticos y una antología de la obra dispersa. La edición estuvo al cuidado de Ernesto Mejía Sánchez y el prólogo, excelente, es de Enrique Anderson Imbert.

de la ciudad. En suma, la originalidad de *Cantos de vida y esperanza* no implica negación del periodo anterior: es un cambio natural y que Darío define como «la obra profunda de la hora, la labor del minuto y el prodigio del año». Prodigios ambiguos, como todos los del tiempo.

El primer poema de *Cantos de vida y esperanza* es una confesión y una declaración. Defensa (y elegía) de su juventud: «¿fue juventud la mía?»; exaltación y crítica de su estética: «la torre de marfil tentó mi anhelo»; revelación del conflicto que lo divide y afirmación de su destino de poeta: «hambre de espacio y sed de cielo». La dualidad que en *Prosas profanas* se manifiesta en términos estéticos —la forma que persigue y no encuentra su estilo— se muestra ahora en su verdad humana: es una escisión del alma. Para expresarla Darío se sirve de imágenes que brotan casi espontáneamente de lo que podría llamarse su cosmología, si se entiende por esto no un sistema pensado sino su visión instintiva del universo. El sol y el mar rigen el movimiento de su imaginación; cada vez que busca un símbolo que defina las oscilaciones de su ser, aparecen el espacio aéreo o el acuático. Al primero pertenecen los cielos, la luz, los astros y, por analogía o magia simpática, la mitad supersensible del universo: el reino incorruptible y sin nombres de las ideas, la música, los números. El segundo es el dominio de la sangre, el corazón, el mar, el vino, la mujer, las pasiones y, también por contagio mágico, la selva, sus animales y sus monstruos. Así compara su corazón a la esponja saturada de sal marina e inmediatamente después vuelve a compararlo a una fuente en el centro de una selva sagrada. Esa selva es ideal o celeste: no está hecha de árboles sino de acordes. Es la armonía. El arte tiende un puente entre uno y otro universo: las hojas y ramas del bosque se transforman en instrumentos musicales. La poesía es reconciliación, inmersión en la «armonía del gran Todo». Al mismo tiempo es purificación: «el alma que entre allí debe ir desnuda». Para Darío la poesía es conocimiento práctico o mágico: visión que es asimismo fusión de la dualidad cósmica. Pero no hay creación poética sin ascetismo o combustión espiritual: «de desnuda que está brilla la estrella». La estética de Darío es una suerte de orfismo que no excluye a Cristo (más como nostalgia que como presencia) ni a ninguna de las otras experiencias vitales y espirituales del hombre. Poesía: totalidad y transfiguración.

Al cambio de centro de gravedad corresponde otro de perspectiva. Si el tono es más hondo, la mirada es más amplia. Aparece la historia, en sus dos formas: como tradición viva y como lucha. *Prosas profanas* contenía más de una alusión a España; los nuevos libros la exaltan. Darío nunca fue antiespañol, aunque le irritaba, como a la mayoría de los hispanoamericanos, el espíritu provinciano y engreído de la España de fin de siglo. Pero la renovación poética, recibida primero con desconfianza, había conquistado ya a los jóvenes poetas españoles; al mismo tiempo, una nueva generación iniciaba en esos años un examen riguroso y apasionado de la realidad española. Darío no fue insensible a este cambio, al que, por lo demás, no había sido ajena su influencia. Por último, la experiencia europea le reveló la soledad histórica de Hispanoamérica. Divididos por las asperezas de la geografía y por los obtusos regímenes que imperaban en nuestras tierras, no sólo estábamos aislados del mundo sino separados de nuestra propia historia. Esta situación apenas si ha cambiado hoy; y es sabido que la sensación de soledad en el espacio y el tiempo, fondo permanente de nuestro ser, se vuelve más dolorosa en el extranjero. Asimismo, el contacto con otros latinoamericanos, perdidos como nosotros en las grandes urbes modernas, nos hace redescubrir inmediatamente una identidad que rebasa las artificiales fronteras actuales, impuestas por la combinación del poder extraño y la opresión interna. La generación de Darío fue la primera en tener conciencia de esta situación y muchos de los escritores y poetas modernistas hicieron apasionadas defensas de nuestra civilización. Con ellos aparece el antiimperialismo. Darío aborrecía la política pero los años de vida en Europa, en un mundo indiferente o desdeñoso de lo nuestro, lo hicieron volver los ojos hacia España. Ve en ella algo más que el pasado: un principio todavía vigente y que da unidad a nuestra dispersión. Su visión de España no es excluyente: abarca las civilizaciones precolombinas y el presente de la Independencia. Sin nostalgia imperial o colonialista, el poeta habla con el mismo entusiasmo de los incas, los conquistadores y los héroes de nuestra Independencia. El pasado lo exalta pero le angustia la postración hispánica, el letargo de nuestros pueblos interrumpido sólo por sacudimientos de violencia ciega. Nos sabe débiles y mira con temor hacia el norte.

En aquellos años los Estados Unidos, en vísperas de convertirse en un poder mundial, extienden y consolidan su dominación en la América Latina. Para lograrlo usan de todos los medios, desde la diplomacia panamericanista hasta el *big-stick*, en una mezcla nada infrecuente de cinismo e hipocresía. Casi a pesar suyo («Yo no soy un poeta para las muchedumbres pero sé que indefectiblemente tengo que ir a ellas») Darío toma la palabra. Su antiimperialismo no se nutre de los temas del radicalismo político. No ve en los Estados Unidos la encarnación del capitalismo ni concibe el drama hispanoamericano como un choque de intereses económicos y sociales. Lo decisivo es el conflicto entre civilizaciones distintas y en diferentes periodos históricos: los Estados Unidos son la avanzada más joven y agresiva de una corriente —nórdica, protestante y pragmática— en pleno ascenso; nuestros pueblos, herederos de dos antiguas civilizaciones, atraviesan por un ocaso. Darío no cierra los ojos ante la grandeza angloamericana —admiraba a Poe, Whitman y Emerson— pero se niega a aceptar que esa civilización sea superior a la nuestra. En el poema *A Roosevelt* opone al optimismo progresista de los yanquis («Crees que en donde pones la bala del porvenir pones: NO») una realidad que no es de orden material: el alma hispanoamericana. No es un alma muerta: «sueña, vibra, ama». Es significativo que ninguno de estos verbos designe virtudes políticas: justicia, libertad, energía. El alma hispanoamericana es un alma abstraída en esferas que poco o nada tienen que ver con la sociedad humana: *soñar, amar* y *vibrar* son palabras que designan a estados estéticos, pasionales y religiosos. Actitud típica de la generación modernista: José Enrique Rodó enfrentaba al pragmatismo angloamericano el idealismo estético latino. Estas definiciones sumarias hoy nos hacen sonreír. Nos parecen superficiales. Y lo son. Pero hay en ellas, a pesar de su ingenuidad y de la presunción retórica con que fueron enunciadas, algo que no sospechan los ideólogos modernos. El tema tiene cierta actualidad y de ahí que no me parezca enteramente reprobable arriesgarme a una digresión.

Nos habíamos acostumbrado a juzgar la historia como una lucha entre sistemas sociales antagónicos; al mismo tiempo, a fuerza de considerar a las civilizaciones como máscaras que encubren la verdadera realidad social —o sea: como «ideologías», en el sentido que daba Marx a esta palabra— habíamos terminado por atribuir un valor absoluto a los sistemas sociales y económicos. Doble error: por una parte hicimos precisamente de la «ideología» el valor histórico por excelencia; por la otra, incurrimos en un grosero maniqueísmo. Hoy no me parece ilegítimo volver a pensar que las civilizaciones, sin excluir el modo de producción económica y la técnica, son también expresión de un temple particular o, como se decía antes, del genio de los pueblos. Tal vez la palabra *genio*, por su riqueza de asociaciones, no sea la más a propósito: diré que se trata de una disposición colectiva, más bien consecuencia de una tradición histórica que de una dudosa fatalidad racial o étnica. El genio de los pueblos sería aquello que modela a las instituciones sociales y que, simultáneamente, es modelado por ellas; no una potencia sobrenatural sino la realidad concreta de unos hombres, en un paisaje determinado, con una herencia semejante y cierto número de posibilidades que sólo se realizan por y gracias a la acción del grupo. En fin, cualquiera que sea nuestra idea sobre las civilizaciones, cada día me parece menos fácil sostener que son meros reflejos, sombras fantásticas: son entidades históricas, realidades tan reales como los utensilios técnicos. Son los hombres que los manejan. Desde esta perspectiva la querella sino-soviética o la lenta pero inexorable disgregación de la alianza atlántica cobran otra significación.

En teoría, la enemistad entre rusos y chinos es inexplicable, ya que se trata de sistemas sociales semejantes y que, también en teoría, al suprimir el capitalismo han abolido la rivalidad económica, es decir, la raíz misma de las contiendas políticas. Sin embargo, a pesar de que la disputa ideológica no tiene orígenes económicos ni sociales, asume la misma forma de las pugnas entre naciones capitalistas.[1] Por su parte, los «realistas» empíricos afirman que la querella sobre la interpretación de las escrituras, la «ideología», efectivamente es una máscara —sólo que no encubre realidades económicas o sociales sino la ambición de grupos rivales que luchan por la hegemonía. ¿No hay más? ¿Cómo no ver en ese conflicto el choque de maneras de ver y sentir diferentes, cómo ignorar que unos son chinos y otros rusos? Los chinos son chinos desde hace más de tres mil años y no es fácil que un cuarto de siglo de régimen revolucionario haya borrado milenios de confucianismo y taoísmo. Los rusos son más jóvenes pero son los herederos de Bizancio.[2]

Otro tanto puede decirse de las dificultades a que se enfrenta la Alianza Atlántica. La incipiente unidad europea ha puesto de relieve que las afinidades entre los europeos, desde España hasta Polonia, son mayores y más profundas que los lazos que unen a los Estados Unidos y la Gran Bretaña con sus aliados continentales. Se trata de algo que tiene escasa relación con los regímenes sociales imperantes. Desde la Guerra de Cien Años los ingleses se han opuesto a todas las tentativas de unificación

[1] «Al mismo tiempo que la oposición de clases en el seno de las naciones —dice el *Manifiesto comunista*— desaparecerá el antagonismo entre las naciones.»

[2] Las reflexiones sobre el conflicto chino-soviético, entonces en apogeo, así como las relativas a la alianza atlántica y a la política de Estados Unidos y de Inglaterra, fueron escritas hace más de un cuarto de siglo. Hoy las formularía de un modo un poco distinto. [Nota de 1990.]

europea, vengan de la izquierda o de la derecha. Y ninguno de sus filósofos políticos se ha interesado realmente en esta idea. Los Estados Unidos han seguido la misma política de disgregación, primero en la América Latina y después en el mundo entero. Esta política no se debe al azar ni es únicamente el reflejo de una maquiavélica voluntad de dominación universal. Es un estilo histórico, la forma en que se manifiestan una tradición y una sensibilidad. Los anglosajones son una rama de la civilización occidental que se define ante todo por su voluntad de separación; son excéntricos y periféricos. La tradición latina y la germánica son centrípetas; la anglosajona es centrífuga o, más bien, pluralista. Ambas tendencias operan desde la disolución del mundo medieval. No eran claramente visibles en la época del apogeo de las nacionalidades porque las cubría la agitación de las luchas entre los Estados nacionales. Hoy que éstos tienden a agruparse en unidades más vastas, aparece a la superficie la escisión que divide a Occidente desde el Renacimiento: la tendencia pluralista y la tradición romano-germánica. Aunque la generación modernista ignoró la sociología y la economía, vislumbró que los conflictos entre civilizaciones no se reducen a la lucha por los mercados ni a la voluntad de poder.

Nada más ajeno a Darío que el maniqueísmo. Nunca creyó que las verdades fuesen exclusivas y prefería asumir la contradicción a postular algo que negase a los otros. Veía en el imperialismo yanqui el principal obstáculo a la unión de los pueblos de habla española y portuguesa. No se equivocaba. Tampoco se equivocaba al admirar a los Estados Unidos y en proponernos sus virtudes como un ejemplo. En realidad ningún hispanoamericano se ha atrevido a negar la existencia y el valor de la civilización anglosajona. En cambio, ellos han negado la nuestra con frecuencia. Nuestro resentimiento contra los Estados Unidos es superficial: celos, sentimiento de inferioridad y, sobre todo, la irritación de aquel que es pobre y débil al verse tratado sin equidad. En América Latina no hay mala voluntad hacia los angloamericanos. La verdadera malevolencia es de ellos y su raíz, a mi juicio, es doble: el sentimiento (inconfesado) de culpa histórica y la envidia (igualmente inconfesada) ante formas de vida que la conciencia puritana y pragmática encuentra a un tiempo inmorales y deseables.[1] Por ejemplo, nuestra concepción del ocio los fascina y

[1] De nuevo: hoy escribiría estos párrafos de un modo distinto. En Estados Unidos no hay malevolencia hacia América Latina sino indiferencia, desdén e ignorancia. Entre nosotros el resentimiento y la mala voluntad se han enconado. La ideología ha envenenado muchas almas, sobre todo entre los intelectuales. [Nota de 1990.]

les repugna y de ambas maneras los perturba: pone en tela de juicio su sistema de valores. La inseguridad psíquica de los angloamericanos, cuando no estalla en violencia, se recubre con afirmaciones moralistas. Esta actitud los lleva a disminuir o negar al interlocutor: ellos representan el bien y los otros el error. El diálogo histórico con ellos es particularmente difícil porque asume siempre la forma del juicio, el proceso o el contrato. Nuestra actitud ante los angloamericanos también es ambivalente: los imitamos y los odiamos. Pero no los negamos. Aunque nos hicieron y nos hacen daño, nos rehusamos a verlos como una especie distinta a la nuestra, encarnación del mal. Por tradición católica y liberal nos repugna toda visión exclusiva del hombre, todo puritanismo.

Rubén Darío compartía los sentimientos de la mayoría de América Latina. Por lo demás, no era un pensador político y su carácter no era inflexible: ni en la vida pública ni en la privada fue un modelo de rigor. Así, no es extraño que, en 1906, al asistir como delegado de su país a la Conferencia Panamericana de Rio de Janeiro, escriba *Salutación al Águila*. Este poema, que celebra algo más que la colaboración entre las dos Américas, podría hacernos dudar de su sinceridad. ¿Fue honrado su entusiasmo? En todo caso, no le duró mucho. Él mismo lo confiesa en su *Epístola* a la señora de Lugones: «En Rio de Janeiro [...] / yo panamericanicé / con un vago temor y muy poca fe». Prueba de su soberana indiferencia por la coherencia política: ambos poemas figuran, a pocas páginas de distancia, en el mismo libro.

A pesar de estos vaivenes Darío no cesó de profetizar la resurrección de los pueblos hispanoamericanos. Aunque nunca lo dijo claramente, creía que si el pasado había sido indio y español, el futuro sería argentino y, tal vez, chileno. Nunca se le ocurrió pensar que la unidad y el renacimiento de nuestros pueblos sólo podía ser obra de una revolución que echase abajo los regímenes imperantes en su tiempo y, con raras excepciones, en el nuestro. El *Canto a la Argentina* (1910) reúne sus ideas predilectas: paz, industria, cosmopolitismo, latinidad. El evangelio de la oligarquía hispanoamericana de fines de siglo, con su fe en el progreso y en las virtudes sobrehumanas de la inmigración europea. No falta siquiera la denuncia del «extravío» revolucionario: «Ananké la bomba puso en la mano de la Locura». El poema es un himno a Buenos Aires, la Babel venidera: «concentración de vedas, biblias y coranes». Una cosmópolis a la manera de Nueva York pero «con perfume latino». Los asuntos latinoamericanos no fueron los únicos que lo apasionaron. Fue un enamorado de Francia («¡Los bárbaros, cara Lutecia!») y un pacifista ardiente. El *Canto de esperanza*, poema contra la guerra, contiene algunos versos milagrosos, como el inicial: «Un gran vuelo de cuervos mancha el azul celeste». No todo el poema tiene el mismo aliento.

La poesía de inspiración política e histórica de Darío ha envejecido tanto como la versallesca y decadente. Sí ésta hace pensar en la tienda de curiosidades, aquélla recuerda los museos de historia nacional: glorias oficiales, glorias apolilladas. Si se comparan sus poemas con los de Whitman se advierte inmediatamente la diferencia. El poeta yanqui no escribe sobre la historia sino desde ella y con ella: su palabra y la historia angloamericana son una y la misma cosa. Los poemas del hispanoamericano son textos para ser leídos en la tribuna, ante un auditorio de fiesta cívica. Hay momentos, claro está, en que el poeta vence al orador. Por ejemplo, la primera parte de *A Roosevelt,* modelo de insolencia y hermosa desenvoltura; algunos fragmentos de *Canto a la Argentina,* cuyos aciertos verbales recuerdan a Whitman, un Whitman latino y que ha leído a Virgilio; ciertos relámpagos de visionario en el *Canto de esperanza*... No es bastante. Darío tiene poco que decir y su pobreza se reviste de oropel. Emite opiniones, ideas generales; le falta la mirada de Whitman, la mirada fundida a lo que ve, la realidad sufrida y gozada. Los poemas de Darío carecen de sustancia: suelo, pueblo. Sustancia: lo que está abajo y nos sostiene y alimenta. ¿Vio la miseria de nuestra gente, olió la sangre de los mataderos que llamamos guerras civiles? Tal vez quiso abarcar demasiado: el pasado precolombino, España, el presente abyecto, el futuro radioso. Olvidó o no quiso ver la otra mitad: las oligarquías, la opresión, ese paisaje de huesos, cruces rotas y uniformes manchados que es la historia latinoamericana. Tuvo entusiasmo; le faltó indignación.

Una gran ola sexual baña toda la obra de Rubén Darío. Ve al mundo como un ser dual, hecho de una continua oposición y copulación entre el principio masculino y el femenino. El verbo amar es universal y conjugarlo es practicar la ciencia suprema: no es un saber de conocimiento sino de creación. Pero sería inútil buscar en su erotismo esa concentración pasional que se vuelve incandescente punto fijo. Su pasión es dispersa y tiende a confundirse con el vaivén del mar. En un poema muy conocido confiesa: «Plural ha sido la celeste / historia de mi corazón». Extraño adjetivo: si llamamos *celeste* a ese amor que nos lleva a ver en la persona amada un reflejo de la esencia divina o de la Idea, su pasión responde difícilmente al calificativo. Quizá otra acepción de la palabra le convenga: su corazón no se alimenta de la visión del cielo inmóvil pero obedece al movimiento de los astros. La tradición de nuestra poesía amorosa, provenzal o platónica, concibe a la criatura como una realidad refleja; el fin último del amor no es el abrazo carnal sino la contemplación, prólogo de las nupcias entre el alma humana y el espíritu. Esa pasión es pasión de unidad. Darío aspira a lo contrarío: quiere disolverse en cuerpo y alma en el cuerpo y el alma del mundo. La historia de su corazón es plural en dos sentidos: por el número de mujeres amadas y por la fascinación que experimenta ante la pluralidad cósmica. Para el poeta platónico la aprehensión de la realidad es un paulatino tránsito de lo vario a lo uno; el amor consiste en la progresiva desaparición de la aparente heterogeneidad del universo. Darío siente esa heterogeneidad como la prueba o manifestación de la unidad: cada forma es un mundo completo y simultáneamente es parte de la totalidad. La unidad no es una; es un universo de universos, movido por la gravitación erótica: el instinto, la pasión. El erotismo de Darío es una visión mágica del mundo.

Amó a varias mujeres. No fue lo que se llama un amante afortunado. (¿Qué se quiere decir con esa expresión?) Sus desventuras, si lo fueron realmente, no explican la sucesión de amoríos ni la sustitución de un objeto erótico por otro. Como casi todos los poetas de nuestra tradición, dice que persigue un amor único; en verdad, experimenta un perpetuo vértigo ante la totalidad plural. No el amor celeste ni la pasión fatal; ni Laura ni Juana Duval. Sus mujeres son la Mujer y su Mujer las mujeres. Y más: la Hembra. Sus arquetipos femeninos son Eva y Cipris. Ellas «concentran el misterio del corazón del mundo». Misterio, corazón, mundo: entraña femenina, matriz primordial. Aprehensión sensual de la realidad: en la mujer «se respira el perfume vital de cada cosa». Ese perfume es lo contrario de una esencia: es el olor de la vida misma. En el mismo poema Darío evoca una imagen que también sedujo a Novalis: el cuerpo de la mujer es el cuerpo del cosmos y amar es un acto de canibalismo sagrado. Pan sacramental, hostia terrestre: comer ese pan es apropiarse de la sustancia vital. Arcilla y ambrosía, la carne de la mujer, no su alma, es *celeste*. Esta palabra no designa a la esfera espiritual sino a la energía vital, al soplo divino que anima la creación. Unos versos más adelante la imagen se hace más precisa y osada: el «semen es sagrado». Para Darío el licor seminal no sólo contiene en germen al pensamiento sino que es materia pensante. Su cosmología culmina en un misticismo erótico: hace de la mujer la manifestación suprema de la realidad plural y endiosa al semen.

Los actores de esta pasión no son personas sino fuerzas vitales. El poeta no busca salvar su yo ni el de su amada sino confundirlos en el océano cósmico. Amar es ensanchar el ser. Estas ideas, corrientes en la alquimia sexual del taoísmo y en el tantrismo budista e hindú, nunca habían aparecido con tal violencia en la poesía castellana, toda ella impregnada de cristianismo. (Las fuentes del erotismo español son otras: la poesía provenzal, la mística árabe y la tradición platónica del Renacimiento italiano.) No es fácil que Darío se haya inspirado directamente en los textos orientales, aunque sin duda tuvo vagas nociones de esas filosofías. En todo esto hay un eco de sus lecturas románticas y simbolistas pero hay algo más: esas visiones son la expresión fatal y espontánea de su sensibilidad y de su intuición. La originalidad de nuestro poeta consiste en que, casi sin proponérselo, resucita una antigua manera de ver y sentir a la realidad. Al redescubrir la solidaridad entre el hombre y la naturaleza, fundamento de las primeras civilizaciones y religión primordial de los hombres, Darío abre a nuestra poesía un mundo de correspondencias y asociaciones. Esta vena de erotismo mágico se prolonga en varios grandes poetas hispanoamericanos, como Pablo Neruda.

La imaginación de Darío tiende a manifestarse en direcciones contradictorias y complementarias y de ahí su dinamismo. A la visión de la mujer como extensión y pasividad animal y sagrada —arcilla, ambrosía, tierra, pan— sucede otra: es la «Potente a quien las sombras temen, la reina sombría». Potencia activa, dispensa con indiferencia el bien y el mal. Encarna, diría, la profunda, sagrada amoralidad cósmica. Es la sirena, el monstruo hermoso, tanto en el sentido físico como en el espiritual. En ella confluyen todos los opuestos: la tierra y el agua, el mundo animal y el humano, la sexualidad y la música. Es la forma más completa de la mitad femenina del cosmos y en su canto salvación y perdición son una misma cosa. La mujer es anterior a Cristo: lava todos los pecados, disipa todos los miedos y su virtud lustral es tal que «al torcer sus cabellos, apaga al infierno». Sus atributos son dobles: es agua pero también es sangre. Eva y Salomé:

> Y la cabeza de Juan el Bautista,
> ante quien tiemblan los leones,
> cae al hachazo. Sangre llueve.
> Pues la rosa sexual
> al entreabrirse
> conmueve todo lo que existe

con su efluvio carnal
y con su estigma espiritual.

Los arquetipos de su universo son la matriz y el falo. Están en todas las formas: «el peludo cangrejo tiene espinas de rosa / y los moluscos reminiscencias de mujeres». La seducción del segundo verso no proviene únicamente del ritmo sino de la conjunción de tres realidades distintas: moluscos, mujeres y reminiscencias. La alusión a vidas anteriores es frecuente en la poesía de Darío e implica que la cadena de las correspondencias es también temporal. La analogía es el tejido viviente de que están hechos espacio y tiempo: es infinita e inmortal. El carácter enigmático de la realidad consiste en que cada forma es doble y triple y cada ser es reminiscencia o prefiguración de otro. Los monstruos ocupan un lugar privilegiado en este mundo. Son los símbolos, «vestidos de belleza», de la dualidad, el signo viviente del ayuntamiento cósmico: «el monstruo expresa un ansia del corazón del Orbe». La filosofía de Darío se resuelve en esta paradoja: «sabed ser lo que sois, enigmas siendo formas».

Si todo es doble y todo está animado, toca al poeta descifrar las «confidencias del viento, la tierra y el mar». El poeta es como un ser sin memoria, como un niño perdido en una ciudad extraña: no sabe ni de dónde viene ni adónde va. Pero esta ignorancia esconde un saber inmemorial. Frente al mar catalán: «siento en roca, aceite y vino, / yo mi antigüedad». Niño milenario, el poeta es la conciencia del olvido en que se sustenta toda vida humana: sabe que perdimos algo en el origen pero no sabe con certeza qué fue lo que perdimos o nos perdió. Percibe «fragmentos de conciencias de ahora y ayer», mira al sol negro, llora por estar vivo y se asombra de su muerte.

La crítica universitaria generalmente ha preferido cerrar los ojos ante la corriente de hermetismo y de ocultismo que atraviesa la obra de Darío. Este silencio daña la comprensión de su poesía. Se trata de una corriente central y que constituye no sólo un sistema de pensamiento sino de asociaciones poéticas. Es su idea del mundo o más bien: su imagen del mundo. Como otros creadores modernos que se han servido de los mismos símbolos, Darío transforma la «tradición oculta» en visión y palabra. En un soneto no recogido en libro durante su vida confiesa: «En las constelaciones Pitágoras leía, / yo en las constelaciones pitagóricas leo». En la «confusión de su alma» la obsesión de Pitágoras se mezcla con la de Orfeo y ambas con el tema del doble. La dualidad adquiere ahora la forma de un conflicto personal: ¿quién y qué es él? Sabe que es, «desde el tiempo del Paraíso, reo»; sabe que «robó el fuego y robó la armonía»; sabe que «es dos en sí mismo»; y que «siempre quiere ser otro». Sabe que es un enigma. Y la respuesta a este enigma es otro:

> En la arena me enseña la tortuga de oro
> hacia dónde conduce de las musas el coro
> y en dónde triunfa augusta la voluntad de Dios.

En otro soneto, dedicado a Amado Nervo y que pertenece también a la obra dispersa, la tortuga de oro aparece como el emblema del universo. Esta composición me parece ser una de las claves del Darío mejor y menos conocido y merecería un análisis detenido. Aquí apunto sólo mi perpleja fascinación. Los signos que traza la tortuga en el suelo y los que se dibujan en su caparacho «nos dicen al Dios que no se nombra». La forma en que se revela esa divinidad innombrable es un círculo; ese círculo «encierra la clave del enigma / que a Minotauro mata y a la Medusa asombra». En el soneto que cité primero, la enseñanza de la tortuga consiste en mostrarle al poeta la «voluntad de Dios»; en el que ahora comento esa voluntad se identifica con el eterno retorno. La obra divina es la revolución cíclica que pone arriba lo que estaba abajo y obliga a cada cosa a transformarse en su contrario: inmola al Minotauro y petrifica a la Medusa. En el espíritu del poeta los signos de la tortuga se convierten en un «ramo de sueños» y un «mazo de ideas florecidas». Unión del mundo vegetal y el mental. Esta imagen se resuelve en otra más, predilecta del poeta: esos signos son los de la música del mundo. Son el emblema del movimiento cíclico y el secreto de la armonía: la orquesta «y lo que está suspenso entre el violín y el arco». Verso henchido de adivinaciones y reminiscencias: momento en que se detiene, sin detenerse, la voluntad circular que perpetuamente recomienza.

La analogía no es perfecta. Hay una falla en el tejido de llamadas y respuestas: el hombre. En *Augurios* pasan sobre la cabeza del poeta el águila, el búho, la paloma, el ruiseñor y cada uno de esos pájaros es un agüero de fuerza, saber o sensualidad. De pronto la enumeración cambia de rumbo, el lenguaje simbolista se quiebra e irrumpe el habla directa: «Pasa un murciélago / pasa una mosca / un moscardón». No pasa nada y llega la muerte. Sorprende el tono amargo y el voluntario, dramático prosaísmo de las líneas finales. Disolución del sueño en la sórdida muerte cotidiana. El tema de nuestra finitud adopta a veces la forma cristiana. En *Spes* el poeta pide a Jesús, «incomparable perdonador de injurias», la resurrección: «dime que este espantoso horror de la agonía / que me obsede, es no más de mi culpa nefanda». Pero Cristo es sólo uno de sus dioses, una de las formas de ese Dios que no se nombra. Aunque a Darío le repugnaba el ateísmo racionalista y su temperamento era religioso, y aun supersticioso, no puede decirse que sea un poeta cristiano, ni siquiera en el sentido polémico en que lo fue Unamuno. El terror de la muerte, el horror de ser, el asco de sí mismo, expresiones que aparecen una y otra vez a partir de *Cantos de vida y esperanza*, son ideas y sentimientos de raíz cristiana; pero falta la otra mitad, la escatología del cristianismo. Nacido en un mundo cristiano, Darío perdió la fe y se quedó, como la mayoría de nosotros, con la herencia de la culpa, ya sin referencia a una esfera sobrenatural.

El sentimiento de la mancha original impregna muchos de sus mejores poemas: ignorancia de nuestro origen y de nuestro fin, miedo ante el abismo interior, horror de vivir a tientas. La fatiga nerviosa, exacerbada por una vida desordenada y los excesos alcohólicos, el ir y venir de un país a otro, contribuyeron a su desasosiego. Iba sin rumbo fijo, hostigado por el ansia; después caía en letargos que eran «pesadillas brutales» y la muerte se le aparecía alternativamente como pozo sin fin o despertar glorioso. Entre esos poemas, escritos en un lenguaje sobrio y reticente, oscilante entre el monólogo y la confesión, me conmueven sobre todo los tres *Nocturnos*. No es difícil advertir su semejanza con ciertos poemas de Baudelaire, como *L'Examen de minuit* o *Le Gouffre*.[1] El primero y el último de los *Nocturnos* terminan con el presentimiento de la muerte. No la describe y se limita a nombrarla con el pronombre: Ella. En cambio, la vida se le aparece como un mal sueño, abigarrada colección de momentos grotescos o terribles, actos irrisorios, proyectos no realizados, sentimientos manchados. Es la angustia de la noche urbana, ese silencio interrumpido por «el resonar de un coche lejano» o por el zumbido de la sangre: oración que se vuelve blasfemia, cuenta sin fin del solitario frente a un futuro cerrado como un muro. Pero todo se resuelve en alegría serena si Ella aparece. El erotismo de Darío no se resigna y hace nupcias del morir.

En el *Poema del otoño*, una de sus grandes y últimas composiciones, se unen los dos ríos que alimentan su poesía: la meditación ante la muerte

[1] En la breve composición sin título que se inicia con la línea «¡Oh terremoto mental!», Darío cita expresamente al poeta francés.

y el erotismo panteísta. El poema se presenta como variaciones sobre el viejo y gastado tema de la brevedad de la vida, la flor del instante y otros lugares comunes; al final, el acento se vuelve más grave y desafiante: ante la muerte el poeta no afirma su vida propia sino la del universo. En su cráneo, como si fuese un caracol, vibran la tierra y el sol; la sal del mar, savia de sirenas y tritones, se mezcla a su sangre: morir es vivir una vida más vasta y poderosa. ¿Lo creía realmente? Es verdad que temía a la muerte; también lo es que la amó y la deseó. La muerte fue su medusa y su sirena. Muerte dual, como todo lo que tocó, vio y cantó. La unidad es siempre dos. Por eso su emblema, como lo vio Juan Ramón Jiménez, es el caracol marino, silencioso y henchido de rumores, infinito que cabe en una mano. Instrumento musical, resuena con un «incógnito acento»; talismán, Europa lo ha tocado «con sus manos divinas»; amuleto erótico, convoca a «la sirena amada del poeta»; objeto ritual, su ronca música anuncia el alba y el crepúsculo, la hora en que se juntan la luz y la sombra. Es el símbolo de la correspondencia universal. Lo es también de la reminiscencia: al acercarlo a su oído escucha la resaca de las vidas pasadas. Camina sobre la arena, allí donde «dejan los cangrejos la ilegible escritura de sus huellas» y su mirada descubre a la concha marina: en su alma «otro lucero como el de Venus arde». El caracol es su cuerpo y es su poesía, el vaivén rítmico, el girar de esas imágenes en las que el mundo se revela y se oculta, se dice y se calla. En el segundo *Nocturno* hace la cuenta de lo que vivió y no vivió, dividido «entre un vasto dolor y cuidados pequeños», entre recuerdos y desgracias, iluminaciones y dichas violentas:

> Todo esto viene en medio del silencio profundo
> en que la noche envuelve la terrena ilusión,
> y siento como un eco del corazón del mundo
> que penetra y conmueve mi propio corazón.

En 1914, ya Europa en guerra, Darío regresa a América. En los últimos tiempos, los apuros materiales se añadían a los transtornos del cuerpo y el alma. Concibió el proyecto de realizar una gira de conferencias por el continente, acompañado por un compatriota suyo que actuaba como su empresario. En Nueva York cayó enfermo. Su compañero lo abandonó. Herido de muerte, se traslada a Guatemala. Allí lo recoge la implacable Rosario Murillo, que lo lleva a Nicaragua. Muere en su casa, el 6 de febrero de 1916. «El caracol la forma tiene de un corazón.» Fue su pecho de vivo y su cráneo de muerto.

Delhi, a 6 de octubre de 1964

[«El caracol y la sirena: Rubén Darío» se publicó por primera vez en *Revista de la Universidad,* México, diciembre de 1964, y, posteriormente, en *Cuadrivio,* Joaquín Mortiz, México, 1965.]

El pan, la sal y la piedra: Gabriela Mistral

Hoy se lee poco a Gabriela Mistral: su obra no padece en el purgatorio de la literatura sino en su limbo. Este olvido es un signo, uno más, de la frágil memoria histórica de los hispanoamericanos. La poesía de Gabriela Mistral es un manantial que brota entre rocas adustas en un alto paisaje frío pero calentado por un sol poderoso; olvidarla es olvidar una de nuestras fuentes. Más que una falta de cultura es un pecado espiritual. Pero las quejas y las imprecaciones son vanas. Recordaré solamente que, entre los escritores hispanoamericanos que vivieron en México en los primeros años de la década de 1920, invitados por José Vasconcelos, entonces ministro de Educación de la joven Revolución mexicana, Gabriela Mistral fue la figura más destacada. La otra gran figura, Haya de la Torre, pertenece al mundo de la política. La presencia de Gabriela Mistral en la patria de Sor Juana Inés de la Cruz fue, más que una coincidencia, una verdadera rima histórica y literaria: son las dos grandes poetisas de nuestras tierras. Mejor dicho: de la lengua española pues Santa Teresa es notable por su prosa y Rosalía de Castro es, sobre todo, una poetisa gallega.

Conocí a Gabriela Mistral en París, en 1946. Hablamos dos o tres veces, leyó mis poemas juveniles con simpatía y me previno sobre los peligros del cosmopolitismo: había que ser *telúrico.* Consejo más bien extraño si se piensa en su vida nómada. Pero es verdad que, si vivió en muchos países, su lenguaje era más raíz que hojas y flores. Aunque vivió en Provenza y en Castilla, en Toscana y en el valle de México, su habla conservó siempre su sabor nativo. Ésta fue una de sus grandes virtudes poéticas. Años después de nuestro primero y único encuentro, le envié un libro de poemas, *Libertad bajo palabra;* me respondió con una carta entusiasta y generosa. Yo he tenido suerte con los poetas chilenos. No excluyo a Neruda, al que admiré y quise; nos separó una larga y enconada querella que duró más de veinte años pero que terminó, un poco antes de su muerte, con un abrazo de reconciliación.

Gabriela Mistral fue muy distinta de Huidobro y de Neruda. Se mantuvo aparte tanto de las aventuras estéticas como de las disputas ideológicas de esos años. Su verdadero parentesco lo encuentro en dos poetas mexicanos de su misma generación: Alfonso Reyes y Ramón López Velarde. Fue muy amiga del primero. Con estos tres poetas termina el modernismo hispanoamericano. Se les ha llamado *posmodernistas;* la denominación es exacta aunque puede inducir a confusión: no sólo están después del modernismo sino que fueron y son algo muy diferente. Con ellos aparece el lenguaje de la conversación, cierto prosaísmo aliado al cultivo de las formas tradicionales. No rompieron con el pasado pero tampoco lo repitieron: exploraron otros caminos. En España no hay nada equivalente. La crítica ha sido injusta con ellos, sobre todo con Alfonso Reyes. Familiar de Góngora y de Lope tanto como de la poesía medieval, Reyes fue asimismo el que siguió de más cerca y con mayor simpatía algunas de las aventuras de la vanguardia. No sólo es un gran prosista sino un notable poeta: dejó una docena y pico de admirables poemas, un inolvidable divertimento que recuerda y supera a Baltasar del Alcázar *(Minuta)* y un gran poema dramático y filosófico cuyo tema es el mismo del teatro griego y del español: el misterio de la libertad *(Ifigenia cruel).* Con menor obra, otros poetas han ganado reputaciones más vastas. Reyes nunca alzó la voz y su discreción lo ha perjudicado.

A diferencia de López Velarde y de Reyes, en los que la ironía es una nota constante, apenas si hay humor en Gabriela Mistral. Ésta es su gran limitación. En cambio, su poesía es más grave que la de Reyes, que con frecuencia se perdía en jugueteos. Huyó también de los fuegos de artificio y de la originalidad *à outrance* que tentó a López Velarde. Sobria y apasionada, su voz tiene una tonalidad religiosa, incluso cuando habla de asuntos profanos. En Reyes la religión aparece, cuando aparece, como un vago deísmo heredado de la Ilustración o como una nostalgia, igualmente vaga, de las creencias infantiles. En Gabriela la religión se asocia, como en López Velarde, al erotismo, pero allí termina su parecido. Su poesía no tiene la intensidad cruel de la de López Velarde y evita esas expresiones que delatan el carácter ambiguo del placer, la caricia que se vuelve herida. Al mismo tiempo, su religión es más vasta que la de López Velarde y, me atrevo a decirlo, más viril. En Gabriela Mistral hay ecos inconfundibles de la Biblia, una voz que echo de menos en casi toda nuestra poesía moderna. Dije: *voz viril;* agrego ahora: voz de varona, voz de Judith o de Esther. Profunda y poderosa voz de montaña mujeril. La montaña es terrible porque es tiempo petrificado, inmensa forma quieta en cuyas entrañas duerme y sueña un mundo primordial: agua y metales, piedras y fuego. Lejana e imponente, la montaña de pronto se vuelve maternal y se convierte en colina pacífica. La vemos por la ventana y cada anochecer le contamos nuestras penas y alegrías.

Los temas de Gabriela son los de la vida: nacimientos y entierros, amores y soledad, corro de niños en la alameda y monólogo de una vieja en un cuarto. Es la poetisa de los misterios cotidianos: la diaria visita del sol, la conversación con los huesos y las yerbas del camposanto, el soliloquio del viento por las calles o de la luna en la azotea, la mesa para la comida en común, el mantel inmaculado, los platos y los vasos, el pan, la sal y la jarra de agua. Poesía hecha con las palabras de todos los días pero ungidas por el aceite invisible de lo sobrenatural. Realismo transfigurado, vida diaria transformada en rito y oficio divino. Habla del pan e inmediatamente el pan se vuelve criatura viva, a un tiempo hijo suyo (el hijo que no tuvo) y sustancia material convertida en maná espiritual. Eucaristía poética:

Dejaron un pan en la mesa,
mitad quemado, mirad blanco,
pellizcado encima y abierto
en unos migajones de ampo.

Huele a mi madre cuando dio su leche,
huele a tres valles por donde he pasado:
a Aconcagua, a Pátzcuaro, a Elqui,
y a mis entrañas cuando canto.

En mi infancia yo le sabía
forma de sol, de pez o de halo,
y sabía mi mano su miga
y el calor de pichón emplumado.

Después lo olvidé, hasta este día
en que los dos nos encontramos,
yo con mi cuerpo de Sara vieja,
y él con el suyo de cinco años...

Los otros elementos de la poesía de Gabriela Mistral son el paisaje —los altos valles, los ríos, las montañas y los pueblos de nuestra América aparecen continuamente en sus versos; el amor y sus contrarios: el abandono, la prohibición, la muerte; la ausencia y el hijo no tenido; el diálogo encarnizado con su divinidad, su dios «sin bulto ni peso». Diálogo entrecortado o, más bien, rota plegaria:

> Hace tanto que masco tinieblas
> que la dicha no sé reaprender;
> tanto tiempo que piso las lavas
> que olvidaron vellones los pies;
> tantos años que muerdo el desierto,
> que mi patria se llama la Sed.

El paisaje de Gabriela tiene una antigüedad sin fechas. Su emblema central es la piedra, que es sol pétreo ya frío, tiempo hecho materia dura y musgo verde, promesa de resurrección. La piedra es monolito precolombino, linde entre el desierto y el campo cultivado, iglesia y altar pero, sobre todo, es piedra sepulcral. Gabriela contempla largamente a la piedra y en su silencio oye no sé qué palabras misteriosas:

> Amo una piedra de Oaxaca
> o Guatemala, a que me acerco,
> roja y fija como mi cara
> y cuya grieta da un aliento.
>
> Al dormirme queda desnuda
> no sé por qué yo la volteo.
> Y tal vez nunca la he tenido
> y es mi sepulcro lo que veo.

Uno de los signos de la verdadera poesía es la presencia de la prosa en el verso. Quiero decir: en ciertos momentos privilegiados, sin cesar de ser música verbal, el verso adquiere una densidad que lo lleva no a disiparse en el aire sino a caer, con una suerte de hermosa fatalidad, para enterrarse y fructificar. Es la ley de la gravedad espiritual de la poesía. Algunos poemas de Gabriela Mistral, los mejores, son una inmejorable ilustración de esta ley. Esta rara cualidad se debe, como ya dije, a que fue uno de los pocos poetas de nuestra lengua que recogió y prolongó la tradición bíblica. En esa tradición la realidad más real está impregnada de religiosidad y las cosas más santas son también las cosas diarias. En sus poemas la vida de todos los días es una liturgia y los alimentos mismos —el pan y la leche, el agua y la carne, el azúcar y el aceite— se vuelven sacramentos. Uno de esos poemas está dedicado a la sal. Es admirable y no resisto a la tentación de citar unas líneas, breve recuerdo de la mujer que fue y pequeño homenaje a la gran poetisa que es:

La sal cogida de la duna,
gaviota viva de ala fresca,
desde su cuenca de blancura
me busca y vuelve su cabeza.

La cojo como a criatura
y mis manos la espolvorean,
y resbalando con el gesto
de lo que cae y se sujeta,
halla la blanca, ve la triste
duna de sal de mi cabeza.

México, 1988

[«El pan, la sal y la piedra: Gabriela Mistral» fue escrito en 1988 para celebrar el aniversario del nacimiento de Gabriela Mistral. Se publicó íntegro por primera vez en el volumen 3 de la primera edición de las *Obras completas.* Antes había aparecido un fragmento en *El Mercurio,* de Santiago de Chile.]

Decir sin decir: Vicente Huidobro

En «Lectura y contemplación»,[1] un ensayo publicado en los números 63 y 66 de *Vuelta,* recogido después en *Sombras de obras* (1983), me ocupo con cierta extensión de ese trance, conocido en todas las civilizaciones, durante el cual aquel o aquellos que lo experimentan prorrumpen en expresiones ininteligibles en lenguas desconocidas o imaginarias. Nuestra tradición religiosa llamó a ese fenómeno «hablar en lenguas» y lo consideró como un carisma; la psicología moderna lo considera como una alteración psíquica y lo designa con un nombre poco atractivo: glosolalia. Pero el fenómeno también es una experiencia poética. En la poesía moderna aparece, con una violencia que recuerda al «furor sagrado» de los antiguos, lo mismo en San Petersburgo y Moscú, entre los futuristas rusos, en 1913, que en Zurich, en 1917, entre los dadaístas. En mi ensayo hablo de las manifestaciones poéticas modernas de la glosolalia y cito de paso a Vicente Huidobro y a su poema *Altazor.* Al releer esas páginas, decidí agregar algo más sobre ese poema.

Vicente Huidobro es el iniciador de la poesía moderna en nuestra lengua. Hacia 1917, concibió una doctrina estética que llamó *creacionismo.* Nunca tuvo una formulación definitiva. No podía tenerla: Huidobro era brillante pero incapaz de desarrollar una idea, llevarla hasta sus últimas consecuencias, examinarla con rigor y, en fin, convertirla en una verdadera teoría. Su mente era fértil y precisa; además, tuvo buena puntería y disparaba sin cesar ocurrencias y paradojas. Muchas daban en el blanco y otras, después de un brillo momentáneo, se disipaban en humo. El creacionismo asignaba a la poesía moderna una misión distinta a la tradicional de representar o expresar a la realidad; de ahora en adelante, decía Huidobro, la poesía será inventora de realidades. El poeta debe utilizar las

[1] Incluido en el volumen I, *La casa de la presencia,* de estas OC.

fuerzas de la naturaleza; más exactamente, debe imitarla en sus procedimientos y, como ella, convertirse en un *productor* de objetos inéditos. La naturaleza produce lluvia, árboles, volcanes, leones, hormigas, estrellas; el poeta tiene que producir objetos nunca vistos: poemas. Uno de los primeros libros de Huidobro, escrito en francés, se llama *Horizon carré.* Un horizonte cuadrado, decía Huidobro, es «un hecho nuevo, inventado, creado por mí. Antes no existía». Pero no decía —¿se daba cuenta?— que se trataba de un hecho imaginario: en la realidad no hay ni puede haber horizontes cuadrados. Incluso puede agregarse que no los hay, tampoco, en el reino de la imaginación: un horizonte cuadrado, más que una realidad imaginaria, es una realidad meramente verbal. No la podemos *ver* con los ojos ni *pensarla* con la mente; en cambio, podemos *decirla.* La estética creacionista no fue tanto un error como una deducción precipitada de algunas de las ideas del cubismo. Con otros nombres fue compartida por varios poetas y artistas notables de ese tiempo, como Juan Gris, Pierre Reverdy y, un poco después, William Carlos Williams y e. e. cummings.[1]

En 1931 Huidobro publica *Altazor,* un extenso poema en siete cantos. *Altazor* no es una negación del creacionismo; tampoco es una reiteración: es una transmutación radical. Huidobro lo consideraba, con razón, como su obra central. Su gestación fue larga; el pasaje más antiguo fue escrito, según parece, en 1919. La elaboración debe de haber sido discontinua y, por decirlo así, espasmódica: periodos de intensa creación regidos por otros de olvido y desinterés. Premeditación e improvisación, concentración y dispersión. De ahí las desigualdades: *Altazor* es, a un tiempo, intenso y deshilvanado, elíptico y digresivo. Sobran muchas cosas porque el poeta se engolosina con sus hallazgos; de pronto, verdaderos cohetes, brotan surtidores verbales de concentrada belleza. No pocas veces esos disparos se disipan o se transforman en pueriles cabriolas, como si el poeta quisiese saltar sobre un territorio minado; pero otras, milagrosamente, el salto se vuelve danza sobre el abismo.

Montaña rusa, *looping the loop* poético, las subidas y bajadas de Altazor se deben sobre todo al temperamento de Huidobro. Los cambios de tono y la pluralidad de modos expresan, asimismo, su extraordinaria sensibilidad frente al tiempo y sus variaciones. Su gran virtud y su gran limitación fue la de ser un verdadero barómetro estético. Es un rasgo que comparte con muchos artistas del siglo XX y, entre ellos, con el más grande de

[1] Se adopta la grafía e. e. cummings, respetando el deseo del poeta estadunidense, que llegó a legalizar así el registro de su patronímico. [E.]

todos: Picasso. Del patetismo del canto primero, pletórico de imprecaciones y declaraciones, a la entrecortada glosolalia del canto séptimo, el poema es un cuerpo tatuado por los distintos cambios que experimentó la vanguardia, especialmente la francesa, entre 1920 y 1930. Esos cambios fueron vertiginosos y marcaron a Huidobro, temperamento ávido de riesgos y amante del vértigo. En suma: discontinuidad, intensidad, digresiones, diversidad de modos, pesimismo trágico, soberbia, puerilidad y, a pesar de todo esto, mejor dicho: *sobre todo esto,* sorprendente unidad. Sí, un texto central de nuestra poesía moderna.

Altazor es un poema de aliento épico, a la manera de los grandes poemas románticos. La estirpe romántica del poema lo distingue de la verdadera épica: el centro del poema, su tema, no son los hechos del héroe sino los cambios de su conciencia. Hay otra diferencia, ahora con los poemas románticos: Wordsworth canta los cambios de su visión poética y su lenta reconquista de la mirada primordial; el tema de *Altazor* es parecido, sólo que esos cambios no son psicológicos ni espirituales sino verbales. El universo se ha vuelto palabra y Altazor lucha con las palabras. La historia de Altazor —doble mítico de Huidobro: alto azor— es la de un viaje por los espacios celestes. El corcel sobre lo que asciende a las alturas, su pegaso, es un paracaídas. Ésta es la primera paradoja del poema y en ella están encerradas todas las otras. «La vida —dice Huidobro en el prefacio de *Altazor*— es un viaje en paracaídas.» Y unas líneas más adelante agrega: «Mago, he ahí tu paracaídas que una palabra tuya puede convertir en un parasubidas maravilloso como el relámpago que quisiera cegar al creador».

Huidobro concibe al hombre como perpetua caída, continuo despeñarse; no obstante, hay un momento en que el poeta —transformado en mago, es decir en poeta creacionista— puede convertir su caída en subida. Ese momento se llama, en la historia del espíritu, Altazor. A pesar de esta explícita afirmación, muchos críticos han visto en el poema el relato de una caída; otros, aunque aceptan el movimiento ascensional del poema, piensan que termina en un inmenso fracaso: Altazor se despeña repitiendo un puñado de sílabas sin sentido. No creo que estas interpretaciones sean fieles a las intenciones y propósitos de Huidobro. Tampoco al sentido general del poema. Para demostrarlo debo hacer un rápido repaso de los siete cantos.

Altazor comienza, en efecto, con el relato de una caída. Esa caída, punto de partida de la poética de Huidobro y tal vez de su filosofía vital, es triple: la caída del individuo Vicente Huidobro (y su doble: Altazor), la de los hombres en una época histórica (la primera posguerra mundial) y la del género humano, desde el origen de nuestra especie. El canto tiene momentos de dramatismo intenso y también otros divagatorios y enfáticos. Este primer canto es una suerte de traducción a la estética creacionista de las subidas y bajadas, efusiones y blasfemias de los románticos. Al final, como antes en el prefacio, hay un brusco viraje y el poeta dice: «Si buscáis descubrimientos [...] volvamos al silencio». Regreso a los orígenes: el silencio que invoca y convoca Huidobro es el del comienzo, antes del lenguaje. Hay que volver «al silencio de las palabras que vienen del silencio». Esa región no está aquí ni allá sino en un antes absoluto; en ese comienzo del comienzo que es el silencio, nacen palabras que son árboles que son estrellas que son pájaros. O sea: palabras que no son nombres de cosas sino cosas, objetos vivos. El tono es solemne y sin énfasis. Es uno de los momentos más tensos y, poéticamente, más felices del poema:

> Silencio
> La tierra va a dar a luz un árbol [...]
> Silencio
> Se oye el pulso del mundo como nunca pálido
> La tierra acaba de alumbrar un árbol

Así termina el canto primero. Reiteración del creacionismo. El canto segundo es una invocación a la mujer, sin la cual la creación poética es imposible. No es clara la función de este canto dentro de la economía general del poema. Es un artificio retórico que interrumpe la acción. La aventura de Altazor es solitaria y la mujer no vuelve a aparecer. Si Huidobro hubiese tenido a su lado un amigo como el que tuvo Eliot en Pound, ese amigo le habría aconsejado suprimir ese canto (y otros muchos pasajes), como hizo Pound con *The Waste Land.* El canto tercero es el principio de la acción. Es un canto combativo, polémico. Tal vez no sea innecesario recordar que el poema no relata el viaje de Altazor por los cielos de la astronomía sino por los del lenguaje. Sus aventuras son un continuo cuerpo a cuerpo con las palabras, a veces abrazo y otras pelea. Fidelidad al modelo heroico, guerra y amor, pero transpuesto al mundo del lenguaje: las criaturas con las que combate Altazor no son humanas, son vocablos. No chorrean sangre sino, en mezcla indescriptible, sonidos y sentidos.

El canto tercero es el de la lucha en contra de la poesía tradicional, «la poesía poética», hecha de trampas. Altazor vence y se lanza al espacio, al pleno cielo del cuarto canto. Allá empieza un juego más peligroso: fusiones de sílabas y confusiones de significados, colisiones, elisiones y alusiones. Digresiones, aciertos, idas y venidas de un poeta que no distingue entre sus creaciones auténticas y sus autoimitaciones. Facilidades y también repentinas felicidades, como el prodigioso pasaje de la golondrina que cambia sin cesar de forma y de especie (golonrima, golonrisa, golongira, golonniña), sin dejar nunca de ser la golondrina real. Muerte y transfiguración de las palabras y del héroe Altazor-Vicente:

> Aquí yace Altazor, fulminado por la altura
> Aquí yace Vicente, antipoeta y mago

No hay que llorar demasiado el sacrificio de Altazor. Su muerte es metafórica y se resuelve en una insólita resurrección: «el pájaro tralalí». Este pájaro no es otro que el espíritu transfigurado de Altazor. ¿En dónde canta? «En la rama de mi cerebro», responde Altazor. Canta porque «encontró la clave del eternifrete» que es la del «unipacio y el espaverso». El canto cuarto es el de la metamorfosis y Altazor ya puede lanzarse a otra y más difícil aventura. Comienzo del canto quinto, «el campo inexplorado». Ahora se juega y combate en pleno espacio, aunque fuera del tiempo. Altazor no aclara cómo puede girar en el espacio sin ser tocado por el tiempo. En el centro del «unipacio» gira el molino de viento, transposición poco afortunada de la cruz. Giran las aspas del molino cósmico: gran molienda de palabras y constelaciones, signos y planetas. Nuevas digresiones y regresiones, ahora más largas y obvias. Altazor asegura que el molino de las constelaciones *profetiza* en sus giros; sin embargo, apenas lo oímos, nos damos cuenta de que no dice nada nuevo. Juega con las palabras y las palabras juegan con Altazor, convertido en palabra que bota y rebota en los espacios. El «campo inexplorado» es un país de prodigios y maravillas *bon marché*. No obstante, como para refutar nuestro escepticismo, entre el tumulto de las repeticiones y las reiteraciones brota una línea fatal y que realmente viene del silencio: «oigo la risa de los muertos debajo de la tierra». Fin del quinto canto: el poeta Huidobro desmiente al creacionista Huidobro.

A lo largo de los cantos tercero, cuarto y quinto hemos visto a Altazor someter al lenguaje a una serie de operaciones violentas y eróticas: mutilaciones, divisiones, cópulas, yuxtaposiciones. También hemos asistido a la muerte de Altazor y a su transfiguración en el pájaro tralalí. En el canto sexto el poeta —mejor dicho: el pájaro tralalí— juega con palabras todavía cargadas de significación y las acopla con frenesí. En el último canto, el séptimo, el pájaro profiere voces más simples; no espacio, eternidad, infinito o universo sino monte, luna y estrella: *monlutrella*. El pájaro tralalí canta embelesado y *monlutrella* se disipa en vocales y líquidas consonantes. ¿Qué canta, qué dice el pájaro? Unas cuantas sílabas ya desprovistas de significación. El largo discurso de Altazor se resuelve en una serie de bloques silábicos a un tiempo cristalinos e impenetrables. La crítica ha visto en esta *insignificación* una prueba del fracaso de Altazor y de la *insignificancia* final del poema. Creo lo contrario: el fracaso de Altazor —si puede hablarse de fracaso— es otro: no es poético sino espiritual. Y no es un fracaso insignificante sino prometeico: hablamos porque no somos dioses. Y cuando queremos hablar como dioses, perdemos el habla.

La figura de Altazor tiene una indudable relación con las de Faetón e Ícaro. Los dos héroes son prototipos de aquellos que pretenden escalar los cielos y son castigados por su osadía. Sin embargo, hay diferencias entre ambos: Faetón es hijo de Apolo y quiere guiar los caballos del sol, como su padre; Ícaro intenta escapar del laberinto de Creta, en donde está encerrado con su padre, el astuto Dédalo. Es claro que Altazor se parece más a Faetón que a Ícaro. Pues bien, mientras Faetón cae fulminado por el rayo de Zeus, Altazor no cae: desaparece en las alturas, convertido en espacio y universo. Se ha vuelto unas cuantas sílabas que ya no significan sino que *son*. El ser ha devorado al significado. Para Huidobro la operación poética consiste en la fusión entre el significado y el ser. Extraña confusión: el lenguaje regresa al ser pero deja de ser lenguaje. Operación de divinización consecuente con el programa creacionista: el poeta crea como la naturaleza y como Dios. El parecido entre Altazor y Faetón se acentúa si se repara en que ambos intentan escalar el cielo porque los dos quieren ser dioses. Faetón se empeña en conducir los caballos de Apolo y Altazor en confundir habla y creación. Fracasos semejantes, aunque con una enorme diferencia: Faetón se ve caer y Altazor no tiene conciencia de su caída. El castigo de Huidobro es no haber sabido que las sílabas que canta Altazor en el canto séptimo son, literalmente, insensatas.

Los hombres hablamos palabras que designan esto o aquello; no decimos cosas sino nombres de cosas. Por esto las palabras tienen sentido, dirección: son puentes entre nosotros y las cosas y seres del mundo. Cada palabra apunta hacia un objeto o una realidad fuera de ella. El lenguaje nos relaciona con el mundo, sus cosas y sus entes. Los dioses, en cambio, según nos lo cuentan las cosmogonías, hablan estrellas, ríos, montes, caballos, insectos, dragones. Para ellos hablar es crear. Su habla es productiva. En nuestros días la crítica marxista —o, más bien, seudomarxista— atribuye a la actividad literaria una cualidad que, en rigor, sólo es aplicable a las lenguas divinas: la productividad. Los dioses, al hablar, producen; los hombres, al hablar, relacionan. La «producción» de Huidobro, como la de todos los escritores, consiste en combinar signos lingüísticos que forman un discurso. Lo que distingue a la tentativa de Huidobro es que, al final de su viaje, Altazor emite no un discurso sino unas cuantas sílabas danzantes. La crítica ha concluido dictaminando: su aventura termina en la abolición del significado y, por lo tanto, del lenguaje: una derrota. Sin embargo, para el poeta chileno cada una de las palabras o seudopalabras que dice Altazor (o el pájaro tralalí) es un objeto vivo y que, por serlo, ha dejado de significar. El lenguaje del canto final de *Altazor* ha alcanzado la dignidad suprema: la del pleno ser.

La superioridad del ser sobre el sentido es, desde Platón, radical: el sentido depende del ser. Para Huidobro la aventura de Altazor, que es la suya, termina en triunfo. Aquí es donde conviene matizar. Huidobro se equivoca, las sílabas sueltas con que termina su poema, aunque han dejado de ser propiamente signos, no son objetos vivos. Y más: no son, están a medio camino entre el sentido y el ser. Han dejado de ser palabra y aspiran al pleno ser sin lograrlo: son ilusiones y alusiones a aquella realidad que está más allá del sentido y que es indecible. En suma, podemos criticar a Huidobro y reírnos de su soberbia credulidad: ¡un pequeño dios que nada crea sino un puñado de sílabas! Pero no podemos hacer lo que han hecho los críticos: cambiar el sentido (la dirección) del vuelo de Altazor y ver una derrota en lo que, para su autor, fue una victoria. El viaje por el *unipacio* y el *espaverso* de Huidobro es la historia de la ascensión del sentido al ser. Al final el pájaro tralalí emite unas sílabas; no es una música sino un lenguaje más allá de sentido y sinsentido:

Lalalí
          lo ía
iii o
Ai a i ai ui a ía

El procedimiento favorito de Huidobro en los últimos cantos de *Altazor* no es otro que el de Lewis Carroll. En realidad, el método es tan antiguo como el lenguaje y ha sido inventado muchas veces, de una manera independiente y en distintas lenguas y épocas. Sin embargo, hay una diferencia esencial entre Huidobro y el poeta inglés. Lewis Carroll se propuso aumentar hasta el máximo la pluralidad de significados de la palabra (*portmanteau word:* palabra-baúl en la que caben varias palabras). La compresión de las palabras, en Carroll, está en relación directa con el número y la complejidad de los significados que encierra cada vocablo. El resultado fue una mayor riqueza de sentidos, no una anulación del significado. James Joyce extremó el método y comprimió las palabras (diez o quince en una) para multiplicar los sentidos. Al mundo de las palabras opuso la palabra-mundos. La tentativa de Huidobro se despliega en la dirección precisamente contraria; en los primeros cantos comprime los sonidos para yuxtaponer los sentidos, pero en los últimos el translenguaje del poeta tiende a convertirse en un idioma hecho de vocales y una que otra consonante, como la ele. Cada forma verbal ha dejado de significar. No acumulación de sentidos: progresivo ocaso de las significaciones. Los últimos versos de *Altazor* no dicen, rigurosamente, nada. Recuerdan a las invocaciones de los gnósticos que tanto irritaban a Plotino. La nada es la otra cara del ser.

México, 1985

[«Decir sin decir: Vicente Huidobro» se publicó en la revista *Vuelta,* núm. 107, México, octubre de 1985.]

Jorge Guillén

1. HORAS SITUADAS DE JORGE GUILLÉN

El lugar que ocupa Jorge Guillén en la poesía moderna de nuestra lengua es central. Lo es de una manera paradójica: su obra es una isla y, al mismo tiempo, el puente que unió a los supervivientes del modernismo y del 98 a la generación de 1925. Sus tres grandes antecesores, que concebían el poema como meditación (Unamuno) o exclamación (Jiménez) o palabra en el tiempo (Machado), seguramente vieron la aparición de sus primeras obras como una herejía. Machado no se mordió la lengua. En un artículo de 1929, después de saludar «a los recientes libros admirables de Jorge Guillén y de Pedro Salinas», agrega:

> Estos poetas —acaso Guillén más que Salinas— tienden a saltarse a la torera aquella zona central de nuestra psique donde fue engendrada siempre la lírica [...] Son más ricos de conceptos que de intuiciones... nos dan, en cada imagen, el último eslabón de una cadena de conceptos [...] Esta lírica artificialmente hermética es una forma barroca del viejo arte burgués.

Unos años más tarde, en 1931, reitera:

> Me siento en desacuerdo con los poetas del día. Ellos propenden a la destemporalización de la lírica [...] sobre todo por el empleo de imágenes más en función conceptual que emotiva [...] El intelecto no ha cantado jamás, no es su misión.

En otros escritos me he ocupado de las ideas de Machado sobre la poesía; así pues, aquí sólo repetiré que su crítica a los poetas modernos es parte de su repudio de la estética barroca. Aparte de ser injusta la condenación del barroco, identificarlo con el arte moderno es una confusión. Ambos, el poeta barroco y el moderno, piensan que la metáfora, imagen o agudeza, es el centro del poema; su función es crear la sorpresa, la «maravilla que suspende al ánimo», mediante el descubrimiento de relaciones insospechadas entre los objetos. Ahora bien, la imagen moderna es una aceleración de las relaciones entre las cosas y tiende siempre a ser dinámica y temporal; el «concepto» y la metáfora barrocos son movimiento congelado. La poesía de nuestro siglo XVII aspira a embelesar, su fin es la belleza; la moderna es una explosión o una exploración: destrucción o descubrimiento de la realidad. La primera es una estética; la segunda, una religión, un acto de fe o desesperación. El poema barroco es un monumento verbal: un clasicismo que se contempla y se *recrea,* en los dos sentidos de la palabra; el poema moderno es un emblema, un conjunto de signos: un romanticismo que reflexiona y se destruye. En suma, el edificio barroco es el reflejo de una construcción renacentista, contrahecho por las aguas cambiantes del río o del espejo; el poema moderno se asienta en un abismo: su fundamento es la crítica y sus materiales la corriente discontinua de la conciencia.

Ante las tendencias de la vanguardia los poemas de Guillén también me parecen algo así como un silencioso escándalo. Silencioso por su reserva; escándalo por su aparente negación del tiempo. (Otra vez el tiempo.) Como Unamuno, Machado y Jiménez, la vanguardia subrayó la identidad entre palabra y transcurrir, sólo que en forma más radical. Someterse al «murmullo inagotable» de la inspiración surrealista; entregarse al acto suicida del disparate dadaísta (hoy repetido hasta el vómito por discípulos sin genio, que lo han convertido en una rutina sin riesgo); creer, como creía Huidobro, que la imagen es sólo vuelo, confundiendo así creación y disparo... eran y son otras tantas maneras de disolver la palabra en el tiempo. ¿Y los ultraístas? El ultraísmo argentino y español no tuvo una estética —tuvo un gran poeta, Jorge Luis Borges, también obsesionado por el tiempo, aunque no como transcurrir sino como repetición o cesación del movimiento: eterno retorno o eternidad. Así pues, lo que separa a Jorge Guillén de sus antecesores es aquello que lo une a sus contemporáneos: la imagen; y se distingue de éstos por su concepción del poema. Para los surrealistas y dadaístas lo que cuenta es la experiencia poética, no el poema; para el creacionismo la poesía se reduce al objeto verbal, el poema. En el prólogo a la antología angloamericana de *Cántico,* Guillén define con una frase el propósito que lo animaba: «Era indispensable identificar, en el grado máximo, poema y poesía». Creía que el tiempo del poema no es el de la naturaleza (si éste tiene alguno) ni el humano. Por ser un signo, la palabra es notación del transcurrir; notación que, a su vez, transcurre y cambia. Estas notaciones, palabras que son ritmos y ritmos que son palabras, en sus distintas asociaciones y oposiciones engendran otro tiempo: un poema en el que, sin cesar de oír el correr de las horas humanas, oímos otras horas. Aquellas que oía Luis de León en el silencio de la noche serena. Se podría decir de los poemas de Guillén lo mismo que se dice de la música: «Máquina para matar el tiempo». Yo prefiero, no obstante, una fórmula más larga y más justa: máquina que mata el tiempo para resucitarlo en otro tiempo. Máquina de símbolos y ella misma símbolo del mundo que se crea ante nuestros ojos todos los días.

La actitud de Guillén ante el lenguaje era menos teórica y más directa que la de sus predecesores y contemporáneos. No se preguntó qué es el lenguaje sino cómo son las palabras y de qué manera debemos agruparlas para suscitar ese extraño ser que se llama poema. Selección y composición de frases y vocablos, el poema es un conjunto de signos quietos en la página; apenas los leemos, cobran vida, brillan o se apagan: significan. Poema: mecanismo de significados y ritmos que el lector pone en movimiento. Es asombroso que se haya tachado a Guillén, en España y en América, de poeta intelectual. En realidad los únicos poetas intelectuales de esa época fueron dos hispanoamericanos: el mexicano José Gorostiza y el argentino Jorge Luis Borges. Por ello son los poetas del tiempo —no *en* el tiempo, como quería Machado. (Todos estamos en el tiempo, todos somos tiempo, pero sólo unos cuantos se preguntan qué es lo que pasa cuando pasa el tiempo: los verdaderos poetas del tiempo. Borges y Gorostiza pertenecen a la gran tradición de la poesía intelectual: Coleridge, Leopardi, Valéry...) Aunque podemos extraer de la obra de Guillén una doctrina —Jaime Gil de Biedma lo ha hecho con talento—, el poeta castellano no se propuso reflexionar sino cantar. La reflexión no está en su canto: lo sostiene. Es el poeta menos intelectual de su generación, lo cual no quiere decir que sea el menos inteligente sino tal vez lo contrario: ejerce su inteligencia en sus poemas, no fuera de ellos. Como toda inteligencia, la suya es crítica; como toda crítica creadora, es invisible: no está en lo que dice sino en cómo se dice y sobre todo en lo que no se dice. El silencio forma parte del lenguaje y un poeta auténtico se distingue más por el temple de sus silencios que por la sonoridad de sus palabras. La inteligencia de Guillén no es especulativa; es un saber en acción, una sabiduría sensible: tacto ante el peso y el calor, el color y el sentido de las palabras, sin excluir al monosílabo casi incorpóreo.

Inteligencia de artesano al servicio del hacer: una forma del instinto. Sólo que es un instinto lúcido, capaz de reflexionar sobre sí mismo. Por eso también es una conciencia. No es extraño que se le haya comparado con Valéry. Aunque sus primeros poemas revelan la lectura del poeta francés, el parecido es superficial; quiero decir: es una semejanza de apariencias o superficies, no de coloración, entonación y sentido. En ambos poetas la palabra tiende a ser transparente, pero las realidades físicas y espirituales que vemos a través de esa transparencia son muy distintas. La claridad de Valéry es un acto de la conciencia que se contempla a sí misma hasta anularse. Las palabras no reflejan al mundo; esos senos y sierpes, esas islas y columnas que aparecen en sus poemas son un paisaje de signos sensibles, ficciones que inventa la conciencia para probarse que existe. El tema de *La joven Parca* es la conciencia de sí mismo; si el de *El cementerio marino* no es el de su inexistencia, lo es de su irrealidad: el yo está condenado a pensarse sin tocar jamás la piel incendiada del mar. *Plus je pense à toi, Vie, moins tu te rends à la pensée...* La conciencia vive de aquello que la mata, «secretamente armada de su nada». El diálogo de Valéry es consigo mismo: *Cántico* es «el diálogo entre el hombre y la creación». La transparencia de Guillén refleja al mundo y su palabra es perpetua voluntad de encarnación. Pocas veces la lengua castellana ha alcanzado tal plenitud corporal y espiritual. Totalidad de la palabra. Han llamado a Guillén: poeta del ser. Es exacto, a condición de concebir al ser no como una idea o una esencia sino como una presencia. En *Cántico* el ser *aparece* efectivamente. Es el mundo, la realidad de este mundo. Presencia plural y una, mil apariencias adorables o terribles resueltas en una poderosa afirmación de gozo. La alegría es poder, no dominio. Es el gran Sí con que el ser se celebra y se canta a sí mismo.

La palabra de Guillén no está suspendida en el abismo. Conoce la embriaguez del entusiasmo, no el vértigo del vacío. La tierra que sostiene a su palabra es esta tierra que pisamos todos los días, «prodigiosa y no mágica»: maravilla que la física explica en una fórmula y que el poeta saluda con su exclamación. Estar plantado en el suelo es una realidad que entusiasma al poeta; diré, además, que el vuelo también lo exalta y por la misma razón: el salto no es menos real que la gravitación. No es un poeta realista: su tema es la realidad. Una realidad que la costumbre, la falta de imaginación o el miedo (nada nos asusta tanto como la realidad) no nos dejan ver; cuando la vemos, su abundancia alternativamente nos embelesa y nos anonada. *Abundancia*, subraya Guillén, no es hermosura. Abundancia de ser: las cosas son lo que son y por eso son ejemplares. En cambio, el hombre no es lo que es. Guillén lo sabe y de ahí que *Cántico* no sea un himno al hombre: es el elogio que hace el hombre al mundo, el ser que se sabe nada al ser henchido de ser. La nube, la muchacha, el álamo, el automóvil, el caballo —todo, son presencias que lo entusiasman. Son los regalos del ser, los presentes que nos hace la vida. Poeta de la presencia, Guillén es el cantor del presente: «El pasado y el futuro son ideas. Sólo es real el presente». El ahora en que todas las presencias se despliegan es un punto de convergencia: si la unidad del ser se dispersa en el tiempo, su dispersión se concentra en un instante. El presente es el punto de vista de la unidad, la claridad instantánea que la revela. *Cántico* es una ontología sensible... Pero reduzco a ideas y conceptos muchas intuiciones, momentos de pasmo, exclamaciones, y desfiguro así ciertas experiencias cotidianas y singulares. Levantado por la gran ola vital, el poeta exclama: «Cantar, cantar sin designio». Sin designio, no sin medida. La alegría brota de la abundancia rítmica; a su vez la alegría es rítmica. La onomatopeya y el estribillo se ajustan al número y poseen una significación: «Mármara, mar, maramar...» Cantar sin designio, no sin compás ni sin sentido.

La exaltación del mundo y del instante ha hecho que varios críticos señalen cierta afinidad entre el poeta español y Whitman. El mismo Guillén ha subrayado más de una vez un parentesco con el autor de *Leaves of Grass*. El parecido es ilusorio. Whitman ve al ser más como movimiento que como presencia. La contemplación del movimiento, que en otros espíritus produce un vértigo (nada permanece, creación y destrucción, ayer y mañana, bien y mal son sinónimos), se convierte en el poeta angloamericano en celebración del futuro. Su realidad se llama futuro: no es esto que vemos sino aquello que vendrá. Detrás de Guillén hay la vieja noción hispánica y católica de la sustancia; detrás de Whitman la visión del devenir. Y más: la idea del mundo como acción: la realidad es aquello que hago. Por esto Whitman es un poeta instalado con naturalidad en la historia —sobre todo si se piensa, como él pensaba, que historia quiere decir: pueblo en marcha. El verdadero paisaje de Whitman no es la naturaleza sino la historia: aquello que hacen los hombres con el tiempo, no lo que hace el tiempo con nosotros. Después de *Cántico* Guillén ha escrito otro libro: *Clamor*.[1] Su tema son los «elementos negativos: mal, desorden, muerte». Sátira, elegía, moral: el poeta ante la historia contemporánea. Saltan a la vista las

[1] *Maremágnum, Que van a dar en el mar...* y *A la altura de las circunstancias.*

diferencias. Para Guillén la historia es el mal; para Whitman, el movimiento irresistible de la vida cósmica que, aquí y ahora, encarna en la hazaña de un pueblo destinado a la universalidad. El poeta castellano está *frente* a lo que pasa y por eso escribe sátiras y elegías, formas que implican una distancia y un juicio; el angloamericano se confunde con el movimiento ascendente de la historia —es la historia misma, y su canto es la celebración, no el juicio, de lo que está pasando.

Clamor muestra otro aspecto del hombre Guillén y así nos revela la exactitud de aquella frase de Camus: «solitario: solidario». Pero temo que este libro no nos revele otra cara de su poesía. Guillén no es Whitman. Tampoco es Maiakovski. No es sorprendente: para los españoles e hispanoamericanos la historia no es lo que hemos hecho o hacemos sino lo que hemos dejado que los otros hagan con nosotros. Desde hace más de tres siglos nuestra manera de vivir la historia es sufrirla. Guillén la ha sufrido como la mayoría de los españoles de su generación: guerra, opresiones, destierro. No obstante, la historia no es su pasión aunque sea su justa y honrada preocupación. Si hay un poeta en lengua castellana para el que la historia haya sido a un tiempo elección y destino, pasión compartida y repartida; ese poeta es César Vallejo. El peruano no juzga; como Whitman, participa, aunque en sentido inverso: no es el actor sino la víctima. Así, también él es la historia. El tema de Guillén es más vasto y universal que el de Vallejo pero más exterior: denuncia al mal, no lo expía. El mal no es sólo aquello que nos hacen sino lo que nosotros hacemos. Reconocerlo es una de las pocas vías de acceso a la historia real y ése fue el gran acierto de *La Chute,* libro ejemplar aunque *manqué.* (Conviene decirlo ahora que está de moda menospreciar a Camus.) Deseo que se me entienda: al decir que Guillén no interioriza el mal, que no lo hace suyo y, así, que no lo conjura ni exorciza, no le reprocho su actitud moral ni lo acuso de maniqueísmo. La baja de tensión en muchos pasajes de *Clamor* confirma simplemente que la universalidad de un poeta, y Guillén es un poeta universal, no depende de la extensión de sus preocupaciones morales, filosóficas o estéticas, sino de la concentración de su visión poética. A unos les toca escribir *Cánticos* o *Anabasis,* a otros *Los cantares de Pisa* o *Poemas humanos.*

La influencia de Guillén en la poesía de nuestra lengua ha sido profunda y fértil. Profunda, porque ha sido lo contrario de una moda: la elección de unos cuantos poetas aislados; fértil, porque fue un ejemplo crítico y así nos enseñó que todo decir implica un callar, toda creación una crítica. Desde el principio fue un maestro, lo mismo para sus contemporáneos que para los que llegamos después. Federico García Lorca fue el primero en reconocerlo; estoy seguro de que no seré yo el último. También sus mayores se dieron cuenta de la significación de su poesía *y* la crítica de Machado está teñida de admiración consciente. Cito a Machado porque, a mi juicio, es el antípoda de Guillén —algo, por lo demás, que el mismo Machado sabía mejor que nadie. Dos poetas que admiro lo atacaron con saña. Es frecuente entre nosotros la pequeñez en los grandes: ¿será necesario recordar a Quevedo, Góngora, Lope de Vega, Mira de Amescua? Menciono a los muertos porque prefiero no acordarme de algunos vivos no menos ilustres. Pero Guillén no es un gran poeta por la influencia que ha ejercido sino por la perfección de sus creaciones. Sus poemas son verdaderos poemas: objetos verbales cerrados sobre sí mismos y animados por una fuerza cordial y espiritual. Esa fuerza se llama entusiasmo. Su otro nombre: inspiración. Otro más: fidelidad, fe en el mundo y en la palabra. El mundo de la palabra tanto como la palabra del mundo: *Cántico.* Ante el espectáculo del universo —no ante el de la historia— dijo una vez: *el mundo está bien hecho.* Frente a su obra lo único que habría que decir es repetir esas palabras.

Delhi, 25 de agosto de 1965

[«Horas situadas de Jorge Guillén» fue escrito a propósito de la aparición de *Cántico: a selection,* editado por Norman Thomas di Giovanni, Atlantic-Little Brown, 1965. Se publicó en *Puertas al campo,* UNAM, México, 1966.]

2. EL *MÁS ALLÁ* DE JORGE GUILLÉN

I

(El alma vuelve al cuerpo,
Se dirige a los ojos
Y choca.) —¡Luz! Me invade
Todo mi ser. ¡Asombro!

Intacto aún, enorme,
Rodea el tiempo. Ruidos
Irrumpen, ¡Cómo saltan
Sobre los amarillos

Todavía no agudos
De un sol hecho ternura
De rayo alboreado
Para estancia difusa,

Mientras van presentándose
Todas las consistencias
Que al disponerse en cosas
Me limitan, me centran!

¿Hubo un caos? Muy lejos
De su origen, me brinda
Por entre hervor de luz
Frescura en chispas. ¡Día!

Una seguridad
Se extiende, cunde, manda.
El esplendor aploma
La insinuada mañana.

Y la mañana pesa,
Vibra sobre mis ojos,
Que volverán a ver
Lo extraordinario: todo.

Todo está concentrado
Por siglos de raíz
Dentro de este minuto,
Eterno y para mí.

Y sobre los instantes
Que pasan de continuo
Voy salvando el presente,
Eternidad en vilo.

Corre la sangre, corre
Con fatal avidez.

A ciegas acumulo
Destino: quiero ser.

Ser, nada más. Y basta.
Es la absoluta dicha.
¡Con la esencia en silencio
Tanto se identifica!

¡Al azar de las suertes
Únicas de un tropel
Surgir entre los siglos,
Alzarse con el ser,

Y a la fuerza fundirse
Con la sonoridad
Más tenaz: sí, sí, sí,
La palabra del mar!

Todo me comunica,
Vencedor, hecho mundo,
Su brío para ser
De veras real, en triunfo.

Soy, más, estoy. Respiro.
Lo profundo es el aire.
La realidad me inventa,
Soy su leyenda. ¡Salve!

II

No, no sueño. Vigor
De creación concluye
Su paraíso aquí:
Penumbra de costumbre.

Y este ser implacable
Que se me impone ahora
De nuevo —vaguedad
Resolviéndose en forma

De variación de almohada,
En blancura de lienzo,
En mano sobre embozo,
En el tendido cuerpo.

Que aún recuerda los astros
Y gravita bien— este
Ser, avasallador
Universal, mantiene

También su plenitud
En lo desconocido:
Un más allá de veras
Misterioso, realísimo.

III

¡Más Allá! Cerca a veces,
Muy cerca, familiar,
Alude a unos enigmas.
Corteses, ahí están.

Irreductibles, pero
Largos, anchos, profundos
Enigmas —en sus masas.
Yo los toco, los uso.

Hacia mi compañía
La habitación converge.
¡Qué de objetos! Nombrados,
Se allanan a la mente.

Enigmas son y aquí
Viven para mi ayuda,
Amables a través
De cuanto me circunda.

Sin cesar con la móvil
Trabazón de unos vínculos

Que a cada instante acaban
De cerrar su equilibrio.

IV

El balcón, los cristales,
Unos libros, la mesa.
¿Nada más esto? Sí,
Maravillas concretas.

Material jubiloso
Convierte en superficie
Manifiesta a sus átomos
Tristes, siempre invisibles.

Y por un filo escueto,
O al amor de una curva
De asa, la energía
De plenitud actúa.

¡Energía o su gloria!
En mi dominio luce
Sin escándalo dentro
De lo tan real, hoy lunes.

Y ágil, humildemente,
La materia apercibe
Gracia de Aparición:
Esto es cal, esto es mimbre.

V

Por aquella pared,
Bajo un sol que derrama,
Dora y sombrea claros
Caldeados, la calma

Soleada varía.
Sonreído va el sol

Por la pared. ¡Gozosa
Materia en relación!

Y mientras, lo más alto
De un árbol —hoja a hoja
Soleándose, dándose,
Todo actual— me enamora.

Errante en el verdor
Un aroma presiento,
Que me regalará
Su calidad: lo ajeno.

Lo tan ajeno que es
Allá en sí mismo. Dádiva
De un mundo irremplazable:
Voy por él a mi alma.

VI

¡Oh perfección! Dependo
Del total más allá,
Dependo de las cosas.
Sin mí son y ya están

Proponiendo un volumen
Que ni soñó la mano,
Feliz de resolver
Una sorpresa en acto.

Dependo en alegría
De ese lustre que ofrece
Lo ansiado a su raptor,
De un cristal de balcón,

Y es de veras atmósfera
Diáfana de mañana,
Un alero, tejados,
Nubes allí, distancias.

Suena a orilla de abril
El gorjeo esparcido
Por entre los follajes
Frágiles. (Hay rocío.)

Pero el día al fin logra
Rotundidad humana
De edificio y refiere
Su fuerza a mi morada.

Así va concertando,
Trayendo lejanías,
Que al balcón por países
De tránsito deslizan.

Nunca separa el cielo.
Ese cielo de ahora
—Aire que yo respiro—
De planeta me colma.

¿Dónde extraviarse, dónde?
Mi centro es este punto:
Cualquiera. ¡Tan plenario
Siempre me aguarda el mundo!

Una tranquilidad
De afirmación constante
Guía a todos los seres,
Que entre tantos enlaces

Universales, presos
En la jornada eterna,
Bajo el sol quieren ser
Y a su querer se entregan

Fatalmente, dichosos
Con la tierra y el mar

De alzarse a lo infinito:
Un rayo de sol más.

Es la luz del primer
Vergel, y aun fulge aquí,
Ante mi faz, sobre esa
Flor, en ese jardín.

Y con empuje henchido
De afluencias amantes
Se ahínca en el sagrado
Presente perdurable

Toda la creación,
Que al despertarse un hombre
Lanza la soledad
A un tumulto de acordes.

[Jorge Guillén, *Más allá*, en *Cántico*]

1

Jorge Guillén es un español de Castilla, lo cual no quiere decir que sea más español que los españoles de las otras regiones sino que lo es de una manera distinta. Ningún casticismo: Guillén es un español europeo y pertenece a un momento en el que la cultura española se abría al pensamiento y al arte de Europa. Pero a diferencia de Ortega, animador e inspirador de ese grupo, Guillén estuvo más cerca de Francia que de Alemania. Hizo estudios universitarios en París, donde se casó en primeras nupcias y donde enseñó. También impartió cursos en Oxford. Regresó a España y no tardó en convertirse en una de las figuras sobresalientes de la generación que en 1932, en una antología célebre, dio a conocer Gerardo Diego. Una generación paralela a la que en México se agrupó en torno a la revista *Contemporáneos.* La guerra civil dispersó a los poetas españoles. Guillén vivió durante años en Estados Unidos. Durante gran parte de su vida ha sido profesor universitario. Ha residido largas temporadas en Italia, donde se casó en segundas nupcias. Un europeo completo. También un hispanoamericano cabal: conoce nuestro continente y tiene amigos en todos nuestros países. Ha estado en México varias veces y sus amigos mexicanos nos enteramos con alegría de que, hace unas semanas, se le otorgó el premio Alfonso Reyes. A don Alfonso también le habría alegrado saberlo: lo quiso y admiró.

Su obra es vasta y casi toda en verso. Tres libros: *Cántico, Clamor* y *Homenaje.* Los subtítulos son esclarecedores: *Cántico: Fe de Vida* —afirmación del ser y afirmación de ser. Este libro ha tenido una influencia muy grande en nuestra lengua. *Clamor: Tiempo de Historia* —el poeta en los corredores (errores y horrores) de la historia contemporánea. *Homenaje: Reunión de vidas* —el poeta no entre ni frente a los hombres sino con ellos. Y sobre todo con las mujeres: Guillén es un poeta para el que la mujer existe. Estoy seguro de que me aprobaría si me oyese decir que la mujer es la forma suprema de la existencia. *Reunión de vidas,* asimismo, con los poetas vivos y muertos: en ese libro Guillén dialoga con sus maestros, sus antepasados en el arte poético y sus contemporáneos y sucesores. Cuando comenzó a escribir, fue considerado un poeta estricto; ahora nos damos cuenta de que también ha sido un poeta extraordinariamente fecundo: en 1973 publicó un nuevo libro, llamado sencillamente *Y otros poemas.*

Guillén pertenece a un grupo de escritores que se sabían parte de una tradición que rebasa las fronteras lingüísticas. Todos ellos se sentían no sólo alemanes, franceses, italianos o españoles sino europeos. Víctima de los nacionalismos, la conciencia europea se atenúa progresivamente hasta casi desaparecer durante el siglo XIX. Su renacimiento, a comienzos de este siglo, es algo que no había experimentado Europa desde el XVIII. Ejemplos de esta sensibilidad: Rilke, Valery Larbaud, Ungaretti, Eliot. Aquí debo mencionar a dos hispanoamericanos: Alfonso Reyes y Jorge Luis Borges. Es revelador que casi todos ellos hayan escrito en su lengua natal y en francés —salvo Borges, que lo ha hecho en inglés. En aquellos años París era todavía el centro, ya que no del mundo, sí del arte y de la literatura... En ese París del primer tercio de siglo pasó Guillén años decisivos en su formación. El París de Huidobro había sido el de la revuelta en el arte y la poesía: Picasso, Reverdy, Tzara, Arp, los comienzos del surrealismo. Guillén está más cerca de la *Nouvelle Revue Française* y, sobre todo, de *Commerce,* la gran revista de poesía que editaban Paul Valéry, Léon Paul Fargue y Valéry Larbaud —el gran Larbaud, el amigo de Gómez de la Serna, Reyes, Güiraldes.

Por sus inclinaciones clásicas Guillén hace pensar en un Eliot mediterráneo. Pero el ensayo y la crítica no tienen en la obra de Guillén el lugar que ocupan en la de Eliot. Hay algo, además, que lo separa radicalmente de Eliot: en su obra apenas si hay huellas de cristianismo. Su tema es sensual e intelectual: el mundo tocado por los sentidos y la mente. Poesía profundamente mediterránea, Guillén está muy cerca de Valéry. Fue su amigo, sufrió su influencia y su traducción de *El cementerio marino* es una obra maestra. No obstante, las semejanzas entre Valéry y Guillén no anulan diferencias profundas. Valéry es un espíritu de una penetración prodigiosa, una de las mentes realmente luminosas de este siglo. Un gran escritor dotado de dos cualidades que en otros aparecen opuestas: el rigor intelectual y la sensualidad. Pero estos dones admirables y únicos están como perdidos en una suerte de vacío: no tienen soporte, mundo. El yo, la conciencia, se ha tragado al mundo. Esta evaporación de la realidad, ¿es la pena que el escéptico debe pagar si quiere ser coherente consigo mismo? No lo creo. Hume no fue menos escéptico y, no obstante, su obra posee una arquitectura que no tiene la de Valéry. Los poderes de desconstrucción de Valéry eran mayores que sus poderes de construcción. Sus *Cahiers* son una ruina imponente. Valéry fue una palanca espiritual poderosísima a la que le faltó un punto de apoyo. Los poderes críticos y analíticos de Guillén son menores pero a su palanca espiritual no le faltó apoyo.

Para Guillén la realidad es lo que tocamos y vemos: la fe de los sentidos es la verdadera fe de todo poeta. Este rasgo acerca a Guillén a ciertos pintores. No a los realistas sino a un artista como Juan Gris, en el que el rigor de la abstracción se funde a la fidelidad al objeto concreto. En Guillén, buen mediterráneo, la sensualidad es dominante y esto lo acerca a otro gran pintor: Matisse. Estos nombres, me parece, trazan el perfil espiritual de Guillén: la lucidez hace pensar en Valéry; el rigor casi ascético frente al objeto lo acerca a Juan Gris; la línea que se curva como un río femenino evoca a Matisse. Pero la luz que ilumina su poesía es la de la meseta castellana, la luz que nos viene de fray Luis de León y sus odas horacianas.

Guillén regresó a España en 1924. Tenía treinta años. No había publicado ningún libro. Fue un poeta tardío, al contrario de Lorca y Alberti. El panorama de la poesía española en esos días era muy rico. Nunca, desde el siglo XVII, había contado España con tantos poetas excelentes. Ese momento fue el mejor de Juan Ramón Jiménez y se prolonga hasta *Espacio* y sus últimos poemas. Fue también el de su influencia sobre los jóvenes. Juan Ramón escribía una poesía simple, inspirada en la vena tradicional de la lírica española: canciones, romances, coplas y otras formas populares. Poemas cortos, cerca de la exclamación; poemas frescos, surtidores súbitos. Poesía de ritmos populares pero poesía aristocrática, refinada y, hoy lo vemos, poesía sin huesos, sin arquitectura, demasiado subjetiva. Aunque los poetas jóvenes seguían a Juan Ramón, sus imágenes venían del creacionismo y el ultraísmo. El sistema metafórico de Huidobro había conmovido, unos pocos años antes, a los poetas de América y España. Extraña pero muy española amalgama de tradicionalismo y vanguardia: Alberti componía madrigales al billete de tranvía y Salinas canciones al radiador.

En esos años se hablaba mucho de *poesía pura*. Juan Ramón la definía como lo simple, lo sencillo y refinado: una palabra reducida a lo esencial. En realidad, Juan Ramón no definía tanto a la *poesía pura* como a su propia poesía. Guillén venía de Francia, en donde también triunfaba la noción de *poesía pura*. La concepción francesa era más rigurosa. El abate Bremond había definido a la *poesía pura* con una no-definición: era lo indefinible, lo que está más allá del sonido y del sentido, algo que se confundía con la plegaria y el éxtasis. Aunque para Valéry la poesía no era ni balbuceo ni plegaria, sus definiciones eran también, en su aparente simplicidad, enigmáticas: poesía era todo aquello que no se puede decir en prosa. Pero ¿qué es lo que no se puede decir en prosa? En una carta a un amigo Guillén define brevemente su posición. Es muy de Guillén esto de formular su poética en una carta a un amigo: Huidobro había lanzado varios manifiestos y otros hemos escrito ensayos y aun libros. Vale la pena reproducir un fragmento de esa carta, aunque sea muy conocida:

> Bremond ha sido y es útil. Representa la apologética popular, como catequística poética para el domingo por la mañana. Y su discurso es un sermón. Pero, ¡qué lejos está todo ese misticismo, con su fantasma metafísico e inefable, de la poesía pura, según Poe, según Valéry y según los jóvenes de allí o de aquí! Bremond habla de la poesía en el poeta, de un *estado poético*, y eso ya es mala señal. No, no. No hay más poesía que la realizada en el poema y de ningún modo puede oponerse al poema un *estado inefable* que se corrompe al realizarse [...] Poesía pura es matemática y es química —y nada más— en el buen sentido de esa expresión lanzada por Valéry y que han hecho suya algunos jóvenes matemáticos y químicos, entendiéndola de modo muy diferente, pero siempre dentro de esa dirección inicial y fundamental. El mismo Valéry me lo repetía, una vez más, cierta mañana en la rue de Villejust. Poesía pura es todo lo que permanece en el poema después de haber eliminado todo lo que no es poesía. *Pura* es igual a *simple* químicamente [...] Como a lo *puro* lo llamo *simple*, me decido resueltamente por la poesía compuesta, com-

pleja, por el poema con poesía y otras cosas humanas. En suma, una poesía bastante pura, *ma non troppo,* si se toma como unidad de comparación el elemento *simple* en todo su inhumano o sobrehumano rigor posible teórico.

Guillén negaba que hubiese «estados poéticos»: la poesía está en el poema, es un hecho verbal. Esta actitud lo separaba radicalmente no sólo de Bremond sino, en el otro extremo, de los surrealistas, que atribuían más importancia a la experiencia poética que al hecho de escribir poemas. Guillén se daba cuenta, por lo demás, de que una poesía puramente poética, sería bastante aburrida. Y algo más grave: era una imposibilidad lingüística pues el lenguaje es constitucionalmente impuro. Una *poesía pura* sería aquella en la que el lenguaje habría dejado de ser lenguaje... La idea de la *poesía pura* era muy de la época. Años antes la física había intentado aislar los componentes últimos de la materia. Por su parte, los pintores cubistas reducían el objeto a una serie de relaciones plásticas. A ejemplo de los físicos y de los pintores, según ha recordado Jakobson más de una vez, los lingüistas habían tratado de encontrar los elementos últimos del lenguaje, las partículas significativas. Esta orientación intelectual se manifestó poderosamente en la filosofía de Edmund Husserl, la fenomenología. También los filósofos de esta tendencia intentaron reducir las cosas a sus esencias y así se hicieron ontologías regionales de la silla, el lápiz, la garra, la mano. Lo malo es que estas ontologías terminaban casi siempre en expresiones como éstas: la silla es la silla, la poesía es la poesía (o sea: todo aquello que no es prosa). La fenomenología desemboca, me temo, en tautologías. Pero la tautología es, quizá, la única afirmación metafísica al alcance de los hombres. Lo más que podemos decir del ser es que es.

2

El poema *Más allá,* nuestro tema de esta noche, fue escrito entre 1932 y 1934. Apareció por primera vez en el número 142 de *Revista de Occidente,* en 1935. *Más allá* es el poema inicial, la *obertura* de ese extraordinario concierto que es *Cántico.*

El tema central del libro está contenido en *Más allá.* Es un poema semilla, un poema de poemas. No es demasiado extenso: apenas 200 versos, todos ellos de siete sílabas. El poema está dividido en cuartetos. Rima asonante. Sólo riman los versos pares y en cada cuarteto cambia la rima. La versificación de Guillén es la más rica y variada de la poesía contemporánea de nuestra lengua y *Más allá* es sobriamente rico —por decirlo así— en imágenes y en aliteraciones. El oído y la vista, los dos sentidos cardinales del poeta, sus dos alas. El poema está compuesto por seis partes: la primera tiene quince cuartetos o sea sesenta versos; la segunda, tercera, cuarta y quinta son de cinco cuartetos cada uno; la sexta repite a la primera. Mesura y proporción, lo contrario de Huidobro y Neruda. Hay muchas interpretaciones de *Más allá*. Nosotros vamos a leerlo con inocencia. Ya veremos después si coincidimos o no con lo que han dicho los doctos. He pensado que lo mejor será leer cada parte por separado y comentarla. Una breve advertencia. El tema de *Más allá* es simple: un hombre duerme y, en la mañana, despierta. Este acto cotidiano e inmemorial es el tema o, más bien, la circunstancia desde la que se despliega el poema. El poema comienza así: «El alma vuelve al cuerpo, / Se dirige a los ojos / Y choca. —¡Luz! Me invade / Todo mi ser. ¡Asombro!» Guillén no nos dice dónde estuvo el alma antes ni tampoco si el alma es distinta al cuerpo. La luz toca sus párpados, le hace abrir los ojos y, al ver, se asombra: comienza el poema. No sé si ustedes recuerdan el *Primero sueño* de Sor Juana: una mujer duerme y cuando la luz toca sus párpados y despierta, el poema termina. En *Primero sueño*, escrito desde la perspectiva del hermetismo neoplatónico, el alma también se asombra ante el espectáculo del mundo pero la situación es precisamente la contraria: el cuerpo está dormido y, mientras duerme, el alma libre de su peso puede viajar y contemplar el mundo. No sólo hay separación entre el alma y el cuerpo sino que el alma está despierta mientras el cuerpo duerme. Sueños como el que relata Sor Juana en su poema se llamaban, en el siglo II d.C., *sueños de anábasis* y eran practicados por las sectas gnósticas y herméticas. Eran sueños de iluminación y de conocimiento. El Renacimiento, al recoger la tradición neoplatónica y hermética, se interesó profundamente en ellos. En el poema de Guillén nos enfrentamos a la situación opuesta: el día y no la noche, el despertar y no el dormir, la actividad de la conciencia no separada sino fundida a la actividad del cuerpo. En Sor Juana el alma viaja y se escapa del cuerpo durante la noche; en Guillén el alma regresa al cuerpo en la mañana. Ahora comenzaré mi comentario con la lectura de la primera parte de *Más allá*.

Primera parte

Las cuatro primeras estrofas describen el momento del despertar. Primero, la luz. Casi al mismo tiempo: los ruidos, que se funden a los colores y las formas. El mundo de las tres dimensiones. Estas sensaciones limitan, centran al que despierta. En el sueño, era parte del fluir del universo; ahora, despierto, separado del fluir, se siente aparte y, no obstante, se sabe parte de ese transcurrir universal. El sueño fue un caos. El día ha triunfado y su triunfo es el de la conciencia. Para Sor Juana el triunfo del día significaba la derrota del alma. Con el día, el alma volvía a ser prisionera del cuerpo y de los sentidos. Para Guillén el día con su luz nos da una seguridad, un aplomo. La mañana deja de ser una insinuación y se vuelve realidad. Los ojos, el alma, la conciencia, *ven.* ¿Y qué ven? Todo. ¿Y qué es todo? Lo que vemos todos los días. Eso es lo *extraordinario.* Al contrario de Huidobro y del surrealismo, enamorados de lo maravilloso, para Guillén lo extraordinario es que las cosas sean lo que son y no otra cosa.

Abrir los ojos es un acto diario. Asimismo, es un acto inmemorial: desde que el hombre es hombre, se repite el acto de abrir los ojos al despertar. Este acto, por una parte, es histórico, quiero decir, tiene una fecha: sucede hoy, en tal lugar y a tal hora. También es un acto ahistórico: siempre ha sucedido y seguirá sucediendo todos los días. Es un acto que dura un minuto y ese minuto es eterno y único para cada hombre que despierta. En el minuto del despertar están presentes todos los minutos de todos los despertares y, simultáneamente, ese minuto es único: sólo lo vive aquel que en ese minuto despierta. El minuto es una *eternidad en vilo.*

En la siguiente estrofa aparece otro elemento: la sangre. No es el yo ni la conciencia: la sangre es el animal humano. La sangre es deseo, querer, voluntad.¿ Y qué quiere? Quiere ser, nada más ser. Ese querer ser es absoluto y nos da una dicha absoluta. Santo Tomás aprobaría esta idea pero con una leve corrección: el ser que es nada más y plenamente ser, el ser al que le basta su ser, no está aquí sino allá, en el cielo: se llama Dios. Guillén dice lo contrario: aquí y ahora, en este minuto que se nos escapa, este minuto del despertar, eternidad en vilo, está la dicha absoluta. André Malraux dijo que el arte moderno había convertido en monedas al absoluto cristiano —como un peso fuerte cambiado en centavos. Guillén hace de esas monedas sueltas un peso fuerte, un absoluto.

Al final de esta primera parte aparece el azar. El azar es animal y es histórico: es la sangre y es los siglos. Bodas de la voluntad, que es el deseo animal de ser, con el tiempo, con el mundo que es cambio e historia. La sangre se funde al tiempo y el tiempo se confunde con la naturaleza y su afirmación espléndida: sí, sí, sí. Línea admirable. Para muchos poetas el mar es rebeldía, naufragio, caída; para Guillén es afirmación: la ola es un gran Sí.

En las dos últimas estrofas asistimos al triunfo no de la conciencia aislada sino fundida a la realidad que la rodea. El yo es real porque es parte del mundo: es su proyección o producto. Guillén dice: «Soy, más, estoy». En un comentario a su poema, ha aclarado: «Estar es la consumación del ser». O sea: estar es ser ahora y aquí. Por el *ahora,* el ser es tiempo que se comunica con todos los tiempos. Por el *aquí,* el ser está en un espacio comunicado con los otros espacios. Por el aquí y el ahora, el ser está. El ser del hombre no sólo es: su manera propia de ser es *estar.* Todo se resume en la última línea: «La realidad me inventa: soy su leyenda». Para los simbolistas y románticos, el mundo era la fábula del poeta; para Guillén, el poeta —el hombre— es la fábula del mundo.

Segunda parte

Guillén comienza diciendo que no sueña. Afirmación insólita, contra la corriente. Desde el origen de nuestra civilización las relaciones entre sueño y poesía han sido íntimas. En Homero, las visiones ocurren en los sueños. La Edad Media y el Renacimiento heredaron de la Antigüedad la creencia en el sueño como la fuente de la poesía. El romanticismo afirmó la identidad entre sueño y poesía. El simbolismo y, en nuestros días, el surrealismo, prolongaron y fortificaron esta idea. Pero Guillén dice que no sueña, que el paraíso se ve con los ojos abiertos y que lo extraordinario consiste en ver la penumbra acostumbrada, lo cotidiano. Esa penumbra es una vaguedad que se resuelve en formas. Nada del otro mundo: la almohada, la sábana, el cuerpo. Pero este realismo casi costumbrista se transforma en una evidencia pasmosa: el cuerpo *gravita bien* y recuerda a los astros. El cuerpo está sujeto a las mismas leyes que los otros cuerpos y, como los astros y las piedras, obedece a la gravitación universal. El universo es un ser avasallador. Y es un ser que está realmente *más allá.* Es real y es misterioso: es el cosmos. Hemos dado un segundo paso: el ser es estar y el estar se abre hacia un más allá que es, simultáneamente, real, muy real, y misterioso: el universo. Estoy en mi casa y estoy en los espacios infinitos.

Tercera parte

El más allá: los astros, las galaxias y lo infinitamente pequeño —moléculas, átomos, partículas. Pero este universo impenetrable se presenta al hombre que despierta en la forma de «enigmas corteses», que se pueden tocar y usar. Son irreductibles y, no obstante, podemos manejarlos y convivir con ellos. Sobre todo: podemos nombrarlos. La poesía objetiva, la poesía de las cosas, se vuelve nominativa: poesía de los nombres. El nombre nos hace entrar en las cosas. Guillén no explora este universo de los nombres. No está encerrado en el lenguaje. Para Guillén el lenguaje no es un universo sino un camino para entrar en el universo.

Cuarta parte

Los nombres son puentes entre nosotros y las cosas. También las formas. Los átomos que componen las cosas son invisibles y por eso son tristes. Pero se manifiestan en una curva, un plano, una arista: son energía que aparece y esa aparición, como la de los dioses, es gloriosa. Epifanía no de un demiurgo sino de la realidad oculta, invisible y que es el más allá y el más acá que nos rodea. Gracia de Aparición: una experiencia religiosa trasladada al acto simple de ver una jarra, una mesa, una ventana. Guillén ha comentado así estos versos: «Gracia de Aparición no aporta reminiscencias de milagros. El cumplimiento de la ley natural, ¿no es más sorprendente que sus contravenciones milagrosas?» Esta opinión de Guillén habría conquistado la aprobación de Plotino y, sobre todo, de Porfirio, que en su polémica contra los cristianos decía:

> El Logos divino no ha cambiado ni cambiará jamás el orden del universo [...] La potencia no es la única regla de sus actos. Él quiere que las cosas también tengan una regla y él observa esa regla. No permite, aunque podría hacerlo, que se navegue sobre la tierra, se cultive el mar o que el vicio sea virtud y la virtud vicio [...] Se me dirá: *Dios puede todo.* No es verdad. Dios no puede todo. No puede evitar que Homero haya sido poeta ni que Ilión haya sido destruida, no puede hacer que dos y dos sean cien y no cuatro. Dios no puede ser perverso ni pecador pues es esencialmente bueno.

La Gracia de Aparición suscita la Gracia de Nombrar. El objeto aparece y el sujeto lo nombra: tú te llamas *cal,* tú te llamas *mimbre.* Nombres milagrosamente comunes y corrientes. ¿Cuándo sucede la Aparición y cuándo ocurre la Nominación? ¿En qué domingo fuera del tiempo? No, no ocurre en un domingo sino en un día cualquiera: hoy, precisamente hoy, lunes. ¿De qué mes y de qué año? Un lunes cualquiera, hoy. El lunes es único y es cualquier lunes. El día del nombrar es un día como los otros.

Quinta parte

El mundo no es una colección de objetos puestos al azar en el espacio: los objetos están en relación unos con otros —el sol dora el muro, las hojas del árbol ondean al viento y los ojos ven todas esas realidades como un tejido de relaciones. El más allá entra por los ojos y, también, por las narices: hay un olor en el verdor. Viajamos en nuestras sensaciones. Y aquí de nuevo Guillén invierte los términos: la sensación nos lleva a las cosas, pero la sensación de las cosas nos devuelve el alma. Conocerse a sí mismo es conocer lo que está más allá de uno mismo. El autoconocimiento pasa por el más allá.

Sexta parte

Al comenzar, Guillén aclara y despliega la afirmación con que terminaba la primera parte: «La realidad me inventa, soy su leyenda». El hombre depende de las cosas. Para conocerse, pasa por ellas. Las cosas «sin mí son y ya están / Proponiendo un volumen / Que ni soñó la mano». La mano no modela: reconoce y acepta al objeto. El mundo no es un obstáculo aunque su realidad última sea invisible e impenetrable: el más allá se presenta como transparencia. El cielo es la lejanía pero «Nunca separa el cielo. / Este cielo de ahora / —Aire que yo respiro— / De planeta me colma». La lejanía, el más allá, es la cercanía. Y lo cercano nos pone en comunicación con lo que está más allá: lo desconocido. No podemos perdernos: siempre estamos en el centro del universo. Mi centro es este punto: cualquiera. Todos los lugares son centrales y cualquier punto es el centro. El hombre, cualquier hombre, es el centro de una relación universal. La plenitud es diaria. Frente a la visión cristiana del hombre caído, Guillén muestra su visión del hombre central y cotidiano, del hombre cualquiera como centro del universo. Este instante es único y es todos los instantes y este punto central es cualquier punto. Hoy es la eternidad. La luz de hoy, día lunes de cualquier mes de cualquier año es la luz de la primera mañana, la luz del Edén. Despierto y soy el centro de un tumulto de acordes. Soy el centro, fatal y casual, necesario y accidental, del universo. El instante es doble siempre: es único y es todos los instantes. Eternidad en vilo.

3

La mayoría de los críticos han insistido en el carácter ontológico del poema: afirmación del ser y afirmación de ser. Siempre he visto con un poco de desconfianza las explicaciones filosóficas de la poesía. No obstante, en este caso, la interpretación puede servirnos de punto de partida para una comprensión más cabal del poema, a condición de que no olvidemos ni siquiera por un momento que *Más allá* no es un tratado de filosofía sino un poema. Las ideas del poema nos interesan y apasionan no porque sean verdaderas sino porque Guillén las ha hecho poéticamente verdaderas. El eje en torno al cual gira *Más allá* y, en general, toda la poesía de *Cántico,* es una afirmación que aparece al principio y al final del poema: *quiero ser.* Frase de doble filo: yo quiero el ser y el ser quiere ser. Este querer doble y universal comienza ya en Platón: todos los seres quieren ser porque el bien supremo es ser. Por eso San Agustín pensaba que el mal no era sino la ausencia de ser.

En general, también desde Platón, el ser se identifica con la esencia. ¿Cuál es el ser de la silla, la mesa, el astro? Su esencia, su idea. Las realidades últimas, las realidades esenciales, son ideas: formas intelectuales que podemos contemplar, ya sea en el cielo estrellado o en el espacio, a un tiempo ideal y sensible, de los cuerpos geométricos. Pero el poema de Guillén no afirma al ser como esencia o como idea sino como transcurrir: el ser es sangre y es tiempo, eternidad en vilo. Una eternidad que se manifiesta en fechas, lugares y circunstancias: hoy lunes, en este cuarto, por la mañana. ¿Estamos ante un materialismo? No, la realidad última no es ni material ni ideal: es un querer, una relación, un intercambio. Estamos ante un realismo paradójico pues se sustenta en la afirmación del instante como eternidad.

El realismo de Guillén parece ser un relativismo. Está fundado en el transcurrir, es decir, en el tiempo. Al comenzar el poema, el tiempo enorme rodea al durmiente. Después, hecho energía, se manifiesta en las cosas. La energía mueve a las cosas y las cambia. El mundo es relación porque es tiempo que es movimiento que es tránsito que es cambio. Tránsito de una cosa hacia otra y cambio de una cosa en otra. Aquí interviene la operación totalizadora de Guillén: el ser —un absoluto— se relativiza, se vuelve devenir y se manifiesta en esto y aquello; esto y aquello son relativos, son tiempo, son instantes, pero cada instante es todo el tiempo, cada instante es una totalidad. El ahora se vuelve siempre, un siempre que está pasando ahora mismo y un ahora que está pasando siempre. El aquí es cualquier parte y cualquier parte es el centro del universo. Primer movimiento: el ser no es una esencia ni una idea: es un transcurrir, una energía que cristaliza en un aquí y un ahora. Segundo movimiento: el aquí es central, el punto hacia donde convergen todos los puntos; el ahora es un siempre que es un instante, una eternidad en vilo. El agente de esta transmutación es el hombre. Mejor dicho: el querer ser del hombre. Ese querer es suyo y nada más suyo; asimismo, es el querer de todas las criaturas y de todas las cosas. Es un querer universal. Y más: el universo plural es un querer ser al unísono.

El hombre es el punto de intersección de este universo plural del querer y por eso cada hombre es central. Pero el hombre es central no por ser la creación de un demiurgo. El hombre no es el rey de la creación ni el hijo favorito del creador. El hombre es el punto de intersección entre el azar y la necesidad. Empleo con toda intención el título del libro del biólogo Jacques Monod —*El azar y la necesidad*— porque se trata de una curiosa coincidencia entre el pensamiento poético de Guillén y el de la biología contemporánea. Para Guillén el ser del hombre es simultáneamente la expresión de la totalidad universal —su cuerpo gravita bien, como el de los astros— y el resultado de una colisión casual de fuerzas y energías: átomos, células, ácidos. Otro biólogo, François Jacob, dice que las células no tienen más función que reproducirse, copiarse, duplicarse. Están, diríamos, enamoradas de sí mismas, como Narciso y como Luzbel. A veces, al copiarse, por un principio de física bien conocido, ocurren cambios. Son las mutaciones. Estas mutaciones pasan por el cedazo de la selección natural; unas desaparecen y otras, al consolidarse, se perpetúan hasta dar origen a nuevas especies. Pero las células de Jacob y Monod son un querer ser que sólo quiere ser, mientras que la voluntad de ser de Guillén, como la de todos los hombres, es un querer ser que se contempla, se refleja a sí mismo y, sobre todo, habla. Es un acorde que se sabe acorde. El hombre salva al instante al decirlo, al nombrarlo. El presente es perdurable no sólo y exclusivamente porque, como las células, se repite, sino porque se ve a sí mismo a través del instante. En esa instantánea aparición, la conciencia accede a una suerte de vertiginosa eternidad —y la nombra. Una eternidad que dura el tiempo que tarda el poeta en decirla y nosotros en oírla. Es suficiente.

El hombre —ese querer universal de ser y ese querer del ser universal— es un momento del cambio, una de las formas en que se manifiesta la energía. Ese momento y esa forma son transitorias, circunstanciales: aquí y ahora. Ese momento desaparecerá, esa forma se disipará. Sin embargo, ese momento comprende todos los momentos, es todos los momentos; esa forma se enlaza a todas las formas y está en todas partes. ¿Cómo lo sabemos? Lo sabemos sin saberlo: lo sentimos al vivir ciertas experiencias. Por ejemplo, al despertar. Sólo que para despertar realmente debemos darnos cuenta de que el mundo en que despertamos es un mundo que despierta con nosotros. Sin los ojos y el alma el hombre no podría saber que cada minuto está en la cima del tiempo y en el centro del espacio. Pero no bastan los ojos y el alma: el mundo es incomprensible, la realidad última es invisible, intocable. No importa: tenemos al lenguaje. Por las palabras nos acercamos a las cosas, las llamamos *evidencias, prodigios, enigmas, más allá.* El lenguaje es un dique contra el caos innominado. El mundo de relaciones que es el universo es un mundo verbal: andamos entre cosas que son nombres. Y nosotros mismos somos nombres. Paisajes de nombres que el tiempo destruye incesantemente. Nombres desgastados que tenemos que inventar de nuevo cada siglo, cada generación, cada mañana al despertar. La poesía es la operación mediante la cual el hombre nombra al mundo y se nombra a sí mismo. Por eso el hombre es la leyenda de la realidad. Y yo añadiría: la leyenda de sí mismo.

El ahora y el aquí de Guillén se parecen al instante que disuelve todos los instantes. Es el instante de los amantes y también el de los místicos, sobre todo los de Oriente, que quizá Guillén no conoce y que, si los conociese, probablemente reprobaría. Ese instante anula la contradicción entre el esto y el aquello, el pasado y el futuro, la negación y la afirmación. No es la unión, la boda de los contrarios: es su disipación. Sobre esta aparición de la otra faz del ser —la faz en blanco: la vacuidad— no es fácil edificar una metafísica. Sí una sabiduría y, sobre todo, una poética. Es una experiencia que todos hemos vivido y que algunos han pensado. Son poetas aquellos que, cualesquiera que sean sus creencias, su lengua y su época, logran expresarla.

México, 1977

[«El Más allá de Jorge Guillén» son dos conferencias pronunciadas en El Colegio Nacional de México el 8 y 10 de noviembre de 1977. Se publicó en *In/mediaciones,* Seix Barral, Barcelona, 1979.]

El arquero, la flecha y el blanco: Jorge Luis Borges

Empecé a leer a Borges en mi juventud, cuando todavía no era un autor de fama internacional. En esos años su nombre era una contraseña entre iniciados y la lectura de sus obras el culto secreto de unos cuantos adeptos. En México, hacia 1940, los adeptos éramos un grupo de jóvenes y uno que otro mayor reticente: José Luis Martínez, Alí Chumacero, Xavier Villaurrutia y alguno más. Era un escritor para escritores. Lo seguíamos a través de las revistas de aquella época. En números sucesivos de *Sur* yo leí la serie de cuentos admirables que después, en 1941, formarían su primer libro de ficciones: *El jardín de senderos que se bifurcan.* Todavía guardo la vieja edición de pasta azul, letras blancas y, en tinta más oscura, la flecha indicando un sur más metafísico que geográfico. Desde esos días no cesé de leerlo y conversar silenciosamente con él. A diferencia de lo que ocurrió después, cuando la publicidad lo convirtió en uno de sus dioses-víctimas, el hombre desapareció detrás de su obra. A veces, incluso, se me antojaba que Borges también era una ficción.

El primero que me habló de la persona real, con asombro y afecto, fue Alfonso Reyes. Lo estimaba mucho, pero ¿lo admiraba? Sus gustos eran muy distintos. Estaban unidos por uno de esos equívocos usuales entre gente del mismo oficio: para Borges, el escritor mexicano era el maestro de la prosa; para Reyes, el argentino era un espíritu curioso, una feliz excentricidad. Más tarde, en París, en 1947, mis primeros amigos argentinos —José Bianco, Silvina Ocampo y Adolfo Bioy Casares— eran también muy amigos de Borges. Tanto me hablaron de él que, sin haberlo visto nunca, llegué a conocerlo como si fuese mi amigo. Nuevo equívoco: yo era su amigo pero para él mi nombre sólo evocaba, borrosamente, a un alguien que era un amigo de sus amigos. Muchos años después, al fin, lo conocí en persona. Fue en Austin, en 1971. Cortesía y reserva: él no sabía qué pensar de mí y yo no acababa de perdonarle aquel poema en que exalta, como Whitman pero con menos razón que el poeta norteamericano, a los defensores de El Alamo. A mí la pasión patriótica no me dejaba ver el arrojo heroico de aquellos hombres; él no percibía que el sitio de El Alamo había sido un episodio de una guerra injusta. Borges no acertó siempre a distinguir al verdadero heroísmo de la mera valentía. No es lo mismo ser un cuchillero de Balvanera que ser Aquiles: los dos son figuras de leyenda pero el primero es un caso mientras que el segundo es un ejemplo. Nuestros otros encuentros, en México y en Buenos Aires, fueron más afortunados. Varias veces pudimos hablar con un poco de desahogo y Borges descubrió que algunos de sus poetas favoritos también lo eran míos. Celebraba esas coincidencias recitando trozos de este o aquel poeta y la charla, por un instante, se transformaba en una suerte de comunión. Una noche, en México, mi mujer y yo lo ayudamos a escabullirse del asalto de unas admiradoras indiscretas; entonces, en un rincón, entre el ruido y las risas de la fiesta, le recitó a Marie José unos versos de Toulet:

Toute allégresse a son défault
Et se brise elle-même.
Si vous voulez que je vous aime,
Ne riez pas trop haut.

C'est à voix basse qu'on enchante
Sous la cendre d'hiver
Ce coeur, pareil au feu couvert,
Qui se consume et chante.

En Buenos Aires conversamos y paseamos sin agobio y gozando del tiempo. Él y María Kodama nos llevaron al viejo parque Lezama; quería mostrarnos, no sé por qué, la iglesia Ortodoxa pero estaba cerrada; nos contentamos con recorrer los senderillos húmedos bajo árboles de tronco eminente y follajes cantantes. Al final, nos detuvimos ante el monumento de la Loba Romana y Borges palpó con manos conmovidas la cabeza de Remo. Terminamos el paseo en el café Tortoni, famoso por sus espejos, sus doradas molduras, sus grandes tazas de chocolate y sus fantasmas literarios. Borges nos habló del Buenos Aires de su juventud, esa ciudad de «patios cóncavos como cántaros» que aparece en sus primeros poemas; ciudad inventada y, no obstante, dueña de una realidad más perdurable que la de las piedras: la de la palabra.

Esa tarde me sorprendió su desánimo ante la situación de su país. Aunque él se regocijaba del regreso de Argentina a la democracia, se sentía más y más ajeno a lo que pasaba. Es duro ser escritor en nuestras ásperas tierras (tal vez lo sea en todas), sobre todo si se ha alcanzado la celebridad y se está asediado por las dos hermanas enemigas, la envidia espinosa y la admiración beata, ambas miopes. Además, quizá Borges ya no conocía la ciudad y el mundo que lo rodeaba: estaba en otro tiempo. Comprendí su desazón: yo también, cuando recorro las calles de México, me froto los ojos con extrañeza: ¿en esto hemos convertido a nuestra ciudad? Borges nos confió su decisión de «irse a morir en otra parte, tal vez al Japón». No era budista, pero la idea de la nada, tal como aparece en la literatura de esa religión, lo seducía. He dicho idea porque la nada no puede ser sino una sensación o una idea. Si es una sensación, carece de toda virtud curativa y apaciguadora. En cambio, la nada como idea nos calma y nos da, simultáneamente, fortaleza y serenidad.

Lo volví a ver el año pasado, en Nueva York. Mi mujer y yo coincidimos por unos días, en el mismo hotel, con él y María Kodama. Cenamos juntos, llegó de pronto Eliot Weinberger y se habló de poesía china. Al final, Borges recordó a Reyes y a López Velarde; como siempre, recitó unas líneas del segundo, aquellas que empiezan así: «Suave patria, vendedora de chía...» Se interrumpió y me preguntó:

—¿A qué sabe la chía?

Confundido, le respondí que no podía explicárselo sino con una metáfora:

—Es un sabor terrestre.

Movió la cabeza. Era demasiado y demasiado poco. Me consolé pensando que expresar lo instantáneo no es menos arduo que describir la eternidad. Él lo sabía.

Es difícil resignarse ante la muerte de un hombre querido y admirado. Desde que nacemos, esperamos siempre la muerte y siempre la muerte nos sorprende. Ella, la esperada, es siempre la inesperada. La siempre inmerecida. No importa que Borges haya muerto a los ochenta y seis años: no estaba maduro para morir. Nadie lo está, cualquiera que sea su edad. Se puede invertir la frase del filósofo y decir que todos —viejos y niños, adolescentes y adultos— somos frutos cortados antes de tiempo. Borges duró más que Cortázar y Bianco, para hablar de otros dos queridos escritores argentinos, pero lo poco que los sobrevivió no me consuela de su ausencia. Hoy Borges ha vuelto a ser lo que era cuando yo tenía veinte años: unos libros, una obra.

Cultivó tres géneros: el ensayo, la poesía y el cuento. La división es arbitraria: sus ensayos se leen como cuentos, sus cuentos son poemas y sus poemas nos hacen pensar como si fuesen ensayos. El puente entre ellos es el pensamiento. Por esto, es útil comenzar por el ensayista. Borges fue un temperamento metafísico. De ahí su fascinación por los sistemas idealistas y sus arquitecturas diáfanas: Berkeley, Leibniz, Spinoza, Bradley, los distintos budismos. También fue una mente de rara lucidez unida a la fantasía de un poeta atraído por el «otro lado» de la realidad; así, no podía sino sonreír ante las construcciones quiméricas de la razón. Esto lo salvó de los sistemas: sus verdaderos maestros fueron Hume y Schopenhauer, Chuang-tsé. Aunque en su juventud lo deslumbraron las opulencias verbales y los laberintos sintácticos de Quevedo y de Browne, no se parece a ellos. Más bien hace pensar en Montaigne, por su escepticismo y su curiosidad universal, ya que no por el estilo. También en otro contemporáneo nuestro hoy un poco olvidado: George Santayana.

A diferencia de Montaigne, no le interesaron demasiado los enigmas morales y psicológicos; tampoco la diversidad de costumbres, hábitos y creencias del animal humano. No le apasionó la historia ni lo atrajo el estudio de las complejas sociedades humanas. Sus opiniones políticas fueron juicios morales e, incluso, caprichos estéticos. Aunque los emitió con valentía y probidad, lo hizo sin comprender verdaderamente lo que pasaba a su alrededor. A veces acertó, por ejemplo, en su oposición al régimen de Perón y su rechazo al socialismo totalitario; otras desbarró y su visita a Chile en plena dictadura militar y sus fáciles epigramas contra la democracia consternaron a sus amigos. Después, se arrepintió. Hay que agregar que siempre, en sus aciertos y en sus errores, fue coherente consigo mismo y honrado. Nunca mintió ni justificó el mal a sabiendas, como lo han hecho muchos de sus enemigos y detractores. Nada más alejado de Borges que la casuística ideológica de nuestros contemporáneos.

Todo esto fue accidental; lo desvelaban otros temas: el tiempo y la eternidad, la identidad y la pluralidad, lo uno y lo otro. Estaba enamorado de las ideas. Un amor contradictorio, corroído por la pluralidad: detrás de las ideas no encontró a la Idea (llámese Dios, Vacuidad o Primer Principio) sino a una nueva y más abismal pluralidad, la de sí mismo. Buscó la Idea y encontró la realidad de un Borges que se disgregaba en sucesivas apariciones. Borges fue siempre el otro Borges desdoblado en otro Borges, hasta el infinito. En su interior pelearon el metafísico y el escéptico; ganó, en apariencia, el escéptico pero el escepticismo no le dio paz sino que multiplicó los fantasmas metafísicos. Su emblema fue el espejo. Emblema equívoco: si el espejo es la refutación de la metafísica también es la condenación del escéptico.

Sus ensayos son memorables, más que por su originalidad, por su diversidad y por su escritura. Humor, sobriedad, agudeza y, de pronto, un disparo insólito. Nadie había escrito así en español. Reyes, su modelo, fue más correcto y fluido, menos preciso y sorprendente. Dijo menos cosas con más palabras; el gran logro de Borges fue decir lo más con lo menos. Pero no exageró: no clava a la frase, como Gracián, con el alfiler del ingenio ni convierte al párrafo en un jardín simétrico. Borges sirvió a dos divinidades contrarias: la simplicidad y la extrañeza. Con frecuencia las unió y el resultado fue inolvidable: la naturalidad insólita, la extrañeza familiar. Este acierto, tal vez irrepetible, le da un lugar único en la historia de la literatura del siglo XX. Todavía muy joven, en un poema dedicado al Buenos Aires vario y cambiante de sus pesadillas, define a su estilo: «Mi verso es de interrogación y de prueba, para obedecer lo entrevisto». La definición abraza también a su prosa. Su obra es un sistema de vasos comunicantes y sus ensayos son arroyos navegables que desembocan con naturalidad en sus poemas y cuentos. Confieso mi preferencia por estos últimos. Sus ensayos me sirven no para comprender al universo ni para comprenderme a mí mismo sino para comprender mejor sus invenciones sorprendentes.

Aunque los asuntos de sus poemas y de sus cuentos son muy variados, su tema es único. Pero antes de tocar este punto, conviene deshacer una confusión: muchos niegan que Borges sea realmente un escritor hispanoamericano. El mismo reproche se hizo al primer Darío y por nadie menos que José Enrique Rodó. Prejuicio no por repetido menos perverso: el escritor es de una tierra y de una sangre pero su obra no puede reducirse a la nación, la raza o la clase. Además, se puede invertir la censura y decir que la obra de Borges, por su transparente perfección y por su nítida arquitectura, es un reproche a la dispersión, la violencia y el desorden del continente latinoamericano. Los europeos se asombraron ante la universalidad de Borges pero ninguno de ellos advirtió que ese cosmopolitismo no era, ni podía ser, sino el punto de vista de un latinoamericano. La excentricidad de América Latina consiste en ser una excentricidad europea;

quiero decir, es *otra* manera de ser occidental. Una manera no-europea. Dentro y fuera, al mismo tiempo, de la tradición europea, el latinoamericano puede ver a Occidente como una totalidad y no con la visión, fatalmente provinciana, de un francés, un alemán, un inglés o un italiano. Esto lo vio mejor que nadie un mexicano: Jorge Cuesta; y lo realizó en su obra, también mejor que nadie, un argentino: Jorge Luis Borges. El verdadero tema de la discusión no debería ser la ausencia de americanidad de Borges sino aceptar de una vez por todas que su obra expresa una universalidad implícita en América Latina desde su nacimiento.

No fue un nacionalista y, sin embargo, ¿quién sino un argentino habría podido escribir muchos de sus poemas y cuentos? Sufrió también la atracción hacia la América violenta y oscura. La sintió en su manifestación menos heroica y más baja: la riña callejera, el cuchillo del *malevo* matón y resentido. Extraña dualidad: Berkeley y Juan Iberra, Jacinto Chiclano y Duns Escoto. La ley de la pesantez espiritual también rige la obra de Borges: el macho latinoamericano frente al poeta metafísico Macedonio Fernández. La contradicción que habita sus especulaciones intelectuales —la disputa entre la metafísica y el escepticismo— reaparece con violencia en el campo de la afectividad. Su admiración por el cuchillo y la espada, por el guerrero y el pendenciero, era tal vez el reflejo de una inclinación innata. En todo casó es un rasgo que aparece una y otra vez en sus escritos. Fue quizá una réplica vital, instintiva, a su escepticismo y a su civilizada tolerancia. Nunca ocultó su fascinación ante las hazañas de los pistoleros del Far West y los *malevos* de Buenos Aires. En muchas de sus entrevistas con la prensa, y en algunos de sus escritos, practicó el disparo verbal con una mortífera precisión que habría apreciado Billy the Kid.

En su vida literaria esta tendencia se expresó como afición por el debate y por la afirmación individualista. En sus comienzos, como casi todos los escritores de su generación, participó en la vanguardia literaria y en sus irreverentes manifestaciones. Más tarde cambió de gustos y de ideas, no de actitudes; dejó de ser ultraísta pero continuó cultivando las salidas de tono, la impertinencia y la insolencia brillante. En su juventud, el blanco había sido el espíritu tradicional y los lugares comunes de las academias y de los conservadores; en su madurez la respetabilidad cambió de casa y de traje: se volvió juvenil, ideológica y revolucionaria. Borges se burló del nuevo conformismo de los iconoclastas con la misma gracia cruel con que se había mofado del antiguo.

No le dio la espalda a su tiempo y fue valeroso ante las circunstancias de su país y del mundo. Pero era ante todo un escritor y la tradición literaria no le parecía menos viva y presente que la actualidad. Su curiosidad iba, en el tiempo, de los modernos a los antiguos, y, en el espacio, de lo próximo a lo lejano, de la poesía gauchesca a las sagas escandinavas. Muy pronto frecuentó y asimiló con soberana libertad los otros clasicismos que la modernidad ha descubierto, los del Extremo Oriente y los de la India, los árabes y los persas. Su información no siempre era de primera mano ni la más fresca (el budismo, las literaturas de China y de Japón) pero suplía esas lagunas con memorables invenciones: ¿cómo reprochárselo?

Borges no fue realmente un pensador ni un crítico: fue un literato, un gran literato. En su juventud admiró al Quevedo sentencioso y elíptico, es decir, al ingenioso estilista, no al espíritu alternativamente seducido y aterrado por el pecado, el mal, la muerte. Pero su inmensa facultad de fabulación lo salvó de los laberintos, ora fulgurantes y ora lóbregos, de los Quevedo y los Gracián; en su madurez comprendió que, para contar las historias extraordinarias que imaginaba, hacía falta un estilo más sobrio y directo. Esta faceta de su obra, tal vez la central, lo acerca a otros escritores de su predilección, todos ellos autores de cuentos y todos ellos anteriores a la gran revolución literaria del siglo XX que llamamos *vanguardia*. Pienso, por ejemplo, en Wells, Chesterton, Saki (Munro) y lord Dunsany (los dos últimos hoy olvidados). Pero Borges los aventajó no por el rigor dc sus fantasías sino por la limpieza de la ejecución, la pureza del trazo y la penetración metafísica. La diversidad de lecturas y la pluralidad de influencias no lo convirtieron en un escritor babélico: no fue confuso ni prolijo sino nítido y conciso.

La imaginación es la facultad que asocia y tiende puentes entre un objeto y otro; por esto es la ciencia de las correspondencias. Esta facultad la tuvo Borges en el grado más alto, unida a otra no menos preciosa: la inteligencia para quedarse con lo esencial y podar las vegetaciones parásitas. Su saber no fue el del historiador, el del filólogo o el del crítico; fue un saber de escritor, un saber activo que retiene lo que le es útil y desecha lo demás. Sus admiraciones y sus odios literarios eran profundos y razonados como los de un teólogo y violentos como los de un enamorado. No fue ni imparcial ni justo; no podía serlo: su crítica era el otro brazo, la otra ala, de su fantasía creadora. No fue un buen juez de otros: ¿lo fue de sí mismo? Lo dudo: sus gustos no siempre coincidieron con la índole de su talento. No se parece a Whitman o a Verlaine; se parece a Chesterton y a Schwob. Eran espíritus de la misma familia. Pero Chesterton no era escéptico sino creyente; católico en un país de protestantes y librepensadores, su literatura fue una prédica, sin excluir a las historias del padre Brown, verdaderos apólogos bajo el disfraz de la *murder story*. Además, fue prolífico y descuidado, lo contrario de Borges, artífice del lenguaje. Es mayor el parecido con Marcel Schwob, que fue uno de sus maestros. Schwob no era poeta y su obra, escasa y tocada por ciertos manierismos de la época crepuscular en que vivió, carece de la dimensión metafísica del argentino. No, los parecidos son engañosos: Borges se parece, sobre todo, a Borges.

Cultivó las formas tradicionales y, salvo en su juventud, apenas si lo tentaron los cambios y las violentas innovaciones de nuestro siglo. Sus ensayos fueron realmente ensayos; nunca confundió este género, como es ya costumbre, con el tratado, la disertación o la tesis. En sus poemas predominó, al principio, el verso libre; después, las formas y los metros canónicos. Como poeta ultraísta fue más bien tímido, sobre todo si se comparan los poemas un tanto lineales de sus primeros libros con las osadas y complejas construcciones de Huidobro y de otros poetas europeos de ese periodo. No cambió la música del verso español ni transtornó la sintaxis: ni Góngora ni Darío. Tampoco descubrió algún subsuelo poético, como Neruda. Sin embargo, sus versos son únicos, inconfundibles: sólo él podía haberlos escrito. Sus mejores versos no son palabras esculpidas: son luces o sombras repentinas, dádivas de las potencias desconocidas, verdaderas iluminaciones.

Sus cuentos son insólitos por la felicidad de su fantasía, no por su forma. Al escribir sus obras de imaginación no se sintió atraído por las aventuras y vértigos verbales de un Joyce, un Céline o un Faulkner. Lúcido casi siempre, no lo arrastró el viento pasional de un Lawrence, que a veces levanta polvaredas y otras despeja de nubes al cielo. A igual distancia de la frase serpentina de Proust y de la telegráfica de Hemingway, su prosa me sorprende por su equilibrio: ni demasiado lacónica ni prolija, ni lánguida ni entrecortada. Virtud y limitación: con esa prosa se puede escribir un cuento, no una novela; se puede dibujar una situación, disparar un epigrama, asir la sombra del instante, no contar una batalla, recrear una pasión, penetrar en un alma. Su originalidad, lo mismo en la prosa que en el verso, no está en la novedad de las ideas y las formas sino en su estilo, seductora alianza de lo más simple y lo más complejo, en sus admirables invenciones y en su visión. Es una visión única no tanto por lo que se ve sino por el lugar desde donde ve al mundo y se ve a sí mismo. Un punto de vista más que una visión.

Su amor a las ideas fue extremoso y lo fascinaron muchos absolutos, aunque terminó por descreer en todos. En cambio, como escritor sintió una instintiva desconfianza ante los extremos y casi nunca lo abandonó el sentido de la medida. Lo deslumbraron las desmesuras y las enormidades, las mitologías y cosmologías de la India y de los nórdicos, pero su idea de la perfección literaria fue la de una forma limitada y clara, con un principio y un fin. Pensó que las eternidades y los infinitos caben en una página. Habló con frecuencia de Virgilio y nunca de Horacio; la verdad es que no se parece al primero sino al segundo: jamás escribió ni intentó escribir un poema extenso y se mantuvo siempre dentro de los límites del decoro horaciano. No digo que Borges haya seguido la poética de Horacio sino que su gusto lo llevaba a preferir las formas mesuradas. En su poesía y en su prosa no hay nada ciclópeo.

Fiel a esta estética, observó invariablemente el consejo de Poe: un poema moderno no debe tener más de cincuenta líneas. Curiosa modernidad: casi todos los grandes poemas modernos son poemas extensos. Las obras características del siglo XX —pienso, por ejemplo, en las de Eliot y Pound— están animadas por una ambición: ser las divinas comedias y los paraísos perdidos de nuestra época. La creencia que sustenta a todos estos poemas es la siguiente: la poesía es una visión total del mundo o del drama del hombre en el tiempo. Historia y religión. Frente a las dos su actitud fue de perplejidad. Vio en la historia un repertorio de curiosidades, hazañas insensatas y abominaciones; en la religión, un catálogo de delirios, unos memorables y otros irrisorios. Le interesaron, en la historia, los sucesos y los héroes sorprendentes; en la religión, las herejías. Buscó a la elusiva certidumbre fuera de las Iglesias y de los sistemas. Su lucidez irónica lo preservó de muchas de las aberraciones en que incurrieron no pocos de sus contemporáneos; también dañó su comprensión de la historia, que es siempre visión de los otros, y de aquello que está más allá de la historia: lo *otro*. La palabra *comunión*, que es la llave del cristianismo, no figura en su vocabulario; en cambio, conoció la virtud suprema para los estoicos: la simpatía universal.

Dije más arriba que la originalidad de Borges consistió en haber descubierto un punto de vista; por esto, algunos de sus poemas mejores adoptan la forma de comentarios a nuestros clásicos: Homero, Dante, Cervantes. El punto de vista de Borges es su arma infalible: transtorna todos los puntos de vista tradicionales y nos obliga a ver de otra manera las cosas que vemos y los libros que leemos. Algunas de sus ficciones parecen cuentos de *Las mil noches y una noche* escritos por un lector de Kipling y Chuang-tsé; algunos de sus poemas hacen pensar en un poeta de la *Antología palatina* que hubiese sido amigo de Schopenhauer y de Lugones. Practicó los géneros llamados menores —cuentos, poemas breves, sonetos— y es admirable que haya conseguido con ellos lo que otros se propusieron con largos poemas y novelas. La perfección no tiene tamaño. Él la alcanzó con frecuencia por la inserción de lo insólito en lo previsto, por la alianza de la forma dada con un punto de vista extraño pero riguroso que, al minar las apariencias, descubre otras. Borges el inquisitivo interrogó al mundo; su duda fue creadora y suscitó la aparición de otros mundos y realidades.

Sus cuentos y sus poemas son invenciones de poeta y de metafísico; por esto satisfacen dos de las facultades centrales del hombre: la razón y la fantasía. Es verdad que no provoca la complicidad de nuestros sentimientos y pasiones, sean las oscuras o las luminosas: piedad, sensualidad, cólera, ansia de fraternidad; también es cierto que poco o nada nos dice sobre los misterios de la sangre, el sexo y el apetito de poder. Tal vez la literatura tiene sólo dos temas: uno, el hombre con los hombres, sus semejantes y sus adversarios; otro, el hombre solo frente al universo y frente a sí mismo. El primer tema es el del poeta épico, el dramaturgo y el novelista; el segundo el del poeta lírico y metafísico. En la obra de Borges hay una gran ausencia: el amor. Ni el sublime ni el terrestre, ni Dante ni Propercio. Tampoco aparece la sociedad humana ni sus complejas y diversas manifestaciones, que van de las vicisitudes de la pareja solitaria a los grandes hechos colectivos. Sus obras pertenecen a la otra mitad de la literatura y todas ellas tienen un tema único: el tiempo y nuestras renovadas y estériles tentativas por abolirlo. Las eternidades son paraísos que se convierten en condenas, quimeras que son más reales que la realidad. O quizá debería decir: quimeras que no son menos irreales que la realidad.

A través de variaciones prodigiosas y de repeticiones obsesivas, Borges exploró sin cesar ese tema único: el hombre perdido en el laberinto de un tiempo hecho de cambios que son repeticiones, el hombre que se desvanece al contemplarse ante el espejo de la eternidad sin facciones, el hombre que ha encontrado la inmortalidad y que ha vencido la muerte pero no al tiempo ni a la vejez. En los ensayos este tema se resuelve en paradojas y antinomias; en los poemas y los cuentos, en construcciones verbales que tienen la elegancia de un teorema y la gracia de los seres vivos. La discordia entre el metafísico y el escéptico es insoluble pero el poeta hizo con ella transparentes edificios de palabras entretejidas: el tiempo y sus reflejos danzan sobre el espejo de la conciencia atónita. Obras de rara perfección, objetos verbales y mentales construidos conforme a una geometría a un tiempo rigurosa y fantástica, racional y caprichosa, sólida y cristalina. Lo que nos dicen todas esas variaciones del tema único es también algo único: las obras del hombre y el hombre mismo no son sino configuraciones de tiempo evanescente. Él lo dijo con lucidez impresionante: «El tiempo es la sustancia de que estoy hecho. El tiempo es un río que me arrebata pero yo soy ese río, es un fuego que me consume pero yo soy el fuego». La misión de la poesía es sacar a la luz lo que está oculto en los repliegues del tiempo. Era necesario que un gran poeta nos recordase que somos, juntamente, el arquero, la flecha y el blanco.

México, 1986

[«El arquero, la flecha y el blanco: Jorge Luis Borges» se publicó en la revista *Vuelta,* núm. 117, México, agosto de 1986, y se recogió en *Convergencias,* Seix Barral, Barcelona, 1991.]

Luis Buñuel

1. EL POETA BUÑUEL

La aparición de *La edad de oro* y *El perro andaluz* señalan la primera irrupción deliberada de la poesía en el arte cinematográfico. Las nupcias entre la imagen fílmica y la imagen poética, creadoras de una nueva realidad, tenían que parecer escandalosas y subversivas. Lo eran. El carácter subversivo de los primeros filmes de Buñuel reside en que, apenas tocadas por la mano de la poesía, se desmoronan las fantasmales convenciones (sociales, morales o artísticas) de que está hecha nuestra realidad. Y de esas ruinas surge una nueva verdad, la del hombre y su deseo. Buñuel nos muestra que ese hombre maniatado puede, con sólo cerrar los ojos, hacer saltar el mundo. Esos filmes son algo más que un ataque feroz a la llamada realidad; son la revelación de otra *realidad* humillada por la civilización contemporánea. El hombre de *La edad de oro* duerme en cada uno de nosotros y sólo espera un signo para despertar: el del amor. Esta película es una de las pocas tentativas del arte moderno para revelar el rostro terrible del amor en libertad.

Un poco después Buñuel exhibe *Tierra sin pan,* un filme documental que en su género es también una obra maestra. En esta película el poeta Buñuel *se* retira; calla, para que la realidad hable por sí sola. Si el tema de los filmes surrealistas de Buñuel es la lucha del hombre contra una realidad que lo asfixia y mutila, el de *Tierra sin pan* es el del triunfo embrutecedor de esa misma realidad. Así este documental es el necesario complemento de sus creaciones anteriores. Él las explica y las justifica. Por caminos distintos Buñuel prosigue su lucha encarnizada con la realidad. Contra ella, mejor dicho. Su realismo, como el de la mejor tradición española —Goya, Quevedo, la novela picaresca, Valle-Inclán, Picasso— consiste en un despiadado cuerpo a cuerpo con la realidad. Al abrazarla, la desuella. De allí que su arte no tenga parentesco alguno con las descripciones más o menos tendenciosas, sentimentales o estéticas, de lo que comúnmente se llama realismo. Por el contrario, toda su obra tiende a provocar la erupción de algo secreto y precioso, terrible y puro, escondido precisamente por nuestra realidad. Sirviéndose del sueño y de la poesía o utilizando los medios del relato fílmico, el poeta Buñuel desciende al fondo del hombre, a su intimidad más radical e inexpresada.

Después de un silencio de muchos años, Buñuel presenta una nueva película: *Los olvidados*. Si se comparan a esta cinta las realizadas con Salvador Dalí, sorprende sobre todo el rigor con que Buñuel lleva hasta los límites extremos sus primeras intuiciones. Por una parte, *Los olvidados* representa un momento de madurez artística; por la otra, de mayor y más total desesperación: la puerta del sueño parece cerrada para siempre; sólo queda abierta la de la sangre. Sin renegar de la gran experiencia de su juventud, pero consciente del cambio de los tiempos —que ha hecho más espesa esa realidad que denunciaba en sus primeras obras—, Buñuel construye una película en la que la acción es precisa como un mecanismo, alucinante como un sueño, implacable como la marcha silenciosa de la lava. El argumento de *Los olvidados* —la infancia delincuente— ha sido extraído de los archivos penales. Sus personajes son nuestros contemporáneos y tienen la edad de nuestros hijos. Pero *Los olvidados* es algo más que un filme realista. El sueño, el deseo, el horror, el delirio y el azar, la porción nocturna de la vida, también tienen su parte. Y el peso de la realidad que nos muestra es de tal modo atroz, que acaba por parecernos imposible, insoportable. Y así es: la realidad es *insoportable;* y por eso, porque no la soporta, el hombre mata y muere, ama y crea.

La más rigurosa economía artística rige a *Los olvidados*. A mayor condensación corresponde siempre una más intensa explosión. Por eso es una película sin «estrellas»; por eso, también la discreción del «fondo musical», que no pretende usurpar lo que en el cine la música le debe a los ojos; y finalmente, el desdén por el color local. Dando la espalda a la tentación del impresionante paisaje mexicano, la escenografía se reduce a la desolación sórdida e insignificante, mas siempre implacable, de un paisaje urbano. El espacio físico y humano en que se desarrolla el drama no puede ser más cerrado: la vida y la muerte de unos niños entregados a su propia fatalidad, entre los cuatro muros del abandono. La ciudad, con todo lo que esta palabra entraña de solidaridad humana, es lo ajeno y extraño. Lo que llamamos civilización no es para ellos sino un muro, un gran No que cierra el paso. Esos niños son mexicanos pero podrían ser de otro país, habitar un suburbio cualquiera de otra gran ciudad. En cierto modo no viven en México, ni en ninguna parte: son los olvidados, los habitantes de esas *waste lands* que cada urbe moderna engendra a sus costados. Mundo cerrado sobre sí mismo, donde todos los actos son circulares y todos los pasos nos hacen volver a nuestro punto de partida. Nadie puede salir de allí, ni de sí mismo, sino por la calle larga de la muerte. El azar, que en otros mundos abre puertas, aquí las cierra.

La presencia continua del azar posee en *Los olvidados* una significación especial, que prohíbe confundirlo con la suerte. El azar que rige la acción de los héroes se presenta como una necesidad que, sin embargo, *pudiera no haber ocurrido*. (¿Por qué no llamarlo entonces con su verdadero nombre, como en la tragedia: *destino*?) La vieja fatalidad vuelve a funcionar, sólo que despojada de sus atributos sobrenaturales: ahora nos enfrentamos a una fatalidad social y psicológica. O, para emplear la palabra mágica de nuestro tiempo, el nuevo fetiche intelectual: una fatalidad histórica. No basta, sin embargo, con que la sociedad, la historia o las circunstancias se muestren hostiles a los héroes; para que la catástrofe se produzca es necesario que esos determinantes coincidan con la voluntad de los hombres. Pedro lucha contra el azar, contra su mala suerte o mala sombra, encarnada en el Jaibo; cuando, cercado, la acepta y la afronta, transforma la fatalidad en destino. Muere, pero hace suya su muerte. El choque entre la conciencia humana y la fatalidad externa constituye la esencia del acto trágico. Buñuel ha redescubierto esta ambigüedad fundamental: sin la complicidad humana el destino no se cumple y la tragedia es imposible. La fatalidad ostenta la máscara de la libertad; ésta, la del destino.

Los olvidados no es un filme documental. Tampoco es una película de tesis, de propaganda o de moral. Aunque ninguna prédica empaña su admirable objetividad, sería calumnioso decir que se trata de un filme estético, en el que sólo cuentan los valores artísticos. Lejos del realismo (social, psicológico y edificante) y del esteticismo, la película de Buñuel se inscribe en la tradición de un arte pasional y feroz, contenido y delirante, que reclama como antecedentes a Goya y a Posada, quizá los artistas plásticos que han llevado más lejos el humor negro. Lava fría, hielo volcánico. A pesar de la universalidad de su tema, de la ausencia de color local y de la extrema desnudez de su construcción, *Los olvidados* posee un acento que no hay más remedio que llamar racial (en el sentido en que los toros tienen «casta»). La miseria y el abandono pueden darse en cualquier parte del mundo, pero la pasión encarnizada con que están descritas pertenece al gran arte español. Ese mendigo ciego ya lo hemos visto en la picaresca española. Esas mujeres, esos borrachos, esos cretinos, esos asesinos, esos inocentes, los hemos visto en Quevedo y en Galdós, los vislumbramos en Cervantes, los han retratado Velázquez y Murillo. Esos palos —palos de ciego— son los mismos que se oyen en todo el teatro español. Y los niños, los olvidados, su mitología, su rebeldía pasiva, su lealtad suicida, su dulzura que relampaguea, su ternura llena de ferocidades exquisitas, su desgarrada afirmación de sí mismos en y para la muerte, su búsqueda sin fin de la comunión —aun a través del crimen— no son ni pueden ser sino mexicanos. Así, en la escena clave de la película —la escena onírica— el tema de la madre se resuelve en la cena en común, en el festín sagrado. Quizá sin proponérselo, Buñuel descubre en el sueño de sus héroes las imágenes arquetípicas del pueblo mexicano: Coatlicue y el sacrificio. El tema de la madre, que es una de las obsesiones mexicanas, está ligado inexorablemente al de la fraternidad, al de la amistad hasta la muerte. Ambos constituyen el fondo secreto de esta película. El mundo de *Los olvidados* está poblado por huérfanos, por solitarios que buscan la comunión y que para encontrarla no retroceden ante la sangre. La búsqueda del *otro,* de nuestro semejante, es la otra cara de la búsqueda de la madre. O la aceptación de su ausencia definitiva: el sabernos solos. Pedro, el Jaibo y sus compañeros nos revelan así la naturaleza última del hombre, que quizá consista en una permanente y constante orfandad.

Testimonio de nuestro tiempo, el valor moral de *Los olvidados* no tiene relación alguna con la propaganda. El arte, cuando es libre, es testimonio, conciencia. La obra de Buñuel es una prueba de lo que pueden hacer el talento creador y la conciencia artística cuando nada, excepto su propia libertad, los constriñe o coacciona.

Cannes, 4 de abril de 1951

[«El poeta Buñuel» se publicó en *Las peras del olmo,* UNAM, México, 1957.]

2. EL CINE FILOSÓFICO DE BUÑUEL

Hace algunos años escribí unas páginas sobre Luis Buñuel. Las reproduzco:

> Aunque todas las artes, sin excluir a las más abstractas, tienen por fin último y general la expresión y recreación del hombre y sus conflictos, cada una de

ellas posee medios e instrumentos particulares de encantamiento y así constituye un dominio propio. Una cosa es la música, otra la poesía, otra más el cine. Pero a veces un artista logra traspasar los límites de su arte; nos enfrentamos entonces a una obra que encuentra sus equivalentes más allá de su mundo. Algunas de las películas de Luis Buñuel —*La edad de oro, Los olvidados*— sin dejar de ser cine nos acercan a otras comarcas del espíritu: ciertos grabados de Goya, algún poema de Quevedo o Péret, un pasaje de Sade, un esperpento de Valle-Inclán, una página de Gómez de la Serna... Estas películas pueden ser gustadas y juzgadas como cine y asimismo como algo perteneciente al universo más ancho y libre de esas obras, preciosas entre todas, que tienen por objeto tanto revelarnos la realidad humana como mostrarnos una vía para sobrepasarla. A pesar de los obstáculos que opone a semejantes empresas el mundo actual, la tentativa de Buñuel se despliega bajo el doble arco de la belleza y de la rebeldía.

En *Nazarín,* con un estilo que huye de toda complacencia y que rechaza todo lirismo sospechoso, Buñuel nos cuenta la historia de un cura quijotesco, al que su concepción del cristianismo no tarda en oponerlo a la Iglesia, la sociedad y la policía. Nazarín pertenece, como muchos de los personajes de Pérez Galdós, a la gran tradición de los locos españoles. Su locura consiste en tomar en serio al cristianismo y en tratar de vivir conforme a sus Evangelios. Es un loco que se niega a admitir que la realidad sea lo que llamamos realidad y no una atroz caricatura de la verdadera realidad. Como don Quijote, que veía a Dulcinea en una labriega, Nazarín adivina en los rasgos monstruosos de la prostituta Andra y del jorobado Ujo la imagen desvalida de los hombres caídos; y en el delirio erótico de una histérica, Beatriz, percibe el rostro desfigurado del amor divino. En el curso de la película —en la que abundan, ahora con furor más concentrado y por eso mismo más explosivo, escenas del mejor y más terrible Buñuel— asistimos a la *curación* del loco, es decir a su tortura. Todos lo rechazan: los poderosos y satisfechos porque lo consideran un ser incómodo y, al final, peligroso; las víctimas y los perseguidos porque necesitan otro y más efectivo género de consuelo. El equívoco, y no sólo los poderes constituidos, lo persigue. Si pide limosna, es un ser improductivo; si busca trabajo, rompe la solidaridad de los asalariados. Aun los sentimientos de las mujeres que lo siguen, reencarnaciones de María Magdalena, resultan al fin ambiguos. En la cárcel, a la que lo han llevado sus buenas obras, recibe la revelación última: tanto su "bondad" como la "maldad" de uno de sus compañeros de pena, asesino y ladrón de iglesias, son igualmente inútiles en un mundo que venera como valor supremo a la eficacia.

Fiel a la tradición del loco español, de Cervantes a Galdós, la película de Buñuel nos cuenta la historia de una desilusión. Para don Quijote la ilusión era el espíritu caballeresco; para Nazarín, el cristianismo. Pero hay algo más. A medida que la imagen de Cristo palidece en la conciencia de Nazarín, comienza a surgir otra: la del hombre. Buñuel nos hace asistir, a través de una serie de episodios ejemplares, en el buen sentido de la palabra, a un doble proceso: el desvanecimiento de la ilusión de la divinidad y el descubrimiento de la realidad del hombre. Lo sobrenatural cede el sitio a lo maravilloso: la naturaleza humana y sus poderes. Esta revelación encarna en dos momentos inolvidables: cuando Nazarín ofrece los *consuelos del más allá* a la moribunda enamorada y ésta responde, asida a la imagen de su amante, con una frase realmente estremecedora: *cielo no, Juan sí;* y al final, cuando Nazarín rechaza la limosna de una pobre mujer para, tras un momento de duda, aceptarla —no ya como dádiva sino como un signo de fraternidad. El solitario Nazarín ha dejado de estar solo: ha perdido a Dios pero ha encontrado a los hombres.

Este pequeño texto apareció en un folleto de presentación de *Nazarín* en el Festival Cinematográfico de Cannes. Se temía, no sin razón, que surgiese algún equívoco sobre el sentido de la película, que no sólo es una crítica de la realidad social sino de la religión cristiana. El riesgo de confusión, común a todas las obras de arte, era mayor en este caso por el carácter de la novela que inspiró a Buñuel. El tema de Pérez Galdós es la vieja oposición entre el cristianismo evangélico y sus deformaciones eclesiásticas e históricas. El héroe del libro. es un cura rebelde e iluminado, un verdadero protestante: abandona la Iglesia pero se queda con Dios. La película de Buñuel se propone mostrar lo contrario: la desaparición de la figura de Cristo en la conciencia de un creyente sincero y puro. En la escena de la muchacha agonizante, que es una transposición del *Diálogo entre un sacerdote y un moribundo* de Sade, la mujer afirma el valor precioso e irrecuperable del amor terrestre; si hay cielo, está aquí y ahora, en el instante del abrazo carnal, no en un más allá sin horas y sin cuerpos. En la escena de la prisión, el bandido sacrílego aparece como un hombre no menos absurdo que el cura iluminado. Los crímenes del primero son tan ilusorios como la santidad del segundo: si no hay Dios, tampoco hay sacrilegio ni salvación.

Nazarín no es la mejor película de Buñuel pero es típica de la dualidad que rige su obra. Por una parte, ferocidad y lirismo, mundo del sueño y la sangre que evoca inmediatamente a otros dos grandes españoles:

Quevedo y Goya. Por la otra, la concentración de un estilo nada barroco que lo lleva a una suerte de sobriedad exasperada. La línea recta, no el arabesco surrealista. Rigor racional: cada una de sus películas, desde *La edad de oro* hasta *Viridiana,* se despliega como una *demostración.* La imaginación más violenta y libre al servicio de un silogismo cortante como un cuchillo, irrefutable como una roca: la lógica de Buñuel es la razón implacable del marqués de Sade. Este nombre esclarece la relación entre Buñuel y el surrealismo: sin ese movimiento habría sido de todos modos un poeta y un rebelde; gracias a él, afiló sus armas. El surrealismo, que le reveló el pensamiento de Sade, no fue para Buñuel una escuela de delirio sino de razón; su poesía, sin dejar de ser poesía, se volvió crítica. En el recinto cerrado de la crítica el delirio desplegó sus alas y se desgarró el pecho con las uñas. Surrealismo de plaza de toros pero también surrealismo crítico: la corrida como demostración filosófica.

En un texto capital de las letras modernas, *De la literatura considerada como una tauromaquia,* Michel Leiris señala que su fascinación ante el toreo depende de la fusión entre riesgo y estilo: el diestro —nunca fue más exacta la palabra— debe afrontar la embestida sin perder la compostura. Es verdad: las buenas maneras son imprescindibles para morir y matar, al menos si se cree, como yo creo, que estos dos actos biológicos son asimismo ritos, ceremonias. En el toreo el peligro alcanza la dignidad de la forma y ésta la veracidad de la muerte. El torero se encierra en una forma que se abre hacia el riesgo de morir. Es lo que en español llamamos *temple:* arrojo y afinación musical, dureza y flexibilidad. La corrida, como la fotografía, es una exposición y el estilo de Buñuel, por doble elección estética y filosófica, es el de la exposición. Exponer es exponerse, arriesgarse. También es poner fuera, mostrar y demostrar: revelar. Los relatos de Buñuel son una exposición: revelan las realidades humanas al someterlas, como si fuesen placas fotográficas, a la luz de la crítica. El toreo de Buñuel es un discurso filosófico y sus películas son el equivalente moderno de la novela filosófica de Sade. Pero Sade fue un filósofo original y un artista mediano: ignoraba que el arte, que ama el ritmo y la letanía, excluye la repetición y la reiteración. Buñuel es un artista y el reproche que podría hacerse a sus películas no es de orden poético sino filosófico.

El razonamiento que preside a toda la obra de Sade puede reducirse a esta idea: el hombre es sus instintos y el verdadero nombre de lo que llamamos Dios es miedo y deseo mutilado. Nuestra moral es una codificación de la agresión y de la humillación; la razón misma no es sino instinto que se sabe instinto y que tiene miedo de serlo. Sade no se propuso demostrar que Dios no existe: lo daba por sentado. Quiso mostrar cómo serían las relaciones humanas en una sociedad efectivamente atea. En esto consiste su originalidad y el carácter único de su tentativa. El arquetipo de una república de verdaderos hombres libres es la *Sociedad de Amigos del Crimen;* el del verdadero filósofo, el asceta libertino que ha logrado alcanzar la impasibilidad y que ignora por igual la risa y el llanto. La lógica de Sade es total y circular: destruye a Dios pero no respeta al hombre. Su sistema puede provocar muchas críticas excepto la de la incoherencia. Su negación es universal: si algo afirma es el derecho a destruir y a ser destruido. La crítica de Buñuel tiene un límite: el hombre. Todos nuestros crímenes son los crímenes de un fantasma: Dios. El tema de Buñuel no es la culpa del hombre sino la de Dios. Esta idea, presente en todas sus películas, es más explícita y directa en *La edad de oro* y en *Viridiana,* que son para mí, con *Los olvidados,* sus creaciones más plenas y perfectas. Si la obra de Buñuel es una crítica de la ilusión de Dios, vidrio deformante que no nos deja ver al hombre tal cual es, ¿cómo son *realmente* los hombres y qué sentido tendrán las palabras amor y fraternidad en una sociedad *de verdad* atea?

La respuesta de Sade, sin duda, no satisface a Buñuel. Tampoco creo que, a estas alturas, se contente con las descripciones que nos hacen las utopías filosóficas y políticas. Aparte de que esas profecías son inverificables, al menos por ahora, es evidente que no corresponden a lo que sabemos sobre el hombre, su historia y su naturaleza. Creer en una sociedad atea regida por la armonía natural —sueño que todos hemos tenido— equivaldría ahora a repetir la apuesta de Pascal, sólo que en sentido contrario. Más que una paradoja sería un acto de desesperación: conquistaría nuestra admiración, no nuestra adhesión. Ignoro cuál sería la respuesta que podría dar Buñuel a estas preguntas. El surrealismo, que negó tantas cosas, estaba movido por un gran viento de generosidad y fe. Entre sus ancestros se encuentran no sólo Sade y Lautréamont sino Fourier y Rousseau. Y tal vez sea este último, al menos para André Breton, el verdadero origen del movimiento: exaltación de la pasión, confianza sin límites en los poderes naturales del hombre. No sé si Buñuel está más cerca de Sade o de Rousseau; es más probable que ambos disputen en su interior. Cualesquiera que sean sus creencias sobre esto, lo cierto es que en sus películas no aparece ni la respuesta de Sade ni la de Rousseau. Reticencia, timidez o desdén, su silencio es turbador. Lo es no sólo por ser el de uno de los grandes artistas de nuestra época sino porque es el silencio de todo el arte de esta primera mitad de siglo. Después de Sade, que yo sepa, nadie se ha atrevido a describir una sociedad atea. Falta algo en la obra de nuestros contemporáneos: no Dios sino los hombres sin Dios.

Delhi, 1965

[«El cine filosófico de Buñuel» se publicó en *Corriente alterna*, Siglo XXI, México, 1967.]

3. CANNES, 1951: *LOS OLVIDADOS*

Tendría unos diecisiete años cuando tuve por primera vez noticias de Luis Buñuel. Era estudiante de la Escuela Nacional Preparatoria y acababa de descubrir, en las vitrinas de las librerías Porrúa y Robredo, vecinas de San Ildefonso, los libros y revistas de la nueva literatura. En una de esas publicaciones —*La Gaceta Literaria*, que publicaba Ernesto Giménez Caballero en Madrid— leí un artículo sobre Buñuel y Dalí, ilustrado con textos de ambos, reproducciones de pinturas de Dalí y fotos de sus dos películas: *Un perro andaluz* y *La edad de oro*. Las fotografías me conturbaron más profundamente que los cuadros del pintor catalán: en las imágenes cinematográficas la mezcla de realidad cotidiana y delirio era más eficaz y detonante que en el ilusionismo manierista de Dalí. Unos años después, en el verano de 1937, en París, conocí a Buñuel en persona. Una mañana, en la puerta del Consulado de España, adonde había ido con Pablo Neruda a recoger un visado, nos cruzamos con él. Pablo lo detuvo y nos presentó. Fue un encuentro fugaz. El mismo año pude ver al fin las dos cintas célebres y con olor de azufre: *Un perro andaluz* y *La edad de oro*. La segunda fue para mí, en el sentido estricto de la palabra, una revelación: la súbita aparición de una verdad oculta y enterrada pero viva. Descubrí que la edad de oro está en nosotros y que tiene el rostro de la pasión.

Muchos años más tarde, en 1951, de nuevo en París, volví a ver a Luis Buñuel en casa de unos amigos: Gaston y Betty Bouthoul. Durante esa temporada lo vi con cierta frecuencia, estuvo en mi casa y finalmente, un día, me llamó para confiarme una misión: presentar su filme *Los olvidados* en el Festival de Cannes de ese año. Acepté inmediatamente y con entusiasmo. Había visto esa película, en una exhibición privada, con André Breton y otros amigos. Un detalle curioso: la noche de la exhibición, en el otro extremo de la pequeña sala, estaban Sadoul y otros antiguos surrealistas, convertidos al estalinismo. Al verlos pensé, por un instante, que estallaría una batalla campal, como en los tiempos de su juventud. Crucé una mirada con Elisa Breton, que dejaba ver cierta inquietud, pero todo el mundo ocupó en silencio su asiento y unos minutos después comenzó la función. Creo que era la primera vez que ellos y Breton se veían después de su rompimiento hacía muchos años. La película me conmovió: estaba animada por la misma imaginación violenta y por la misma razón implacable de *La edad de oro*, pero Buñuel, a través de una forma muy estricta, había logrado una concentración mayor. A la salida Breton comentó con elogios la cinta, aunque lamentó que hubiese cedido demasiado, en ciertos momentos, a la lógica realista del relato, a expensas de la poesía o, como él decía, de lo maravilloso. Por mi parte pensé que, al contrario, *Los olvidados* mostraba el camino no de la superación del surrealismo —¿se supera algo en arte y en literatura?— sino de su *desenlace*: quiero decir: Buñuel había encontrado una vía de salida de la estética surrealista al insertar, en la forma tradicional del relato, las imágenes irracionales que brotan de la mitad oscura del hombre. (En esos años yo me proponía algo semejante, en el dominio de la poesía lírica.) Y aquí quizá no sea ocioso decir que en las mejores obras de Buñuel se despliega una rara facultad que podría llamarse *imaginación sintética*. O sea: totalidad y concentración.

Apenas llegué a Cannes me entrevisté con el otro delegado de México. Era un productor y exhibidor de origen polaco que vivía en París. Me dijo que estaba al corriente de mi nombramiento como delegado mexicano ante el Festival y me señaló que nuestro país había enviado al Festival otra película. En realidad, Buñuel participaba en el Festival a título personal, invitado por los organizadores franceses. Me dijo también. que había visto *Los olvidados* en París y que le parecía, no obstante sus méritos artísticos, una película esotérica, esteticista y a ratos incomprensible. A su juicio no tenía la menor posibilidad de ganar algún premio. Agregó que varios altos funcionarios mexicanos, así como numerosos intelectuales y periodistas, reprobaban que se exhibiese en Cannes un filme que denigraba a México. Esto último era desgraciadamente cierto y Buñuel se ha referido al tema en sus memorias *(El último suspiro)*, aunque con discreción y sin revelar los nombres de sus críticos. Lo imitaré pero no sin subrayar que en esa actitud se conjugaban las dos infecciones que padecían en aquella época nuestros intelectuales progresistas: el nacionalismo y el realismo socialista.

El escepticismo de mi colega en la delegación de México estaba compensado por el entusiasmo y la buena voluntad que mostraron varios amigos, todos ellos admiradores de Buñuel. Entre ellos el legendario Langlois, director de la Cinemateca de París, y dos jóvenes surrealistas, Kyrou y Benayoun, que hacían una revista de vanguardia: *L'Âge du Cinéma.* Visitamos a muchos artistas notables que vivían en la Costa Azul, invitándolos a la función en que se iba a exhibir la película. Casi todos aceptaron. Uno de los más decididos a manifestarse en favor de Buñuel y del arte libre fue, para mi sorpresa, el pintor Chagall. En cambio Picasso se mostró huidizo y reticente; al fin, no se presentó. Recordé su actitud poco amistosa con Apollinaire en el asunto de las estatuillas fenicias. El más generoso fue el poeta Jacques Prévert. Vivía en Vence, a unos cuantos kilómetros de Cannes; lo fuimos a ver Langlois y yo: le contamos nuestros apuros y a los pocos días nos envió un poema en homenaje a Buñuel, que nos apresuramos a publicar. Creo que causó cierta sensación entre los críticos y los periodistas que asistían al Festival.

Escribí un pequeño ensayo a manera de presentación, «El poeta Buñuel». Como no teníamos dinero, lo imprimimos en mimeógrafo. El día de la exhibición de *Los olvidados,* en la puerta del cine, lo distribuí entre los asistentes. Dos días después lo reprodujo un diario parisiense. El filme de Buñuel provocó, inmediatamente, muchos artículos, comentarios y discusiones. *Le Monde* lo puso por las nubes pero *L'Humanité* lo llamó «una película negativa». Eran los años del realismo socialista y se exaltaba como valor central de las obras de arte «el mensaje positivo». Recuerdo la discusión encarnizada que tuve una noche, poco después del estreno, con Georges Sadoul. Me dijo que Buñuel había «desertado» del verdadero realismo y que chapoteaba, aunque con talento, en las aguas negras del pesimismo burgués. Le respondí que su empleo de la palabra *desertar* revelaba que su idea del arte era digna de un sargento y que con la teoría del realismo socialista se quería ocultar la nada socialista realidad soviética... Lo demás es conocido: *Los olvidados* no obtuvo el gran Premio pero con esa película se inicia el segundo y gran periodo creador de Buñuel.

México, 1982

[«Cannes, 1951: *Los olvidados*» se publicó en *La Letra y la Imagen,* 15 de marzo de 1982, y se recogió en *Al paso,* Seix Barral, Barcelona, 1992.]

4. DE OCTAVIO PAZ A LUIS BUÑUEL

Veinte años después de La edad de oro *(1930) y tras un periodo de relativa oscuridad, se otorgó a Luis Buñuel en el Festival de Cannes de 1951 el Premio de la Crítica por su película* Los olvidados. *Fue el comienzo de la segunda y gran época de Buñuel. En esos años Octavio Paz era tercer secretario de la Embajada de México en París. Por sugerencia de Buñuel y gracias a las gestiones del productor de* Los olvidados, *se logró que Octavio Paz fuera uno de los dos delegados de México al Festival. Como es sabido, México no presentó el filme, que se exhibió porque Buñuel había sido invitado por los organizadores. En sus memorias Buñuel recuerda que algunos altos funcionarios y varios conocidos intelectuales habían criticado su película, que juzgaban denigrante para México. Las cartas de Octavio Paz a Buñuel que publicamos a continuación —escritas por la noche, para dar cuenta al director de* Los olvidados *del desarrollo del festival— fueron encontradas en el archivo del cineasta por el crítico e investigador Yasha David.*

Abril 5 de 1951

Querido Luis Buñuel:

Damos la batalla por *Los olvidados*. Estoy orgulloso de pelear por usted y su película. He visto a sus amigos. Todos están con usted. Prévert le manda un abrazo. Picasso lo saluda. Los periodistas inteligentes y los jóvenes están con usted. Vuelven un poco, gracias a *Los olvidados,* los tiempos heroicos. He organizado una reunión «íntima» unas horas antes de la exhibición de su película (el domingo 8). Contamos con Prévert, Cocteau, Chagall, Trauner y otros para esa reunión (amén de todos los periodistas y críticos con algo en la cabeza, en el corazón o en otra parte). Picasso —sin que se lo pidiéramos— ha declarado públicamente que irá a la presentación de *Los olvidados*. Si el jurado no premia su película (lo cual no es imposible) pensamos publicar un folleto o una declaración conjunta con las gentes mejores. De todos modos *Los olvidados* tendrá un premio, pero nosotros aspiramos al Gran Premio. (Los rivales más serios son los italianos, los ingleses y los rusos.) Aun en el caso —improbable, casi imposible— de una derrota total, hemos ganado en la opinión. La prensa hablará —y hablará mucho— de *Los olvidados*. Tenemos seguro, además, el premio de la crítica, en caso de no obtener el Gran Premio o el de dirección.

De prisa, he escrito algo sobre usted. Será distribuido, en francés, el día 8. Después creo que obtendré un texto de Prévert. La copia que le envío (escrita anoche en una inservible aunque reluciente máquina de escribir suiza) le *sugiero que sea publicado en Novedades. Hable con Benítez, de mi parte.* Es poco, para lo mucho que es usted, pero no tuve tiempo de hacer nada mejor.[1]

Un abrazo.

Octavio Paz

Cannes, 11 de abril de 1951

M. Luis Buñuel
México, D. F.
Querido Buñuel:

Ayer presentamos *Los olvidados.* Creo que la batalla con el público y la crítica la hemos ganado. Mejor dicho, la ha ganado su película. No sé si el jurado le otorgará el Gran Premio. Lo que sí es indudable es que todo el mundo considera que —por lo menos hasta ahora— *Los olvidados* es la mejor película exhibida en el Festival. Así, tenemos *seguro* (con, naturalmente, las reservas, *sorpresas* y *combinaciones* de última hora) un premio.

Ahora le contaré un poco cómo pasaron las cosas. El día 1 de abril (apenas supe que era delegado gubernamental) entrevisté a Karol, delegado de la industria (o de los distribuidores, no sé aún a ciencia cierta). Karol y su mujer se mostraban totalmente escépticos. No solamente no creían en su película, sino que adiviné que no les gustaba. Claro que me pareció inútil discutir con ellos. Sabía que en ocho días —y ante opiniones de gente que ellos consideran— cambiarían. Así ocurrió. Ahora Karol proclama que *Los olvidados* obtendrá el gran premio.

Cuando llegué a Cannes (el 3) me di cuenta que ni México ni Karol habían preparado la presentación. No teníamos folletos, publicaciones, nada. Tampoco se había hecho la menor propaganda, ni se había utilizado la admiración y amistad que aquí le profesan. Mi primera preocupación fue movilizar la opinión. Por fortuna, el mismo día 3, encontré varios amigos (periodistas y cineastas) que con todo desinterés —y por amistad hacia su obra— se dedicaron a hacer de *Los olvidados* «el filme del Festival». Entre ellos debo mencionar a Simone Debreuilh (amiga suya), Kyran (un chico amigo de Breton), Frederic y Langlois (de la Cinemateca), etc. En

[1] Se trata del texto «El poeta Buñuel», recogido en este mismo volumen, pp. 764 y ss.

primer término visitamos a Prévert (que se ha portado de un modo maravilloso), logramos la colaboración de Cocteau y Chagall. (Picasso, que prometió asistir, no pudo o no quiso —¿política de partido?— concurrir a la representación. De todos modos, sus amigos estuvieron con nosotros.) Movilizamos también a lo que los políticos mexicanos llaman «las infanterías» del festival, periodistas, secretarias, etc. Prévert declaró que se trataba de una gran película. Cocteau llamó varias veces a la Secretaría General, pidiendo boletos, etc. Finalmente, 24 horas antes, distribuimos el texto que escribí sobre usted. En suma, creamos una atmósfera de expectación. Hay que decir que Karol, los últimos días, «despertó» y nos ayudó. Danztinguer, (¿se escribe así?) se presentó a última hora y —aunque tarde— también fue eficaz.

Ayer el teatro estaba lleno, como en sus grandes días. Algo iba a pasar. Distribuimos a nuestros amigos estratégicamente. Pero no hubo batalla. La película ganó al público aunque —claro está— parece que hay inconformes: los «refinados» y algún grupo comunista (esto último no lo puedo asegurar, aunque me dicen que Sadoul encontró el filme demasiado «negativo» e «inutilizable»). El público aplaudió varios fragmentos: el del sueño, la escena erótica entre el Jaibo y la madre, la del pederasta y Pedro, el diálogo entre Pedro y su madre, etc. Al final, grandes aplausos. Pero, sobre todo, una profunda, hermosa emoción. Salimos, como se dice en español, con la garganta seca. Hubo un momento —cuando el Jaibo quiere sacarle los ojos a Pedro— que algunos sisearon. Fueron acallados por los aplausos.

Los comentarios no pueden ser más entusiastas. Prévert declaró que era la mejor película que había visto en los últimos diez años. Cocteau citó a Goethe, quien había afirmado que el mejor músico de su época era Beethoven. ¿Y Mozart? le dijeron: «Mozart no es el primero, ni el segundo: es único, está aparte». Así digo de Buñuel. Ni es el primero, ni el segundo. Es único. Está solo. Pudovkin afirmó que se trataba de un gran filme lleno de optimismo en los valores humanos. Chagall declaró que no estaba sorprendido: sabía que usted era un gran artista. Felicitó también a Figueroa y a Halffter. Esta opinión desconcertará a los periodistas comunistas. Hoy por la mañana la Radiodifusión francesa visitará a todas esas personalidades para pedirles opiniones. Ya se las enviaremos. También le remitiremos los recortes de prensa. Y por lo pronto puede usted utilizar para la prensa lo que le cuento —omitiendo, naturalmente, los detalles íntimos que son sólo para usted, como la actitud de Karol.

Tengo que pedirle un favor: agregue, en la página cinco del artículo que le envié, a continuación de «grandes y pequeñas estrellas» lo siguiente: «Sabíamos que Rodolfo Halffter es un gran músico. Ignorábamos que la música —arte dotado de irreductibles poderes de encantación— era de tal modo capaz de fundirse a la acción, al grado que imagen visual, sonido y movimiento fílmico forman un todo indivisible. La música de Halffter posee una calidad que no es exagerado llamar interior. Quiero decir: no acompaña al drama, no lo subraya ni lo comenta: brota de la acción, es su respuesta fatal, su necesario complemento. ¡Lograda unidad!»

Le ruego agregar este párrafo porque no sólo me parece justo, sino porque no me perdonaría a mí mismo haber olvidado a Halffter. Asimismo le suplico que mande copiar el artículo y se lo envíe a Fernando Benítez, director de *Novedades*. Sería bueno que el artículo apareciera con una breve nota en la que se mencionase el éxito de *Los olvidados* y las opiniones que le transcribo en esta carta.

Y nada más, sino un cordial saludo de su amigo:

Octavio Paz

¿Es necesario repetirle que estoy orgulloso de luchar por una película como *Los olvidados?*

Le escribiré después con nuevos detalles.

Cannes, abril 16 de 1951

Querido Buñuel:

Le envío copia del poema de Prévert. Ojalá que pueda ser publicado allá, con mi artículo. (¿Lo envió a *Novedades,* como le rogaba?) Desde París le remitiré los artículos de prensa. Casi todos favorables. La película sigue siendo *la mejor,* aunque quizá el jurado decida darle el Gran Premio a *Milagro en Milán,* de V. de Sica (filme que, en un género menor, es también admirable). De todos modos es *seguro* (salvo alguna monstruosa intervención de última hora) que usted tendrá el Premio de la Crítica (que es el otro gran premio) o el de la «Mejor dirección». La película ha triunfado. ¿Qué se dice en México? Conteste, por favor. Vea a Benítez *(Novedades),* y a Huerta *(El Nacional)* y repítales lo que yo —y otros amigos— le hemos escrito.

Prévert —a quien vi ayer— me pide noticias de usted. Escríbale unas líneas. Su dirección: St. Paul de Vence (A.M.).

Si tiene oportunidad, le rogaría que viera al Lic. Castillo López. Quisiera saber si al fin me pagarán mis gastos y mi viaje. Salude a Dancinger, a Figueroa, Estela Inda, Halffter y demás artistas.

Suyo, Octavio Paz

[«De Octavio Paz a Luis Buñuel» se publicó en *Vuelta,* núm. 201, México, agosto de 1993.]

Luis Cernuda

1. APUNTES SOBRE *LA REALIDAD Y EL DESEO*

En los últimos meses del año pasado, el Fondo de Cultura Económica publicó, en un volumen, las poesías completas de Luis Cernuda. Se trata de la tercera edición de *La realidad y el deseo* (la primera es de 1936; la segunda, de 1940). Cernuda ha sido fiel a sí mismo durante toda su vida y su libro, que ha crecido lentamente como crecen los seres vivos, posee una coherencia interior nada frecuente en la poesía moderna. Pero es tal el número de poemas nuevos, y éstos arrojan una luz tan reveladora sobre los antiguos, que sólo hasta ahora, cuando podemos contemplarla en su totalidad, comenzamos a vislumbrar el significado de su obra. Como el viajero que ve dibujarse poco a poco, a medida que se aproxima a la costa, la verdadera forma de una tierra desconocida, en el espacio de los últimos veinticinco años nuestra generación ha asistido a la paulatina revelación de un continente poético.

Si se olvidan sus trabajos de crítica literaria y algunas narraciones sueltas —todo ello escrito en función de su poesía— Cernuda es autor de un solo libro. Se necesita una gran fe en uno mismo (o una gran y soberbia desesperación) para jugarse el todo por el todo en una sola carta. Desesperación, fe, soberbia: palabras contradictorias y que, sin embargo, se juntan naturalmente. Todas ellas dependen de otra que las sostiene en vilo, en una suerte de tenso equilibrio: fatalidad, necesidad. Cernuda es uno de los raros poetas fatales de nuestra época. Escribe porque no tiene más remedio que hacerlo. Para el poeta con destino expresarse es tan natural e involuntario como para nosotros respirar. Un demonio, su conciencia poética, no lo suelta nunca y le exige, ocurra lo que ocurra, que diga lo que tiene que decir. A Cernuda le gusta citar una frase de Heráclito: «Destino es carácter». ¿No podría agregarse que se necesita cierta conciencia del destino para soportar la tensión de un carácter tan riguroso?

Ejemplos de distinta fidelidad al demonio poético: Éluard, autor de muchos libros de poemas, durante toda su vida escribió un solo poema y cada uno de sus libros contiene innumerables versiones de ese poema único; Cernuda, autor de un solo libro, es poeta de muchos poemas.

Escribí: continente poético. Quizá la expresión le convenga más a Neruda —por lo que tiene de inmensidad física, de espesura natural y aterradora monotonía geográfica la poesía del chileno. Para Cernuda la geografía cuenta poco y la naturaleza entera, desde el mar y las rocas sin nombre hasta la meseta castellana, está bañada de historia. La obra de Cernuda es una biografía espiritual, es decir, lo contrario de una geografía: un mundo humano, universo en cuyo centro se halla ese personaje —mitad irrisorio, mitad trágico— que es el hombre. Canto y examen, soliloquio y plegaria, delirio e ironía, confesión y reserva, blasfemia y alabanza, todo presidido por una conciencia que desea transformar la experiencia vivida en saber espiritual.

Con una sola excepción, que yo sepa, la crítica ha callado ante el libro de Cernuda. O lo ha cubierto de elogios vacuos, que es otra manera de callarse. Como ha ocurrido antes con otros grandes poetas, la reserva de la crítica, su desazón e inseguridad, se debe al carácter involuntariamente *moral* de la inspiración de Cernuda. Su libro, claro está, no nos propone una moral pero despliega ante nuestros ojos una visión de la realidad que es un desafío al frágil edificio de lo que llamamos bien y mal. Blake decía que todo verdadero poeta, aun sin saberlo, está de parte del demonio.

Poeta del amor, Cernuda se parece a Bécquer. Poeta de la poesía, desciende de Baudelaire; la conciencia de la soledad del poeta; la visión de la ciudad moderna y sus poderes bestiales; la dualidad de canto y crítica; en fin, el mismo desesperado y loco afán por alcanzar la felicidad terrestre y la misma certidumbre del fracaso. En Cernuda falta la nota cristiana: la conciencia de la caída, la nostalgia del más allá y el sentido de lo sobrenatural. Hay en cambio —rasgo insólito en la historia de la poesía española, siempre impregnada de cristianismo— una recuperación de la conciencia trágica, es decir, una aceptación de la condición humana sin referencia a ningún trasmundo ultraterreno o histórico. El pesimismo de Cernuda no es una negación de la vida sino una exaltación de sus poderes: «No es el amor quien muere, somos nosotros mismos...» Todo esto no es sino una descripción exterior de la poesía de Cernuda. Quizá lo único que debería decirse de este poeta es que ha escrito algunos de los poemas más intensos, lúcidos y punzantes de la historia de nuestra lengua. Penetran la carne de la realidad corno un cuchillo y, simultáneamente, su breve relámpago ilumina la tiniebla del corazón humano. Estos poemas nos ayudan a conocernos y, aún más, a *reconocernos*.

El libro de Cernuda hace pensar en los poetas latinos. Tienen fama de retóricos y poco originales. No lo creo: sería inútil buscar entre los griegos, con la excepción de Safo, poemas amorosos que posean la entonación moderna de los de Catulo y Propercio. Son los primeros en revelar la naturaleza contradictoria y destructiva del amor. Se dice que en Provenza nace la idea del amor. Es verdad, pero Grecia y Roma (para no hablar del mundo árabe) lo adivinaron. En Grecia aparece como pasión homosexual; en Roma como pasión desdichada. En la poesía de Catulo y Propercio el amor no es una plenitud sino una carencia, un ardor sombrío, rabioso y reflexivo. Pasión que el análisis psicológico humilla doblemente: por desear a un ser abyecto y por el amargo placer que da la satisfacción de ese deseo. Un sentimiento teñido de egoísmo, desprecio al otro y a sí mismo. Celos y sensualidad, exaltación y análisis, idolatría y odio: toda la interminable dialéctica entre placer y humillación de la novela moderna, de Benjamin Constant a Scott Fitzgerald. El amor es un sentimiento que sólo puede nacer ante un ser libre, que puede darnos o retirarnos su presencia. En la Antigüedad la mujer podía ser objeto de veneración o deseo, no de amor; diosa o esclava, objeto sagrado o utensilio doméstico, madre o cortesana, hija o sacerdotisa, ni siquiera su cuerpo era suyo: era el doble ambiguo del cosmos, el depositario de las fuerzas benéficas o nefastas del universo. Primero en Alejandría, después y sobre todo en Roma, la mujer inicia la lenta reconquista de sí misma. Más tarde el cristianismo le daría alma y libre albedrío, ya que no libertad corporal. El proceso, que aún no termina, comenzó en Roma: la gran ciudad presintió el amor, el diálogo corporal y espiritual entre dos seres libres. La libertad del siglo XX ¿es una verdadera libertad o la máscara de una nueva esclavitud? No sé. En todo caso, el amor no es la libertad sexual sino la libertad *pasional:* no el derecho a ejercer una función fisiológica sino la libre elección de un vértigo.

La realidad y el deseo no es un libro premeditado: creció naturalmente hasta convertirse en libro. Por eso no es fácil desprender un fragmento sin desgarrarlo, sin desnaturalizarlo. Por supuesto, no todos los poemas poseen la misma intensidad. Entre 1929 y 1934, en plena juventud, Cernuda descubre simultáneamente el surrealismo y la pasión erótica. Después, su lenguaje pierde tensión y aparece un tono elocuente que poco a poco cubre la verdadera voz poética; el poema como disertación y condenación de nuestra época. El lector le da la razón al moralista pero no tiene más remedio que preguntarse si no hubiera sido mejor decir todo eso en prosa. Triunfa no tanto el prosaísmo del lenguaje hablado, manantial de la poesía moderna, sino el rigor de la prosa escrita. Demasiado atento a su monólogo, tal vez Cernuda no oyó hablar a los otros. A pesar de que se sentía más cerca de los poetas sajones que de los franceses y españoles, también en este sentido su obra continúa la tradición latina. Para mí sus tres libros centrales son *Un río, un amor, Los placeres prohibidos* y *Donde habite el olvido.* Los poemas escritos después me gustan menos y sólo unos cuantos me satisfacen totalmente. Temo, sin embargo, ser demasiado tajante: ¿cómo olvidar *Soliloquio del farero, Por unos tulipanes amarillos, La gloria del poeta, Impresión de destierro, Un español habla de su tierra, Góngora, Limbo*y otros más? En todos ellos hay algo que no encuentro en casi ningún otro poeta de su generación: la conciencia del destino del poeta como un ser aparte y que sólo se afirma por la negación del mundo abyecto que lo rodea. En esto y no en su lenguaje reside la modernidad de su último periodo. En nuestro tiempo la poesía es crítica y por eso nos parecen anacrónicos tanto los himnos y las maldiciones de los «poetas sociales» como las efusiones líricas de Jiménez (no el Jiménez de la vejez, el admirable poeta de *Espacio,* uno de los grandes poemas de nuestro siglo). Me pregunto si los jóvenes leen a Cernuda como nosotros lo leímos. Me parece imposible que no experimenten la misma sensación —no un deslumbramiento sino algo más raro y precioso: el descubrimiento de un espíritu que se conoce a sí mismo y se afronta, el rigor de una pasión lúcida, una libertad que es simultáneamente rebelión contra el mundo y aceptación de su fatalidad personal. Ninguna consolación, ninguna prédica de buenos sentimientos, ninguna concesión. Y sobre todo: unos cuantos poemas en los que la voz del poeta es la de la poesía misma, poemas de una juventud sin fechas. ¿Es poco? Yo diría que es suficiente. Lo que cuenta no es la extensión: «Más tiempo —decía el mismo Jiménez— no es más eternidad».

[«Apuntes sobre *La realidad y el deseo*» se publicó en *Corriente alterna,* Siglo XXI, México, 1967.]

2. LA PALABRA EDIFICANTE

En 1961 el *Mercure de France* dedicó un número de homenaje a Pierre Reverdy, muerto hacía poco. Luis Cernuda escribió unas cuantas páginas, preciosas no tanto por lo que nos dicen sobre Reverdy como por lo que, indirectamente, revelan del mismo Cernuda: su identificación de conciencia poética y pureza ética, su gusto por la palabra esencial que contraponía, no siempre con razón, a lo que él llamaba la suntuosidad de la tradición española y francesa. Pero no recuerdo ese artículo a propósito de las afinidades entre el poeta francés y el español —aunque la influencia del primero sobre el segundo merecería un comentario— sino porque aquello que hace tres años escribió Cernuda sobre el destino de los poetas muertos parece hoy pensado y dicho sobre su propia muerte: «¿Qué país sobrelleva a gusto a sus poetas? A sus poetas vivos, quiero decir, pues a los muertos, ya sabemos que no hay país que no adore a los suyos». España no es una excepción. Nada más natural que las revistas literarias de la península publiquen homenajes al poeta: «puesto que Cernuda ha muerto, viva, pues, Cernuda»; nada más natural también que poetas y críticos, todos a una, cubran con una misma gris capa de elogios la obra de un espíritu que con admirable e inflexible terquedad no cesó nunca de afirmar su *disidencia.* Enterrado el poeta, podemos discurrir sin riesgo sobre su obra y hacerla decir lo que nos parece que debería haber dicho: ahí donde él escribió separación, leeremos unión; Dios donde dijo demonio; patria, no tierra inhóspita; alma, no cuerpo. Y si la «interpretación» resulta imposible, borraremos las palabras prohibidas —rabia, placer, asco, muchacho, pesadilla, soledad... No quiero decir que todos sus panegiristas pretendan volver blanco lo que fue negro ni que lo hagan con entera mala fe. No se trata de una mentira deliberada sino de una sustitución piadosa. Tal vez sin darse cuenta, movidos por un sincero deseo de justificar su admiración por una obra que su conciencia reprueba, transforman una verdad particular y única —a veces insoportable y repelente, como todo lo que es de verdad fascinante— por una verdad general e inofensiva, aceptable para todos. Gran parte de lo que se ha escrito sobre Cernuda en los últimos meses se podría haber escrito sobre cualquier otro poeta. No ha faltado quien afirme que la muerte lo ha devuelto a su patria («muerto el perro, se acabó la rabia»). Un crítico, que dice conocer bien su obra y admirarla, no teme escribir: «el poeta tenía un defecto trágico: la incapacidad de reconocer otra clase de amor que el amor romántico; por lo visto el amor conyugal, el paternal, el filial, todos eran para Cernuda puertas cerradas». Otro hace votos porque el poeta «haya encontrado un mundo donde estén en armonía la realidad y el deseo». ¿Se ha preguntado ese escritor cómo sería ese paraíso y cuáles sus ángeles y divinidades?

La obra de Cernuda es una exploración de sí mismo; una orgullosa afirmación, al fin de cuentas no desprovista de humildad, de su irreductible diferencia. Él mismo lo dijo: «Yo sólo he tratado, como todo hombre, de hallar mi verdad, la mía, que no será mejor ni peor que la de otros sino sólo diferente». Servir a su memoria no puede consistir en levantarle monumentos que, como todos los monumentos, ocultan al muerto, sino ahondar en esa verdad diferente y enfrentarla a la nuestra. Sólo así su verdad, justamente por ser distinta e inconciliable, puede acercarnos a nuestra propia verdad, ni mejor ni peor que la suya, sólo nuestra. La obra de Cernuda es un camino hacia nosotros mismos. En esto radica su valor moral. Pues aparte de ser un alto poeta —o, más bien: por serlo— Cernuda es uno de los poquísimos moralistas que ha dado España, en el sentido en que Nietzsche es el gran moralista de la Europa moderna y, como él decía, «su primer psicólogo». La poesía de Cernuda es una crítica de nuestros valores y creencias; en ella destrucción y creación son inseparables, pues aquello que afirma implica la disolución de lo que la sociedad tiene por justo, sagrado o inmutable. Como la de Pessoa, su obra es una subversión y su fecundidad espiritual consiste, precisamente, en que pone a prueba los sistemas de la moral colectiva, tanto los fundados en la autoridad de la tradición como los que nos proponen los reformadores sociales. Su hostilidad ante el cristianismo no es menor que su repugnancia ante las utopías políticas. No digo que sea necesario coincidir con él; digo que, si amamos realmente su poesía, hay que *oír* lo que realmente nos dice. No nos pide una piadosa reconciliación; espera de nosotros lo más difícil: el reconocimiento.

I

No me propongo, en las notas que siguen, recorrer la obra de Cernuda en su totalidad. Escribo sin tener a la mano sus libros más importantes y, fuera de lo que haya dejado en mi memoria un trato de años con sus escritos, no poseo sino unos cuantos poemas en una antología, la tercera edición de *Ocnos* y *Desolación de la quimera.* Alguna vez escribí que su creación era semejante al crecimiento de un árbol, por oposición a las construcciones verbales de otros poetas. Esa imagen era justa sólo a medias: los árboles crecen espontánea y fatalmente, pero carecen de conciencia. Un poeta es aquel que tiene conciencia de su fatalidad, quiero decir: aquel que escribe porque no tiene más remedio que hacerlo —y lo sabe. Aquel que es cómplice de su fatalidad —y su juez. En Cernuda espontaneidad y reflexión son inseparables y cada etapa de su obra es una nueva tentativa de expresión y una meditación sobre aquello que expresa. No cesa de avanzar hacia dentro de sí mismo y no cesa de preguntarse si avanza realmente. Así, *La realidad y el deseo* puede verse como una biografía espiritual, sucesión de momentos vividos y reflexión sobre esas experiencias vitales. De ahí su carácter moral.

¿Puede ser poética una biografía? Sólo a condición de que las anécdotas se transmuten en poemas, es decir, sólo si los hechos y las fechas dejan de ser historia y se vuelven ejemplares. Pero ejemplares no en el sentido didáctico de la palabra sino en el de «acción notable», como cuando decimos: ejemplar único. O sea: mito, argumento ideal y fábula real. Los poetas se sirven de las leyendas para contarnos cosas reales; y con los sucesos reales crean fábulas, ejemplos. Los peligros de una biografía poética son dobles: la confesión no pedida y el consejo no solicitado. Cernuda no siempre evita estos extremos y no es raro que incurra en la confidencia y en la moraleja. No importa: lo mejor de su obra vive en ese espacio, real e imaginario, del mito. Un espacio ambiguo como la figura misma que sostiene. Fábula real e historia ideal, *La realidad y el deseo* es el mito del poeta moderno. Un ser distinto, aunque sea su descendiente, del poeta maldito. Se han cerrado las puertas del infierno y al poeta ni siquiera le queda el recurso de Adén o de Etiopía; errante en los cinco continentes, vive siempre en el mismo cuarto, habla con las mismas gentes y su exilio es el de todos. Esto no lo supo Cernuda —estaba demasiado inclinado sobre sí mismo, demasiado abstraído en su propia singularidad— pero su obra es uno de los testimonios más impresionantes de esta situación, verdaderamente única, del hombre moderno: estamos condenados a una soledad promiscua y nuestra prisión es tan grande como el planeta. No hay salida ni entrada. Vamos de lo mismo a lo mismo. Sevilla, Madrid, Toulouse, Glasgow, Londres, Nueva York, México, San Francisco: ¿Cernuda estuvo de veras en esas ciudades?, ¿en dónde están realmente esos sitios?

Todas las edades del hombre aparecen en *La realidad y el deseo*. Todas, excepto la infancia, que sólo es evocada como un mundo perdido y cuyo secreto se ha olvidado. (¿Qué poeta nos dará, no la visión o la nostalgia de la niñez sino la niñez misma, quién tendrá el valor y el genio de hablar como los niños?) El libro de poemas de Cernuda podría dividirse en cuatro partes: la adolescencia, los años de aprendizaje, en los que nos sorprende por su exquisita maestría; la juventud, el gran momento en que descubre a la pasión y se descubre a sí mismo, periodo al que debemos sus blasfemias más hermosas y sus mejores poemas de amor —amor al amor; la madurez, que se inicia como una contemplación de los poderes terrestres y termina en una meditación sobre las obras humanas; y el final, ya en el límite de la vejez, la mirada más precisa y reflexiva, la voz más real y amarga. Momentos distintos de una misma palabra. En cada uno hay poemas admirables pero yo me quedo con la poesía de juventud *(Los placeres prohibidos, Un río, un amor, Donde habite el olvido)* no porque en esos libros el poeta sea enteramente dueño de sí sino precisamente porque todavía no lo es: instante en que la adivinación aún no se vuelve certidumbre, ni la certidumbre fórmula. Sus primeros poemas me parecen un ejercicio cuya perfección no excluye la afectación, cierto amaneramiento del que nunca se desprendió del todo. Sus libros de madurez rozan un clasicismo de yeso, es decir, un neoclasicismo: hay demasiados dioses y jardines; hay una tendencia a confundir la elocuencia con la dicción y no deja de ser extraño que Cernuda, crítico constante de esa inclinación nuestra por el «tono noble», no la haya advertido en sí mismo. En fin, en sus últimos poemas la reflexión, la explicación y aun el improperio ocupan demasiado espacio y desplazan al canto; el lenguaje no tiene la fluidez del habla sino la sequedad escrita del discurso. Y sin embargo, en todos esos periodos hay poemas que me han iluminado y guiado, poemas a los que vuelvo siempre y que siempre me revelan algo esencial. El secreto de esa fascinación es doble. Estamos ante un hombre que en cada palabra que escribe se da por entero y cuya voz es inseparable de su vida y su muerte; al mismo tiempo, esa palabra nunca se nos da directamente: entre ella y nosotros está la mirada del poeta, la reflexión que crea la distancia y así permite la verdadera comunicación. La conciencia da profundidad, resonancia espiritual a lo que dice; el pensar despliega un espacio mental que da gravedad a la palabra. La conciencia da unidad a su obra. Poeta fatal, está condenado a decir y a pensar en lo que dice. Por eso, al menos para mí, sus poemas mejores son los de esos años en que dicción espontánea y pensamiento se funden; o los de esos momentos de la madurez en que la pasión, la cólera o el amor le devuelven el antiguo entusiasmo, ahora en un lenguaje más duro y lúcido.

Biografía de un poeta moderno de España, *La realidad y el deseo* es también la biografía de una conciencia poética europea. Porque Cernuda es un poeta europeo, en el sentido en que *no* son europeos Lorca o Machado, Neruda o Borges. (El europeísmo de este último es muy americano: es una de las maneras que tenemos los hispanoamericanos de ser nosotros mismos o, más bien, de inventarnos. Nuestro europeísmo no es un desarraigo ni una vuelta al pasado: es una tentativa por crear un espacio temporal frente a un espacio sin tiempo y, así, encarnar.) Por supuesto, los españoles son europeos pero el genio de España es polémico: pelea consigo mismo y cada vez que arremete contra una parte de sí, arremete contra una parte de Europa. Tal vez el único poeta español que se siente europeo con naturalidad es Jorge Guillén; por eso, también con naturalidad, se siente bien plantado en España. En cambio, Cernuda escogió ser europeo con la misma furia con que otros de sus contemporáneos decidieron ser andaluces, madrileños o catalanes. Su europeísmo es polémico y está teñido de antiespañolismo. El asco por la tierra nativa no es exclusivo de los españoles; es algo constante en la poesía moderna de Europa y América. (Pienso en Pound y en Michaux, en Joyce y en Breton, en cummings... La lista sería interminable.) Así, Cernuda es antiespañol por dos motivos: por españolismo polémico y por modernidad. Por lo primero, pertenece a la familia de los heterodoxos españoles; por lo segundo, su obra es una lenta reconquista de la herencia europea, una búsqueda de esa corriente central de la que España se ha apartado desde hace mucho. No se trata de influencias —aunque, como todo poeta, haya sufrido varias, casi todas benéficas— sino de una exploración de sí mismo, no ya en sentido psicológico sino de su historia.

Cernuda descubre el espíritu moderno a través del surrealismo. El mismo Cernuda se ha referido varias veces a la seducción que ejerció sobre su sensibilidad la poesía de Reverdy, maestro de los surrealistas y también suyo. Admira en Reverdy el «ascetismo poético» —equivalente, dice, al de Braque— que lo hace construir un poema con el mínimo de materia verbal; pero más que la economía de medios admira su *reticencia.* Esa palabra es una de las claves del estilo de Cernuda. Pocas veces un pensamiento más osado y una pasión más violenta se han servido de expresiones más púdicas. No fue Reverdy el único de los franceses que lo conquistó. En una carta de 1929, escrita desde Madrid, pide a un amigo de Sevilla que le devuelva varios libros (*Les Pas perdus* de André Breton, *Le Libertinage* y *Le Paysan de Paris* de Louis Aragon) y agrega: «Azorín, Valle-Inclán, Baroja: ¿qué me importa toda esa estúpida, inhumana, podrida literatura española?» No se escandalicen los casticistas. En esos mismos años Breton y Aragon encontraban que la literatura francesa era igualmente inhumana y estúpida. Hemos perdido esa hermosa desenvoltura; qué difícil ahora ser insolente, injustamente justo como en 1920.

¿Qué debe Cernuda a los surrealistas? El puente entre la vanguardia francesa y la poesía de nuestra lengua fue, como es sabido, Vicente Huidobro. Después del poeta chileno los contactos se multiplicaron y Cernuda no fue ni el primero ni el único que haya sentido la fascinación del surrealismo. No sería difícil señalar en su poesía y aun en su prosa las huellas de ciertos surrealistas, como Éluard, Crevel y, aunque se trate de un escritor que es su antípoda, el deslumbrante Louis Aragon (primera manera). Pero a diferencia de Neruda, Lorca o Villaurrutia, para Cernuda el surrealismo fue algo más que una lección de estilo, más que una poética o una escuela de asociaciones e imágenes verbales: fue una tentativa de encarnación de la poesía en la vida, una subversión que abarcaba tanto al lenguaje como a las instituciones. Una moral y una pasión. Cernuda fue el primero, y casi el único, que comprendió e hizo suya la verdadera significación del surrealismo como movimiento de liberación —no del verso sino de la conciencia: el último gran sacudimiento espiritual de Occidente. A la conmoción psíquica del surrealismo hay que agregar la revelación de André Gide. Gracias al moralista francés, se acepta a sí mismo; desde entonces su homosexualismo no será ni enfermedad ni pecado sino destino libremente aceptado y vivido. Si Gide lo reconcilia consigo mismo, el surrealismo le servirá para insertar su rebelión psíquica y vital en una subversión más vasta y total. Los «placeres prohibidos» abren un puente entre este mundo de «códigos y ratas» y el mundo subterráneo del sueño y la inspiración: son la vida terrestre en todo su taciturno esplendor («miembros de mármol», «flores de hierro», «planetas terrenales») y son también la vida espiritual más alta («soledades altivas», «libertades memorables»). El fruto que nos ofrecen estas duras libertades es el del misterio, cuyo «sabor ninguna amargura corrompe». La poesía se vuelve activa; el sueño y la palabra echan abajo las «estatuas anónimas»: en la gran «hora vengativa, su fulgor puede destruir vuestro mundo». Más tarde Cernuda abandonó las maneras y tics surrealistas, pero su visión esencial, aunque fuese otra su estética, siguió siendo la de su juventud.

El surrealismo es una tradición. Con ese instinto crítico que distingue a los grandes poetas, Cernuda remonta la corriente: Mallarmé, Baudelaire, Nerval. Aunque siempre fue fiel a estos tres poetas, no se detuvo en ellos. Fue a la fuente, al origen de la poesía moderna de Occidente: al romanticismo alemán. Uno de los temas de Cernuda es el del poeta frente al mundo hostil o indiferente de los hombres. Presente desde sus primeros poemas, a partir de *Invocaciones* se despliega con intensidad cada vez más sombría. La figura de Hölderlin y las de sus criaturas son su modelo; pronto esas imágenes se transforman en otra, encantadora y terrible: la del demonio. No un demonio cristiano, repulsivo o aterrador, sino pagano, casi un muchacho. Es su doble. Su presencia será constante en su obra, aunque cambie con los años y sea cada vez más amarga y sin esperanzas su palabra. En la imagen del doble, siempre reflejo intocable, Cernuda se busca a sí mismo pero también busca al mundo: quiere saber que existe y que los otros existen. Los otros: una raza de hombres distinta de los hombres.

Al lado del diablo, la compañía de los poetas muertos. La lectura de Hölderlin y la de Jean-Paul y Novalis, la de Blake y Coleridge, son algo más que un descubrimiento: un reconocimiento. Cernuda vuelve a los suyos. Esos grandes nombres son para él personas vivas, invisibles pero seguros intercesores. Habla con ellos como si hablase consigo mismo. Son su verdadera familia y sus dioses secretos. Su obra está escrita pensando en ellos; son algo más que un modelo, un ejemplo o una inspiración: una mirada que lo juzga. Tiene que ser digno de ellos. Y la única manera de serlo es afirmar su verdad, ser él mismo. Reaparece de nuevo el tema moral. Pero no será Gide, con su moral psicológica, sino Goethe quien lo guiará en esta nueva etapa. No busca una justificación sino un equilibrio; lo que llamaba el joven Nietzsche «la salud», el perdido secreto del paganismo griego: el pesimismo heroico, creador de la tragedia y la comedia. Muchas veces habló de Grecia, de sus poetas y filósofos, de sus mitos y, sobre todo, de su visión de la hermosura: algo que no es ni físico ni corporal y que tal vez sólo sea un acorde, una medida. En *Ocnos*, al hablar del «conocimiento hermoso» —¿porque conoce a la hermosura o porque todo conocer es hermosura?— dice que la belleza es medida. Y así, por un camino que va de la rebelión surrealista al romanticismo alemán e inglés y de éstos a los grandes mitos de Occidente, Luis Cernuda recobra su doble herencia de poeta y español: la tradición europea, el saber y el sabor del mediodía mediterráneo. Lo que se inició como pasión polémica y desmesura terminó como reconocimiento de la medida. Una medida, es cierto, en la que no caben otras cosas que también son Occidente. Y entre ellas, dos de las mayores: el cristianismo y la mujer. La *otredad* en sus manifestaciones más totales: el otro mundo y la otra mitad de este mundo. Y sin embargo, Cernuda hace fuerzas de flaqueza y crea un universo en el que no faltan dos elementos esenciales, uno del cristianismo y otro de la mujer: la introspección y el misterio amoroso.

No he hablado de otra influencia que fue capital lo mismo en su poesía que en su crítica, especialmente desde *Las nubes* (1940): la poesía moderna de lengua inglesa. En su juventud amó a Keats y más tarde se sintió atraído por Blake, pero estos nombres, especialmente el segundo, pertenecen a lo que podría llamarse su mitad demoníaca o subversiva: alimentaron a su rebeldía moral. Su interés por Wordsworth, Browning, Yeats y Eliot es de otra índole: no busca en ellos tanto una metafísica como una conciencia estética. El misterio de la creación literaria y el tema del significado último de la pocsía —sus relaciones con la verdad, con la historia y con la sociedad— le preocuparon siempre. En las reflexiones de los poetas ingleses encontró, formuladas de manera distinta o semejante a la suya, respuestas a estas preguntas. Una muestra de este interés es el libro que dedicó al pensamiento poético de los líricos ingleses. No creo equivocarme al pensar que T. S. Eliot fue el escritor vivo que ejerció una influencia más profunda en el Cernuda de la madurez. Repito: influencia estética, no moral ni metafísica: la lectura de Eliot no tuvo las consecuencias liberadoras que tuvo su descubrimiento de Gide. El poeta inglés le hace ver con nuevos ojos la tradición poética y muchos de sus estudios sobre poetas españoles están escritos con esa precisión y objetividad, no exenta de capricho, que es uno de los encantos y peligros del estilo crítico de Eliot. Pero el ejemplo de este poeta no sólo es visible en sus opiniones críticas sino en su creación. Su encuentro con Eliot coincide con un cambio en su estética; consumada la experiencia del surrealismo, no le preocupa buscar nuevas formas sino expresarse. No una norma sino una mesura, algo que no podían darle ni los modernos franceses ni los románticos alemanes. Eliot había sentido una necesidad parecida y después de *The Waste Land* su poesía se vierte en moldes cada vez más tradicionales. Yo no sabría decir si esta actitud de regreso, en Cernuda y en Eliot, benefició o dañó a su poesía; por una parte, los empobreció, ya que sorpresa e invención, alas del poema, desaparecen parcialmente de su obra de madurez; por la otra, tal vez sin ese cambio habrían enmudecido o se habrían perdido en una estéril búsqueda, como sucede aún con grandes creadores como Pound y cummings. Y ya se sabe que no hay nada más monótono que el innovador de profesión. En suma, la poesía y la crítica de Eliot le sirvieron para moderar al romántico que siempre fue.

Cernuda sintió predilección, desde que empezó a escribir, por el poema largo. Para el gusto moderno la poesía es, ante todo, concentración verbal y por eso el poema largo se enfrenta a una dificultad casi insuperable: reunir extensión y concentración, desarrollo e intensidad, unidad y variedad, sin hacer de la obra una colección de fragmentos y sin incurrir tampoco en el grosero recurso de la amplificación. *Un Coup de dés,* concentración verbal máxima en un poco más de doscientas líneas, algunas de una sola palabra, es una muestra, para mí la más alta, de lo que quiero decir. No es el poema breve sino el extenso el que exige el uso de las tijeras; el poeta debe ejercer, sin remordimiento, su don de eliminación si quiere escribir algo que no sea prolijo, disperso o difuso. La reticencia, el arte de decir aquello que se calla, es el secreto del poema breve; en el largo los silencios no operan como sugestión, no *dicen,* sino que son como las divisiones y subdivisiones del espacio musical. Más que una escritura son una arquitectura. Ya Mallarmé había comparado *Un Coup de dés* a una partitura y Eliot ha llamado a una de sus grandes composiciones: *Four Quartets.* A Cernuda ese poema le parecía lo mejor que había escrito Eliot y varias veces discutimos las razones de esta preferencia, pues yo me inclinaba por *The Waste Land* —que, por lo demás, también debe verse como una construcción musical.

Aunque nuestro poeta no aprendió el arte del poema largo en Eliot —antes los había escrito y algunos de ellos se cuentan entre lo más perfecto que hizo—, las ideas del escritor inglés aclararon las suyas y modificaron parcialmente sus concepciones. Pero una cosa son las ideas y otra el temperamento de cada uno. Sería inútil buscar en su obra los principios de *armonía, contrapunto* o *polifonía* que inspiran a Eliot y Saint-John Perse; y nada más lejos del simultaneísmo de Pound o Apollinaire que el desarrollo lineal, semejante al de la música vocal, del poema de Cernuda. La melodía es lírica y Cernuda sólo es, y es bastante, un poeta lírico. Así, la forma más afín a su naturaleza fue el monólogo. Los escribió siempre y aun podría decirse que su obra es un largo monólogo. La poesía inglesa le enseñó a ver cómo la monodia puede volverse sobre sí misma, desdoblarse e interrogarse: le enseñó que el monólogo es siempre un diálogo. En alguno de sus estudios, alude a la lección de Robert Browning; yo añadiría la de Pound, que fue el primero en servirse del monólogo de Browning. (Compárese, por ejemplo, el uso de la interrogación en *Near Perigord* y en los poemas largos del último Cernuda.) Y aquí me parece que debo decir algo sobre un tema que le preocupó y sobre el que escribió páginas de gran penetración: las relaciones entre el lenguaje hablado y el poema.

Cernuda señala que el primero que proclamó el derecho del poeta a emplear *the language really used by men* fue Wordsworth. Aunque no sea del todo exacto que este antecedente constituya el origen del llamado «prosaísmo» de la poesía contemporánea, es bueno distinguir entre esta idea de Wordsworth y la de Herder, que veía en la poesía «el canto del pueblo». El lenguaje popular, si es que existe realmente y no es una invención del romanticismo alemán, es una supervivencia de la era feudal. Su culto es una nostalgia. Jiménez y Antonio Machado confundieron siempre el «lenguaje popular» con el idioma hablado y de ahí que hayan identificado este último con el canto tradicional. Jiménez pensaba que el «arte popular» no era sino la imitación tradicional del arte aristocrático; Machado creía que la verdadera aristocracia residía en el pueblo y que el folklore era el arte más refinado. Por más diferentes que nos parezcan estos puntos de vista, ambos revelan una visión nostálgica del pasado. El lenguaje de nuestro tiempo es otro: es el idioma hablado en la gran ciudad y toda la poesía moderna, desde Baudelaire, ha hecho de ese lenguaje el punto de partida de una nueva lírica. Reacción contra la estética de lo exquisito y lo raro que habían puesto de moda los poetas hispanoamericanos, la simplicidad de la llamada poesía popular española no es menos artificial que las complicaciones de los modernistas. Influidos por Jiménez, los poetas de la generación de Cernuda hicieron del romance y la canción sus géneros predilectos. Cernuda nunca cayó en la afectación de lo popular (afectación a la que debemos, de todos modos, algunos de los poemas más seductores de nuestra lírica moderna) y trató de escribir como se habla; o mejor dicho: se propuso como materia prima de la transmutación poética no el lenguaje de los libros sino el de la conversación. No acertó siempre. Con frecuencia su verso es prosaico, en el sentido en que la prosa *escrita* es prosaica, no el habla viva: algo más pensado y construido que dicho. Por las palabras que emplea, casi todas cultas, y por la sintaxis artificiosa, más que «escribir como se habla», a veces Cernuda «habla como un libro». Lo milagroso es que esa escritura se condense de pronto en expresiones centelleantes.

Cernuda vio en Campoamor un antecedente del prosaísmo poético; si lo fuese, sería un antecedente lamentable. No hay que confundir la charla filosófica de sobremesa con la poesía. La verdad es que el único poeta español moderno que ha usado con *naturalidad* el lenguaje hablado es el olvidado José Moreno Villa. (El único y el primero: *Jacinta la pelirroja* se publicó en 1929.) En realidad, los primeros en utilizar las posibilidades poéticas del lenguaje prosaico fueron, aunque parezca extraño, los modernistas hispanoamericanos: Darío y, sobre todo, Leopoldo Lugones. En los poemas de Campoamor la retórica de fin de siglo se degrada en expresiones que son lugares comunes seudofilosóficos y así constituye un ejemplo de lo que Breton llama «imagen descendente». Los modernistas enfrentan el idioma coloquial al artístico para producir un choque en el interior del poema, según se ve en *Augurios* de Rubén Darío, o hacen del habla de la urbe la materia prima del poema. Este último procedimiento es el del Lugones del *Lunario sentimental.* Hacia 1915, el mexicano López Velarde aprovechó la lección del poeta argentino y realizó la fusión entre lenguaje literario y hablado. Sería fastidioso mencionar a todos los poetas hispanoamericanos que, después de López Velarde, hacen del prosaísmo un lenguaje poético; será bastante con seis nombres: Borges, Vallejo, Pellicer, Novo, Lezama Lima, Sabines... Lo más curioso es que todo esto no viene de la poesía inglesa sino del maestro de Eliot y Pound: el simbolista Jules Laforgue. El autor de *Les Complaintes,* no Wordsworth, es el origen de esta tendencia, lo mismo entre los ingleses que entre los hispanoamericanos.

Con frecuencia se dice que Cernuda y, en general, los poetas de su generación, «cierran» un periodo de la poesía española. Confieso que no entiendo lo que se quiere decir con esto. Para que algo se cierre —si no se trata de una extinción definitiva— es menester que algo o alguien abra otra etapa. Los actuales poetas españoles, más allá de toda odiosa comparación, no me parece que hayan iniciado un nuevo movimiento; inclusive diría que, al menos en materia de lenguaje y visión —y eso es lo que cuenta en poesía— se muestran singularmente tímidos. No es un reproche: la segunda generación romántica no fue menos importante que la primera y dio un nombre central: Baudelaire. La novedad no es el único criterio poético. En España ha habido un cambio de tono, no una ruptura. Ese cambio es natural pero no hay que confundirlo con una nueva era. Cernuda no cierra ni abre una época. Su poesía, inconfundible y distinta, forma parte de una tendencia universal que en lengua española se inicia, con cierto retraso, a fines del siglo pasado y que aún no termina. Dentro de ese periodo histórico su generación, en Hispanoamérica y en España, ocupa un lugar central. Y uno de los poetas centrales de esa generación es él, Luis Cernuda. No fue el creador de un lenguaje común ni de un estilo, como lo fueron en su hora Rubén Darío y Juan Ramón Jiménez o, más cerca, Vicente Huidobro, Pablo Neruda y Federico García Lorca. Y tal vez en esto resida su valor y lo que le dará influencia futura: Cernuda es un poeta solitario y para solitarios.

En una tradición que ha usado y abusado de las palabras, pero que pocas veces ha reflexionado sobre ellas, Cernuda representa la conciencia del lenguaje. Un caso semejante es el de Jorge Guillén, sólo que mientras la poesía de este último vive, para emplear la jerga de los filósofos, en el ámbito del ser, la de Cernuda es temporal: la existencia humana es su reino. En los dos, más que *reflexión,* hay meditación poética. La primera es una operación extrema y total: la palabra se vuelve sobre sí misma y se niega como significado del mundo, para significar sólo su propia significación y, así, anularse. A la reflexión poética debemos algunos de los textos cardinales de la poesía moderna de Occidente, poemas en los que nuestra historia simultáneamente se asume y se consume: negación de sí misma y de los significados tradicionales, tentativa por fundar otro significado. Los españoles pocas veces han sentido desconfianza ante la palabra, pocas veces han sentido ese vértigo que consiste en ver el lenguaje como *signo de la nulidad.* Para Cernuda la meditación —en el sentido casi médico: cuidar— consiste en inclinarse sobre otro misterio: el de nuestro propio transcurrir. La vida, no el lenguaje. Entre vivir y pensar, la palabra no es abismo sino puente. Meditación: mediación. La palabra expresa la distancia entre lo que soy y lo que estoy siendo; asimismo, es la única manera de trascender esa distancia. Por la palabra mi vida se detiene sin detenerse y se ve a sí misma verse; por ella me alcanzo y me sobrepaso, me contemplo y me cambio en otro —*un otro yo mismo* que se burla de mi miseria y en cuya burla se cifra toda mi redención.

La tensión entre vida ignorante de sí y conciencia de sí se resuelve en palabra transparente. No en un más allá imposible sino aquí, en el instante del poema, pactan realidad y deseo. Y ese abrazo es de tal modo intenso que no sólo evoca la imagen del amor sino la de la muerte: en el pecho del poeta, «idéntico a un laúd, la muerte, únicamente la muerte, puede hacer resonar la melodía prometida». Pocos poetas modernos, en cualquier lengua, nos dan esta sensación escalofriante de sabernos ante un hombre que *habla de verdad*, efectivamente poseído por la fatalidad y la lucidez de la pasión. Si se pudiese definir en una frase el sitio que ocupa Cernuda en la poesía moderna de nuestro idioma, yo diría que es el poeta que habla no para todos, sino para el cada uno que somos todos. Y nos hiere en el centro de ese cada uno que somos, «que no se llama gloria, fortuna o ambición» sino *la verdad de nosotros mismos*. Para Cernuda la poesía tenía por objeto conocerse a sí mismo pero, con la misma intensidad, fue una tentativa por crear su propia imagen. Biografía poética, *La realidad y el deseo* es algo más: la historia de un espíritu que, al conocerse, se transfigura.

II

Es ya una costumbre decir que Cernuda es un poeta del amor. Es cierto y de este tema brotan todos los otros: soledad, aburrimiento, exaltación del mundo natural, contemplación de las obras humanas... Pero hay que empezar por decir algo que él nunca ocultó: su amor es uranista y no conoció ni habló de otro. En esto no hay equívoco posible; con admirable valentía, si se piensa en lo que son el público y los medios literarios hispanoamericanos, escribió *muchacho* ahí donde otros prefieren usar sustantivos más inciertos. «La verdad de mí mismo —dijo en un poema de juventud— es la verdad de mi amor verdadero.» Su sinceridad no es gusto por el escándalo ni desafío a la sociedad (es otro su desafío): es un punto de honor intelectual y moral. Además, se corre el riesgo de no comprender el significado de su obra si se omite o se atenúa su homosexualidad, no porque su poesía pueda reducirse a esa pasión —eso sería tan falso como ignorarla— sino porque ella es el punto de partida de su creación poética. Sus tendencias eróticas no explican a su poesía pero sin ellas su obra sería distinta. Su «verdad diferente» lo separa del mundo; y esa misma verdad, en un segundo movimiento, lo lleva a descubrir otra verdad, suya y de todos.

Gide lo animó a llamar las cosas por su nombre; el segundo de los libros de su periodo surrealista tiene por título *Los placeres prohibidos*. No los llama, como hubiera podido esperarse, placeres *malditos*. Si se necesita cierto temple para publicar un libro así en la España de 1930, mayor lucidez se necesita para resistir a la tentación de representar el papel de rebelde-condenado. Esa rebelión es ambigua; aquel que se juzga «maldito» consagra la autoridad divina o social que lo condena: la maldición lo incluye, negativamente, en el orden que viola. Cernuda no se siente maldito: se siente excluido. Y no lo lamenta: devuelve golpe por golpe. La diferencia con un escritor como Genet es reveladora. El reto de Genet al mundo social es más simbólico que real y de ahí que para dar peligrosidad a su gesto haya tenido que ir más allá: elogio del robo y la traición, culto a los criminales. En cambio, ante una sociedad en donde la honra de los maridos todavía reside entre las piernas de las mujeres y en la que el machismo es una enfermedad continental, la franqueza de Cernuda lo exponía a toda clase de riesgos reales, físicos y morales. Por otra parte, Genet está marcado por el cristianismo —un cristianismo negativo; la seña del pecado original es su homosexualidad o, más exactamente, por ella y en ella se le revela la mancha original: todos sus actos y sus obras son un reto y un homenaje de la nada al ser. En Cernuda apenas si aparece la conciencia de la culpa y a los valores del cristianismo opone otros, los suyos, que le parecen los únicos verdaderos. Sería difícil encontrar, en lengua española, un escritor menos cristiano. Genet desemboca en la negación de la negación: los negros que son blancos que son negros que son blancos de su hermosa pieza de teatro. Es lo que llamaba Nietzsche «el nihilismo incompleto», que no se trasciende ni se asume y se contenta con padecerse a sí mismo. Un cristianismo sin Cristo. La subversión de Cernuda es más simple, radical y sana.

Reconocerse homosexual es aceptarse diferente de los otros. ¿Pero quiénes son los otros? Los otros son el mundo —y el mundo es la propiedad de los otros. En ese mundo se persigue con la misma saña a los amantes heterosexuales, al revolucionario, al negro, al proletario, al burgués expropiado, al poeta solitario, al mendigo, al excéntrico y al santo. Los otros persiguen a todos y a nadie. Son todos y nadie. La salud pública es la enfermedad colectiva santificada por la fuerza. ¿Son reales los otros? Mayoría sin rostro o minoría todopoderosa, son una asamblea de espectros. Mi cuerpo es real, ¿es real el pecado? Las cárceles son reales, ¿lo son también las leyes? Entre el hombre y aquello que toca hay una zona de irrealidad: el mal. El mundo está construido sobre una negación y las instituciones —religión, familia, propiedad, Estado, patria— son encarnaciones feroces de esa negación universal. Destruir este mundo irreal para que aparezca al fin la verdadera realidad... Cualquier joven —y no sólo un poeta homosexual— puede (y debe) hacerse estas reflexiones. Cernuda se acepta diferente; el pensamiento moderno, especialmente el surrealismo, le muestra que todos somos diferentes. Homosexualismo se vuelve sinónimo de libertad; el instinto no es un impulso ciego: es la crítica hecha acto. Todo, el cuerpo mismo, adquiere una *coloración moral.* En estos años se adhiere al comunismo (1930). Adhesión fugaz porque en esta materia, como en tantas otras, los troyanos son tan obtusos como los tirios. La afirmación de su propia verdad lo hace reconocer la de los demás: «por mi dolor comprendo que otros inmensos sufren...», dirá años después. Aunque comparte nuestro común destino no nos propone una panacea. Es un poeta, no un reformador. Nos ofrece su «verdad verdadera», ese amor que es la única libertad que lo exalta, la única libertad por la que muere.

La verdad verdadera, la suya y la de todos, se llama deseo. En una tradición que con poquísimas excepciones —se pueden contar con los dedos, de *La Celestina* y *La lozana andaluza* a Rubén Darío, Valle-Inclán y García Lorca— identifica «placer» con «sensación agradable, contento del ánimo o diversión», la poesía de Cernuda afirma con violencia la primacía del erotismo. Esa violencia se calma con los años pero el placer ocupará siempre un lugar central en su obra, al lado de su contrario-complementario: la soledad. Son la pareja que rige su mundo, ese «paisaje de ceniza absorta» que el deseo puebla de cuerpos radiantes, fieras hermosas y lucientes. El destino de la palabra *deseo,* desde Baudelaire hasta Breton, se confunde con el de la poesía. Su significado no es psicológico. Cambiante e idéntico, es energía, voluntad de encarnación del tiempo, apetito vital o ansia de morir: no tiene nombre y los tiene todos. ¿Qué o quién es el que desea lo que deseamos? Aunque asume la forma de la fatalidad, no se cumple sin nuestra libertad y en él se cifra todo nuestro albedrío. No sabemos nada del deseo, excepto que cristaliza en imágenes y que esas imágenes no cesan de hostigarnos hasta que se vuelvan realidades. Apenas las tocamos, se desvanecen. ¿O somos nosotros los que nos desvanecemos? La imaginación es el deseo en movimiento. Es lo inminente, aquello que suscita la Aparición; y es la lejanía que la borra. Con cierta pereza se tiende a ver en los poemas de Cernuda meras variaciones de un viejo lugar común: la realidad acaba por destruir al deseo, nuestra vida es una continua oscilación entre privación y saciedad. A mí me parece que, además, dicen otra cosa, más cierta y terrible: si el deseo es real, la realidad es irreal. El deseo vuelve real lo imaginario, irreal la realidad. El ser entero del hombre es el teatro de esta continua metamorfosis; en su cuerpo y su alma deseo y realidad se interpenetran y se cambian, se unen y separan. El deseo puebla al mundo de imágenes y, simultáneamente, deshabita a la realidad. Nada lo satisface porque vuelve fantasmas a los seres vivos. Se alimenta de sombras o más bien: nuestra realidad humana, nuestra sustancia, tiempo y sangre, alimenta a sus sombras.

Entre deseo y realidad hay un punto de intersección: el amor. El deseo es más vasto que el amor pero el deseo de amor es el más poderoso de los deseos. Sólo en ese desear un ser entre todos los seres el deseo se despliega plenamente. Aquel que conoce el amor no quiere ya otra cosa. El amor revela la realidad al deseo: esa imagen deseada es algo más que un cuerpo que se desvanece: es un alma, una conciencia. Tránsito del objeto erótico a la persona amada. Por el amor, el deseo toca al fin la realidad: el otro existe. Esta revelación casi siempre es dolorosa porque la existencia del otro se nos presenta simultáneamente como un cuerpo que se penetra y como una conciencia impenetrable. El amor es la revelación de la libertad ajena y nada es más difícil que reconocer la libertad de los otros, sobre todo la de una persona que se ama y se desea. Y en esto radica la contradicción del amor: el deseo aspira a consumarse mediante la destrucción del objeto deseado; el amor descubre que ese objeto es indestructible... e insustituible. Queda el deseo sin amor o el amor sin deseo. El primero nos condena a la soledad: esos cuerpos intercambiables son irreales; el segundo es inhumano: ¿puede amarse aquello que no se desea?

Cernuda fue muy sensible a esta condición de veras trágica del amor, de todo amor. En sus poemas de juventud la violencia de su pasión choca ciegamente con la existencia inesperada de una conciencia irremediablemente ajena y ese descubrimiento lo llena de cólera y pena. (Más tarde, en un texto en prosa, alude al «egoísmo» de los amores juveniles.) En los libros de la madurez el tema de la poesía amorosa y mística de Occidente —«la amada en el amado transformada»— aparece con frecuencia. Pero la unión, fin último del amor, sólo puede lograrse si se reconoce que el otro es un ser diferente y libre: si nuestro amor, en lugar de intentar abolir esa diferencia, se convierte en el espacio para que ella se despliegue. La unión amorosa no es identidad (si lo fuese seríamos más que hombres) sino un estado de perpetua movilidad como el juego o, como la música, de perpetuo acordarse. Cernuda siempre afirmó su verdad diferente: ¿vio y reconoció la de los otros? Su obra ofrece una respuesta doble. Como casi todos los seres humanos —al menos, como todos los que aman realmente, que no son tantos— en el momento de la pasión es alternativamente idólatra y adversario de su amor; después, en la hora de la reflexión, comprende con amargura que si no lo amaron como quería fue tal vez porque él mismo no supo querer con total desprendimiento. Para amar deberíamos vencernos a nosotros mismos, suprimir el conflicto entre deseo y amor —sin suprimir ni al uno ni al otro. Difícil unión entre amor contemplativo y amor activo. No sin luchas y vacilaciones Cernuda aspiró a esta unión, la más alta; y esa aspiración señala el sentido de la evolución de su poesía: la violencia del deseo, sin dejar nunca de ser deseo, tiende a transformarse en contemplación de la persona amada. Al escribir esta frase me asalta una duda: ¿puede hablarse de persona amada en el caso de Cernuda? Pienso no sólo en la índole de la pasión homosexual —con su fondo de narcisismo y su dependencia del mundo infantil, que la hace caprichosa, tiránica y vulnerable a la enfermedad de los celos— sino en la turbadora insistencia del poeta en considerar el amor como una fatalidad casi impersonal.

En un poema de *Como quien espera el alba* (1947) dice: «El amor es lo eterno y no lo amado». Quince o veinte años antes había dicho lo mismo, con mayor exasperación: «No es el amor quien muere, somos nosotros mismos». En uno y otro caso afirma la primacía del amor sobre los amantes pero en el poema de juventud el acento está en el morir del hombre y no en la inmortalidad del amor. La diferencia de tono muestra el sentido de su evolución espiritual: en el segundo texto el amor ya no es inmortal sino eterno y el «nosotros» se convierte en «lo amado». El poeta no participa: ve. Paso del amor activo al contemplativo. Lo notable es que este cambio no altera la visión central: no son los hombres los que se realizan en el amor sino el amor el que se sirve de los hombres para realizarse. La idea del ser humano como «juguete de la pasión» es un tema constante en su poesía. Exaltación del amor y abajamiento de los hombres. Nuestro poco valor procede de nuestra condición mortal: somos cambio y no resistimos a los cambios de la pasión; aspiramos a la eternidad y un instante de amor nos destruye. Privada de su sustento espiritual —el *alma* que le dieron platónicos y cristianos—, la criatura no es una persona sino una momentánea condensación de los poderes inhumanos: juventud, hermosura y otras formas magnéticas en que el tiempo o la energía se manifiestan. La criatura es una Aparición y no hay nada detrás de ella. Cernuda emplea pocas veces las palabras *alma* o *conciencia* para hablar de sus amores; tampoco alude siquiera a sus señas particulares, ni a esos atributos que, como se dice vulgarmente, dan *personalidad* a la gente. En su mundo no reina el rostro, espejo del alma, sino el cuerpo. No se entenderá lo que significa esta palabra para el poeta español si no se advierte que ve en el cuerpo humano la cifra del universo. Un cuerpo joven es un sistema solar, un núcleo de irradiaciones físicas y psíquicas. El cuerpo es surtidor de energía, una fuente de «materia psíquica» o *mana*, sustancia que no es ni espiritual ni física, fuerza que mueve al mundo según los primitivos. Al amar a un cuerpo, no adoramos a una persona sino a una encarnación de esa fuerza cósmica. La poesía amorosa de Cernuda va de la idolatría a la veneración, del sadismo al masoquismo; sufre y goza con esa voluntad de preservar y de destruir lo que amamos en que consiste el conflicto entre deseo y amor —pero ignora al otro. Es una contemplación de *lo amado*, no del amante. Así, en la conciencia ajena no ve sino su propio rostro interrogante. Ésa fue su «verdad verdadera, la verdad de sí mismo». Hay otra verdad; cada vez que amamos, nos perdemos: somos otros. El amor no realiza al yo mismo: abre una posibilidad al yo para que cambie y se *convierta*. En el amor no se cumple el yo sino la persona: el deseo de ser otro. El deseo del ser.

Si el amar es deseo, ninguna ley que no sea la del deseo puede sujetarlo. Para Cernuda el amor es ruptura con el orden social y unión con el mundo natural. Y es ruptura no sólo porque su amor es diferente al de la mayoría sino porque todo amor quebranta las leyes humanas. El homosexualismo no es excepcional; la verdadera excepción es el amor. La pasión de Cernuda —y también su ira, sus blasfemias y sarcasmos— brota de un tronco común: desde su nacimiento la poesía de Occidente no ha cesado de proclamar que la pasión de amor, la experiencia más alta para nuestra civilización, es una transgresión, un crimen social. Las palabras de Melibea, un instante antes de despeñarse de la torre, palabras de caída y perdición pero igualmente de acusación a su padre, pueden repetirlas todos los enamorados. Inclusive en una sociedad como la hindú, que no ha hecho del amor la pasión por excelencia, cuando el dios Krishna encarna y se hace hombre, se enamora; y sus amores son adúlteros. Hay que decirlo una y otra vez: el amor, todo amor, es inmoral. Imaginemos una sociedad distinta a la nuestra y a todas las que ha conocido la historia, una sociedad en la que reinase la más absoluta libertad erótica, el mundo infernal de Sade o el paradisiaco que nos proponen los sexólogos modernos: ahí el amor sería un escándalo mayor que entre nosotros. Pasión natural, revelación del ser en la persona amada, puente entre este mundo y el otro, contemplación de la vida o la muerte: el amor nos abre las puertas de un estado que escapa a las leyes de la razón común y de la moral corriente. No, Cernuda no defendió el derecho de los homosexuales a vivir su vida (ése es un problema de legislación social) sino que exaltó como la experiencia suprema del hombre la pasión de amor. Una pasión que asume esta o aquella forma, siempre diferente y, no obstante, siempre la misma. Amor único a una persona única —aunque esté sujeta al cambio, la enfermedad, la traición y la muerte. Ésta fue la única eternidad que deseó y la única verdad que consideró cierta. No la verdad del hombre: la verdad del amor.

En un mundo arrasado por la crítica de la razón y el viento de la pasión, los llamados valores se vuelven una dispersión de cenizas. ¿Qué sobrevive? Cernuda regresa a la antigua naturaleza y en ella descubre no a Dios sino a la divinidad misma, a la madre de dioses y mitos. El poder del amor no proviene de los hombres, seres débiles, sino de la energía que mueve a todas las cosas. La naturaleza no es ni materia ni espíritu para Cernuda: es movimiento y forma, es apariencia y es soplo invisible, palabra y silencio. Es un lenguaje y más: una música. Sus cambios no tienen finalidad alguna; ignora la moral, el progreso y la historia: como a Dios, le basta con ser. Y del mismo modo que Dios no puede ir más allá de sí porque no tiene límites y contemplarse y reflejarse interminablemente es toda su transcendencia, la naturaleza es un incesante cambio de apariencias y un siempre ser idéntica a sí misma. Un juego sin fin, que nada significa y en el que no podemos encontrar salvación o condenación alguna. Verla jugar con nosotros, jugar con ella, caer con ella y en ella —ése es nuestro destino. En esta visión del mundo hay más de una huella de *La gaya ciencia* y, sobre todo, del pesimismo de Leopardi. Mundo sin creador aunque recorrido por un soplo poético, algo que no sé si podría llamarse ateísmo religioso. Cierto, a veces aparece Dios: es el ser con el que habla Cernuda cuando no habla con nadie y que se desvanece silenciosamente como una nube momentánea. Se diría una encarnación de la nada —y a ella vuelve. En cambio, la veneración, en la acepción de respeto por lo santo y lo divino, que le inspiran cielos y montañas, un árbol, un pájaro o el mar, siempre el mar, son constantes desde su primer libro hasta el último. Es un poeta del amor pero también del mundo natural. Su misterio lo fascinó. Va de la fusión con los elementos a su contemplación, evolución paralela a la de su poesía amorosa. A veces sus paisajes son tiempo detenido y en ellos la luz piensa como en algunos cuadros de Turner;

otros están construidos con la geometría de Poussin, pintor que fue uno de los primeros en redescubrir. Tampoco ante la naturaleza el hombre hace buena figura: juventud y hermosura no lo salvan de su insignificancia. Cernuda no ve en nuestra poca valía un signo de la caída y menos aún el indicio de una salvación futura. La nadería del hombre es sin remisión. Es una burbuja del ser.

La negación de Cernuda se resuelve en exaltación de realidades y valores que nuestro mundo humilla. Su destrucción es creación o, más exactamente, resurrección de poderes ocultos. Frente a la religión y la moral tradicionales y los sucedáneos que nos ofrece la sociedad industrial, afirma la pareja contradictoria deseo-amor; ante la soledad promiscua de las ciudades, la solitaria naturaleza. ¿Cuál es el sitio del hombre? Es demasiado débil para resistir la tensión entre amor y deseo; tampoco es árbol, nube o río. Entre la naturaleza y la pasión, ambas inhumanas, hay nuestra conciencia. Nuestra miseria consiste en ser tiempo; y tiempo que se acaba. Esta carencia es riqueza: por ser tiempo finito somos memoria, entendimiento, voluntad. El hombre recuerda, conoce y obra: penetra en el pasado, el presente y el futuro. Entre sus manos el tiempo es una sustancia maleable; al convertirlo en materia prima de sus actos, pensamientos y obras, el hombre se venga del tiempo.

En la poesía de Cernuda hay tres vías de acceso al tiempo. La primera es lo que él llama el *acorde*, descubrimiento súbito (a través de un paisaje, un cuerpo o una música) de esa paradoja que es *ver* al tiempo detenerse sin cesar de fluir: «instante intemporal [...] plenitud que, repetida a lo largo de la vida, es siempre la misma [...] lo más parecido a ella es ese adentrarse por otro cuerpo en el momento del éxtasis». Todos, niños o enamorados, hemos sentido algo semejante; lo que distingue al poeta de los demás es la frecuencia y, más que nada, la conciencia de esos estados y la necesidad de expresarlos. Otro camino, distinto al de la fusión con el instante, es el de la contemplación. Miramos una realidad cualquiera —un grupo de árboles, la sombra que invade un cuarto al anochecer, un montón de piedras al lado del camino— miramos sin fijarnos, hasta que lentamente aquello que vemos se revela como lo nunca visto y, simultáneamente, como lo siempre visto: «mirar, mirar... la naturaleza gusta de ocultarse y hay que sorprenderla mirándola largamente, apasionadamente... mirada y palabra hacen al poeta». ¿Miramos o nos miran las cosas? ¿Y eso que vemos son las cosas o es el tiempo que se condensa en una apariencia y luego la disuelve? En esta experiencia interviene la distancia; el hombre no se funde con la realidad exterior pero su mirada crea entre ella y su conciencia un espacio, propicio a la revelación. Lo que llama Pierre Schneider la mediación. La tercera vía es la visión de las obras humanas y de la obra propia. A partir de *Las nubes* es uno de sus temas centrales y se expresa en dos direcciones principalmente: el doble (personajes del mito, la poesía o la historia) y la meditación sobre las creaciones del arte. Por ella accede al tiempo histórico, humano.

En una nota que precede a la selección de sus poemas en la Antología de Gerardo Diego (1932), señala que la única vida que le parece digna de vivirse es la de los seres del mito o de la poesía, como el *Hiperión* de Hölderlin. No debe entenderse esto como un desafío o una salida de tono; siempre pensó que la realidad diaria adolece de irrealidad y que la verdadera realidad es la de la imaginación. Lo que hace irreal la vida cotidiana es el carácter engañoso de la comunicación entre los hombres. El trato humano es un fraude o, al menos, una mentira involuntaria. En el mundo de la imaginación las cosas y los seres son más íntegros y enteros; la palabra no oculta sino revela. En *Dístico español,* uno de sus últimos poemas, la realidad real de España se le vuelve «pertinaz pesadilla: es la tierra de los muertos y en ella todo nace muerto»; a esa España enfrenta otra, imaginaria y sin embargo más real, poblada de «héroes amados en un mundo heroico», ni cerrada ni rencorosa sino «tolerante de lealtad contraria, según la tradición generosa de Cervantes». La España de las novelas de Galdós le enseña que el vivir cotidiano es dramático y que en la existencia más oscura late «la paradoja de estar vivo». Entre todos esos personajes novelescos no es extraño que se reconozca en Salvador Monsalud, el revolucionario «afrancesado» y el enamorado quimérico, que nunca se rinde a la sinrazón que llamamos realidad. ¿Y qué muchacho hispanoamericano no ha querido ser Salvador Monsalud: enamorarse de Genara y de Adriana; pelear contra los «ultras» y también contra el «charlatán que engaña al pueblo con su baba argentina»; sentirse desgarrado entre horror y piedad ante el hermano loco y enamorado de la misma mujer, el sonámbulo guerrillero carlista, el fratricida Carlos Garrote; quién no ha deseado encontrar al fin a Soledad, a esa realidad más real y fuerte que todas las pasiones?

¿Con quién habla el poeta cuando conversa con un héroe del mito o la literatura? Cada uno de nosotros lleva dentro un interlocutor secreto. Es nuestro doble y es algo más: nuestro contradictor, nuestro confidente, nuestro juez y único amigo. Aquel que no habla a solas consigo mismo será incapaz de hablar verdaderamente con los otros. Al hablar con las criaturas del mito, Cernuda habla para sí pero de esta manera habla con nosotros. Es un diálogo destinado a provocar indirectamente nuestra respuesta. El instante de la lectura es un ahora en el cual, como en un espejo, el diálogo entre el poeta y su visitante imaginario se desdobla en el del lector con el poeta. El lector se ve en Cernuda que se ve en un fantasma. Y cada uno busca en el personaje imaginario su propia realidad, su verdad. Al lado de los personajes del mito y la poesía, las personas históricas: Góngora, Larra, Tiberio. Rebeldes, seres al margen, desterrados por la estupidez de sus contemporáneos o por la fatalidad de sus pasiones, son también máscaras, *personae.* Cernuda no se oculta tras ellas; al contrario, por ellas se conoce y ahonda en sí mismo. El viejo artificio literario deja de serlo cuando se convierte en ejercicio de introspección. En el poema dedicado a Luis de Baviera, otra de sus últimas composiciones, el rey está solo en el teatro y escucha la música «fundido con el mito al contemplarlo: la melodía lo ayuda a *conocerse, a enamorarse de lo que él mismo es*». Al hablar del rey, Cernuda habla de sí pero no para sí; nos invita a contemplar su mito y repetir su gesto: el autoconocimiento por la obra ajena.

Ante El Escorial, un lienzo de Tiziano o la música de Mozart percibe una verdad más vasta que la suya, aunque no contradictoria ni excluyente. En las obras de arte el tiempo se sirve de los hombres para cumplirse. Sólo que es un tiempo concreto, humanizado: una época. La fusión con el instante o la contemplación del transcurrir son experiencias en el tiempo y del tiempo, pero fuera, en cierto modo, de la historia; la visión de la obra de arte es experiencia del tiempo histórico. Por una parte, la obra es lo que se llama comúnmente una expresión histórica, un tiempo fechado; por la otra, es un arquetipo de lo que el hombre puede hacer con su tiempo: transformarlo en piedra, música o palabra, transmutarlo en forma e infundirle sentido. Abrirlo a la comprensión de los otros: volverlo presente. La visión de la obra implica un diálogo, el reconocimiento de una verdad distinta a la nuestra y que, sin embargo, nos concierne directamente. La obra de arte es una presencia del pasado continuamente presente. Por más incompleta y pobre que sea nuestra experiencia, repetimos el gesto del creador y recorremos, en dirección inversa a la del artista, el proceso; vamos de la contemplación de la obra a la comprensión de aquello que la originó: una situación, un tiempo concreto. El diálogo con las obras de arte consiste no sólo en oír lo que dicen sino en recrearlas, en revivirlas como presencias: despertar su presente. Es una repetición creadora. En el caso de Cernuda la experiencia le sirve, además, para comprender mejor cuál es su misión de poeta. A la ruptura inicial con el orden social sucede, sin renegar de una actitud de rebeldía que sustancialmente será la misma hasta su muerte, la participación en la historia. Y así las creaciones ajenas le dan conciencia de su tarea: la historia no sólo es tiempo que se vive y se muere sino tiempo que se transmuta en obra o en acto.

Al contemplar esta o aquella creación, Cernuda adivina esa fusión entre la voluntad individual del artista y la voluntad, casi siempre inconsciente, de su tiempo y su mundo. Descubre que no escribe sólo para decir la «verdad de sí mismo»; su verdad verdadera es también la de su lengua y la de su gente. El poeta da voz «a las bocas mudas de los suyos» y así los libera. Los «otros» se han vuelto «los suyos». Pero decir esa verdad no consiste en repetir los lugares comunes del púlpito, la tribuna pública, el Consejo de Ministros o el radio. La verdad de todos no está reñida con la conciencia del solitario ni es menos subversiva que la verdad individual. Esta verdad, que no puede confundirse con las opiniones mayoritarias o minoritarias, está oculta y toca al poeta revelarla, liberarla. El ciclo iniciado en los poemas de juventud se cierra: negación del mundo que llamamos real y afirmación de esa realidad real que revelan el deseo y la imaginación creadora; exaltación de los poderes naturales y reconocimiento de la tarea del hombre sobre la tierra: crear obras, hacer vida del tiempo muerto, dar significado al transcurrir ciego; rechazo de una falsa tradición y descubrimiento de una historia que aún no cesa y en la cual su vida y su obra se insertan como un nuevo acorde. Al final de sus días, Cernuda duda entre la realidad de su obra y la irrealidad de su vida. Su libro fue su verdadera vida y fue construido hora a hora, como quien levanta una arquitectura. Edificó con tiempo vivo y su palabra fue *piedra de escándalo*. Nos ha dejado, en todos los sentidos, una obra *edificante*.

Delhi, a 24 de mayo de 1964

[«La palabra edificante» se publicó en *Cuadrivio*, Joaquín Mortiz, México, 1965.]

3. JUEGOS DE MEMORIA Y OLVIDO

Hace años, en un momento de entusiasmo del que no me arrepiento, dije que la poesía era un «pórtico de pilares transparentes». Lo dije porque así la vi y así lo sentí. Cada pilar era una columna sonora: «sílabas que alguien dice, palabras que alguien oye». ¿Ecos de Baudelaire? Quizá, pero también la intuición de una verdad que una y otra vez he comprobado: en cada poema percibimos siempre la huella y la prefiguración de otros poemas, unos ya escritos y otros por escribir. Música en la que el hoy se enlaza al ayer y al mañana: ¿no es esto lo que llamamos tradición? En el dominio de la poesía no hay, como no los hay en todo el universo, ejemplares únicos, individuos aislados: hay familias y tribus, asambleas de columnas, galerías de reflejos. Cada poema nos lleva a otro poema. Los sonetos amorosos de Quevedo, piras en donde arden almas desencarnadas y huesos desalmados, un día me llevaron a los de Lope de Vega, perfecta fusión de la carne y el sentimiento, plenos y redondos como esos desnudos de Tiziano, húmedos todavía de la transpiración perlada del ejercicio erótico pero cuyos ojos reflejan lejanías. En el momento en que el mundo parece más firme y radiante, más real, brota la sospecha de su irrealidad. La carne no es triste: es irreal.[1]

Volver a nuestros poetas es penetrar en salas y terrazas de ecos y reflejos; los sonetos fúnebres y voluptuosos del siglo XVII me llevaron después a ciertos sonetos del siglo XVI, menos rotundos pero no menos sensuales. Cuerpos blancos y sinuosos como ríos de llamas, vivos jeroglíficos de las ideas puras y de las presencias incorruptibles: el cuerpo y las estrellas. Pienso sobre todo en dos sonetos, uno de Aldana y otro de Medrano. En el de Aldana la amante pregunta por qué, «en la lucha de amor juntos, trabados» lloramos y suspiramos; el amante responde que el amor profiere esas quejas porque los cuerpos no pueden juntarse como se juntan las almas. Están separados por un *velo mortal,* es decir, por la muerte. Aunque el soneto es muy conocido, no resisto a la tentación de citarlo por entero:

—¿Cuál es la causa, mi Damón, que estando
en la lucha de amor juntos trabados
con lenguas, brazos, pies y encadenados
cual vid que entre el jazmín se va enredando
y que el vital aliento ambos tomando
en nuestros labios, de chupar cansados,
en medio a tanto bien somos forzados
llorar y suspirar de cuando en cuando?

[1] *Cf.* mi ensayo «Quevedo, Heráclito y algunos sonetos» en *Sombras de obras,* 1983. Incluido en este volumen, pp. 645 y ss.

—Amor, mi Filis bella, que allá dentro
nuestras almas juntó, quiere en su fragua
los cuerpos ajuntar también tan fuerte
que no pudiendo, como esponja el agua,
pasar del alma al dulce amado centro,
llora el velo mortal su avara suerte.

La respuesta de Aldana está teñida de platonismo pero no es difícil adivinar una rebelión contra el dualismo platónico: no hay renuncia al cuerpo sino una aspiración por ir más allá y romper la dualidad. Los cuerpos deben abrazarse y unirse como las almas. Donne dijo algo no menos violento y quizá más audaz: el cuerpo es el libro del alma —el libro santo.

El soneto de Medrano no tiene la complejidad del de Aldana ni su sensualidad ardiente y triste pero no es menos impresionante ni menos hondo:

No sé cómo, ni cuándo, ni qué cosa
sentí, que me llenaba de dulzura:
sé que llegó a mis brazos la hermosura,
de gozarse conmigo codiciosa.

Sé que llegó, si bien, con temerosa
vista, resistí apenas su figura:
luego pasmé, como el que en noche oscura,
perdido el tino, el pie mover no osa.

Siguió un gran gozo a aqueste pasmo, o sueño
—no sé cuándo, ni cómo, ni qué ha sido—
que lo sensible todo puso en calma.

Ignorarlo es saber, que es bien pequeño
el que puede abarcar solo el sentido,
y éste puede caber en solo el alma.

El abrazo carnal es una «noche oscura», como la noche de los místicos; en ella, lo «sensible» se calma en una suerte de pasmo hasta que adviene un «gran gozo» imposible de explicar o definir: «no sé cómo, ni cuándo, ni qué cosa sentí...» Ante este misterio, Medrano dice: «ignorarlo es saber». Los términos de la teología negativa le sirven al ex jesuita sevillano para nombrar a la experiencia erótica... sin nombrarla.

A pesar de que fueron escritos bajo la doble luz del neoplatonismo y del cristianismo, estos sonetos son una transgresión de esas doctrinas: los dos dicen que el camino de la carne es el camino de la iluminación espiritual. El soneto de Francisco de Aldana es más enérgico y dramático: nos presenta el abrazo erótico como la lucha de los cuerpos por ser almas y de las almas por ser cuerpos. El de Medrano es más simple y efusivo; se ciñe a la experiencia mística tradicional pero transpuesta al dominio del cuerpo. Los sentidos perciben lo que percibe el alma según los místicos: un goce indefinible y que es el bien supremo. Es reconfortante descubrir que en nuestra tradición poética circula, secreta y casi subterránea, una corriente que ofrece más de una semejanza con el misticismo erótico (tantrismo) de la India. ¿Por qué nuestra crítica no ha explorado este dominio? Nos hace falta *oír* a nuestros poetas. Oír no lo que dicen expresamente sino su decir encubierto, aquello que, sin decirlo del todo, dicen. Medrano nos muestra la senda: «ignorarlo es saber».

La poesía nos seduce porque cada poema, cualquiera que sea su asunto, es un pequeño universo de ecos y correspondencias. Es una armonía que no excluye ni las rupturas ni las disonancias: el tejido verbal de los poemas reproduce las asociaciones y separaciones, las coincidencias y los accidentes que son nuestras vidas. La poesía de Francisco de Medrano me llevó al libro que Dámaso Alonso le ha dedicado. Por distintas circunstancias no pude leerlo sino hasta el pasado mes de julio. Dámaso Alonso señala la confluencia entre estoicismo y epicureísmo en la poesía de Medrano, herencia de Horacio; lástima que nuestro gran crítico no se detenga en el aspecto que mencioné más arriba: el misticismo erótico. O más bien: el erotismo como vía contemplativa y unitiva. En otro pasaje de su libro, se refiere a Cernuda y dice que fue el primero entre los poetas modernos en advertir el valor de la poesía de Medrano. Recordé inmediatamente aquel breve ensayo de Cernuda, publicado en *Cruz y Raya,* en 1936, como prólogo a una pequeña antología de sonetos sevillanos de Rioja, Arguijo y Medrano. Volví a leerlo y encontré, no sin sorpresa, que no se refiere al soneto que he citado —misterioso como un repentino claro en el bosque— ni lo incluye en su selección; sin embargo, acierta al decir que la pasión «brota en Medrano desnuda, directamente del poeta a su alma». También percibe con claridad la naturaleza del encanto de Rioja; a pesar de que no son suyos los dos grandes poemas que se le atribuían

(La canción a las ruinas de Itálica y *La epístola moral a Fabio),* es uno de los poetas más puros de su siglo. No diré lo mismo de Arguijo. Es correcto, a veces elegante y otras, con más frecuencia, envarado. Cernuda lo llama *esteta;* le conviene más otro adjetivo: parnasiano.

¿Por qué cuento todo esto y salto de un poema a otro? Porque la lectura del libro de Dámaso Alonso, provocada por la poesía de Medrano y que suscitó la aparición de Cernuda, desencadenó la serie de las correspondencias. Mientras leía, recibí una carta de Enrico Mario Santí. A este joven crítico cubano se le ha ocurrido desenterrar mis escritos de primerizo y en un viejo número de *El Popular* encontró unas olvidadas páginas mías sobre Proust. Las escribí en 1932 o 1933: fue mi primer ensayo, en todos los sentidos de la palabra. Como el artículo de *El Popular* es sólo un fragmento de un trabajo más extenso, le prometí a Santí buscar entre mis papeles lo que faltaba. No encontré el texto perdido y olvidé el asunto. La carta de Santí me obligó a emprender una búsqueda más sistemática. Recordé que en 1943, al dejar México por una larga temporada, le había entregado a mi madre una pequeña caja con algunos papeles y otros objetos. Hace poco, después de su muerte, recobré aquella caja. La carta de Enrico Mario me recordó su existencia; al abrirla, encontré mi ensayo. También encontré otras cosas y, entre ellas, un legajo enteramente olvidado por mí. En su primera página, escrito en máquina, se lee: *Luis Cernuda* y abajo: *Fantasías de provincia* (1937-1940). En el extremo inferior derecho se indica el contenido: tres narraciones y una pieza de teatro. Al leer los títulos de estos textos comprobé que los relatos habían sido ya publicados por el mismo Cernuda pero que la pieza de teatro era inédita. ¿Cómo es posible, me pregunté azorado, que durante tantos años haya olvidado este legajo? Antes de contestar a esta pregunta debo contar la historia de mi correspondencia con Luis Cernuda.

Lo conocí en el verano de 1937, en Valencia. Fue un encuentro fugaz. Una mañana acompañé a Juan Gil-Albert, que era el secretario de *Hora de España,* a la imprenta en donde se imprimía la revista. Ahí encontramos a Cernuda, que corregía alguna de sus colaboraciones. Gil-Albert me presentó y él, al escuchar mi nombre, me dijo: «Acabo de leer su poema y me ha encantado». Se refería a la *Elegía a un joven muerto en el frente de Aragón,* que debía aparecer en el próximo número de *Hora de España* (septiembre) y que uno de mis amigos, Altolaguirre o Gil-Albert, le había mostrado en pruebas de imprenta. Le respondí con algunas frases entrecortadas y confusas. Admiraba al poeta pero ignoraba que la cortesía del hombre era igualmente admirable. Experimenté la misma sorpresa cuando conocí a André Breton, aunque las maneras de este último eran más solemnes y ceremoniosas, como el estilo *noble* de su prosa, que recuerda a la de Bossuet. Las de Cernuda eran simples y reservadas, una indefinible mezcla de anglicismo y andalucismo. Conversamos un rato, no recuerdo ahora de qué; probablemente acerca de la vida en Valencia durante aquellos días y de la creciente fiscalización que los «sacripantes del Partido», como los llama en un poema, ejercían sobre los escritores. En esta rápida conversación se mostró cáustico, inteligente y rebelde. Advertí también una veta de melancolía y cierta desconfianza. No se equivocó Salinas al llamarlo el Licenciado Vidriera y la furia de Cernuda ante el apodo delata que la flecha dio en el blanco. Pero en esta ocasión me sedujo su civilizada sencillez como más tarde me cautivaron su sensibilidad, su inteligencia y su discreción.

En otras ocasiones he hablado del poeta; ahora, al recordar nuestro primer encuentro, evoco brevemente al amigo. No fuimos íntimos y a lo largo de veinticinco años supimos guardar las distancias y, así, conservar el afecto y la mutua estimación. Es cierto que fue hosco y difícil, susceptible, irritable y víctima de furores pueriles: vivía a la intemperie y casi indefenso. Era vulnerable y lo sabía. Muy pronto, tal vez en la niñez o en la adolescencia, fue herido y desde entonces lo punzaba, como dice en un poema, «la sombra de aquellas espinas, de aquellas espinas, ya sabéis...» Sus virtudes fueron poco comunes: sabía guardar los secretos; era leal y firme; no era chismoso ni adulador ni mentiroso; era recto. En materia de opiniones y gustos —morales, estéticos o sexuales— fue íntegro, entero. Tuvo fama de intransigente porque en el medio literario reina la duplicidad; en realidad fue incorruptible. Tenía una rara incapacidad para pactar, inclusive consigo mismo, signo de elevada moral (y también, es verdad, de soberbia solitaria). ¿Lo más alejado de su carácter? La condescendencia, el servilismo, la complicidad del sectario, el gregarismo. Nada más opuesto a la garrulería española que su reserva desdeñosa; nada más alejado de la doblez y las disimulaciones mexicanas que su rectitud.

Convivían en él varias tendencias contradictorias: la independencia más arisca y la fidelidad más completa, la exigencia y la comprensión, la timidez y la insolencia, la esquivez y la amabilidad, el narcisismo ingenuo y cierto fascinado horror ante sí mismo. No era inmune a pasiones como la vanidad, la envidia y la cólera pero su gran inteligencia y su amor a la verdad atenuaban estos defectos. Era severo con los otros porque lo era consigo mismo. En un ambiente como el nuestro, en donde las ideas sirven de antifaces y los libros de proyectiles, Cernuda merece ser llamado, en el más alto sentido de la palabra, un hombre civilizado: irónico pero enamorado de la belleza y del saber, escéptico pero capaz de veneración y entusiasmo. En sus actitudes yo veía la unión del nativo estoicismo andaluz y del rigor del *dandy*. No es casual la unión de estos términos: en la elegancia del *dandy* hay un ascetismo estético. Incluso en su culto al placer advierto una inflexibilidad que está más cerca de Séneca que de Epicuro. Para definirlo hay que resucitar el título de una comedia de Terencio: *El atormentador de sí mismo*. Pero esos tormentos le dieron también el goce mayor y más alto: el de la creación. Fue ante todo y sobre todo un poeta. Su vida, su pensamiento, todo lo que fue y lo que quiso ser, se resuelven en esa palabra diáfana e irisada como una gota de agua que fuese inmune al tiempo: *poesía*.

No volví a ver a Cernuda sino hasta años después. A fines de 1938 recibí una carta suya, fechada el 24 de septiembre de ese año, escrita en papel del instituto en donde enseñaba: Granleigh School, near Guildford, Surrey. Se refería a nuestro encuentro en Valencia: «no sé si le extrañará recibir estas líneas mías. El año pasado, cuando nos conocimos, yo estaba en un momento bastante difícil, que seguramente usted comprendería, ya que vivió varias semanas en el mismo ambiente que originaba mi malestar». Aludía a los incidentes de aquel verano: el desagrado con que algunos círculos oficiales habían recibido la representación de *Mariana Pineda* dirigida por Manolo Altolaguirre y en la que Cernuda desempeñó un papel central; la detención de su amigo, el dibujante y pintor Víctor Cortezo, que había diseñado el vestuario de la pieza; la reprobación de varios funcionarios y escritores comunistas por su elegía a García Lorca. Me contaba que había logrado salir de España y que vivía en Inglaterra; por desgracia, en Londres —aun menos en Surrey— le era imposible tener noticias de lo que ocurría en el ámbito literario español e hispanoamericano. Me pedía que le escribiese. Lo sentí muy solo y le contesté inmediatamente. Así comenzó una correspondencia que terminó hasta su muerte en 1963. Naturalmente, durante los años en que coincidimos en México dejamos de cartearnos. Pero aun en esos periodos me enviaba, de vez en cuando, esquelas y notas. Guardo algunas. Después supe, por nuestra común amiga Dolores Arana, que en un momento de cólera contra el mundo o víctima de una depresión, no sé, destruyó toda su correspondencia. La noticia me entristeció. Fue injusto con sus amigos y con él mismo.

A fines de 1943 dejé México. No volví sino diez años después. Durante una larga temporada viví en los Estados Unidos una existencia nómada de ciudad en ciudad y de hotel en hotel: Los Ángeles, Berkeley, San Francisco, Middleburry, Nueva York. Mi correspondencia con Cernuda continuó a pesar de los cambios de domicilio. El 24 de julio de 1944 recibí una carta en la que me anunciaba que por correo aparte me enviaba una copia de su «nueva colección de versos». Y agregaba: «No sé si habrá ocasión de publicarla por ahí; en todo caso quiero que algún amigo tenga copia de mi trabajo [...] sería demasiado dejar que se perdiese en cualquier accidente de los que hoy cercan nuestras vidas». Al poco tiempo llegó a mis manos el manuscrito de *Como quien espera el alba.* Cernuda temía perder en un bombardeo alemán no sólo la vida sino la obra. Este envío me estremeció: en un momento terrible, para él y para todos, había elegido a un joven poeta mexicano, apenas entrevisto, como custodio de su poesía. Se me ocurrió proponer a los amigos de *Litoral* la publicación del libro pero él me rogó, con vehemencia, que no lo hiciese. En diciembre de 1945, de paso hacia París, me detuve en Londres por unos días. Vi a Cernuda casi diariamente y le devolví la copia de *Como quien espera el alba* (con dos o tres anotaciones, que él agradeció y que no sé si tomó en cuenta). El libro salió más tarde, en 1947, en Buenos Aires. Viví en París algunos años. Después me fui al Oriente y Cernuda a los Estados Unidos. En 1953 volví a México. Reanudamos nuestro trato y el Fondo de Cultura Económica publicó en 1958 una edición de *La realidad y el deseo* al fin sin erratas. Al año siguiente yo salí nuevamente del país. Su muerte me sorprendió dolorosamente en Delhi.

He contado todo esto sin aludir al manuscrito de *Fantasías de provincia* porque la verdad es que durante todos esos años ni Cernuda me habló de esa obra ni yo pensé en ella. De ahí mi desconcierto al encontrarla en la caja que confié a mi madre en 1943. El legajo está escrito en máquina y tiene correcciones de la mano de Cernuda. He cotejado algunas páginas con las publicadas en el tomo de *Prosa completa*,[1] y no he encontrado discrepancias. En la primera página, en el extremo superior derecho, se lee: «Luis Cernuda/Spanish Dept./Glasgow University». En el centro: *Luis Cernuda* y abajo: *Fantasías de provincia* (1937-1940). En el extremo inferior derecho, a manera de sumario: «*El viento de la colina.* Veintisiete hojas / *Sombras en el salón.* Veintiséis hojas / *La familia inte-*

[1] Edición de Derek Harris y Luis Maristany, Seix Barral, Barcelona, 1975.

rrumpida. Cincuenta y nueve hojas / *El indolente.* Cuarenta y seis hojas. / Más una hoja de prólogo y un índice». En la página siguiente aparece el breve prólogo (doce líneas) y en la siguiente el índice: «*El viento en la colina / En la costa de Santiniebla / Sombras en el salón / La familia interrumpida / La venta de los chopos / El indolente*». Mi sorpresa ante la discrepancia entre la lista de la primera página y el índice de la tercera aumentó cuando me di cuenta de que el manuscrito está compuesto únicamente por los cuatro textos mencionados en el sumario.

Revisé la correspondencia de Cernuda y en ella encontré la respuesta a estos enigmas. En 1939, el 20 de marzo, me anuncia la próxima aparición de *Las nubes* (pensaba publicar ese libro en Londres, tal vez por su cuenta)[1] y añade: «quiero enviarle algo, una comedia y algunas narraciones de otro libro en proyecto. Pero no sé si lo creerá; por desgano y no tener máquina para copiar, aún no he hecho copias ni ordenado el original de *Las nubes.* Debo hacerlo pronto y entonces le enviaré algo...» Recibí más tarde algunos poemas para *Taller* pero no la comedia ni las narraciones. Una carta del 12 de octubre de 1941 se refiere de nuevo a ese tema y aclara los misterios del manuscrito. Transcribo el fragmento pertinente:

> [...] también quisiera pedirle otro favor, y éste de suma importancia para mí. Es muy probable que mi libro *Las relaciones de provincia*[2] se publique en Buenos Aires. Bergamín tiene en su poder gran parte del original. Como no es cosa de copiarlo de nuevo, y además gano mucho tiempo si cuento con un amigo seguro que, llegado el caso, envíe el original desde ahí a Buenos Aires, le ruego recoja ahora ese original de manos de Bergamín y lo guarde hasta que yo le avise. Esta carta mía puede servirle de autorización, si fuese necesario. *Consta el original de tres relatos y una comedia, más una hoja de prólogo y otra de índice. Como verá por éste, faltan dos relatos que yo enviaría directamente al editor.*[3] Haga esto por mí y avíseme por correo aéreo tan pronto lo haya hecho. Gracias.

Esta carta explica la discrepancia entre el sumario de la primera página y el índice. Sin embargo, añade otro enigma: ¿se ha perdido el original de *La venta de los chopos* o Cernuda lo destruyó? Su corresponsal de Buenos Aires (¿quién sería?) tal vez podría ayudar a contestar esta pregunta.

[1] Apareció en Buenos Aires en 1943, precedido por un poema de Rafael Alberti.
[2] ¿Es un error o decidió cambiar el título?
[3] Soy yo el que subraya.

Cualquiera que haya sido la suerte del relato perdido, lo cierto es que Cernuda, poco después, renunció a la idea de publicar ese libro. En 1942, en carta del 2 de septiembre, me dice: «gracias por haber recogido aquel manuscrito. No pienso ya en su publicación; aparte de que la copia está llena de errores y faltas, hay cosas que no deseo publicar, excepto dos quizá de los relatos. Guárdelo por lo tanto de miradas ajenas más que de accidentes que envuelvan su pérdida». Cumplí inconsciente y literalmente sus deseos: durante más de cuarenta años ninguna mirada ajena ha recorrido las páginas de su manuscrito. Al mismo tiempo, como lo deseaba, él publicó dos de los relatos, *El viento en la colina* y *El indolente,* en un pequeño volumen: *Tres narraciones* (1948). El otro, *Sombras en el salón,* había sido publicado antes en *Hora de España* (XIV, febrero de 1938, Barcelona). Así pues, los únicos textos inéditos del manuscrito son el corto prólogo y la pieza de teatro en dos actos *La familia interrumpida.*

El prólogo declara la intención del autor: «poesía del sueño y de la realidad», destinada a fijar ciertos momentos vividos. Cernuda quiere «hacer visible una atmósfera, dar expresión poética a un ambiente»; sus personajes son parte del paisaje, como en esos cuadros de Tiziano y de Veronese en los que hay una relación no sólo visual sino emblemática entre las figuras, los boscajes, los accidentes del terreno, las fuentes y las nubes. Memoria transfigurada por la poesía y sostenida en vilo por el deseo, o la nostalgia, de un (mentido) paraíso terrestre. El prólogo no explica la razón de incluir la pieza de teatro al lado de las cinco narraciones. Sin duda Cernuda pensaba que no había una diferencia esencial entre ellas. No lo creo pero dejo el punto para más adelante. Pienso, sí, que todas ellas están regidas por la misma estética, ostentan influencias semejantes y corresponden al mismo periodo de su evolución literaria. Esto último requiere una pequeña aclaración. Según James Valender, que es el crítico que con mayor penetración y conocimiento ha estudiado este aspecto de la obra de Cernuda, *Sombras en el salón* es de 1927, *El indolente* es de 1929, *En la costa de Santiniebla* es de 1937 y *El viento en la colina* de 1938.[1] El volumen de *Prosa completa* da las mismas fechas. Sin embargo, el manuscrito de *Fantasías de provincia* es terminante: 1937-1940. Me inclino por las fechas del manuscrito: son del autor mismo. Lo más probable es que los textos de 1927 y 1929 (¿alguien los ha examinado?) sean primeras versiones, borradores después modificados por Cernuda.

[1] James Valender, *La prosa narrativa de Luis Cernuda, Historia de una pista falsa,* UNAM, México, 1985 (Cuadernos Universitarios).

Las narraciones y la pieza de teatro deben verse como un momento de su evolución, entre 1934 y 1940. A este mismo periodo pertenecen no sólo por la cronología sino por el estilo y las ideas, varios ensayos, dos de ellos notables y ambos de 1935: *Divagaciones sobre la Andalucía romántica* y *Bécquer y el romanticismo español.* No es casual la mención del romanticismo en estos dos textos: fue su obsesión en esos años... Al estudiar las influencias que ostentan las narraciones, Valender menciona tres nombres: Bécquer, Gide y Proust. Alianza extraña pero no inexplicable: Gide representa la exaltación de las pasiones y del instinto, es decir, afirma la vigencia del romanticismo en nuestros días; Proust es la memoria que transfigura lo que toca, sólo que esa memoria, por ser involuntaria, es también una forma de la pasión (Proust admiró siempre a Nerval, otra devoción de Cernuda, y toda su obra puede definirse por esta frase de *Les Filles du feu* que Valender tiene el tino de recordar: *Inventer, au fond, c'est se ressouvenir*); Bécquer, en fin, es el único poeta romántico español en el que Cernuda se reconoció, como lo cuenta en *Historial de un libro.* Yo me atrevería, tímidamente, a agregar otro nombre: Benito Pérez Galdós. Su influencia es un poco más tardía pero me parece visible en la última de las narraciones, escrita ya en 1942: *El sarao.* Finalmente, con más decisión, propongo los nombres de algunos románticos franceses. En seguida me explico.

El ensayo sobre la Andalucía romántica se abre con un epígrafe de Chateaubriand y comienza con el descubrimiento infantil de las *Memorias de ultratumba.* Después cita a otros escritores franceses de esa época: Hugo, Gautier, Nerval e incluso a Edgard Quinet. Pero no pienso tanto en ellos, ni siquiera en Nerval, cuyo nombre lo acompañó siempre, como en Mérimée. Lo frecuentó mucho. Tradujo el *Théâtre de Clara Gazul,* en el ensayo a que he aludido lo menciona varias veces y, años más tarde, en otro texto de 1959, al hablar de los orígenes del poema en prosa, se refiere a *La guzla.* El interés por Mérimée se manifiesta en los mismos años en que escribió las narraciones y los ensayos sobre Bécquer y Andalucía. Y hay algo más: ya en Escocia, en 1941, en plena baja de la influencia francesa, lo sigue leyendo al lado de otros pocos autores de esa lengua, como Gide, Proust, Nerval, Rimbaud y Sainte-Beuve.[1] Casi seguramente Cernuda sintió simpatía por la figura de Mérimée, el enamorado de Sevi-

[1] Debo este dato a Valender. En las últimas páginas de su ensayo sobre la prosa narrativa del poeta andaluz, incluye una relación de libros sacados por Cernuda de la biblioteca de la Universidad de Glasgow entre 1939 y 1943.

lla, el amigo de la madre de Eugenia de Montijo. Su influencia en las narraciones de Cernuda puede definirse con palabras del mismo poeta y consiste «en el fuerte contraste entre la vida urbana, ambiente intelectual y salón rumoroso, con el perezoso campo andaluz...» Este contraste aparece en todas las narraciones y es particularmente vivo en *Sombras en el salón*. Pero el relato en que puede percibirse mejor la sombra (o la luz) de Mérimée es *El indolente*, que ofrece más de una semejanza con *La Venus d'Ille*. Cierto, el cuento de Mérimée es una pequeña obra maestra, lo mismo por su invención que por su sobria y obsesiva escritura, mientras al de Cernuda lo afligen muchos rodeos y languideces. No importa: el mismo mito —la estatua pagana, una enterrada y la otra caída en el mar— ilumina con su luz nefasta los dos relatos. *Cave amantem*.

Aunque la historia poética de Cernuda está en relación con su evolución literaria e intelectual, la coincidencia no es perfecta. La influencia del surrealismo francés describe un arco que va de 1927 a 1933 y que comprende tres libros: *Un río, un amor* (1929), *Los placeres prohibidos* (1931) y *Donde habite el olvido* (1933). Tras un breve respiro, comienza otro periodo, en 1934, en el que es central el descubrimiento de Hölderlin, al que debería suceder, más tarde, el de Leopardi. Un poco antes, como otros poetas de su generación, aunque con efectos distintos, había leído a Bécquer con fervor y provecho, según puede verse en los intensos poemas de *Donde habite el olvido*. Al mismo tiempo, Bécquer influye en su nueva visión de Andalucía. En ella se confunden lo vivido con lo soñado y ambos con la lectura de algunas novelas y libros de viaje de varios románticos, casi todos franceses. Años después, en Inglaterra, hubo otro cambio en su gusto y en su estética, el final y definitivo: la poesía inglesa, sobre todo Eliot entre los modernos y Browning entre los del siglo pasado. Pero durante unos años, de 1934 a 1940, es constante la presencia, en su prosa y en sus juicios literarios, de ciertos franceses del XIX, al lado de Gide y Proust. He aludido a Nerval, Gautier y Mérimée; ahora añado la prosa de Baudelaire, no sólo la del ensayista sino la del autor de *La Fanfarlo*, que recuerda a veces a *Sombras en el salón*. Pues bien, a este periodo intermedio, que en su poesía corresponde a la influencia de Hölderlin y Leopardi, pertenecen las narraciones y la pieza de teatro.

Después de esta digresión vuelvo a *La familia interrumpida* y al silencio que la rodeó cerca de medio siglo. Mi olvido, por más extraño que parezca, no fue único. Lo compartió el mismo Cernuda: ¿cómo se explica que después de aquella carta de septiembre de 1942 no haya vuelto a hablarme del asunto, incluso para pedirme que destruyese el manuscrito o que se lo devolviese? No menos extraño fue el olvido de sus amigos y de los estudiosos de su obra. Sólo hasta hace poco empezó a recordarse, vagamente, la existencia de una comedia perdida. El primero que aludió a la pieza fue Víctor Cortezo, en un artículo de 1974, que he podido leer gracias a James Valender, en el que recuerda los días de Valencia en 1937, la representación de *Mariana Pineda* y habla de una carta de 1938 en la que Cernuda le dice que tiene «el borrador de una comedia en dos actos». Un año después Jenaro Talens, en su libro *El espacio y la máscara* (1975), indica que Juan Gil-Albert le contó que Cernuda les había leído a él y a Concha Albornoz, en 1938, en Barcelona, una comedia. Gil-Albert recordaba, a medias, el título de la obra: *El reloj* (en realidad: *El relojero*) pero había olvidado su tema «e ignoraba lo que hubiera sido de ella, ya que ni siquiera el propio Cernuda la mencionó posteriormente en sus cartas». La información más clara y precisa aparece en un interesante e inteligente artículo de Germán Bleiberg, publicado en *Revista de Occidente* (tercera época, núm. 19, mayo de 1977) y que he podido leer (¡de nuevo!) por Valender. El testimonio de Bleiberg es precioso entre todos: Cernuda leyó ante un grupo de amigos, a fines de 1937, en la Alianza de Intelectuales de Madrid, una comedia titulada *El relojero o la familia interrumpida*. No cita los nombres de las personas que escucharon la lectura pero supongo que entre ellas se encontraban Alberti y su mujer, Serrano Plaja, Ontañón, Aparicio y algunos otros. Con admirable claridad Bleiberg recuerda el asunto de la comedia aunque al reconstruirla comete dos o tres pequeñas infidelidades, como introducir un hijo y borrar el conflicto entre la madre y la hija.

Bleiberg también se sorprende ante su olvido: «en mi correspondencia con Cernuda, bastante regular y hasta copiosa entre 1948 y 1951, nunca se me ocurrió preguntar por la comedia. Tal vez entonces ni yo mismo me acordaba de ella». Pero ¿y el silencio de Cernuda? Sobre esto Bleiberg no dice nada. En cambio, señala que nadie entre los amigos y los conocedores de la obra del poeta le dio noticia alguna de la obra. Este olvido general hace pensar en un maleficio del género del que relata Mérimée en *La Venus d'Ille* y Cernuda en *El indolente*. Todo esto es asombroso pues no sólo era conocida la existencia de la comedia por las cartas de Cernuda de esos años sino que, además, vivían muchos que habían asistido a las lecturas de Madrid y Barcelona o la habían tenido bajo sus ojos: Alberti, María Teresa León, Germán Bleiberg, Juan Gil-Albert, Concha Albornoz, José Bergamín, yo mismo —y no sé cuántos más.

Otra circunstancia curiosa: durante esos años Cernuda se muestra muy interesado en el teatro. En 1937 escribe dos artículos, uno en el que esboza la posibilidad de que brote un nuevo teatro, escrito precisamente por los poetas que llamaban entonces, despectivamente, «artistas de minorías» y otro cuyo título es ya un programa: «Un posible repertorio teatral». Ese mismo año colabora con Altolaguirre en la representación de *Mariana Pineda* y traduce *Ubu roi* de Jarry, como años antes había traducido el teatro de Mérimée y más tarde traduciría *Troilo y Crésida* de Shakespeare. Su afición era indudable y quizás, si hubiera contado con lo que a casi todos nos ha faltado en nuestros países: una escena, habría escrito más obras de teatro. No lo lamento demasiado: su vocación se expresó, guiado por el ejemplo de Robert Browning, en el poema dramático.

Al llegar a este punto debo hacer la distinción a que aludí más arriba: a pesar de pertenecer al mismo periodo y de obedecer al mismo gusto, hay diferencias esenciales entre los relatos y *La familia interrumpida*. La primera atañe a la construcción: la de los relatos es deshilvanada mientras que la de la comedia es sólida, bien trabada y económica. La obra cumple con la primera condición del teatro: no es poesía verbal sino poesía de la acción. La segunda se refiere a la aparición del habla coloquial. A la inversa de lo que ocurre en las narraciones, el lenguaje de *La familia interrumpida* no es literario; Cernuda logró ser sobrio y procuró, con fortuna desigual, reproducir el habla provinciana. Bleiberg apunta la influencia de los Álvarez Quintero. A pesar de que en el artículo de 1937 sobre el teatro dice: «no profeso gran predilección por las obras de los señores Benavente y Álvarez Quintero», no es imposible que se haya inspirado en ellos, como más tarde intentaría reivindicar a Campoamor. El lenguaje de *La familia interrumpida* es familiar y, no obstante, carece de fluidez. Es lenguaje *escrito*. A Cernuda le faltó siempre naturalidad ante el habla popular. La tercera diferencia es la esencial: en las narraciones el personaje central es el mismo Cernuda mientras que en la comedia el autor felizmente desaparece. No sus ideas, que son poderosas: su biografía, sus manías, sus nostalgias y sus tics. *La familia interrumpida* es realmente una obra, no un fragmento ni un boceto como sucede con los relatos.

El tema de la comedia es el mismo de muchos de sus poemas: el orden y la pasión. El orden son las instituciones, los sistemas, la moral pública: el reloj implacable que regula nuestras vidas. Un viejo relojero maniático y un poco chocho le da cuerda desde el comienzo del tiempo. El relojero es el Padre de Familia, el Padre del Pueblo y Dios Padre: tres en uno. Pero el subsuelo de la relojería está siempre en ebullición y a veces hay terribles erupciones. El subsuelo es el dominio de las pasiones y de los instintos, el reino de la sangre y del sexo. Para Bleiberg la comedia es una respuesta del poeta a la España de 1937: está con la República pero no con sus relojeros. No estoy muy seguro. La comedia es una exaltación de la pasión erótica —la mujer, el joven, la hija, la criada— y una sátira de la familia y su moral. La institución familiar estuvo sometida durante toda la primera mitad del siglo a un ataque incesante y feroz. La poesía moderna, especialmente la francesa, de Jarry a los surrealistas, le declaró la guerra en nombre de la insurrección de los instintos y del amor en libertad. Los novelistas no fueron menos encarnizados y en la comedia de Cernuda hay más de un eco de la célebre frase de Gide: *Famille, je vous hais.* Hoy la familia es una fortaleza medio desmoronada. No causaron su ruina las flechas incendiarias de los poetas ni las catapultas de los moralistas libertarios; su maltrecho estado actual es una imagen de los desastres morales, políticos y demográficos de nuestro siglo. Años después de haber escrito *La familia interrumpida,* Cernuda volvió al tema. Su cólera había cesado, no su distancia. Invoca a las sombras familiares y les ofrece, ya que no reconciliación, perdón mutuo:

> No prevalezcan las puertas del infierno
> Sobre vosotros ni vuestras obras de la carne...

México, 1985

[«Juegos de memoria y olvido» se publicó en la revista *Vuelta*, núm. 108, México, noviembre de 1985, y se recogió en *Convergencias*, Seix Barral, Barcelona, 1991.]

4. LA PREGUNTA DE CERNUDA

Estas pocas «palabras de introducción» deben comenzar por una pregunta: ¿qué diría Luis Cernuda de esta reunión en su ciudad natal y destinada a recordar y estudiar su obra? Nunca fue afecto a las celebraciones y los homenajes; pensó siempre que la fama era una máscara equívoca cuando no algo peor: un embuste, una trampa. En un amargo poema, escrito al final de sus años, dice:

¿Oyen los muertos lo que los vivos luego dicen de ellos?
Ojalá nada oigan: ha de ser un alivio ese silencio interminable
Para aquellos que vivieron por la palabra y murieron por ella.

¿Cómo, entonces, acercarnos a su obra? Nuestra reunión, ¿es un acto de hipocresía, una tentativa para recuperar en beneficio de las instituciones aquello que es irrecuperable: la voz de un solitario que jamás comulgó en el altar común? Al celebrar su palabra, ¿la traicionamos? Al recordarlo, ¿somos infieles a su memoria y olvidamos lo que dijo? No es fácil contestar a estas preguntas. Pero todos sabemos que nos hemos reunido aquí para responderlas. Mejor dicho: para responderla. Aunque la obra de Cernuda es una biografía poética que se despliega a lo largo de su vida, posee una notable unidad y a través de sus cambios y variaciones no cesa de hacernos la misma pregunta. No pretendo definirla: eso sería, más que una simplificación, una mutilación. Sólo puedo decir que, en el sentido más inmediato y grave de la palabra, esa pregunta es de naturaleza *moral.*

Cernuda despreció a la fama, la diosa perra, como la llamaba D. H. Lawrence. En cambio, buscó la gloria del poeta. Esa gloria no se llama eternidad: el poeta es hijo del tiempo y sus obras son la sustancia del tiempo. Tampoco se llama salvación: el poeta no vino a redimir al mundo ni a cambiarlo, vino a transfigurarlo. Para Cernuda la gloria del poeta está en la obra: en el verso bien hecho y que se encadena libremente con otros versos para formar, todos juntos, el cuerpo viviente y rítmico del poema. Buscó la gloria no más allá del tiempo, en el reino de las ideas incorruptibles, sino en la obra hecha con el latir de cada día. No la concibió como un objeto de acabada simetría; buscó la perfección de las cosas vivas, que acepta y aun reclama la complicidad con lo irregular, lo fuera de la norma y, en fin, con aquello que Baudelaire llamaba *lo bizarro* —esa hendedura por la que asoman el vacío, la muerte, lo horrible, lo innominable.

La obra no existe sin un lector que la rescate de la tumba del libro, la anime y, literalmente, la reviva. Cada lectura es una resurrección y una transmutación: movida por la simpatía del lector, la obra se levanta y se echa a andar, es otra sin dejar de ser ella misma. La obra es la gloria del poeta porque se abre a la participación de un lector. Cernuda soñó muchas veces con ese lector todavía sin nombre y sin rostro. En un poema lo invoca y le pide, casi imperiosamente, que lo ame «como yo he amado la verdad del poeta bajo nombres ya idos». Los nombres y la nombradía son insustanciales, pasajeros; lo que queda es la obra que guarda la verdad del poeta. La obra es un tejido de palabras y su perennidad depende tanto de la verdad que guardan esas palabras como de su capacidad para guardarla. Doble condición: arte y autenticidad, lo vivido transmutado en decir vivo. Arte del poeta: saber y poder decir. Es un arte que exige valor, integridad. A su vez, ese decir se cumple en un oyente que comprende y recrea lo oído o lo leído. Participación activa. La obra no termina en ella misma; no es un monumento, es una intersección: prolonga las verdades de los poetas ya idos, asume las formas que sus lectores sucesivos le infunden y anuncia la aparición de un poeta futuro y su verdad. La gloria se llama tradición: no la mentida inmortalidad de un nombre sino la continuidad de una palabra común.

Entre estos dos extremos se despliega la poesía de Luis Cernuda. Uno, la afirmación de una voz que viene de las afueras de la sociedad y que es a un tiempo anónima y profundamente íntima, pues es la voz del instinto y de las pasiones asumidas por una conciencia solitaria. Otro, la afirmación de una tradición en la que las verdades de los poetas ya idos, no sin rupturas y desgarramientos, gracias a la mediación de generaciones de lectores, se enlazan y forman un río no de agua sino de palabras que son obras: tiempo vivo. La voz del solitario es palabra de subversión. Lo es porque, como él dice en un poema juvenil, lo que busca el poeta es una verdad carnal, «más que verdad de amor, verdad de vida». Tal vez podría decirse que el amor es verdad cuando es vida. Y ya se sabe: la vida, indomada o indominable, desde el principio del principio echa abajo las paredes que la sociedad civilizada levanta para contenerla, constreñirla y domesticarla. A su vez, esa voz del poeta, intransferible y en apariencia única, es eco y anuncio de otras voces. Es un acorde en un concierto. La ruptura es concordia y comunidad de cultura la conciencia de la soledad. En la obra del poeta, por un instante, pactan las dos mitades enemigas: cultura y naturaleza, instinto y conciencia, invención y tradición, fatalidad y libertad. Pacto destinado a romperse una y otra vez. Los gemelos antagonistas están condenados a combatirse, abrazarse, separarse y de nuevo combatir para abrazarse.

La misma dualidad aparece en su vida, aunque con menos claridad que en su poesía. Tal vez la vida del poeta es un borrador de su verdadera vida, esa vida ficticia y, sin embargo, más cierta que la otra, que él inventa día tras día, al inventar su obra. En el caso de Cernuda, el mismo impulso contradictorio que lo llevó a romper con amigos, situaciones, ciudades y países, lo llevó también, en 1936, a alistarse como voluntario en las milicias populares. Se fue a la sierra de Guadarrama con un fusil y un tomo de Hölderlin en la chaqueta, según me contó Arturo Serrano Plaja. ¿Disparó? Me inclino a creer que, si lo hizo, fue un disparo al aire...

Sevilla, mayo de 1988

[«La pregunta de Cernuda» fue el texto de apertura del Primer Congreso Internacional sobre Luis Cernuda en Sevilla, mayo de 1988. Se publicó en la revista *Vuelta,* núm. 144, México, noviembre de 1988, y se recogió en *Al paso,* Seix Barral, Barcelona, 1992.]

PREFERENCIAS Y DIFERENCIAS

Una de cal...

Señor Juan Marichal:

Acabo de leer su respuesta a un crítico que niega valor a la literatura española moderna.[1] No resisto a la tentación de escribirle —para felicitarlo y para comentar su artículo.

Tiene usted razón: «las dos grandes épocas de la literatura española han sido el llamado siglo de oro y este medio siglo dorado que es nuestro tiempo». Ahora que yo modificaría levemente su frase. Primero, el color: la literatura española, por fortuna para ella, no es dorada. En seguida: el gran periodo creador va de 1890 a 1936. Cierto, después han aparecido varias obras notables y en los últimos años se advierte una mayor audacia y exigencia crítica, una curiosidad más alerta y apasionada por lo que pasa en el mundo. Conozco las obras de algunos jóvenes, poetas y novelistas, que se esfuerzan por romper con ese realismo —descriptivo o ideológico, tradicionalista o *engagé*— que ha caracterizado a gran parte de la literatura española entre 1940 y 1960. No es difícil ver en esto los signos —digamos la palabra temida— de un nuevo cosmopolitismo. Si así fuese, sería magnífico: todas las grandes épocas han sido abiertas y la tradición moderna es cosmopolita. De todos modos, mis comentarios se referirán casi exclusivamente al periodo anterior a la guerra civil.

Principio con esta observación: la literatura española de los siglos XVI y XVII ocupa un lugar central en Europa en tanto que el puesto de la del XX es marginal. Es evidente que ha cambiado la posición de la literatura española en el contexto de la europea. Posición en el sentido lingüístico y sin que esto implique un juicio de valor: no es que Juan Ramón Jiménez sea inferior a Góngora o a Garcilaso sino que su relación con la literatura europea es distinta. Señala usted que Góngora y San Juan de

[1] Juan Marichal: «Apología de la literatura española» (siglo XX), *Papeles de Son Armadans*, núm. CXXX, enero de 1967.

la Cruz existen gracias a que nosotros les leemos como deben ser leídos: como autores vivos, presentes. Esto es lo que no ocurre con los autores españoles modernos en Europa y en los Estados Unidos: en esos países poquísimos saben (o quieren) leerlos como lo que son realmente. De nuevo: no es un problema de valía sino de posición. Valdría la pena examinar en serio por qué y cómo se ha operado este cambio y qué es lo que impide la recta lectura de los escritores españoles.

Lo más fácil es acudir a la explicación histórica: España se ha convertido, como América Latina, en una tierra marginal y es natural que sus obras artísticas, aunque no lo sean, parezcan también marginales. Sobre esto Alfonso Reyes dijo cosas muy agudas y ciertas que todos deberíamos releer. Otra razón podría ser la influencia de la crítica universitaria: el profesor busca en los escritores modernos una prolongación de los rasgos que le parecen característicos de la tradición de *su literatura*. Se empieza por inventar una especialidad: literatura española. Se le atribuyen ciertas notas constantes (realismo, misticismo, casticismo, qué sé yo) que la *distinguen* de las otras literaturas. Se buscan esos rasgos en un libro moderno y, si no aparecen, la dificultad no es demasiado grave: se hace como si apareciesen o se ignora la obra. La desfiguración o la desaparición. Españolizar a Garcilaso o a Cernuda no es menos absurdo que convertir a Séneca o a Marcial en escritores españoles.

Lo primero que hay que decir es que, en realidad, no hay una literatura española: hay una literatura europea o, más exactamente, una literatura euroamericana (desde el siglo XVI). No insistiré en este tema porque no me interesa repetir a Curtius. Lo interesante sería que los críticos aplicasen su idea: la literatura española no resulta inteligible sino dentro del contexto de la literatura europea. Señalo, además, que también se debería sustituir la noción de lengua por la de lenguaje. La lengua de Garcilaso es el español del siglo XVI; su lenguaje es el de los poetas europeos de esa época. No es únicamente un estilo y una visión del mundo sino un repertorio de elementos (un vocabulario, en el sentido amplio), cuya combinación producía ciertas formas arquetípicas: modelos verbales o poemas. Por último, a la visión diacrónica y nacional de la literatura (Garcilaso engendró a Herrera que engendró a Góngora) habría que oponer una visión sincrónica, sea dentro de un periodo *y* entre diversas lenguas (Marino: Góngora :: x: Donne) o dentro de una lengua y sin hacer caso de la historia (Quevedo/Vallejo, Sor Juana/Lezama Lima) o sin tener en cuenta ni a la lengua ni a la historia (el Arcipreste de Hita/

Joyce). En suma, concebir a la literatura como un sistema de relaciones. Resulta casi inútil añadir que las relaciones realmente significantes no son las de afinidad sino las de oposición. La crítica ha hecho todo lo contrario: ha insistido en aquello que *aísla* a la literatura española de las otras sin reparar que esa diferencia, precisamente por asumir la forma de una oposición, es aquello que la une a las literaturas de Europa y América.

Todo lo anterior —la situación histórica marginal de España y los hábitos rutinarios de la crítica— no explica enteramente el cambio de posición de la literatura española. Creo que aquí interviene la noción de *modernidad.* ¿No es significativo que con frecuencia se reproche, o se elogie, a los escritores españoles por no ser bastante modernos? No trataré de definir a la modernidad. Tal vez sea indefinible. Cada época, cada generación, cada año y aun cada día tienen su modernidad: nunca la misma. No obstante, todas se parecen en algo: el querer ser modernas. La modernidad no es un estado sino una aspiración. Un amor inmoderado por lo que está pasando, no tanto por lo que es como por lo que va a ser. En el artista esta pasión es contradictoria: lucha contra el tiempo, quiere transformarlo en obra, y, simultáneamente, se somete al tiempo —su obra debe ser moderna. Oscilante entre estos dos extremos, la modernidad es una pasión crítica: se sabe tránsito y se sabe instante único, absoluto momentáneo y momento absoluto. Sobre estos abismos edifica sus construcciones —no a la manera del que coloca una piedra sobre la otra sino, como los templos de la India antigua, por eliminación, limando la montaña. Creación por la negación y el vacío: crítica creadora. Desde su nacimiento —Coleridge, Baudelaire— la modernidad es una pasión lúcida y sus monumentos son la crítica de sí misma. Pues bien, gran parte de la literatura española del siglo XX se opone a la modernidad, sea ésta amor a la actualidad o pasión crítica.

La oposición se manifiesta de dos maneras: la tradicionalista o castiza y la crítica de la modernidad. La primera carece de interés estético y de valor moral e intelectual: no ha producido una sola obra que valga la pena. La reacción española es la más estéril de todas las reacciones, con excepción, claro, de la de América Latina. En cambio, gracias a la crítica de la modernidad, la literatura española accede al mundo moderno. Pero accede, diría, sin asumirlo: no comparte ni sus riesgos ni sus descubrimientos. Su crítica no es la que se hace la modernidad a sí misma: es una crítica desde el exterior, según puede verse sobre todo en Unamuno. Ésa es la paradoja de la literatura española y lo que explica, en parte, su posición marginal: por el mismo acto en que se afirma como una literatura moderna (la crítica), se rehúsa a serlo. Por supuesto, hay una gran literatura española moderna —de Valle-Inclán a García Lorca— pero esta literatura, con una sola excepción, no nos ha dado una obra que contenga su propia crítica —jamás ha hecho de la crítica una creación. No quiero decir que los españoles no hayan producido novelas y poemas modernos y universales sino que en esas obras echo de menos la voluntad crítica y autocrítica, esa reflexión sobre el lenguaje y sus significados que, a mi juicio, es la forma más lúcida y exasperada de la modernidad. La pasión crítica de los españoles no es radical, no es un examen de conciencia del lenguaje, como lo son las obras de Proust y Joyce, Breton y Eliot, Jünger y Maiakovski (cito a propósito escritores muy distintos entre ellos para subrayar mejor lo que quiero decir). Escribí antes: con una excepción. Añado ahora: por una sola vez y en un solo poema. La excepción es Juan Ramón Jiménez y el poema es *Espacio*.

No es extraño que durante este siglo, a diferencia de lo que ocurrió en el XIX, los españoles hayan sobresalido en el ensayo: Unamuno, Ortega y Gasset, Machado. Veo en esto, de nuevo, una prueba del recelo o de la timidez española frente a la modernidad. La crítica de las ideas, por más total que sea, es siempre menos radical que la crítica del lenguaje. Mallarmé anticipa a Wittgenstein y va más allá; muestra que todo se puede decir si se *puede* dccir: nada. Si se compara la poesía de Mallarmé con la de Unamuno se percibe inmediatamente la diferencia: el primero es un poeta del siglo XX, nuestro maestro y nuestro contemporáneo; el segundo es el gran poeta que no tuvo España en el siglo XIX, su Leopardi o su Coleridge. Lo mismo debe decirse de Antonio Machado. Su poesía se muestra igualmente insensible al lenguaje moderno —que es el de la ciudad y no el de la canción tradicional— y a la imagen. La poesía moderna depende de estos dos elementos: es una poesía antipoética porque su lenguaje es el de la urbe cosmopolita, en el que se mezclan todos los idiomas y dialectos, del *slang* al sánscrito; es una poesía difícil porque ha reinventado la metáfora y el concepto barrocos. Es un conceptismo dinámico y autocrítico: velocidad, simultaneidad, indeterminación, humor. Lenguaje y crítica del lenguaje, imagen y negación de la imagen: aspiración al blanco. *The last but not the least:* Unamuno y Machado fueron poetas nacionales, rasgo que los define aún más como figuras del siglo XIX. Todos los grandes poetas modernos son cosmopolitas, sin excluir a los de civilizaciones y naciones marginales: Huidobro, Borges, Pessoa, Kavafis. De nuevo: no juzgo a la poesía de Unamuno y Machado —pretendo situarla.

Al mismo tiempo, los ensayos de Unamuno y las reflexiones de Machado pertenecen a nuestro siglo. Unamuno es plenamente moderno pero no lo es, como se dice con frecuencia, por su meditación sobre el tema de la muerte de Dios. Su agonía no es la agonía del cristianismo sino la del pronombre yo: el yo es plural y cada yo imaginario no es menos real que el yo cartesiano. Si algo se salva en Unamuno no es la realidad del yo ni la de Dios sino la realidad de lo imaginario, las ficciones que inventa el yo para no anularse. La identidad del yo es contradictoria y la contradicción da a la prosa de Unamuno una tensión poética que sólo de vez en cuando aparece en sus poemas: la sorpresa, la paradoja, el hacernos ver las cosas de una manera inusitada y, sobre todo, el hacernos pensar lo que sin ella no hubiéramos pensado. La prosa de Unamuno es escarpada y rica; la de Machado es sobria y llana. Esa sencillez no es simplicidad: nada es más complejo que una frase de Abel Martín o de Juan de Mairena. No comparto sus juicios sobre la poesía barroca y menos aún sobre la poesía moderna; lo que escribió acerca de Huidobro me asombra por su estrechez y a propósito de Joyce dijo la mitad de lo que había de decir. No importa: sus meditaciones sobre la heterogeneidad del ser y su exaltación del erotismo y de la poesía como vías de aprehensión no del otro sino de la *otredad del uno*, son de una lucidez de veras excepcional. Dijo cosas distintas a las que han dicho Valéry y Breton pero lo que dijo es igualmente precioso. A su lado los textos críticos de Eliot resultan superficiales y los de Pound parecen galimatías (lo son, en efecto).[1] Si no es un gran poeta del siglo XX, es algo no menos esencial: nos dio los elementos para fundar una Poética moderna. Una Poética y una Erótica.

El otro gran ensayista español es Ortega y Gasset. Tal vez es el más grande de los tres o, para ser más exacto, el más radical, el más moderno y el más amplio. Un gran escritor europeo. La modernidad es el tema de su obra y su crítica anticipa a lo que, en otros países, se ha escrito sobre esta idea. Ortega y Gasset ha sido una de las víctimas de los caínes espa-

[1] Hoy diría esto de manera distinta. Eliot no es superficial; su visión poética es histórico-religiosa: nostalgia del orden cristiano medieval por una parte pero, por otra, condenación de este mundo y de la historia. La de Machado es más filosófica y crítica. No hay idealización del pasado ni tampoco condenación de la historia. Machado retiene del cristianismo la *caridad*, gran verdad, aunque al final traspuso sus esperanzas en un futuro poco fiable y que él veía encarnado en el comunismo ruso. [Nota de 1990.]

ñoles e hispanoamericanos. No contentos con plagiarlo, varias veces han querido enterrarlo. Resucita más vivo después de cada entierro. Pocos ensayistas modernos se le pueden comparar. En los Estados Unidos no encuentro a ninguno de su talla. ¿Y en Francia? Enfrentarlo a Camus es absurdo. Camus fue un gran artista y un pensador de segunda mano. La comparación con Sartre sería más justa, aunque Ortega vio con mayor clarividencia la evolución del mundo moderno. Ortega y Sartre se parecen en su limitación: ninguno de los dos es Heidegger, Peirce, Russell o Lévi-Strauss. Ambos hacen virtud de su flaqueza: «si no son los filósofos del siglo, son la filosofía en el siglo». Podría citar, al lado de Ortega, Unamuno y Machado, a varios ensayistas más.[1] Prefiero destacar sólo a uno, el más intenso: José Bergamín. Si es menos grave, no es menos hondo. Tenemos que aprender, de nuevo, a leerlo. ¿O habrá que esperar a que lo descubran en París o en Londres, como ha sucedido con Borges y con los nuevos poetas y novelistas hispanoamericanos?

Aunque la novela del siglo XX no ha sido tan rica como la poesía, hay varios novelistas que pertenecen a esa tradición universal moderna que nos preocupa: Baroja, Valle-Inclán, Cela. Cito a los más notables entre los mayores y omito a los jóvenes para no meterme en camisa de once varas. Tampoco menciono a Arrabal, otro gran talento excéntrico, porque escribe en francés. Sobre Baroja ya dijo usted lo esencial: el cambio de ritmo narrativo lo convierte en un antecedente de la novela angloamericana, como el mismo Hemingway tuvo la generosidad de reconocerlo. Valle-Inclán es mucho más moderno: es el *art-nouveau*, algo muy de nuestros días. Asimismo, es más que esa modernidad *up-to-date*: el esperpento, el horror, el erotismo —no en las ideas sino en el lenguaje. La obra de Valle-Inclán es una complicada operación de cirugía sexual o pasional en la que el lenguaje es a un tiempo la víctima y la deidad de un artista cruel, fantástico y enamorado. Un gran tatuaje de signos maravillosos y atroces. La

[1] Omito, por supuesto, a los ensayistas estrictamente filosóficos, como Zubiri y José Gaos. Diré de paso que el segundo es el perfecto español hispanoamericano; lo es no por su españolismo sino por su europeísmo. No todos los españoles —no todos los europeos— son europeos: apenas unos cuantos. Pero Gaos no es un europeísta: es un español europeo y en esto reside, sin duda, la razón de su influencia sobre el pensamiento contemporáneo de México. Su contribución es triple: nos dio la versión española de la filosofía europea moderna, reintrodujo el pensamiento hispanoamericano dentro de su verdadero contexto hispano-europeo y, en fin, nos mostró una España europea. Otro ensayista que ha escrito su obra en el destierro es María Zambrano. Su relación con la tradición española es polémica; afirma que la singularidad de España es europea: no es la querella entre tradicionalismo y modernidad sino la antigua disputa occidental entre poesía y razón.

modernidad de Valle-Inclán es la consecuencia de su barroquismo. Machado se equivocaba: nuestro siglo es barroco, un barroco en movimiento. Futurismo, expresionismo, surrealismo: un nuevo manierismo, un nuevo horror, una belleza nueva —un lenguaje. Con mayor osadía que la del siglo XVII hemos llegado a la frontera última de la palabra. Los resultados de esta exploración han sido revelaciones más fúnebres que todos los viajes al infierno de los Orfeos y Dantes del pasado. Valle-Inclán es un escritor infernal y fue uno de los primeros en descubrir la banalidad del infierno.

Llamar a Cela escritor «naturalista» es condenarse a desconocerlo. ¿Qué tiene que ver la realidad que vemos todos los días, así sea la más terrible, con la realidad imaginaria de Cela? Otra vez: la visión de Cela se apoya en un lenguaje y no a la inversa. Su obra pertenece al expresionismo —un expresionismo que nunca practicaron los expresionistas alemanes, excepto los pintores. Es un amor por la realidad a condición de que sea insólita —y lo insólito es, casi siempre, terrible. Cela no está fascinado por la herida sino por su forma. Esa forma es terrible porque es una mueca atroz, una palabra sangrante. Ignorar el humor de Cela, su predilección tanto por las situaciones absurdas como por el lenguaje absurdo (algo distinto al lenguaje del absurdo de Ionesco) es ignorar que la modernidad, tal como la definió Baudelaire hace más de un siglo, es *la pasión por lo singular.* Montaigne reflexionaba sobre la singularidad de los hombres; a nosotros nos fascina el hombre o el momento singular. El realismo de Cela es, como el de Buñuel, el realismo de la excepción.

Sería imperdonable no recordar a otros dos novelistas: Max Aub y Ramón J. Sender. Preferiría no extenderme sobre ellos porque, a diferencia de lo que sucede con los poetas de la España peregrina, la porción más importante de su obra ha sido escrita desde América[1] y esto los convierte en casos especiales, aislados. Entre ellos y España no se interpone tanto el tiempo como el espacio. La lejanía no es un obstáculo; al contrario, les da una perspectiva nueva y distinta. Por ejemplo, en la primera parte de *Crónica del alba,* el tema de la recuperación de la adolescencia se transforma

[1] Esta circunstancia y, sobre todo, el hecho de pertenecer a una generación posterior me impiden ocuparme del poeta Arturo Serrano Plaja y de otros escritores desterrados, como el crítico Antonio Sánchez Barbudo y ese penetrante, raro espíritu que se llama Rafael Dieste. Hablar de ellos me llevaría a hablar de Miguel Hernández y de sus contemporáneos y sucesores, inclusive los más jóvenes. Ya dije que estas líneas se refieren casi exclusivamente al periodo anterior a 1940.

inmediatamente en el de la recuperación de un espacio: el mundo fabuloso de la «juventud del héroe» de las leyendas y poemas épicos. Lo que le interesa a Sender, tal vez inconscientemente, no es recobrar un tiempo (la juventud) sino un espacio mágico: el mundo como teatro de las hazañas, reales e imaginarias, de un adolescente. Max Aub, como Gaos, es un ejemplo de español hispanoamericano y por la misma razón: es uno de los pocos escritores verdaderamente europeos de España. Por eso también es un escritor mexicano. La variedad de géneros, formas y estilos de Max Aub deben verse como un diálogo plural en el interior de su vasta obra. No sólo no rompe su unidad sino que esa diversidad es lo que la constituye. Los dialectos de Max Aub se resuelven en un tejido: un texto único. No es la recuperación de España —aunque éste sea uno de sus temas— ni la preservación de la lengua española sino su reinserción en el lenguaje moderno. Casi una simpleza —pero una simpleza olvidada con frecuencia en España: el español es un idioma europeo y, por tanto, americano.

Adrede no he mencionado a Ramón Gómez de la Serna. Para mí es el gran escritor español: el Escritor o, mejor, la Escritura. Comparto la admiración, el fanatismo, de Larbaud: yo también habría aprendido el español sólo para leerlo. Gómez de la Serna, inmenso como Lope y como él popular, cotidiano, prodigioso, inagotable. Popular y aislado: el cenobita en su ermita de Madrid o Buenos Aires, el solitario *dans son tour au centre de notre capitale, disant précisément ce que nous cherchions à dire.* Nunca fue más justo un elogio: hubo un momento en que la modernidad habló por la boca de Gómez de la Serna. Fue tan nuevo que lo sigue siendo: hace unos días, al ver unas obras del llamado *pop-art,* pensé instintivamente en Ramón. Fue tan poderoso y generoso que la muerte misma me parece, en sus páginas, saludable. ¿Cómo olvidarlo y cómo perdonar a los españoles e hispanoamericanos esa obtusa indiferencia ante su obra? Con Ramón Gómez de la Serna y unos cuantos más —Huidobro, Tablada, Macedonio Fernández— nace la poesía moderna de España e Hispanoamérica. Nace hablando en prosa y en francés y japonés. Nace como una doble herejía: un prosaísmo y un cosmopolitismo.

Otro rasgo de la modernidad es la tendencia a borrar las fronteras entre los géneros. Las obras de Joyce, ¿son novelas o poemas? Valle-Inclán rompe los límites entre poesía, teatro y novela. Gómez de la Serna extrema la nota: su obra es una inmensa masa maleable que adopta todas las formas sin fijarse en ninguna. El teatro de García Lorca es indistinguible de su poesía, como sucede con Claudel y con Brecht. Por cierto, amigo

Marichal, en su defensa de la literatura española usted no cita a García Lorca y me gustaría saber la razón. Fue un poeta extraordinario que convivía —creo que ya alguien lo dijo: Borges o Cernuda— con un mal poeta, un Zorrilla del siglo xx. Pero el otro, el García Lorca de *Poeta en Nueva York* y del *Diván del Tamarit,* el autor de *Así que pasen cinco años* y del *Teatro breve,* es uno de los grandes creadores de nuestro tiempo. El genio de Ramón me hace pensar en la pintura: Picasso; el de García Lorca en la música: Bartók... Apenas si hablaré de los otros poetas aunque algunos entre ellos, como Cernuda y Guillén, me parecen no menos esenciales que García Lorca. Usted dice que la poesía es lo mejor que ha dado España en el siglo xx. Es verdad: la generación de 1927 es por sí sola un siglo de oro. Es muy de nuestra época impía que la guerra la haya dispersado y deshecho. Guillén, Alberti, Aleixandre, Cernuda, Diego... Un archipiélago en ese mar áspero y sordo que son España y América Latina. Fue un grupo tan rico y brillante como los de sus contemporáneos en el resto de Europa. Algunos son los pares de Éluard y Michaux, Ungaretti y Montale, Benn y Pessoa. Este periodo de gran poesía es asimismo el de la aparición colectiva de los poetas americanos de lengua inglesa, española y portuguesa. Poe, Darío y Whitman habían sido excepciones. Sólo hasta después de la primera Guerra Mundial los europeos sufren la influencia del movimiento poético americano. La poesía española es un ala —iba a escribir: el ala derecha— de la poesía de nuestra lengua. La otra es la hispanoamericana. El puente de unión fueron Gerardo Diego y, con mayor radicalismo y vehemencia, Juan Larrea —el precursor, el Bautista del Cristo colectivo que ha sido la poesía española moderna.

Comparto su admiración por Juan Ramón Jiménez. Comparto también su indignación: se necesita no saber ni sentir lo que es la poesía para negarlo. Ahora bien, usted no distingue entre los distintos poetas que fue Jiménez. A mí me parece indispensable hacerlo pues de otra manera se corre el riesgo de darle la razón a sus maliciosos enemigos. Hay tres periodos en su obra. El primero es deleznable y lamentable. El segundo, muchísimo mejor, tiene una importancia histórica: influyó en casi toda la poesía española e hispanoamericana de esos años. Confieso que la poesía de esa etapa, con poquísimas excepciones, me aburre: no es concentrada sino alambicada. No poesía pura sino poesía poética. El tercer Juan Ramón es el más joven, con una juventud casi sin edad. Aprovechó la lección de sus discípulos y continuadores —también la de sus negadores—, asimiló todo lo nuevo y, no obstante, no se convirtió en el discípulo de sus discípulos. Su caso es semejante al de Yeats. Su evolución es inversa a la de los poetas de 1927. Por ejemplo, después de *Espadas como labios* y de *La destrucción o el amor*, la tensión poética de Aleixandre se relaja. El fenómeno es más acusado en la poesía de Alberti, a partir de *Sobre los ángeles* y *Sermones y moradas*, que son su mediodía. En cambio, Jiménez se exige más y más; en lugar de extenderse, se concentra: crece hacia adentro. En la poesía de su última época la crítica deja de ser un instrumento con el que el artista «pule y lima» la obra y se convierte en su sustancia misma. Pues esto es lo que distingue a la modernidad del arte antiguo, clásico y barroco: la crítica es su tema secreto, su método de creación y el objeto de toda creación. «La Destrucción —dice Mallarmé— fue mi Beatriz».

El tercer Juan Ramón Jiménez comienza con los poemas de *La estación total* (1923) y termina con *Ríos que se van* (1953). Un poco menos de doscientos poemas. Muchos de ellos, según ocurre con toda su poesía, son simples variantes, más que variaciones, de la misma composición. Semejante profusión daña a la lectura, pues los poemas realmente significativos —no más de una docena— están rodeados por una maraña confusa. Pero la vaguedad general de la escritura no oculta unos cuantos textos erguidos, no como torres ni árboles sino como chorros de realidad. En todos estos poemas Jiménez se persigue, se alcanza y se traspasa pero no cambia. *Espacio* es algo aparte y no sólo por su extensión sino por la velocidad del lenguaje y de la visión, por la presencia constante de la crítica —acicate que hace del discurso un delirio vertiginoso. Es una lástima que en la edición de la *Tercera antología poética* (1957), *Espacio* aparezca como un texto en prosa y no con la disposición tipográfica que su autor le dio originalmente cuando publicó la primera parte en México. Se pierde así la percepción visual del ritmo. La masa compacta de la prosa nos impide ver la respiración de la escritura, la forma de su voz y la de su silencio. *Espacio es* un poema extenso y, al mismo tiempo, vuelto sobre sí mismo y esto lo une a la tradición hispanoamericana más que a la española: *Altazor, Muerte sin fin, Alturas de Macchu-Picchu* y algún otro poema. Es verdad que los otros poetas españoles han escrito también poemas largos pero ninguno de ellos, a la inversa de lo que ocurre con los hispanoamericanos, es un experimento con la *forma* misma del poema extenso. *Espacio* es lo que está más allá de la poesía de Jiménez: es la transfiguración del poeta español en un poeta de vanguardia: el Altazor de Huidobro —y su negación. Uno de los textos capitales de la poesía moderna, el testamento del yo poético dirigido a un «legatario expreso» aunque improbable: los poetas de hoy, empeñados en abolir el yo poético como nuestros predecesores abolieron a Dios.

Entre las obras menores del gran periodo creador de la poesía española no cita usted a dos: *Jacinta la pelirroja* de Moreno Villa y *Fábula de Equis y Zeda* de Gerardo Diego. Si usted las relee verá que guardan intacta toda su novedad y que el perfecto poema de Gerardo Diego fascinaría, si lo conociesen, lo mismo a Jakobson que a Raymond Queneau. Otro poeta que usted no menciona es Dámaso Alonso. Su caso es, hasta cierto punto, contrario al de Machado: todo el mundo habla de su prosa crítica y pocos recuerdan al poeta de *Hijos de la ira*, libro inolvidable. Respeto —y más: admiro— al descifrador de Góngora y al gran erudito. Dámaso Alonso ha usado con gran agudeza la distinción clásica de Saussure entre significante y significado para estudiar a la poesía española pero sus ensayos y notas sobre algunos poetas modernos son, a un tiempo, excelentes y limitados: no nos dan una visión crítica de la modernidad en España y aún menos en Hispanoamérica. Entre nosotros no hay nada equivalente al *new criticism* de los sajones o al *estructuralismo* de los franceses. Aquí pongo el dedo en la llaga: la inferioridad de nuestra crítica. Después de *La deshumanización del arte* y de las reflexiones de Machado, poquísimas obras han aparecido en el campo de la poética y la estética. Pero lo que más falta nos hace es el examen constante, riguroso y generoso (no hay contradicción en estos términos) de la literatura contemporánea en nuestra lengua. ¿En dónde está el crítico que haya analizado, desde una *perspectiva universal*, las obras españolas e hispanoamericanas?

No creo que la pobreza de nuestra crítica se deba a una incapacidad para juzgar. Al contrario, juzgamos con gran facilidad y siempre de manera inapelable. Nuestro infierno no está empedrado de buenas intenciones sino de juicios temerarios. Pero ni los españoles ni los hispanoamericanos somos capaces de *relacionar*. No es una falla intelectual sino moral. Llámela usted individualismo, envidia, orgullo, sentimiento de inferioridad —como quiera. No cultivamos nuestras diferencias —eso se llama erotismo— sino que nos instalamos en ellas como en cerradas fortalezas. Tal vez por este sentirnos distintos a los demás, nuestra crítica habla siempre de la literatura española e hispanoamericana como si se tratase de excepciones. Nos describen como especies distintas y únicas: una colección de monstruos. Lo somos pero toda literatura lo es; la salud, la moralidad y la normalidad no pertenecen a la literatura sino como excepciones —es decir, como enfermedades singulares: Goethe no es menos excepcional que Sade. La literatura francesa tiene fama de ser la más racional y equilibrada pero sus poetas se llaman Nerval, Baudelaire, Rimbaud, Mallarmé, Apollinaire, los surrealistas... No, el orgullo a la Unamuno ha sido fatal. El orgullo y el miedo: Alfonso Reyes habló de lo humano y lo divino (más de lo primero) con gracia y penetración luminosa —habló de todo, de Goethe a Licofrón, menos de lo propio y lo cercano. Fue un gran crítico que nunca aventuró un juicio sobre su época. No nos asombramos cuando nos juzgan marginales: lo somos para nosotros mismos. Nos disminuimos o nos exageramos y nunca nos vemos como lo que somos: no mónadas engreídas sino relación dinámica con los otros.

Empecé con la modernidad y con ella acabo. Dije que la literatura española se oponía a la modernidad y que en esto consistía su manera de ser moderna, la paradoja de su posición en el contexto de la literatura actual. Mi juicio habría sido distinto si el concepto de *literatura española* englobase también a la hispanoamericana. No la engloba porque efectivamente son dos literaturas distintas. Dos lenguajes en el interior de un idioma. O como decía el inglés: Inglaterra y los Estados Unidos son dos países separados por la misma lengua. La relación entre la literatura española y la hispanoamericana es de oposición, no de separación.[1] La oposición es comunicación y sin ella ambas literaturas languidecen o se extravían. Estamos condenados a decir cosas distintas pero no ininteligibles o intraducibles. Lo que llama Jakobson *traducción dentro de una misma lengua* es constante entre nosotros e incluso yo diría que en esto consiste la historia de nuestras literaturas. Ejemplos: el modernismo y la vanguardia. El primero fue recibido en España con hostilidad y desconfianza por algunos y, por otros, con excesivo entusiasmo. No fueron Villaespesa ni Rueda los verdaderos modernistas sino aquellos que lo tradujeron a su propio lenguaje y, así, lo cambiaron: Valle-Inclán, Jiménez, Machado y el mismo Unamuno. Este último se opuso con gran violencia a la retórica modernista pero adoptó inmediatamente los metros redescubiertos por los poetas hispanoamericanos. Algo semejante sucedió con Machado. Ya he dicho en otro ensayo[2] (*Cuadrivio,* 1965) que Unamuno y Machado son inseparables del modernismo: son lo que está *frente* a Darío y no resultan inteligibles sino desde esta contradicción. No es difícil percibir,

[1] Hoy, de nuevo, modificaría un poco estos juicios. Véase, en este mismo volumen, «Unidad, modernidad, tradición», pp. 527 y ss., y «Alrededores de la literatura hispanoamericana» pp. 557 y ss. [Nota de 1990.]

[2] «El caracol y la sirena: Rubén Darío»; en este volumen pp. 678 y ss.

por lo demás, que esa contradicción fue una *traducción*. El resultado fue una creación absolutamente original y dueña de vida independiente. El fenómeno se repite en los dos momentos en que la vanguardia hispanoamericana influye en España (citaré, para simplificar, dos nombres: Huidobro y Neruda). Al cosmopolitismo del primero, los españoles respondieron con un tradicionalismo moderno: las canciones de Lorca, Alberti, Prados. La respuesta a la poesía sonámbula de Neruda no fue distinta; fue otro onirismo (de inspiración francesa): el periodo surrealista de Aleixandre y Cernuda.

En los años que siguen a la guerra civil la comunicación se interrumpe y sólo hasta hace poco empieza a reanudarse. La separación sucedió a la contradicción. La más dañada fue España porque la ruptura del diálogo con Hispanoamérica fue asimismo ruptura con los otros interlocutores: las literaturas europeas y la americana de lengua inglesa. No podía ser de otro modo: desde el punto de vista español, la misión de Hispanoamérica ha consistido en recordarle a la literatura española su universalidad (Darío, Neruda, Borges). Si España lo olvida, otras literaturas se lo recuerdan: todos estos poetas y novelistas hispanoamericanos —Cortázar, Bioy Casares, Fuentes, Nicanor Parra, Sarduy— que se conocen en España porque se habla de ellos en Nueva York, París o Roma. Desde el punto de vista hispanoamericano, la misión de España ha sido la de un contrapeso que equilibra la prisa, la superficialidad y la facilidad hispanoamericanas. Una lección de gravedad, en el sentido físico de la palabra. Huidobro desaparece entre las nubes balbuceando monosílabos porque su palabra carecía de peso —la pesadumbre del lenguaje de Vallejo. La *fijeza* de Lezama Lima es lo que impide la dispersión. En *Rayuela* hay un diálogo constante entre el español argentino del protagonista y el español hispánico. Es un juego parecido al del frontón: la velocidad de la pelota depende simultáneamente de la energía del jugador y la dureza del muro. En lenguaje psicológico: los hispanoamericanos sienten una fascinación por España, se sienten atraídos por la resistencia española. España o la gravitación...

Durante este siglo los términos de la oposición han sido modernidad y tradicionalismo, cosmopolitismo y nacionalismo. Por ejemplo, tanto Machado como Jiménez pensaban que sólo siendo profundamente españoles podían ser universales (J. R. J. o El Andaluz universal). En Hispanoamérica no pensamos que «la literatura argentina (o cubana) es universal sino que algunas obras argentinas (o cubanas) pertenecen a la literatura universal». Por supuesto, los términos pueden cambiar y no sería imposible que mañana Madrid fuese el centro del cosmopolitismo y que México, como el Madrid de 1890, se convirtiese en el bastión del tradicionalismo. (No le falta vocación.) Por otra parte, en el interior de cada uno de los dos mundos se observa la misma dualidad. Podría expresarse por esta fórmula: Buenos Aires: México :: Barcelona: Madrid. Esos cuatro términos producen inmediatamente un conjunto de relaciones contradictorias y complementarias, un tejido, un texto. La crítica consiste, entre otras cosas, en descubrir ese texto —y en leerlo. Los términos que he escogido —*modernidad* y *tradicionalismo*— no son los únicos. Hay otras parejas de oposiciones y, en consecuencia, otros textos. Lo único inamovible es el sistema: la oposición. Y la única condición es que los términos contradictorios sean reales, es decir, que aparezcan con razonable objetividad en nuestras literaturas. La oposición clásico y romántico, por ejemplo, sólo embrollaría la visión: no es una dualidad constitutiva de la literatura contemporánea en español. No me extenderé más. Lo único que deseo es subrayar que la literatura de lengua castellana debe verse como un sistema dual y contradictorio. A su vez, este sistema dual está en relación con otros sistemas: las otras literaturas europeas y americanas. Esas relaciones también son de oposición y mediación. Un ejemplo de esto último: la literatura hispanoamericana ha sido un término de mediación entre la francesa y la española. En suma, nuestras literaturas están unidas por la contradicción. Sabemos que toda oposición es complementaria y que toda unidad es contradictoria. Esta verdad de la ciencia también es aplicable a nuestras letras: las obras más perfectas de españoles e hispanoamericanos responden a esta contradicción y así se *corresponden*.

Delhi, 1967

[«Una de cal...», se publicó en *Papeles de Son Armadans*, núm. CXL, 1967, y se recogió en el tomo 3 de la primera edición de las *Obras completas*.]

El cómo y el para qué: José Ortega y Gasset

Escribo estas líneas con entusiasmo y temor. Entusiasmo porque admiré siempre a José Ortega y Gasset; temor porque —aparte de mis personales insuficiencias— no creo que se pueda resumir ni juzgar en un artículo a una obra filosófica y literaria tan vasta y variada como la suya. Una filosofía que se resume en una frase no es filosofía sino religión. O su contrahechura: ideología. El budismo es la más intelectual y discursiva de las religiones; sin embargo, un *sutra* condensa toda la doctrina en el monosílabo *a*, la partícula de la negación universal. También el cristianismo puede enunciarse en una o dos frases, como «Amaos los unos a los otros» o «Mi reino no es de este mundo». Lo mismo ocurre, en un nivel inferior, con las ideologías. Por ejemplo: «La historia universal es la historia de la lucha de clases» o, en el campo liberal, «El progreso es la ley de las sociedades». La diferencia consiste en que las ideologías pretenden hablar en nombre de la ciencia. Como dice Alain Besançon: el hombre religioso *sabe que cree* mientras que el ideólogo *cree que sabe* (Tertuliano y Lenin). Las máximas, las sentencias, los dichos y los artículos de fe no empobrecen a la religión: son semillas que crecen y fructifican en el corazón de los fieles. En cambio, la filosofía no es nada si no es el desarrollo, la demostración y la justificación de una idea o una intuición. Sin explicación no hay filosofía. Tampoco, naturalmente, crítica de la obra filosófica.

A la dificultad de reducir a unas cuantas páginas un pensamiento tan rico y complejo como el de Ortega y Gasset, hay que añadir el carácter de sus escritos. Fue un verdadero ensayista, tal vez el más grande de nuestra lengua: es decir, fue maestro de un género que no tolera las simplificaciones de la sinopsis. El ensayista tiene que ser diverso, penetrante, agudo, novedoso y dominar el arte difícil de los puntos suspensivos. No agota su tema, no compila ni sistematiza: explora. Si cede a la tentación de ser categórico, como tantas veces le ocurrió a Ortega y Gasset, debe entonces introducir en lo que dice unas gotas de duda, una reserva. La prosa del ensayo fluye viva, nunca en línea recta, equidistante siempre de los dos extremos que sin cesar la acechan: el tratado y el aforismo. Dos formas de la congelación.

Como buen ensayista, Ortega y Gasset regresaba de cada una de sus expediciones por tierras desconocidas con hallazgos y trofeos insólitos pero sin haber levantado un mapa del nuevo territorio. No colonizaba: descubría. Por eso no he comprendido nunca la queja de los que dicen que no nos dejó libros completos (o sea: tratados, sistemas). ¿No se puede decir lo mismo de Montaigne y de Thomas Browne, de Renan y de Carlyle? Los ensayos de Schopenhauer no son inferiores a su gran obra filosófica. Lo mismo sucede, en nuestro siglo, con Bertrand Russell. El mismo Wittgenstein, autor del libro de filosofía más riguroso y geométrico de la edad moderna, sintió después la necesidad de escribir libros más afines al ensayo, hechos de reflexiones y meditaciones no sistemáticas. Fue una fortuna que Ortega y Gasset no haya sucumbido a la tentación del tratado y la suma. Su genio no lo predisponía a definir ni a construir. No fue geómetra ni arquitecto. Veo a sus obras no como un conjunto de edificios sino como una red de caminos y de ríos navegables. Obra transitable más que habitable: no nos invita a estar sino a caminar.

Es asombrosa la diversidad de temas que tocó. Más asombroso es que, con frecuencia, esa variedad de asuntos se resolviese en auténticos hallazgos. Mucho de lo que dijo todavía es digno de ser retenido y discutido. Hablé antes de la extraordinaria movilidad de su pensamiento: leerlo es caminar a buen paso por senderos difíciles hacia metas apenas entrevistas; a veces se llega al punto de destino y otras nos quedamos en los alrededores. No importa: lo que cuenta es romper caminos. Pero leerlo también es detenerse ante esta o aquella idea, dejar el libro y arriesgarse a pensar por cuenta propia. Su prosa convoca verbos como incitar, instigar, provocar, aguijonear. Algunos le han reprochado ciertas asperezas y arrogancias. Aunque yo también lamento esas acrimonias, comprendo que nuestros países —siempre adormilados, sobre todo cuando están poseídos, como ahora, por frenéticas agitaciones— necesitan esos acicates y pinchazos. Otros lo censuran porque no supo hablar en voz baja. También es cierto. Me pregunto, sin embargo, ¿cómo no alzar la voz en países de energúmenos y de aletargados? Añado que sus mejores textos, más que estimularnos, nos iluminan. Son algo inusitado en español: ejercicios de claridad que son también tentativas de nitidez. Ése fue uno de sus grandes regalos a la prosa de nuestra lengua: mostró que ser claro es una forma del aseo intelectual.

Sus ensayos sobre lo que no sé si llamar psicología social o historia del alma colectiva —la distinción entre ideas y creencias o entre el espíritu revolucionario y el tradicional, sus reflexiones sobre la evolución del amor en Occidente o sobre la moda, lo femenino y lo masculino, los viejos y los jóvenes, los ritmos vitales y los históricos— hacen pensar más en Montaigne que en Kant y más en Stendhal que en Freud. Quiero decir: era un filósofo que tenía el don de penetrar en las interioridades humanas. Pero este don no era el del psicólogo profesional sino el del novelista y el historiador, que ven a los hombres no como entidades solitarias o casos aislados sino como partes de un mundo. Para el novelista y el historiador cada hombre es ya una sociedad. Aunque le debemos memorables ensayos sobre temas históricos, es lástima que nunca se le haya ocurrido, como a Hume, escribir una historia de su patria. *España invertebrada* había sido un admirable y memorable comienzo: ¿por qué no siguió? También es revelador que no haya usado sus poderes de adivinación psicológica para verse a sí mismo. No fue un introverso y no me lo imagino escribiendo un diario. Hay algo que echo de menos en su obra: la confesión. Sobre todo la indirecta, a la manera de Sterne. Tal vez la pasión por su circunstancia —su gran descubrimiento y el eje de su pensamiento— le impidió verse a sí mismo.

Su idea del *yo* fue histórica. No el yo del contemplativo, que ha cerrado la puerta al mundo, sino el del hombre en relación —más justo sería decir: en combate— con las cosas y los otros hombres. El mundo, según lo explicó muchas veces, es inseparable del yo. La unidad o núcleo del ser humano es una relación indisoluble: el yo es tiempo y espacio; o sea: sociedad, historia —acción. No es extraño, así, que entre sus mejores ensayos se encuentren algunos que tratan temas históricos y políticos, como *La rebelión de las masas, El tema de nuestro tiempo, El ocaso de las revoluciones* (lleno de extraordinarias adivinaciones sobre lo que pasa hoy, aunque nubladas por una idea cíclica de la historia que no le dejó ver enteramente el carácter único del mito revolucionario), *Meditaciones de la técnica* y tantos otros. Ortega y Gasset tuvo, como Tocqueville, la facultad eminentemente racional de ver lo que va a venir. Su lucidez contrasta con la ceguera de tantos de nuestros profetas. Si se comparan sus ensayos sobre temas de historia y política contemporánea con los de Sartre se descubre inmediatamente que tuvo mayor lucidez y penetración que el filósofo francés. Se equivocó menos, fue más consistente y así se ahorró (y nos ahorró) todas esas rectificaciones que afean la obra de Sartre y que terminaron con el tardío *mea culpa* de sus últimos días. La comparación con Bertrand Russell tampoco es desfavorable para Ortega y Gasset: la historia de sus opiniones políticas, sin ser del todo coherente, no abunda en las contradicciones y piruetas de Russell, que iba de un extremo a otro. Se pueden aprobar o reprobar sus ideas políticas pero no se le puede acusar de incongruencia como a los otros.

Me parece que he sido un poco infiel a la índole de su obra al hablar del *pensamiento* de Ortega y Gasset. Habría que decir, más bien, los *pensamientos.* El plural se justifica no porque su pensar carezca de unidad sino porque se trata de una coherencia rebelde al sistema y que no se puede reducir a un encadenamiento de razones y proposiciones. A pesar de la variedad de asuntos que trató, no nos dejó una obra dispersa. Al contrario. Pero a su genio no le conviene la forma de la teoría, en el sentido recto de la palabra, ni la de la demostración. Él usó a veces el término *meditación.* Es exacto pero *ensayo* es más general. Mejor dicho: los ensayos, pues el género no admite el singular. Aunque la unidad de estos ensayos es, claro, de orden intelectual, su raíz es vital e incluso, me atreveré a decirlo, estética. Hay una manera de pensar, un *estilo,* que sólo es de Ortega y Gasset. En ese *modo operatorio,* que combina el rigor intelectual con una necesidad estética de expresión personal, está el secreto de su unidad. Ortega y Gasset no sólo pensó sobre esto y aquello sino que, desde sus primeros escritos, decidió que esos pensamientos, incluso los heredados de sus maestros y de la tradición, llevarían su sello. Pensar fue, para él, sinónimo de expresar. Lo contrario de Spinoza, que deseaba ver su discurso purgado de las impurezas y accidentes del yo, como la cristalización verbal de las matemáticas, es decir, del orden universal. En esto Ortega y Gasset no fue muy distinto del padre del ensayo, Montaigne. Muchas de las ideas de Montaigne vienen de la Antigüedad y de alguno de sus contemporáneos pero su indiscutible originalidad no está en su lectura de Sexto Empírico sino en la manera en que vivió y revivió esas ideas y cómo, al repensarlas, las cambió, las hizo suyas y, así, las hizo nuestras.

El número de ideas —lo que se llama *ideas*— no es infinito. La especulación filosófica, desde hace dos mil quinientos años, ha consistido en variaciones y combinaciones de conceptos como el movimiento y la identidad, la sustancia y el cambio, el ser y los entes, lo uno y lo múltiple, los primeros principios y la nada, etc. Naturalmente, esas variaciones han sido lógica, vital e históricamente *necesarias*. En el caso de Ortega y Gasset este repensar la tradición filosófica y el pensamiento de su época culminó en una pregunta sobre el *para qué* y el *cómo* de las ideas. Las insertó en la vida humana: cambiaron así de naturaleza, no fueron ya esencias que contemplamos en un cielo inmóvil sino instrumentos, armas, objetos mentales que usamos y vivimos. Las ideas son las formas de la convivencia universal. La pregunta sobre las ideas lo llevó también a investigar lo que está debajo de ellas y que quizá las determina: no el principio de razón suficiente sino el dominio de las creencias informes. Es una hipótesis que, bajo otra forma, ha reaparecido en nuestros días: las *creencias* de Ortega y Gasset son, para Georges Dumézil, las estructuras psíquicas elementales de una sociedad, presente lo mismo en su lenguaje que en sus concepciones del otro mundo y de ella misma. La razón de la enorme influencia que ejerció Ortega y Gasset sobre la vida intelectual de nuestros países está, sin duda, en esta concepción suya de las ideas y los conceptos como *para qués* y *cómos*. Dejaron de ser entidades fuera de nosotros y se convirtieron en dimensiones vitales. Su enseñanza consistió en mostrarnos para qué servían las ideas y cómo podíamos usarlas: no para conocernos a nosotros mismos ni para contemplar las esencias sino para abrirnos paso en nuestras circunstancias, dialogar con nuestro mundo, con nuestro pasado y con nuestros semejantes.

El discurso de Ortega y Gasset fue con frecuencia un monólogo. Muchos lo han lamentado, con alguna razón. No obstante, hay que confesar que ese monólogo nos enseñó a pensar y nos hizo hablar, ya que no con nosotros mismos, con nuestra historia hispanoamericana. Nos enseñó que el paisaje no es un estado de alma y que, tampoco, somos meros accidentes del paisaje. La relación entre el hombre y su paisaje es más compleja que la antigua relación entre sujeto y objeto. El paisaje es un aquí visto y vivido desde mí: ese *desde mí* es siempre un *desde aquí*. La relación entre uno y otro polo es, más que diálogo, interacción. Las ideas son reacciones, actos. Esta visión, a un tiempo erótica y polémica del destino humano, no desemboca en ningún más allá. No hay más trascendencia que la del acto o la del pensamiento que, al realizarse, se agotan: entonces, so pena de extinción, hay que volver a comenzar. El hombre es el ser que continuamente se hace y se rehace. El gran invento del hombre son los hombres.

Visión prometeica y también trágica: si somos un perpetuo hacernos, somos un eterno recomienzo. No hay descanso: fin y comienzo son lo mismo. Tampoco hay naturaleza humana: el hombre no es algo dado sino algo que se hace y se inventa. Desde el principio del principio, lanzado fuera de sí y fuera de la naturaleza, es un ser en vilo: todas sus creencias —lo que llamamos cultura e historia— no son sino artificios para seguir suspendido en el aire y no recaer en la inercia animal de antes del principio. La historia es nuestra condición y nuestra libertad: es aquello en que estamos y aquello que hacemos. Pero la historia no consiste, en resumidas cuentas, sino en un vivir en el aire, sin raíces, fuera de la naturaleza. Siempre me ha asombrado esta visión del hombre como una criatura en lucha permanente contra las leyes de la gravedad. Sólo que es una visión en la que no aparece la otra cara de la realidad: la historia como incesante producción de ruinas, el hombre como caída y perpetuo deshacerse. A la filosofía de Ortega y Gasset, me temo, le faltó el peso, la gravedad, de la muerte. Hay dos grandes ausentes en su obra: Epicteto y San Agustín.

Su acción intelectual se desplegó en tres direcciones: sus libros, su cátedra y la *Revista de Occidente* con sus publicaciones. Su influencia marcó profundamente la vida cultural de España y de Hispanoamérica. Por primera vez, después de un eclipse de dos siglos, el pensamiento español fue escuchado y discutido en los países hispanoamericanos. No sólo se renovaron y cambiaron nuestros modos de pensar y nuestra información: también la literatura, las artes y la sensibilidad de la época ostentan las huellas de Ortega y Gasset y su círculo. Entre 1920 y 1935 predominó entre las clases ilustradas, como se decía en el siglo XIX, un *estilo* que venía de la *Revista de Occidente*. Estoy seguro de que el pensamiento de Ortega será descubierto, y muy pronto, por las nuevas generaciones españolas. No concibo una cultura hispánica *sana* sin su presencia. Será, claro, un Ortega y Gasset distinto al que nosotros conocimos y leímos: cada generación inventa a sus autores. Una España más europea —como la que ahora se dibuja— sentirá mayor afinidad con la tradición que representa Ortega y Gasset, que es la que siempre ha mirado hacia Europa. Pero la cultura europea vive años difíciles y no puede ser ya la fuente de inspiración que fue a principios de este siglo. Además, España es también americana, como lo vio admirablemente Valle-Inclán y no lo vieron ni sintieron Unamuno, Machado y el mismo Ortega y Gasset. Tampoco los poetas de la generación de 1927, a pesar de su descubrimiento de Neruda, sintieron y comprendieron de veras a Hispanoamérica. Así, regresar a Ortega y Gasset no será repetirlo sino, al continuarlo, rectificarlo.

En esta obra vasta, rica y diversa advierto tres omisiones. Ya he mencionado dos. La primera es la mirada interior, la introspección, que se resuelve siempre en ironía: no se vio a sí mismo y por eso, quizá, no supo sonreír ante su imagen en el espejo. Otra es la muerte, el deshacerse que es todo hacerse. El hombre de Ortega y Gasset es un ser intrépido y su signo es Sagitario; sin embargo, aunque puede mirar al sol de frente, nunca ve a la muerte. La tercera son las estrellas. En su cielo mental se han desvanecido los astros vivos e inteligentes, las ideas y las esencias, los números vueltos luz, los espíritus ardientes que arrobaron a Plotino y a Porfirio. Su filosofía es la del pensamiento como acción; pensar es hacer, construir, abrirse paso, convivir: no es ver ni es contemplar. La obra de Ortega y Gasset es un apasionado pensar sobre este mundo pero en su mundo faltan los otros mundos que son el otro mundo: la muerte y la nada, reversos de la vida, la historia y la razón; el reino interior, ese territorio secreto descubierto por los estoicos y que fue explorado, primero que nadie, por los místicos cristianos; y la contemplación de las esencias o, como decía Sor Juana Inés de la Cruz en el único poema realmente filosófico de nuestra lengua, *Primero sueño,* la contemplación de lo invisible, en el modo posible,

> no sólo ya de todas las criaturas
> sublunares, mas aun también de aquellas
> que intelectuales claras son Estrellas...

Tal vez podría argüirse que el pensamiento de Ortega y Gasset nos libera de la adoración de las estrellas, es decir, de la red de la metafísica; las ideas no están en ningún cielo mental: nosotros las hemos inventado con nuestros pensamientos. No son los signos del orden universal ni el trasunto de la armonía cósmica: son luces inciertas que nos guían en la oscuridad, señales que nos hacemos los unos a los otros, puentes para pasar a la otra orilla. Pero esto es, justamente, lo que echo de menos en su obra: no hay otra orilla, no hay otro lado. El *raciovitalismo* es un solipsismo, un callejón sin salida. Hay un punto en que la tradición occidental y la oriental, Plotino y Nagarjuna, Chuang-tsé y Schopenhauer, se unen: el fin último, el bien supremo, es la contemplación. Ortega y Gasset nos enseñó que pensar es vivir y que el pensamiento separado de la vida pronto deja de ser pensamiento y se vuelve ídolo. Tenía razón pero su razón cercenó la otra mitad de la vida y del pensamiento. Vivir es también, y sobre todo, vislumbrar la otra orilla, sospechar que hay orden, número y proporción en todo lo que es y que, como decía el poeta Spenser, el movimiento mismo es una alegoría del reposo: *That time when no more Change shall be, / But stedfast rest of all things firmely stayd / Upon the pillours of Eternity (Mutability Cantos).* Por todo esto, sus reflexiones sobre la historia, la política, el conocimiento, las ideas, las creencias, el amor, son un saber —no una sabiduría.

Este artículo —escrito sin notas y fiado a mi memoria— no es un examen de las ideas de Ortega y Gasset sino de la impresión que han dejado en mí. Como tantos otros hispanoamericanos de mi edad, frecuenté sus libros con pasión durante mi adolescencia y mi primera juventud. Esas lecturas me marcaron y me formaron. Él guió mis primeros pasos y a él le debo algunas de mis primeras alegrías intelectuales. Leerlo en aquellos días era casi un placer físico, como nadar o caminar por un bosque. Después me alejé. Conocí otros países y exploré otros mundos. Al terminar la guerra me instalé en París. En aquellos años se celebraban en Ginebra unos Encuentros Internacionales que alcanzaron cierta notoriedad. Consistían en una serie de seis conferencias públicas, impartidas por seis personalidades europeas y seguidas, en cada caso, por discusiones entre pequeños grupos. En 1951 fui invitado a participar en esas discusiones. Acepté: uno de los seis conferenciantes era nadie menos que Ortega y Gasset. El día de su conferencia lo escuché con emoción. También con rabia: a mi lado algunos provincianos profesores franceses y suizos se burlaban de su acento al hablar en francés. A la salida, quisieron rebajarlo: no sé por qué estaban ofendidos. La discusión, al día siguiente, empezó mal por la malevolencia de los mismos profesores aunque, por fortuna, una generosa e inteligente intervención de Merleau-Ponty enderezó las cosas. Yo no hice mucho caso de aquellas mezquinas disputas: lo que quería era acercarme a Ortega y Gasset y hablar con él. Al fin lo logré y al día siguiente lo visité en el Hôtel du Rhône. Lo vi allí dos veces. Me recibió en el bar: una estancia amplia, con muebles rústicos de madera y una enorme ventana que daba al río impetuoso. Una sensación extraña: se veía el agua furiosa y espumeante caer desde una alta esclusa pero, por los gruesos vidrios, no se la oía. Recordé la línea de Baudelaire: *Tout pour l'oeil, rien pour les oreilles.*

A pesar de su afición al mundo germánico y sus brumas, Ortega y Gasset era, en lo físico y en lo espiritual, un hombre del Mediterráneo. Ni lobo ni pino: toro y olivo. Un vago parecido —la estatura, los ademanes, el color, los ojos— con Picasso. Con más derecho que Rubén Darío podría haber dicho: «aquí, junto al mar latino / digo mi verdad...» Me sorprendió el llamear de su mirada de ave rapaz, no sé si de águila o de gavilán. Comprendí que, como la yesca, se encendía con facilidad, aunque no por mucho tiempo. Entusiasmo y melancolía, los dos extremos contradictorios del temperamento intelectual según Aristóteles. Me pareció orgulloso sin desdén, que es el mejor orgullo. También abierto y capaz de interesarse por el prójimo. Me recibió con llaneza, me invitó a sentarme y ordenó al mesero que sirviera unos *whiskies*. A sus preguntas, le conté que vivía en París y que escribía poemas. Movió la cabeza con reprobación y me reprendió: por lo visto los hispanoamericanos eran incorregibles. Después habló con gracia, desenvoltura e inteligencia (¿por qué nunca, en sus escritos, usó el tono familiar?) de su edad y de su facha (de torero que se ha cortado la coleta), de las mujeres argentinas (más cerca de Juno que de Palas), de los Estados Unidos (quizá allá brote algo, aunque es una sociedad demasiado horizontal), de Alfonso Reyes y sus ojillos asiáticos (sabía poco de México y ese poco le parecía bastante), de la muerte de Europa y de su resurrección, de la quiebra de la literatura, otra vez de la edad (dijo algo que habría estremecido a Plotino: pensar es una erección y yo todavía pienso) y de no sé cuántas cosas más.

La conversación se deslizaba, a ratos, hacia la exposición de ideas; después, hacia el relato: anécdotas y sucedidos. Ideas y ejemplos: un maestro. Sentí que su amor a las ideas se extendía a sus oyentes; me veía para saber si le había comprendido. Frente a él yo existía no como un eco: como una confirmación. Comprendí que todos sus escritos eran una prolongación de la palabra hablada y que ésta era la diferencia esencial entre el filósofo y el poeta. El poema es un objeto verbal y, aunque esté hecho de signos (palabras), su realidad última se despliega más allá de los signos: es la presentación de una forma; el discurso del filósofo se sirve de las formas y de los signos, es una invitación a realizarnos (virtud, autenticidad, ataraxia, qué sé yo). Salí con la cabeza hirviendo.

Lo volví a ver la tarde siguiente. Lo acompañaba Roberto Vernego, un inteligente joven argentino que fue su guía en Suiza y que conocía bien la filosofía alemana y la francesa. Salimos a pasear por la ciudad, Roberto nos dejó y Ortega y yo caminamos un rato, de regreso a su hotel por la orilla del río. Ahora sí se oía el estruendo del agua cayendo en el lago. Empezó a soplar el viento. Me dijo que la única actividad posible en el mundo moderno era la del pensamiento («la literatura ha muerto, es una tienda cerrada, aunque todavía no se enteren en París») y que, para pensar, había que saber griego o, al menos, alemán. Se detuvo un instante e interrumpió su monólogo, me tomó por el brazo y, con una mirada intensa que todavía me conmueve, me dijo: «Aprenda el alemán y póngase a pensar. Olvide lo demás». Prometí obedecerlo y lo acompañé hasta la puerta de su hotel. Al día siguiente tomé el tren de regreso a París.

No aprendí el alemán. Tampoco olvidé «lo demás». En esto, al contradecirlo, lo seguí: siempre enseñó que no hay «pensar en sí», que todo pensar es pensamiento hacia o sobre «lo demás». Ese «demás», llámese como se llame, es nuestra circunstancia. «Lo demás», para mí, es la historia; el más allá de la historia se llama poesía. Vivimos un Acabamiento pero acabar no es menos fascinante y digno que comenzar. Acabamientos y comienzos se parecen: en el origen, la poesía y el pensamiento estuvieron unidos; después los separó un acto de violencia racional; hoy tienden, casi a tientas, a unirse de nuevo. ¿Y su tercer consejo: «póngase a pensar»? Sus libros, cuando era muchacho, me hicieron pensar. Desde entonces he tratado de ser fiel a esa primera lección. No estoy muy seguro de pensar ahora lo que él pensó en su tiempo; en cambio, sé que sin su pensamiento yo no podría, hoy, pensar.

México, a 13 de octubre de 1980

[«El cómo y el para qué: Ortega y Gasset» se publicó en *Hombres en su siglo,* Seix Barral, Barcelona, 1984.]

La tradición liberal

Si yo dejase hablar a mis sentimientos únicamente, estas palabras serían una larga, interminable frase de gratitud. Pero mi emoción no es ciega. Bien sé que la realidad simbólica de este acto es más real que la fugaz realidad de mi persona. Soy apenas un episodio en la historia de nuestra literatura, la transitoria y fortuita encarnación de un momento de la lengua española. El premio Cervantes, al escoger a este o aquel escritor de nuestro idioma, sin distinción de nacionalidad, afirma cada año la realidad de nuestra literatura. ¿Y qué es una literatura? No es una colección de autores y de libros sino una sociedad de obras. Las novelas, los poemas, los relatos, las comedias y los ensayos se convierten en obras por la complicidad creadora de los lectores. La obra es obra gracias al lector. Monumento instantáneo, perpetuamente levantado y perpetuamente demolido pues está sujeto a la crítica del tiempo: las generaciones sucesivas de lectores. La obra nace de la conjunción del autor y el lector; por esto la literatura es una sociedad dentro de la sociedad: una comunidad de obras que, simultáneamente, crean un público de lectores y son re-creadas por esos lectores.

Se dice que las ideologías, las clases, las estructuras económicas, las técnicas y las ciencias, por naturaleza internacionales, son las realidades básicas y determinantes de la historia. El tema es tan antiguo como la reflexión histórica misma y no puedo detenerme en él; observo, sin embargo, que igualmente determinantes, si no más, son las lenguas, las creencias, los mitos y las costumbres y tradiciones de cada grupo social. El premio Cervantes, justamente, nos recuerda que la lengua que hablamos es una realidad no menos decisiva que las ideas que profesamos o que el oficio que ejercemos. Decir lengua es decir civilización: comunidad de valores, símbolos, usos, creencias, visiones, preguntas sobre el pasado, el presente, el porvenir. Al hablar no hablamos únicamente con los que tenemos cerca: hablamos también con los muertos y con los que aún no nacen, con los árboles y las ciudades, los ríos y las ruinas, los animales y las cosas. Hablamos con el mundo animado y con el inanimado, con lo visible y con lo invisible. Hablamos con nosotros mismos. Hablar es convivir, vivir en un mundo que es este mundo y sus trasmundos, este tiempo y los otros: una civilización.

Desde muy joven fue muy vivo en mí el sentimiento de pertenecer a una civilización. Se lo debo a mi abuelo, Ireneo Paz, amante de los libros, que logró reunir una pequeña biblioteca en la que abundaban los buenos escritores de nuestra lengua. Tendría unos dieciséis años cuando leí las dos primeras series de los *Episodios nacionales,* en donde quizá se encuentran algunas de las mejores páginas de Pérez Galdós. Era una edición en octavo, de tapas doradas e ilustrada por varios artistas de la época; los diez volúmenes habían sido impresos, entre 1881 y 1885, en Madrid, por La Guirnalda. Aquella historia novelada y novelesca de la España moderna me pareció que era también la mía y la de mi país. Al llegar a la segunda serie me cautivó inmediatamente la figura de Salvador Monsalud. Fue mi héroe, mi prototipo. Mi identificación con el joven liberal me llevó a enfrentarme con su medio-hermano y adversario, el terrible Carlos Garrote, guerrillero carlista. Dualismo a un tiempo real y simbólico: el hijo legítimo y el bastardo, el perro guardián del orden y el vagabundo, el hombre del terruño y el cosmopolita, el conservador y el revolucionario. Pero Carlos Garrote, como poco a poco advierte el lector, no sólo es el adversario que encarna la otra España, la de ¡religión y fueros!, sino que es el doble de Salvador Monsalud. En el Episodio final —*Un faccioso más y algunos frailes menos,* pintura tétrica de las dos Españas y sus opuestos y simétricos fanatismos— asistimos a la muerte de Carlos Garrote y a su transfiguración. Comenzó por ser el enemigo y el perseguidor de Salvador Monsalud y termina como su hermano y su protegido: están condenados a convivir. Cada uno es el otro y es el mismo. Esa lucha, ya no íntima sino social, ha sido la sustancia de la historia de nuestros pueblos durante los dos últimos siglos. Así aprendí que una civilización no es una esencia inmóvil, idéntica a sí misma siempre: es una sociedad habitada por la discordia y poseída por el deseo de restaurar la unidad, un espejo en el que, al contemplarnos, nos perdemos y, al perdernos, nos recobramos.

Muchas veces he pensado en los paralelos hispanoamericanos de Salvador Monsalud. Aunque unos pertenecen a la historia y otros a la novela, todos ellos, reales o imaginarios, pelearon y aún pelean contra obstáculos que nunca soñó el héroe de Galdós. Por ejemplo, aparte de enfrentarse con Carlos Garrote, guerrillero díscolo y montaraz, encarnación de un pasado a veces obtuso y otras sublime, los Salvador Monsalud mexicanos han tenido que combatir a otras realidades y exorcizar a otros fantasmas: España y México tienen pasados distintos. En nuestra historia aparece un elemento desconocido en la de España: el mundo indio. Es la dimensión a un tiempo íntima e insondable, familiar e incógnita, de mi país. Sin ella no seríamos lo que somos. La presencia del islam y del judaísmo en la España medieval podría dar una idea de lo que significa el interlocutor indio en la conciencia de los mexicanos. Un interlocutor que no está frente a nosotros sino dentro. Pero hay una diferencia capital: el islam y el judaísmo son, como el cristianismo, variantes del monoteísmo; en cambio, la civilización mesoamericana nació y creció aislada, sin relación con el Viejo Mundo. Lo mismo puede decirse del Perú incaico. El mundo indio fue desde el principio el mundo *otro,* en la acepción más fuerte del término. *Otredad* que, para nosotros los mexicanos, se resuelve en identidad, lejanía que es proximidad.

La aparición de América con sus grandes civilizaciones extrañas modificó radicalmente el diálogo de la civilización hispánica consigo misma. Introdujo un elemento de incertidumbre, por decirlo así, que desde entonces desafía a nuestra imaginación e interroga a nuestra identidad. El interlocutor indio nos dice que el hombre es una criatura imprevisible y que es un ser doble. En otras naciones hispanoamericanas los agentes de la dislocación y transformación del diálogo fueron los nómadas, los negros, la geografía. En lugar de *otra* historia, como en el Perú y en México, la ausencia de historia. Desde su origen España fue tierra de fronteras en movimiento y su última gran frontera ha sido América: por ella y en ella España colinda con lo desconocido. América o la inmensidad: las tierras sin poblar, las lejanías sin nombrar, las costas que miran al Asia y la Oceanía, las civilizaciones que no conocían el cristianismo pero que habían descubierto el cero. Formas diversas de lo ilimitado.

La diversidad de pasados y de interlocutores provoca siempre dos tentaciones contrarias: la dispersión y la centralización. Nuestros pueblos han padecido, en un extremo, la atomización como la de América Central y las Antillas; en el otro, el rígido centralismo, como los de Castilla y de México. La dispersión culmina en la disipación; la centralización, en la petrificación. Doble amenaza: volvernos aire, convertirnos en piedras. Durante dos siglos hemos buscado el difícil equilibrio entre la libertad y la autoridad, el centralismo y la disgregación. La índole de nuestra tradición no ha sido muy favorable a estos empeños de reforma. El siglo XVIII, el siglo de la crítica y el primero que, desde la Antigüedad pagana, volvió a exaltar las virtudes intelectuales de la tolerancia, no tuvo en el mundo hispánico el brillo que tuvieron el XVI y el XVII. Un ejemplo de la persistencia de las actitudes y tendencias autoritarias, recubiertas por opiniones liberales, se encuentra precisamente en las páginas finales de la novela de Galdós que he mencionado antes. Un personaje conocido por el fervor de sus sentimientos liberales sostiene, sin pestañear, que «todos los españoles deben abrazar la bandera de la libertad y admitir los progresos del siglo [...] y si no todos desean entrar por este camino, los rebeldes deben ser convencidos a palos, para lo cual convendría que los libres se armen, formando una milicia». Este curioso liberal era un devoto de Rousseau, el de la omnipotencia de «la voluntad general», máscara democrática de la tiranía jacobina. Armado de una teoría general de la libertad, Carlos Garrote entra en el siglo XX. Ha cambiado de hábito, no de alma: ya no intimida al adversario con los herrumbrosos silogismos de la escolástica sino con las ondulaciones de la dialéctica. Nuevas quimeras le sorben el seso pero lo sigue fascinando el olor de la sangre. Saltó de la Inquisición al Comité de Salud Pública sin cambiar de sitio.

Apenas la libertad se convierte en un absoluto, deja de ser libertad: su verdadero nombre es despotismo. La libertad no es un sistema de explicación general del universo y del hombre. Tampoco es una filosofía: es un acto, a un tiempo irrevocable e instantáneo, que consiste en elegir una posibilidad entre otras. No hay ni puede haber una teoría general de la libertad porque es la afirmación de aquello que, en cada uno de nosotros, es singular y particular, irreductible a toda generalización. Mejor dicho: cada uno de nosotros es una criatura singular y particular. La libertad se vuelve tiranía en cuanto pretendemos imponerla a los otros. Cuando los bolcheviques disolvieron la Asamblea Constituyente rusa en nombre de la libertad, Rosa Luxemburg les dijo: «La libertad de opinión es siempre la libertad de aquel que no piensa como nosotros». La libertad, que comienza por ser la afirmación de mi singularidad, se resuelve en el conocimiento del otro y de los otros: su libertad es la condición de la mía. En su isla Robinson no es realmente libre; aunque no sufre voluntad ajena y nadie lo constriñe, su libertad se despliega en el vacío. La libertad del solitario es semejante a la soledad del déspota, poblada de espectros. Para realizarse, la libertad debe encarnar y enfrentarse a otra conciencia y a otra voluntad: el otro es, simultáneamente, el límite y la fuente de mi libertad. En uno de sus extremos, la libertad es singularidad y excepción; en el otro, es pluralidad y convivencia. Por todo esto, aunque libertad y democracia no son términos equivalentes, son complementarios: sin libertad la democracia es despotismo, sin democracia la libertad es una quimera.

La unión de libertad y democracia ha sido el gran logro de las sociedades modernas. Logro precario, frágil y desfigurado por muchas injusticias y horrores; asimismo, logro extraordinario y que tiene algo de accidental o milagroso: las otras civilizaciones no conocieron a la democracia y en la nuestra sólo algunos pueblos y durante periodos limitados han gozado de instituciones libres. Ahora mismo, en los vastos espacios del continente americano, muchas naciones de nuestra lengua padecen bajo poderes inicuos. La libertad es preciosa como el agua y, como ella, si no la guardamos, se derrama, se nos escapa y se disipa. He aludido a la relativa pobreza de nuestro siglo XVIII, origen de la filosofía política de la edad moderna. Sin embargo, en nuestro pasado —lo mismo el español que el hispanoamericano— existen usos, costumbres e instituciones que son manantiales de libertad, a veces enterrados pero todavía vivos. Para que la libertad arraigue de veras en nuestras tierras deberíamos reconciliar estas antiguas tradiciones con el pensamiento político moderno. Salvo unos tímidos y aislados intentos, nada hemos hecho. Lo lamento: no es una tarea de piedad histórica sino de imaginación política.

La palabra *liberal* aparece temprano en nuestra literatura. No como una idea o una filosofía sino como un temple y una disposición de ánimo; más que una ideología, era una virtud. Al decir esto vuelvo los ojos hacia Cervantes, el escritor nuestro que encarna más completamente los distintos sentidos de la palabra *liberal*. Con él nace la novela moderna, el género literario de una sociedad que, desde su nacimiento, se ha identificado a sí misma y a su historia con la crítica. La *Comedia* de Dante es el reflejo de un mundo regido por la analogía, es decir, por la correspondencia entre este mundo y el trasmundo; el *Quijote* es una obra animada por el principio contrario, la ironía, que es ruptura de la correspondencia y que subraya con una sonrisa la grieta entre lo real y lo ideal. Con Cervantes comienza la crítica de los absolutos: comienza la libertad. Y comienza con una sonrisa, no de placer sino de sabiduría. El hombre es un ser precario, complejo, doble o triple, habitado por fantasmas, espoleado por los apetitos, roído por el deseo: espectáculo prodigioso y lamentable. Cada hombre es un ser singular y cada hombre se parece a todos los otros. Cada hombre es único y cada hombre es muchos hombres que él no conoce: el yo es plural. Cervantes sonríe: aprender a ser libre es aprender a sonreír.

1982

[«La tradición liberal» es el discurso pronunciado por OP en Alcalá de Henares al recibir el premio Cervantes, el 23 de abril de 1982. Fue publicado en *Hombres en su siglo,* Seix Barral, Barcelona, 1984.]

México y los poetas del exilio español

A diferencia de otras disciplinas, la historia no sólo tolera sino que reclama la pluralidad de interpretaciones. La diversidad de puntos de vista no impide que cada uno posea relativa validez y que todos, de esta o aquella manera, se completen unos a otros. Incluso las contradicciones y oposiciones son fecundas y contribuyen a la visión de conjunto. La historia no es incoherente pero sí hostil a las explicaciones únicas y totales. Así, el hecho histórico que hoy recordamos puede verse desde distintas perspectivas. En 1939 un grupo de poetas españoles llegó a México; en los años siguientes se unieron a este grupo inicial otros poetas, igualmente notables. Todos ellos huían de la tiranía de Franco y del avance de los nazis. El destierro de los poetas españoles puede verse como un episodio de la historia de la emigración republicana que, a su vez, fue una de las consecuencias de la guerra civil española que, a su vez, es un capítulo particularmente dramático de la historia de las guerras ideológicas del siglo XX que, por su parte, han sido y son el cruel equivalente moderno de las guerras de religión que ensangrentaron a Europa en los siglos XVI y XVII. Desde esta perspectiva, el destierro de los poetas españoles es un fragmento de la historia mundial. Su suerte fue una prefiguración de la que sufrirían después chilenos, argentinos, kmeres, tibetanos, cubanos, checoslovacos, uruguayos y tantos otros. El siglo XX ha sido el siglo de los pueblos en dispersión y las naciones fugitivas.

Desde otro punto de vista, distinto al que he esbozado, pero no menos válido, el destierro de los poetas españoles es un episodio de la historia nacional de España. Fue una consecuencia directa de la sublevación de Franco, que es un capítulo de la historia de los pueblos hispánicos. Esa historia, como todos sabemos, está regida por una doble serie de tensiones y oposiciones. La primera es la oposición secular entre centralismo y federalismo. Aunque España fue una de las primeras sociedades europeas que edificó un Estado nacional, ese Estado nunca representó cabalmente la diversidad de naciones y culturas que conviven en la península ibérica. La segunda oposición no es horizontal sino vertical: la lucha, también secular, entre las aspiraciones libertarias y la tradición autoritaria. Por un lado, un Estado fuerte y centralista; por el otro, una sociedad libre y plural. La fuga de los poetas españoles recuerda la fuga de los heterodoxos españoles durante los siglos XVI y XVII o las emigraciones de liberales y románticos en el siglo XIX. Esta interpretación no niega a la anterior: la guerra civil española fue un episodio de la lucha mundial contra el nazismo y, simultáneamente, fue un capítulo de la historia nacional de España.

Las dos interpretaciones —la universalista y la nacionalista— no agotan el tema. Hay todavía otra perspectiva: la guerra civil española y la emigración republicana son un capítulo de otra historia igualmente tormentosa: la de las relaciones entre México y España. A su vez, esa relación es parte de otra historia más vasta: América y España. Es una historia que comienza con el descubrimiento y la conquista, comprende tres siglos de dominación interrumpidos por el gran estallido de la Independencia, con el que se inicia el periodo moderno, caracterizado por la disgregación del Imperio español y el nacimiento de las repúblicas hispanoamericanas. Es una historia que aún no termina y que ha sido alternativamente luminosa y sombría. Es la historia de un conocimiento, un desconocimiento y un reconocimiento. Comenzó con el súbito, involuntario y recíproco descubrimiento de dos mundos: el indio y el español. Fue un encuentro violento. Sobre el paisaje de ruinas que dejó la conquista se levantó otra sociedad. Este periodo —llamado *colonial* con notoria inexactitud— fue de dominación pero también de integración y conocimiento. En México fue un gran periodo creador. Después vino el desconocimiento: desde fines del siglo XVIII los hispanoamericanos dejaron de reconocerse en España y buscaron inspiración intelectual y política en otras tradiciones, sobre todo en la francesa y en la angloamericana.

Al romper con España, los hispanoamericanos descubrieron a la modernidad: la Ilustración, el liberalismo, la democracia, las nuevas ciencias y filosofías, los grandes movimientos poéticos y artísticos que se han sucedido en Europa, desde el romanticismo hasta el simbolismo. Al principio, España misma fue el canal por el que nos llegaron esas novedades heréticas. Después, los hispanoamericanos fuimos directamente a las fuentes. No es extraño que España haya sido la transmisora de ideas que, como las de la Ilustración, negaban la fe y los principios que, desde los Austria, se identificaban con su propio ser: allá también distintos grupos intelectuales habían emprendido la crítica de su tradición. En esa crítica los principios e ideas procedentes del pensamiento europeo desempeñaron una función preponderante, lo mismo en el círculo de Jovellanos que en el de Giner de los Ríos, entre los liberales del siglo XIX que entre los anarquistas y socialistas del XX, entre los poetas románticos que en Galdós y los escritores del 98. La evolución fue semejante en Hispanoamérica, aunque a veces nosotros nos adelantamos a los españoles, como en el caso del positivismo y, un poco después, con la gran revolución poética del modernismo.

Los movimientos y revueltas sociales y políticas que conmovieron a España durante el siglo XIX y el primer tercio del XX corresponden a las agitaciones y transtornos hispanoamericanos en la misma época. Nuestras sociedades viven, desde principios del XIX, un periodo de crisis. Las revueltas y revoluciones hispanoamericanas y españolas han sido tentativas por romper con un pasado que nos ahoga y una búsqueda de nuevas formas políticas y sociales. La guerra civil de 1936 fue uno de los momentos más dramáticos de este proceso. No es un accidente que México haya acudido inmediatamente en defensa de la democracia española: nuestro país había experimentado, unos años antes, las convulsiones de una revolución social y política. Casi instintivamente muchos mexicanos se reconocieron en la lucha del pueblo español. He mencionado a la Revolución mexicana; ahora debo añadir un nombre: Lázaro Cárdenas. Sin la Revolución, Cárdenas no habría sido Cárdenas pero, asimismo, en la persona de Cárdenas la Revolución encontró su más lúcida vocación internacional. México no sólo denunció las agresiones fascistas en Etiopía, Checoslovaquia, Manchuria, España y otras partes sino que dio asilo a los perseguidos por los poderes totalitarios, de Lev Trotski a los republicanos españoles.

Este periodo puede llamarse el del reconocimiento. Después de un mutuo y obstinado desconocimiento, que duró un siglo y medio, los mexicanos redescubrieron a España. Esa España era la *otra:* la España de los heterodoxos y los liberales, la España abierta y democrática. A su vez, los españoles vislumbraron, tras un prolongado olvido, su otra dimensión histórica, no la europea sino la americana. La segunda Guerra Mundial y la dictadura de Franco interrumpieron este periodo de reconocimiento. Hoy la democracia ha vuelto a España y ante nosotros —pienso sobre todo en los escritores, los artistas y los intelectuales mexicanos y españoles— se abre otra vez la posibilidad de comenzar —recomenzar— a conocernos.

El encuentro de los poetas españoles republicanos con la realidad mexicana cobra todo su sentido desde esta perspectiva. Para casi todos ellos la palabra *México* dejó de aludir a una vaga historia y una remota geografía para convertirse en una presencia. La mayoría de los poetas españoles, con unas cuantas excepciones, como la de Enrique Díez Canedo, no conocían o conocían mal a los poetas mexicanos. Al descubrir la poesía mexicana, los españoles descubrieron una dimensión desconocida de su propia tradición poética. Familiaridad y extrañeza: la tradición mexicana era otra y era la misma, era distinta y no obstante sus raíces eran las mismas que las suyas. Enrique Díez Canedo, poeta, traductor y crítico perspicaz injustamente olvidado, refleja en uno de sus *Epigramas mexicanos* la sorpresa de este encuentro consigo mismo que es, para todo español sensible, el primer encuentro con México:

> Hombre: ya estás aquí. Con tu sola presencia,
> para ti, vuelve a ser México Nueva España.

El grupo de poetas españoles que encontró asilo entre nosotros fue numeroso y diverso. No me refiero a los poetas que llegaron a México cuando eran niños y que aquí se formaron, pues sus obras son parte de la literatura mexicana contemporánea. Siempre he visto a Ramón Xirau, Tomás Segovia, Manuel Durán, Gerardo Deniz, Luis Rius, Jomi García Ascot, José Pascual Buxó y Enrique Rivas —para citar a los más conocidos— como poetas mexicanos. Mejor dicho, hispanomexicanos. No han sido los únicos: también lo fueron, en el siglo XVI, Hernán González de Eslava, Bernardo de Balbuena, Juan Ruiz de Alarcón y, en el XVII, Agustín de Salazar y Torres. Hablo, claro está, de aquellos que desembarcaron en nuestra tierra en la madurez o en el momento de transponer la juventud. La lista es impresionante: José Moreno Villa, León Felipe, Juan Larrea, Emilio Prados, Luis Cernuda, Manuel Altolaguirre, Concha Méndez, Pedro Garfias, Juan José Domenchina, Ernestina de Champourcín, Juan Gil-Albert, Ramón Gaya, Francisco Giner de los Ríos, Lorenzo Varela, Juan Rejano, Carlos Fernández Valdemoro (José Alameda), Alejandro Finisterre... La representación poética catalana fue más reducida pero no menos notable: Josep Carner y Agustí Bartra. El primero publicó en México una de sus obras centrales *(Nabí)* y escribió un «misterio» poético; el segundo, además de su obra de poeta y traductor de la poesía moderna, ejerció una benéfica influencia en un grupo de jóvenes escritores.

Algunos de estos poetas llegaron a México cuando ya la mayor y la mejor parte de su obra había sido escrita. Otros escribieron aquí sus libros mas ambiciosos y sus poemas de madurez. Tal fue el caso de Emilio Prados. Llegó en 1939 y durante los veintitrés años que vivió entre nosotros (murió en 1962) escribió la porción más significativa de su vasta obra poética. Prados era un hombre ensimismado y sus poemas son la cristalización, en el sentido literal de esta palabra, de una larga búsqueda interior. Es difícil percibir en ellos ecos o huellas de la experiencia mexicana del poeta. Tampoco en Bergamín y en Altolaguirre se advierte la presencia de la nueva tierra y su gente. Otro tanto ocurre con los poemas de Ernestina de Champourcín, poetisa religiosa al final, y de Juan José Domenchina, también empeñado, como Prados, en una exploración interna. Vagabundo por los pueblos y ciudades de la provincia mexicana, Pedro Garfias compuso, antes de morir, algunos poemas que me conmueven y que son como una desengañada respuesta al poeta vanguardista que había sido en su juventud:

> cuando me tiro de noche
> en el ataúd del lecho
> que es menos duro que el otro
> porque ya sabe mis huesos,
> me pongo a mirar arriba
> los astros de mis recuerdos.

Juan Gil-Albert escribió algunos de sus más logrados poemas durante sus años mexicanos. Son poemas en los que el erotismo se inclina, por decirlo así, sobre su propio enigma transparente. Pérfida transparencia: casi siempre lo que vemos en el fondo es una *figura de perdición,* como dicen los ascetas. Es poeta aquel que ha sentido la fascinación que despierta esa figura y que ha sido capaz de transfigurarla en forma y arquitectura: en poema. También Gil-Albert ha escrito páginas penetrantes sobre sus experiencias mexicanas pero, a diferencia de Cernuda y de Moreno Villa, no ha reunido sus reflexiones en un volumen sino que están dispersas en sus distintos libros de memorias y recuerdos. (De paso: Gil-Albert es uno de los pocos memorialistas que tenemos en lengua española.) En un pasaje de *Los días están contados* (1974), después de narrar sus primeras impresiones al desembarcar en Veracruz, dice:

> La costa es allá, más que en ningún otro lugar, engañosa, aparente, atractiva: labios. México está detrás, hacia dentro y hacia lo alto; internarse por esa infinitud que nos espera tiene sus riesgos; es, nos atrevemos a expresarnos así, fatal [...] La experiencia mexicana es de orden trascendente. La infinitud aguarda allí a quien se asoma a su alta planicie; la infinitud y a la vez la sensación angustiosa del límite, de que allí acaba la tierra del hombre y de que toda esa luminosidad helada, plateada, de altura, que resplandece en las cosas, es ya el abismo, el más allá inhumano o sobrehumano [...] Se siente que la tierra se ha cerrado en redondo, que aquello es el verdadero *finis-terra:* y que, como desde un balcón infinito, contemplamos el paso de las nubes maravillosas por las rutas inaccesibles.

Bien visto y bien dicho: el altiplano es un límite y uno se siente atraído, simultáneamente, por la altura y por el abismo. Caer, subir: ¿es lo mismo? Pero no puedo releer estas páginas sin melancolía: el *polumo*[1] nos ahoga. Recuerdo a Alfonso Reyes y me pregunto: ¿qué hemos hecho los mexicanos de nuestro «alto valle metafísico»?

Aunque la obra poética del pintor y crítico Ramón Gaya es escasa, los sonetos que escribió en México son, a un tiempo, intensos y lúcidos:

> No importa ya por quién por qué ni dónde
> sobre un triste papel la verdad nace:
> cuando ella fluye así, cuando desata
> los lazos más sencillos que ella esconde
> la causa de sí misma se deshace...

En muchos de estos poetas fue muy aguda la conciencia de su condición desterrada pero casi siempre percibida como ausencia de la tierra natal y no como descubrimiento de otra —aquélla es la que se revive y remuere. En cambio, en León Felipe fueron determinantes los muchos años que vivió con nosotros y como uno de nosotros. Sin México y sin su mujer, Berta Gamboa, que le abrió las puertas de la poesía inglesa y norteamericana, quizá no habría abandonado su primera manera, cercana

[1] *Polumo:* polvo y humo.

a la poesía tradicional de Antonio Machado. Es cierto que la segunda manera de León Felipe, bíblica y whitmaniana, oscilante entre la elocuencia y la verdadera poesía, a veces nos aturde y marea. Sin embargo, sin esos poemas habríamos perdido algo muy cierto y conmovedor. Versos como éstos no se habían escrito antes en España:

> Llegué a México montado en la ola de la Revolución.
> Corría el año 23.
> Aquí clavé mi choza...
> Aquí estaba cuando mataron a Trotski
> y cuando asesinaron a Villa
> y cuando ahí, en la carretera de Cuernavaca,
> fusilaron a cuarenta generales juntos.
> Y aquí he visto a un indito
> y a todo México
> arrodillado y llorando ante una flor.

Juan Larrea no escribió en México poemas sino libros que no sé si llamar de hermenéutica histórico-religiosa. En su temperamento simbolizante y enamorado de los sistemas, la experiencia mexicana avivó y confirmó ciertas visiones despertadas en su espíritu por la amistad con Huidobro y Vallejo así como por un viaje anterior al Perú. La aparición de América, el cuarto continente, en el horizonte mundial, había roto la tríada tradicional. Una nueva *figura* del mundo había surgido con el nacimiento de América. La historia había pasado, simbólica y realmente, del 3 al 4. La *señal,* en el sentido que se daba a esta palabra en los siglos XVI y XVII, del advenimiento de la Cuarta Era había sido la agonía y la muerte de la nación descubridora de nuestro continente. De ahí el sentido del título del libro de Vallejo: *España, aparta de mí este cáliz...* Milenarismo y poesía: ¿cómo no recordar, ante las elucubraciones de Larrea, a Joaquín de Flora y a su doctrina sobre el Evangelio eterno que tanta influencia ejerció sobre los primeros franciscanos que predicaron en México?[1] Ellos también creían que comenzaba una nueva era bajo el signo del Espíritu Santo.

El polo opuesto del milenarismo de Larrea es la poesía de Francisco Giner de los Ríos. Tenía apenas veintitrés años cuando llegó a México. Su descubrimiento fue instantáneo y directo: árboles, gentes, plazas, pie-

[1] *Cf.* Jacques Lafaye, *Quetzalcóatl y Guadalupe. La formación de la conciencia nacional en México,* FCE, Madrid, 1977.

dras, cielos. Un México visto con ojos andaluces y así doblemente oriental, por mexicano y por árabe:

Laureles, siempre laureles
bajo el cielo de Oaxaca.
La tarde, sobre un laurel,
nos mira pasar —y pasa.

La visión instantánea casi siempre contiene una metafísica; en otras ocasiones la visión es puramente sensual, física: no conjuga a los tiempos del tiempo sino a los colores, los olores y los elementos. Ante el mercado de Juchitán, un pueblo que mezcla lo terrestre con lo marino, Giner de los Ríos escribe esta copla más japonesa que andaluza:

Qué borrachera de olor!
El mar en la tierra abierta
el pescado con la flor.

Me impresiona la exactitud de lo visto cuando se alía al presentimiento de lo invisible, como en estos versos del mismo libro *(Poemas mexicanos*, 1958):

La noche se ha callado
temblorosa y desnuda.
Ya sólo canta el viento
y aquel perro a la luna.

Los ojos más vivos y las mentes más abiertas y penetrantes fueron las de José Moreno Villa y Luis Cernuda. Dos andaluces pero también dos europeos. Moreno Villa llegó a México en 1937. Aquí escribió poemas y ensayos, pintó, se casó y tuvo un hijo. Murió en 1955. Discreto, irónico, cortés, elegante en el pensar y el decir, la sonrisa entre amarga y afable, fue ante todo un hombre *sensible,* quiero decir, uno en el que la reflexión y la emoción no están reñidas. Poeta, pintor y crítico, comprendió admirablemente ciertos aspectos de nuestro país. Aparte de sus estudios sobre el arte virreinal y de un curioso ensayo sobre las manos de doce escritores mexicanos y su manera de escribir con la pluma o el lápiz, le debemos un pequeño libro encantador: *Cornucopia de México* (1940). Anotaciones rápidas, apuntes y bocetos de gente y cosas vistas o entrevistas, oídas o adivinadas. Son impresiones recogidas durante los primeros meses de su estancia en México y que conservan toda su frescura. El título del libro revela, simultáneamente, a Moreno Villa y al México que le gustaba: el *rococó*. No estaba equivocado: el XVIII mexicano fue un siglo civilizado y civilizador.

Algunas de las observaciones de este libro, escrito hace más de cuarenta años, fueron proféticas: «La ciudad de México se ensancha y crece de manera alarmante. Si sigue así, será una ciudad sola en un inmenso país desolado». En otro pasaje se detiene, intrigado, ante nuestros gestos para medir al tiempo: «El mexicano desmigaja el tiempo, lo hace migas». ¿Es verdad? No lo sé pero *veo* sobre el mantel al tiempo desmenuzado en migajas. Dos bebidas, dos extremos de México: el tequila —seco, reconcentrado, violento como un disparo— y el pulque viscoso, dulzón, maligno. Ante el *jarabe tapatío* su andalucismo se exalta: «hay un garbo, un juego, una tenacidad levantada que lo aparta de esos sones claudicantes: lo cubano y lo argentino». Poderes de iluminación de los frutos: «con el aguacate comprendemos palabras como *Popocatepetl* y *Tlalnepantla;* con el mamey comprendemos la página de los crímenes en los diarios; con el zapote prieto, la finura ingrávida de la indita; con el mango, la hamaca y los ojos brillantes».

Sólo dos ingleses, Fanny Erskine Inglis, marquesa de Calderón de la Barca, y D. H. Lawrence, nos han dejado observaciones tan perspicaces sobre las minucias de México. A diferencia de la primera, Moreno Villa apenas si se interesa en la vida política y social. Tal vez por discreción: vivía en México como asilado político. Tampoco, a diferencia de Lawrence y de la inmensa mayoría de los europeos y norteamericanos que visitan a nuestro país, se sintió atraído por la arqueología y la historia antigua de México. Extraña indiferencia, compartida por casi todos los escritores e intelectuales españoles modernos (y también por los sudamericanos). Habría que investigar alguna vez los motivos inconscientes de esta actitud: ¿sentimiento de culpabilidad, orgullo o, en el caso de muchos sudamericanos, envidia? Sin embargo, desde su llegada a México, Moreno Villa se sintió atraído por la figura de Xochipilli, deidad de la danza, las flores y la primavera. No estudió el mito —algunos de los ritos lo habrían horrorizado— ni descifró el simbolismo de los atributos y tatuajes de la famosa escultura, como lo ha hecho ahora Wasson, que ve en ellos una relación con las ceremonias asociadas a la comunión con hongos alucinógenos. Pero Moreno Villa, poeta al fin, sí adivinó la dualidad del dios, a un tiempo creador y destructor:

> Xochipilli, dios de las flores,
> que no tolera flor caduca
> ni belleza que dure.

Los poetas siempre se han distinguido por una poco frecuente comprensión del alma de los pueblos. En su *Diálogo conmigo mismo acerca de México,* Moreno Villa se pregunta: «¿No has leído historia de México?» Y se contesta: «Para escribir este libro, no. Además, la historia de México está en pie. Aquí no ha muerto nadie, a pesar de los asesinatos y los fusilamientos. Están vivos Cuauhtémoc, Cortés, Maximiliano, Don Porfirio y todos los conquistadores. Esto es lo original de México. Todo el pasado es actualidad. No ha pasado el pasado...» Es verdad. El día en que México pierda su pasado, como a veces pienso que ahora podría ocurrir, México se habrá perdido.

Luis Cernuda dejó a España en 1938. Desde entonces vivió en Inglaterra y, después, en los Estados Unidos. En noviembre de 1952 se instaló en México y aquí murió, en 1963. Vivió más de diez años en nuestro país; antes, durante su estancia en los Estados Unidos, lo había visitado varias veces. Al final de su vida, en 1961 y 1962, impartió cursos universitarios en San Francisco y en Los Ángeles. La visión de Luis Cernuda fue más vasta y más honda que la de Moreno Villa. A diferencia de la gran mayoría de sus compatriotas, estaba impregnado de cultura inglesa y veía a México desde una perspectiva histórica distinta y más moderna. Una convivencia de cerca de quince años con una cultura y una lengua distintas le hizo aceptar con naturalidad la existencia de los *otros.* La variedad de usos, costumbres y visiones no fue para él una idea o un concepto sino una realidad. Cernuda tenía clara conciencia de la diversidad de las civilizaciones y de ahí que su descubrimiento de México haya sido, al mismo tiempo, una confirmación y un *dépaysement.* Buscó, y encontró, por una parte, a su propia cultura hispánica y mediterránea; por otra, a los restos vivos de otra civilización, la misma que, cuatro siglos antes, había fascinado a Cortés y a Bernal Díaz del Castillo.

Antes de conocer México, todavía en Inglaterra, escribió un poema con tema mexicano: *Quetzalcóatl,* que nosotros publicamos en la revista *El Hijo Pródigo.* Es un poema como muchos suyos de ese periodo, en forma de monólogo. El que habla es un anónimo soldado de Cortés. También es el poeta Luis Cernuda, contemporáneo de la civilización mercantil e industrial que ha barrido con la misma violencia a los antiguos enemigos, indios y españoles:

> [...] en mi existencia juntas sobreviven
> victorias y derrotas que el recuerdo hizo amigas.
> ¿Quién venció a quién? a veces me pregunto.
> Nada queda hoy que hacer, acotada la tierra
> Que ahora el traficante reclama como suya...
> Del viento nació el dios y volvió al viento
> Que hizo de mí una pluma de sus alas.
> Oh tierra de la muerte, ¿dónde está tu victoria?

En este notable poema, a pesar de sus resabios neoclásicos, la conciencia de la historia adquiere al fin su verdadera dimensión. Es sobrecogedora y, al mismo tiempo, convincente, la intuición de Cernuda: el soldado español, que es el poeta mismo, se ha convertido en una pluma de las alas del dios que, a su vez, no es más que viento disipado en el viento. No hay ejemplo de este género de poema en la tradición española y para encontrar un paralelo hay que ir a los poetas ingleses y a uno de los más grandes: Robert Browning. Estamos muy lejos de las rencorosas requisitorias de un Diego Rivera tanto como de las hipérboles huecas de los hispanófilos. El gran poeta abraza los contrarios sin suprimirlos. En su mirada se alían la comprensión y la compasión. *Quetzalcóatl* no es el único poema de Cernuda de tema precortesiano. Unos años más tarde escribió *El Elegido*, inspirado en la elección que hacían los *mexica* de un joven, encarnación de Xipe Topec sobre la tierra por un año, durante el cual era tratado como el dios y a cuyo término era sacrificado en un templo de las afueras. Fruto de sus lecturas de Sahagún o de Prescott, este poema revela la admiración que sentía ante los usos y las imágenes de una civilización distinta a la suya. Sin embargo, el poema carece de la tensión dramática de *Quetzalcóatl*, en el que poesía e historia se unen en un acorde vasto y único.

En 1950, un poco antes de abandonar los Estados Unidos, Cernuda escribió un pequeño libro, *Variaciones sobre tema mexicano*, que apareció dos años después. Es un libro semejante por la extensión y la intención a *Cornucopia de México*. Los dos poetas escriben ante un país que les recuerda el suyo y que no es el suyo. Un país, además, que es la tierra de sus amores: los dos poetas estaban enamorados. Aquí termina el parecido: nada más distinto al libro de Moreno Villa que el de Cernuda. (Y sin embargo: es el mismo México.) Las impresiones de Cernuda fueron escritas después de breves encuentros con nuestro país y tras muchos años de vivir entre anglosajones. Había llegado a aborrecer el género de vida que le ofrecían las universidades y colegios ingleses y norteamericanos. En el *Nocturno yanqui* confiesa que se gana la vida «no con esfuerzo sino con fastidio». ¿Qué buscó Cernuda en México? Buscó lo que encontró: un amor. Pero también buscó a su propia cultura y, en ella, a sí mismo. Sabía que la cultura mexicana era la suya y que era otra: el mundo indio o, al menos, sus restos. En ese interés por una civilización diferente a la occidental, además de la influencia de la cultura inglesa, ¿no había un eco de su amor por el mundo árabe, vivo en el subsuelo psíquico de Andalucía? Cernuda se daba cuenta de lo insólito de su actitud y en las primeras páginas de su libro se hace la pregunta que yo me he hecho varias veces: ¿cómo es posible que los españoles modernos —él cita a los dos escritores que eran sus favoritos: Larra y Galdós— «no se hayan preocupado nunca por estas otras tierras de raigambre española? [...] ¿Por qué? A la visión nacional que uno y otro nos ofrecen, le falta así algo... ¿Cómo entender su silencio?» A Cernuda le parece aún más escandaloso ese desvío nacional —a mí también— apenas se repara en la obra realizada por los españoles en América.

La primera confirmación que le ofrece México es el habla. Para el poeta, la lengua es la verdadera patria. Al oír las palabras de su idioma en labios de gente extraña y en otra tierra, el poeta descubre la universalidad de su cultura y se pregunta: ¿a quiénes les debemos esa universalidad? Cernuda responde con naturalidad ejemplar en esta época de ideologías rencorosas: «Qué gratitud no debe sentir el oscuro artesano, vivo en ti, a quienes cuatro siglos atrás, con la pluma y la espada, ganaron para esta lengua tuya destino universal». Para Cernuda, el héroe asiste al poeta y éste al héroe. Lo mismo dijeron los antiguos de Aquiles y de Homero. No hay en estas frases ningún orgullo imperial: hay comprensión poética de la historia. Antes había dicho: ¿Quién venció a quién? El reconocimiento de la universalidad de la lengua lo lleva no a una abstracción —Imperio, Estado, Nación— sino a una realidad singular, única: el hablante. Las palabras «son los signos del alma» pero el alma no es nada si no encarna en un cuerpo. Los mexicanos saben, como los mediterráneos y los árabes, *estar:* «En tierras anglosajonas las gentes no saben reposar [...] aquí las actitudes de reposo son naturales». El secreto de la dignidad en el reposo y en el movimiento, en los gestos y en las posturas, está en el cuerpo. El pueblo mexicano, pobre y hasta miserable, no siempre limpio y vestido de andrajos, sabe *estar* porque tiene la sabiduría inconsciente del cuerpo: «Esto que en ti simpatiza con la gente del pueblo es lo que hay de animal en ti: el cuerpo, el elemento titánico de la vida [...] En ti, cuando el cuerpo, lo titánico, habla, tu espíritu, lo dionisiaco, si no otorga, lo más que puede hacer es callar. Verdad es que la poesía también se escribe con el cuerpo». Lengua y cuerpo se comunican.

La lengua —el alma— lo lleva al cuerpo y el cuerpo a la poesía. A su vez, la poesía lo hace descubrir al pueblo. Al ver a los indios en un mercado, su simpatía se vuelve comprensión histórica: «Cayeron los amos antiguos. Vencidos a su vez fueron los conquistadores. Se abatieron y se olvidaron las revoluciones. Él sigue siendo lo que era; idéntico a sí mismo, deja cerrarse sobre la agitación superficial del mundo la hoz igual del tiempo. Es el hombre a quien los otros pueblos llaman no civilizado. ¡Cuánto pueden aprender de él! Ahí está. Es más que un hombre: es una decisión frente al mundo». Estas frases, aunque quizá con menos convicción, las podrían haber dicho otros viajeros europeos en México: Lawrence, Breton, Péret... Pero Cernuda no encontró, ni quiso encontrar, al buen salvaje o a las abstracciones de los antropólogos y los doctrinarios. Buscó la realidad de un pueblo que lo reconciliase con su propio pueblo y con su propio pasado. Buscó en el pueblo a lo *titánico,* como él dice: al elemento oscuro, anterior. A la verdad de carne y hueso que sobrevive a los imperios y a sus leyes, templos y palacios. El pueblo es la piedra de fundación de la historia. El poeta chino dijo: «Los imperios se rompen, quedan los montes y los ríos». Yo agrego: también quedan los pueblos. Cernuda buscó el origen y el fin de la historia y los imperios: la realidad humana. Una realidad que sólo se manifiesta aquí y ahora, en este instante fechado de la historia, pero que es irreductible a la historia.

Buscó y encontró —para perderlo en seguida, como quiere nuestro destino humano— el *centro del hombre.* Ese centro está aquí, es terrestre: «No, nada de ángel ni de demonio desterrado. De lo que aquí hablas es del hombre, y nada más; de la tierra y nada más. Ambos, el hombre y la tierra, hallada la armonía posible entre el uno y la otra, son bastante... Por unos días hallaste en aquella tierra tu centro, que las almas tienen también, a su manera, centro en la tierra. El sentimiento de ser un extraño, que durante tiempo atrás te perseguía por los lugares donde viviste, allí callaba, al fin dormido. Estabas en tu sitio o en un sitio que podía ser el tuyo». La conciencia del exilio fue constante en Cernuda pero en México, por unos instantes fuera del tiempo, esa conciencia se transformó en lo opuesto: el saberse en su sitio.

En el epílogo de su libro recapitula sobre el sentido de su experiencia y la define y la defiende. En un diálogo consigo mismo, semejante al de Moreno Villa, un interlocutor que es su doble le pregunta: «Hay en esta tierra tanto que objetar. ¿No lo has visto?» Y contesta: «Bien a la vista está. Pero acaso sea condición, en parte, si no en todo, de lo que yo vine a buscar: la tierra y su voluntad de historia, que es el pueblo». Palabras que merecerían ser meditadas y que nos descubren al verdadero Cernuda del final. Busca la tierra, que es el lugar en donde el hombre encuentra su centro. ¿Por qué el centro? El hombre está en perpetua discordia consigo mismo y en perpetua reconciliación: es cuerpo y es alma, es sí y es no, es apetito vital y fascinación por la muerte. La tierra es el lugar del origen: somos de una tierra y por eso se dice que, al morir, volvemos a ella. Una cultura es una tierra, ese punto en el tiempo y el espacio que es el *centro* del movimiento y del reposo: comienzo y fin. Por esto el pueblo es voluntad de historia: es búsqueda del centro. El habla comunica al alma con el cuerpo; la poesía comunica a la voluntad de historia del pueblo con el tiempo presente. La historia es lo que hacemos y lo que nos deshace, sí, pero también es el momento dc la comprensión. Es el descubrimiento, en el ahora, de nuestro pasado. Es una reconciliación que, para realizarse, requiere que un hombre *vea* y *diga:* la historia se revela en la poesía.

Vuelvo a los años de nuestro encuentro con los poetas españoles. Para nosotros, los poetas mexicanos, su presencia fue algo más que un estímulo: fue una confirmación. El trato con ellos no sólo nos los dio a conocer más íntimamente sino que, a través de nuestras coincidencias y de nuestras diferencias, también aprendimos algo de nosotros mismos. Conocer un poco a los otros nos ayuda siempre a conocernos. Los poetas españoles dejaron de ser nombres; no eran ya autores a los que podíamos leer sino personas con las que conversábamos, discutíamos y reíamos. Además y sobre todo: eran compañeros de trabajo. Colaboramos en varias revistas: *Letras de México, Tierra Nueva, Romance.* En algunos casos el consejo de redacción de esas publicaciones estaba compuesto por mexicanos y españoles: *Taller, Cuadernos Americanos, El Hijo Pródigo.* Había centros de reunión, trabajo y discusión: la Editorial Séneca que dirigía

José Bergamín asistido por Gallegos Rocaful; *Cuadernos Americanos,* la revista de Jesús Silva Herzog y en la que colaboraba como secretario Juan Larrea; la *Casa de España en México,* regida naturalmente por don Alfonso y en la que se reunían los mayores; en fin, la mesa del Café de París, en la que oficiaba Octavio G. Barreda y a la que concurrían casi todos los escritores de *Taller, Tierra Nueva* y *El Hijo Pródigo.*

Entre los trabajos realizados en colaboración por poetas españoles y mexicanos, el más significativo, para mí, fue la publicación de *Laurel,* antología de la poesía moderna de lengua española. Los autores fueron dos mexicanos y dos españoles: Xavier Villaurrutia, Emilio Prados, Juan Gil-Albert y yo. Ese libro —más allá de sus méritos y defectos literarios— posee una importancia que me atrevo a llamar histórica. *Laurel* hace palpable algo que se dice con frecuencia pero sobre lo que, a fuerza de repetirse —la repetición mecánica es una forma del olvido—, no se ha reflexionado bastante: la riqueza y la variedad de la poesía moderna de lengua española, desde Rubén Darío hasta el presente. Los dos elementos que fundan a las grandes tradiciones —la excelencia y la diversidad— aparecen en nuestra poesía. Pero *Laurel* nos revela algo más: al mostrar lo que ha sido durante este siglo la poesía de hispanoamericanos y españoles, nos presenta la imagen de una civilización que ha sobrevivido a muchos desastres, degradaciones y derrotas. La poesía es la lengua, los oídos y los ojos de los pueblos: oye nuestros silencios, descifra lo que decimos despiertos o sonámbulos, mira lo que somos. La poesía de nuestra lengua nos dice y, al decirnos, muestra lo que somos y lo que podríamos ser. No es una fe ni una doctrina: es una visión y, más que nada, una invitación a conocernos y a transfigurarnos.

México, a 10 de noviembre de 1979

[«México y los poetas del exilio español» es la ampliación de unas líneas leídas el 10 de noviembre de 1979, en una reunión conmemorativa de la llegada de los republicanos españoles a México en 1939. Se publicó en *Hombres en su siglo,* Seix Barral, Barcelona, 1984.]

El cuerpo del delito

Los organizadores del Festival de Berlín, *Horizonte 82*, dedicado a la literatura y al arte de América Latina, me invitaron para que dijese unas palabras en la ceremonia de inauguración. Acepté y en la fecha señalada pronuncié un breve discurso. Al día siguiente, en un auditorio de esa ciudad, leí algunos de mis poemas y dos jóvenes poetas alemanes leyeron sus traducciones de esos textos. El acto terminó con una conversación pública sobre la poesía, el arte de la traducción de poemas y otros temas semejantes. En ninguna de estas dos ocasiones me enfrenté a signo alguno de oposición o inconformidad del público ante mis palabras. Sin embargo, unos días después, en Nueva York, en el camino de regreso a México, me enteré por un periódico de que mi discurso había provocado un pequeño escándalo. Irritados por lo que había dicho (o más bien: por lo que *no había dicho*), algunos escritores sudamericanos y centroamericanos, después de mi salida, en dos o tres reuniones públicas, habían criticado con indignación y acritud mis palabras. Según la prensa, me reprochaban no haber dicho nada sobre las dictaduras militares sudamericanas y, sobre todo, no haber tocado el tema de las Malvinas. El primer cargo me asombra: siempre he condenado a las dictaduras militares de América Latina. La diferencia entre mi posición y la de mis críticos es la siguiente: yo me niego a distinguir entre los escritores víctimas de la Junta Militar de Argentina o de Pinochet y los perseguidos por la dictadura burocrática de Castro. El silencio frente a los escritores encarcelados en Cuba o desterrados de la isla ha sido y es escandaloso. El segundo cargo es más bien cómico. Transmito la queja a los pingüinos y las ballenas del Antártico... Para poner las cosas en su sitio —y ya que los despachos de la prensa, como era natural, sólo dieron a conocer una versión muy recortada de mis palabras— juzgo útil reproducir íntegro mi pequeño discurso.

Cuando se me invitó a participar en este acto de inauguración del

Festival de Berlín de 1982, dedicado a la literatura y al arte modernos de América Latina, acepté inmediatamente. Obedecí a un impulso que fue, a un tiempo, entusiasta e imprudente. Entusiasta porque este Festival es una confirmación del reconocimiento que, desde hace algunos años, han conquistado las letras y las artes de las naciones americanas de habla española y portuguesa. América Latina no es sólo una tierra célebre por sus contribuciones al triste folklore político del siglo XX sino también por las obras de sus escritores y sus artistas. Así como el siglo pasado fue el de la aparición de dos grandes literaturas, la de los Estados Unidos y la de Rusia, este siglo ha sido el de la aparición de la literatura latinoamericana, escrita en español o en portugués. La novedad histórica de nuestros pueblos no está en sus desdichadas agitaciones y en sus tiranías sino en un conjunto reducido pero excepcional de poemas, novelas y cuentos. Gracias a ese puñado de obras la literatura mundial de la segunda mitad del siglo XX es más rica y diversa. Pero, como ya dije, al aceptar la invitación de los organizadores del Festival no sólo fui entusiasta sino imprudente. Se me ha pedido que diga algunas palabras sobre la literatura y el arte de América Latina; aparte de las dificultades inherentes al tema, vasto y arduo, en mi caso hay una de veras insuperable: no se puede ser juez y parte. Mi visión de la literatura contemporánea de América Latina fatalmente es parcial; no es la visión de un espectador sino de un actor. Mis juicios y observaciones expresan un punto de vista muy personal y están más cerca de la confesión que de la teoría.

Las literaturas son realidades complejas: autores que escriben obras y editores que las difunden, lectores y críticos que las leen o las condenan al olvido. Todos estos elementos participan en el fenómeno literario no como entidades aisladas sino en continua relación e intercambio. El autor escribe la obra y el lector, al leerla, la recrea, la rehace o la rechaza; a su vez, la obra modifica el gusto, la moral o las ideas del lector; por último, las opiniones y reacciones del lector influyen en el autor. Así, la literatura es una red de relaciones o, más exactamente, un circuito de comunicación, un sistema de intercambio de mensajes e influencias recíprocas entre autores, obras y lectores. Hay que agregar que es un sistema en continuo movimiento. La publicación de una obra nueva cambia el orden y la posición de las otras obras; otro tanto debe decirse de la aparición de cada generación de lectores y críticos. Después de Freud no leemos con los mismos ojos a Sófocles. Cada lector —aunque sus gustos y opiniones hayan sido formados por su clase social, su educación, su edad y su ambiente— es una persona única y, además, una persona que nunca es la misma. Nuestros gustos y opiniones de hoy no son los de ayer. Lo mismo sucede con el autor: salvo el nombre, poco o nada hay en común entre el joven poeta libertino llamado John Donne y el reverendo Donne, predicador y deán de San Pablo.

Lo que he dicho acerca de los autores y lectores es aplicable también a las obras. Aunque la crítica de los estructuralistas ha puesto de manifiesto la existencia de elementos invariantes en cada forma literaria, es claro que cada obra de verdad valiosa posee un carácter particular y tiene un sabor único, inconfundible. Las estructuras de la *Odisea*, la *Eneida* y *Los Lusíadas* pueden ser semejantes pero cada uno de estos poemas es distinto e irreductible a los otros. La literatura es una relación entre realidades irrepetibles y cambiantes: autores, obras y lectores. Por esto es imposible tratar de reducir una literatura a unos cuantos rasgos generales. ¿Qué hay en común, excepto la lengua, entre la sabiduría popular del *Martín Fierro* y el lirismo personal de Darío, entre los cuentos metafísicos de Borges y el *Ulises criollo* de José Vasconcelos, entre el *Primero sueño* de Juana Inés de la Cruz y la *Residencia en la tierra* de Pablo Neruda?

Tanto o más que un sistema de relaciones, una literatura es una historia: el dominio de lo particular, lo cambiante y lo imprevisible. Una historia dentro de la historia grande que es cada civilización, cada lengua y cada sociedad. Sin embargo, las explicaciones históricas con su complicada red de causas sociales, económicas, políticas e ideológicas, no explican enteramente a la literatura. Hay en cada obra artística un elemento —poesía, imaginación, qué sé yo— irreductible a la causalidad histórica. La literatura latinoamericana no es una excepción: nace en y con la historia de nuestros pueblos pero su desarrollo no puede explicarse únicamente por la acción de las fuerzas históricas, sociales y políticas. La influencia de la tradición literaria, por ejemplo, ha sido quizá mayor que la de las condiciones sociales.

A pesar de las grandes diferencias entre la sociedad latinoamericana y la norteamericana, hay un rasgo que une a las literaturas de los Estados Unidos, Brasil e Hispanoamérica: el uso de una lengua europea transplantada al continente americano. Este hecho ha marcado a las literaturas de América de una manera más profunda y radical que las estructuras económicas y que los cambios en la técnica y en la política. Las tres literaturas se propusieron desde el principio romper la relación de dependencia que las unía con las de Inglaterra, Portugal y España. Lo intentaron y realizaron a través de un doble movimiento: por una parte, buscaron apropiarse de las formas y maneras literarias prevalecientes en Europa y, por otra, trataron de expresar a la naturaleza americana y a los hombres que vivían en nuestro suelo. Cosmopolitismo y nativismo. O como decía el crítico norteamericano Philip Rahv: dos razas de escritores, la de los «caras pálidas» y la de los «pieles rojas», la raza de los Henry James y la de los Walt Whitman. En la América de habla española estas dos actitudes están representadas, una, por la tradición que va de Sarmiento a Vallejo y, otra, por la que va de Darío a Reyes y Borges.

La oposición entre escritores cosmopolitas o europeizantes y escritores nativistas o americanistas dividió a la conciencia literaria latinoamericana durante varias generaciones. José Enrique Rodó saludó la publicación de *Prosas profanas,* el libro de Rubén Darío que representa el apogeo del simbolismo en su primera fase, como la obra de un gran poeta a un tiempo nuevo y exquisito; sin embargo, lamentó que en aquellas sorprendentes construcciones verbales no apareciesen ni la naturaleza ni el hombre americanos. «Es un gran poeta —dijo—, pero no es nuestro poeta.» Después, durante una larga temporada, estuvo de moda el adjetivo *telúrico;* los críticos literarios se servían de esta palabra, generalmente como término de elogio, para subrayar el arraigo de un escritor en el suelo americano. Recuerdo que cuando conocí a Gabriela Mistral, hace ya cerca de cuarenta años, me pidió muy amablemente que le mostrase mis poemas, que no conocía. Nada más natural: a ella le acababan de otorgar el premio Nobel y yo era un escritor desconocido, un principiante. La obedecí, encantado, y le envié un pequeño libro acabado de publicar. A los pocos días la encontré en casa de un amigo común; al verme, me recibió con unas palabras corteses y en las que la piedad se mezclaba a una suerte de reprobación: «Sus poemas me gustan, aunque están lejos de mí. Usted podría ser un poeta europeo; no es, para mi gusto, bastante *telúrico...*» Enrojecí al oír el adjetivo fatal: estaba condenado. No ser *telúrico* era un pecado de nacimiento, como haber nacido sordo en un país de músicos.

En aquellos días yo veía al poeta *telúrico* como un árbol venerable, de tronco ancho, copa frondosa e innumerables raíces hundidas en las profundidades del continente americano. Las barbas de Whitman me parecían las raíces aéreas del baniano, el árbol sagrado de la India. Me consolaba pensando que el poeta Vicente Huidobro nunca quiso tener raíces; incluso predicó la necesidad de cortarlas: para volar —y él concebía a la poesía como aviación verbal— no hacen falta raíces sino alas. En cambio, la poesía de Neruda está animada por el movimiento contrario y en algún poema compara a sus pies con raíces. No en balde su mejor libro se llama *Residencia en la tierra.*

Hoy sonrío al recordar a Gabriela Mistral y al *telurismo.* ¿Quién usa hoy esa palabra? Aquella división entre escritores cosmopolitas y americanistas, aéreos y enraizados, era artificial y no reflejaba la realidad de nuestra literatura. Nuestros grandes autores han sido, simultáneamente, cosmopolitas y americanos, con los pies en la tierra y la cabeza en las nubes. O a la inversa: unos han practicado el vuelo hacia arriba y otros hacia abajo, unos han sido mineros de las alturas y otros aviadores de las profundidades. El afrancesado Darío escribió poemas de intenso color americano y César Vallejo, para hablar del hombre peruano con su lenguaje de hueso y piedra lunar, tuvo antes que hacer suyas las innovaciones de la vanguardia europea de la primera posguerra. Lo mismo puede decirse de los otros grandes autores hispanoamericanos. Las dos actitudes deben verse no como tendencias separadas y enemigas sino como líneas que se entrecruzan, se bifurcan, se enlazan y vuelven a separarse, formando un tejido vivo. Este tejido es nuestra literatura. Los escritores latinoamericanos, como los norteamericanos, vivimos entre la tradición europea, a la que pertenecemos por el idioma y la civilización, y la realidad americana. Para nosotros, hispanoamericanos, la tradición original, la más nuestra, la primordial, es la española. Escribimos desde ella, hacia ella o contra ella: es nuestro punto de partida. Al negarla, la continuamos; al continuarla, la cambiamos. Relación a un tiempo erótica y polémica que repiten las literaturas americanas de lengua inglesa y portuguesa. Nuestras raíces son europeas pero nuestro horizonte es la tierra y la historia americanas. Éste es el desafío al que nos enfrentamos diariamente y que cada uno de nosotros debe resolver de una manera personal. La literatura latinoamericana no es sino el conjunto de respuestas, cada una distinta, que hemos dado a esa pregunta que nos hace a todos nuestra condición original.

La oposición entre cosmopolitismo y americanismo es de orden complementario; las dos actitudes son modalidades de la conciencia americana, desgarrada entre dos mundos. Son dos momentos de la misma aventura espiritual e intelectual: el cosmopolitismo es la salida de nosotros mismos y de nuestra realidad, el americanismo el regreso a lo que somos y a nuestro origen. Para regresar, hay que salir antes de uno mismo;

a su vez, para no disiparse en el vacío, aquel que sale debe volver a su punto de partida. *Cosmopolitismo* y *americanismo* son dos términos extremos de la dialéctica entre lo abierto y lo cerrado. En la geografía literaria de Hispanoamérica —Brasil es un caso aparte— los polos de estas actitudes están representados por dos capitales, Buenos Aires y México. Una con los ojos puestos en Europa, otra encerrada entre sus montañas; una ligera de pasado, otra atada por tradiciones antiguas y contradictorias. Por supuesto, hablo de estas dos ciudades más como emblemas ideales que como realidades concretas. Buenos Aires y México representan vocaciones históricas pero ni las obras ni sus autores son siempre fieles a estas geometrías intelectuales. ¿Cómo olvidar, por ejemplo, que en la Argentina se escribió el *Martín Fierro,* la obra hispanoamericana que encarna más plena y cabalmente las ambiciones, los riesgos y los límites del tradicionalismo y el regionalismo? ¿Y no es un mexicano, José Gorostiza, el autor de *Muerte sin fin,* el poema más riguroso de nuestra poesía moderna, construcción cristalina e inflexible, intocada por la seducción y las facilidades del color local y el habla popular?

El proceso es cíclico. Hay periodos en que predomina la sensibilidad hacia afuera, el amor a la exploración y al viaje; otros en que triunfan las tendencias ensimismadas, el recogimiento y la introspección. Un ejemplo de lo primero fue la fase inicial del modernismo, entre 1890 y 1905, caracterizada por la influencia de la poesía simbolista europea y, en la prosa, por la del naturalismo. A esta fase sucedió, hacia 1915, el llamado posmodernismo que fue una vuelta a América y al habla coloquial. Otro ejemplo, más cerca de nosotros: el rico periodo de la vanguardia, entre 1918 y 1930. Fue una etapa de búsqueda y experimentación. Los sucesivos movimientos europeos, del expresionismo al surrealismo, influyeron profundamente en nuestros poetas y novelistas. A este primer momento, al que debemos algunas obras excepcionales por su audacia expresiva, siguió otro de reconstrucción, consolidación de lo conquistado y creación de obras menos deudoras de la actualidad. Inmediatamente después de los escritores de vanguardia, que habían aparecido en la década de 1920, surge un nuevo grupo, hacia 1940: mi generación. Fue seguido, quince años después, por otro en el que se distinguen los novelistas. Así, en esta segunda mitad del siglo XX coinciden tres generaciones (para no hablar de los más jóvenes). En las tres se manifiesta el doble ritmo de ruptura y regreso a que he aludido. Ha sido el gran periodo creador de nuestras letras. A la obsesión por la novedad, la experimentación y la búsqueda de formas, ha sucedido una literatura de exploración de la realidad y del lenguaje. Regreso al origen pero también conquista de territorios no tocados antes por la imaginación poética.

Durante esos años, sobre todo después de la segunda guerra y en casi todo el mundo, aparecieron tendencias y movimientos ideológicos que proclamaron, bajo distintas formas, lo que se ha llamado con expresión poco afortunada, «literatura comprometida». Los artistas intentaron insertarse en la historia viva pero, casi siempre, confundieron la política con la historia. Con frecuencia se convirtieron en los servidores de causas ideológicas y se transformaron en propagandistas. Los fundamentos del «arte comprometido» eran más bien frágiles: se suponía que la historia estaba animada por un movimiento de ascenso y que ese movimiento estaba representado, en nuestra época, por una clase dirigida por un partido, a su vez regido por un comité y éste por un jefe. Poco, muy poco, ha quedado de ese arte ideológico. Lo más triste no fue la pobreza estética de las obras sino la baja de la tensión moral y política: el movimiento de «ascenso histórico» desembocó en el campo de concentración y en la dictadura burocrática.

La situación de la literatura contemporánea latinoamericana no es, esencialmente, distinta a la del resto del mundo y puede caracterizarse por dos notas. La primera es el desvanecimiento de las escuelas y tendencias que dieron vida a los movimientos de vanguardia durante la primera mitad del siglo XX; la segunda es la decepción ideológica; las utopías se transformaron en cárceles y el sueño de una sociedad libre y fraternal se petrificó: cuarteles en lugar de falansterios. El ocaso de las vanguardias artísticas y el descrédito de las ideologías políticas no significan ni renuncia al arte ni deserción ante la historia. En las páginas finales de un libro que he dedicado a este tema (*Los hijos del limo*[1]) apunté que mientras el arte del pasado inmediato se había desplegado bajo el signo de la ruptura, el de nuestro momento es un arte de convergencias: cruce de tiempos, espacios y formas. Este fin de siglo ha sido también una vuelta de los tiempos; descubrimos ahora lo que los antiguos sabían: la historia es una presencia en blanco, un rostro desierto. El poeta y el novelista deben devolver a ese rostro sus rasgos humanos. Es una empresa que requiere imaginación pero, asimismo, temple moral. La literatura que escribimos no renuncia a la historia pero sí a las simplificaciones del arte ideológico

[1] Incluido en el volumen I, *La casa de la presencia*, de estas *OC*.

y a las afirmaciones y negaciones perentorias de los modernistas. No es un arte de certidumbres sino de exploración, no es una poesía que muestra un camino sino que lo busca. Es un arte y una poesía que dibujan el signo que, desde el comienzo del comienzo, han visto los hombres en el cielo: la interrogación. Las manos que trazan ese signo pueden ser latinoamericanas pero su significado es universal.

Berlín, 1982

[«El cuerpo del delito» se publicó en *Sombras de obras*, Seix Barral, Barcelona, 1983.]

Literatura hispánica de y en los Estados Unidos

Hace unos meses la Universidad de Miami y la compañía American Express me invitaron a pronunciar unas palabras en este acto. Acepté sin vacilar y, añado, con gratitud y con alegría. Apenas si necesito explicar las razones: la institución del concurso literario Letras de Oro merece el reconocimiento no sólo de la gente de nuestra lengua sino de todos aquellos que aman nuestra literatura. Premiar obras escritas en español por residentes en los Estados Unidos es un acto de liberalidad inteligente: por una parte, estimula la creación literaria y, por otra, fomenta la cultura de nuestras comunidades. Además, es un acto de sabiduría política, en los dos sentidos de la palabra: el de asunto público, relativo a la sociedad en su conjunto, y el de cortesía y urbanidad en las relaciones humanas. Los premios Letras de Oro son el reconocimiento de una realidad cada día más poderosa y compleja: la existencia de veinte millones de personas de habla española que viven en los Estados Unidos. Esta considerable realidad demográfica es, asimismo, una realidad histórica y espiritual: esos veinte millones viven, trabajan, aman, piensan, rezan, cantan, sufren, bailan, sueñan y mueren en español. Hablar una lengua es participar en una cultura: vivir dentro, con o contra, pero siempre en ella.

Los idiomas de América son un tema no sólo lingüístico sino histórico. La geografía de las lenguas que se hablan en nuestro continente se funde con nuestra prehistoria y nuestra historia, con nuestro presente y nuestro porvenir. Una suerte de simetría rige su distribución en las dos mitades de América: en la del Sur predominan el español y el portugués; en la del Norte, el inglés y el español. No olvido las lenguas indígenas, sobrevivientes del cataclismo que fue la expansión europea en el Nuevo Mundo; tampoco las zonas en que se habla francés u otros idiomas; sin embargo, las lenguas mayoritarias son las que acabo de mencionar: el inglés, el español y el portugués. Los tres proceden de Europa, de modo que la mayoría de los americanos tenemos una relación peculiar con el idioma que hablamos: es nuestro pero también es de otros pueblos. El inglés de Whitman es el de Spenser, el español de Darío es el de Garcilaso. Nuestra tradición es de esta tierra y de ultramar, de aquí y de allá: es un puente que une distintos espacios y tiempos.

La gran división lingüística entre el Sur y el Norte se desdobla en otra que es histórica y cultural. En el Sur los dos idiomas principales descienden del latín, y dentro de la familia de las lenguas romances están unidas por una relación que me atrevo a llamar fraternal: las dos nacieron en la península ibérica y desde hace cerca de un milenio han compartido las mismas vicisitudes históricas. En cambio, en el Norte la dualidad se resuelve en oposición: el inglés y el español no sólo proceden de diferentes familias lingüísticas sino que han sido, en el curso de la historia moderna, la expresión de dos versiones divergentes de la civilización europea. Varias veces me he ocupado de este tema y no volveré ahora sobre él: baste con recordar que el español se identifica con una visión del tiempo y del mundo radicalmente distinta a la de la moderna cultura angloamericana. Las raíces morales e intelectuales de esta última están en la Reforma protestante del siglo XVI; en ese mismo periodo, pero en dirección opuesta, España y Portugal fundan en América dos imperios católicos. Unos y otros, angloamericanos e hispanoamericanos, somos hijos del siglo XVI y de las dos visiones del mundo que dividieron en esa época a la conciencia y a la historia europeas.

Las divisiones y oposiciones que he mencionado se transforman en otra dualidad aún más notable, pues se despliega en el interior de una nación: el inglés y el español conviven en los Estados Unidos. Cierto, la minoría más numerosa no es la hispánica sino la negra pero esta última habla, como lengua materna, el inglés. Así, desde el punto de vista lingüístico, la minoría más importante es la de habla española. Al gran número debe añadirse la extraordinaria cohesión cultural, familiar y religiosa. Esta cohesión explica la persistencia y la vitalidad de la lengua española en los Estados Unidos. Es la lengua que se habla en el seno de la familia, es decir, es la lengua de una sociedad dentro de la sociedad. La lengua de la familia es el vehículo de la relación más profunda de una comunidad: la relación con ella misma. A esta característica que es a un tiempo histórica y religiosa, se enlaza otra en apariencia contraria: la diversidad étnica. Los millones de individuos que pertenecen a la comunidad hispánica son indios, blancos, negros, mulatos y mestizos. La variedad racial se multiplica en la diversidad de orígenes: mexicanos, cubanos, portorriqueños, salvadoreños, argentinos, españoles, chilenos, peruanos, nicaragüenses, hondureños, etc. Pluralidad y diversidad pero asimismo cohesión: todos hablan en español. Los regionalismos y los modismos, por más numerosos que sean, no quebrantan la unidad de nuestra lengua. Más bien, la enriquecen.

El resultado de todas estas circunstancias, sobre las que, por desgracia, no puedo extenderme, ha sido un hecho único y absolutamente nuevo en la historia de los Estados Unidos: el bilingüismo predominante en algunos estados y varias ciudades de la Unión Norteamericana. No necesito subrayar el significado de este hecho: las lenguas son visiones del mundo, modos de vivir y convivir con nosotros mismos y con los otros. No es muy aventurado decir que la historia de los Estados Unidos, en el siglo XXI, estará marcada por la coexistencia de las dos visiones del hombre y del mundo que son la lengua inglesa y la española.

La realidad lingüística tiene una dimensión geográfica y otra histórica; asimismo, tiene una dimensión literaria. El tema de las relaciones de la literatura de nuestra lengua con los Estados Unidos apenas si ha sido explorado. Un capítulo es el de las reacciones que han experimentado nuestros escritores ante la inmensa y variada realidad norteamericana. En un extremo, la admiración que sintieron Sarmiento y Borges; el primero encontró un modelo en la democracia de los Estados Unidos, al segundo lo fascinaron sus poetas y sus novelistas. En el otro extremo, Vasconcelos y Neruda: el mexicano sintió la aversión de un discípulo de Plotino y un hijo de Roma ante el pragmatismo y el utilitarismo angloamericano, mientras que en el chileno la pasión política alcanzó una suerte de incandescencia que colindaba con la ferocidad religiosa. Una laguna: los escritores españoles han reflexionado poco acerca de los Estados Unidos y su cultura. En la vasta literatura de este tema echo de menos algún ensayo de Unamuno o alguna meditación de Ortega y Gasset. En cambio, en el dominio de la poesía los españoles han dejado un testimonio notable: *Poeta en Nueva York*. Escritos a la sombra de Whitman, una sombra desgarrada por los relámpagos del surrealismo, esos poemas son poderosas detonaciones, explosivas imágenes de una ciudad más soñada que vista. Sin embargo, nos dicen más del poeta García Lorca que de Nueva York.

La primera obra hispanoamericana escrita en los Estados Unidos, es una novela de autor anónimo, *Jicotencatl*. Fue publicada en Filadelfia, en 1826. No posee gran mérito literario pero, como subraya Luis Leal, que la ha estudiado con penetración, es el origen de un género muy frecuentado por nuestros escritores: la novela histórica de tema indígena, o, como en este caso, indoespañol. En *Jicotencatl* no aparece la realidad norteamericana; medio siglo después, es una presencia constante en los ensayos y artículos de José Martí. La vida, la historia, la cultura y la política de los Estados Unidos preocuparon al gran cubano y sobre ellas escribió reflexiones muy hondas, algunas proféticas. Debemos a Martí la primera aparición en nuestra lengua —y en muchas otras, como el francés y el italiano— de un nombre que sería central en la historia de la poesía del siglo XX: Walt Whitman. Después de Martí, el poeta de Manhattan ha tenido una larga descendencia hispanoamericana. Su caso es análogo al de Poe: la influencia de ambos ha sido, simultáneamente, fecunda y deplorable. Los dos poetas comparten el temible poder de provocar reacciones opuestas: Whitman suscita el entusiasmo y el parloteo; Poe, el sentido del misterio y el tintirintín. Darío, Santos Chocano, García Lorca, Borges y Neruda han sido, alternativamente, los herederos, las víctimas y los rivales de Whitman, como Silva, Nervo, Jiménez, Tablada y tantos otros —a veces a través de los poetas franceses— lo fueron de Poe.

La seducción frente a las obras de los poetas y novelistas norteamericanos es la mitad de la historia; la otra mitad es la atracción por ciertas figuras de la mitología bárbara de los Estados Unidos, malhechores y aventureros fuera de la ley. Un ejemplo es la colección de anécdotas —sorprendentes, atroces o sórdidas— recogidas por Borges en su *Historia universal de la infamia.* No es una historia ni es universal pero en ese libro la infamia alcanza una doble y perversa dignidad: una, la literaria, la invención poética; otra, la metafísica, el mal ubicuo. Borges publicó muchos de estos relatos, antes de recogerlos en un libro, en la revista *Sur;* si no me equivoco, entre ellos figuraba uno, después desechado, acerca del famoso Joaquín Murrieta. Este tipo de figuras, en las fronteras entre heroísmo e ignominia, lo fascinaron siempre, aunque quizá el origen de Murrieta no era de su agrado. Ante los mexicanos sentía cierta antipatía, menos declarada que frente a los españoles pero igualmente irrefrenable.

Una digresión mínima: la actitud de Borges probablemente era un sentimiento de clase; la oligarquía argentina de principios de siglo se avergonzaba de sus orígenes españoles. Era la época en que se discutía si España era realmente parte de la civilización europea y los argentinos se enorgullecían de ser ante todo y sobre todo europeos. Igual horror experimentaban ante los otros países de América Latina, especialmente aquellos, como México, con una fuerte coloración india. De ahí el desconcierto de las clases acomodadas y de muchos intelectuales ante la aparición del peronismo: no lo comprendían y lo veían como la irrupción de una realidad desconocida. Recuerdo la sorpresa de varios escandalizados amigos argentinos cuando, una noche en París, en 1947 o 1948, me oyeron decir que la reciente victoria de Perón no era sino otra manifestación de un fenómeno cíclico: el caudillismo latinoamericano.

Verdadero mito —héroe, bandido, ángel vengador— la imagen de Joaquín Murrieta es la encarnación de la justicia popular, ambigua constelación de crueldades, buenos sentimientos, lealtades, crímenes atroces y fatalismo. El bandido vengador apareció en California hacia 1850, esparció el terror durante unos pocos años y murió de muerte violenta en 1853.[1] Desde entonces su fantasma no ha cesado de visitar la imaginación de novelistas, historiadores, poetas y dramaturgos. El ciclo de Joaquín Murrieta comienza un año después de su muerte con una biografía novelada: *Life and Adventures of Joaquín Murieta, the Celebrated California Bandit* (San Francisco, 1854). El autor, aventurero y periodista, se llamaba Pájaro Amarillo, por otro nombre John Rolling Ridge. Era hijo de un cacique cheroqui y de una blanca. Al libro de Ridge siguieron otros. Al principio, Joaquín fue un mexicano de Sonora y como tal figura en el primer relato en español de sus aventuras: *Vida y muerte del más célebre bandido sonorense, Joaquín Murrieta* (México, 1908). El autor fue mi abuelo, Ireneo Paz. Al pasar del inglés al español, Joaquín ganó una ere en su apellido: Murrieta. El personaje estaba destinado a tener, como tantos héroes, un origen incierto. En 1926, en San Antonio, Texas, Ignacio Herrera publicó una nueva versión: *Joaquín Murrieta, el bandido chileno de California.* Transfiguración final: en 1967, en Santiago de Chile, Pablo Neruda publica su poema dramático *Fulgor y muerte de Joaquín Murieta, bandido chileno.* El sonorense volvió a perder una ere pero ganó otra patria y, con ella, la celebridad poética.

En la primera mitad de este siglo, entre 1900 y 1950, aparecieron muchos libros escritos en los Estados Unidos por autores de nuestra lengua. La lista es impresionante, por el número y por la calidad. Me limitaré, no hay tiempo para más, a recordar únicamente a dos. El primero son

[1] Si realmente era de Joaquín Murrieta la cabeza presentada por el capitán Harry Love y su banda de *rangers* para cobrar los cinco mil dólares de recompensa ofrecidos por la legislatura de California por la entrega, vivo o muerto, del bandido. La cabeza fue exhibida en varios «museos» de California.

las *Memorias* de José Vasconcelos, escritas en el destierro. Memorias de un hombre extraordinario, este libro también es extraordinario. Lo es por más de un motivo: por su prosa encendida, por el dramatismo del relato, por la variedad de los caracteres, por la vivacidad de los paisajes, por la poesía de algunas evocaciones, por la pintura, en fin, de la pasión amorosa y de su hermana enemiga: la egolatría. Es un libro animado por el entusiasmo, sentimiento sagrado, y por la cólera. Un libro que todavía no tiene, fuera de México, los lectores que merece. El fondo del relato de Vasconcelos es la oposición entre los dos grandes protagonistas históricos de este continente: la visión angloamericana y la hispanoamericana.

La segunda obra es un largo poema. No es un diálogo entre civilizaciones ni entre personas: es un monólogo. El poeta interroga a su pasado: al interrogarse a sí mismo, interroga al lenguaje, protagonista central de toda obra poética. El poema se llama *Espacio* y fue escrito por Juan Ramón Jiménez al final de su vida, aquí en Florida, precisamente en este distrito: Coral Gables. Sería vano intentar resumir, entre líneas, qué es lo que dice *Espacio*. La palabra es tiempo, como el hombre mismo; a veces, el tiempo se detiene y entonces nos parece que tiene la plenitud del espacio que no cambia. Plenitud momentánea: el espacio también es movimiento, también es cambio. Por la poesía entreabrimos las puertas del espacio y del tiempo, fusión mágica del movimiento y la quietud. Oigamos a Juan Ramón: «El sur, el sur, aquellas noches, aquellas nubes de aquellas noches de conjunción cercana de planetas [...] Las garzas blancas habladoras en noches de excursiones altas. En noches de excursiones altas he oído por aquí hablar a las estrellas [...] Hablaban, yo lo oí, como nosotros. Esto era en las marismas de la Florida llana, la tierra del espacio con la hora del tiempo».

He hablado de la literatura de lengua española en y ante los Estados Unidos. No he hablado de la literatura hispana *de* los Estados Unidos. Es una literatura que pertenece, sobre todo, al porvenir. Es y será la expresión de esa gran realidad histórica a que aludí al comenzar: la comunidad hispana. Las tres colectividades que la componen, así como los grupos menores, apenas empiezan a decir su palabra. Sin embargo, el concurso Letras de Oro es un aviso de su vitalidad: no es difícil advertir que una nueva rama de nuestra literatura está naciendo en estas tierras. Tampoco es difícil prever que esta nueva literatura vivirá en perpetuo diálogo con la literatura angloamericana. Su tema, declarado o secreto, será la realidad de este país y la más extraña realidad de hablar español en la tierra de

Melville y de Henry James, de Faulkner y de Eliot. Si los hispanos hablan y son oídos, la cultura de este país será más rica y más viva. La misión histórica y espiritual de la minoría hispana en la democracia norteamericana consiste en expresar la visión *otra* del mundo y del hombre que representan nuestra cultura y nuestra lengua.

Miami, 1987

[«Literatura hispánica de y en los Estados Unidos» son las palabras pronunciadas en la Universidad de Miami el 22 de enero de 1987. Se publicaron en la revista *Vuelta,* núm. 124, México, marzo de 1987, y se recogieron en *Al paso,* Seix Barral, Barcelona, 1992.]

CORRIENTE ALTERNA

Antonio Machado

Prosa y poesía, vida y obra, se funden con naturalidad en la figura de Antonio Machado. Su canto también es pensamiento; su pensamiento, reflexión del canto sobre sí mismo. Por la poesía, Machado sale de sí, aprehende al tiempo y a las formas en que éste se despliega: el paisaje, la amada, el limonero junto al muro blanco; por el pensamiento, se recobra, se aprehende a sí mismo. Poesía y reflexión son operaciones vitales. Pero su vida no sustenta a su obra. Más bien es a la inversa: la vida de Machado, el opaco profesor de Soria, el solitario distraído, se apoya en la obra de Machado, el poeta, el filósofo. Del mismo modo que sus primeros poemas sólo pueden ser comprendidos cabalmente a la luz de sus últimas meditaciones, su vida sólo es inteligible a partir de su obra. Es una creación suya. Y de su muerte. A partir de su muerte, su vida cobra plena significación; o más exactamente: cuando muere, dos días después de haber cruzado la frontera francesa con los restos del Ejército Popular, su vida se realiza al fin, se consuma. Antes sólo había sido sueño y reflexión: soñar o soñar que soñaba, aspiración a realizarse en algo ajeno a él pero a cuyo contacto podría llegar a ser él mismo. Decía Machado que él no había asistido al acto más importante de su vida, aunque muchas veces lo había recordado en sueños: la tarde en que sus padres se encontraron por primera vez y se enamoraron. Estoy seguro de que, al morir, hizo algo más que recordar aquel encuentro: los enamorados de aquella tarde de sol, agua y velas a orillas del Guadalquivir empezaron a existir de verdad.

No hay que confundir la naturalidad con la simplicidad. Nadie más natural que Machado; nada más reticente que esa naturalidad. Su poesía es clara como el agua. Clara como el agua corriente y, como ella, inasible. Las máscaras —Abel Martín, Juan de Mairena— con que el poeta Machado se cubre el rostro, para que hable con mayor libertad el filósofo Machado, son máscaras transparentes. Tras esa transparencia, Machado desaparece. Se evade, por «fidelidad a su propia máscara». Abel Martín, metafísico de Sevilla, Juan de Mairena, profesor de gimnasia y retórica, inventor de una máquina de cantar, son y no son Machado: el poeta, el filósofo, el profesor de francés, el masón, el enamorado, el solitario. La máscara, idéntica al rostro, es reticente. Cada vez que se entrega, sonríe: hay algo que no acaba de ser expresado. Para entender la metafísica erótica de Abel Martín debemos acudir a los comentarios de Juan de Mairena. Éstos nos llevan a los poemas de Machado. Cada personaje nos envía a otro. Cada fragmento es el eco, la alusión y la cifra de una secreta totalidad. Por eso es imposible estudiar parcialmente su obra. Hay que abrazarla como un todo. O mejor dicho: hay que abrazar a cada una de sus partes como una totalidad, pues cada una es el reflejo de esa unidad escondida.

La obra de Machado es indivisible pero posee diversos estratos. Cada estrato transparenta otro. La claridad de Machado es vertiginosa. Leerlo es ahondar, penetrar en una transparencia sin fin: en una conciencia que se refleja a sí misma. Las máscaras de Machado parecen decirnos que son algo más que máscaras: son las formas en que se ha fijado un rostro perpetuamente móvil. La reticencia es una provocación y no tiene otro objeto que aguijonear nuestra sed. Machado, el ensimismado, sabe que sólo puede revelarse en otro, en un contrario que es un complemento: el poeta en el filósofo, el enamorado en la ausencia, el solitario en la muchedumbre, el prisionero del yo en el tú de la amada o en el nosotros del pueblo.

Abel Martín interroga a su creador: quiere saber quién fue el poeta Antonio Machado y qué quiso decir con sus poemas. Acaso insinúa, nada que sea radicalmente distinto a lo que expresa su prosa o a lo que afirman, con mayor claridad y concisión, su vida y su muerte: el yo, la conciencia de sí, es la manera de existir propia del hombre moderno. Es su condición fundamental, a ella le debe todo lo que es. Mas es una condición que lo asfixia y que acaba por mutilarlo. Para ser, para que el yo se realice y logre su plenitud, es necesaria la conversión: el yo aspira al tú, lo uno a lo otro, «el ser es avidez de ser lo que él no es». Pero la razón se obstina en permanecer idéntica a sí misma y reduce el mundo a su imagen. Al afirmarse, niega la objetividad. Abel Martín reputa como aparenciales todas las formas en que la conciencia aprehende la objetividad, porque en todas ellas el objeto se reduce a la tiranía de la subjetividad. Sólo en el amor es posible aprehender lo radicalmente *Otro* sin reducirlo a la conciencia. El objeto erótico —«que se opone al amante como un imán que atrae y repele»— no es una representación sino una verdadera presencia: «la mujer es el anverso del ser». Al aprehender al irreductible objeto erótico —la frase no es contradictoria porque el objeto no es irreductible sino para la razón— el amante roza las fronteras de la verdadera objetividad y se transciende, se vuelve otro. Machado es el poeta del amor, nos dice su máscara, el filósofo Abel Martín.

En los poemas de Machado el amor aparece casi siempre como nostalgia o recuerdo. El poeta sigue preso en la subjetividad: «la amada no acude a la cita; la amada es ausencia». El erotismo metafísico de Machado no tiene nada de platónico. Sus mujeres no son arquetipos sino seres de carne; mas su realidad es fantasmal: son presencias vacías. Y su enamorado es Onán o Don Juan, los dos polos del amor solitario. Amada y amante coinciden sólo en la ausencia, presos ambos en la temporalidad, que los lanza fuera de sí y que al mismo tiempo los aísla. La ausencia es la forma más pura de la temporalidad. El diálogo erótico se transforma en monólogo: el del amor perdido, el del amor soñado. El poeta está a solas con el tiempo, frente al tiempo. La poesía de Machado no es un canto de amor: al contar el tiempo, lo canta. Machado es el poeta del tiempo, nos dice su crítico, Juan de Mairena.

Poeta del tiempo, Machado aspira a crear un lenguaje temporal que sea palabra viva en el tiempo. Desdeña el arte barroco porque éste mata al tiempo, al pretender encerrarlo en cárceles conceptuales. Él quiere tenerlo vivo, como Bécquer y Velázquez, esos «enjauladores del tiempo». La poesía del tiempo será aquella que esté más lejos del idioma conceptual: el habla concreta, fluida, común y corriente, el habla popular. Su amor por la palabra del pueblo se funde con su amor por la poesía tradicional: Manrique y el Romancero. El tradicionalismo de Machado es lo contrario de lo que se llama el «culto al pasado»; más bien se trata de un culto al presente, a lo que está presente siempre. Es un poeta tradicional porque el pueblo es la única tradición viva de España. El resto —Iglesia, Aristocracia, Milicia: el Pasado— es una estructura hueca que, por su pretensión misma de intemporalidad, oprime y mutila al presente vivo, a la España popular y tradicional.

Ahora bien, el lenguaje del tiempo acaso no sea el lenguaje hablado en las viejas ciudades de Castilla. Al menos, no es el de nuestro tiempo. No son ésas nuestras palabras. El idioma de la urbe moderna, según lo vieron Apollinaire y Eliot, es otro. Machado reacciona frente a la retórica de Rubén Darío volviendo a la tradición; pero otras aventuras —y no el regreso al Romancero— aguardaban a la poesía de lengua española. Años más tarde, Huidobro, Vallejo, Neruda y otros poetas hispanoamericanos buscan y encuentran el nuevo lenguaje: el de nuestro tiempo. Era imposible seguir a Machado y a Unamuno en su regreso a las formas tradicionales y de ahí su escasa influencia en los nuevos poetas. Otro tanto debe decirse del «españolismo» de algunos de sus poemas (en el sentido, un tanto cerrado e irrespirable, que esa palabra tiene para nosotros los hispanoamericanos). La reticencia aparece aquí con mayor claridad y se vuelve ambivalencia. Pues Machado —a la inversa de Juan Ramón Jiménez— es el primero que adivina la muerte de la poesía simbolista; y más: es el único entre sus contemporáneos y sucesores inmediatos que tiene conciencia de la situación del poeta en el mundo moderno. Al mismo tiempo, cierra los ojos ante la aventura del arte moderno. Esta aventura, como es sabido, consiste sobre todo en descubrir la poesía de la ciudad, en transmutar el lenguaje de la urbe y no en regresar al idioma de la poesía tradicional. Machado comprendió nuestra situación pero su poesía no la expresa. En este sentido su prosa es más fecunda que su poesía.

El tiempo se le escapa. Para recobrarlo, para revivirlo, tendrá que pensarlo. El poeta del tiempo es también su filósofo. La reflexión sobre el tiempo lo conduce a pensar en la muerte. El hombre se proyecta en el tiempo: toda vida es proyección en un tiempo que no tiene más perspectiva que la muerte. Machado se enfrenta a la muerte pero no la piensa a la estoica, como algo radicalmente distinto a la vida, o a la cristiana —como tránsito o salto de este mundo al otro. La muerte es una parte de la vida. Vida y muerte son dos mitades de una misma esfera. El hombre se realiza en la muerte. Sólo que, al contrario de lo que pensaba Rilke, para el poeta español la muerte no es la realización del yo: *el yo es irrealizable.* Preso en la subjetividad, preso en el tiempo, el hombre se realiza cuando se trasciende: *cuando se hace otro.* La muerte nos realiza cuando, lejos de morir nuestra muerte, morimos con otros, por otros y para otros. En uno de los últimos textos que poseemos de Machado, escrito poco antes de la caída de Barcelona, el poeta nos dice que el héroe, el soldado popular, los milicianos españoles, «son los únicos que realizan esa libertad para la muerte de que habla Heidegger». Y agrega: «la súbita desaparición del *señorito* y la no menos súbita aparición del *señorío* en los rostros milicianos son dos fenómenos concomitantes. Porque la muerte es cosa de hombres y sólo el hombre, nunca el *señorito,* puede mirarla cara a cara». Para morir por otros hay que vivir por otros, afirmar hasta la muerte la vida de los otros. Machado, al final de su vida, niega a los enemigos del pueblo español la posibilidad de transcenderse, de dar con su muerte vida a los otros. Esas gentes están condenadas a mal morir, a morir solas. Su muerte es estéril.

La meditación sobre la muerte se convierte así en una nueva reflexión sobre lo que él mismo llamaba «la esencial heterogeneidad del ser». El ser es erotismo puro, sed de *otredad:* el hombre se realiza en la mujer, el yo en la comunidad. La poesía más personal será aquella que exprese la visión más universal y común. Machado se da cuenta de que hay una contradicción entre su canto y su pensamiento. Y justifica así su lírica personal: el poeta moderno se canta a sí mismo porque no encuentra temas de comunión. Vivimos el fin de un mundo y de un estilo de pensar: el fin del lirismo burgués, el fin del yo cartesiano. En las fronteras del amor y de la muerte, encerrado en su soledad, el poeta canta el canto del tiempo: cuenta las horas que faltan para que caigan todas las máscaras y el hombre, libre al fin de sí mismo, se reconcilia con el hombre. Sólo el pueblo, «el hijo tardío de la agotada burguesía», gracias a la transformación revolucionaria que operará sobre la condición humana, podrá romper la cáscara de la subjetividad, la cárcel de cristal de roca del yo cartesiano. La metafísica erótica de Abel Martín, la angustia del tiempo de Juan de Mairena, la soledad de Antonio Machado, desembocan en la historia.

Machado ha intuido los temas esenciales de la poesía y la filosofía de nuestro tiempo. Su visión del ser como *heterogeneidad* y *otredad* me parece que toca la entraña misma, el tema central de la filosofía contemporánea; su desconfianza frente a la dialéctica hegeliana —fuente de tantos males de nuestra época— y su insistencia en examinar con ojos nuevos el principio de identidad, muestran asimismo, y con gran hondura, que la crítica que se hace la filosofía a sí misma y a sus fundamentos coincide con las aspiraciones más altas de la poesía. Novalis pensaba que «la lógica superior aboliría el principio de contradicción». La obra de Machado ofrece una vía para alcanzar esa lógica futura. Por otra parte, nadie ha vivido entre nosotros con mayor lucidez el conflicto del poeta moderno, desterrado de la sociedad y, al fin, desterrado de sí mismo, perdido en el laberinto de su propia conciencia. El poeta no se encuentra a sí mismo porque ha perdido a los demás. Todos hemos perdido la voz común, la objetividad humana y concreta de nuestros semejantes. Nuestro poeta vivió valerosamente esta contradicción. Siempre se rehusó a la transcendencia que le ofrecía la creencia en un Dios creador. Para Machado la divinidad es una criatura del hombre (Dios es el autor del «gran Cero», y su única creación es la nada). Blasfemo y reticente, apasionado y escéptico, Machado se rehúsa a todo, excepto al hombre. Mas su punto de partida —y en esto reside su gran originalidad y la fecundidad de su obra— no es la conciencia de sí sino la ausencia, la nostalgia del tú. Ese tú no es la objetividad genérica del fiel de un partido o de una Iglesia. El tú del poeta es un ser individual, irreductible. Metafísica concreta, metafísica del amor y, digamos la palabra, de la *caridad.*

Por una operación de dialéctica amorosa, el hombre de Machado sólo se encuentra cuando se entrega. Hay un momento en que el tú del amor se convierte en el nosotros. En 1936, a la luz del incendio de las iglesias, el poeta pudo contemplar por primera vez la aparición de ese nosotros en el cual todas las contradicciones se resuelven. Bajo las llamas purificadoras, el rostro del pueblo español no era diverso al del amor y al de la muerte. La libertad había encarnado. Abel Martín, Juan de Mairena, Antonio Machado no estaban solos. Habían dejado de ser máscaras: empezaban a ser. Podían morir: habían vivido.

París, abril de 1951

[«Antonio Machado» son las palabras pronunciadas en un homenaje a Antonio Machado, en la Sorbonne, en 1951. Participaron también Jean Cassou y la actriz María Casares. Se publicó en *Las peras del olmo,* UNAM, México, 1957.]

Vivacidad de José Moreno Villa

Se dice con frecuencia que nuestro verdadero rostro es el de muertos. En él todo lo que fuimos —y todo lo que quisimos y no pudimos ser— se muestra, al fin, desnudo, irrevocable y ya sin amenaza de cambio. Confieso que esta creencia nunca ha conquistado completamente mi adhesión. Inclusive para aquellos que la esperan como algo siempre inminente, la muerte es una sorpresa. En balde filosofía y religiones nos predican el arte de bien morir; somos mortales pero vivimos como si fuésemos eternos. Todas las caras de muerto que he visto revelan que el difunto luchó hasta el final y que ni siquiera en el instante de su vencimiento se reconcilió con la idea de no ser. Lo que nos horroriza en los muertos es el rictus de insatisfacción que marca sus rostros y la vanidad de este rictus. No, el rostro del hombre no es su cara de muerto. A lo largo de toda vida hay momentos en que nuestra cara se ilumina con la luz del amor, la imaginación, la fantasía o la inteligencia. ¿Y qué importa la duración de ese momento, si lo que cuenta es la plenitud que lo levanta y lo hace único, no como algo que estuviese fuera del tiempo sino como el tiempo mismo, por fin desnudo y henchido de significación? En momentos así el rostro del hombre se vuelve transparente y en sus rasgos podemos leer la promesa de una vida más densa y rica, más plena y *vida.*

La permanencia de un rostro se mide por su vivacidad. Yo no vi la cara de muerto de Moreno Villa pero puedo recordar ahora —con una claridad instantánea que la palabra no puede reproducir— los rostros sucesivos que le conocí, desde aquel ya remoto de la «foto» que aparece en la primera edición de la antología de Gerardo Diego hasta el último de hace unos meses, ya comido por la enfermedad. Y el de una tarde de 1938, recién llegado de España, hojeando libros en la Antigua Librería Robredo; las diferentes caras de muchos años de diaria tertulia en el Café París, con Barreda, Villaurrutia y otros amigos; caminando en la noche por el Paseo de la Reforma, con Larrea y León Felipe; una mañana de hace ocho meses, bebiendo cerveza con Luis Cernuda...

Rostros de Moreno Villa, nunca esculpidos ni dibujados, siempre móviles, cambiantes, saltando del asombro al desgano: viveza, lirismo, melancolía, elegancia sin sombra de afectación. Nunca pesado ni insistente. Moreno Villa pájaro. Pero ¿qué clase de pájaro? Ni águila, ni cóndor, ni albatros, ni ruiseñor, lechuza, cuervo o gerifalte. Ave fantástica. Ave rara. Y sin embargo, familiar de nuestro cielo y tierra. Ser compuesto de muchas cosas: urbanidad, naturalidad, reserva, ternura, humor, fantasía, soledad. Sobre todo: soledad. Pájaro solitario, aunque sin rehuir el trato de sus semejantes. (Voluntariamente se había cortado las uñas y las garras que otros literatos se afilan cada día.) Gesto de pájaro en su árbol, de poeta en su nube, bien arraigado en su cielo; ojos de ave que vuela alto y ve hondo, con los que vio y describió hombres y telas y monumentos de España y México; garganta de pájaro que canta no por placer sino por fatalidad libremente aceptada, garganta un poco seca por la sed y el aire solitario de la altura; pico rompe-nubes, proa para la navegación interior. Y alas. No sabía ni podía caminar entre la turba: alas para volar. Los rostros de Moreno Villa se me disuelven en un batir de alas: ya no hay rostro amigo, ha desaparecido la persona que llamábamos Moreno Villa, no existe ya ese islote que resistía la marea creciente de la estupidez ciudadana, se ha ido el pájaro familiar y remoto, no hay nada ya en que se apoye nuestra amistad excepto unos cuantos poemas, unos libros en prosa, unos cuadros, todo como escrito con lápiz, más dibujado que escrito, más apuntado que dibujado, más presentido que apuntado; no hay nada ya sino un gesto vivo en el aire, rumor de alas, estremecimiento y vibración del aire movido por las alas de un pájaro que ya no está, que se ha ido y nos ha dejado —prenda, promesa y revelación de un mundo menos sórdido— unas cuantas plumas incomparables.

México, 1955

[«Vivacidad de José Moreno Villa» se publicó en *Las peras del olmo*, UNAM, México, 1957.]

Recoged esa voz: Miguel Hernández

En una cárcel de su pueblo natal, Orihuela, ha muerto Miguel Hernández. Ha muerto solo, en una España hostil, enemiga de la España en que vivió su juventud, adversaria de la España que soñó su generosidad. Que otros maldigan a sus victimarios; que otros analicen y estudien su poesía. Yo quiero recordarlo.

Lo conocí cantando canciones populares españolas, en 1937. Poseía voz de bajo, un poco cerril, un poco de animal inocente: sonaba a campo, a eco grave repetido por los valles, a piedra cayendo en un barranco. Tenía ojos oscuros de avellano, limpios, sin nada retorcido o intelectual; la boca, como las manos y el corazón, era grande y, como ellos, simple. y jugosa, hecha de barro por unas manos puras y torpes; de mediana estatura, más bien robusto, era ágil, con la agilidad reposada de la sangre y los músculos, con la gravedad ágil de lo terrestre: se veía que era más prójimo de los potros serios y de los novillos melancólicos que de aquellos atormentados intelectuales compañeros suyos; llevaba la cabeza casi rapada y usaba pantalones de pana y alpargatas: parecía un soldado o un campesino. En aquella sala de un hotel de Valencia, llena de humo, de vanidad y, también, de pasión verdadera, Miguel Hernández cantaba con su voz de bajo y su cantar era como si todos los árboles cantaran. Como sí un solo árbol, el árbol de una España naciente y milenaria, empezara a cantar de nuevo sus canciones. Ni chopo, ni olivo, ni encina ni manzano, ni naranjo, sino todos ellos juntos, fundidas sus savias, sus aromas y sus hojas en ese árbol de carne y voz. Imposible recordarlo con palabras; más que en la *memo*ria, «en el sabor del tiempo queda escrito».

Después lo oí recitar poemas de amor y de guerra. A través de los versos —y no sabría decir ahora cómo eran o qué decían esos versos—, como a través de una cortina de luz lujosa, se oía mugir y gemir, se oía agonizar a un animal tierno y poderoso, un toro quizá, muerto en la tarde, alzando los ojos asombrados hacía unos impasibles espectadores de humo. Y ya no quisiera recordarlo más, ahora que tanto lo recuerdo. Sé que fuimos amigos; que caminamos por Madrid en ruinas y por Valencia, de noche, junto al mar o por las callejuelas intrincadas; sé que le gustaba trepar a los árboles y comer sandías, en tabernas de soldados; sé que después lo vi en París y que su presencia fue como una ráfaga de sol, de pan, en la ciudad negra. Lo recuerdo todo, pero no quisiera recordarlo...

No quiero recordarte, Miguel, gran amigo de unos pocos días milagrosos y fuera del tiempo, días de pasión en los que, el descubrirte, al descubrir a España, descubrí una parte de mí, una raíz áspera y tierna, que me hizo más grande y más antiguo. Que otros te recuerden. Déjame que te olvide, porque el olvido de lo puro y de lo verdadero, el olvido de lo mejor, es lo que nos da fuerzas para seguir viviendo en este mundo de compromisos y reverencias, de saludos y ceremonias, maloliente y podrido. Déjame que te olvide, para que en este olvido siga creciendo tu voz, hurtada ya a tu cuerpo y a la memoria de los que te conocimos, libre y alta en los aires, desasida de este tiempo de miseria.

México, noviembre de 1942

[«Recoged esa voz: Miguel Hernández» se publicó en *Las peras del olmo*, UNAM, México, 1957.]

Legítima defensa: Carlos Martínez Rivas

La espléndida constelación poética que forman, entre otras obras admirables, *Trilce, Altazor, Residencia en la tierra, Muerte sin fin, Nostalgia de la muerte*, no parece haber sido sustituida por un sistema estelar de magnitud semejante. Entre la luz de esos grandes nombres nocturnos y la poesía solar que acaso se prepara ya en alguna parte de América, hay un espacio neutro. Hora indecisa. Mas en los últimos años han brotado, aquí y allá, signos y anuncios de una nueva época poética. En Cuba, el grupo de *Orígenes:* Lezama Lima, Vitier, Eliseo Diego. En Perú, en torno a la desaparecida revista *Las Moradas*, animada por Westphalen y César Moro. En Buenos Aires, la poesía luminosa y fácil de Enrique Molina (fácil en el sentido en que son fáciles el crecer del árbol, la vegetación del mar o la sucesión de imágenes del sueño), el decir concentrado y ascético de Girri, el boscoso lenguaje —ora sombrío ora brillante— de Eduardo Lozano. En Chile, Nicanor Parra, Braulio Arenas, Anguita, Gonzalo Rojas... Y cerca de nosotros, en la pequeña Nicaragua, un grupo de poetas que recogen el ejemplo de Salomón de la Selva: Coronel Urtecho, el iniciador, que «si no ha creado muchos poemas, en cambio ha creado a varios poetas»; Joaquín Pasos, gran talento poético que antes de morir cantó la rebelión de las cosas, como en el *Popol Vuh;* Pablo Antonio Cuadra y tres jóvenes: Carlos Martínez Rivas, Ernesto Cardenal y Ernesto Mejía Sánchez. Cada uno distinto. Cada uno poseído por su propia palabra poética, dueña de un pico que desgarra y de un ala que deslumbra.

Mejía Sánchez inventa exorcismos para librarse de la suya, sin conseguirlo. Cardenal la echa a volar, palabra colibrí.[1] Martínez Rivas la pule como un arma. Cada uno distinto; pero todos inclinados hacia el abismo, por-

[1] Me equivoqué: no era colibrí sino guajolote. [Nota de 1990.]

que «de lo seguro salieron a reposar en lo inseguro», según dice Martínez Rivas. Atentos a esa palabra que «como lomo de paloma amarillea» y se resiste a la domesticidad y

> Vuela saca las uñas duerme
> vive ahí
> ¿en dónde? —¡aquí aquí!, en el entornado
> desierto mundo del amanecer.

Ahora, tras años de vagabundeo (dudando siempre entre «aprender a sentarse y empezar a tener una cara» o continuar la lucha con la poesía sin incurrir en el poema), con un gesto contradictorio, hosco y cordial a un tiempo, Carlos Martínez Rivas nos ofrece su primer libro: *La insurrección solitaria*. ¿Una nueva versión del poeta rebelde? Sí y no. Rebelión y aislamiento pero también búsqueda y reconocimiento de sí mismo y del mundo. A diferencia de otros rebeldes, Martínez Rivas no quiere ser dios, ángel o demonio; si pelea, es por alcanzar su cabal estatura de hombre entre los hombres. Su rebelión es contra lo inhumano. La rebelión solitaria es legítima defensa, pues ahí, enfrente, actual y abstracta como la policía, la propaganda o el dinero, se alza

> La ola de la Tontería, la ola
> tumultuosa de los tontos, la ola
> atestada y vacía...

El joven lucha contra la ola con uñas y dientes y palabras. Sobre todo con palabras, únicas armas del poeta. Palabras sacadas de su «propio negro corazón tornasol». De sí mismo saca los signos del poema, «las letras de hoy, los calamares en su tinta», y los ve saltar, negros sobre lo blanco del papel, y se hunde en ellos, y nada, traga amargura, rabia y amor, hasta que nace el canto «crédulo e irritado». Credulidad del canto puro, que entona con voz segura, aunque irritada, el poeta. Fidelidad a su palabra, «a su pentecostés privado», mientras retornan «esos tiempos que el hombre ya ha conocido antes». La poesía de Martínez Rivas es un canto de espera, un canto de presente entre los tiempos de antes y los venideros.

Esos tiempos de antes son los de la palabra en común que han de volver. Martínez Rivas escribe para ellos desde su hoyo presente, desde su agujero de escorpión, desde su nido de águila. Escribe solo, «retirado a su tos», porque hoy «la juventud no tiene dónde reclinar la cabeza». Una y otra vez el joven se pone en pie, sale, rompe a hablar, toca con aire atónito el pecho de la gran diosa dormida, «piedra vestida por la sombra y desnudada por el sol». Y luego vuelve a sí mismo, vuelve a lo mismo: al cuerpo a cuerpo con la palabra, a su vocación de asir lo inasible, a acechar el mínimo remolino de la savia que avanza y estalla en frutos. A lo mismo de siempre: a dar nombres hermosos al caos amenazante. Un joven más entregado a la poesía; un nuevo, verdadero poeta —y la segura promesa de un gran poeta; y la lucha contra el amanecer y sus ruidos obscenos; y el empezar de cada día, inerme ante el idioma enemigo. Empezar y volver a empezar. La atroz y renovada profecía de Rimbaud: «Vendrán otros horribles trabajadores y comenzarán por los horizontes en donde el otro ha caído». Carlos Martínez Rivas es uno de ellos.

México, 1954

[«Legítima defensa: Carlos Martínez Rivas» se publicó en *Las peras del olmo*, UNAM, México, 1957.

Destiempos, de Blanca Varela

No eran tiempos felices aquellos. Habíamos salido de los años de guerra pero ninguna puerta se abrió ante nosotros: sólo un túnel largo (el mismo de ahora, aunque más pobre y desnudo, el mismo túnel sin salida). Paredes blancas, grises, rosas, bañadas por una luz igual, ni demasiado brillante ni demasiado opaca. Esos años no fueron ni un lujoso incendio, como los de 1920, ni el fuego graneado de 1930 a 1939. Era, al fin, el mundo nuevo, comenzaban de verdad los «tiempos modernos». Luz abstracta, luz que no parpadea, conciencia que no puede ya asirse a ningún objeto exterior. La mirada resbalaba interminablemente sobre los muros lisos, hasta fundirse a su blancura idéntica, hasta no ser —ella también— sino muro uniforme y sin fisura. Túnel hecho de una mirada vacía, que ni acusa ni absuelve, separa o abraza. Transparencia, reflejo, mirada que no mira, ¿cómo huir, cómo romper los barrotes invisibles, contra quién levantar la mano? Amo sin rostro, multitudes sin rostro, horizonte sin rostro. Perdimos el alma y luego el cuerpo y la cara. Somos una mirada ávida pero ya no hay nada que mirar. Alguien nos mira. ¡Adelante! El mundo se ha puesto de nuevo en marcha. Vamos de ningún lado a ninguna parte.

Algunos no se resignaron. Los más tercos, los más valientes. Quizá los más inocentes. Unos se entregaron a la filosofía. Otros a la política. Unos cuantos cerraron los ojos y recordaron: allá, del otro lado, en el «otro tiempo», nacía el sol cada mañana, había árboles y agua, noches y montañas, insectos, pájaros, fieras. Pero los muros eran impenetrables. Rechazados, buscábamos *otra* salida, no hacia afuera, sino hacia adentro. Tampoco adentro había nadie: sólo la mirada, sólo el desierto de la mirada. Nos íbamos a las calles, a los cafés, a los bares, al gas neón y las conversaciones ruidosas. Guiados por el azar —y también por un instinto que no hay más remedio que llamar *electivo*— a veces reconocíamos en un desconocido a uno de los nuestros. Se formaban así, lentamente, pequeños grupos abiertos. Nada nos unía, excepto la búsqueda, el tedio, la desesperación, el deseo. En el Hôtel des États-Unis oíamos jazz, bebíamos vino blanco y ron, bailábamos. «El Alquimista» leía poemas de Artaud o de Michaux. Caminábamos mucho. Un muro nos detenía: sus manchas nos entregaban revelaciones más ricas que los cuadros de los museos. (Fue entonces cuando, en verdad, descubrimos la pintura.) «En este hotel vivió César Vallejo», me decía Szyszlo. (La poesía de Vallejo también era un muro, tatuado por el hambre, el deseo y la cólera.) En una casa de la avenida Victor Hugo los hispanoamericanos soñaban en voz alta con sus volcanes, sus pueblos de adobe y cal y el gran sol, inmóvil sobre un muladar inmenso como un inmenso toro destripado. En invierno Kostas se sacaba del pecho todas las islas griegas, inventaba falansterios sobre rocas y colinas y a Nausica saliendo a nuestro encuentro. En esos días llegó Carlos Martínez Rivas con una guitarra y muchos poemas en los bolsillos. Más tarde llegó Rufino, con otra guitarra y con Olga como un planeta de jade. Elena, Sergio, Benjamín, Jacques, Gabrielle y Ricardo, André, Elisa, Jean Clarence, Lena, Monique, Georges, Brigitte y ustedes, vistas, entrevistas, verdades corpóreas, sombras,

> Gertrude, Dorothy, Mary, Claire, Alberta,
> Charlotte, Dorothy, Ruth, Catherine, Emma,
> Louise, Margaret, Ferral, Harriet, Sara,
> Florence toute nue, Margaret, Toots, Thelma,
>
> Belles-de-nuit, belles-de-feu, belles-de-pluie,
> Le coeur tremblant, les mains cachées, les yeux au vent,
> Vous me montrez les mouvements de la lumière,
> Vous échangez un regard clair pour le printemps,
>
> Le tour de votre taille pour un tour de fleur,
> L'audace et le danger pour votre chair sans ombre,
> Vous échangez l'amour pour des frissons d'épées,
> Des rires inconscients pour des promesses d'aube,
>
> Vos danses sont le gouffre effrayant de mes songes
> Et je tombe et ma chute éternise ma vie,

> L'espace sous vos pieds est de plus en plus vaste,
> Merveilles, vous dansez sur les sources du ciel.[1]

No creíamos en el arte. Pero creíamos en la eficacia de la palabra, en el poder del signo. El poema o el cuadro eran exorcismos, conjuros contra el desierto, conjuros contra el ruido, la nada, el bostezo, el claxon, la bomba. Escribir era defenderse, defender a la vida. La poesía era un acto de legítima defensa. Escribir: arrancar chispas a la piedra, provocar la lluvia, ahuyentar a los fantasmas del miedo, el poder y la mentira. Había trampas en todas las esquinas. La trampa del éxito, la del «arte comprometido», la de la falsa pureza. El grito, la prédica, el silencio: tres deserciones. Contra las tres, el canto. En aquellos días todos cantamos. Y entre esos cantos, el canto solitario de una muchacha peruana: Blanca Varela. El más secreto y tímido, el más natural.

Diez años después, un poco contra su voluntad, casi empujada por sus amigos, Blanca Varela se decide a publicar un pequeño libro. Esta colección reúne poemas de aquella época y otros más recientes, todos ellos unidos por el mismo admirable rigor. Blanca Varela es un poeta que no se complace en sus hallazgos ni se embriaga con su canto. Con el instinto del verdadero poeta, sabe callarse a tiempo. Su poesía no explica ni razona. Tampoco es una confidencia. Es un signo, un conjuro frente, contra y hacia el mundo, una piedra negra tatuada por el fuego y la sal, el amor, el tiempo y la soledad. Y, también, una exploración de la propia conciencia. En sus primeros poemas, demasiado orgullosa (demasiado tímida) para hablar en nombre propio, el yo del poeta es un yo masculino, abstracto. A medida que se interna en sí misma —y, asimismo, a medida que penetra en el mundo exterior—, la mujer se revela y se apodera de su ser. Cierto, nada menos «femenino» que la poesía de Blanca Varela; al mismo tiempo, nada más valeroso y mujeril: «Hay algo que nos obliga a llamar mi casa al cubil y mis hijos a los piojos». Poesía contenida pero explosiva, poesía de rebelión: «Los números arden. Cada cifra tiene un penacho de humo, cada número chilla como una rata envenenada». Y en otro pasaje: «El pueblo está contento porque se le ha prometido que el día durará 24 horas. Ésta es la inmortalidad»· La pasión arde y se afila en una frase que es, a un tiempo, un cuchillo y una herida: «Amo esa flor roja sin inocencia».

[1] Paul Éluard, *Capitale de la douleur.*

En un número reciente de la *Nouvelle Revue Française* se compara la anemia de la actual poesía italiana con la vitalidad de los jóvenes poetas hispanoamericanos (fenómeno en el que, como siempre, aún no han reparado nuestros críticos). Y agrega el escritor francés (André Pieyre de Mandiargues): «Los jóvenes poetas de lengua española, originarios de América Latina, son los hijos pródigos del surrealismo y la escuela andaluza». La fórmula, acaso demasiado general, no carece de verdad. No sé si Blanca Varela se reconoce en Lorca, Alberti o Aleixandre, aunque tengo la certeza de que Cernuda es una de sus lecturas favoritas. En cuanto al surrealismo (palabra que no dejará de irritar y desconcertar a más de un crítico): en efecto, Blanca Varela es un poeta surrealista, si por ello se entiende no una escuela, una «manera» o una academia sino una estirpe espiritual. Pero, en este sentido, también son —o fueron— surrealistas los poetas andaluces (Lorca, Cernuda, Aleixandre) precisamente en sus momentos más altos. Otro tanto ocurre con los hispanoamericanos de la misma generación. ¿Por qué no decir, entonces, que Blanca Varela es, nada más y nada menos, un poeta, un verdadero poeta?

En Blanca Varela hay una nota, común a casi todos los poetas de su tiempo, que no aparece en los de grupos anteriores, trátese de españoles, hispanoamericanos o franceses. Los poetas de la generación anterior se sentían, por decirlo así, *antes* de la historia; los nuevos, *después*. La Víspera y el Día Siguiente. Antes de la Historia: en espera del Acontecimiento, el Salto, la Revolución o como quiera llamarse al profetizado «cambio final». No hubo cambio o, si lo hubo, tuvo otro carácter, otras consecuencias y otra tonalidad. Después de la guerra no salimos al paraíso o al infierno: estamos en el túnel. La poesía anterior a la guerra se propuso derribar el muro; la nueva pretende explorarlo, como se explora un continente desierto, una enfermedad, una prisión. La rebelión, el humor y otros ingredientes son menos explosivos pero más lúcidos. Explorar: reconocer. La nueva poesía quiere ser un re-conocimiento. El mundo exterior, ayer negado en provecho de mundos imaginarios o de sueños utópicos, comienza a existir —aunque no a la manera ingenua de los «realistas». Para algunos nuevos poetas la realidad no es algo que hay que negar o transfigurar sino nombrar, afrontar y, así, redimir. Operación delicada entre todas, ya que implica una reconciliación con esa realidad, es decir, una búsqueda de su sentido y, al mismo tiempo, una transformación de la actitud del poeta. (Esa transformación, me apresuro a señalarlo, no puede ser exterior; no significa un cambio ante el mundo sino un cambio del ser mismo del poeta.) En el nuevo poema, de una manera que apenas empezamos a sospechar y que sólo comienza a hacerse visible en unas cuantas obras aisladas, al fin han de reconciliarse las tendencias que desgarran ahora al hombre. ¿Asumir la realidad? Más bien: Asunción de la realidad.

Blanca Varela es un poeta de su tiempo. Y por esto mismo, un poeta que busca transcenderlo, ir más allá. Apenas escrita la última frase, siento su inexactitud: en poesía no hay «más allá» ni «más acá». Vanidad de las clasificaciones literarias: a nada se parecen más estas líneas de un poeta del siglo XVI (el almirante Hurtado de Mendoza):

> A aquel árbol que mueve la hoja,
> Algo se le antoja...

que a estos versos de Blanca Varela (que también recuerdan a Buson y a Bashō):

> Despierto.
> Primera isla en la conciencia:
> Un árbol.

La poesía no tiene ni nombre ni fecha ni escuela. Ella también es un árbol y una isla. Una conciencia que despierta.

París, 10 de agosto de 1959

[«*Destiempos,* de Blanca Varela» se publicó en *Puertas al campo,* UNAM, México, 1996.]

Los *Hospitales de ultramar:* Álvaro Mutis

No hay muchas revistas hispanoamericanas que podamos leer con el mismo placer ávido con que, en sus tiempos, leíamos *Revista de Occidente, Cruz y Raya* o *Sur.* Sin duda el siglo se ha cansado; después de la guerra se inventa poco en arte y literatura. (¿O somos menos sensibles, más duros de oído?) Algunas de las publicaciones que cultivaron con más persistencia la curiosidad y la novedad, como *El Hijo Pródigo, Orígenes* y *Las Moradas,* han desaparecido. Cierto, aún viven las grandes revistas, *Sur* y *Cuadernos Americanos,* pero ahora juegan sobre valores seguros. Y la mayoría de las nuevas está contagiada, a destiempo, por la idea de la «responsabilidad social del escritor» (creencia que nos ha hecho olvidar o desdeñar la responsabilidad mayor: escribir bien, decir cosas nunca dichas o que así lo parezca). El sermón, la homilía, la exposición de la buena doctrina, se han convertido en los géneros literarios preferidos de los «espíritus avanzados». A diferencia de lo que ocurría hace veinticinco años, en nuestros días el radicalismo en política está teñido de superstición burocrática y se alía al «academismo» en literatura y al conformismo en filosofía y moral. Estilo, ortodoxia política y buenas costumbres: ingredientes del escritor «positivo». Una de las revistas por las que aún circula un poco de aire fresco —y otros saludables venenos— es *Mito,* la valerosa y valiosa publicación fundada por el poeta Jorge Gaitán Durán. Valiosa, aunque desigual, porque en cada número se puede leer, por lo menos, un texto memorable. Valerosa porque Gaitán Durán, uno de los espíritus más despiertos y originales de la nueva literatura hispanoamericana, partidario del *riesgo* intelectual, no ha vacilado en publicar algunos documentos ejemplares y explosivos, como el *Diálogo entre un sacerdote y un moribundo* de Sade y la «Historia de Edelmira B.», testimonio atroz de la sexualidad hispanoamericana.

En el último número de *Mito* se publican algunos fragmentos de *Memoria de los hospitales de ultramar,* de Álvaro Mutis. Hace algunos años había leído otro libro de este joven poeta: *Los elementos del desastre.* Aquel delgado volumen me impresionó. Por encima de las influencias y de los ecos, o mejor dicho, por debajo, abriéndose paso entre las aguas suntuosas y espesas de esa retórica que viene del mejor Neruda, no era difícil reconocer la voz de un verdadero poeta. Y agrego, un poeta de la estirpe más rara en español: rico sin ostentación y sin despilfarro. Necesidad de decirlo todo y conciencia de que nada se dice. Amor por la palabra, desesperación ante la palabra, odio a la palabra: extremos del poeta. Gusto del lujo y gusto por lo esencial, pasiones contradictorias pero que no se excluyen y a las que todo poeta debe sus mejores poemas. Lujo y, ya se sabe, «orden y belleza», es decir, economía en la expresión. Aquel libro, como el que acaba de publicar Montes de Oca, era algo más que una promesa y, asimismo, algo menos que una obra. Los textos que ahora leo en *Mito* me hacen pensar que Mutis avanza con firmeza hacia su obra.

Memoria de los hospitales de ultramar: poemas en prosa y en verso, relatos de las fiebres, las pesadillas y los placeres de una conciencia. Pero Mutis lo dice mejor que yo:

> Teoría de males, angustias, días en blanco en espera de nada, vergüenza de la carne, deudas nunca pagadas, navegaciones por tierras y aguas emponzoñadas [...] en fin, todos esos pasos que da el hombre usándose para la muerte y terminar encogido en la ojera de su propio desperdicio. Ésos eran para él sus *Hospitales de ultramar.*

Maqroll el Gaviero —personaje de ascendencia romántica, conciencia del poeta— avizora desde el palo mayor el horizonte; y lo que descubren sus ojos —arenales, vegetación tupida y enana de la malaria, inmensas salinas, obeliscos y torres cuadradas, geometría de las prisiones, las oficinas y los mataderos— no es tanto un mundo físico como un paisaje moral. Esas enfermedades y esas plagas; «la espera gratuita de una gran dicha que hierve y se prepara en la sangre»; «la división parcial del sueño entre la vida de colegio y ciertas frescas sepulturas»; esos largos meses de fiebre en un vagón de segunda, detenido al borde del precipicio, mientras caen al río los cadáveres de las mulas, la piel arrancada por las asperezas de las rocas; esos viajes de leprosos por las salinas, junto al mar —son nuestros viajes, nuestros males y nuestros días. Hemos estado allí, en el *Hospital de los soberbios,* donde padecen incurables enfermedades los que manejan los asuntos de la ciudad. Nos han visto (¿nos ven realmente, alguien ve ahora a los otros?) con «esa mirada, siempre la misma, en donde la sospecha y el absoluto desinterés aparecen en la misma proporción». En nuestras visiones lo fútil se alía a lo atroz:

> Una ciudad cercada de alta piedra
> esconde el rígido cadáver de la reina
> y la carroña grave y dulce de su último
> capricho, un vendedor de helados
> peinado como una colegiala.

El paisaje espiritual y físico del Gaviero es insoportable de varias maneras. Enumeraré algunas: la precisión en el horror chabacano; la alianza del esplendor verbal y la descomposición de la materia (las sábanas de los enfermos «flotando contra la lejanía de las aguas como una dicha que desenrolla sus símbolos»); la descripción de una realidad anodina que desemboca en la revelación, apenas insinuada, de algo repugnante; la familiaridad con las imágenes desordenadas de la fiebre y, también, con las repeticiones del tedio y del aburrimiento; el gusto por las cosas concretas e insignificantes que, a fuerza de realidad, se vuelven misteriosas; la predilección por el encuentro de objetos cotidianos y vulgares en un escenario extraño, presencias que no dejan de producir un escalofrío (secreto de Lautréamont, maestro de Mutis); refutación de la realidad, ya sea por acumulación de realidades que engendran el absurdo o por la desaparición de una parte de la realidad; evocación de la lejanía por medio de objetos infinitamente cercanos o, a la inversa, reducción de lo remoto a una proximidad inmediata, de pronto amenazante; creación de lo maravilloso por el brusco descenso de imágenes gratuitas y carentes de significado, aunque dueñas de un inexplicable hechizo, en el centro de una realidad conocida:

> Llega el verano
> y un pescador cambia
> una libra de almejas
> por una máscara de esgrima.

No todos los textos tienen el mismo poder. A veces la idea poética no llega a encarnar en las palabras y se queda en un querer decir; otras, la frase me parece vacilante, incierta. Hay debilidades y descuidos. Montes de Oca no poda la cizaña verbal; en el otro extremo, Mutis duda frente al vocablo. Algunos poemas son apenas el borrador de un poema. Faltas de atención, oscilaciones: no tanto carencia de dones como reticencia interior. Estoy seguro de que las imperfecciones de algunas obras —no excluyo a las de los más grandes— provienen casi siempre, más que de ausencia de talento, de una *falta* espiritual del poeta. La moral, en el sentido profundo de la palabra, interviene más de lo que se piensa en la creación artística. He escrito *moral.* Quizá debería haber dicho: amor, entrega a la obra, arrojo, integridad espiritual. Con frecuencia se repite que el poeta debe esforzarse por ser lúcido. Yo agregaría: a condición de que esa lucidez no signifique ahogar sus dones o domarlos (lo que llaman «maestría» es la muerte del poeta y de su aventura) sino penetrar más profundamente en sí mismo y escuchar con mayor fidelidad su voz oculta. Afilar sus uñas, no limarlas.

Hospitales de ultramar: teoría de males, sucesión de visiones, lento despliegue de paisajes suntuosos y malsanos como los de ciertas películas de Bergman. Asimismo, la desolación americana, la monotonía del llano, la fantasía —abigarrada, sórdida, delirante— de las tierras calientes. Paisajes insoportables. Amor y venganza a un tiempo: el poeta nos obliga a reconocernos y, así, a soportar nuestra realidad. El poema final es un treno al muerto, «varado entre los cirios». El espíritu vacila entre la piedra y la putrefacción. Es el momento de la gran desnudez y, también, del apogeo de la forma. Lujo y agonía: ceremonia de la catástrofe, rito del desastre. Todo, inclusive la muerte, exige una liturgia. No hay mito, no hay fábula recreadora del mundo y, en una palabra, no hay poesía, sin un rito. La poesía es liturgia: los momentos centrales del hombre —desde su nacimiento hasta su muerte— los prefigura y los consagra un rito. El poema es una ceremonia fúnebre: la máscara solar del poeta esconde un rostro comido por la muerte. Triunfo de la apariencia, es decir, del espíritu humano que tiende siempre a encarnar, a manifestarse, a presentarse y, de este modo, a erigirse en monumento de sí mismo, de su poder y de su ruina. Forma es vida. La falta de forma del mundo moderno es ausencia de verdadera vida. Eros y la muerte han huido del hombre —cuerpo deshabitado, cuerpo desalmado. En nuestros días la misión del poeta consiste en convocar a los viejos poderes, revivir la liturgia verbal, decir la palabra de vida.

París, 1959

[«Los *Hospitales de ultramar:* Álvaro Mutis» se publicó en *Puertas al campo,* UNAM, México, 1966.]

Árbol de Diana: Alejandra Pizarnik

Árbol de Diana de Alejandra Pizarnik (Quím.): cristalización verbal por amalgama de insomnio pasional y lucidez meridiana en una disolución de realidad sometida a las más altas temperaturas. El producto no contiene una sola partícula de mentira. (Bot.): el árbol de Diana es transparente y no da sombra. Tiene luz propia, centelleante y breve. Nace en las tierras resecas de América. La hostilidad del clima, la inclemencia de los discursos y la gritería, la opacidad general de las especies pensantes, sus vecinas, por un fenómeno de compensación bien conocido, estimulan las propiedades luminosas de esta planta. No tiene raíces; el tallo es un cono de luz ligeramente obsesiva; las hojas son pequeñas, cubiertas por cuatro o cinco líneas de escritura fosforescente, peciolo elegante y agresivo, márgenes dentadas; las flores son diáfanas, separadas las femeninas de las masculinas, las primeras axilares, casi sonámbulas y solitarias, las segundas en espigas, espoletas y, más raras veces, púas. (Mit. y Etnogr.): los antiguos creían que el arco de la diosa era una rama desgajada del árbol de Diana. La cicatriz del tronco era considerada como el sexo (femenino) del cosmos. Quizá se trata de una higuera mítica (la savia de las ramas tiernas es lechosa, lunar). El mito alude posiblemente a un sacrificio por desmembración: un adolescente (¿hombre o mujer?) era descuartizado cada luna nueva, para estimular la reproducción de las imágenes en la boca de la profetisa (arquetipo de la unión de los mundos inferiores y superiores). El árbol de Diana es uno de los atributos masculinos de la deidad femenina. Algunos ven en esto una confirmación suplementaria del origen hermafrodita de la materia gris y, acaso, de todas las materias; otros deducen que es un caso de expropiación de la sustancia masculina solar: el rito sería sólo una ceremonia de mutilación mágica del rayo primordial. En el estado actual de nuestros conocimientos es imposible decidirse por cualquiera de estas dos hipótesis. Señalemos, sin embargo, que los participantes comían después carbones incandescentes, costumbre que perdura hasta nuestros días. (Blas.): escudo de armas parlantes. (Fís.): durante mucho tiempo se negó la realidad física del árbol de Diana. En efecto, debido a su extraordinaria transparencia, pocos pueden verlo. Soledad, concentración y un afinamiento general de la sensibilidad son requisitos indispensables para la visión. Algunas personas, con reputación de inteligencia, se quejan de que, a pesar de su preparación, no ven nada. Para disipar su error, basta recordar que el árbol de Diana no es un cuerpo que se pueda ver: es un objeto (animado) que nos deja ver más allá, un instrumento natural de visión. Por lo demás, una pequeña prueba de crítica experimental desvanecerá, efectiva y definitivamente, los prejuicios de la ilustración contemporánea: colocado frente al sol, el árbol de Diana refleja sus rayos y los reúne en un foco central llamado poema, que produce un calor luminoso capaz de quemar, fundir y hasta volatilizar a los incrédulos. Se recomienda esta prueba a los críticos literarios de nuestra lengua.

París, abril de 1962

[«*Árbol de Diana:* Alejandra Pizarnik» es el prólogo a su libro de poemas *Árbol de Diana,* Sur, Buenos Aires, 1962. Se publicó en *Puertas al campo,* UNAM, México, 1966.]

Un ermitaño: Cristóbal Serra

La literatura de lengua castellana es la imagen misma del aislamiento. En Francia la vida literaria se concentra en París; entre nosotros, se dispersa en dos continentes y en muchas naciones, provincias, ciudades, barrios y calles. Por ejemplo, la literatura argentina, ya en sí misma una subdivisión de una división, se subdividía hacia 1920 en literatura de la provincia y de la capital y esta última en literatura de la calle Boedo y la calle Florida. Las dos calles tenían sus revistas, sus grupos y sus sectas. Lo que se llama la «república de las letras» no existe entre nosotros. No sé si sea un bien o un mal. Existen en cambio los caudillos y las bandas. Oscilamos entre la promiscuidad de la horda y la soledad de los anacoretas. Literatura de robinsones, polifemos y ermitaños. Cada uno en su isla, en su cueva o en su columna. Unos, armados hasta los dientes, son el terror de la comarca; otros, inermes, semidesnudos y a pan y agua, viven como don Quijote cuando hacía penitencia en Sierra Morena.

Encontré a uno de estos ermitaños en Palma de Mallorca, la primavera pasada. No se esconde en una caverna ni en un castillo. Lo separan del mundo la melancolía, la timidez y el humor. Habita el secreto con la misma naturalidad con que otros nadan en el ruido. No es ni dragón ni caballero andante ni filósofo gimnosofista ni hechicero. Sabe sonreír y esa sonrisa lo aparta de los hombres modernos. Como conviene a su inclinación, lee a Chuang-tsé y a Ganivet, traduce (para sí mismo) a Blake y a Michaux, admira de lejos a Gómez de la Serna (uno de nuestros polifemos) y, salvo a sí mismo, no le hace mal a nadie. No escribe para publicar (aunque no rehúye la publicación) ni para explorarse ni para saber quién es o qué cosa es el mundo. Graba sobre la roca que sirve de puerta a su ermita unos cuantos signos. Sabe que otros ermitaños recorren la región y que, acaso, se detendrán y descifrarán esos signos. Se llama Cristóbal Serra y, hasta ahora, sólo ha publicado un pequeño volumen de poemas en prosa: *Péndulo*[1]. El tiempo que marca no está en los relojes: es el de la verdadera poesía.

París, 1961

[«Un ermitaño: Cristóbal Serra» se publicó en *Puertas al campo,* UNAM, México, 1966.]

[1] En 1965 Cristóbal Serra publicó un nuevo volumen: *Viaje a Cotilidonia,* no menos delicado, no menos punzante, tal vez más feroz.

Los nuevos acólitos

Otra semejanza entre la antigua vanguardia europea y la contemporánea de los angloamericanos: en ambos episodios la poesía anticipó y preparó el advenimiento de la nueva visión pictórica. Dadá y el surrealismo fueron antes que nada movimientos poéticos en los que participaron poetas-pintores como Arp y pintores-poetas como Ernst y Miró. En los Estados Unidos el fenómeno se repite en forma ligeramente distinta. El cambio se inicia en la década de 1950 y la chispa fue la rebeldía de los poetas frente a la poesía intelectual de Eliot, Wallace Stevens, Marianne Moore —una rebelión en la que Pound y William Carlos Williams desempeñaron la misma función ejemplar (y ambigua) de Reverdy en el surrealismo; unos pocos años después, hacia 1960, de manera independiente pero coincidente, los pintores se rebelaron contra el expresionismo abstracto. Fue una suerte de repetición de lo que había sucedido en Europa, especialmente en Francia, entre 1915 y 1930. La repetición, claro está, ni es idéntica ni es una imitación. El parecido es el resultado de circunstancias análogas y puede considerarse como una ilustración de esa ley rítmica a que he aludido: un movimiento de péndulo entre periodos de reflexión y periodos de espontaneidad. Con esta salvedad, es indudable la influencia de la vanguardia europea sobre la angloamericana, una influencia que no niega autenticidad ni originalidad a esta última. Por lo que toca a la pintura: las deudas del *pop-art* son de tal modo conocidas —Dadá, los surrealistas y, sobre todo, Marcel Duchamp— que no vale la pena detenerse en ellas. En cuanto a la poesía: la influencia del surrealismo no se limitó al automatismo o escritura espontánea ni a la concepción de la imagen poética como cápsula explosiva por la unión de realidades contrarias; también fue decisiva la idea de la poesía como actividad subversiva, a un tiempo crítica del mundo y medio de conocimiento, destrucción de la moral y la lógica imperantes y visión suprema de la realidad.

De nuevo: nada de esto empaña la autenticidad, ya que no la novedad, de muchas obras poéticas y pictóricas de los angloamericanos. No puede decirse lo mismo de sus imitadores hispanoamericanos, al menos de los poetas. (En Brasil sí hay una auténtica y rigurosa vanguardia: los poetas concretos.) Repetir a Olson o a Ginsberg en Lima, Caracas, Buenos Aires, Santiago, México o Tegucigalpa equivale a ignorar —o lo que es peor: a olvidar— que esa revolución poética *ya fue hecha en lengua española.*[1] Ese movimiento se inició hace más de cuarenta años entre nosotros y sus iniciadores se llaman Huidobro y Tablada, para citar sólo a los más conocidos. Culmina en dos momentos que son dos verdaderos mediodías. El primero se concentra en los nombres de Neruda y Vallejo; el segundo se dispersa en las obras menos conocidas, aunque no menos notables, de varios poetas de mi generación: Lezama Lima, Nicanor Parra, Enrique Molina, Alberto Girri, Vitier y algunos pocos más. Es un movimiento que aún no termina, una tradición viva, como puede verse en la actitud de los poetas jóvenes que cuentan: no imitan ni prolongan, buscan e inventan. Su relación con la tradición inmediata es polémica. En cambio, los otros repiten, traducen: acompañan desde fuera a un rito que comprenden a medias. Son los acólitos.

La negación de la herencia siempre me ha parecido tónica y estimulante. Pienso, no obstante, que para negar hay que conocer primero aquello que se niega: Breton rompió con la estética de Valéry después de muchos años de frecuentar a ese poeta; el ultraísmo argentino se rebeló contra Lugones pero no ignoró su existencia; Auden continúa a Eliot en la medida en que le opone otra visión y otro lenguaje. La tradición de la ruptura es una verdadera tradición: postula una relación de contradicción entre sus protagonistas. Los nuevos acólitos practican la natación en una piscina sin agua, exploran territorios que figuran en todos los mapas. Quizá esta actitud sea consecuencia de una irreflexiva extensión al campo de la creación artística del concepto de *subdesarrollo.* Cierto, América Latina es un continente de oligarquías obtusas y rapaces, dictaduras sangrientas, gente humillada y gobiernos títeres de Washington pero este

[1] Sobre el sentido distinto de la tradición poética moderna en inglés, francés y español, véase el capítulo «Verso y prosa» de *El arco y la lira* (1956, incluido en el volumen I de estas *OC*. La primera, según se ve en Eliot y Pound, es una nostalgia de un clasicismo, y su modelo es Dante (para Eliot), y los momentos de mediodía de las civilizaciones clásicas (China, Grecia y Occidente) para Pound. El movimiento poético en lengua francesa y en Hispanoamérica es de signo contrario: búsqueda de un lenguaje primordial —el arte como *pasión universal.*

mundo sombrío ha dado, desde la época de Rubén Darío, una serie ininterrumpida de grandes poetas. Esos poetas son parte de la tradición moderna universal y sus obras no son menos significativas que las de Benn y Brecht, Yeats y Pound, Perse y Michaux, Ungaretti y Montale, Maiakovski y Pasternak. No digo que los jóvenes deban continuar, repetir o imitar a sus predecesores; digo que toda negación, si no es un grito vacío contra el vacío, implica una relación polémica con aquello que se niega. No me preocupa la rebelión contra la tradición: me inquieta la *ausencia* de tradición. Es un signo de enajenación y más: al cercenarse de su tradición, los acólitos se automutilan... Pero todo esto no es, quizá, sino un residuo del pasado, los últimos sacudimientos de la «modernidad» agonizante. Otro tiempo alborea: otro arte.

[«Los nuevos acólitos» se publicó en *Corriente alterna*, Siglo XXI, México, 1967.]

El espacio del reconocimiento

Al oír al loro, el gentilhombre español, recién desembarcado en América, hizo una profunda reverencia y dijo: Perdone Vuecencia, yo creía que era pájaro.

Es un secreto a voces que la crítica es el punto flaco de la literatura hispanoamericana. Lo mismo sucede en España. No es que falten, por supuesto, buenos críticos. Sería ocioso recordar, entre los de América, a dos excelentes: Anderson Imbert y Rodríguez Monegal para no hablar de los más jóvenes, como el mexicano Emmanuel Carballo y sobre todo el poeta venezolano Guillermo Sucre, al que debemos algunos de los más intensos poemas de la joven poesía hispanoamericana y, simultáneamente, los ensayos más lúcidos sobre los movimientos poéticos contemporáneos. Sucre es un ejemplo más, como Roberto Juarroz, de que el rigor no está reñido con la inspiración. Pero carecemos de un cuerpo de doctrina o doctrinas, es decir, de ese mundo de ideas que, al desplegarse, crea un espacio intelectual: el ámbito de una obra, la resonancia que la prolonga o la contradice. Ese espacio es el lugar de encuentro con las otras obras, la posibilidad del diálogo entre ellas. La crítica es lo que constituye eso que llamamos una literatura y que no es tanto la suma de las obras como el sistema de sus relaciones: un campo de afinidades y oposiciones.

Crítica y creación viven en perpetua simbiosis. La primera se alimenta de poemas y novelas pero a su vez es el agua, el pan y el aire de la creación. En el pasado, el «cuerpo de la doctrina» estaba constituido por sistemas cerrados: Dante se nutrió de teología y Góngora de mitología. La modernidad es el reino de la crítica: no un sistema sino la negación y confrontación de todos los sistemas. La crítica ha sido el alimento de todos los artistas modernos, de Baudelaire a Kafka, de Leopardi a los futuristas rusos. Inclusive se ha convertido en creación: la obra se resuelve en convocación de la negación *(Un Coup de dés)* o en negación de la obra *(Nadja)*. En nuestras literaturas, sea en lengua española o portuguesa, hay pocos ejemplos de ese radicalismo: Pessoa y, ante todo, Jorge Luis Borges, autor de una obra única, edificada sobre el tema vertiginoso de la ausencia de obra. La crítica como invención literaria, la negación como metafísica y como retórica. Entre los que vinieron después, fuera de Cortázar y algún otro, no encuentro por ninguna parte esa decisión de construir un discurso sobre la ausencia del discurso. El No es un obelisco transparente pero nuestros poetas y novelistas prefieren figuras geométricas menos inquietantes aunque no menos erguidas y perfectas. Contamos con obras extraordinarias fundadas en un Sí, a veces compacto y otras agrietado por las negaciones y las rupturas.

Si se pasa de la crítica como creación a la crítica como alimento intelectual, la escasez se vuelve pobreza. El pensamiento de la época —las ideas, las teorías, las dudas, las hipótesis— está fuera y escrito en otras lenguas. Salvo en esos raros momentos que se llaman Miguel de Unamuno y Ortega y Gasset, todavía somos parásitos de Europa. Ese espacio al que me he referido y que es el resultado de la acción crítica, lugar de unión y de confrontación de las obras, entre nosotros es un *no man's land*. La misión de la crítica, claro está, no es inventar obras sino ponerlas en relación: disponerlas, descubrir su posición dentro del conjunto y de acuerdo con las predisposiciones y tendencias de cada una. En este sentido, la crítica tiene una función creadora: inventa una literatura (una perspectiva, un orden) a partir de las obras. Esto es lo que no ha hecho nuestra crítica. Por tal razón no hay una literatura hispanoamericana aunque exista ya un conjunto de obras importantes. De ahí también que sea inútil preguntarse, como se hace con frecuencia, qué es la literatura hispanoamericana. Es una pregunta que, según se ha visto, aún no puede tener respuesta. En cambio, es urgente preguntarse *cómo* es nuestra literatura: sus fronteras, su forma, su estructura, su movimiento. Responder a esta pregunta será poner en comunicación a las obras y revelarnos que no son monolitos aislados, estelas conmemorativas del desastre plantadas en el desierto, sino que forman una sociedad. Un conjunto de monólogos que constituyen, ya que no un coro, un diálogo contradictorio.

Es vano condenar los pecados de omisión. No lo es señalar los de comisión. Desde hace algunos años nuestros críticos, especialmente los parapetados en periódicos y revistas, pregonan las excelencias de la «gran literatura latinoamericana». Es más fácil el entusiasmo que el juicio, la repetición que la crítica. Además, es la moda —como hace quince o veinte años lo fue lamentarse de la pobreza de nuestra literatura. (Recordaré de paso que esos «años de pobreza», son los de la creación de Borges, Neruda, Reyes, Carpentier, Asturias, y los de la iniciación de H. A. Murena,

Rulfo, Gonzalo Rojas, Liscano, Mejía Sánchez, etc.) Esta reciente y ruidosa actividad «crítica», casi indistinguible de las formas más vacuas de la publicidad y que consiste en remachar clisés llamativos, ha escogido ahora como caballito de batalla el tema del «éxito de nuestros escritores, especialmente los novelistas, en el extranjero». En primer término: la palabra *éxito* me produce bochorno; no pertenece al vocabulario de la literatura sino al de los negocios y el deporte. En segundo lugar: la boga de las traducciones es un fenómeno universal y no exclusivo de América Latina. Es una consecuencia del auge del negocio editorial, un epifenómeno de la prosperidad de las sociedades industriales. Nadie ignora que los agentes de los editores recorren los cinco continentes, de las pocilgas de Calcuta a los patios de Montevideo y los bazares de Damasco, en busca de manuscritos de novelas. Una cosa es la literatura y otra la edición. Por último: la actitud de esos críticos se parece a la de la burguesía de hace veinte años que sólo bebía whiskey o champaña y cuyas mujeres vestían únicamente en París. Por lo visto, para que una obra sea considerada entre nosotros debe contar antes con la bendición de Londres, Nueva York o París. La situación sería cómica si no implicase una dimisión. La jurisdicción de la crítica es el lenguaje y renunciar a ella es renunciar no sólo al derecho de opinar sino al uso de la palabra. Es una abdicación total: el crítico renuncia a juzgar lo que se escribe en su propio idioma. No niego la utilidad e inclusive la necesidad de la crítica extranjera: para mí las literaturas modernas son una *literatura.* ¿Y cómo podría olvidar que muchas veces los extraños ven lo que no perciben los de casa? Es natural, aunque lamentable, que la crítica extranjera remedie, así sea parcialmente y a tientas, las omisiones y la ceguera de la crítica hispanoamericana. Caillois no descubrió a Borges pero hizo algo que no hicimos los que lo admirábamos cuando era un escritor minoritario (en el fondo lo sigue siendo): leerlo dentro de un contexto universal. En lugar de repetir como mirlos persas o loros americanos lo que dicen anónimos revisteros de Chicago o Milán, los críticos deberían leer a nuestros autores como Caillois ha leído a Borges: desde la tradición moderna y como parte de esa tradición. Dos tareas complementarias: mostrar que las obras hispanoamericanas son *una* literatura, un campo de relaciones antagónicas; describir las relaciones de esa literatura con las otras.

Se dice a menudo que la debilidad de nuestra crítica se debe al carácter marginal y dependiente de nuestras sociedades: es uno de los efectos del *subdesarrollo.* Esta opinión es una de esas verdades a medias, peores que las mentiras totales. El famoso *subdesarrollo* no le impidió a Rodó escribir un buen ensayo crítico sobre Darío. Por supuesto, la literatura vive dentro de una sociedad: si no es un mero reflejo de las relaciones sociales tampoco es una entidad impermeable a la historia. La literatura es una relación social, sólo que es una relación irreductible a las otras. Más acertada me parece la idea de ver en la dispersión de nuestra crítica una consecuencia de la falta de comunicación. América Latina no tiene un centro a la manera de París, Nueva York o Londres. En el pasado, Madrid cumplía esa función mal que bien (más lo primero que lo segundo). Allá fueron reconocidos y consagrados Darío, Reyes, Neruda y otros pocos más. Y todavía nuestra hipocresía no perdona a los españoles que hayan ignorado a Huidobro y Vallejo (como si nosotros hubiésemos sido un modelo de generosidad con ellos: el segundo murió en el destierro y uno de los últimos libros de Huidobro se llama, significativamente, *El ciudadano del olvido*). La guerra civil de España convirtió a Buenos Aires y México en sucesores de Madrid. Ya antes habían sido capitales literarias aunque más bien como focos de revueltas cosmopolitas y antiespañolas: el modernismo y la vanguardia. Un centro literario es un sistema nervioso alerta a todos los estímulos; ni Buenos Aires ni México han mostrado gran sensibilidad frente al resto de América. El europeísmo argentino y el nacionalismo mexicano son formas distintas de una misma enfermedad: la sordera. Cierto, las cosas han cambiado un tanto en los últimos años y cambiarán más y más. Por otra parte, empiezan a formarse otros centros, casi ninguno con aspiraciones hegemónicas y todos con una sensibilidad abierta: La Habana, Caracas, Montevideo, Santiago, Lima. Hasta en Bogotá la ensimismada y en la Managua del tiburón Somoza aparecen revistas y grupos que se definen por su vocación latinoamericana. A pesar de que los medios de información casi siempre están en manos de dictadores, burocracias y empresas, la comunicación se establece y poco a poco se convierte en una realidad caótica pero viva. Si la literatura no es la comunicación —tal vez sea lo contrario: la *mise en question* de la comunicación— sí es uno de sus productos. *Un producto contradictorio.* La crítica comparte esta actitud ambigua ante la comunicación: su misión no es tanto transmitir informaciones como filtrarlas, transmutarlas y ordenarlas. La crítica opera por negaciones y por asociaciones: define, aísla y, después, relaciona. Diré más: en nuestra época la crítica funda la literatura. En tanto que esta última se constituye como crítica de la palabra y del mundo, como una pregunta sobre sí misma, la crítica concibe a la literatura como un mundo de palabras, como un universo verbal. La creación es crítica y la crítica, creación. Así, a nuestra literatura le falta rigor crítico y a nuestra crítica imaginación.

París, 1960

[«El espacio del reconocimiento» se publicó en *Corriente alterna,* Siglo XXI, México, 1967.]

Iluminación y subversión: Emilio Adolfo Westphalen

En alguna ocasión comparé a la poesía moderna con una sociedad secreta. En el siglo de las multitudes, los partidos y los conglomerados, los poetas forman una comunidad de solitarios; en el siglo de la publicidad, la televisión y los *best-sellers,* la poesía es una ceremonia en el subsuelo de la sociedad. Rito clandestino, la poesía también es una conspiración, una actividad contra la corriente que exalta todo aquello que la sociedad moderna reprueba y condena. La poesía no pretende revelar, como las religiones y las filosofías, lo que es y lo que no es sino mostrarnos, en los intersticios y resquebraduras, aquello que escapa a las generalizaciones, las clasificaciones y las abstracciones: lo único, lo singular, lo personal. Los reinos en perpetua rotación de las sensaciones y las pasiones, el mundo y el transmundo de los sentidos y sus combinaciones, las geografías de la imaginación. En suma, todo lo que la razón condena como monstruoso y sin sentido y que el sentido común y la moral denuncian: el secreto a voces que es cada mujer y cada hombre, cada uno distinto, insustituible, irrepetible. La poesía es la proclamación de los derechos universales de la subjetividad a su propia particularidad. Para la poesía el hombre no es un animal racional, político o histórico sino un enigma viviente. Cada hombre y cada mujer es una adivinanza y la poesía es el juego de las adivinanzas. No la respuesta al acertijo que designa nuestro nombre sino la invitación a vivirlo. En las imágenes y ritmos del poema nos reconocemos en el enigma que somos. Por esto la poesía no es ni trabajo ni ganancia de salario: es gasto y es don. No es producción: es creación. La sociedad moderna, con su culto al trabajo, a la producción y al consumo, ha hecho del tiempo una cárcel: la poesía rompe esa cárcel. La poesía es una disipación. Así nos revela que el tiempo lineal de la modernidad, el tiempo del progreso sin fin y del trabajo sin fin, es un tiempo irreal. Lo real, dice la poesía, es la paradoja del instante: ese momento en que caben todos los tiempos y que no dura más que un parpadeo.

El poeta que vamos a oír esta noche, Emilio Adolfo Westphalen, es uno de los poetas más puramente poetas entre los que escriben hoy en español. Su poesía no está contaminada de ideología ni de moral ni de teología. Poesía de poeta y no de profesor ni de predicador ni de inquisidor. Poesía que no juzga sino que se asombra y nos asombra. Westphalen no habla en nombre de la historia ni el nombre de la patria, la Iglesia, el partido o la cofradía. Tampoco habla en nombre de Emilio Adolfo Westphalen: la poesía-confesión no es menos sospechosa que la poesía-sermón. En un acto de crítica que es asimismo un acto de autocrítica, el poeta auténtico pone en entredicho a su yo. Por la boca del poeta nunca habla su pequeño aunque siempre desmesurado ego: hablan las sensaciones, las emociones, los recuerdos, los olvidos, las adivinaciones, los presentimientos, los desvaríos, las iluminaciones y las obnubilaciones de un hombre que no está muy seguro de llamarse como se llama pero que, en cambio, sí tiene la certeza de estar vivo y de hablar frente al otro lado de la existencia. Ese lado que no tiene nombre ni consistencia: la faz en blanco que llamamos silencio o muerte o simplemente nada.

Emilio Adolfo Westphalen ha hablado con esa voz, que es la suya y es la de todos y es la de nadie: la voz del *otro* que es cada uno de nosotros. Al mismo tiempo, ha oído el silencio que precede, acompaña y sigue a esa voz. Ese silencio alternativamente nos atrae y nos aterra; por eso, muchos poetas, sin excluir a los más grandes, sienten la tentación de cubrirlo con las palabras de la elocuencia o de la retórica. Así hacen de su poesía un disfraz y una cháchara de su silencio. No Westphalen: en 1933 publicó un libro y en 1935 otro más; desde entonces, un largo silencio de vez en cuando roto por relámpagos: esos intensos poemas que, de tiempo en tiempo, publica en las revistas literarias y que nosotros, sus lectores y admiradores, quisiéramos ver pronto reunidos en un nuevo volumen. El silencio de Westphalen es el complemento de su voz. Cada uno de sus poemas es como una torre rodeada de noche: su chorro pétreo, oscuro y luminoso, se levanta sobre una masa de silencio compacto.

El primer libro de Westphalen fue *Las ínsulas extrañas;* el segundo, *Abolición de la muerte.* Con ellos hace una de sus primeras apariciones el surrealismo en América. Como todos ustedes saben, Westphalen fue el amigo y el compañero de César Moro y sus nombres están unidos en la historia del surrealismo peruano y latinoamericano. Pero el surrealismo de Westphalen, como lo indican los títulos mismos de sus libros, estaba enlazado a otras preocupaciones espirituales que lo acercan a una gran tradición de nuestra civilización: la mística alemana y la española, de San Juan de la Cruz a Eckhart y de Silesius a Santa Teresa. Si el título de su primer libro procede del *Cántico espiritual*, el de la gran revista que él y César Moro dirigieron, *Las Moradas*, viene de Santa Teresa. Ínsulas extrañas: islas navegantes, archipiélagos que brotaron de pronto en la página como una súbita vegetación verbal; *moradas* construidas con letras de aire en el hostil continente americano, moradas sin techo para ver mejor las constelaciones, sin puertas para que entren mejor el sol de todos los días y la noche de todas las noches. La empresa poética de Westphalen fue un descubrimiento de esas tierras imaginarias, aunque intensamente reales, que están más allá de la geografía racional; asimismo, fue una exploración de las tierras ocultas que están debajo del suelo histórico. La segunda revista que dirigió se llamó *Amaru* y ese nombre designa otra de las direcciones de su espíritu: la reconquista y revaloración de las enterradas civilizaciones prehispánicas. Así, su crítica de la razón occidental —mejor dicho: del racionalismo— se completó con la crítica al etnocentrismo y al imperialismo. Ni los sistemas que se llaman racionalistas son propietarios de la realidad ni las visiones del mundo y del hombre que nos ha transmitido la tradición de Occidente son las únicas. La acción espiritual de Westphalen puede condensarse en dos palabras: *iluminación* y *subversión*.

El título de su segundo libro, *Abolición de la muerte*, me desveló por mucho tiempo. ¿Qué quería decir realmente? La poesía de Westphalen no postula una vida más allá de la muerte. Me parece que sus poemas nos dicen que muerte y vida son una pareja contradictoria, inseparable y relativa. La vida depende de la muerte y la muerte de la vida: somos seres mortales porque somos seres vivos. Para los muertos no hay muerte ya. Pero entre vida y muerte hay un instante que las anula o que las funde: ese instante se llama sueño, se llama contemplación, se llama amor. Tiene muchos nombres y ninguno de ellos, sin ser falso, es enteramente verdadero. Mejor dicho: todos, aunque verdaderos, son parciales. Y todos ellos tienen en común lo siguiente: durante ese instante, y por un instante, percibimos, simultánea y contradictoriamente, que somos y no somos y que cada minuto, siendo finito, contiene un infinito.

El tiempo, ha dicho Westphalen, es una escalera que baja porque nadie la sube. Su poesía es una invitación a subirla para, ya arriba, ver lo que pasa del otro lado. Pasan muchas cosas como, por ejemplo, que «los hombres se miran en los espejos y no se ven», que hay «una guitarra con sueño de varios siglos», que «una niña trae el océano en su cántaro», que «los días no vuelven pero el sol siempre se queda», que a veces las frutas caen al suelo» y otras «el suelo cae a las frutas». Pero hay un momento en que el poeta no se contenta con estos prodigios y, sin negarlos, busca *otra* cosa. En el segundo periodo de su poesía, más allá del automatismo poético, Westphalen hace la crítica de la poesía como antes había hecho la crítica del racionalismo. El poema no es sino «un espejo de feria, un espejo lunar, una cáscara... un castillo derrumbado antes de levantarlo». No obstante, en otro poema se contesta y, al contestarse, se completa: para ser «recuperable» el poema tiene que ser «sacudido, renegado, desdicho, transfigurado». La poesía pasa por su denegación, la transfiguración por la desfiguración y el poeta, antes de decir, debe desdecirse. El poema se sustenta en una negación. La poesía de Westphalen nos revela, una vez más, que la visión poética no consiste solamente en ver lo que vemos y ni siquiera en ver lo que imaginamos sino en la anulación de la visión. ¿Qué vemos desde lo alto de la escalera? Todo o nada, todo y nada. El poeta es un hombre, no un mago charlatán: no tiene la última palabra. Nadie la tiene, ese nadie que es todos. La poesía no es una respuesta sino una pregunta. La pregunta que somos todos.

México, 10 de marzo de 1978

[«Iluminación y subversión: Emilio Adolfo Westphalen» se publicó en *In/mediaciones*, Seix Barral, Barcelona, 1979.]

Voces conocidas de lo desconocido: Antonio Porchia

La colección Documents Spirituels (Fayard) ha publicado desde que fue fundada una serie de títulos excepcionales, tales como Lin-Tsi (traducido por Paul Demieville), Jacob Boehme, Miguel de Molinos, Milarepa y, hace poco, una antología de haikú, admirablemente traducida por Roger Munier y con un hermoso prefacio de Yves Bonnefoy. Esta colección estuvo dirigida por nuestro amigo Jacques Masui, que dirigió también aquella inolvidable revista *Hermès*. Fue un verdadero *espiritual*. En estos días, por un dichoso azar, releí con emoción las páginas que le ha dedicado Henri Michaux, «Souvenir de Jacques Masui», como prefacio a su libro póstumo: *Cheminements*. Desde su muerte, otro amigo no menos querido, el poeta-filósofo Roger Munier, dirige Documents Spirituels. El último volumen de la colección es la obra de un raro escritor hispanoamericano, Antonio Porchia. *Raro* en el sentido en que usó Darío esta palabra. Porchia es poco conocido en México y, me temo, en el resto de Hispanoamérica. No es un escritor ruidoso, aunque su libro se llame *Voces*. Las suyas no son las voces de la propaganda, ni adulan nuestras bajas pasiones ideológicas; tampoco están al servicio de un partido o una causa. Son las voces que oímos en silencio y que brotan no de un más allá sino de un aquí mismo. Las voces que, más que oír, *vemos* cuando, a veces, vislumbramos qué es lo que somos: un haz de reflejos. *Plural* publicó en el número 47 (agosto de 1975) una antología de Porchia, precedida por un notable prólogo del poeta Roberto Juarroz. En Francia, Roger Caillois tradujo algunos textos de Porchia; su aparición fue inmediatamente saludada con entusiasmo por André Breton. Ahora se publica en francés el texto completo de *Voces*, en una versión de Roger Munier (precisa, sensible y, más que fiel, transparente), acompañada del penetrante ensayo de Juarroz y precedida por un prólogo de Jorge Luis Borges. Dice Borges: «Las máximas corren el riesgo de parecernos meras ecuaciones verbales; sentimos la tentación de ver en ellas la obra del azar o de un arte combinatorio. No en el caso de Novalis, La Rochefoucauld o de Antonio Porchia: ante ellos el lector siente la presencia inmediata de un hombre y de su destino».

México, 1979

[«Voces conocidas de lo desconocido: Antonio Porchia» se publicó en *Sombras de obras,* Seix Barral, Barcelona, 1983.]

Onetti y el realismo

Hace unos días se anunció que se había otorgado el premio Cervantes al novelista uruguayo Juan Carlos Onetti. El premio Cervantes es uno de los más importantes del mundo y Onetti es uno de los mejores escritores de nuestra lengua. Desde hace años vive en Madrid, desterrado como tantos otros escritores hispanoamericanos —argentinos, cubanos, chilenos, uruguayos, bolivianos— que han tenido que dejar sus países, huyendo de las dictaduras de nuestro continente.

Hay escritores de muchos libros y hay escritores de un solo libro. Onetti pertenece al primer grupo. Sin embargo, lo que distingue a su obra no es tanto la abundancia, la variedad o la diversidad como el rigor y una suerte de obstinación que lo lleva a tocar una y otra vez ciertos temas. El verdadero nombre de esa obstinación es fidelidad a una visión muy personal y muy auténtica de la realidad y del hombre. Se ha dicho que esa visión es negra. En un mundo como el nuestro, ¿cómo podría no serlo? El pesimismo, en nuestras circunstancias, es saludable. Rodríguez Monegal ha definido así a la obra de Onetti: «sin dejar de ser arte, es testimonio y agonía».

Onetti representa, en lengua española, una corriente novelística que viene de Céline, Dos Passos y Faulkner. Por sus temas y su concepción de la existencia humana hace pensar a veces en Sartre, aunque yo creo que Onetti —como artista, no como pensador— es superior al escritor francés. A pesar de estos parecidos, Onetti es un novelista profundamente hispanoamericano: sus novelas y cuentos no podían haber sido escritos sino en y desde Buenos Aires y Montevideo. Creo que ésta es una de las características de la literatura hispanoamericana: nuestro cosmopolitismo, lo mismo en el caso de Reyes que en el de Borges, está arraigado a nuestra historia, a nuestra tierra y a nuestras ciudades. Borges es un cosmopolita que sólo podría ser de Buenos Aires. Lo mismo sucede con el nativismo de Vallejo o de Neruda: su americanismo está teñido de cosmopolitismo.

Hay escritores que crean un lenguaje: el ejemplo máximo moderno es Darío; otros que recrean una atmósfera, un clima físico y espiritual, como nuestro López Velarde; otros, en fin, que son creadores de un mundo y de una sociedad. Son los historiadores y geógrafos de lo imaginario. Onetti es de los últimos: en sus novelas y cuentos transitan hombres y mujeres que con frecuencia son más reales que las gentes con las que nos cruzamos todos los días en calles, oficinas y reuniones sociales. Se le ha llamado escritor realista pero los escritores realistas copian a la realidad y las copias siempre son inferiores a los modelos. Éste es el gran defecto del arte realista: nunca es bastante real.

Cuando yo era joven sentía desesperación y rabia al ver la indiferencia y el desdén con que se juzgaba en el extranjero a nuestros países, a nuestra literatura y a nuestro arte. Sin embargo, poco a poco, después de la segunda Guerra Mundial, los críticos advertidos de todo el mundo comenzaron a darse cuenta de que una nueva literatura había nacido: la latinoamericana. Digo latinoamericana porque nuestra literatura se bifurca en dos ramas: la hispanoamericana y la brasileña. Ahora todos saben que en menos de un siglo han aparecido tres grandes literaturas mundiales: en la segunda mitad del siglo XIX la rusa y la norteamericana, en este siglo la de nuestros países. Se decía que América Latina era un continente rico en materias primas, generales y caudillos; hoy podemos decir que también es rico en poetas y novelistas. Saber esto me reconcilia, a veces, con nuestra terrible realidad.

México, 1981

[«Onetti y el realismo» se publicó en *Sombras de obras,* Seix Barral, Barcelona, 1983.]

El lirio y el clavel

Cuando era niño encontré, entre los libros de mi casa, una antología de la poesía popular española. Era un libro en octavo, de pastas blancas y letras azules y rojas, una de aquellas ediciones un poco ostentosas que se hacían en Barcelona a principios de siglo. Fue una de mis primeras lecturas poéticas. Entre todos aquellos poemas me impresionó muchísimo una copla. Todavía me asombra y me hace pensar. A veces me sorprendo repitiéndola mentalmente. Dice así:

> En un portal de Belén
> nació un clavel encarnado
> que por redimir al mundo
> se volvió lirio morado.

En esos cuatro versos está todo el cristianismo, su historia y sus misterios. Más exactamente, sus dos grandes misterios, que son también los de cada uno de nosotros: el nacimiento y la muerte. Sólo que el nacimiento de Jesús y su muerte encierran otro misterio mayor. La copla nos lo explica no con el lenguaje de la teología sino con el de la poesía, a través de imágenes y ritmo. El clavel es el niño Jesús y es encarnado porque esta flor popular es una imagen de la encarnación del espíritu en la carne del hombre. El lirio es una flor espiritual, eclesiástica y el morado es un color que está entre el rojo carmín y el azul celeste: es el color de la transfiguración de la sangre en el sacrificio. El simbolismo de los colores, la transformación del rojo en morado, y el cambio del clavel en lirio, nos revelan el secreto de la vida de Jesús: su nacimiento fue una encarnación y su muerte no fue muerte sino transfiguración: el clavel se volvió lirio. El secreto de esta transfiguración es un secreto a voces. Quiero decir, es un secreto que todos los hombres compartimos y en el que todos participamos: la redención del mundo.

Después he leído muchos poemas con el tema de la Natividad. Nuestra poesía, lo mismo la popular que la culta, es muy rica en poemas que cantan a Jesús, María, José, el ángel, los pastores y el establo con sus animales pacíficos. Letrillas y villancicos de Góngora y de Valdivielso, de Sor Juana Inés de la Cruz y de Carlos Pellicer: esos poemas son hermosos y están bien construidos pero ninguno de ellos tiene, me parece, la economía poética y la sencillez de la copla del lirio y el clavel. Es un ejemplo del dicho de Blake: una gota de agua en la que cabe un mundo.

México, 1980

[«El lirio y el clavel» se publicó por primera vez en el volumen 3 de la primera edición de las *Obras completas*. Se recogió también en *Al paso*, Seix Barral, Barcelona, 1992.]

Rafael Alberti, visto y entrevisto

1. RECORDACIÓN

En 1930 ingresé en la Escuela Nacional Preparatoria, en donde se cursaban, en aquella época, los dos últimos años de bachillerato. Muy pronto, con mis amigos de entonces, casi todos aprendices como yo, comencé a leer a los nuevos poetas de España y de América. En unos pocos meses saltamos de los modernistas hispanoamericanos —Lugones, Herrera y Reissig, López Velarde— a la poesía moderna propiamente dicha: Huidobro y Guillén, Borges y Pellicer, Vallejo y García Lorca. Los poetas españoles me deslumbraron. Recuerdo mi sorpresa al leer *Manual de espumas* de Gerardo Diego, una sorpresa que la lectura de la *Fábula de Equis y Zeda,* un poco después, hizo más intensa y lúcida. Es difícil describir el estado de espíritu, a un tiempo exaltado y perplejo, con que leí *Cántico, Romancero gitano, Seguro azar, Cal y canto, La destrucción o el amor...* Asombro, delicia, pasión, complicidad y, en fin, simpatía. Pero simpatía en el sentido que daban los estoicos a la palabra: esa fuerza afectiva que, al unir a las cosas y a los espíritus, les da coherencia. Por la simpatía los elementos desunidos se vuelven universo. La lectura de esos libros, además, me hizo comprender mejor a Juan Ramón Jiménez, que fue el maestro de esa generación. Y aquí vale la pena decir que el mejor Jiménez, el del final, el de *La estación total* y *En el otro costado,* aprovechó la lección de sus discípulos como el último Yeats aprovechó la del joven Pound.

La poesía moderna de nuestra lengua nos unió en un culto y nos dividió en pequeñas cofradías. Unos juraban por Huidobro y otros por Neruda, unos por García Lorca y otros por Alberti. Yo pertenecía a la secta de Alberti y recitaba sin cesar poemas de *El alba del alhelí* y de *Cal y canto.* En 1934, ya en la Facultad, supimos que Rafael Alberti visitaría México, acompañado de su mujer, la escritora María Teresa León. Viajaban por América en gira de propaganda en favor, si mi recuerdo es exacto, del Socorro Rojo Internacional. Alberti acababa de ingresar en el Partido

Comunista Español y su gesto nos había conmovido y, también, desconcertado. No sólo era el autor de *Sobre los ángeles* (1929), sino que hacía poco, en 1931, había publicado, con Carlos Rodríguez Pintos, un poema de título devoto: *Dos oraciones a la Virgen.* Pero las conversiones al comunismo no sólo son fulminantes sino contradictorias: Lukács decidió adherirse a la Tercera Internacional cuando aún estaba fresca la tinta de su ensayo contra el marxismo y a mí me tocó, hace unos años, ver cómo un escritor cubano, en unas cuantas semanas, saltaba del Vademecum del Opus Dei al marxismo-leninismo según Castro... Rafael y María Teresa llegaron a México a fines de 1934 o a principios de 1935. Era una pareja atrayente, vistosa. Los dos eran jóvenes y bien parecidos: ella rubia y un poco opulenta, vestida de rojo llameante y azul subido; él con aire deportivo, chaqueta de *tweed,* camisa celeste y corbata amarillo canario. Insolencia, desparpajo, alegría, magnetismo y el fulgor sulfúreo del radicalismo político. Los rodeamos con entusiasmo.

Los Alberti pasaron varios meses en México y durante esa temporada los visité con cierta frecuencia. Vivían en un pequeño apartamento de un edificio moderno en Tacubaya, hoy en ruinas. Rafael tenía 33 años y yo 21. Él era un poeta célebre y yo un desconocido; sin embargo, nunca adoptó el tono del maestro sino el del amigo de mayor experiencia y saber. Algo que nos unió casi inmediatamente fue nuestro origen: él es gaditano y yo, por mis abuelos maternos, vengo del Puerto de Santa María y de Medina-Sidonia. Acostumbrado al trato un poco ceremonioso de los poetas mexicanos de entonces, Alberti me pareció la negación de la solemnidad: chispeante, más satírico que irónico y más jovial que satírico, a ratos un fuego de artificios y otros un surtidor de ocurrencias. Era maravilloso oírlo recitar un pasaje de Góngora, una canción de Lope, un soneto de Garcilaso. Hablaba con calor y generosidad de sus amigos —García Lorca, Bergamín, Altolaguirre— y también de Neruda, que en aquellos días era cónsul de Chile en Madrid. Alberti me regaló la preciosa edición que había hecho Bergamín, en *Cruz y Raya,* de los *Tres cantos materiales.* Admiraba al poeta chileno: «un temperamento anárquico —decía—, pero hondo, un pez de las profundidades, un extraño cetáceo de la poesía». Y agregaba, moviendo la cabeza: «Por desgracia, está lejos de la Revolución».

Una tarde, paseando por el centro de la ciudad, nos detuvimos frente a una librería: en una vitrina estaba expuesto el volumen de la *Poesía* de Quevedo, que en esos años había publicado Astrana Marín en la editorial

Aguilar. Entramos y Alberti compró el libro. Creo que durante esa temporada mexicana leyó a Quevedo con pasión, como puede comprobarlo cualquiera que recuerde los sonetos de la elegía a Sánchez Mejías (*Verte y no verte*, México, 1935). Al salir de la librería caminamos un largo trecho hablando de Quevedo hasta que, cansados, entramos en un café. Alberti me leyó algunos de los sonetos a Lisi. Me atreví a interrumpirlo y le dije uno que sabía de memoria: «En breve cárcel traigo aprisionado, / con toda su familia de oro ardiente». Me miró primero con sorpresa y, después, con simpatía, sonriendo con aprobación. Comprendí instantáneamente que no era la ideología lo que podía unirnos sino la comunidad de la lengua y el amor a nuestros poetas.

Rafael y María Teresa eran muy activos y participaban en muchos actos públicos. En materia política, me parece, ella llevaba la voz cantante. En ese dominio nunca le oí decir a él nada que no fuesen vaguedades y fórmulas devotas. Su marxismo, más que una ideología, era una fe y, más que una fe, un ritual. En cambio, se transformaba al decir en público sus poemas. Los decía muy bien, quizá demasiado bien. A pesar de mi admiración, lo encontré siempre un poco teatral. Al oírlo, me parecía asistir a un espectáculo, no participar en una experiencia espiritual. Julio Torri lamentaba no ser un buen actor de sus propias emociones: ¿se puede serlo sin convertirse en un personaje de sí mismo? Entre el sacerdote y el político hay una figura intermedia: el actor. Los tres son oficiantes en ceremonias donde la acción se confunde con la representación y ésta se resuelve en liturgia. En aquellos mítines en que Alberti oficiaba con pasión y elegancia ante centenares de feligreses entusiastas, era difícil distinguir entre la política y el rito, el rito y el espectáculo.

Aunque el propósito de su viaje y de sus actividades era esencialmente político, los Alberti se sentían incómodos entre los intelectuales revolucionarios mexicanos. Era natural que les pareciesen un poco arcaicos, rústicos y estrechamente dogmáticos. Todos ellos pertenecían a la LEAR (Liga de Artistas y Escritores Revolucionarios), una agrupación que había sido fundada a imagen y semejanza de otras similares que existían en Europa, como las AEAR de Francia y de España. En aquellos años esas sociedades estaban a punto de desaparecer, transformadas en Alianzas de Escritores Antifascistas para la Defensa de la Cultura. Era el momento de los Frentes Populares, la mano tendida a demócratas burgueses y católicos, la amistad con Gide, Malraux, Forster, Auden, Spender. En realidad, por su edad, su formación y sus gustos estéticos, los Alberti se sentían más cerca del grupo de poetas de la revista *Contemporáneos* —Pellicer, Novo, Villaurrutia, Gorostiza y otros— tildados por los radicales de cosmopolitas, artepuristas y reaccionarios. Por esto no es extraño que el libro de poemas que Alberti escribió en México a la memoria de Sánchez Mejías fuese ilustrado por un pintor ajeno a las luchas ideológicas, Manuel Rodríguez Lozano, y no por Siqueiros.

Las relaciones de Alberti con los jóvenes eran más naturales. En una ocasión nos reunimos con él en un bar. Cada uno de nosotros leyó uno o dos poemas. Alberti escuchaba con cortesía aunque, hay que confesarlo, sus comentarios eran parcos y poco entusiastas. Cuando llegó mi turno, vacilé: mis poemas no eran sociales ni combativos como los de los otros sino más bien íntimos. Sentí un poco de vergüenza: de pronto me pareció que leer aquellos textos era como incurrir en una confesión no pedida. Alberti reparó en mi turbación. Al salir me llamó aparte y me dijo: «En lo que escribes hay una búsqueda de lenguaje y por eso tus poemas, en el fondo, son más revolucionarios que los de ellos. Tú te propones explorar un territorio desconocido —tu propia intimidad— y no pasearte por parajes públicos en donde no hay nada que descubrir». No he olvidado nunca sus palabras. ¿Las recordará Alberti?

Rafael y María Teresa dejaron México a mediados de 1935. Volví a verlos dos años después, en Madrid, en plena guerra. Aunque Rafael era ya una figura pública —dirigía la Alianza de Intelectuales de Madrid— en la intimidad reaparecía el poeta que yo había conocido en México. Caían bombas y estallaban obuses, había poco que comer y mucho que padecer pero en la Alianza de Intelectuales las reuniones eran frecuentes. Concurrían poetas, escritores, pintores, actores, músicos y una población flotante de amigos de Rafael y de María Teresa, así como los extranjeros que estábamos de paso. Se hablaba, se cantaba y, a veces, se bailaba. Recuerdo una fiesta de disfraces y a Rafael Alberti vestido de domador de un circo quimérico. Travesuras y algazaras con las que los hombres, en situaciones semejantes, se han burlado siempre de la muerte, desafíos y juegos al borde del abismo que Rafael Alberti dirigía con una suerte de soltura geométrica. Enamorado del volumen y la línea, parecía más italiano que español; sin embargo, habitado por un duende caprichoso y fantástico, a veces grotesco, resultaba al fin más andaluz que italiano. Doble y complementaria visión: gracia de surtidor, melancolía secreta de pozo.

La guerra nos dispersó a todos y el descubrimiento de la realidad rusa y de la verdadera naturaleza del régimen soviético me alejó. Durante muchos años Alberti vivió en Buenos Aires y después en Roma, yo regresé a México y anduve vagando por el mundo. Mucho después, entre 1967, volvimos a vernos, en el Festival de Poesía de Spoletto. Cruzamos unas pocas palabras: demasiadas cosas nos separaban.

Entre todas estas imágenes de Alberti retengo la de una tarde de 1937, en Madrid. Me veo paseando con él por la Castellana: al llegar a la Fuente de Neptuno torcemos hacia la izquierda, subimos por unas calles empinadas y nos internamos lentamente por los senderos de El Retiro. Me asombra el cielo pálido, plateado; el sol ilumina con una luz final, casi fría, los troncos, los follajes y las fachadas; apenas si hay gente en el parque; sopla ya el viento insidioso de la sierra. Oigo el rumor de nuestros pasos pisando la hojarasca amarilla y rojeante del otoño precoz. Rafael habla de la transparencia del aire y del humo de los incendios, de los árboles ofendidos y de las casas caídas, de la guerra y sus desgarraduras, de Cádiz y sus espectros. A su lado salta Niebla, su perro. Alberti se detiene y, mirando al perro, me dice unos versos que ha escrito hace poco:

> Niebla, tú no comprendes, lo cantan tus orejas,
> el tabaco inocente, tonto, de tu mirada,
> los largos resplandores que por el monte dejas
> al saltar, rayo tierno de brizna despeinada...

Mientras recita, Niebla corre de un lado para otro, desaparece en una arboleda amarilla, reaparece entre dos troncos negros, fantasma centelleante. Las palabras se disipan, Rafael Alberti y su perro se alejan entre los árboles, yo escribo estas líneas.

México, 1984

[«Recordación» se publicó en *Vuelta*, núm. 92, México, julio de 1984.]

2. ENCUENTROS

Ya he contado que mi descubrimiento de la poesía moderna de nuestra lengua —una empresa inacabable: todavía ahora descubro islas poéticas sepultadas y constelaciones desconocidas— comenzó cuando yo tenía unos dieciséis o diecisiete años y estudiaba el bachillerato en San Ildefonso. Una de mis primeras lecturas fue la de Rafael Alberti. Al leer sus poemas penetré en un mundo en donde las viejas cosas y las gastadas realidades, sin dejar de ser las mismas, eran otras. Habían cambiado de piel y parecían acabadas de nacer, animadas por un entusiasmo contagioso. Leí aquellos poemas —incluso los más tristes y misteriosos— con júbilo, como si cabalgase una ola verde y rosa sobre la movible llanura del mar, poblada de toros, delfines, sirenitas, tritones y muchachas caídas del cielo, intrépidas nadadoras de todos los bósforos del amor —para no hablar de las náyades de la estratosfera, como Miss X, enterrada en el viento del Oeste. Fue un ejercicio vital: aprender a beber la luz de cada día, pensar con la piel, ver con la yema de los dedos.

Por esos años un grupo de jóvenes aprendices y poseídos por ideas radicales publicamos dos revistas: *Barandal* y *Cuadernos del Valle de México*. En la segunda aparecieron algunos poemas de Alberti, uno de nuestros poetas favoritos y cuya reciente adhesión al comunismo nos había entusiasmado. Dos años más tarde, en 1935, llegaron a México Rafael Alberti y María Teresa León. Inmediatamente los fuimos a ver e inmediatamente nos conquistaron. Animados por su cordialidad —rara en el mundo literario mexicano— los visitamos con frecuencia en su minúsculo apartamento del recién construido Edificio Ermita, en Tacubaya. Recuerdo algunos paseos con Rafael y fragmentos de conversaciones sobre lo humano y lo divino, más sobre lo primero que sobre lo segundo, Quevedo y Neruda, García Lorca y Sánchez Mejías —muerto hacía poco y al que yo, niño, había visto torear en la plaza de Puebla. Aquí terminó Alberti su elegía a la muerte del gran torero, *Verte y no verte;* aquí la publicó en una preciosa edición ilustrada por Manuel Rodríguez Lozano, gran dibujante; y aquí la firmó en la antigua plaza de El Toreo, teatro de las batallas de Ignacio Sánchez Mejías y Rodolfo Gaona. La estancia de los Alberti fue memorable y dejó, entre las montañas y el aire fino del Altiplano, un poco del mar de Cádiz, revestido de armadura azul y jinete en un caballo de sal.

He mencionado a Cádiz y debo hacer un brevísimo paréntesis: yo me siento un poco paisano de Alberti no sólo por la poesía, cuya sangre, aunque invisible, nos vuelve hermanos a todos los poetas, sino por la tierra: mis abuelos maternos eran de la provincia de Cádiz. Por esto, quizá, cuando leí por primera vez sus poemas, me pareció que no sólo descubría una poesía nueva sino que recobraba un pasado muy antiguo y que, siendo ajeno, también era mío.

Mi segundo encuentro con Rafael Alberti fue en Madrid, en 1937. Recuerdo las bombas y los escombros, las calles a oscuras y la gente con hambre, un batallón de soldados muertos de sueño doblando una esquina y las colas de las mujeres en las panaderías; también recuerdo la extraña, alegre animación de la ciudad martirizada, la fiebre y la pasión compartidas, la terca esperanza —única sobreviviente en los diarios desastres—, la melancólica conversación durante algún paseo por el Parque del Retiro, las carreras entre la arboleda y las yerbas altas de Niebla, el hermoso perro de Rafael (debería haberse llamado, por sus saltos en zig-zag, Rayo). Hubo un tercer encuentro, fugaz, en 1967, en Spoletto, en el Festival de Poesía, al que concurrió también Stephen Spender, otro de los sobrevivientes de aquel Madrid de 1937. Para entonces ya la historia, siempre cruel, nos había separado. Por honradez debo decirlo. No revivo querellas; tampoco reniego de lo que pensé y pienso; digo, simplemente, que siempre he visto a Rafael Alberti, desde la otra orilla que es mi orilla, como uno de nuestros pararrayos poéticos, en el sentido que daba Rubén Darío a esta palabra: *Torres de Dios, poetas, / pararrayos celestes [...]*

Ahora la misma historia —o para llamarla con otro de sus nombres, tal vez el verdadero: el destino— nos ha vuelto a unir: Rafael Alberti ha regresado a las altas tierras de México. Lo saludo y le ofrezco, simbólicamente, una pluma azul y verde de colibrí, el pájaro que bebe la sangre del sol, para que la deje caer, como una semilla, en la tierra de Cádiz. Se convertirá en un árbol y a su sombra conversarán los poetas de América y de España.

México, 1990

[«Encuentros» fue leído en un acto en honor a Rafael Alberti. Se publicó bajo el título «Saludo a Rafael Alberti» en *Vuelta*, núm. 166, México, septiembre de 1990. «Rafael Alberti, visto y entrevisto» se recogió en *Al paso*, Seix Barral, Barcelona, 1992.]

Laude: Julio Cortázar (1914-1984)

En la literatura hispanoamericana de este medio siglo la figura de Julio Cortázar es central. Perteneció a una generación —la mía— que también es la de Lezama Lima, Bioy Casares, Nicanor Parra, Gonzalo Rojas y algunos otros. Fue uno de los renovadores de la prosa española, a la que dio ligereza, gracia, soltura y cierto descaro. Prosa hecha de aire, sin peso ni cuerpo pero que sopla con ímpetu y levanta en nuestras mentes bandadas de imágenes y visiones. Julio resucitó muchas palabras y las hizo saltar, bailar y volar. Sus novelas y cuentos son vasos comunicantes entre los ritmos callejeros de la ciudad y el soliloquio del poeta. La América Latina que aparece en sus obras no es la tradicional y ya estereotipada —sierras, desiertos, selvas, caciques, caudillos, pasiones elementales y previsibles— sino la urbana, que cambia sin cesar, que al cambiar se inventa y, al inventarse, se continúa. Obra a un tiempo simple y refinada en la que lo cotidiano y lo insólito se unen con la naturalidad con que las plantas crecen, los astros brillan y giran, la sangre circula por nuestras venas. La poesía colinda con el humor y la mirada de Cortázar —juez y cómplice— descubre sin esfuerzo el lado grotesco de las cosas y las gentes. Pero lo grotesco es también lo maravilloso y lo maravilloso tiende puentes entre la ternura y la sensualidad, la perdición y el entusiasmo, el aburrimiento y la piedad. Horror y belleza, todo junto.

Julio Cortázar era de mi edad. Aunque él vivía en Buenos Aires y yo en México, lo conocí pronto, hacia 1945; los dos éramos colaboradores de *Sur* y, gracias a José Bianco, no tardamos en intercambiar cartas y libros. Años más tarde coincidimos en París y durante una temporada nos vimos con frecuencia. Después, abandoné Europa, viví en Oriente y regresé a México. Mi relación con Julio no se interrumpió. En 1968 él y Aurora Bernárdez vivieron con Marie José y conmigo en nuestra casa de Nueva Delhi. Por esos tiempos Julio descubrió la política y abrazó con fervor e ingenuidad causas que a mí también, años antes, me habían encendido pero que ya entonces juzgaba reprobables. Dejé de verlo, no de quererlo. Creo que él tampoco dejó de ser mi amigo. A través de las barreras de palabras y papel que nos dividían, nos hacíamos signos de amistad. Su muerte me ha quitado esa comunicación tácita y silenciosa. Hoy no me queda sino, como dice Quevedo, escucharlo con los ojos: leerlo, conversar con sus libros

> que en músicos callados contrapuntos
> al sueño de la vida hablan despiertos.

México, 1984

[«Laude: Julio Cortázar (1914-1984)» se publicó en la revista *Vuelta,* núm. 88, México, marzo de 1984. Se recogió en *Al paso,* Seix Barral, Barcelona, 1992.]

La trama mortal: Pere Gimferrer

La semana pasada releí *Fortuny* de Pere Gimferrer. Cada breve capítulo de este libro es una presentación: unas cuantas frases trazan una escena y unas figuras, que, al doblar la página, se desvanecen. El libro es una suerte de álbum visual hecho de palabras; al hojearlo —al leerlo— apenas si reparamos en las texturas; movidos por la curiosidad y el deseo de ver, corremos tras las imágenes. Vana persecución: las imágenes desaparecen como aparecieron, sin dejar huellas. Paisajes, plazas, aposentos, salones, callejas, parques, hombres y mujeres (todos disfrazados, incluso cuando se desnudan): no los vemos, los deletreamos y, al deletrearlos, los disipamos.

Todas estas escenas tienen, simultáneamente, la inmovilidad de las vistas fijas y el carácter instantáneo, fugaz, de la imagen cinematográfica. Cada capítulo es un cuadro y el fragmento de una película. Lo primero por el dibujo —casi siempre enérgico: pocas líneas pero expresivas— y, sobre todo, por el color y los tonos, con frecuencia vehementes y otras veces casi apagados, aunque entre los repliegues las sombras despiden destellos breves y violentos. Lo segundo, por la velocidad de las imágenes y la manera con que se transforman en otras o se disuelven en la página (y en la mente del lector). Pintura y cine: libro no para ser pensado sino visto pero visto a través de la lectura. Imágenes hechas no de líneas, formas y colores sino de palabras y frases.

La prosa de Gimferrer es prosa de poeta. En sus poemas, entre los que se encuentran algunos de los mejores que se escriben hoy en España y América, tanto en castellano como en catalán, me sorprendió desde el principio la presencia de un lenguaje inconfundible. Y esto es lo que distingue al verdadero escritor de los otros, como el plumaje al pájaro o la melena al león. Un lenguaje denso pero no espeso sino concentrado y, en esa concentración, suntuoso sin exceso. Un lenguaje desgarrado por súbitas iluminaciones pasionales o espirituales, pasajes que me hacen pensar en esos cielos de algunos pintores venecianos que abre en dos, como si fuesen frutos, la luz de un sol final. La prosa de Gimferrer posee la misma densidad habitada por secretas violencias. Pero, además, es veloz, un rasgo decididamente poco veneciano aunque muy moderno. La rapidez de su prosa viene del cine, al que es muy aficionado y sobre el que ha escrito con agudeza. Quien dice cine, dice montaje y el montaje rige las apariciones y las desapariciones de *Fortuny*. Así, el texto se descompone y recompone en una serie de presentaciones; el conjunto es una representación. ¿De qué? ¿De Venecia o de Fortuny? Es más exacto decir que el verdadero personaje que habita y deshabita esa alucinante representación es la memoria.

La velocidad de la prosa de Gimferrer —una de las más rápidas que conozco, entre las que hoy se escriben— no nos deja ver, en la primera lectura, las combinaciones verbales y sintácticas, el tejido y la variedad de los hallazgos lingüísticos. La segunda lectura revela otro parecido. No con el cine ni la pintura, sino con la tapicería. Cada capítulo puede verse como escena de una suntuosa tapicería. Sólo que el tapiz no nos muestra ni nos cuenta un cuento: es una trama verbal. Las escenas que pasan ante los ojos del lector no tienen la continuidad de un argumento lineal: son los fragmentos dispersos de una historia. Entre ellos no hay verdadera continuidad sino contigüidad: no los enlaza una acción sino el accidente de acaecer en el mismo tiempo y el mismo lugar. Son pedazos de tiempo o, más exactamente, de tiempos. Empleo el plural porque en el libro de Gimferrer, como en tantas obras modernas, el tiempo ha dejado de ser sucesivo y se dispersa en trozos vivos y finitos. Aunque cada uno de estos segmentos tiene vida propia, todos están movidos por una voluntad sin nombre que los lleva a enlazarse con los otros segmentos, a reflejarse en ellos o a reflejarlos. Lo mismo sucede con el espacio: también es discontinuo y plural. Dispersión de fantásticas Venecias y Vienas sobre la página. Fechas y lugares rotos, vueltos partículas incandescentes y fugaces.

Cada fragmento de tiempo-espacio, cada escena y cada episodio, es distinto y único pero, al enlazarse con los otros y disiparse, reaparece en la nueva figura. Continua metamorfosis que se resuelve en continua repetición. Cada capítulo es un naipe que Gimferrer arroja sobre la mesa (la página) y que, al combinarse con los otros, forma una figura. Llamo figuras a las personas y personajes que desfilan por *Fortuny* porque carecen de sustancia; no tienen consistencia o, mejor dicho, su consistencia se reduce a ser apariencia: combinaciones de reflejos que son, a su vez, composiciones verbales: palabras enlazadas. Son figuras que son nombres. Por ser nombres, son talismanes: basta con decirlos para que aparezcan otros fantasmas y otras fantasmagorías. Tienen poderes pero esos poderes son de perdición: las imágenes que suscitan son quimeras que se disipan. ¿Qué es lo que queda? Queda la página, teatro de las palabras.

La unidad del libro no está en la historia sino en la trama. Uso el término en su sentido primero: el de urdimbre verbal. Tapicería en movimiento: sucesión de paisajes, lugares, sucesos, figuras que se resuelven en formas y colores que son al fin solamente texturas. Un tejido de trazos y sonidos. Pero también trama en el sentido moral: artificio o confabulación que nos atrae, nos atrapa y nos pierde. La trama verbal teje una escena: un dibujo hecho de líneas y colores que poco a poco se convierten en un lugar y unas figuras; el dibujo se anima y se revela como una confabulación de sinos: un destino. La trama de las palabras es una trampa mortal en la que caen, atraídos por el deseo y la muerte, todas las figuras que aparecen en el libro de Gimferrer: pintores, escritores, cortesanas, actrices, políticos, modistos, personajes de la novela y el teatro. Nombres, signos, sinos: la tapicería verbal es una alegoría moral.

México, 1984

[«La trama mortal: Pere Gimferrer» se publicó en la revista *Vuelta,* núm. 88, México, marzo de 1984. Se recogió en *Al paso,* Seix Barral, Barcelona 1992.]

Entre testigos:[1] Octavio Armand

Querido Octavio:

¡Qué extraño que usted se llame como yo —o que yo me llame como usted! Y al mismo tiempo: no tan extraño. Cuando yo pienso en mí o hablo conmigo mismo, no me llamo Octavio: me llamo yo. Yo no soy Octavio: yo soy yo. ¿Y usted? ¿Es usted Octavio o usted? ¿Quién, simultáneamente, se confiesa y se acusa, se condena y se absuelve: Octavio Armand o usted? El yo que escribe es un verdadero yo y no se llama Pedro ni Pablo ni Octavio. Se llama yo. Es un yo que engloba al autor y al lector. ¿Y quiénes son esos testigos entre los que usted escribe?, ¿cómo se llaman? No tienen nombre. Son pronombres: son todos ellos y todos nosotros. Sobre todo son ellos, los siempre lejos, el inminente y acechante aquél, ustedes los de enfrente y tú que también te llamas yo. Unos pronombres tienen cara y otros no la tienen, unos se encaran y otros se descaran.

Su libro, no todo, claro, sino muchos de los poemas y textos que lo componen (y todo por su *tono*), me gusta de veras. No es fácil decir esto de un nuevo libro: gran parte de la poesía que hoy se publica (también la prosa) es deshilachada, informe. Unos creen que los harapos visten más y que son algo así como un signo de autenticidad. Otros repiten con aplicación las fórmulas de la antigua vanguardia. Aunque sus poemas revelan familiaridad con las tendencias y procedimientos de la poesía moderna, usted esquiva con frecuencia la doble facilidad que malogra tantas tentativas jóvenes: la afectación de la pobreza verbal y la afectación de la complicación almidonada. Cierto, a veces cae usted en una suerte de preciosismo de la desesperación, ese manierismo vallejista en que incurren hoy tantos. Pero ante la mayoría de sus textos se siente lo que pocas veces se siente ante un poema contemporáneo: lo que usted dice *está dicho*. El

[1] Octavio Armand, *Entre testigos*, Madrid, 1974.

poeta no nació para predicar evangelios ni para anunciar el fin del mundo: el poeta nació para decir. ¿Y qué es lo que dice el poeta? Diga lo que diga, lo que dice está dicho —y con eso basta. Lo que usted dice está dicho con la certeza y la autoridad del poeta. La certeza le viene de saber que aquello que dice se clava justo en el blanco; la autoridad le viene de saber que por su boca habla el lenguaje mismo. Mi único temor: que la certeza no se vuelva suficiencia y la autoridad no se convierta en soberbia. El pecado mortal del poeta: ser su propia sirena, oírse demasiado a sí mismo, ahogarse en su canto. Por eso debe aprender a dudar de sí mismo y de lo que dice. Aprender a desdecirse. El poeta anda siempre en la cuerda floja: es el volatinero que camina sobre el filo de la luz que es también el filo del cuchillo. Así anda usted en los textos mejores —los más afilados, los más luminosos— de *Entre testigos.*

Gracias por su libro: usted le ha sacado punta a las palabras. Y brillo.

México, abril de 1974

[«*Entre testigos:* Octavio Armand» se publicó en *In/mediaciones,* Seix Barral, Barcelona, 1979.]

Del uno al dos al...: Eulalio Ferrer

> *Tres es el principio de la perfección... cuatro tiene cuatro facultades, como los miembros del cuerpo; cinco está protegido por Venus.*
>
> De Sénancour

La prosa de Eulalio Ferrer es clara y rápida. Avanza en frases cortas y netas, evita los circunloquios, traspasa las dudas, se atiene a los hechos y prefiere mostrar a demostrar. Sin embargo, su libro desemboca en una interrogación. Empecé a leerlo con curiosidad; pronto pasé de la curiosidad sonriente a la sorpresa y de la sorpresa a la pregunta azorada: *¿por qué?* Sabía vagamente que en el habla de los mexicanos abundan las frases en el modo ternario pero ignoraba que la dominación del tres fuese de tal modo absoluta. En todas nuestras expresiones, las habladas y las escritas, las cultas y las populares, en la política y en la literatura, en las canciones y en la publicidad, aparecen con mareante frecuencia las tríadas y las triparticiones, los trinomios y los triángulos. A través de la ventana del lenguaje, los hombres ven al mundo y se ven a sí mismos. Para los mexicanos esa ventana verbal es triangular. Triplicamos todo lo que vemos y decimos.

¿Somos los únicos en hablar y pensar así? ¿Es un rasgo común a todos los que hablamos en español? ¿Compartimos esta curiosa propensión con los que hablan las otras lenguas latinas? ¿O estamos ante una característica de todos los idiomas indoeuropeos? ¿Cada época y cada civilización tienen su patrón numérico? ¿Otras culturas ven al mundo no por el vidrio del tres sino por la claraboya del cuatro o por el tragaluz del cinco? A medida que se reflexiona sobre este tema, las preguntas se multiplican y aparecen nuevos territorios por explorar: el lenguaje y la historia, la geografía humana y la antropología, la biología genética y la estructura del cerebro, la mitología y la religión, el inconsciente colectivo y la publicidad. El libro de Eulalio Ferrer nos pone a pensar.

Todos sabemos, aunque pocos hayan reflexionado sobre esto, que los hombres pensamos y hablamos en porciones discretas que tienden a agruparse en frases y oraciones conforme a ciertas afinidades y oposiciones, correspondencias y simetrías. ¿El orden en que se asocian y dividen nuestros pensamientos y nuestras palabras refleja al mundo que percibimos o es una proyección nuestra? Es difícil responder a esta pregunta; no lo es decir que ese orden satisface tanto a nuestra razón como a nuestra sensibilidad. La proporción es justa y es armoniosa; por lo primero responde a nuestras exigencias intelectuales y morales, por lo segundo gratifica a nuestro sentido estético. Según los pitagóricos, percibimos al mundo comenzando por las dualidades y las oposiciones: lo frío y lo caliente, lo seco y lo húmedo, lo alto y lo bajo. Enseguida tendemos puentes entre la noche y el día, el sí y el no, el esto y el aquello: pasamos del dos al tres. Proseguimos y encontramos al cuatro: arquetipo de la semejanza, allí el dos se mira duplicado, como en un espejo... y así sucesivamente hasta llegar a los números perfectos: el siete, que no es engendrado ni engendra, idéntico a sí mismo siempre; el nueve, tres veces tres, número santo para los católicos y los hindúes; el diez, la suma perfección, pues contiene al cuatro y, dos veces, al tres. O tres veces al tres más el uno, comienzo de todos e idéntico a sí mismo.

Según la tradición, Pitágoras aprendió la ciencia de los números con los egipcios y los caldeos. Algunos agregan, con una sonrisa, que también con los fenicios, grandes comerciantes y maestros en el arte de restar, sumar y multiplicar. Los griegos convirtieron todos estos saberes prácticos en pensamiento y teoría. Desde entonces las especulaciones sobre los números —axiomas, certezas, delirios— han fascinado y desvelado a muchos y grandes espíritus. La idea de que el universo es número sedujo a Demócrito y a Platón, a Spinoza y a Leibniz, a Descartes y a Newton. Es imposible no percibir un eco pitagórico en las palabras de Galileo: la naturaleza habla en lenguaje matemático. Las citas pueden multiplicarse. Ahora mismo, a pesar de que las disciplinas más rigurosas, como la física, parecen inclinarse más y más hacia el probabilismo, no podemos renunciar a la tradición pitagórica sin renunciar a la ciencia misma. Las nociones de *medida, cantidad, magnitud* y *proporción* son la base de nuestras concepciones científicas y filosóficas, el instrumento para penetrar en los fenómenos, medirlos, describirlos y, en la medida de lo posible, encontrar las leyes o las tendencias que los rigen. Tal vez el universo no es única o esencialmente número, tal vez ese número cambia perpetuamente, tal vez es indecible, tal vez este mundo es un instante de un proceso combinatorio, tal vez los factores de esa combinatoria son inmensurables, tal vez... pero ¿cómo decir todo esto sin números? Y más, ¿cómo *pensar* sin números?

Para los artistas es natural sentir y crear conforme a número y proporción. La música y la arquitectura son número, una en el tiempo y otra en el espacio. La poesía también es número. Lo es por partida doble. Primero, por sus propiedades físicas: metros, acentos, combinaciones de sonidos. Después, porque muchas veces la forma material del poema, su composición y sus divisiones, obedece a una forma ideal concebida por el poeta en términos numéricos y simbólicos. La *Divina Comedia* es, quizá, el ejemplo más alto. El poema está compuesto por tres partes, cada una dividida en treinta y tres cantos más un canto aislado, el prólogo; o sea, cien cantos, diez veces diez, el número de la totalidad de las totalidades. Cada una de las tres partes reproduce la proporción: tres repetido once veces, diez más la unidad, en la que todo comienza y acaba. El uno, el tres y sus múltiplos pero asimismo el cuatro: el poema está escrito en tercetos que terminan en un cuarteto: cuatro repetido diez veces diez. El número central, el eje que sustenta y mueve la numerología de Dante, es el tres, reflejo de la Trinidad... Siglos más tarde, en un poema dedicado al joven Juan Ramón Jiménez (tenía entonces apenas diecinueve años), Rubén Darío le dice:

> ¿Te sientes con la sangre de la celeste raza
> que vida con los números pitagóricos crea?
> . . . .
> Sigue, entonces, tu rumbo de amor: eres poeta.

No es necesario ser filósofo, músico, científico o poeta para pensar y hablar conforme a patrones numéricos. Se trata, sin duda, de una tendencia natural de la mente humana como, en el caso de los mexicanos, lo muestra Eulalio Ferrer con abundancia de ejemplos. Lo verdaderamente curioso es nuestra tendencia a usar y abusar de las formas ternarias. ¿Herencia católica? No es verosímil. Georges Dumézil ha mostrado, con impresionante saber e ingeniosos y profundos análisis, que los pueblos europeos compartieron desde la más remota antigüedad una ideología tripartita. Es una visión del mundo que se refleja tanto en la mitología y la religión como en sus ideas sobre la sociedad humana. Abarca varios milenios y varios pueblos, de la India védica y el Irán anterior a la reforma de Zoroastro a Roma, Germania, Escandinavia, el mundo celta. Las ideas de Dumézil han tenido fortuna y los estudios sobre las «tres funciones» han proliferado en los últimos veinte años. Entre nosotros el profesor cubano Adrián G. Montoro ha dedicado un sugerente estudio al tema de las tres funciones —sacerdotes, guerreros, agricultores— en el poema del Cid *(El león y el azor)*. En Francia el historiador Georges Duby ha aplicado estas ideas al campo de la historia propiamente dicha y no a los mitos y la poesía épica (*Les Trois ordres ou l'imaginaire du féodalisme*, 1978). Duby ha encontrado la impronta de la antigua ideología tripartita indoeuropea no sólo en las concepciones teológicas, jurídicas y políticas de la monarquía capetiana sino en las costumbres mismas: entre 1186 y 1190 Andrés el Capellán escribe su *Tratado del amor cortés*, gobernado por tríadas. Ese pequeño libro desencadenó una revolución en el dominio de la sexualidad y los sentimientos.

Eulalio Ferrer no se aventura en hipótesis que pretendan explicar las causas de nuestra afición a las tríadas. No fue su propósito; su mérito reside en el descubrimiento del fenómeno y en su descripción. Tampoco Dumézil nos aclara el *porqué* de la ideología tripartita de los indoeuropeos. Pero sus estudios nos abren una pista para futuras investigaciones y, en el caso de México, para continuar la exploración de Eulalio Ferrer. Puesto que la ideología de las «tres funciones» es un rasgo distintivo de los antiguos indoeuropeos, no es temerario deducir que otros pueblos y civilizaciones han visto y han pensado al mundo desde otras perspectivas. A mí me ha impresionado siempre la importancia del cuatro, lo mismo en el Extremo Oriente que entre los indios americanos. Es una noción sobre todo espacial, íntimamente asociada a los cuatro puntos cardinales. El universo se representa como un cuadrado dividido en cuatro zonas, cada una con un color, un dios y una morada ultraterrestre. Las pagodas de China, Japón y Corea combinan en sus formas las dos figuras sagradas: el círculo y el cuadrado; en Mesoamérica predomina la pirámide trunca, cuya base es un cuadrado que se repite, reducido, en la cúspide. El cuatro también es tiempo; como símbolo temporal, se transforma en el quincunce, un cuadrado que representa las cuatro eras del pasado y en el centro la nueva edad, el Quinto Sol, cuyo atributo es el movimiento. O si concebimos al universo como un cuerpo vivo: el ombligo solar... Pues bien, en la mentalidad de !os mexicanos modernos hay sin duda huellas y rastros de esas antiguas creencias. El libro de Eulalio

Ferrer nos invita a ir más allá. Alguien debería atreverse a continuarlo, iniciar una arqueología de nuestras creencias, descender y buscar, abajo del tres, en el subsuelo psíquico de México, las figuras del cuatro y el cinco.

México, a 31 de enero de 1989

[«Del uno al dos al...: Eulalio Ferrer» es el prólogo a *Trilogías: La influencia del tres en la vida mexicana,* de Eulalio Ferrer, México, 1989. Se recogió en *Al paso,* Seix Barral, Barcelona, 1992.]

Premio Menéndez Pelayo

Majestad, Señor Ministro de Educación y Ciencia,
Señor Rector de la Universidad Internacional Menéndez Pelayo,
Señoras y Señores:

Agradezco profundamente la distinción de que he sido objeto. Mi emoción y mi gratitud se acrecientan por recibir de vuestras manos, Señora, el Premio Internacional Menéndez Pelayo. Me conmueve también estar otra vez en Santander y participar en las actividades de la Universidad Internacional Menéndez Pelayo; dirigida con pericia por Santiago Roldán, esta institución se ha convertido en un gran centro cultural europeo en donde se estudian y debaten los grandes temas filosóficos, científicos, literarios y políticos de nuestro tiempo.

El fundador del premio Menéndez Pelayo es un español de México, Eulalio Ferrer. Desde hace muchos años ha dedicado sus mejores esfuerzos a restablecer el diálogo entre nuestros pueblos y culturas. Uso el plural porque, en efecto, son varias y distintas las culturas hispanoamericanas; añado que esas culturas son familias de una especie común y que todas conviven dentro de la misma civilización hispánica. Eulalio Ferrer ha comprendido de manera admirable que una civilización es un diálogo de culturas; lo ha comprendido, sin duda, porque él mismo es un ejemplo vivo de ese diálogo.

Hace unos días me preguntó un periodista: ¿no le ha sorprendido que le hayan otorgado a usted, un heterodoxo, el premio Menéndez Pelayo? Le respondí que su pregunta me sorprendía aún más que la noticia del premio. Ortodoxia y heterodoxia son dos hermanas de la misma edad, que han crecido juntas y que ahora, al finalizar el siglo, se parecen más y más. Cuando creemos que nos paseamos del brazo de heterodoxia andamos en realidad con ortodoxia —y a la inversa. Ortodoxia y heterodoxia eran dos enemigas irreconciliables pero hoy son apenas dos nombres, dos antifaces, uno rosado y otro negro, con los que gusta ocultarse y descubrirse la misma mujer. Una mujer de cuerpo transparente: una idea.

Debo confesar, sin embargo, que la noticia del premio no sólo me sorprendió sino que provocó en mí un sentimiento difícil de describir pues está compuesto de emociones diversas y contrarias: alegría, gratitud, asombro, melancolía, añoranza. Fue un instantáneo, inesperado y tal vez inmerecido regreso a un tiempo íntimo y remoto. A ese tiempo en el que un joven descubre, jubiloso y aterrado, un mundo que es muchos mundos: la literatura. El nombre y los escritos de Menéndez Pelayo están asociados a mi adolescencia y a mi juventud; mi abuelo era un heterodoxo mexicano que tenía la pasión de la lectura y entre los libros de su biblioteca, frente a frente, se encontraban los volúmenes del liberal Pérez Galdós y las obras de dos campeones de la ortodoxia, ambos montañeses: Menéndez Pelayo y Pereda. Los estudios del primero me abrieron un camino hacia nuestros clásicos y me ayudaron a comprender a Lope y a Calderón. Incluso sus condenaciones y anatemas fueron benéficas: despertaron mi curiosidad y estimularon mi rebeldía estética, como en el caso de Góngora. Años más tarde navegué por las páginas caudalosas de la *Historia de los heterodoxos españoles,* entregado a un placer perverso y delicioso: la pesca de herejías. Luis Buñuel me confió que ese libro había sido una de sus lecturas favoritas y que había inspirado varios pasajes de sus películas y la trama misma de *La Vía Láctea.* Por lo visto, nunca cesará de fascinarnos la belleza, ligeramente horrenda casi siempre, de las dos hermanas fatales: ortodoxia y heterodoxia.

El país de la crítica literaria es triste y áspero; abundan los yermos, los matorrales y las yerbas biliosas; hay muchas colinas peladas, lúgubres pantanos, unos cuantos valles encantadores con vistas admirables y una montaña imponente. La montaña se llama Menéndez Pelayo. Rica en cascadas y manantiales impetuosos, su vegetación es robusta pero poco variada, casi monomaníaca: robles categóricos, encinas contundentes. Vista desde el llano, la montaña infunde miedo: es una enorme, pétrea obstinación. Impresión no engañosa sino superficial: la montaña contiene muchos tesoros y basta excavarla un poco para encontrarlos y hacerse rico para toda la vida. Además, vale la pena subir por sus lomos escarpados: allá arriba el aire es puro y el cielo límpido y estrellado. Desde alguna de sus cumbres puede contemplarse la variada geografía de nuestra literatura. Más allá, el mar y su centelleo solar; a lo lejos, se vislumbran los volcanes, las sierras, los desiertos y las selvas americanas.

Menéndez Pelayo fue uno de los primeros críticos españoles, el otro fue Valera, que se atrevió a explorar los desconocidos territorios de la literatura hispanoamericana. Entre otros estudios le debemos el primer ensayo serio sobre el primer escritor universal nacido en nuestro continente, en sus dos mitades, la sajona y la latina: Sor Juana Inés de la Cruz. Con ella comienza la tradición de Darío, Lugones, Neruda, Vallejo, Borges... Sobre la montaña se tiende un arco-iris con nombre de mujer: Juana Inés. No describo un paisaje: trazo los signos de un ideograma de nuestra literatura.

Santander, a 2 de julio de 1987

[«Premio Menéndez Pelayo» se publicó en la revista *Vuelta*, núm. 130, México, septiembre de 1987. Se recogió en *Al paso*, Seix Barral, Barcelona, 1992.]

Dámaso Alonso (1898-1990)

Dámaso Alonso será recordado, con justicia, por sus notables ensayos sobre la poesía de nuestra lengua, particularmente por los dedicados a Góngora. La resurrección del poeta cordobés se debe, en buena parte, a Dámaso: sus ediciones críticas tanto como sus ensayos fueron una verdadera operación de taumaturgia poética. Sin Dámaso no hubiéramos podido leer a Góngora y sin Góngora nuestra poesía moderna no sería lo que es. Sus contribuciones no se reducen, por supuesto, a la obra y la figura de Góngora; apenas si necesito recordar, entre sus grandes estudios, los consagrados a Medrano y a Andrés Fernández de Andrada, casi seguramente autor de la *Epístola moral* o sus ensayos sobre la poesía moderna, como el de Bécquer. También fueron sobresalientes sus trabajos de estilística. Y algo aún más raro: leyó y comentó con penetración y generosidad a los poetas de su generación y a los más jóvenes. (La excepción fue Cernuda: los separó una diferencia juvenil que ahondaron los años.) Es imprescindible añadir que Dámaso Alonso fue un gran crítico porque, ante todo, fue un excelente poeta. Si no hubiese sido por la poesía, se habría quedado en un inteligente erudito. La fuente de su crítica fue la poesía. Como poeta, hay dos momentos en Dámaso Alonso que me conmueven. Uno es el de *Hijos de la ira,* un libro alternativamente cristiano y estoico, en la gran tradición de la «poesía mora», de nuestra lengua y en el que interiorizó el versículo de Whitman. El otro es el Dámaso juvenil, el delicado lírico de *Poemas puros* y de *El verso y el viento.* Leí algunos de esos breves poemas cuando era estudiante, hace más de medio siglo, en la antología de Gerardo Diego. Uno de ellos no me abandona desde entonces: *La nueva victoria.* Lo recuerdo ahora como si fuese su epitafio, grabado no en piedra sino en mi memoria:

Ésta es la nueva escultura.
Pedestal, la tierra dura.
Ámbito, los cielos frágiles.
El viento, la forma pura.
Y el sueño, los paños ágiles.

[«Dámaso Alonso (1898-1990)» se publicó en la revista *Vuelta*, núm. 160, México, marzo de 1990.]

Columna: Victoria Ocampo

El nombre y la persona de Victoria Ocampo evocan una columna, una cariátide o un alto monumento conmemorativo en el centro de una gran plaza. Sol, luz y un espacio regido por una arquitectura noble. Estas imágenes no son caprichosas ni fortuitas. Para casi todos los escritores hispanoamericanos la vida y la obra de Victoria Ocampo son inseparables de la revista *Sur.* Y *Sur* fue para nosotros templo, casa, lugar de reunión y confrontación. ¿Cómo no ver en su directora al Pilar de la casa de las letras? Pilar, soporte o cariátide, Victoria es algo más: la fundadora de un espacio espiritual. Porque *Sur* no es sólo una revista o una institución: es una tradición del espíritu. Publiqué algo en la revista, por primera vez, hacia 1938, invitado por José Bianco (un nombre y un hombre que también se confunden con *Sur).* Desde entonces, escribir para *Sur* nunca ha significado para mí colaborar en una revista literaria sino participar en una empresa, que, si no es la verdadera vida espiritual, tampoco es la vida literaria en su acepción corriente. Lo que fue para los europeos la *Nouvelle Revue Française,* es para mí *Sur:* las letras concebidas como un mundo propio —no aparte ni enfrente de los otros mundos, pero jamás sometidas a ellos. Las literaturas de la libertad dependen siempre de esta o aquella idea de la libertad: *Sur* es la libertad de la literatura frente a los poderes terrestres. Algo menos que una religión y algo más que una secta.

La otra tarde un hombre inteligente y sensible me decía que el único monstruo bello creado por el helenismo era la Victoria de Samotracia —y eso gracias a que el azar le había roto los brazos: antes, algo sobraba, las alas o los brazos. Victoria Ocampo es un Pilar pero no es una criatura mitológica: tiene brazos y manos, voluntad e imaginación, cólera y generosidad. Y con todo eso ha hecho lo que nadie antes había hecho en América. No le sobran las manos: con ellas escribe y con ellas construye. Cuando pienso en ella, la veo en su ademán más noble: la mano abierta, dispuesta a estrechar otra mano.

París, a 8 de abril de 1962

[«Columna: Victoria Ocampo» se publicó en *Vuelta,* núm. 30, México, mayo de 1979.]

Vertiginosas revelaciones del tintero: Orlando González Esteva

Hace meses recibí, acompañados de unas líneas, dos manuscritos, uno de sonetos y otro de décimas. El autor era un joven cubano desterrado: Orlando González Esteva. Aquellos poemas me impresionaron inmediatamente por su inventiva, su frescura, su desparpajo y su rigor. Lo más fácil y lo más difícil, como jugar tenis con pelotas que se vuelven pájaros, conejos y aviones diminutos. Juguetes vivos: andantes, cantantes y volantes. Pensé en el Gerardo Diego de *Fábula de Equis y Zeda* o en los sonetos y décimas de Lezama Lima. Baile del lenguaje, vacaciones del sentido común, soberanía del disparate, rey vestido de suntuosos ropajes transparentes que dejan verlo en lo que es: otra transparencia. Los poemas de González Esteva son más frescos y más insolentes que los de sus predecesores: están hechos con aire pero también con una materia explosiva que hace estallar en pleno vuelo a todas las metáforas. Su lenguaje es más popular y directo: por los vericuetos y encrucijadas de sus décimas transitan Sansón Melena, Rinquincalla, Macarina, Rufina, Quirino con su Tres, La Múcura (en el suelo naturalmente) y muchas palabras en forma de mamey, guardarraya, pasipé, jicotea, yagua y su inseparable bibijagua y otros papalotes. Porque, como dice el autor: «la Poesía, sin ser fruta, puede serlo». Y puede serlo porque es «vertiginosa revelación del tintero».

A pesar de mi entusiasmo, no pude contestar a tiempo a Orlando González Esteva y cuando quise hacerlo me di cuenta de que había extraviado sus señas. Hace unos días me llegó un delgado libro suyo con cincuenta décimas: *Mañas de la poesía.* Me hubiera gustado un título que aludiese no tanto a las mañas o habilidades de este joven poeta —aunque las tiene— sino a su libre fantasía. Es una cualidad cada vez más rara en la poesía hispanoamericana contemporánea. En las décimas de González Esteva los sustantivos, los adjetivos, los verbos, los adverbios, las conjunciones (¡ah, las conjunciones!) y las otras partes de la oración se echan a volar, se unen con cierto descaro, se dividen, giran y al fin caen justo en la rima prevista. Lo imprevisible regido por las leyes del metro, la rima y la sintaxis. Cada décima es un poliedro verbal cuyas superficies perfectamente pulidas y espejeantes lanzan alternativamente las letras de dos palabras: *sentido/sin sentido.* Uno es la máscara del *otro*... Pero es más cuerdo, en lugar de perderse en una larga e inútil disquisición, reproducir cuatro de esas décimas, cuatro pruebas de que el idioma español todavía sabe bailar y volar:

II

Ah, la oscura enredadera
del oráculo imprevisto.
La pasión por donde avisto
el corazón de la fiera.
La plenitud agorera
donde reina un dios distante,
voz de pálido semblante
que de repente se avisa
y como un rayo de tiza
desaparece al instante.

VIII

La mulata santiaguera
se fue metiendo en la noche
montada en el carricoche
de la luna marinera.
Vio la insólita chistera
de la ciudad inocente
arder con su pretendiente
mientras ella, divertida,
retozaba sumergida
en un vaso de aguardiente.

XII

Mi madre tiene una tina
donde se baña una moza.
La moza tiene una rosa
y la rosa una cortina.
No se sabe, se adivina,

un cuerpo desorientado,
una ración de pecado,
un frío como de muerte,
un golpe de mala suerte
y luego el cielo estrellado.

XXXVII

Estaba el moriviví
contemplando la sabana
cuando pasó una ventana
que se abría por allí.
Por ella entró un colibrí
de vuelo desenfrenado,
un machete enamorado
de una gran bata de cola
y una mata de pangola:
la ventana era el pasado.

[«Vertiginosas revelaciones del tintero: Orlando González Esteva» se publicó en *Vuelta,* núm. 57, México, agosto de 1981.]

Una voz que venía de lejos: María Zambrano (1904-1990)

La noticia de la muerte de María Zambrano me ha entristecido. La conocí en Valencia, en 1937, durante la guerra civil. No recuerdo ahora quién nos presentó; tal vez fue Arturo Serrano Plaja. En cambio, estoy seguro de que el lugar de este primer encuentro fue la Alianza de Intelectuales: una sala vasta y triste, muebles oscuros, tres o cuatro mesas, altas ventanas de vidrios semiopacos —precaria defensa contra la violencia del sol—, olor a tabaco y el oleaje de las conversaciones. María estaba acompañada por Alfonso Aldabe, que entonces era su marido. Los dos vestían con cierta elegancia y hablaban como si estuviesen en el bar de un club. Su porte y sus modales desentonaban un poco con la agitación y el desgaire de aquellos días. Venían de Santiago de Chile, a donde Aldabe había ocupado un puesto diplomático en la Misión española. Ambos eran de apariencia agradable. María era muy blanca y de pelo negro; ojos vivos, a veces velados por una sombra de melancolía y, en los labios, una sonrisa apenas. Ademanes corteses, la voz suave y bien templada. Una voz que venía de lejos. Cambiamos algunas palabras y rápidamente, al descubrir que teníamos gustos, lecturas y opiniones semejantes, la conversación se convirtió en un mutuo reconocimiento. Al cabo de una hora ya éramos amigos. A ese primer encuentro siguieron otros, hasta mi salida de España, un poco más tarde.

A principios de 1940, la guerra perdida, María y Alfonso llegaron desterrados a México. Daniel Cosío Villegas, por recomendación quizá de León Felipe, la había contratado para que formase parte de la Casa de España (después transformada en Colegio de México) y diese cursos de filosofía. Pero hubo, según parece, cierta oposición entre algunos de sus colegas (¡una mujer profesora de filosofía!) y se decidió enviarla a Morelia. Sin apenas darle tiempo a descansar y conocer un poco la ciudad, con aquella indiferencia frente a la sensibilidad ajena que era uno de los rasgos menos simpáticos de su carácter, Cosío Villegas la despachó inmediatamente a Morelia. La ciudad es encantadora pero María se sintió perdida lejos de sus amigos y en un mundo ajeno a sus preocupaciones. Cada vez que podía volvía a México. Así reanudamos nuestro trato. Colaboró en *Taller*, que yo dirigía, y en sus páginas publicó un ensayo que fue el germen de su primer libro y el tema constante de sus meditaciones: «Poesía y filosofía». Al cabo de un año, dejó nuestro país, invitada a dar unos cursos en La Habana. Allá vivió una larga temporada. La amistad con Lidia Cabrera, Lezama Lima y otros le hicieron más llevadero el destierro. Fue una época de fecundidad intelectual y también de cierta felicidad, como lo revelan sus ensayos y sus cartas.

Volví a ver a María después de la segunda guerra, en París, con su hermana Araceli. Largas conversaciones en los cafés o en las casas de los amigos sobre el pensamiento poético, el realismo y lo sobrenatural, Zurbarán y el pintor Fernández (del que fue muy amiga), apuros económicos y angustias íntimas, divagaciones en torno a una botella de Henri-Martin y un paquete de Gitanes, canciones populares para alimentar la nostalgia, lecturas de Plotino, pasión por los gatos, Galdós, algunos místicos y unos pocos poetas. Por razones que desconozco, María y Araceli dejaron París y se instalaron en Roma. Fue la época de la gran amistad con Diego de Mesa y con el pintor Juan Soriano, sobre el que María ha escrito cosas agudas e iluminadoras. Vivieron después en Suiza, Araceli murió y María regresó a España. A pesar de que la distancia y los viajes habían hecho más difícil nuestro trato, la amistad nunca se rompió. Cada vez que iba a Madrid, procuraba visitarla. La última fue hace dos años. La encontré decaída pero lúcida. Desde un balcón de su casa, cercana al Retiro, veíamos el mismo cielo madrileño —pálido azul y nubecillas leves— que Velázquez había visto y pintado. María estaba vestida de blanco, como una sacerdotisa de algún culto y hablaba con lentitud. Estaba cerca de la muerte pero sonreía. Una sonrisa que todavía me ilumina.

A lo largo de más de medio siglo hablé con María Zambrano muchas veces y durante horas y horas. Nuestra amistad fue una larga conversación. Guardo de esas pláticas no las ideas, que se disipan, sino el sonido de su voz. Un sonido de cristal, claro como agua y, como ella, fugitivo, inapresable. ¿De dónde venía su voz? De un lugar muy antiguo, un lugar que no estaba afuera sino adentro de ella misma. ¿Por qué hablo de su voz y no de sus escritos? Creo que hay dos razas de escritores: aquellos que desaparecen bajo su escritura y aquellos que consiguen que su voz se filtre a través de los desfallecimientos y opacidades del lenguaje escrito. Cuando leo a María, la oigo. Es una voz líquida, que no avanza en línea recta sino serpeando entre pausas y vacilaciones, como si sortease obstáculos invisibles. Una voz que, más que buscar su camino, lo inventa. De pronto, la materia verbal deja de fluir y se concentra en una frase que se levanta de la página como un chorro de claridad. En esos momentos de verdadera inspiración, la voz de María se transfigura. No sé si lo que nos dice esa voz es filosofía o es poesía. Tal vez ni la una ni la otra: la voz de María nos habla, sin decirlo expresamente, de un estado anterior a la poesía y a la filosofía. Entonces, por un instante, las formas que vemos son también los pensamientos que pensamos.

México, a 5 de febrero de 1991

[«Una voz que venía de lejos: María Zambrano (1904-1990)» se publicó en *Vuelta,* núm. 172, México, marzo de 1991. Se recogió en *Al paso,* Seix Barral, Barcelona, 1992.]

Oración fúnebre: Luis Cardoza y Aragón (1904-1992)

Aunque esperada, por su edad y por el asedio de una larga enfermedad, la noticia de la muerte de Luis Cardoza y Aragón me ha entristecido. Escribo estas líneas desordenadas al correr de la pluma y guiado por mi emoción. Lo conocí hacia 1936 o 1937. ¿Fue en la redacción de *El Nacional,* con Efraín Huerta? ¿O fue en el Café París, en la mesa que frecuentaban, entre otros, Juan Soriano, María Izquierdo y Lola Álvarez Bravo, por lo que a veces Luis se presentaba, en busca de su amiga Lya Kostakovsky, con la que después se casaría? Pronto fuimos amigos; nuestras coincidencias fueron espontáneas y profundas. Nos unía el amor a la poesía y al arte modernos, una pasión que en aquellos años era todavía un combate y una apuesta, no un juicio sin riesgo como ahora. Aunque por su edad y su formación era de la generación de Contemporáneos (fue muy amigo de Jorge Cuesta y de Xavier Villaurrutia), su temperamento y sus ideas poéticas lo apartaban de la estética de ese grupo y lo acercaban a lo que yo pensaba y quería. Para los dos la actividad poética era inseparable del erotismo y la subversión. A los dos nos interesaba el surrealismo. Más tarde, Luis Cardoza y Aragón puso sus innegables dones poéticos al servicio de un partido y de una ideología. Siguió en esto a otros grandes poetas modernos: Neruda, Éluard y Aragón. Sin embargo, a diferencia de ellos, casi siempre preservó a su poesía de la contaminación ideológica. Esto la salva. Por desgracia, no ocurrió lo mismo con su prosa crítica ni, sobre todo, con sus actitudes públicas. Es verdad que al final condenó al estalinismo pero sería inútil buscar en esa condena, más bien tardía, una confesión o una explicación de las razones que lo llevaron por muchos años a defender la dictadura burocrática enmascarada de socialismo.

La obra poética de Luis Cardoza y Aragón se inscribe dentro de esa corriente que podríamos llamar el surrealismo hispanoamericano, que es una variante afortunada y heterodoxa del surrealismo original. Una versión en la que el lenguaje humano se vuelve también el de las sustancias primordiales: sangre, savia, jugos femeninos, semen, lava. Un lenguaje delirante o, más bien, sonámbulo. Fue una tendencia ilustrada por grandes libros como *Residencia en la tierra* de Pablo Neruda y *Los hombres del maíz* de Miguel Ángel Asturias. Dentro de esa tradición, la poesía de Cardoza y Aragón ocupa un sitio singular y único. Apenas si necesito recordar su *Pequeña sinfonía del Nuevo Mundo,* verdadera obra maestra. Otro texto de poesía en prosa que me impresionó mucho cuando lo leí por primera vez, hace ya cerca de medio siglo, es el *Elogio de la embriaguez.*

Luis Cardoza y Aragón será recordado no solamente por su obra poética sino por su crítica pictórica. La pintura mexicana moderna le debe páginas exaltadas y luminosas. Su método crítico fue el del disparo y el chispazo. Método heroico y asimismo arriesgado: a veces ilumina y a veces es mero disparo al aire. En realidad, sus textos de crítica no son realmente ensayos sino colecciones desordenadas de aforismos, algunos certeros, otros deslumbrantes y otros tiros perdidos en la noche. La profusión acaba por cansar. Sus frases eran como flechas engalanadas de plumas y llamas. No es extraño que Xavier Villaurrutia lo haya llamado *El flechador.* Esta palabra lo define y define las virtudes y las limitaciones de su crítica.

Luis Cardoza y Aragón fue un compañero de mis años de iniciación. Conversamos, bebimos y caminamos durante largas noches por las calles de México. Después vino la ruptura. Nuestras diferencias eran profundas y nuestros puntos de vista tal vez irreconciliables. No me arrepiento de esas diferencias, aunque siempre las lamenté y todavía las lamento. Me parece honrado aludir a ellas, porque nada es más vil e hipócrita que ocultar las pasiones y las razones que nos llevaron un día a romper con amigos queridos. Al enterarme de su muerte, reviví momentos compartidos, unos en México y otros, un poco después de la guerra, en París. Era el periodo de las grandes disputas sobre el comunismo, la libertad, la revolución y la democracia. En diarios y revistas aparecían con frecuencia los artículos y las declaraciones de Malraux y Camus, Sartre y Breton, Aron y Aragón. Nosotros participábamos en aquellos debates, Luis había vivido por una temporada en Moscú y aquella experiencia no había debilitado sino fortalecido sus creencias; en mi caso, al contrario, mis sentimientos revolucionarios se evaporaban y el régimen estalinista, hasta entonces recubierto por las brumas de la ignorancia y de la fe, aparecía en toda su terrible realidad. A pesar de nuestras discusiones, nos veíamos en su casa, en la mía o en la de amigos comunes. Una de las últimas veces fue la noche del 31 de diciembre de 1946. Luis y Lya cenaron en mi casa con otra pareja, Olga y Rufino Tamayo. Aquella noche, por un tácito, informulado acuerdo, no se habló una palabra de política. Al despedirse, Luis me entregó un libro y me dijo: la poesía también es un puente. Era el volumen de Rimbaud, en la colección de La Pléiade. En la primera página, escrita con lápiz, la dedicatoria. «A Octavio, Luis, Enero 1 de 1947.» Todavía guardo el libro... No, todo está vivo, la amistad y las desavenencias, la admiración y la melancolía.

México, a 4 de septiembre de 1992

[«Oración fúnebre: Luis Cardoza y Aragón (1904-1992)» se publicó en *Vuelta*, núm. 191, México, octubre de 1992.]

Luis Rosales (1910-1992)

Una llamada telefónica de Madrid me anuncia la muerte del poeta Luis Rosales. Aunque desde hacía muchos años conocía su obra, mi amistad con él comenzó en 1979, en un viaje que hizo a México con Carlos Barral. Desde entonces fuimos amigos. En esos años aprendí a estimarlo y a quererlo. Rosales pertenecía a mi generación, es decir, al grupo que aparece entre 1935 y 1940, inmediatamente después de los poetas de 1927 en España y, en América, de Huidobro, Vallejo, Borges y Neruda. A esta generación pertenecían también, entre otros, Miguel Hernández, Lezama Lima, Juan Gil-Albert, Enrique Molina y Gonzalo Rojas. Fue una generación que continuó a la anterior pero que, al mismo tiempo, modificó profundamente la estética y la ética de los poetas de 1927. La relación entre ellos y nosotros es semejante a la que une y separa, simultáneamente, a Quevedo de Góngora o a Baudelaire de Hugo y los grandes románticos. Si se me pidiese decir en una sola frase cuál fue la aportación de mi generación a la poesía moderna de nuestra lengua respondería sin vacilar: le devolvió *gravedad* a la palabra poética. En este grupo de notables poetas, Rosales ocupa un sitio singular. Por una parte, fue un poeta representativo de su momento, marcado por la guerra de España y por el conflicto mundial; por otra, fue y es algo más o, mejor dicho, algo distinto: lo mejor de su obra transciende a su momento, a sus querellas y dramas. Pienso, sobre todo, en algunos de sus grandes poemas, como *La casa encendida* o el *Diario de una resurrección*, en los que Rosales adopta y recrea un verso largo de ritmo lento. Un verso que viene de Whitman y de sus sucesores pero al que Rosales interioriza y convierte en entrecortada confidencia, apasionada y meditativa confesión. Versos más musitados que dichos y que se deslizan como un sinuoso río reflexivo. Así Rosales logra unir dos extremos opuestos: la narración y la descripción con el lirismo. Fue un poeta sentencioso, en la mejor tradición española, y al mismo tiempo fue un poeta que se perdió y se encontró no en los laberintos del lenguaje sino en la penosa exploración de su intimidad. La nota sobresaliente de su poesía es su dimensión moral, en el sentido quevedesco de la palabra: reflexión, dolorido sentir frente a la existencia humana.

La muerte de Luis Rosales me arrebata un amigo entrañable; me consuela pensar que la muerte no es todopoderosa: el poema, como él mismo dice, es el espacio de una resurrección.

México, a 24 de octubre de 1992

[«Luis Rosales (1910-1992)» se publicó en *Vuelta,* núm. 192, México, noviembre de 1992.]

Pablo Neruda (1904-1973)

En este mes de septiembre se cumplen veinte años de la muerte de Pablo Neruda. Como un mínimo homenaje, publicamos un poema suyo, *Discurso de las liras.* No es inédito pero pocos, muy pocos, lo conocen: se publicó hace ya más de medio siglo en una revista de escasa circulación y no ha sido recogido en la edición de sus llamadas *Obras completas* (y que están muy lejos de serlo, para vergüenza de todos nosotros los hispanoamericanos). *Discurso de las liras* apareció en el número VI de *Taller*, en noviembre de 1939. A manera de prólogo, precedía a una breve selección de liras de varios poetas del siglo XVII: Luis Martín (figura en *Flores de poetas ilustres,* la célebre antología de Pedro Espinosa, y fue, según Dámaso Alonso, «un excelente poeta de segundo orden»); Sor Juana Inés de la Cruz, el conde Bernardino de Rebolledo (embajador de España en Hungría y Dinamarca, incluido por Gerardo Diego en su antología en honor de Góngora y autor de un curioso «tratado sobre la existencia del Purgatorio»); Juan de Tassis, conde de Villamediana y doña Cristobalina (su nombre completo era Cristobalina Fernández de Alarcón, «Sibila de Antequera», como la llamó Lope de Vega). Pablo Neruda había hecho la selección de estos poemas para un número de *Cruz y Raya* que no llegó a salir pues la guerra acabó con la revista, como con tantas otras cosas. Sabedor de que José Bergamín había logrado salvar el poema de Neruda y los otros textos, le pedí que me permitiese publicarlos en *Taller.* Accedió generosamente. En agosto del año siguiente llegó Neruda a México y aprobó la publicación de su poema.

Discurso de las liras pertenece a lo que podría llamarse el periodo madrileño de Pablo Neruda, que fue el de su consagración y también el de su descubrimiento de la poesía española del siglo XVII, como lo muestran su memorable antología de Quevedo y *El desenterrado,* impresionante homenaje al conde de Villamediana. Muy probablemente el poema que ahora publicamos fue escrito un poco después de la publicación de *Residencia en la tierra* en las ediciones Árbol de *Cruz y Raya.* (Curiosa coincidencia: el libro terminó de imprimirse precisamente en el mes de septiembre de 1935.) Ignoro por qué *Discurso de las liras* no fue incluido en la *Tercera residencia;* no es inferior a los poemas que componen la primera parte de ese libro. Todos ellos, por su inspiración y su factura, son una suerte de alcance de *Residencia en la tierra.* En *Discurso de las liras* hay un sostenido sentimiento de la forma —estrofas de cuatro versos cada una— aliado a esa visión sonámbula del mundo que dio a su poesía, en esos años, una *gravedad* que la distingue de todo lo que se escribía entonces. Gravitación del lenguaje atraído por un oscuro magnetismo hacia una región de sensaciones y latidos, reinos subterráneos del ser, evidencias que podemos tocar pero no pensar, como estos cuatro endecasílabos a un tiempo resplandecientes y sombríos:

> Es que el alma del hombre busca heridas,
> a ciegas, en la sombra de las cosas,
> tanto en la escasa inmensidad del pétalo
> como en la sorda ciencia de las olas.

Un año después, en 1940, Neruda colaboró de nuevo en *Taller,* en el número XII, que fue el último. Publicamos un breve texto suyo de presentación de Sara de Ibáñez y una selección de sus poemas. Se trataba de un auténtico descubrimiento pues tanto la figura como la poesía de Sara de Ibáñez eran totalmente desconocidas en el mundo literario hispanoamericano. La presentación de Pablo no sólo exaltaba a la joven poetisa sino que contenía una expresión injuriosa en contra de Juan Ramón Jiménez. No podía ser más inoportuno aquel exabrupto: revivía querellas madrileñas anteriores a la guerra y ajenas a *Taller.* Además, Juan Ramón era suscriptor de la revista y me había enviado una colaboración que me apresuré a publicar en el número X (*Los árboles,* uno de sus mejores poemas). Sin embargo, a pesar de la resistencia de alguno de los miembros del consejo de redacción, decidí publicar el texto de Neruda. Salió con una errata y, descuido imperdonable, su nombre no figuraba en el sumario de la portada. Todavía me avergüenzo de estos errores, aunque, debo decirlo, mi culpa era relativa: fue una distracción de la persona que se ocupaba de la impresión de la revista. Pablo se disgustó y aceptó sólo a medias mis explicaciones. Tenía razón pero, también, sólo a medias. Por desgracia, este pequeño incidente coincidió con sus desavenencias con Bergamín, en las que yo me vi envuelto a pesar mío. Dejamos de vernos por una temporada; después, se reanudó la amistad aunque no por mucho tiempo; un poco más tarde, como he contado en otra ocasión, rompimos definitivamente. Nuestras diferencias en materia política eran demasiado profundas. A mí me dolió la ruptura y tengo la debilidad de creer que a él también lo afectó. Así me lo dio a entender cuando, muchos años después, volvimos a vernos, en Londres, en 1967. Ahora, al recordar todo esto y escribir estas líneas, me invade un sentimiento que sólo de una manera muy imperfecta designa la palabra *nostalgia;* es una mezcla indefinible e inextricable de pena y de añoranza, de la sensación de lo irreparable y de la conciencia de la muerte y del olvido que a todos nos aguarda. Musito el nombre de Pablo Neruda y me digo: «lo admiraste, lo quisiste y lo combatiste. Fue tu enemigo más querido».

DISCURSO DE LAS LIRAS

La lira de las hojas secas
y su vacilación de aromas de oro
atraviesa la sombra y el olvido
con aleteo de palomas rojas.

Claramente la forma se desliza
hacia el cristal, hacia las blancas manos,
hacia la magnitud de los rosales
cuyas raíces esperan el mar.

La forma arde en su fuego de puñales
y dirige quemantes quemaduras
como estrella de puntas invencibles
o llave enrojecida con secretos.

Es que el alma del hombre busca heridas,
a ciegas, en la sombra de las cosas,
tanto en la escasa inmensidad del pétalo
como en la sorda ciencia de las olas.

Herida! Herida! Voz con agua y ojos
sumando olvidos de aire taciturno,
lágrimas llenas de hojas como yedras,
sustancias derrotadas del otoño!

Temblor que busca patria deslizándose
a borbotones de flechas quemadas
hacia el árbol de rotas iniciales
que la noche y la nieve devoraron.

El poeta escucha y crece con la noche,
y su sistema de suspiros crece
hacia una forma como un globo de agua
o una cebolla de metal remoto.

Porque la lira sale de las hojas
secas, pisadas por el viejo olvido,
como un caballo de patas de plata
y celestial hocico ceniciento.

[«Pablo Neruda (1904-1973)» se publicó en *Vuelta,* núm. 202, México, septiembre de 1993.]

Roberto Juarroz: el pozo y la estrella

Una llamada telefónica me anunció la muerte de Roberto Juarroz, en Buenos Aires. La noticia me ha dolido pero no me ha sorprendido. Desde hace más de un año supe, por un amigo común, poeta y médico, Lorenzo Martín, que estaba enfermo de gravedad y que la medicina moderna, en su caso, no podía hacer nada, salvo prolongar su vida por unos cuantos meses. Con frecuencia pensé en él y en su mujer, la inteligente y sensible Laura Cerrato, que lo quiso con un amor lúcido, sabiendo lo que valía. Ante lo inevitable los hombres no tenemos más remedio que inclinarnos: yo me inclino ante esta muerte, no sin antes trazar en el papel unos pocos signos en los que la pesadumbre se alía a la admiración y ambas a la amistad.

Tuve noticias de Juarroz, por primera vez, en París, hacia 1960. Publicaba en Buenos Aires una pequeña revista, *Poesía/Poesía,* compuesta de ocho páginas y que distribuía entre un centenar de personas. Sus breves poemas me impresionaron por su concentración y su limpidez: en un lenguaje preciso y directo el joven poeta nos revelaba aspectos desconocidos de la realidad. Poemas dirigidos a la mente por una sensibilidad pensante. Lo sorprendente no era el lenguaje sino la perspectiva que descubría cada uno de sus poemas. En esas lejanas composiciones juveniles ya estaba presente el don maravilloso que nunca lo abandonó: provocar, con los medios más simples, lo más extraño e inesperado. La poesía de Juarroz me conquistó inmediatamente, como años antes había ganado mi adhesión la prosa nítida de Antonio Porchia. Mencionar a Porchia al hablar de Juarroz no es gratuito: fue un escritor afín y que, quizá, lo inició en su extraña peregrinación hacia las fuentes ocultas de lo que llamamos realidad. Un poco más tarde conocí en persona a Roberto; el puente fue la amistad que nos unía a los dos con la poetisa Alejandra Pizarnik. Desde entonces fuimos amigos y nunca dejamos de serlo. Hombre recto y de una pieza, incurrió en la malquerencia de los militares argentinos, tuvo que desterrarse y vivió en los Estados Unidos y en Colombia por algún tiempo. Regresó a Buenos Aires más tarde y allá tuvo que enfrentarse a otra intolerancia: la de los intelectuales de izquierda. Todo eso hoy no tiene importancia: Roberto Juarroz nos ha dejado una obra poética que juzgo única, preciosa e insustituible. Con él se ha ido uno de los creadores más puros y hondos de la segunda mitad del siglo XX.

Publicó trece libros, todos con el mismo título y el mismo tema: *Poesía vertical.* Estaba enamorado del arriba y del abajo, del agua profunda y quieta del pozo y de los astros que vislumbramos en lo alto de una torre. Tema único y doble: la geología del ser, la astronomía del espíritu. Visión del poeta que ve, hacia abajo, desde arriba y desde abajo, hacia arriba: del cuerpo a la mente y de la mente a las pasiones, esas realidades que nos parecen quimeras y que son, a un tiempo, intangibles y palpables. Visión unitaria: el arriba y el abajo, sin jamás fundirse del todo, se contemplan interminablemente. Contemplación que es el diálogo del hombre consigo mismo y con el universo. A Juarroz no le conviene la gastada expresión «gran poeta»: lo define algo distinto y más raro: fue un alto y hondo poeta.

México, a 2 de abril de 1995

[«Roberto Juarroz: el pozo y la estrella» se publicó en *Vuelta,* núm. 222, México, mayo de 1995.]

Carlos Barral

Señoras y señores, Yvonne, amigos,

Antes de comenzar quiero hacer dos pequeñas advertencias. La primera es que voy a improvisar, y ustedes tienen que perdonarme lo desmañado de estas palabras. Lo segundo, de un modo muy profundo, darle las gracias a Ramón Oteo, no solamente por las generosas palabras que me ha dedicado, sino también por su espléndido discurso, que ha sido una evocación muy viva, muy real, y al mismo tiempo llena de consideraciones críticas, de la persona y de la obra de Carlos Barral.

Carlos Barral fue ante todo un poeta. También fue autor de memorias notables y ensayos. En su vida pública, además de sus intereses y actividades políticas, fue esencialmente un editor. Y yo añadiría un gran editor. Todas estas actividades fueron sobre todo las actividades de un hombre. Pero *hombre* quizá no sea la palabra más exacta; yo diría: una persona. Hombres somos todos: razón, carácter, temperamento y, en fin, lo que nos distingue de los otros seres vivos. Pero ser una persona es algo muy especial y no todos los hombres logramos serlo. Una persona es, más que una personalidad, algo más difícil: un *alma,* para emplear una vieja palabra que no tiene, a mi juicio, sustituto.

Carlos era una persona, a primera vista, afilada, elegante; recuerdo que mi mujer me dijo: «Tiene aire de proa». Y yo agregué: «Sí, pero sobre todo tiene aire de capitán de barco». No un barco importante; un barco de papel, un barco de niño, porque Carlos Barral tenía una cordialidad y una curiosidad de niño. Y esa espontaneidad, esa cordialidad, esta curiosidad fresca frente al mundo estaba unida a otras cualidades más serenas y que delatan la madurez de una inteligencia y un espíritu: era reflexivo, era crítico y capaz de indignarse. Tenía fresca la admiración, pero también la indignación, las dos «alas» de la buena poesía. Era capaz de sonreír y de reír, la capacidad del que sueña, y cuando sueña, de reírse de sus sueños...

Todo esto que acabo de decir es una manera un poco sumaria de expresar algo que me impresionó en su persona desde el principio: la curiosidad, la inteligencia, la simpatía y la melancolía. No se puede tener auténtica distinción espiritual —y él la tenía— sin una gota de melancolía.

Lo conocí en México, hacia 1950 o 1951 gracias a un español desterrado que vivía en mi país, un escritor amigo que fue un «puente» entre los escritores mexicanos y los españoles: Max Aub. Un poco después coincidí con él en Formentor, porque muy generosamente su editorial me invitó a formar parte del jurado. Y ahí tuve la dicha de conocer a Jaime Salinas y al poeta Jaime Gil de Biedma. Una amistad que ha durado en el caso de Jaime Salisas hasta ahora y, en el caso de Gil de Biedma, hasta su muerte. La amistad con Carlos Barral, Gil de Biedma, Salinas y, más tarde, con Pere Gimferrer, me abrió las puertas de la nueva literatura española. El franquismo nos había separado de la vida cultural española, y la amistad con estos jóvenes me abrió a mí, viejo amigo de España, el conocimiento de las nuevas tendencias de la literatura española y catalana. Más tarde vi muchas veces y conversé largamente con Carlos Barral. En Barcelona (con Yvonne, su mujer), en México, en París, en Madrid, y hace unos pocos años —la última vez que lo vi, en Aix-en-Provence.

Se recuerda a Barral como editor. Como editor ya me referí a su curiosidad. Habría que agregar: su ansia de modernidad. Pensaba que nuestra cultura necesita abrise al aire del mundo, y no se equivocaba. Su curiosidad era inteligente, una curiosidad crítica. Le debemos la publicación de muchos autores extranjeros y nosotros, los hispanoamericanos, le debemos su simpatía por nuestra literatura. Fue el editor de la nueva literatura hispanoamericana y sin su actividad muchos de nuestros escritores habrían tardado en ser conocidos. ¿Cómo no agradecérselo?

A mí, más que sus activiades de editor —con haber sido notables e importantes— y más que su actividad política en defensa de la libertad, me interesa el poeta. Y al lado del poeta, el memoralista. El memoralista porque nuestras literaturas caracen de grandes libros de memorias. Si pensamos en la literatura francesa, por ejemplo, inmediatamente vemos la riqueza que tiene esa literatura en memorias y autobigrafías. En cambio, nosotros hemos sido pobres en este dominio, como si nos diese miedo tener una vida más íntima y personal. En el caso de Barral, estas memorias, que son el retrato de una época de una ciudad y de una sociedad, son también, y sobre todo, el retrato de un joven, de un hombre, que quiso ser y fue un poeta.

Recuerdo mi emoción al leer, hace mucho, uno de sus primeros libros: *Metropolitano.* Me extrañó el título. Sin embargo, uno de los poemas me dio la clave: «Correspondencia». Un «metropolitano» es un sistema de comunicaciones, una red que une a una estación con otra. En cada sistema de Metro hay algunas estaciones que comunican una estación con otra, se llaman «estaciones de correspondencia». Y esto es lo que es la poesía de Carlos Barral. En primer término: metropolitana, poesía de la ciudad, poesía urbana, poesía de un hombre civilizado, con todas las angustias de los que vivimos en las terribles y maravillosas ciudades modernas. (En él había, claro, el mar y la quimera del mar. Pero era un mar visto desde su realidad de ciudadano.) Metropolitano y, en su centro, la *correspondencia.* Esta palabra enlaza a su poesía con una filosofía que es la base de la poesía moderna: la «teoría de las correspondencias» de los románticos alemanes y de Baudelaire. «Todo se corresponde, todo rima», el mundo es un sistema de señales, de llamadas y respuestas. Así, el *Metropolitano* de Carlos Barral es una metáfora del universo entero, del mundo de las constelaciones y del mundo del mar, que son sistemas de señales, continua comunicación del cielo con la tierra, del agua con el fuego, del viento con el polvo. Comunicación significa ritmo cósmico, significa poesía, y Carlos Barral fue fiel a la poesía.

Los hombres, en este mundo de correspondencia que es el universo, estamos hechos de tiempo, somos metáforas del tiempo. Todo en el universo se comunica a través del tiempo. El hombre, el poeta o el científico, es el transmisor de las señales. El poeta es una estación de correspondencias. Y con esta metáfora quiero terminar: veo a Carlos Barral como un ser de correspondencia, un lugar de encuentros —el mar y la ciudad, Cataluña y España, América y Europa—. Metáfora de nuestro tiempo, metáfora nuestra.

1992

[«Carlos Barral» son las palabras pronunciadas en el homenaje a Barral, celebrado en Vila-seca, el 21 de junio de 1992. El texto se publicó en *Proa a gregal. Crónica d'un homenatge,* Ediciones el Medol / Junta del Port de Tarragona, Tarragona, 1992.]

ÍNDICE DE NOMBRES

Este índice incluye nombres de autores y personajes reales (en VERSALITAS), de divinidades y de personajes míticos y literarios (en redondas), de obras literarias y artísticas, poemas y revistas (en *cursivas*) y de artículos, partes de obras, etc. (en redondas y «entre comillas»). Después del título de la obra se cita el nombre de su autor entre paréntesis.

Índice general

Fundación y disidencia
Dominio hispánico

Obras completas II. Excursiones/Incursiones. Dominio extranjero y *Fundación y disidencia. Dominio hispánico,* de Octavio Paz, se terminó de imprimir y encuadernar en marzo de 2014 en Impresora y Encuadernadora Progreso, S. A. de C. V. (IEPSA), Calz. San Lorenzo, 244; 09830 México, D. F. La edición, al cuidado de *Ana Clavel* y *Alejandra García,* consta de 4 000 ejemplares.